ISBN 2-02-004447-1.
(Édition originale : ISBN 0-03-008371-0,
Holt, Rinehart and Winston, New York.)

Titre original : The Rockefellers, an American Dynasty.
© 1976, Peter Collier and David Horowitz.
© 1976, Éditions du Seuil, pour la traduction française.

UNE DYNASTIE AMÉRICAINE

les Rockefeller

Peter Collier
David Horowitz

Traduit de l'américain
par Robert Merle et Magali Merle

SEUIL

27, rue Jacob, Paris 6ᵉ

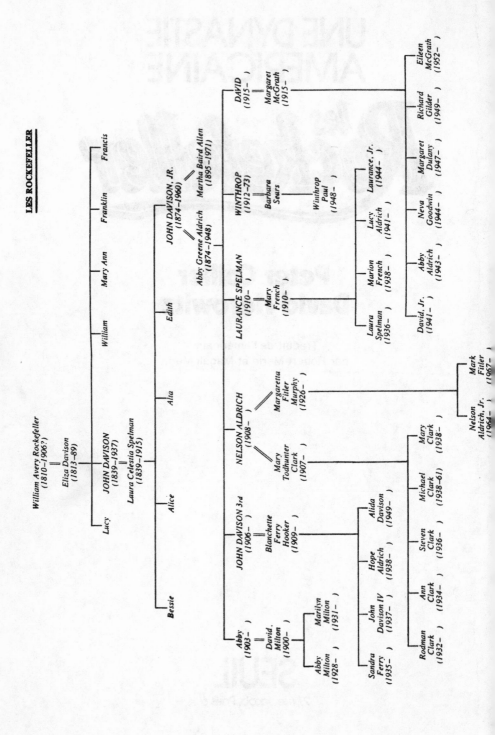

1. Le père

« Deux hommes se sont distingués dans la création du monde moderne : Rockefeller et Bismarck. L'un dans l'économie, l'autre dans la politique, ils ont tous deux anéanti le rêve libéral du bonheur universel par la concurrence individuelle, et l'ont remplacé par le monopole et l'État corporatif... »

Bertrand Russell.

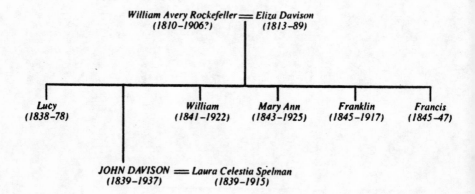

William Avery Rockefeller = Eliza Davison
(1810–1906?)   (1813–89)

Lucy
(1838–78)

William
(1841–1922)

Mary Ann
(1843–1925)

Franklin
(1845–1917)

Francis
(1845–47)

JOHN DAVISON = Laura Celestia Spelman
(1839–1937)   (1839–1915)

Les traducteurs remercient vivement Mme Nicole Dubois de l'aide précieuse
qu'elle leur a apportée dans l'établissement des notes.

CHAPITRE I

Dans les premières années du XXe siècle, lorsque l'Église protestante cimenta son unité dans sa croisade pour sauver le monde païen, les congrégationalistes, soldats du Christ, s'évertuèrent à porter leurs pas vers les terres de ténèbres où devaient se livrer les combats décisifs entre le bien et le mal. Cette guerre coûtait cher et, dans des circonstances normales, l'annonce d'une donation de 100 000 dollars au Comité des missions à l'étranger aurait dû susciter des prières d'action de grâces et, qui sait, un hymne spontané de louanges au Seigneur parmi les ministres de l'Église rassemblés à Boston au début de 1905. Mais, en découvrant que ce don grandiose provenait de la bourse de John D. Rockefeller, un murmure de colère emplit la salle. L'un des ministres se précipita sur l'estrade pour exiger des doyens le retour immédiat au donateur de cet « argent souillé ».

« Est-ce là de l'argent propre? Je vous le demande, quel homme, quelle institution, connaissant sa provenance, pourrait le toucher et demeurer impollu? », dit le révérend Washington Gladden, le plus éminent congrégationaliste du pays. De toute part, on accumulait les richesses « par des méthodes aussi impitoyables, aussi cyniquement iniques que celles des rapaces de la Rome antique ou des barons brigands du Moyen Age. Dans la froide brutalité qui préside au pillage de la propriété et de l'épargne, au vol du petit bien de centaines de gens, tout cela pour bâtir les fortunes des multimillionnaires, nous avons une révélation effarante de l'espèce de monstre qu'un être humain peut devenir ».

Partie de la petite salle de réunion que les ministres avaient louée, la controverse gagna Boston puis le pays tout entier. Les journaux furent inondés de lettres de lecteurs sur cette douteuse faveur du ciel : fallait-il ou non l'accepter? L'expression d' « argent souillé » entra dans le vocabulaire de l'Américain moyen (« Sûr qu'il est souillé, disait un rimatoire vaudevillesque de l'époque, l'est pas dans votre soulier, et l'est pas non plus dans le mien. »). Cependant, parmi les nombreux Américains d'accord avec ceux des congrégationalistes qui voulaient purifier les 100 000 dollars en les mettant au service du Seigneur, rares étaient ceux qui allaient jusqu'à suggérer que l'âme du donateur pouvait gagner par là son salut. Car John D. Rockefeller était le pécheur le moins repenti de l'heure. Le sénateur Robert Lafolette l'appelait « le plus grand criminel de l'époque ». On le brocardait dans les journaux où on le caricaturait sous l'aspect d'un grand hypocrite dégingandé

9

qui donnait des piécettes d'une main tout en volant des sacs d'or de l'autre. Mr. Dooley, dans son langage laconique, avait déclaré que Rockefeller était « une sorte de société pour la prévention de la cruauté à l'égard de l'argent. S'il trouve un homme qui fait mauvais usage de son àrgent, il le lui prend et l'adopte ». Cet homme étrange et secret avait des yeux impassibles, une bouche cruelle en forme d'estafilade, et si le moindre doute avait pu subsister sur sa nature, *l'Histoire de la Standard Oil* qu'Ida Tarbell venait de publier suffisait à établir que le nom de Rockefeller était synonyme de rapacité sans frein et d'appétit illimité de puissance.

De tous les hommes que Theodore Roosevelt accusa d'être des « malfaiteurs de haut vol », John D. Rockefeller était incontestablement le plus riche. Au moment de la polémique sur « l'argent souillé », sa fortune se montait à 200 millions de dollars, et, sur sa propre lancée, atteindrait sans effort le milliard de dollars en quelques années. (Une telle somme défiait l'imagination; un astucieux chrétien calcula qu'elle était supérieure à ce qu'aurait eu Adam à son crédit s'il avait déposé quotidiennement 500 dollars à son compte en banque depuis le jour de sa sortie précipitée du Paradis.) Cependant, Rockefeller était par ailleurs très différent des autres grands barons brigands qui avaient mis le pays en coupe réglée au cours des vingt dernières années. Pilier de l'Église baptiste depuis sa jeunesse, la dîme que versait Rockefeller approchait déjà les 100 millions de dollars en 1905, et il consacrait toute son attention à la création du système de philanthropie le plus étendu que le monde eût jamais connu. Époux fidèle, père affectueux, ses manières courtoises avaient désarmé plus d'un fonctionnaire gouvernemental, et dans ces milieux on en arrivait à se demander si l'on avait devant soi un pêcheur ou une victime.

Il avait pris maintenant sa retraite, mais, même aux heures les plus glorieuses du grand Standard Trust, il n'avait pas montré l'ambition dévorante et les appétits rapaces des Fisk, Gould, Vanderbilt et compagnie. Comparé à ces requins, Rockefeller était un modéré. Il ne se lança jamais dans leur audacieux vandalisme sur le marché de la Bourse, il ne grugea jamais le public avec leur désinvolture, et ne pilla jamais les titres et l'épargne avec leur impudence. Il savait ce qui était permis en affaires et ce qui ne l'était pas; personne n'aurait dit de Rockefeller ce que l'astucieux James Stilman, de la First National Bank, avait dit du puissant J. P. Morgan : « C'est un poète. »

C'était pourtant en Rockefeller — Rockefeller le bûcheur, le modéré — que le public voyait le symbole éclatant d'un système économique impitoyable qui avait réussi une fois pour toutes à s'asseoir sur les hommes et à les écraser. Peu importait sa personne. Pour le grand public, Rockefeller, dans un pays dont le cœur battait au rythme des grandes affaires, avait inventé une nouvelle forme de domination économique : le monopole. Et le danger pour l'humanité qu'il avait fini par incarner, ce n'était pas celui du pirate qui opère en dehors des normes, mais celui de la puissance inique et incontrôlable inhérente à ces normes mêmes. En un sens, Rockefeller était l'image vivante d'un système porté à son paroxysme logique et sans frein : le concurrent qui détruit complètement la concurrence. Ce n'était pas un hasard si l'époque que Mark Twain avait appelée le Siècle de l'Argent avait choisi John D. Rockefeller pour la représenter en Amérique.

Tandis que sa carrière d'homme d'affaires volait de triomphe en triomphe, le public, comme s'il espérait découvrir dans le monde un principe de justice depuis longtemps perdu, épluchait les ragots de presse sur sa vie privée pour y trouver au moins la trace d'une infortune ou d'un échec. Et quand un journaliste de New York annonça avec satisfaction que l'estomac rockefellérien était à ce point délabré que notre homme se voyait contraint de vivre de lait et de pain, et aurait volontiers distrait une partie de sa bedonnante fortune pour pouvoir digérer un steak — on exulta.

Il y avait là pourtant une force interne qui défiait le public — sans arrogance, mais avec la certitude tranquille d'avoir raison. A la différence des autres barons brigands qui avaient fini par accepter et même par chérir leur statut de hors-la-loi, ne faisant pas mystère de leurs trafics et mettant la société au défi d'arrêter leurs entreprises, Rockefeller fut toujours convaincu d'être resté, tant dans sa vie privée que dans les affaires, un homme honnête et un bon chrétien. Le sentiment très vif qu'on l'avait injustement calomnié et le désir qu'on lui rende justice devaient devenir l'une des constantes dans la lignée qu'il engendra.

Agé de soixante-six ans, Rockefeller avait encore trente-deux ans devant lui ; il devint, en un sens, le seul survivant de cette époque héroïque et sans lois. Des années après que la hiérarchie congrégationaliste eut reconnu avec douleur avoir elle-même sollicité la fameuse contribution souillée dont ses ministres avaient déclaré qu'elle représentait l'effort coupable de l'homme du pétrole pour se faufiler par la porte étroite, bref, quand toutes ces controverses et bien d'autres du même genre furent tombées dans l'oubli, Rockefeller vivait toujours, entouré d'un respect tout neuf et auréolé de la puissance que sa philanthropie lui avait gagnée. Bien après la disparition des magnats qui s'étaient élevés au pinacle dans les grandes guerres industrielles du XIX\ siècle — les demeures de la V\ Avenue où ils avaient vécu tels des princes dissolus de la Renaissance passées en d'autres mains, et leurs fortunes dilapidées —, le nom et la puissance de Rockefeller devaient entrer dans le futur, portés par une dynastie qui apparaîtrait comme une institution hors pair et permanente de la vie américaine.

La grande fortune de la Standard Oil, toutefois, se fit par accident. On dirait qu'une porte était restée ouverte pendant un bref instant historique et que Rockefeller, passant par hasard, s'était arrangé pour entrer avant qu'elle ne se refermât. L'édifice qu'il éleva, jamais on n'aurait pu le construire ni avant, ni après ce moment. Ce fut la rencontre d'un homme et d'une occasion. On peut en dire autant, quoiqu'à un moindre degré, pour les autres grandes fortunes de cette période. Justifier l'accidentel et l'investir de la magnificence de la prédestination, telle fut la tâche des publicistes et des biographes « entretenus » de tous les barons brigands.

Andrew Carnegie, le galopin écossais émigré aux Amériques et devenu le roi de l'acier, en même temps qu'il érigea sa fortune, créa un mythe. Les millionnaires à la tête de l'industrie américaine, écrira-t-il à ce stade de sa carrière où il se tourna vers les belles-lettres, « étaient à l'origine des jeunes gens pauvres, formés par la plus dure et la plus efficace des écoles : la pauvreté ». Telle était sa version réconfortante de l'évangile du *self-made-man,* qui allait vite devenir le ciment mythique du régime américain. Ceux qui s'étaient enrichis à la force des poignets n'étaient pas simplement les bénéficiaires de la chance. S'ils étaient capables de s'élever, c'est qu'ils étaient les élus. Ils avaient justifié leurs privilèges par leurs triomphes sur le marché démocratique.

Cette vue des choses avait de quoi séduire les survivants de la génération de la guerre économique à outrance. Rien d'étonnant si John D. Rockefeller (que Carnegie, dans un moment de fâcherie, appela un jour « Reckafellow » [la ruine des gars], et plus tard, avec plus d'affection, « mon comillionnaire ») eut tendance, au fur et à mesure qu'il vieillissait et s'enrichissait davantage, à mettre de plus en plus l'accent sur la pauvreté de sa jeunesse.

« Qui eut au départ moins d'argent que moi ? » demandait-il souvent. Sur ses vieux jours, lorsqu'il s'adonnait au privilège reconnu aux vieillards de refaire le passé, il multipliait les allusions à ses humbles débuts comme pour mieux mettre en valeur la distance parcourue au cours de sa miraculeuse carrière. Cependant, comme disait sa sœur Mary-Ann dans sa syntaxe approximative, « ces histoires de pauvreté et tout ça, c'est ridicule. Nous n'étions pas riches, bien sûr, mais nous avions assez d'argent pour manger, nous habiller et tout le confort convenable. Et de quoi mettre de côté ».

Rockefeller naquit en 1839, dans une confortable ferme de sept pièces qui exploitait près de Moravia, à l'ouest de l'État de New York, une propriété de quarante-six hectares. Son père l'avait payée comptant 3 100 dollars, ce qui n'était pas une petite somme à l'époque. William Avery Rockefeller était un homme de haute taille, bâti en force, les yeux très enfoncés dans les arcades sourcilières, et un large visage ourlé d'une barbe roussâtre. Il portait une veste de brocart, une épingle à cravate en diamant et la légende familiale veut qu'il se soit à ce point méfié des banques que, la plupart du temps, il avait bien dans les 1 000 dollars sur lui. Toutefois, le mystère planait sur la façon dont il avait amassé des sommes aussi rondelettes. D'abord fermier, il s'était lancé dans le prêt d'argent et la spéculation foncière. Plus tard, il se consacra à une occupation qu'on n'évoquait jamais devant John, ses petits frères William et Frank, ou ses sœurs Mary-Ann et Lucy. Ce « travail », quel qu'il fût, l'éloignait de la maison pendant de longues périodes, souvent des mois. Mais quand il revenait, il descendait de son cabriolet, donnait une tape affectueuse sur le garrot de son cheval écumant, étreignait ses enfants et leur glissait des pièces d'or dans les mains.

Par la suite, John D. Rockefeller devait découvrir la première profession de son père : il était bonimenteur et camelot escroc, et loin d'éprouver des remords de cette vie secrète, ses filouteries le remplissaient d'allégresse. Lorsqu'il visitait les réserves indiennes dans son cabriolet bourré de marchandises, William Rockefeller faisait semblant d'être sourd-muet, parce qu'il savait que les Indiens verraient là le signe d'un pouvoir surnaturel. Mais duper les Iroquois du nord de l'État de New York n'était pas un métier d'avenir, et il se trouva une carrière plus prometteuse : les spécialités pharmaceutiques. Il faisait des centaines de kilomètres pour se joindre à des assemblées religieuses de plein air et là, il distribuait des prospectus ainsi rédigés : « Dr William A. Rockefeller, célèbre spécialiste du cancer, présent pour un jour seulement. Tous les cas de cancer guéris sauf s'ils sont trop avancés, et même alors, le malade est grandement soulagé. » Il vendait des flacons de son élixir et donnait des consultations pour la somme princière de 25 dollars, ce qui représentait pour ses victimes deux bons mois du salaire moyen de l'époque. Le « toubib » Rockefeller, comme on l'appelait, avait en outre des instincts douteux. En 1849, dans des circonstances obscures, il fut inculpé de viol sur la personne d'une certaine Anne Vanderbeak, qui travaillait comme domestique dans sa maison. Après cela, il préféra se soustraire à la juridiction du comté de Cayuga afin d'échapper au shérif et au mandat d'arrêt lancé contre lui; il vendit la ferme familiale et installa sa famille à Oswego (État de New York).

Si le jeune William avait grandi à l'image du robuste physique et de l'aimable nature de son propre père, il en allait tout autrement de John. Ses photos de jeunesse font apparaître un visage étroit, presque sans expression, des yeux impassibles et voilés, une bouche habituée au silence. C'était le visage de sa mère, Eliza Rockefeller. Elle avait donné à son premier-né le nom de son propre père, John Davison. Mince, le visage en lame de couteau, Eliza Rockefeller fut le tuteur des jeunes années de ses enfants, s'évertuant à les mettre à l'abri des rumeurs qui ne cessaient de tourbillonner autour de la famille, et suppléant le père absent pendant de longs mois pour ses mystérieuses expéditions.

Le père enseigna à Rockefeller des leçons négatives, si l'on peut dire, à savoir que l'impulsivité est chose dangereuse et trompeuse. Toute sa vie, John Davison en garda le souvenir douloureux. En 1905, peu après le déclenchement de la controverse sur « l'argent souillé », il écrivit une lettre à l'une de ses connaissances de Cleveland, lui demandant d'éclaircir un malentendu. Chaque année, l'orchestre local des Jeunes Italiens se rendait dans la résidence de Forest Hill, chez Rockefeller, pour donner un concert et faire un pique-nique. L'année précédente, ils avaient vu des porcelets élevés sur place par Rockefeller, et étaient partis avec l'idée que, lors de leur prochaine visite, on les leur servirait rôtis à déjeuner. Entre-temps, les cochons avaient été vendus, expliquait consciencieusement le maître de la Standard

Oil dans sa lettre qu'il terminait ainsi : « J'ai voulu mettre les choses au point pour que les gars ne se formalisent pas. S'il en va autrement, il faudra voir ce qu'on peut faire... Je me rappelle encore aujourd'hui que mon père m'avait promis un poney Shetland, il y a soixante ans de ça, et que ce poney je ne l'ai jamais eu. »

L'influence de sa mère était diamétralement opposée. Elle était morale, stricte, sévère, empreinte d'une rude piété écossaise. Ses maximes calvinistes modelèrent l'esprit de son fils aîné et l'escortèrent sa vie durant. En voici une, particulièrement adaptée à sa future carrière : « A gaspillage éhonté, honteuse pauvreté. » Des années après la mort de sa mère, il évoquait encore ce jour où elle lui avait donné le fouet pour une faute qu'il n'avait pas commise. Au beau milieu du châtiment, il réussit à la convaincre de son innocence et elle dit : « Tant pis, nous avons commencé cette séance de fouet, elle comptera pour la prochaine fois. » C'était pourtant un caractère sans surprises et elle gardait raison jusque dans la colère. Malgré toute l'attirance qu'il pouvait éprouver en secret pour un père amoral et plein d'audace, John devait mettre ses pas dans les pas de sa mère. Il n'oubliera jamais le sort qui fut le sien : une femme humiliée, abandonnée, la proie rêvée des papotages d'arrière-cour, et qui passait de longues nuits seule dans un fauteuil à bascule, les yeux fixés sur le feu, la Bible sur les genoux et une pipe de cow-boy entre les dents.

Après l'installation de sa famille à Cleveland, en 1853, afin d'être plus près des « bonnes poires » qui se ruaient vers l'Ouest dans des charrettes bâchées, les apparitions de William Rockefeller se firent de plus en plus rares. Entre deux visites, Eliza recevait de temps à autre une lettre portant l'indication d'une adresse, au fin fond de l'Ouest, où on pouvait le toucher en cas d'urgence. Elle demeura veuve virtuelle jusqu'à sa mort en 1889. Cependant, pendant des années encore, le vieux Doc garda l'habitude de se pointer à l'improviste dans l'élégant domaine de son fils maintenant célèbre, à Cleveland. Il descendait du tramway comme il l'avait fait naguère de son cabriolet, apportant un 22 long rifle ou tel autre présent pour John D. Rockefeller junior, et des babioles pour ses sœurs. Son petit-fils a gardé des souvenirs chaleureux du vieux bonhomme. « C'était un grand conteur. Il jouait aussi du violon qu'il posait contre sa taille au lieu de le coincer sous le menton. » Mais, après s'être amusé quelques jours avec ses petits-enfants et, qui sait, avoir emprunté de l'argent à son fils millionnaire, Doc disparaissait comme il était venu.

Le secret de ses déplacements, si jalousement gardé par la famille, devint une sorte de mystère public. En 1908, John Pulitzer enjoignit à l'un de ses reporters de travailler à plein temps pour fouiller le sujet. Le résultat de ses recherches fut stupéfiant : le « toubib » Rockefeller était mort deux ans auparavant, à l'âge de quatre-vingt-seize ans; ses quarante dernières années, il les avait passées dans le Dakota du Nord sous le nom de docteur William Levingston. Bigame, il vivait avec une femme de vingt ans plus jeune que lui.

Sur le sujet, John Davison resta muet. D'ailleurs, ses lèvres minces ne laissaient presque jamais rien passer. Même attitude plus tard à l'égard des biographes officiels engagés pour ciseler l'histoire de sa vie en massives voûtes romanes. Lorsqu'ils l'interrogèrent sur ses années de formation, ils n'obtinrent de lui que le squelette de sa vie — sans chair aucune. Le texte aurait pu être cosigné par George Babbit et Horatio Alger [1], les anecdotes ne faisant qu'annoncer le futur homme d'affaires.

Sous l'œil économe de sa mère (répondit Rockefeller aux écrivains qui l'interrogeaient sur les événements marquants de son enfance), il s'était constitué un troupeau de dindes en repérant le nid d'une mère et en lui prenant sa couvée dès l'éclosion; il avait élevé les petits et les avait vendus un bon prix. Il avait à peine sept ans. Il s'était mis également à économiser des sous dans un bol de porcelaine que sa mère avait placé sur une commode, dans la salle de séjour, et en l'espace de trois petites années il eut assez d'argent pour prêter 50 dollars à un fermier voisin au taux de 7 %. Lorsque, l'année suivante, le capital lui revint, augmenté de 3 dollars 50, il en fut, dit-il, profondément impressionné. C'était plus qu'il n'avait amassé en dix jours de travail en arrachant des pommes de terre à raison de dix kilos par jour. « C'est à partir de cet instant, note Rockefeller dans ses *Souvenirs* parus en 1908, que je pris la résolution de faire travailler l'argent à ma place. » Sa sœur aînée, Lucy, tira de cette leçon une formule plus piquante et moins flatteuse : « Quand il pleut du porridge, vous trouverez toujours le bol de John tourné du bon côté. »

Le Cleveland de ses années d'enfance ressemblait à une ville de bord de mer. Le long du lac, des bateaux à voiles blanches se dirigeaient vers le port avec passagers et marchandises. Sur les chantiers navals, on construisait des bateaux à aubes et même des navires à hélice. Dans les docks sales et encombrés travaillaient des débardeurs enroués sous la houlette lointaine de négociants locaux. Après la classe, Rockefeller allait souvent flâner sur les quais, vivement intéressé par l'organisation du commerce; il restait là, planté, tout seul, à observer les allées et venues. Il avait peu d'amis; l'un de ses camarades d'école, Mark Hanna, devait plus tard devenir sénateur, « faiseur de présidents », politicien véreux à la solde de la Standard Oil.

Diplômé en 1855, Rockefeller décida de laisser là les études universitaires et d'entrer dans les affaires. Pendant des semaines, il arpenta les rues de Cleveland à la recherche d'un travail, bien décidé à ne pas accepter n'importe quoi, mais l'emploi précis qui le mettrait sur la voie de ses grandes espérances. Il visait haut. « J'ai essayé les chemins de fer, les banques, le négoce en gros, négligeant tous les établissements sans envergure... Je cherchais une entreprise importante », dira-t-il plus tard.

Le 26 septembre, il fut engagé comme expert-comptable par Hewitt et Tuttle, courtiers et négociants en grains et autres produits agricoles. Cette

---

1. Pasteur américain (1834-1899) qui écrivit à l'usage des jeunes des petits romans populaires édifiants où le jeune homme pauvre mais vertueux réussissait dans la vie. — Babbit : personnage d'un roman de Sinclair Lewis, symbolise l'homme d'affaires américain moyen. (*N.d.T.*)

date devint un jour mémorable dans son calendrier personnel, et il la célébra jusqu'à la fin de ses jours comme un deuxième anniversaire. Dans son domaine de Pocantico, sur les bords de l'Hudson, où il s'installa par la suite, à la date du 26 septembre on hissait un drapeau spécial le long du mât. Un jour, près de soixante ans plus tard, faisant à Cleveland un voyage sentimental avec son chauffeur, il vint à passer devant le premier endroit où il s'était présenté quand il cherchait du travail; il fit arrêter la voiture, descendit et, en silence, les yeux embués, fit le tour de l'immeuble devenu presque méconnaissable.

Il était au travail dès 6 h et demie chaque matin, sa frêle silhouette arrondie selon la voussure caractéristique des employés, louchant sur les registres à la lueur des lampes à huile de baleine, qu'il allait bientôt contribuer à reléguer dans le passé. Mais si les affaires constituaient presque une vocation religieuse pour Rockefeller, sa religion avait des aspects nettement pratiques. A l'église baptiste de la rue Érié, lors des cours de l'École du dimanche qu'il avait entrepris de donner, il citait volontiers le texte suivant : « Vois-tu un homme zélé dans son travail? Il sera l'égal des rois. » Il se consacra à son premier travail avec une ardeur qui fit la surprise et la joie de ses employeurs. Leur stupéfaction eût encore grandi s'ils avaient su que tous les soirs, dans le secret de sa chambre, il revoyait dans sa pensée les activités de la journée et se donnait à lui-même de bons conseils : « C'est une chance qui se présente. Mais attention. L'orgueil précède la chute. Pas de hâte, pas de faux pas. Ton avenir dépend de chaque jour qui passe. »

Discipline, ordre, et un compte fidèle des crédits et débits, tel fut le code de sa vie. Le seul vestige de sa jeunesse, c'est le registre A, un carnet de notes qu'il tint pendant ses premières années de vie indépendante. D'une écriture précise et arachnéenne, il notait jour après jour le revenu et les dépenses, les économies et les placements, les affaires et les dons. A côté du modique dollar hebdomadaire pour la table et le logement, on trouvait 75 cents pour la Société « L'Obole », 5 cents pour l'École du dimanche de l'église baptiste, rue Érié, 10 cents pour les pauvres, 10 cents pour les missions à l'étranger. L'église était sa seule distraction, presque son seul lien avec le monde, en dehors du métier de courtier. L'ensemble de ses dons atteignait presque invariablement 10 % de son revenu hebdomadaire de 3 dollars 50. A part quelques achats de vêtements, faits à contrecœur, il y avait fort peu de chose à côté de ces dons bien codifiés. Ce registre A, c'était pour Rockefeller ce qui se rapprochait le plus d'un journal intime; les chiffres qu'il y consignait, c'était son autobiographie.

En 1858, il gagnait 600 dollars par an. Au centime près, il savait ce qu'il représentait pour la compagnie. Il demanda une augmentation de 200 dollars et, comme Hewitt et Tuttle le lanternaient, il se mit à la recherche d'un nouvel emploi. Il avait fait auparavant la connaissance de Maurice Clark, un Anglais de douze ans son aîné, qui travaillait dans une autre entreprise de courtage à Cleveland. Ils décidèrent de se mettre à leur compte.

Au cours des trois années passées chez Hewitt et Tuttle, Rockefeller s'était arrangé pour économiser environ 800 dollars. Mais il lui en fallait 1 000 de plus comme mise de fonds pour son nouveau départ, et dans ce but il alla trouver son père, qui avait promis cette somme à chacun de ses enfants lorsqu'ils atteindraient leur majorité. John obtint l'argent, mais il dut accepter de payer un intérêt usuraire de 10 % jusqu'à ses vingt et un ans, soit pendant un an et demi. Son père tira de cet arrangement un énorme amusement. Pour lui, l'école des coups durs était la seule éducation valable. Comme il avait coutume de dire : « Je filoute mes garçons chaque fois que je peux. Je les plume en toute occasion. Je veux en faire des durs à cuire. »

Les occasions ne lui manquèrent pas en ces années de début. A de multiples reprises, le fils revint solliciter du père des prêts destinés au développement de son affaire encore mal assurée. L'argent, son père le lui donnait toujours, à 10 % d'intérêt, mais William Rockefeller se faisait un malin plaisir d'alourdir encore le fardeau de son fils en réclamant son dû aux moments précis où John avait le plus besoin d'argent. Les emprunts étaient remboursés à la date fixée, quoi qu'il en coûtât à John. Cependant, il ne se permit jamais la moindre plainte. Ce n'est que plus tard qu'il s'enhardit à écrire : « Cette petite discipline aurait dû me faire du bien, je l'avoue. Elle m'en fit peut-être, mais en vérité, bien que je le lui aie soigneusement caché, je n'appréciais pas tellement cette politique paternelle qui consistait à me faire des crocs-en-jambe pour voir si mes capacités financières étaient à la hauteur de ce genre de coups. »

La première année, la firme Clark et Rockefeller réalisa un bénéfice net de 4 000 dollars pour un chiffre d'affaires de 450 000; l'année suivante, le bénéfice devait atteindre 17 000 dollars. Les deux partenaires avaient eu la bonne fortune de lancer leur entreprise dans la courbe ascendante du cycle des affaires. Mais de plus riches heures les attendaient encore.

La guerre civile, commencée en avril 1861, fut une source d'innombrables malheurs pour des millions d'Américains; pour un petit nombre d'élus — les Morgan, les Armour, les Vanderbilt — elle fut l'occasion de fortunes éclair; une nouvelle classe d'hommes d'affaires fit alors son apparition remarquée sur la scène américaine. Pour Rockefeller, l'aubaine, bien que moins spectaculaire, fut malgré tout impressionnante. Tandis que les commandes de guerre pleuvaient sur Clark et Rockefeller, le prix des denrées montait en flèche. Avec la montée des prix, le succès devenait une question d'organisation méthodique, d'attention aux détails, d'âpreté impitoyable dans l'établissement des contrats, toutes choses pour lesquelles Rockefeller était particulièrement doué.

A la déclaration de guerre, son frère cadet, Frank, avait tenté de s'enrôler dans l'Armée de l'Union. Repoussé à cause de son jeune âge (même pas seize ans), il avait essayé de nouveau. Avec cette conception pointilleuse et littérale de la moralité que tous les enfants d'Eliza avaient héritée de leur mère, il marqua à la craie le nombre « 18 » sur la semelle de ses deux souliers et s'en fut vers un autre centre de recrutement. Quand le sergent lui demanda son âge, il répondit, bien planté sur ses jambes : « Je marche sur les 18, sergent. »

Frank partit au front, où il récolta deux blessures. De retour à Cleveland, son frère florissant acheta pour 25 dollars deux grandes cartes qui lui permirent de suivre avec intérêt les progrès de la guerre. « J'aurais voulu entrer dans l'armée et payer de ma personne, expliqua Rockefeller bien plus tard. Mais c'était tout simplement hors de question. Il n'y avait personne pour me remplacer. Notre affaire débutait, et si je n'étais pas resté, il aurait fallu la liquider alors que tant de gens dépendaient d'elle pour vivre. »

Il n'en paya pas moins son écot à la cause de l'Union et devait raconter à ses collaborateurs que ses contributions avaient permis l'équipement de dix soldats. « J'ai envoyé au front plus de vingt hommes, oui, presque trente », affirmait-il, doublant, puis triplant dans son souvenir le nombre de ceux qu'il avait ainsi envoyés au combat contre les rebelles.

A le voir hâter le pas, le matin, fendant les foules agglutinées autour d'abolitionnistes en train de discuter de la guerre et de chasseurs d'esclaves fugitifs, on aurait pu attribuer le sérieux presque funèbre qui l'habitait aux grands problèmes de la guerre. Plus vraisemblablement, il se concentrait sur tel aspect de ses affaires. De toute façon, il était sérieux de nature. (Plus tard, lorsqu'il eut quarante ans, un de ses associés à qui l'on demandait de décrire le patron, déclara : « A mon avis, il doit avoir cent quarante ans, car il en avait sûrement cent à sa naissance. »)

Sa seule activité, en dehors de Clark et Rockefeller, était l'église baptiste de la rue Érié. S'il fut nommé diacre à l'âge de dix-neuf ans, ce fut moins en raison d'un zèle religieux manifeste que parce qu'on voyait en lui une importante ressource pour l'église. Un jour, une hypothèque de 2 000 dollars étant arrivée à échéance, il avait rassemblé la somme en épinglant les fidèles après le culte et en leur mendiant des sous. Son École du dimanche lui servait autant à prêcher son évangile personnel qu'à répandre la bonne nouvelle du Nouveau Testament : « Soyez prudents. Soyez très prudents, déclarait-il à ses élèves. Ne laissez pas les rapports de bonne camaraderie exercer le moindre empire sur vous. »

Un événement qui impressionna les hommes d'affaires de Cleveland presque autant que la déclaration de guerre fut la réussite du forage du premier puits de pétrole par Edwin Drake, en 1859. C'était à Titusville (Pennsylvanie), sur les bords du large cours d'eau appelé Rivière du Pétrole à cause de la pellicule noire qui couvrait sa surface. Pendant des années, on avait remarqué la présence de pétrole dans les cours d'eau locaux. Les premiers colons l'avaient dénoncé comme un fléau, mais les Indiens l'avaient estimé en tant que médicament, et à l'époque où Rockefeller travaillait pour Hewitt et Tuttle, le pétrole en petites fioles figurait en bonne place dans la pharmacopée de son père et autres « docteurs » de l'Ouest. Entre-temps, on l'avait catalogué comme la moins chère, la plus efficace, la plus durable des substances éclairantes et le puits du colonel Drake provoqua une ruée vers la zone autour de Titusville, bientôt connue sous le nom de Région du Pétrole.

Avec la création du puits, de minuscules colonies établies le long du bassin pouvaient en l'espace d'une nuit se transformer en cités florissantes. Ce fut une invasion comparable à celle qu'avait déclenchée John Sutter par sa découverte de l'or, dix ans plus tôt, en Californie : prospecteurs de pétrole, entrepreneurs, et tous les éléments douteux qui suivaient leur fastueux sillage. Le prix du foncier monta en flèche, comme l'atteste un exemple resté célèbre : un terrain vendu 25 000 dollars fut revendu 1 500 000 dollars trois mois plus tard. On vit bientôt des forêts de derricks ponctuer de leurs silhouettes branlantes l'horizon de ce Pétroldorado, où une métropole pouvait devenir une ville fantôme en un tournemain si les puits venaient à se tarir. Tout le paysage était dominé par le pétrole. Des feux de forage brûlaient nuit et jour ; des flots de fumée s'échappaient d'engins qui s'escrimaient à pomper le précieux fluide. Pétrole et boue mélangés formaient une vase gluante qui collait aux pattes des chevaux, aux roues des charrettes et interdisait presque la circulation sur les routes.

Avec leurs lourds fouets serpentant au-dessus de leurs équipages, les charretiers, si durs en affaires, étaient les maîtres de la région. Aux fins de raffinage, ils charriaient le pétrole des puits jusqu'à Pittsburgh et New York d'abord, ensuite à Cleveland où surgirent des raffineries, à peine séparées parfois de quelques pâtés d'immeubles de la firme prospère Clark et Rockefeller. Une telle aubaine impressionna le plus jeune des deux partenaires, et tout comme d'autres hommes d'affaires de Cleveland il envisagea d'investir dans le pétrole. Mais il savait que pour faire une fortune digne de ce nom, il fallait se placer non pas à la source, mais dans les étapes intermédiaires ; cependant, à ce stade, le transport était trop aléatoire et les méthodes de raffinage trop peu au point pour rapporter à coup sûr. Rockefeller décida de s'en tenir pour le moment au négoce de viande et de grains.

Quatre années après la découverte du pétrole de Titusville, un événement d'importance se produisit à l'embranchement ferroviaire de Cleveland. La Compagnie des chemins de fer de l'Atlantique et de l'Ouest prolongea sa ligne jusqu'au cœur de la cité, la mit en liaison avec le lac Érié, donnant à Cleveland une communication directe avec New York et installant ainsi une ligne à voie large au centre même de la Région du Pétrole. De nombreuses raffineries poussèrent sur les bords de cette voie ferroviaire. En 1863, la Compagnie des chemins de fer de l'Atlantique et de l'Ouest transporta plus d'un million et demi de barils [1] de pétrole et devint sur-le-champ le premier transporteur de pétrole du pays. Cleveland se retrouva brusquement une des capitales du pétrole. Un historien décrit la ville comme « parfumée de pétrole à satiété. La rivière et le lac en étaient souillés. Des convois de pétrole emplissaient les rues de leur vacarme. Des feux de pétrole maintenaient constamment les pompiers de la ville en état d'alerte et faisaient planer sur la vallée une pénible inquiétude ».

C'est aussi en 1863 que Samuel Andrews, une des connaissances de Maurice Clark, que Rockefeller avait également rencontré à l'église baptiste

---

1. 1 baril = 150 litres. (N.d.T.)

de la rue Érié, vint proposer aux deux partenaires d'entrer dans le circuit du raffinage. Rockefeller, âgé de vingt-trois ans, était toujours sceptique, mais il avait tout de même assez d'économies pour risquer un investissement spéculatif de 4 000 dollars, en tant que commanditaire de la nouvelle firme Andrews, Clark et Cie. Mais il tint à souligner que, pour lui, l'essentiel demeurait le commerce de grains dont les années avaient surabondamment prouvé qu'il était une entreprise sûre, sinon spectaculaire.

Les rouflaquettes roussâtres, drues et bien fournies, le costume de drap noir souvent luisant d'usure, Rockefeller avait atteint dans la vie ce degré de maturité et de prospérité où l'idée d'une famille devenait possible. Et en mars 1864, il se fiança à Laura Spelman, jeune et jolie femme de Cleveland, issue d'un milieu à la fois très politique et très dévot. Le père de Laura, Harvey Buel Spelman, homme d'affaires prospère qui, après avoir été chef de train sur une ligne de métro, avait fait partie du Parlement de l'État de l'Ohio, militait pour l'heure avec passion dans une ligue antialcoolique. Lui et sa femme étaient assez fiers de leurs deux filles, Laura et Lucy, pour les faire souvent photographier; sur ces daguerréotypes, « Cettie » (c'était le surnom de Laura) apparaît comme une belle jeune femme aux traits vigoureux dont la somptueuse chevelure noire était séparée par une raie en son milieu et relevée en chignon derrière la tête. Après le lycée, les filles Spelman avaient toutes deux fréquenté l'Institut universitaire Oread, à Worcester (Massachusetts) puis elles étaient retournées enseigner à Cleveland, militant toutes deux pour un idéal chrétien et pour élever le bien-être des Noirs.

La sœur de John, Lucy, fit de Cettie cette description plutôt contradictoire : « Pleine de gaieté et d'entrain, elle montrait une douceur constante, mais avec une tendance au sérieux et à la réserve. » Compagne idéale pour John dans le domaine de la piété, ses penchants pour l'art, la culture et la bonne société allaient permettre d'élargir l'univers rockefellérien de dévouement exclusif à l'argent. Cet apport philosophique important devait rester un des traits permanents de la dynastie Rockefeller.

Tout en appréciant l'enrichissement qu'elle devait apporter à sa vie, John ne trahit aucun des effets du coup de foudre. Cette même détermination opiniâtre qui l'avait hissé au premier rang des hommes d'affaires de Cleveland, il l'employa à « courtiser » sa fiancée. Le registre A, avec ses petites aumônes de quelques cents à la Société « L'Obole », entre autres, avait depuis belle lurette laissé place au registre B, où tout se chiffrait en dollars; et la rubrique « Dépenses diverses » nous révèle l'histoire de ses assiduités : pendant plusieurs semaines, 50 cents hebdomadaires pour bouquets de fleurs *ad hoc;* un montant de 1 dollar 75 pour la location d'un fiacre, tel week-end, afin de transporter le couple et son chaperon jusqu'à Rocky River. L'alliance coûta 15 dollars 75. Le 8 septembre, il trouva le temps d'inscrire : « A 2 heures de l'après-midi, mariage avec Miss L. C. Spelman, célébré par le révérend D. Wolcott assisté du révérend Paige à la résidence des parents de la jeune fille. »

Son mariage derrière lui, il se replongea dans les affaires. Des douzaines de

20

raffineries avaient surgi à Cleveland dès 1864, et chaque mois en voyait pousser de nouvelles. Au début, Rockefeller craignait que ce fût là un emballement passager et passait ses journées à secouer la tête d'un air de dégoût à la vue de ces tonneaux faits à la hâte qui laissaient échapper du pétrole brut gluant sur le sol de ses entrepôts. Mais il ne tarda pas à se rendre compte que le pétrole n'était pas près de se tarir. Il opéra progressivement un transfert d'intérêt du commerce de grains à celui du raffinage, consacrant de plus en plus de temps au quartier général d'Andrews et Clark, situé sur un terrain d'un hectare et demi aux abords immédiats de la ville.

Une division du travail s'établit naturellement entre les associés. Andrews, très versé dans la toute nouvelle technologie du pétrole, se chargeait de l'équipement; le sympatique Clark concluait les marchés avec les producteurs de la Région du Pétrole pour le brut, et avec les charretiers pour son acheminement. Rockefeller s'occupait des finances et des ventes. Les méthodes commerciales, dans cette nouvelle industrie, en étaient à un stade primitif et on relevait beaucoup d'incompétence. Avec son génie pour traquer toute tendance au gaspillage inconsidéré, Rockefeller était dans son élément, et ne fut pas long à s'imposer. Soucieuse de ne plus dépendre de ces charretiers tapageurs pour les livraisons du brut, la firme Andrews et Clark créa bientôt son propre parc de charrettes. Plutôt que d'acheter à d'autres des barils de qualité moyenne, Rockefeller acheta des planches de solide chêne blanc et lança son propre atelier de tonnelage. Les tonneaux bleu vif produits par l'atelier n'allaient pas tarder à devenir le symbole haï de l'omniprésence de la Standard Oil, mais, pour le moment, Rockefeller était satisfait d'avoir des barils à 96 cents pièce, au lieu des 2 dollars 50 que sa firme avait payés jusque-là.

La discipline sévère à laquelle Rockefeller avait soumis sa vie ne tarda pas à lui valoir des dividendes commerciaux. Il fut bientôt connu comme l'un des négociants les plus avisés dans une ville remplie de trafiquants retors. Son attitude bornée était un inestimable atout pour conclure le marché le plus avantageux possible. Il avait fait de lui-même un parfait instrument pour la conduite des affaires, et le seul plaisir qu'il se permettait lui venait de la réussite de ses transactions. Une des connaissances de Rockefeller confia cette anecdote à Ida Tarbell alors qu'elle rédigeait son histoire de la Standard Oil : « Un jour, un seul, j'ai vu Rockefeller enthousiaste : un rapport arrivé de Creek venait de lui apprendre qu'un de ses courtiers avait mis la main sur un chargement de pétrole à un prix bien inférieur à celui du marché. Il bondit de sa chaise avec un cri de joie, arpenta la pièce en dansant, me serra dans ses bras, lança son chapeau au plafond, bref sa conduite était si folle qu'elle m'est resté gravée dans l'esprit. »

Au début de 1865, la prospère firme Andrews et Clark éclata par suite d'un désaccord entre les associés. Rockefeller, le silencieux du début, devenu le plus enthousiaste des trois, supportait de plus en plus mal la timidité de Clark devant l'expansion. La firme avait 100 000 dollars de dettes, mais Rockefeller voulait étendre l'affaire encore davantage et tirer parti du marché en plein essor. Ce fut l'impasse; d'un commun accord on décida de vendre l'affaire au plus offrant.

La vente aux enchères eut lieu le 2 février 1865. Rockefeller représentait Andrews et lui-même contre Clark. Clark démarra à 500 dollars, Rockefeller monta à 1 000. Le prix monta, monta, 40 000, 50 000, 60 000. On tenait bon des deux côtés; par degrés, le prix grimpa jusqu'à 70 000 dollars. Un long silence. « 72 000 », dit Maurice Clark au désespoir. « 72 500 », répliqua Rockefeller sans hésitation. Clark leva les mains au ciel : « L'affaire est à vous. »

Par la suite, revoyant cette scène en présence d'un ami, Rockefeller dit : « Ce jour-là fut l'un des plus importants de ma vie. C'est lui qui détermina ma carrière. J'avais senti toute l'importance de l'enjeu, mais j'étais aussi calme qu'en ce moment. » C'était le calme né de l'absolue certitude; il avait méthodiquement pris la mesure du terrain et de l'adversaire et il connaissait d'avance le résultat.

Sa position dans la communauté financière de Cleveland était déjà assez haute, malgré ses vingt-cinq ans, pour lui permettre d'emprunter la somme. Il prit la direction de l'affaire — rebaptisée Rockefeller et Andrews — et se lança sur la crête de la grande vague pétrolière qui était en train d'enrichir Cleveland, au moment de l'apogée de cette extraordinaire prospérité des affaires qui, à partir de la guerre civile et en l'espace de dix ans, allait doubler les chiffres de l'économie américaine. Rockefeller et Andrews était déjà la plus grande raffinerie de Cleveland, avec une capacité de 500 barils par jour, soit deux fois plus que son concurrent le plus proche, et avec des rentrées annuelles de 1 million de dollars, qui doublèrent l'année suivante. Rockefeller avait eu raison. La règle d'or de la réussite, pour le moment, c'était l'expansion, non le freinage : une fantastique confiance dans l'avenir de l'industrie et dans le sien propre l'habitait. Il convainquit son frère William d'entrer dans l'affaire, l'envoya à New York prendre en main le commerce d'exportation, qui représentait les deux tiers des ventes du pétrole de Cleveland. C'est en ces années-là qu'un témoin eut la grande surprise de voir Rockefeller, qui se croyait seul dans son bureau, sauter en l'air, faire claquer ses talons et se répéter à lui-même : « Et maintenant, je vais être riche. C'est du tout cuit! Du tout cuit! Du tout cuit! »

Comparé aux autres barons brigands, avec leur vie tumultueuse, leurs maîtresses, leurs excès de tous ordres, et les autels fastueux qu'ils élevaient à leurs propres œuvres, Rockefeller paraissait terne et sans surprise. C'est simplement qu'il mettait sa passion et son génie dans son travail plutôt que dans sa vie, c'est-à-dire dans la création de la Standard Oil. Le développement de ce grand trust devait apparaître par la suite comme un incroyable chef-d'œuvre d'astuce, et faire de Rockefeller un Napoléon de l'industrie; le caractère étonnamment exclusif de sa passion dominante lui fut certes d'une grande aide pour bâtir sa Société, mais l'épopée de la Standard Oil tenait en grande partie à son extraordinaire pouvoir de se trouver à la bonne place au bon moment, et d'avoir son bol tourné du bon côté dès que le porridge commençait à pleuvoir. C'est ce qu'il avoua à un prétendu biographe en quête d'une genèse plus musclée : « Aucun de nos rêves les plus fous n'arriva à la cheville de l'expansion que prit l'affaire. »

Même s'il ne concevait pas clairement le gigantesque combiné industriel qu'il allait créer, Rockefeller était certain d'une chose : la nécessité de développer la Standard. C'était presque un réflexe chez lui, et une bonne partie des années suivantes, il la passa à faire des emprunts à des banques de Cleveland et à des personnes privées, offrant pour toute garantie l'impeccable bilan de la Société qu'il mettait sur pied.

Il cherchait également des hommes nouveaux pour le seconder. En 1867, l'entreprise s'enrichit d'un nouveau nom : Rockefeller, Andrews et Flagler. La chevelure noire ondulée, une grosse moustache tombante dissimulant ses lèvres charnues, Henry M. Flagler avait de la distinction; il avait fait son apparition à Cleveland plusieurs années auparavant, quand il avait lancé une affaire de négoce de grains sur un terrain loué à Rockefeller. Il avait déjà amassé et perdu une fortune. Il avait d'abord réalisé de juteux bénéfices sur des contrats d'approvisionnement en vivres et articles divers passés avec l'Armée de l'Union, mais il avait fait faillite à la suite d'un placement désastreux dans la naissante industrie du sel. Il trouvait là sa deuxième chance, inespérée. Un bon mariage lui permit d'apporter 60 000 dollars dans la firme, ainsi qu'un fonds de roulement de 90 000 dollars grâce à son beau-père, Stephen V. Harkness, qui avait fait fortune dans le commerce du whisky.

Flagler devint l'un des rares vrais amis de Rockefeller, dans les affaires comme dans la vie courante. (Il devait par la suite, fortune faite, se retirer de la Standard Oil et consacrer ses vieux jours de multimillionnaire à transformer le littoral de Floride, vierge à l'époque, en Riviera américaine.) Leurs bureaux étaient dans la même pièce; ils habitaient à quelques blocs de distance sur la Euclid Avenue, allaient ensemble à l'église baptiste et se rendaient de concert au bureau chaque matin en devisant avec sérieux sur le programme de la journée. « C'était une amitié fondée sur les affaires, ce qui vaut mille fois mieux, selon les termes de Mr. Flagler, qu'une affaire fondée sur l'amitié, et mon expérience m'incite à lui donner raison », écrivit un jour Rockefeller.

Flagler ne fut que le premier d'un groupe de directeurs audacieux, voire casse-cou, que Rockefeller introduisit dans la firme, des hommes à l'image de son propre père, qui ne faisaient pas la fine bouche devant certains aspects des affaires que Rockefeller lui-même préférait ne pas trop connaître. « L'aptitude à manier les gens est une denrée qui s'achète comme le sucre et le café, et cette aptitude, je la paye plus cher que tout autre au monde. »

C'est en particulier avec les gens du chemin de fer que Flagler exerçait cette aptitude. Ce talent, Rockefeller le prisait très fort, à cause de l'importance du problème du transport. Aux débuts de la ruée vers le pétrole, une certaine communauté d'intérêt avait existé entre les producteurs et les transporteurs habituels de brut. Certes, les tractations étaient sans pitié, mais, en fin de compte, l'intérêt des deux parties réclamait une production maximale des producteurs, alors que les chemins de fer n'avaient pas avec eux le même rapport. A l'approvisionnement en dents de scie caractéristique de la production anarchique des champs pétrolifères compétitifs à outrance, les chemins de fer préféraient un mouvement important mais régulier; c'était pour eux le moyen d'éviter l'alternance de surproduction effrénée et de pénurie, génératrice de coûteuses fluctuations dans la demande en wagons, locomotives et dépôts. Le personnage clé était donc l'intermédiaire qui accepterait d'organiser le débit de production à la sortie, et d'établir un volume de fret important et régulier conforme aux besoins des chemins de fer. Le candidat désigné, c'était le raffineur d'envergure. C'est pourquoi, tout en consacrant de larges pans de son capital au développement de sa capacité en matière de raffinage, Rockefeller attela Flagler à la tâche d'accaparer tous les wagons-citernes et les containers disponibles pour le chargement du pétrole. Des concurrents, désireux de transporter leur pétrole, ne tardèrent pas à découvrir que les chemins de fer, sur lesquels ils avaient toujours compté, ne disposaient plus d'un seul wagon-citerne : Rockefeller, Andrews et Flagler les avaient tous loués.

Un peu plus tard, en 1867, Flagler rendit visite au général James Devereux, nouveau vice-président des Chemins de fer du Lake Shore, et lui annonça que sa firme renoncerait à acheminer par canal et garantirait au rail la location de soixante wagons de pétrole par jour, si, en échange, il consentait un important rabais sur les frais de transport. Le taux officiel était de 42 cents par baril de brut de la Région du Pétrole jusqu'à Cleveland, et de 2 dollars pour le raffiné de Cleveland jusqu'à la côte Est. Comme Devereux en témoigna par la suite devant des enquêteurs gouvernementaux, la Société des Chemins de fer du Lake Shore consentit à Flagler des tarifs secrets de 36 cents et de 1 dollar 30. En apprenant la chose, les autres raffineurs de Cleveland protestèrent. La Lake Shore admit volontiers que c'était bien un avantage consenti à Rockefeller et leur promit le même rabais s'ils lui assuraient une garantie de fret comparable.

Le mot « rabais » fut bientôt le mot le plus haï du lexique des pétroliers. Les concurrents de Rockefeller n'avaient nul besoin de savoir que « rabais » venait du français *rabattre* pour comprendre qu'il voulait dire « abattre ». Les tarifs préférentiels de Rockefeller vinrent s'ajouter avec éclat à son arsenal déjà fantastique. Selon le mot de l'humoriste Artemus Ward : « Le fric va au fric. »

Tout en faisant valoir son fret avantageux auprès des prêteurs ou des investisseurs nouveaux, Rockefeller, le 10 janvier 1870, fonda une nouvelle Société, au capital de 1 million de dollars. La Standard Oil était née.

1870 fut une année de récession. Les chargements de wagons de marchandises accusèrent une forte baisse et les dirigeants des compagnies de chemins de fer, puissantes mais soumises à rude épreuve, se mirent en quête de solutions plus satisfaisantes à leurs problèmes que celles du libre marché. Pourquoi, se demandaient-ils, subir les ravages d'un régime concurrentiel qui leur coûtait de l'argent, quand, par la mise en commun de leurs ressources avec celles des plus grands raffineurs, ils pouvaient assurer leur propre prospérité? Ils conçurent un plan. Qui reçut le nom inoffensif de Société de Progrès du Sud.

L'artisan en était Tom Scott, naguère ministre de la Guerre d'Abraham Lincoln, à présent président des Chemins de fer de Pennsylvanie. Une des astuces commerciales que Tom Scott tenait en réserve pour l'Assemblée de l'État de Pennsylvanie en 1870 (manipulée effrontément par lui-même et d'autres gros bonnets du monde des affaires dans cet État), c'était la création d'une nouvelle sorte de Société, une Société holding qui permettrait à ses propriétaires le contrôle des actions dans des Sociétés intérieures ou extérieures à l'État. L'acte de constitution de la Société était assez élastique et assez vague dans ses définitions pour permettre aux propriétaires de la Société de diriger n'importe quelle affaire selon les méthodes de leur choix.

Ce choix fut la simplicité même. L'union des chemins de fer et des plus grands raffineurs dans chaque centre de raffinage important allait leur permettre de planifier le débit du pétrole au mieux de leurs intérêts respectifs. La montée des tarifs de fret serait largement compensée, pour les bénéficiaires de la combinaison, par les rabais consentis. Ceux qui refuseraient de se joindre au cartel seraient acculés à la ruine. Les raffineurs entrés dans le cartel se verraient accorder non seulement des rabais sur leurs propres chargements, mais également des « ristournes » prélevées sur ceux des raffineurs qui restaient hors du coup. (En clair, cela signifiait que la Standard, par exemple, non seulement obtiendrait un rabais de 40 cents sur les 80 cents du tarif officiel du pétrole transporté, mais encore 40 cents pris sur le tarif à 80 cents payé par tous ceux qui avaient refusé d'adhérer au groupement, ou à qui on ne l'avait pas demandé!)

Pendant tout l'hiver 1871, le plan fonctionna dans le secret le plus absolu; Rockefeller et d'autres grands raffineurs se rendaient fréquemment à New York où se tenaient des réunions clandestines au sommet avec Scott, William H. Vanderbilt, Jay Gould et les autres patrons des chemins de fer. Dans chaque zone, les promoteurs repéraient les raffineries qu'ils désiraient inclure, et faisaient circuler une déclaration sur l'honneur que les futurs participants étaient contraints de signer avant d'être mis au courant des détails du plan. En voici un extrait :

> « Je soussigné... promets solennellement sur ma foi et mon honneur
> de gentleman de garder secrètes toutes les transactions que je puis
> avoir avec la Société connue sous le nom de Société de Progrès du

Sud. Dans le cas où je n'arriverais pas à traiter avec ladite Société, toutes les conversations préliminaires demeureront secrètes... »

Rockefeller, son frère William et Flagler détenaient chacun 180 des 2 000 actions du capital initial de la Société, ce qui assurait à la Standard une confortable position. Rockefeller voyait dans le plan un moyen d'éliminer les concurrents gênants de la Standard sur la place de Cleveland, à commencer par les plus gros. Il fixait un rendez-vous à l'un de ses rivaux et, avec sa civilité coutumière, lui expliquait comment le plan allait fonctionner au plus grand bénéfice de tous les participants. Pour refuser une telle offre, il fallait tenir aux principes plus qu'à la survie économique. Argument massue ajouté à l'avantage écrasant des rabais et remises confidentiels, Rockefeller avait offert aux directeurs des principales banques de Cleveland des actions dans la Standard ; de la sorte, les raffineurs indépendants qui tenaient bon n'auraient pas la tâche facile pour financer leurs rudes batailles solitaires.

On pressa Isaac Hewitt, l'ancien employeur de Rockefeller, entré depuis dans la grande raffinerie d'Alexander, Scofield et Cie, de s'engager dans la combinaison et d'acheter des actions de la Standard. Comme il émettait des réserves, Rockefeller l'envoya promener avec ces mots énigmatiques : « Je connais des façons de faire de l'argent dont vous n'avez aucune idée. »

A d'autres, peu tentés d'entrer dans la combine, simplement parce qu'ils étaient déjà satisfaits de leur sort, Rockefeller montrait la main de fer sous le gant de velours qu'il n'ôtait presque jamais. Voici le langage qu'il tint à son jeune frère, Frank Rockefeller, alors associé d'une firme rivale de la Standard : « Nous avons un arrangement avec les chemins de fer. Nous allons forcer tous les raffineurs de Cleveland à vendre. A chacun de saisir la chance de se mettre avec nous. Ceux qui refuseront seront écrasés. Si tu ne nous vends pas ton bien, il perdra toute sa valeur. » Frank résista et quand la prophétie de son frère se réalisa, il en fut traumatisé pour la vie, témoigna contre lui à plusieurs occasions en public et finit par retirer les corps de ses deux enfants (décédés) du caveau familial de Cleveland, de peur qu'ils ne soient contraints de passer l'éternité en compagnie de John Davison.

La combine marcha sans accroc pendant près de deux mois. C'est alors qu'une fuite fortuite révéla la nature de la Société de Progrès du Sud : aussitôt, ce fut un tollé dans la Région du Pétrole. Rassemblements nocturnes, défilés aux flambeaux, pétitions furieuses portées aux membres de l'Assemblée de l'Etat (l'une d'elles, longue de quatre-vingt-treize pieds), télégrammes menaçants aux PDG des chemins de fer. Ce qui mettait les producteurs hors d'eux, ce n'était pas seulement la création d'une telle combinaison (qui n'avait essayé de former des associations dans l'espoir de maintenir les prix du brut ?), mais son caractère froidement cynique, les forts contre les faibles, et surtout l'usage de l'odieuse « ristourne ». Comme l'écrivit plus tard Ida Tarbell : « Le système des rabais, considéré comme illégal et injuste, était accepté tant bien que mal. Mais la ristourne sur les chargements d'autrui était une astuce nouvelle, qui mit le feu aux poudres dans la Région du Pétrole. »

Jusqu'alors, le nom de Rockefeller n'avait guère de notoriété en dehors d'un petit cercle à Cleveland. En une nuit, il devint synonyme d'infamie. Pendant toute la durée du conflit, le journal *Oil City Derrick* imprima les noms des conspirateurs dans un encadré bordé de noir à la une de chaque édition : John D. Rockefeller y figurait en bonne place. Ce fut la première des nombreuses batailles que Rockefeller dut livrer, la première fois aussi que des expressions comme « pieuvre » et « boa » firent leur apparition pour décrire l'organisation née de son talent méthodique.

Même au plus fort du déchaînement contre la Société de Progrès du Sud, Rockefeller ne se départit jamais de cette discipline intérieure, de cette solide confiance en soi et de cette croyance inébranlable dans sa propre rectitude qu'il conserva toujours dans l'adversité. Comme il le dira plus tard : « C'était mon droit. Ma conscience me disait que c'était mon droit. Tout était clair entre le Seigneur et moi. »

Lorsque Cettie s'inquiétait à la pensée que la réprobation publique en vînt à mettre ses jours en danger, il la rassurait en ces termes : « Nous agirons selon notre droit, sans nous laisser impressionner ni troubler par les journaux... »

Ce fut pour Rockefeller la traversée du Rubicon et chaque fois qu'il revécut l'événement, il demeura intimement convaincu qu'il ne s'était point trompé. Plus tard, il confia à W. O. Inglis, chargé de rédiger l'histoire de sa vie : « Le procédé était sans précédent : l'entreprise la plus puissante et la plus prospère se tournait vers ses concurrents moins fortunés et leur disait : " Nous nous portons garants contre les risques et périls du raffinage... Venez avec nous, nous vous ferons du bien. Nous aurons à cœur de vous sauver des naufrages de l'industrie du raffinage ". » Égoïsme répugnant aux yeux d'autrui, charité chrétienne au regard de Rockefeller. L'impitoyable programme de la Société de Progrès du Sud devenait, pour cet homme à l'esprit étroit, mais épris d'efficacité, un acte de piété religieuse : « La Standard fut un ange miséricordieux descendu du ciel pour dire : " Entrez dans l'arche. Apportez votre vieille baraque. Nous assumerons les risques ". »

Hélas pour Rockefeller, les gens collet monté de la Région du Pétrole persistèrent à ne rien comprendre à sa bienveillance. Producteurs et raffineurs s'unirent et firent si bien par leurs clameurs, leurs menaces, leur agitation, que les chemins de fer finirent par faire marche arrière. Même le hautain Jay Gould, de la Société Érié, se vit contraint de télégraphier sa reddition, affirmant que s'il avait parcouru un bout de chemin avec la Société de Progrès du Sud, c'était parce qu'on avait fait pression sur lui. Par mesure d'apaisement, les chemins de fer établirent de nouveaux contrats avec les producteurs pour mettre fin à la Société de Progrès du Sud et uniformiser les tarifs de transport. L'Assemblée de l'État de Pennsylvanie s'empressa d'adopter une mesure annulant l'acte de constitution de la Société de Progrès du Sud, et le gouverneur la parapha avec éclat. Les pétroliers formèrent une Association de protection des producteurs, réunirent 1 million de dollars pour soutenir les raffineurs de la « Région » et s'engagèrent à ne pas envoyer de brut à la Standard Oil.

Tout donnait à penser que Rockefeller et son ange miséricordieux avaient essuyé une cuisante défaite. Mais, passé les heures d'euphorie, lorsque les gens de la « Région » procédèrent à un tour d'horizon, ils furent stupéfaits de constater que la Standard Oil avait à présent toute la capacité de raffinage de Cleveland dans sa poche. Au cours des trois mois de guerre-éclair, Rockefeller s'était arrangé pour acheter presque tous ses concurrents dans la cité, soit vingt-deux sur vingt-cinq. Comme le disait le contemporain de Rockefeller, Mark Twain, parlant des habitants des îles Sandwich : « Les missionnaires avaient si bien réussi que les vices des indigènes n'existaient plus de nom, sinon de fait. » Il en allait de même pour les odieuses mesures de la Société de Progrès du Sud. Jetant un coup d'œil d'ensemble sur le *fait accompli*, Rockefeller émit ce jugement tranquille sur ses victimes récalcitrantes : « Ils n'avaient aucun espoir de nous concurrencer. Nous les abandonnâmes à la merci des temps. »

Après ce beau coup, Rockefeller aurait pu relâcher ses efforts pendant quelques années. La Standard était florissante et représentait un quart de la capacité de raffinage du pays tout entier. Lui-même était un prospère citoyen de Cleveland, riche au-delà de ses rêves les plus fous, élevant une famille de plus en plus nombreuse, grandissant dans un domaine de 350 hectares qu'il avait acheté à Forest Hill aux abords immédiats de Cleveland. Et pourtant, il s'acharnait, poussé par sa passion perfectionniste.

En mai 1872, les fumées de la bataille à peine dissipées, Rockefeller se rendit en pèlerinage dans la « Région », en compagnie de W. G. Warden de Philadelphie, Charles Lockhart de Pittsburgh, et de plusieurs autres importants raffineurs qui avaient été membres de l'entreprise désormais vouée aux gémonies. Ils venaient serrer la main de ceux qui, comme eux, n'avaient été que les victimes d'un malentendu, afin de les entraîner dans une nouvelle association de raffineurs appelée le plan Pittsburgh, ouverte à tous ceux qui désiraient y entrer.

L'espoir, c'est que les raffineurs de la Région du Pétrole enterreraient leurs mauvais souvenirs et tomberaient d'accord que les problèmes de surproduction et de compétition effrénée ne pouvaient trouver de solution que par le biais d'une telle association. Rockefeller réussit ce coup d'éclat : il fit tourner casaque à John Archbold, l'astucieux indépendant qui avait mené campagne contre la Société de Progrès du Sud, et qu'on retrouverait un jour à la tête de la Standard même. A part cela, ni lui ni ses amis ne furent entendus. Bien que divisés par leurs intérêts, les raffineurs et les producteurs étaient unis à l'encontre de Rockefeller et de Cleveland par un sentiment de xénophobie plus puissant que les lois économiques.

Au cours d'une réunion de discussion du plan, l'un des raffineurs indépendants, qui venait d'achever un discours enflammé contre la Standard, fut suffoqué, en regardant à la ronde, à la vue de Rockefeller, assis impassible dans un fauteuil à bascule, les mains en écran devant les yeux. « Oh, ces yeux! raconta l'homme plus tard. Il me sonda du regard, mesura exactement jusqu'à quel degré de résistance j'étais capable d'aller, puis, hop! un petit mouvement des mains et un petit balancement de fauteuil. »

On repoussait son idée de libre association? Il fallait donc une guerre pour amener la Région du Pétrole à mordre la poussière : telle était la tranquille conviction de Rockefeller en rentrant à Cleveland. Les producteurs en question ne l'avaient jamais inquiété. Il avait pris leur mesure et les avait trouvés veules et égoïstes. Ils voulaient des primes pour leur brut, mais ils étaient incapables de se discipliner et de se liguer dans le but de restreindre la production. Une commande d'un volume suffisant proposée à deux ou trois d'entre eux avait toujours réussi à faire échouer leurs tentatives pour créer des associations de défense. C'est ainsi que Rockefeller s'y était pris pour briser le boycottage de la Standard à la suite de l'affaire de la Société de Progrès du Sud.

A la différence des producteurs, cependant, les raffineurs de la Oil Creek constituaient une force non négligeable. (C'est environ à cette époque que les observateurs notèrent l'apparition d'une carte indiquant toutes les raffineries de la « Région » sur le mur du bureau de Rockefeller.) Avec un rendement quotidien de 10 000 barils, la « Région » le serrait de près à Cleveland, égalant la capacité d'ensemble des raffineries du littoral et dépassant de quelque 4 000 barils la production de Pittsburgh. En outre, les raffineries de la « Région » disposaient d'oléoducs qui acheminaient le brut à pied d'œuvre depuis la source, alors que Rockefeller devait transporter le sien par fer jusqu'à Cleveland et ensuite, après raffinage, jusqu'à la côte. Rockefeller savait qu'il devait entamer sa campagne en contraignant les chemins de fer à éliminer les avantages géographiques dont jouissaient ses concurrents.

Le monopole qu'il avait établi à Cleveland avait encore affermi son emprise sur les chemins de fer, qui maintenant dépendaient de son fret. En les mettant en concurrence, il parvint à s'assurer des accords d'affrètement qui réduisaient à néant l'avantage géographique de la « Région », tout en augmentant son contrôle sur le marché du transport et les transporteurs. Auparavant, le transport jusqu'à la côte coûtait à la « Région » 1 dollar 50 par baril, tandis que Rockefeller payait 2 dollars, plus 40 cents pour le brut, entre le puits et Cleveland; dorénavant, tous les raffineurs paieraient la même somme jusqu'à la côte, soit 2 dollars par baril, et Rockefeller obtiendrait un rabais sur ses frais d'acheminement du brut jusqu'à Cleveland.

Son offensive ne s'arrêta pas là. Préfigurant les réunions dans les Appalaches des chefs de clans du « syndicat du crime », Rockefeller et Flagler se rendirent en Floride pour rencontrer leurs homologues, W. G. Warden, PDG de la Raffinerie de l'Atlantique, la plus importante de Philadelphie, et Charles Lockhart, de Lockhart, Frew et Cie, la plus grosse raffinerie de Pittsburgh. Assis au soleil à Sarasota (appelée par la suite

« La Mecque des combinards » par Ida Tarbell), Rockefeller parla de sa petite voix nasillarde, représentant aux deux autres que le seul moyen de prévenir les luttes perpétuelles et l'insécurité dans le domaine du raffinage, c'était de s'unir en une organisation unique. La Standard, par sa taille et les avantages dont elle disposait avec les chemins de fer, était le candidat idéal. Les autres se montrèrent naturellement sceptiques. Rockefeller les invita à se rendre à Cleveland pour examiner les livres de la Standard Oil. Ils vinrent, virent et leurs yeux se dessillèrent. Les deux hommes négocièrent la vente de leur raffinerie et de leur outillage contre des actions de la Standard.

Presque simultanément, la Société Charles Tratt de New York entra dans le giron de la Standard, apportant avec elle les talents considérables de Henry H. Rogers, homme d'affaires audacieux qui devint également l'ami et le protecteur de Mark Twain. Ces firmes ne se hâtèrent pas de rendre public leur nouveau statut, car Rockefeller voulait les voir rafler les affaires de leurs concurrents locaux avant de divulguer les grandes lignes de son plan. Comme la toute récente Société de John Archbold dans la « Région », ces firmes agirent en « hommes de paille » pour le compte de la Standard. Tout était clandestin; il y avait un code pour les télégrammes et les lettres (« petite amie », c'était la Standard; les « incertains » désignait les raffineurs; « le liant » signifiait la ristourne; Philadelphie se disait « la Pharmacienne », etc.). Rockefeller lui-même, dans ses rapports avec ses collègues, paraissait manier des secrets d'État. « Mieux vaut que vous l'ignoriez, répondait-il souvent à certaines questions sur des sujets délicats. Ne sachant rien, vous ne pourrez rien dire. »

Lorsqu'il démarra sa campagne, la Standard était flanquée de quinze raffineries à New York, douze à Philadelphie, vingt-deux à Pittsburgh et vingt-sept dans la « Région ». Quand il la termina, seule demeurait la Standard. Le monopole ne dévoila ses dimensions qu'une fois le *fait accompli;* Rockefeller n'avait alors plus rien à craindre du tollé des raffineurs ou des producteurs, ni même des mesures prises par les Assemblées des États. Dans la « Région », les raffineurs firent l'impossible pour amener les chemins de fer à reconnaître qu'ils avaient, en tant que transporteurs, certaines responsabilités publiques : en vain. Opérer un redressement — au moyen de lois et règlements capables d'enrayer l'élan de la Standard et de préserver ce qui restait du marché concurrentiel — s'avéra également impossible. En effet, les parlements locaux eux-mêmes avaient été achetés par les largesses de la Standard. Selon les termes de Henry Demarest Lloyd dans *Richesse et République* — première attaque d'envergure contre Rockefeller — : « La Standard avait tout fait à l'Assemblée de l'État de Pennsylvanie, à part la passer dans ses propres raffineries. »

1877 : la Standard n'avait plus de concurrents dans la « Région », à Philadelphie non plus qu'à Pittsburgh. Une petite poche de résistance demeurait, à New York, parmi des raffineurs indépendants isolés. En avril 1878, Flagler nota dans une étude que la capacité totale de raffinage des

États-Unis atteignait 36 millions de barils par jour, dont 33 pour la Standard.

1880 : Rockefeller raffinait 95 % du pétrole produit dans le pays. Il faut remonter aux toutes premières années du Nouveau Monde, lorsque la couronne d'Angleterre avait créé les monopoles, pour voir une entreprise industrielle réussir aussi parfaitement.

CHAPITRE II

Par une froide journée de l'hiver 1874, John D. Rockefeller fit irruption dans son bureau et saisit Flagler par la manche. Les larmes aux yeux, il annonça la bonne nouvelle à son seul véritable ami : Cettie avait enfin donné naissance à un garçon. Après trois filles, venait un héritier mâle : John D. Rockefeller junior. La Standard Oil devait laisser très peu de souvenirs d'enfance chez Mr. Junior (comme on l'appela dès sa douzième année) et ses sœurs Bessie, Alta et Edith. Ils eurent bien l'occasion d'aller rendre visite à leur père dans son énorme usine des faubourgs de la ville, mais la plupart de leurs souvenirs touchant ce père à la renommée sans cesse grandissante se rattachent à des moments plus détendus. Ils se rappellent tous la joie simple qu'il éprouvait à lancer à toute allure son bel attelage de chevaux bien appariés sur les pistes cavalières de Cleveland ; à faire la nage du chien autour d'un lac, en été, le visage maintenu bien au-dessus de l'eau, un canotier sur la tête ; à patiner sur la glace, l'hiver, avec une précision rigoureuse pendant quelques minutes, en haut-de-forme et redingote, avant de partir au travail.

Peu avant la naissance de son fils, Rockefeller, pour célébrer sa prospérité, avait acheté une grande maison de briques dans Euclid Avenue, l'artère la plus à la mode de Cleveland. D'aucuns appelaient cette rue bordée d'ormes « l'Allée des Millionnaires » à cause des imposantes demeures victoriennes bâties par les hommes qui s'étaient enrichis dans le commerce florissant de la cité. Certains de ces nouveaux riches consacraient leurs loisirs à essayer d'apporter standing et culture à Cleveland, en y organisant des tournées de conférences pendant le week-end par des écrivains comme Dret Harte, Mark Twain, Oscar Wilde et une foule d'autres célébrités. Mais les Rockefeller, eux, ne s'intéressaient pas à ces activités. Ils consacraient leur temps à des choses autrement importantes.

Et le dimanche, quand le flot des luisants équipages remontait Euclid Avenue pour amener ses voisins vers l'église épiscopale de Saint-Paul, John D. Rockefeller, lui, installait ses trois petites filles dans leur cabriolet, faisait monter avec précaution Cettie alors enceinte de son quatrième enfant, puis dirigeait son attelage dans le sens opposé, vers le centre, dans la direction de l'église baptiste de la rue Érié.

C'est également peu avant la naissance de John que Rockefeller fit l'acquisition de Forest Hill, 39 hectares presque totalement boisés, dans les

William Avery Rockefeller
(Archives familiales Rockefeller).

Eliza Davison Rockefeller
(Archives familiales Rockefeller).

Les enfants de William et d'Eliza, vers 1854. De gauche à droite: *John D., Lucy, Mary, Frank et William (Archives familiales Rockefeller).*

John D. Rockefeller Sr.,
*Date inconnue (Archives familiales
Rockefeller).*

*Laura Spelman (« Cettie »)
Rockefeller. Date inconnue
(Archives familiales Rockefeller).*

La résidence d'Euclid Avenue (en haut). *Forest Hill* (en bas) *(Archives familiales Rockefeller)*.

John D. et Cettie en train de nager dans le lac de Forest Hill (Archives familiales Rockefeller).

Les enfants de John D. et de Cettie, en 1885. De gauche à droite : *Alta, Bessie, Edith, Junior (Archives familiales Rockefeller).*

*Frederick T. Gates
(Archives familiales
Rockefeller).*

*Simon Flexner
(Archives familiales
Rockefeller).*

John D. Rockefeller Sr., mars 1890 (Archives familiales Rockefeller).

faubourgs de la ville. A l'origine, c'était un placement. Avec l'idée d'en faire « une cure thermale et une aire de loisirs ouverte à tous », Rockefeller envoya des entrepreneurs commencer à remodeler l'énorme maison sans plan défini qui avait été vendue avec la propriété et qui, selon son plan, serait convertie en sanatorium. Mais les problèmes de la Standard Oil le sollicitèrent bientôt à tel point qu'il décida de mettre une croix là-dessus et de faire de Forest Hill sa résidence d'été.

Il adorait ces lieux. Cependant, avec ses douzaines de pièces, sa forêt de tourelles, de tours, de vérandas — le tout décoré d'arabesques et de fioritures rococo — cette maison lui semblait un luxe excessif pour sa famille; il eut du mal à renoncer à l'idée de tirer profit de Forest Hill. Quatre ans après son acquisition, il y installa quelques serviteurs noirs et tenta d'en faire à la fois une pension de famille et un lieu de vacances pour les siens. (Une femme de Cleveland rappelait, des années plus tard, comment son grand-père, une connaissance de Rockefeller, avait été invité à Forest Hill pour, croyait-il, un week-end de vacances; il avait bien déchanté en recevant une note de 100 dollars quelques jours après.) Mais Rockefeller finit par accepter le domaine comme une entreprise non commerciale, et Forest Hill ne tarda pas à devenir la résidence préférée de la famille Rockefeller.

Les enfants Rockefeller grandirent sans avoir conscience d'appartenir à la plus riche famille de Cleveland. Ils restaient entre eux. Tous quatre accomplissaient de menues corvées pour gagner de l'argent de poche; ils tenaient à jour l'équivalent du registre A. Ils furent très mortifiés lorsqu'ils commencèrent à comprendre que le monde condamnait comme un monstre sans cœur le père qu'ils vénéraient.

Leur John D. Rockefeller à eux était incapable de commettre les crimes qu'on lui imputait. Avec les années, un peu de fantaisie était entrée dans sa vie ou peut-être avait-il simplement libéré un peu de la drôlerie qu'il avait été contraint de réprimer dans son enfance? Et ses enfants étaient ravis de le voir se livrer, généralement pendant les repas, à ses authentiques talents d'imitateur. Parfois même, ce don se manifestait en dehors du cercle familial. Ainsi son secrétaire privé, George Rogers, le vit un jour, à Charlotte (Caroline du Nord), au cours d'un voyage d'affaires, entamer une conversation avec un Noir assis sous un porche, le poussant à récriminer contre la richesse et les privilèges, et au dîner, le soir, en donner une imitation reproduisant les intonations pathétiques du « négro ».

Rockefeller fuyait les autres grands industriels qui commençaient à faire surface. Un éminent banquier se plaignit à George Rogers : « Nous ne voyons jamais Mr. Rockefeller. Il ne fréquente jamais nos clubs et nos réunions mondaines, si bien que nous avons fini par le considérer comme une grande araignée à l'affût dans sa toile, guettant sa future proie. » Plus vraisemblablement, ses moments de détente, il les passait avec sa famille, à réagir avec enjouement aux excentricités de son père, à tenir tendrement les mains de sa mère à table, à becqueter sa femme sur le front, à jouer à colin-maillard et autres jeux avec ses enfants. La famille n'était pas pour lui un fardeau que seuls un harem de maîtresses et des divertissements variés auraient pu rendre supportable. C'était son dernier retranchement. L'édification d'une famille avait autant d'importance que l'édification de sa Société. En fait, c'est *pour* la famille qu'il bâtissait sa Société.

Qu'y avait-il de commun entre ce Rockefeller privé et le maître de ce grand léviathan qui faisait surface après avoir avalé ou terrorisé le menu fretin ? C'était un tyran bienveillant et la Société dont il était la tête portait le sceau de sa personnalité. Il ne cessait d'inspecter les diverses usines de la Standard, supervisant tout, tombant à l'improviste sur de jeunes comptables, parcourant leurs registres d'un œil exercé et tirant prestement le carnet qu'il portait toujours dans la poche de sa veste pour noter les petits gaspillages à éviter du côté ouvrier. Au cœur des plus importants combats de l'histoire industrielle américaine, Rockefeller trouvait le temps de griffonner des notes destinées à inculquer aux contremaîtres l'esprit d'économie. Par exemple : « Votre inventaire de mars fait apparaître 10 750 bondes disponibles. Le compte d'avril fait état d'un achat de 20 000 bondes, 24 000 utilisées, et 6 000 bondes disponibles. Où est passée la différence, soit 750 bondes ? » Un jour, il inspectait l'une des usines où l'on mettait en bidons le pétrole destiné à l'étranger. Il s'arrêta pour suivre la fabrication des récipients de 5 gallons et nota, en observant un des ouvriers, qu'on utilisait pour chacun quarante points de soudure ; au bout d'un moment, Rockefeller dit : « Avez-vous déjà essayé avec trente-huit ? Non ? Voudriez-vous en souder quelques-uns avec trente-huit et me tenir au courant ? » Les bidons soudés avec trente-huit points présentèrent quelques fuites, mais avec trente-neuf, ils étaient tous étanches et dès lors, trente-neuf points devint la règle d'or dans cette usine de la Standard. Plus tard, quand on l'interrogeait sur ces économies, Rockefeller disait avec un large sourire : « Une fortune. C'est ce que nous avons économisé. Une fortune. »

Les petits détails le hantaient, plus même, semblait-il parfois, que les grands problèmes de la Standard. Mais à mieux analyser son caractère, on se rend compte que cela formait un tout et que cette distinction n'existait pas pour lui. (Le fils de Rockefeller se souvenait que son père, au cours de vacances familiales en France en 1888, avait acquis la conviction que leur guide les filoutait, l'avait flanqué dehors et s'était improvisé guide lui-même : « Je le vois encore, se rappelait le fils, examinant les longues factures françaises, vérifiant chaque article, même s'il n'en comprenait pas le sens... Père ne pouvait jamais se résoudre à payer une facture qu'il n'estimait pas sincère et véridique. Malgré les apparences, ce n'était pas chez lui de la pingrerie, mais l'application d'un *principe*. ») Il serait superficiel d'imaginer une contradiction entre les économies de bouts de chandelle et la hardiesse dans les grandes choses : les efforts de Rockefeller étaient en réalité tendus vers un seul but — amener son entreprise à un point où rien ne pourrait échapper à son contrôle.

L'œil de la Standard voyait tout. Pas plus qu'à la Providence, rien ne lui restait caché : la chute d'un moineau ou la vente d'un baril de pétrole rival.

Un indépendant, John Teagle, témoigna du fait suivant devant une commission du Congrès : pendant les années d'expansion de la firme, son comptable avait reçu des pots-de-vin d'un agent de la Standard Oil. En échange d'un paiement initial puis d'un salaire annuel, le comptable devait prendre note de l'activité quotidienne de la Société Teagle — sans oublier la destination de ses chargements et le prix à la production — et envoyer le tout à Cleveland.

Un autre pétrolier, indépendant lui aussi, déclara à une équipe d'enquêteurs de l'Ohio : « Supposons.que j'envoie un homme vendre de la marchandise pour moi; il prend des commandes de 200 à 300 barils par semaine; et avant que j'aie le temps de dire ouf, la Standard Oil s'est déjà déplacée et a déjà contraint mes clients à tout décommander... S'ils n'obtempèrent pas, la Standard fait baisser à ce point le prix du pétrole que mes clients n'ont plus intérêt à acheter. »

C'est alors que cette réputation d'implacable dureté commença à s'étendre. Partie de la Région du Pétrole et des quelques cités importantes où Rockefeller avait fait des affaires, elle gagna comme une lèpre l'ensemble du pays. Passe encore de se battre contre les grands concurrents ou des chemins de fer sans scrupule; autre chose était d'aller gaiement son chemin en exterminant les petits indépendants et les modestes grossistes.

Pourtant, même après s'être assuré le monopole du raffinage et le contrôle absolu du transport, le léviathan s'empressa de plonger dans les mers tumultueuses de la commercialisation en quadrillant le pays en régions où des représentants de la Standard commencèrent à envoyer dans les petites villes leurs propres citernes tirées par des chevaux, et à utiliser le système des remises pour éliminer ceux qui avaient vendu de l'essence avant eux. Dès cette époque, le nom de Rockefeller était sur toutes les lèvres.

Il y eut même des excès que Rockefeller regretta par la suite : il se fit des ennemis qui le hantèrent pendant des décennies. Par exemple, George Rice. Rice était un modeste raffineur de l'Ohio qui vendait depuis des années de petites quantités de pétrole dans le Sud. Le représentant de la Standard Oil dans le coin, Chess, Carley et Cie, reçut la consigne de le liquider. Se sachant engagé dans un combat douteux, Rice décida pourtant de riposter. Il baissa ses prix, convaincu de l'efficacité des règles courantes de la guerre des prix; mais les intermédiaires qui avaient jusque-là vendu son pétrole arrêtèrent leurs commandes, bien que ses prix fussent plus bas que ceux de la Standard. Un de ces courtiers expliqua à Rice qu'il ne pouvait se permettre de se dresser contre la Chess, Carley et Cie, parce qu'il savait que cette firme avait été autorisée par la Standard à dépenser jusqu'à 10 000 dollars pour briser les reins de tous ceux qui vendraient du pétrole Rice. Plus tard, en apprenant qu'un détaillant de Louisiane, appelé Wilkerson et Cie, avait reçu par fer du pétrole Rice, Chess, Carley et Cie télégraphièrent à un commissionnaire ami de la Société des chemins de fer Louisville et Nashville : « Wilkerson et Cie ont reçu wagon pétrole lundi 13 — 70 barils passés sans doute au tarif habituel de V^e classe — en fait, nous en sommes sûrs —

payant seulement 41 dollars 50 de transport. Exigez 57,40. Prière donner nouveau tour de vis. »

(Vers la fin du siècle, appelé à témoigner devant un tribunal de l'Ohio, Rockefeller aperçut Rice au fond de l'assistance. Quittant la barre des témoins, il traversa la salle d'audience et dit : « Comment ça va, Mr. Rice? Nous prenons de l'âge, vous et moi, n'est-ce pas? » Refusant de serrer la main tendue du millionnaire, ce malheureux Rice, qui avait harcelé Rockefeller comme l'un des pathétiques banqueroutiers de Dickens, dit assez haut pour être entendu de la foule des curieux : « Vous aviez juré de ruiner mon affaire; vous y avez réussi. Grâce à la puissance de votre grande richesse, vous m'avez ruiné. » Se frayant un passage vers la porte, Rockefeller secoua la tête et grommela entre ses dents : « Pas un mot de vrai là-dedans, pas un mot de vrai. »)

Rockefeller ne fut pas un novateur dans le domaine technique. Il avait fait sienne la bonne vieille théorie de Carnegie : « Ça ne paye pas d'être un pionnier. » Ceci devint tout à fait évident en 1879 : la Tidewater tenta de briser l'étau de la Standard sur les chemins de fer et sur la distribution du pétrole en construisant un oléoduc de 200 km depuis la Région du Pétrole jusqu'à la mer. La Tidewater parvint à construire la ligne (considérée comme un prodige d'audace et comparée, en tant qu'exploit technique, au pont de Brooklyn), malgré les tentatives des agents de Rockefeller pour l'arrêter en achetant des droits de passage sur son tracé, en intimidant les ouvriers, voire en sabotant le pipe-line. En vain. John Archbold entra alors dans la Société à coups de pots-de-vin, l'assiégea par des combats d'actionnaires et en lui créant maints problèmes; la Compagnie finit par se laisser absorber par la Standard; prompte à assimiler les connaissances techniques de la Tidewater, la Standard construisit pour son compte des oléoducs géants.

La force de Rockefeller ne résidait pas dans les innovations, mais dans l'organisation et le déploiement de la puissance, qu'il aimait à formuler ainsi : « combinaison et concentration ». Pour frapper la bonne cible au bon endroit du système, conclure l'alliance appropriée, attaquer l'adversaire sur son point faible et rafler la stupéfiante découverte au moment opportun, Rockefeller n'avait pas son maître. Son domaine, c'était beaucoup moins la technologie du pétrole que la technologie du pouvoir. A d'autres de découvrir des moyens d'obtenir et d'acheminer le pétrole; lui travaillait sur des problèmes d'un tout autre genre — par exemple la création d'un monopole.

D'après les lois en vigueur, l'expansion de la Standard Oil de l'État de l'Ohio était en péril, car elle ne pouvait mettre la main sur les installations industrielles d'un autre État ni les faire marcher. Afin de trouver une issue à ce dilemme et de poursuivre son inlassable effort pour prendre possession du marché national, Rockefeller se tourna vers Samuel C. T. Dodd, l'un des plus brillants avocats de l'époque (même si sa voix, affaiblie par la maladie, l'avait rendu inefficace dans un prétoire), l'un des premiers, également, à se consacrer au service d'un seul et unique client. Comme tant d'autres qui avaient fini par rejoindre les rangs de la Standard Oil, Dodd avait naguère été l'ennemi juré de Rockefeller. En 1872, au moment de l'affaire de la Société de Progrès du Sud, il avait dénoncé le « boa » de la Standard Oil lors d'une Assemblée de l'État de Pennsylvanie; par la suite, il avait représenté la « Région » dans sa lutte juridique contre la Standard. Aux yeux de Rockefeller, acquérir les talents de Dodd valait bien l'oubli de cette histoire ancienne (même réflexe pour John Archbold, comme plus tard pour Barton Hepburn, le député new-yorkais qui se lança dans la première enquête d'envergure sur la Standard et devint ensuite membre du conseil d'administration de la Fondation Rockefeller). A ceux qui l'accusaient de tourner casaque, Dodd rétorqua : « Eh bien, comme disent les ministres du culte lorsqu'ils sont appelés à un plus haut salaire, cela semble être la volonté de Dieu. »

C'est au début de 1882 que fut signé l'acte constitutif du trust tel que Dodd le mit au point. Il assurait le transfert des valeurs les plus importantes de la Standard à neuf administrateurs, dont John Davison et William Rockefeller, Flagler et Archbold. Les actionnaires recevaient des parts à 100 dollars l'action. Les administrateurs étaient autorisés à liquider les sociétés participantes et à en mettre d'autres sur pied — Standard de New York, Standard du New Jersey, etc., et ainsi de suite dans chaque État. Cette nouvelle organisation n'avait ni nom ni statut. C'était tout simplement un trust — terme légal courant pour désigner la relation entre des parties dont l'une détenait la propriété au bénéfice d'une autre.

Tandis que les grandes tempêtes de la réprobation publique tourbillonnaient autour de la « pieuvre » de la Standard Oil dont les tentacules étreignaient tout un continent, bon nombre de gens doutaient fort que sa base organisationnelle méritât le nom de « trust » (tout comme plus tard le mot « famille » parut inadéquat pour désigner l'organisation des « syndicats » de la Mafia). Cette question ne préoccupa jamais Rockefeller, qui maintint toujours contre vents et marées que la Standard était une institution charitable dans ses relations avec les concurrents aussi bien qu'avec les employés et les actionnaires. En 1889, au cours d'une enquête menée par l'Assemblée de New York, il eut cette réponse typique :

Question : « Vraiment, vous avez la conviction que la Standard Oil est une organisation profitable au public? »

Réponse : « Je demande respectueusement l'autorisation de présenter le rapport qui en fait foi. »

Dans un compte rendu, le *New York World* imagina la définition par Rockefeller de certains concepts d'après son témoignage public :

« *Trust :* institution philanthropique créée par l'absorption charitable de concurrents pour les sauver de la ruine, combinée avec la conservation miséricordieuse et l'utilisation ingénieuse des ressources naturelles au profit du peuple. »

Le trust de la Standard embrassait quarante sociétés, dont quatorze à 100 %. Sa complexité même engendrait un labyrinthe juridique qui réussit la prouesse de garantir son fonctionnement contre toute investigation et divulgation. L'organisation du trust était telle qu'on ne savait jamais au juste qui possédait quoi, ou qui portait la responsabilité de telle ou telle opération. Aux yeux de l'analyste, le problème atteignait des dimensions quasi métaphysiques. « On arrivait à dire que le trust existait parce qu'on en voyait les effets, mais sans jamais pouvoir prouver son existence » (Ida Tarbell).

Le trust établit son quartier général à New York, où Rockefeller transféra sa famille à regret, laissant de profondes racines dans la terre de Forest Hill et dans les fondations de l'église baptiste de la rue Érié. Il apprit à devenir un New-Yorkais, acheta une élégante demeure dans la Ve Avenue, alla travailler dans ses nouveaux bureaux, au 26 de Broadway (qui ne tarda pas à devenir l'adresse commerciale la plus infâme du monde); cependant, d'une certaine manière, Rockefeller demeura toujours l'homme d'affaires provincial. Il se rattacha à une autre église baptiste, refusant d'adhérer à un culte d'un meilleur niveau social. « La plupart des Américains, lorsqu'ils amassent de l'argent, escaladent les remparts dorés de l'église épiscopale la plus proche..., devait écrire Mencken. Mais les Rockefeller restent fidèles au Dieu rustique de l'arrière-pays américain, sans éprouver la moindre honte de lui. » Son arrivée au bureau était aussi discrète que celle d'un employé. Son secrétaire, George Rogers, dira : « Je n'ai jamais vu personne entrer dans un bureau aussi furtivement que Mr. Rockefeller. Il paraissait presque revêtu d'une tunique d'invisibilité. » Rogers se rappelle aussi avoir vu son patron, pendant le trajet de son domicile à son bureau, griffonner des notes au crayon sur sa manchette gauche.

Il déjeunait tous les jours au 26 de Broadway avec les autres proconsuls du grand empire de la Standard. Parmi eux, William Rockefeller, affable et paisible, avec deux fils qui épouseront deux des filles du banquier James Stillman, fondant ainsi une alliance dynastique dont les descendants, les Stillman Rockefeller, domineront la First National City Bank, laquelle disputera un jour la suprématie du monde financier à la Chase Manhattan de leurs cousins. Henry H. Rogers, appelé « suppôt de Satan » à Wall Street, à cause de ses stupéfiantes et dangereuses attaques sur le marché en tant qu'actionnaire privé. Flagler, chef de guerre confirmé de la Standard, qui deviendra un jour tristement célèbre en tant que « corrupteur n° 1 ». John Archbold qui, après s'être engagé devant l'antialcoolique Rockefeller à résoudre ses problèmes de grand buveur, n'avait cessé de monter dans la hiérarchie de la Standard. Oliver Payne, trésorier de la Standard, dont le père Henry B. Payne deviendra sénateur de l'Ohio et fera cause commune avec le puissant Mark Hanna. Quant à Rockefeller, il était assis bien tranquillement à côté de Charles Tratt, à qui il avait cédé la présidence de la table parce qu'il était le doyen du groupe. Il écoutait les discussions en silence et ne donnait que très rarement son opinion. Son attitude reflétait l'une de ses idées essentielles : « Trouvez l'homme capable d'accomplir la chose précise que vous avez en tête, et ensuite laissez-lui les coudées franches. » (Formule citée plus tard par les journalistes à sa solde comme si elle valait une épigramme d'Oscar Wilde.)

L'équipe de la Standard Oil représentait le plus puissant déploiement de talents directionnels jamais rassemblés dans une organisation. Tous millionnaires. Leurs délibérations prenaient l'allure d'un conseil des ministres. Lors d'une enquête du Hepburn Committee, même le terrible William Vanderbilt avait hoché la tête, à la barre des témoins, et déclaré aux enquêteurs de la Commission : « Sans conteste, ces hommes sont mille fois plus capables que moi... Je n'ai jamais rencontré un groupe d'hommes aussi avisés, aussi capables qu'eux dans leurs affaires... Je ne crois pas à la possibilité de leur faire baisser pavillon par décret législatif ou par tout autre procédé, ni dans cet État ni dans aucun autre. C'est impossible! Ils auront toujours le dessus, croyez-moi sur parole! »

Chaque directeur était un Jonas dirigeant un secteur dans le ventre du Léviathan. Rockefeller ne laissait jamais le trust devenir une vitrine pour exhiber la personnalité d'un homme; il maintenait la balance égale entre ses puissants barons, insufflait dans les opérations ce qu'il appelait l' « esprit de la Standard », développant une nouvelle race de bureaucrates dont la fidélité ne chancelait jamais.

Grâce à la qualité de ses cadres dirigeants, la croissance de la Standard continuait, son champ d'action se développait tous azimuts, et l'entreprise sortie des mains de Rockefeller poursuivait sa marche triomphante dans tous les domaines : technologique, géographique, industriel.

Dans le sillage de la guerre civile, la révolution économique avait hâté une révolution à l'université, parrainée par les maîtres de l'ère nouvelle. PDG des chemins de fer et industriels avaient pris l'initiative de subventionner des écoles scientifiques et des laboratoires où la recherche d'inventions techniques, aux fins de remplir la corne d'abondance économique, remplaça Cicéron et Virgile en tant que base du curriculum académique. C'est à la faculté des sciences de Yale que Benjamin Silliman mit au point le premier procédé commercial de raffinage du pétrole.

Vers la fin du siècle, la nouvelle science industrielle avait créé des douzaines de dérivés des sous-produits du pétrole raffiné : paraffine, lubrifiants, vaseline et même chewing-gum. Au moment où l'ampoule électrique allait porter un coup fatal au pétrole lampant, le moteur à combustion interne (qui devait modifier l'énergie de base dans l'industrie moderne et, par la lutte pour les champs pétrolifères, affecter les rapports entre les nations) allait conduire la Standard Oil vers des richesses et une puissance dont Rockefeller lui-même n'aurait jamais osé rêver. En 1903, les agents de la Standard proposèrent leur essence et leur huile lubrifiante aux frères Wright, à Kitty Hawk; et en 1904 leurs représentants ouvrirent une station-service à l'usage des participants de la première course automobile internationale, de New York à Paris (Texas).

Rockefeller, par son souci constant d'agrandir le trust (même avant qu'il fût possible de prédire au pétrole son incroyable avenir), avait mis la Standard en bonne position pour tirer profit des nouveaux développements. Chez lui, l'optimisme confinait presque à la manie. Au moment où les grands gisements de Bradford (Pennsylvanie) donnaient des signes de faiblesse, s'ouvraient dans l'Ohio les gisements de Lima, plus prodigues encore. Et la Standard était là; Rockefeller avait balayé d'un revers de main les objections de Pratt et de Rogers; selon certains scientifiques, en effet, le pétrole de Lima, « acide » et chargé de sulfure, ne pourrait jamais être convenablement raffiné. A l'heure même où John Archbold racontait à qui voulait l'entendre qu'il allait « se mettre à boire tout le pétrole produit là » et qu'il revendait une partie de ses actions à 85 cents pour 1 dollar, Rockefeller offrait de fournir 3 millions de ses dollars personnels comme garantie que, d'une façon ou d'une autre, ce pétrole serait traité et commercialisé. Il avait raison : en quelques années, les ingénieurs de la Standard eurent mis au point, tout spécialement pour ce faire, le « procédé Frasch ».

Ses immenses réserves pétrolières de Lima placèrent la Standard en position avantageuse pour la nouvelle bataille qui s'engageait sur le marché international. Dès le début, le pétrole avait été une denrée internationale dont les exportations dépassaient largement la consommation intérieure. Depuis le premier jet de pétrole obtenu à Titusville par le colonel Edwin Drake, et pendant vingt-cinq ans, l'Amérique avait été la seule source de pétrole exportable, dont 90 % issus de la Standard. John Davison avait toujours été conscient de l'importance des exportations (déjà à l'époque de la Rockefeller, Andrews et Flagler, lorsqu'il avait expédié son frère William à New York). La Standard se battit pour les marchés d'outre-mer avec tout autant de férocité qu'à l'intérieur des USA, sans accorder ni demander merci, en bravant les gouvernements étrangers aussi systématiquement qu'elle avait bravé les Assemblées des États.

Une fissure s'était néanmoins produite dans le mur du monopole international de la Standard, avec l'ouverture du grand gisement de Bakou, sur les bords de la mer Caspienne. Dès 1883, une voie ferrée avait été aménagée jusqu'à la mer Noire, et le tsar avait invité les frères Nobel et la famille Rothschild à participer à l'exploitation de ces grandes richesses pétrolifères. En 1888, la Russie avait rattrapé l'Amérique pour la production de brut, et le pétrole russe, ignoré quelques années auparavant, avait déjà accaparé 30 % du marché anglais et progressait en différents points d'Europe.

Au 26 de Broadway, le *brain-trust* se mit sur pied de guerre et commença à riposter par la baisse des prix. La décision fut prise d'éliminer les firmes importatrices européennes utilisées jusque-là, et de mettre en place un réseau de filiales étrangères : l'Anglo-American Oil Company Ltd en Angleterre, la Deutsch Amerikanische Gesellschaft, et ainsi de suite. John Archbold fut envoyé à l'étranger pour des conversations secrètes avec les Rothschild visant à la « rationalisation » du marché. En même temps qu'on essayait d'acheter des rivaux, on s'infiltrait chez eux par des achats secrets d'actions — avec un

uccès remarquable, quoique incomplet. Les exportations de pétrole US vers
'Europe augmentèrent de cinq fois et demie entre 1884 et 1889, et pourtant
a Standard parvenait tout juste à garder 60 % du marché. Mais la Grande
Guerre de 1914 vint bouleverser de fond en comble les conditions de la lutte.

Pour son expansion outre-mer, la Standard avait de meilleurs rapports
avec le gouvernement fédéral qu'à l'intérieur où elle représentait une menace;
mais à l'étranger, elle personnifiait la présence américaine. Sa prospérité était
la prospérité de l'Amérique. Son destin était à l'unisson de celui de la nation.
Pour dépister les opérations de ses concurrents, non seulement en Europe
mais au Moyen-Orient et dans l'Asie du Sud-Est, la Standard avait recours
aux rapports secrets des consuls et des ambassadeurs US, dont un certain
nombre émargeaient à ses fonds secrets. Elle fonctionnait comme un gouvernement parallèle, avec une politique étrangère indépendante.

La Standard, ses échecs et ses succès alimentaient le courrier diplomatique.
Quand le trust expédia en Extrême-Orient un agent énergique nommé
W. H. Libby, le consul général en Chine envoya une note pour louer ses
efforts. John Young, ministre en poste, alla même jusqu'à préparer une
circulaire en chinois vantant les mérites du kérosène et la fit distribuer par le
personnel consulaire, tandis que les agents de la Standard inondaient les gens
de petites lampes en fer-blanc. Lorsque le vaste marché chinois fut menacé de
clôture par le colonialisme européen, le secrétaire d'État John Hay publia ses
fameuses notes sur la « Chine porte ouverte ». La puissance militaire des
États-Unis fut ainsi placée carrément derrière les droits de la Standard Oil et
autres sociétés patriotiques appelées à déverser leurs marchandises sur le
marché chinois. « L'aide la plus considérable nous vint du département
d'État à Washington, reconnut Rockefeller dans ses *Souvenirs*. Nos ambassadeurs, ministres, consuls nous ont aidés à nous imposer sur de nouveaux
marchés jusqu'aux confins du monde. »

Dans les années 1890, le pétrole américain s'infiltrait jusque dans les points
inexplorés du globe. Comme dans un roman de Conrad, les agents de la
Standard se jetaient au cœur des ténèbres, transportant leurs produits par
sampan, chameau, bœuf, et sur le dos de porteurs indigènes. Ils longèrent la
côte Est de Sumatra, atteignirent le Siam, Bornéo, l'Indochine française. Un
empire transocéanique s'étendait devant eux; selon la formule de Brooks
Adams, l'ère de la suprématie économique américaine avait commencé [1].

---

1. A la Convention nationale républicaine de 1908, Chauncey Depew résuma l'esprit du siècle
américain : « Le peuple américain produit, à l'heure actuelle, en excédent annuel sur sa
consommation, 2 millions de dollars de marchandises. Nous avons nos marchés à Cuba, Porto
Rico, Hawaii... et nous sommes en présence de 800 millions de gens autour du Pacifique,
véritable lac américain, et les industriels américains produisent des marchandises meilleures et
moins chères que tout autre pays au monde... Nous souhaitons que la production continue...
Que les usines fassent de leur mieux, que le travail soit rémunéré aux plus hauts salaires, car le
monde est à nous! »

Trente ans après le début de sa carrière, Rockefeller était le héros de la *success story* la plus spectaculaire du monde des affaires. Indiscutablement la Standard était l'organisation industrielle la plus puissante du pays, et le symbole le plus visible de la puissance grandissante des Etats-Unis à l'étranger. Mais à quel prix pour Rockefeller ! Il personnifiait tous les excès commis par la Standard dans son ascension ; la haine lui collait à la peau comme la limaille de fer à l'aimant. Il tenta d'échapper à certaines des accusations qui pesaient sur sa Société en affirmant que Henry Rogers et Archbold, les hommes de main de la Standard, étaient indépendants, agissaient pour leur propre compte et échappaient à son contrôle. Peine perdue. Selon l'expression d'Emerson, le pays ne voyait dans l'institution que l'ombre portée de l'homme. Rockefeller était apparemment ficelé sur le dos de son Léviathan aussi solidement que le capitaine Ahab sur Moby Dick.

Des années plus tard, son image remodelée par la chirurgie esthétique sous les doigts habiles des hommes de relations publiques, et après trente années de pratique de la philanthropie, Rockefeller voyait là un simple problème de communication. Rien de semblable ne fût arrivé si la Standard avait tout bonnement « fait venir les reporters » (ce qu'il avait voulu faire, prétendait-il) pour leur exposer sa vision des choses après l'affaire de la Société de Progrès du Sud. Au vrai, il était toujours resté le comptable minutieux pesant avec le plus grand soin le pour et le contre de toute ligne de conduite. Il avait senti dès le début le danger d'une opinion publique hostile et avait dépensé des milliers de dollars pour l'influencer en sa faveur. La réputation de la Standard devenait si mauvaise que tout ce qui se disait de négatif sur elle était immédiatement tenu pour vrai ; finalement, Rockefeller choisit le silence, non parce que les accusations étaient trop abjectes pour mériter réponse, mais parce qu'il était impossible de réfuter celles qui étaient fausses sans admettre celles — beaucoup plus nombreuses — qui se trouvaient fondées. Une réflexion qu'il fit devant un compagnon, au cours d'une discussion dans une rue de Cleveland sur les attaques contre la Standard, illustre bien son attitude : « Regardez ce ver, là, par terre. Si je marche dessus, j'attire l'attention sur lui. Si je l'ignore, il disparaît. » Ce fut probablement la seule erreur comptable importante de sa vie. Au lieu de disparaître, le ver s'enfla en dragon crachant des flammes.

Le tribunal de l'opinion publique ne fut pas le seul à juger Rockefeller. Dans les premières années du siècle, le trust se trouva soumis à toute une série d'enquêtes officielles. Au début, les directeurs de la Standard ne voyaient là que coups d'épingle à traiter par le mépris. Archbold, Rogers et d'autres dirigeants de la Société se parjurèrent abondamment au cours des interrogatoires, sachant que les archives du trust étaient défendues par un dédale de secrets et de fraudes légales si complexe qu'il résisterait à l'investigation. Rockefeller lui-même se soustrayait volontiers aux citations en justice, et, en dernier ressort, se présentait devant les commissions dûment préparé et protégé par Dodd et tout un aréopage d'avocats. Croisant ses longues jambes et lissant de ses mains nerveuses les faux plis de ses pantalons rayés, il prenait des airs de saint et mentait avec la plus tranquille assurance. « Non, monsieur — répliqua-t-il un jour au cours d'une audition sénatoriale à New York, en 1888 —, non, nous n'avons jamais bénéficié de meilleurs tarifs de chemin de fer que nos voisins, et si je puis me permettre, à maintes reprises nous avons pu constater que d'autres s'étaient assuré de meilleurs tarifs que nous. » Une autre fois, un enquêteur fit un lapsus en lui demandant s'il avait jamais fait partie de la Société de Progrès *sudiste* (au lieu de : du Sud), Rockefeller ne corrigea pas son interlocuteur et répondit que non.

Mais, généralement, sa meilleure défense consistait à demeurer évasif, presque jusqu'à l'aphasie. En réponse aux questions concernant les rabais, les ristournes, l'organisation et le capital de la Standard, il marmottait une litanie de « je ne saurais dire », « je ne me souviens pas », qui avait le don d'exaspérer les enquêteurs. Un correspondant du *New York World* écrivit à l'issue d'une de ces séances : « L'art d'oublier est maîtrisé à la perfection par Mr. Rockefeller. »

Son attitude (assez proche de la formule du vieux commodore Vanderbilt : au diable le public) suffisait à convaincre l'Amérique que Rockefeller avait des crimes à cacher. Mais, même avec plus de franchise, il n'eût probablement pas réussi à dissiper ces soupçons. McKinley était alors président des USA et Mark Hanna — qui faisait presque partie du comité directeur de la Standard — était le bras droit du président. C'était alors devenu une routine, pour la Standard comme pour d'autres sociétés, de glisser dans la patte de Joseph Foraker et autres sénateurs US des bakchichs de 10 000 dollars et plus (selon la révélation sensationnelle de William Randolph Hearst, basée sur des lettres confidentielles de John Archbold).

Dans *Richesse et République* (1894), Henry Demarest Lloyd émit l'opinion que Rockefeller était représentatif du malaise qui pesait à l'époque sur le pays : « Si notre civilisation est détruite, ce ne sera pas par des barbares venus d'en bas. Nos barbares viennent d'en haut. En une génération, nos grands faiseurs d'argent se sont hissés à des positions de puissance inconnues des anciens rois. Ces forces et cette richesse nouvelles ont été la chance d'hommes nouveaux. Ignorant les freins de la culture et de l'expérience, peu troublés par l'orgueil ou la prudence séculaire de la classe ou du rang, ces hommes prétendent à une puissance souveraine, exercée selon des méthodes qui la rendent anonyme et perpétuelle... Ils sont avides de luxe et de gloire, frustes, non policés, et persuadés qu'on ne peut régner sur l'humanité que par la terreur. Quand on leur parle des dieux, des amis, du savoir, de la civilisation qu'ils écrasent sans la comprendre, ils n'ont qu'une question à la bouche : combien ? »

Rockefeller était environné d'une telle haine qu'on lui imputa à tort des excès commis par d'autres membres du « gang » de la Standard Oil, dont il n'était pas responsable et qu'il réprouvait. En 1893, par exemple, H. H. Rogers, William Rockefeller et James Stillman avaient acheté la Société du cuivre de l'Anaconda pour 39 millions de dollars avec un chèque tiré sur la National City Bank de Stillman, étant entendu que les vendeurs mettraient le chèque au frigidaire un certain temps avant de le toucher. Ils créèrent ensuite la Société unifiée du cuivre et lui transférèrent toutes les mines de l'Anaconda, mettant en circulation des actions pour une valeur de 75 millions de dollars. Après un emprunt de 39 millions sur ces actions à la National City Bank pour l'acquittement du chèque, les valeurs furent offertes au public, qui les acheta sur-le-champ, permettant au triumvirat de liquider l'emprunt de 39 millions et d'empocher un profit de 36 millions pour un investissement néant.

Rockefeller lui-même n'était pas entré dans la combine et avait retiré ses fonds personnels de la National City Bank en signe de protestation. Mais peu importait. Le jour où l'affaire fut révélée, on y vit évidemment un « complot Rockefeller ».

Quand la nouvelle de sa contribution à la campagne politique de Taft s'ébruita, celui-ci dut le désavouer et prétendre y voir un « complot » ourdi par l'opposition pour jeter le discrédit sur lui. On ne s'étonne pas, dans ces conditions, que Rockefeller ait répliqué vertement à un reporter particulièrement tenace : « N'est-il pas évident qu'on a fait de moi une sorte de monstre à abattre, thème en or pour les hommes qui courent après les faveurs de l'opinion ? »

Attaqué dans ses affaires publiques, il le fut aussi dans sa vie privée. Cloué au pilori dans la presse comme symbole du malaise de l'époque, il recevait dans le même temps des menaces de mort presque quotidiennes. Quand il se rendait au culte, des centaines de badauds se rassemblaient comme pour voir un chameau passer par le trou d'une aiguille, et le pasteur fort inquiet embauchait des détectives privés pour les mêler à la foule. Pendant cette période de sa vie, Rockefeller eut en permanence un revolver chargé à côté de son lit.

En public, il demeurait d'un calme imperturbable. (« Pendant des années, confia-t-il plus tard à une connaissance, j'ai été au supplice. ») En privé, toutefois, il accusait le coup. A la fin des années 1890, cet homme si peu porté au doute, voire au retour sur soi, était de toute évidence parvenu à un point crucial de sa vie. Quel chemin parcouru depuis les jours de jeunesse où, à la simple évocation de la richesse, il avait claqué les talons de plaisir ! La grande fortune, il l'avait accumulée — bien plus de 100 millions de dollars. Mais à voir ses journées absorbées par ce travail de Sisyphe : l'administration de ses revenus et de ses dépenses, de ses investissements et de ses œuvres de bienfaisance, la stratégie du trust et sa défense contre les lois, la question venait aux lèvres : était-il le maître de l'argent ou l'argent était-il son maître ?

Sa poche était devenue, selon ses propres termes, « un véritable dépotoir » où des amis — comme par exemple Flagler — venaient déposer leurs actions de la Standard contre argent comptant afin de lancer de nouvelles affaires. Il confia un jour à son secrétaire George Rogers : « Vanderbilt dépense tout son argent en cravates et en voitures qui s'usent et qu'il doit par conséquent remplacer. D'autres mettent des fortunes dans des bateaux ou des maisons qui se détériorent; d'autres, dans des marchandises ou des denrées périssables. Quant à moi, je parie que les actions de la Standard Oil feront ma fortune. Et je les garde. »

Au fil des années, il avait constamment accru sa part d'actions de la Société et, tandis que la grande pompe à finance de la Standard entrait en haletant dans le XXe siècle, de fantastiques dividendes se déversaient dans les mains de Rockefeller. En vain essayait-il de s'en débarrasser en faisant de nouveaux investissements; il lui était devenu littéralement impossible de ne pas se laisser dépasser par lui-même.

Sous les pressions répétées, sa propre machine, qu'il avait si impitoyablement poussée pendant les quarante dernières années, finit par se rebeller. Des lettres entre Rockefeller et sa femme font état de nuits d'insomnie. Il eut de sérieux ennuis digestifs et son médecin l'adjura de décrocher. La haute silhouette qui, dans les années 1870-1880, avait traversé tête haute, moustache distinguée et traits sereins, les champs de bataille des pionniers du « Big Business », changea subitement; du jour au lendemain, ses visiteurs en furent bouleversés : il se voûtait, il avait l'air rongé par les soucis; son visage s'était creusé de rides; il avait pris du poids, son abdomen faisait des plis; il était ravagé par une maladie d'origine nerveuse (alopécie généralisée) qui ne lui laissa pas un poil sur tout le corps. Première manifestation de vanité dans une vie par ailleurs spartiate, il commença à s'inquiéter de sa calvitie, à la dissimuler sous une grotesque calotte noire, puis sous un jeu de perruques blanches plus ou moins bien ajustées, figurant par des longueurs légèrement différentes une pousse de cheveux naturelle étalée sur une quinzaine.

Chez un autre homme, de tels signes auraient pu refléter quelque tumulte intérieur : remords, peur, ou prise de conscience subite de sa fragilité d'homme devant la haine qu'il s'était attirée. Mais chez Rockefeller, qui consignait quotidiennement ses réactions face aux événements dans des milliers de lettres méticuleuses et maints carnets de notes tenus avec application, on ne trouve nulle trace de tourment intérieur ou d'examen de conscience. Chez lui, la défaillance physique signifiait simplement l'usure de la machine qu'il avait conduite si impitoyablement. Pas de remède spirituel, mais tout bonnement le repos.

Lentement, John D. Rockefeller commença à desserrer son étreinte sur les affaires de la Standard Oil. En 1896, il cessa de se rendre chaque jour au 26 de Broadway. L'année suivante, il n'y alla plus du tout; John Archbold devint régent de la Société et se tint en contact permanent avec lui par une ligne téléphonique directe.

Il consacra désormais toute sa légendaire attention et son énergie à modeler son nouveau domaine, à Pocantico Hills (État de New York), avec vue imprenable sur l'Hudson. Faisant montre de la même minutie qu'il avait déployée pour organiser ses campagnes à travers les terres inconnues de l'Amérique commerciale, il établit le plan des 100 kilomètres de routes à construire sur son domaine, fit venir plusieurs tonnes de terreau pour la plantation d'époustouflants jardins à la française, et disposa les perspectives selon son goût en déplaçant des arbres comme un décorateur déplace les chaises. Il emménagea à Kikjuit (« La Vigie », en hollandais), somptueuse demeure géorgienne que son fils, Mr. Junior, l'avait convaincu d'acheter. Comme dit un plaisantin dans une revue de Broadway : le domaine de Pocantico était un exemple de ce que Dieu aurait pu faire s'Il en avait eu les moyens. Sur les pelouses ciselées du terrain de golf qu'il avait aménagé, délaissant de plus en plus tarifs pétroliers et prix de la concurrence, Rockefeller reportait son attention sur ses scores aux « neuf trous », qu'il essayait d'améliorer avec l'acharnement qu'il avait mis à réduire les points de soudure scellant les bidons de la Standard Oil.

Si sa vie s'était arrêtée là, ou s'il avait passé le reste de ses jours à découper les coupons qu'il avait accumulés, ses descendants auraient probablement été en tous points semblables à ceux des autres grands industriels. Mais le maître de la Standard Oil, pour occuper ses loisirs, se mit à songer à la création d'un autre type d'institution, qui serait autrement populaire auprès du public que ne l'avait été son grand trust. Sa fortune était faite; il allait maintenant s'en servir pour mettre ses héritiers à l'abri de la haine dont il avait souffert sa vie durant. Sans crier gare, il commença à quitter sa vieille peau de monopoliste pour entrer dans celle de philanthrope. Lentement, le processus s'engagea : le « grand accapareur » se métamorphosa en bienfaiteur de l'humanité.

CHAPITRE III

Rockefeller connaissait suffisamment les Écritures pour se rappeler la parole de Pierre : « La charité couvrira une multitude de péchés. » Si Gould, Fisk et tant d'autres, voyant dans cette découverte tardive et commode un moyen d'apaiser leur conscience coupable et de redorer leur blason moral, s'étaient lancés à corps perdu dans les dotations d'écoles et d'hôpitaux, Rockefeller, en revanche, avait toujours acquitté sa dîme, par fidélité à la religion baptiste d'Eliza Rockefeller. Le registre A le montre payant son écot à l'Église et à ses œuvres alors qu'il débutait comme comptable à 3 dollars 50 la semaine; à Cleveland, ses dons augmentèrent à la mesure de son revenu. En 1882, il donnait environ 65 000 dollars par an; un an plus tard, le montant annuel de ses bienfaits s'élevait à 1 500 000 dollars.

Donner était un devoir que tout chrétien devait accomplir humblement. Mais, en prenant de l'âge, Rockefeller se faisait à la pensée quasi mystique qu'il avait été tout spécialement choisi, lui, frêle vaisseau, pour porter cette immense fortune. Au cours d'une des rarissimes interviews qu'il accorda (en 1905), il lâcha devant le journaliste stupéfait : « Dieu m'a donné de l'argent. » Voyant son vis-à-vis au comble de l'étonnement, il développa : « Je crois que le pouvoir de faire de l'argent est un don de Dieu... à développer et à utiliser de notre mieux pour le bien de l'humanité. Ayant reçu ce don en partage, je crois de mon devoir de faire de l'argent, toujours plus d'argent, et d'utiliser cet argent pour le bien de mes semblables en écoutant la voix de ma conscience. »

L'économiste anglais J. A. Hobson mit le doigt sur la bizarrerie de cette association : si Mammon faisait de l'argent, c'est Dieu qui décidait de la manière de le dépenser. Mais dans les dernières années de ce siècle de l'accumulation industrielle, l'alliance de la piété et de la richesse finit par paraître plus logique, étant donné la théologie très spéciale de l' « Age Doré ». Le prophète qui donna le *la* de la philanthropie était un homme étranger à toute Église, athée et ardent adepte du darwinisme social : Andrew Carnegie.

En dépensant d'une façon stupéfiante l'une des plus grandes fortunes de l'Histoire, Carnegie était bien placé pour savoir que le public s'intéressait à la façon dont les princes de l'industrie utilisaient leur argent. Il permit alors à l'essayiste et au philosophe de l'Égo qui vivaient en lui de prendre le relais du magnat de l'acier. Dans un article publié dans la *North American Review* en juin 1889, Carnegie exposa « l'Évangile de la Richesse » qui n'allait pas tarder à devenir le credo modèle des nouveaux philanthropes industriels : « Le problème de notre époque, c'est d'administrer la richesse de façon à préserver les liens harmonieux de fraternité entre les riches et les pauvres. » Cependant que les membres du Parti du Peuple et les radicaux réclamaient à cor et à cri une *redistribution* de la richesse, Carnegie suggérait simplement une amélioration de son *administration,* avec ce présupposé : l'ordre social actuel est le meilleur de tous les ordres possibles. Il pouvait, certes, être générateur d'inégalités et d'injustices, mais le progrès de la société humaine dépendait de l'aptitude de ses meilleurs éléments à accumuler la richesse et à l'administrer ensuite dans l'intérêt général.

Selon la remarque d'un théologien libéral, Carnegie avait bel et bien donné au monde un nouvel évangile : « Ce qui compte vraiment dans la société, c'est beaucoup moins les pauvres que les riches. Les riches, il y en aura dans les siècles des siècles. » John D. Rockefeller, qui lut également l'article, fut plus que satisfait : « J'aimerais, écrivit-il à Carnegie, que votre exemple soit imité par tous les hommes riches. Soyez-en, malgré tout, assuré : cet exemple portera ses fruits. »

Une compétition philanthropique, animée quoique lointaine, s'établit entre les deux hommes ; les journaux lui donnèrent une allure spectaculaire : c'était la grande compétition du don. Elle atteignit dans ses deux premières décennies les sommes fabuleuses de 179 300 000 dollars pour Carnegie, et de 134 271 000 dollars pour Rockefeller (selon le *New York American,* 1910).

Les œuvres de Carnegie comportaient toujours un élément important de publicité personnelle qui lui attira les critiques d'au moins un de ses amis de l'aristocratie : « Jamais dans l'histoire de l'Amérique ploutocratique on n'a vu un homme acheter autant de publicité sociale et de louanges à coups de dollars, écrivit Poultney Bigelow. Il aurait donné des millions à la Grèce si elle avait baptisé le Parthénon " Carnegopolis ". »

Les bienfaits de Rockefeller suivaient un cours moins flamboyant. Il avait donné des millions aux baptistes. Mais pas en une seule fois. A la fin des années 1880, on parlait tant du fameux fardeau de l'homme riche que les doyens de l'Église trouvèrent l'audace de lui demander de faire un « investissement » important en créant un grand Centre d'études baptistes. Les uns étaient favorables au projet d'une université nouvelle sur la côte Est, mais d'autres poussaient Rockefeller à reconstruire l'Université de Chicago, fondée en 1856 par Stephen Douglas sous le nom de Séminaire théologique de Morgan Park. A leur avis, cette institution, une fois remise sur pied, deviendrait une puissante maison mère pour la poignée de collèges baptistes plutôt faiblards de l'Ouest, et serait capable d'exercer une forte influence religieuse sur les nouveaux États qui s'organisaient rapidement de ce côté. En 1887, il en coûta 600 000 dollars à Rockefeller pour entamer cette grande œuvre.

Rockefeller se concentra sur la reconstruction et l'organisation intérieure de l'Université. En un sens, c'était surcharger très lourdement un emploi du temps déjà fort serré, mais Rockefeller ne regretta jamais son engagement.

Quand il se rendit à la réunion du Conseil de l'Université en 1896, pour la première fois son apparition en public provoqua des acclamations au lieu d'une curiosité hostile. A sa vue, les étudiants entonnèrent :

> « John D. Rockefeller, quel chic type en vérité,
> Pour l'UC[1] il donne toute sa monnaie. »

En 1910, sa « monnaie » avait atteint 45 millions de dollars. « Ce fut là le meilleur investissement de toute ma vie », ne cessa de répéter Rockefeller.

Mais un problème continuait à se poser à lui : comment diriger sa philanthropie du côté des sciences, dont Carnegie avait été le premier à sentir l'importance ? Le champ de la philanthropie ressemblait autant à une jungle que ce monde de l'industrie qu'il avait passé quarante ans à essayer de domestiquer. Il ne pouvait aller nulle part sans être submergé d'appels à l'aide et de sollicitations. Au 26 de Broadway, il recevait des lettres de demandes à la pelle. On eût dit que s'engageait là une lutte élémentaire entre deux conditions humaines : les hommes nantis et ceux qui essayaient de leur soutirer de l'argent. Il devenait vital de trouver une solution. « Ni dans l'intimité de sa maison, ni à table ni dans la nef de son église, ni pendant ses heures de travail, ni ailleurs, il n'était à l'abri de sollicitations pressantes... Il était constamment pisté, traqué et poursuivi, comme un gibier. »

Ainsi s'exprimait le révérend Frederick T. Gates, l'homme qui devait trouver une solution aux problèmes de Rockefeller et devenir la cheville ouvrière de sa philanthropie. Fils d'un prédicateur de New York, Gates aurait pu jouer un rôle dans *Ben Hur*. La noblesse et la vigueur de ses traits étaient mises en valeur par une abondante chevelure ondulée. Il était ambitieux, énergique, et sa personnalité était un bizarre mélange de préoccupations temporelles et de zèle évangélique. Jeune homme, il avait travaillé comme employé de banque et représentant en tissus avant d'entrer au séminaire de Rochester. Il fit ses premières armes de pasteur à Minneapolis, où il rencontra George A. Pillsbury, qui était en train de faire fortune dans les minoteries. Atteint d'une maladie incurable, Pillsbury avait demandé à Gates de l'aider à répartir les dons qu'il voulait faire dans son testament. Le jeune pasteur vécut là sa première expérience de philanthropie et comprit qu'il n'était pas appelé à veiller pour le restant de ses jours sur d'hypothétiques ouailles.

Raymond B. Fosdick (qui plus tard travailla dans l'équipe de Rockefeller et devint président de la Fondation du même nom) a laissé un tableau fortement contrasté du Rockefeller vieillissant et de l'homme qui, pendant une vingtaine d'années, allait siéger à sa droite : « On n'aurait pu trouver hommes plus dissemblables. Mr. Gates était une personnalité haute en couleurs. Il était franc, sans détour et apportait à son travail un immense enthousiasme ; Mr. Rockefeller était calme, froid. Il aimait taire ses pensées et ses desseins et se dominait d'une façon presque stoïque. Mr. Gates,

---

1. L'Université de Chicago. (*N.d.T.*)

lorsqu'il se passionnait, trouvait des accents enflammés; Mr. Rockefeller, si tant est qu'il parlât, s'exprimait lentement, en termes mesurés, lucides et pénétrants, sans jamais élever la voix ni se permettre un geste. Dans la discussion, Mr. Gates vous submergeait au point de vous écraser parfois; Mr. Rockefeller restait d'humeur égale, déployait des trésors de patience et ne se permettait jamais le moindre reproche à l'égard de personne. Mr. Gates résuma son impression sur Mr. Rockefeller par cette formule : " S'il était très méticuleux dans le choix de ses mots, il l'était également dans le choix de ses silences ". »

Impressionné par le dynamisme de Gates au cours des négociations souvent harassantes avec la hiérarchie nationale des baptistes, qui finit par l'amener à cautionner financièrement l'Université de Chicago, Rockefeller demanda au pasteur (alors âgé de trente-huit ans) de passer le voir au 26 de Broadway, en mars 1891. A peine entré dans le bureau spartiate, Rockefeller lui fit signe de s'asseoir. « J'ai des ennuis, Mr. Gates [attaque directe très peu dans sa manière]. Les appels aux dons se multiplient à une allure qui devient insupportable. Je n'ai ni le temps ni la force, étant donné mes lourdes responsabilités, de traiter convenablement ces sollicitations. Il me faut chaque fois mener une enquête minutieuse sur le bien-fondé de ces demandes. Sans cela, je suis incapable de donner de l'argent avec bonne conscience, je suis ainsi fait. Ces investigations, à l'heure actuelle, absorbent davantage de mon temps et de mon énergie que la Standard Oil. » Il demanda alors au pasteur de venir travailler pour lui.

Trois mois plus tard, Frederick T. Gates devint le grand aumônier de Mr. Rockefeller. Qui aurait pu prévoir que c'était là le premier acte de la transformation des Rockefeller en institution américaine; que le petit bureau de Mr. Gates à ses débuts occuperait un jour trois étages du gratte-ciel du Rockefeller Center et emploierait plus de deux cents personnes, dont le travail quotidien consisterait à servir la dynastie Rockefeller; et que le pasteur lui-même ne serait que le premier d'une longue lignée d'hommes dévoués et talentueux, serviteurs à plein temps de la famille Rockefeller?

Bientôt, tous les appels à l'aide aboutirent directement au bureau de Gates. Séparant le bon grain de l'ivraie, il soumettait à Rockefeller les appels dignes d'intérêt, distillant ses indications et ses recommandations dans des notes concises et péremptoires qui allaient devenir le sceau de fabrique de tous les partenaires de la famille Rockefeller. Il réduisit le volume des requêtes en insistant pour que toute demande individuelle transite par une agence centrale baptiste. Il rendit visite en personne à tous les bénéficiaires putatifs de la philanthropie rockefellérienne, et les sonda un à un. Dans les cas favorables, Gates exigeait de voir d'autres donations figurer à côté de celle de Rockefeller. En un sens, il devint le premier banquier à placer de l'argent dans l'industrie de la générosité. En évoquant cette période de mise en ordre de la société philanthropique Rockefeller, Gates écrivit plus tard : « Parmi les œuvres auxquelles donnait Mr. Rockefeller, certaines me parurent douteuses et presque frauduleuses. Petit à petit, j'introduisis et développai dans toutes ses œuvres le principe de l'attribution scientifique des dons; il ne lui fallut pas longtemps pour laisser de côté le dòn de détail et pour entrer, en toute sécurité et avec plaisir, dans le domaine de la philanthropie en gros. »

Rockefeller eut bientôt envie de diriger la perspicacité de Gates vers un autre domaine où il avait également besoin d'aide : ses finances personnelles, véritable chaos depuis quelques années, le pilotage du trust entre les diverses crises lui prenant chaque minute de son temps. Il était tout simplement victime de la vitesse d'accroissement de son revenu. Entre 1885 et 1896, sa part des dividendes du trust se montait à elle seule à 40 millions de dollars. (Par une ironie du sort, sa fortune globale, environ 200 millions de dollars au moment de sa « retraite » en 1897, finit par atteindre le milliard de dollars en 1913, avec l'avènement du moteur à combustion interne, quadruplant ainsi au cours de ses années de retraite.) Il avait placé son argent dans un tas d'entreprises et d'investissements divers, comme pour s'en débarrasser. Au début des années 1890, quand il engagea Gates, il avait soixante-sept investissements importants hors du domaine pétrolier, évalués à plus de 23 millions de dollars : 13 750 000 dollars dans seize sociétés de chemins de fer, environ 3 millions dans neuf sociétés minières, près de 2 millions dans diverses banques; 2 millions encore dans des opérations de tous ordres. Toutefois, après les investissements initiaux, Rockefeller n'avait souvent plus le temps d'y mettre le nez pendant des mois entiers.

Impressionné par le sens aigu des affaires dont Gates avait fait preuve, Rockefeller le pressa de prendre le temps, lorsqu'il se déplaçait pour étudier des projets philanthropiques, de jeter un coup d'œil sur les investissements qu'il avait dans le secteur. Le pasteur fit une découverte stupéfiante : bon nombre des placements de Rockefeller ou bien perdaient de l'argent, ou bien échappaient complètement à son contrôle. Sur la côte Nord-Ouest du Pacifique, par exemple, Rockefeller s'était laissé entraîner par des promoteurs à une multitude d'investissements douteux : aciéries, papeteries, clouteries, scieries, fonderies, chemins de fer. « Je n'avais même pas vu la plupart de ces usines, admit Rockefeller par la suite; je m'étais fié aux rapports de mes collaborateurs. »

En 1893, Rockefeller demanda au pasteur, dont il avait déjà apprécié les notes astucieuses et perspicaces, de prendre un bureau au 26 de Broadway et de se charger à la fois de la philanthropie et de ses investissements personnels. Gates fut ravi. Il écrivit à ses parents : « Il [Rockefeller] est subtil et malin, et ne se laisse pas avoir en affaires. Il veille à ne pas se laisser rouler, bien que cela lui arrive, étant donné la multiplicité de ses intérêts... Il est avare de louanges. Il ne me fait jamais de compliment direct, mais je sais qu'il dit du bien de moi à d'autres. Il a toute confiance en moi et j'agis avec prudence, sans jamais me lancer à la légère. »

Un homme de cet acabit avait tout pour plaire à Rockefeller : John D. lui ouvrit tout grand ses importants dossiers de placements personnels. Gates découvrit qu'une vingtaine de sociétés dont Rockefeller était copropriétaire battaient de l'aile : il racheta assez de parts pour devenir majoritaire, ou se débarrassa des actions. A la fin, Rockefeller eut la haute main sur treize de ces sociétés, dont la présidence revint à Gates.

Le coup le plus fumant fut la façon dont Gates consolida la propriété de Rockefeller sur les grands gisements de minerai de Mesabi (Minnesota). Cette riche zone, qui fournissait environ 60 % du minerai de fer du pays, avait été lancée par les cinq frères Merritt qui, vers 1893, détenaient 40 % des mines dont les réserves se montaient au bas mot à 50 millions de tonnes de minerai de haute qualité. Pour construire une voie ferrée reliant leurs gisements à Duluth, ils avaient émis des obligations, et l'on avait convaincu Rockefeller d'en acheter pour une valeur de 400 000 dollars.

Tel était le point de départ. Mettant à profit l'avidité spéculative des Merritt, Gates utilisa la force d'impact de l'énorme capital rockefellérien pour s'assurer le contrôle des mines. Ce faisant, il ne put éviter un fâcheux procès auquel les frères Merritt, se déclarant floués, donnèrent une large publicité. Rockefeller paya 525 000 dollars dans un règlement amiable, ce qui permit à Gates d'avoir les mains libres pour acquérir d'autres mines. En peu de temps, il se trouva à la tête des plus riches gisements du monde.

Un concours imprévu de circonstances, ainsi que le flair de Gates, avaient amené Rockefeller à se glisser entre les industriels de l'acier et leurs matières premières. Il ne démentit jamais les rumeurs selon lesquelles il avait eu l'intention d'utiliser la mine de Mesabi dans une guerre contre Carnegie pour la maîtrise de l'industrie de l'acier ; mais, à la vérité, le désir réel de Rockefeller, c'était de lâcher du lest en affaires, non l'inverse. En 1896, il établit un contrat aux termes duquel la Société Carnegie lui amodiait ses mines à raison de 25 cents la tonne, étant entendu qu'elles extrairaient au minimum 600 000 tonnes par an. Autant serait extrait des propres mines de Carnegie, le transport du tout (1 200 000 tonnes) étant assuré par les chemins de fer de Rockefeller et l'impressionnante flotte de cargos déployée par Gates sur les Grands Lacs. La Société Carnegie y gagnait du minerai de haute qualité et le contrôle de la concurrence ; Rockefeller, le prix du bail et du fret garanti pour son rail et sa flotte.

Mais l'unification de l'industrie de l'acier n'était pas achevée, loin de là. Carnegie était le plus grand, non l'unique producteur d'acier ; il avait de formidables concurrents, la Federal Steel, d'Elbert Gary, entre autres, et chaque jour de nouveaux producteurs surgissaient qui talonnaient les grandes sociétés. Carnegie ou Rockefeller auraient pu s'installer au cœur de la tourmente pour la maîtriser : mais Rockefeller ne s'était intéressé au fer que par raccroc, et Carnegie, de son côté, désirait lui tourner le dos pour se consacrer à la propagation de son nouvel évangile.

Un seul homme dans le pays pouvait assurer la prospérité de l'industrie de l'acier en éliminant la concurrence à bref délai : J. P. Morgan, surnommé « le Jupiter de Wall Street », en vertu des puissants éclairs qu'il lançait sur le monde financier depuis son cabinet (au 23 de Wall Street), affirmant sa suprématie absolue en tant que grand centralisateur d'une ère de centralisation.

C'est en 1901 que Morgan créa le plus grand ensemble industriel du monde : l'US Steel Corporation. Elle engloutit toute la concurrence, y compris Carnegie, à qui Morgan paya 300 millions de dollars en obligations que le philanthrope s'empressa de transformer en une série de fondations. Morgan n'avait jamais caché son aversion pour l'ascétique Rockefeller, et lorsqu'il se présenta au 26 de Broadway pour parler des mines de Mesabi et de la réalisation de son plan, on lui fit grise mine. Rockefeller, qui devinait les sentiments de Morgan (« Je n'ai jamais compris comment un homme pouvait avoir une si haute et si puissante idée de lui-même », dit-il en parlant de Jupiter), reçut son visiteur mais refusa de discuter avec lui. « Je regrette, répondit-il, mais je suis retiré des affaires. C'est mon fils ou Frederick Gates que vous devez voir. Mes investissements sont entre leurs mains. »

Quelques jours plus tard, Henry Frick se rendit à Pocantico, porteur d'une offre de Morgan ; Rockefeller se laissa convaincre, non sans avoir spécifié qu'il n'aimait pas les ultimatums. Sa réponse à Frick fut bien dans sa manière distinguée : « Je ne tiens pas particulièrement à vendre ce qui m'appartient. Mais, comme vous l'avez compris, je ne désire pas gêner une entreprise de valeur. » Rockefeller accepta 8 500 000 dollars pour sa flotte de transporteurs. Quant aux mines de Mesabi, il en obtint 80 millions, moitié en actions ordinaires, moitié en actions privilégiées dans l'US Steel Corporation.

Une fois les documents établis, F. Gates entra dans le bureau de Rockefeller pour mettre la dernière main au contrat. Rockefeller savait ce qu'il devait à Gates : l'investissement Mesabi, la construction de la flotte des Grands Lacs à partir de rien, la stratégie des relations avec les frères Merritt, Carnegie, et enfin Morgan. L'examen du contrat terminé, Rockefeller se leva et serra la main de Gates, lui disant avec une chaleur inhabituelle : « Merci, Mr. Gates, merci. » Gates lui rendit son regard avec assurance et répondit : « Merci est insuffisant, Mr. Rockefeller. »

Rockefeller savoura peut-être cette faute de tact en gratifiant Gates de son fameux coup d'œil aigu et appréciateur, de ce demi-sourire qui passait sur ses traits immobiles lorsqu'il sortait de sa poche une poignée de monnaie et laissait le portier ou le serveur prendre le pourboire qu'il estimait mériter. On ne connaît pas le montant du « pourboire » accordé au pasteur pour les services rendus dans l'affaire Mesabi ; pour le moment, les choses en restèrent là.

Le 14 septembre 1901, dans l'après-midi, J. P. Morgan, en chapeau et redingote, quittait son bureau de Wall Street pour Great Neck où mouillait son fameux yacht, baptisé d'un nom provocant : *le Corsaire*. Comme il passait la porte, une demi-douzaine de journalistes accoururent hors d'haleine. L'un d'eux hurla : « Mr. Morgan, le président McKinley est mort ! » Frappé de stupeur, Morgan fit demi-tour au bout d'un moment, réintégra son bureau, ôta son chapeau et sa redingote et, se rasseyant à sa table, murmura : « C'est la plus triste nouvelle que j'aie jamais apprise. »

L'administration McKinley, supervisée par le vieil ami de Rockefeller, Mark Hanna, avait officiellement patronné les combinaisons économiques dénoncées par l'opposition et la presse à sensation comme les tenants d'un nouveau système féodal. C'était l'époque, pour reprendre la formule acide de Henry Adams, de la « reddition finale du pays au capitalisme ». Désormais, c'était bien fini, et les titans de l'ordre économique pressentaient qu'un nouveau code de conduite allait devenir nécessaire pour reconduire leurs privilèges dans une ère économique un peu moins permissive.

Lorsque Theodore Roosevelt accéda à la présidence (l'année même où Morgan créa l'US Steel), son problème le plus épineux était celui des trusts. Dilemme politique. Une législation antitrust aurait été, de son aveu même, à peu près aussi efficace qu'une bulle papale lancée contre une comète. Les trusts étaient « inévitables », moins en raison de leur efficacité que des protections puissantes dont ils bénéficiaient ; l'effort de destruction serait « vain, à moins d'être accompli selon des méthodes qui mettraient à mal le corps politique dans son ensemble ».

Cependant, il n'était plus possible de laisser les trusts diriger le pays comme durant les quinze dernières années. Le mécontentement populaire était trop grand et le chaos économique, provoqué par leur concurrence effrénée, trop dangereux. S'il fallait faire des exemples pour inciter les trusts à adopter une conduite plus responsable, Roosevelt n'hésiterait pas. Oui, il existait de bons et de mauvais trusts : « Nous mettons un frein à l'inconduite, non à la richesse », annonça-t-il au pays. Mais les critères précis du distinguo demeurèrent son secret [1].

Le trust sidérurgique de Morgan, largement déployé sur la plus fondamentale des industries modernes, ne fut pas inquiété par les limiers antitrusts de Roosevelt, pas davantage que son International Harvester Company ni que le monopole des chemins de fer de Nouvelle-Angleterre. Par contre, les chemins de fer de son rival E. H. Harriman, qui n'avait pas su attraper au vol l'autobus politique de Roosevelt, recevraient un terrible coup de hache légale. Mais ce que le public réclamait à cor et à cri, c'était la tête de John D. Rockefeller et de la Standard Oil.

Depuis sa création, la Standard avait été harcelée de procès ; au cours de la deuxième administration Roosevelt, ceux-ci se poursuivirent à un rythme accéléré. Au milieu de l'été 1907, on comptait sept procès fédéraux en cours contre la Standard et ses divers prête-noms, auxquels s'ajoutaient des poursuites pour le compte des gouvernements du Texas, du Minnesota, du

---

1. Autre fait secret : les hommes qu'il allait châtier comme des malfaiteurs de la grande richesse, il les avait lui-même sollicités pour le financement de sa campagne de réélection en 1904, et ils avaient craché environ 300 000 dollars. De retour son bureau, il avait lâché sur eux son Bureau antitrust ; tant d'ingratitude fit dire à Henry Frick : « Nous avons acheté ce fils de garce, mais il nous a filé entre les doigts. »

Missouri, du Tennessee, de l'Ohio, du Mississippi et de l'Indiana. L'apothéose juridique de l'année fut la célèbre affaire Landis : la Standard se voyait poursuivie, au nom de la loi Elkins de l'État d'Indiana, pour tous les rabais qu'elle avait extorqués dans ses négociations avec les chemins de fer au fil des années. En rendant son jugement, le flamboyant juge Landis tonna depuis son siège contre les avocats de la Standard : « Vous infligez à la société une blessure plus profonde que le faux-monnayeur ou le détourneur de courrier. » Et il assena au trust une amende astronomique de 29 millions de dollars pour ses péchés passés. La nouvelle fut rapidement câblée à New York où Rockefeller entamait une partie de golf avec des amis. Il s'arrêta un instant pour regarder les mots sur le papier jaune du télégramme, puis dit avec sarcasme : « Il s'écoulera de l'eau sous les ponts avant que ce jugement soit exécuté », et passa au trou suivant.

La décision de Landis fut en effet rejetée en appel. Mais les heures de joie furent brèves ; certes, la Standard économisait 29 millions, mais dans le même temps le ministère de la Justice US entama un procès itinérant de ville en ville dans l'État du Missouri. Il réclamait la dissolution du trust lui-même pour entrave à la liberté du commerce. Vingt et un volumes, 14 495 pages de témoignages minutieux : pour la première et la dernière fois, le Saint des Saints de la Standard Oil était offert en pâture aux profanes. Ils furent saisis d'étonnement : ce qui avait débuté quarante ans plus tôt par le timide investissement de 4 000 dollars d'un jeune courtier produisait à présent 35 000 barils de pétrole raffiné et d'essence par jour ; possédait plus de 150 000 km d'oléoduc et une armada de 100 pétroliers pour transporter ses produits à l'étranger ; le trust valait environ 660 millions de dollars.

Le gouvernement gagna le procès sur toute la ligne. Par une froide journée de mars 1911, White, le premier magistrat de la Cour suprême, se leva pour lire le jugement qui proclamait la dissolution du Standard Trust : « Aucun esprit impartial ne peut contempler... cette jungle de témoignages contradictoires concernant d'innombrables transactions commerciales dans leur infinie complexité, étalées sur une période de quarante années, sans parvenir irrésistiblement à la conclusion que le génie même de l'organisation commerciale à la base de cette affaire engendra bientôt le dessein délibéré de se défaire de la concurrence. »

Dans la procédure complexe qui sépara les multiples têtes de l'Hydre, les porteurs de titres reçurent des parts dans les diverses sociétés de la Standard en proportion de leurs placements dans la Standard du New Jersey (sur les 983 383 actions du holding, Rockefeller, qui n'avait jamais cessé d'accroître sa part, en possédait 244 385 d'une valeur supérieure à 160 millions de dollars). La pieuvre fut découpée en trente-neuf sociétés différentes et théoriquement concurrentes ; mais la propriété restait aux mains des mêmes actionnaires principaux, et pendant des années encore, les nouvelles firmes continuèrent à s'en tenir à leurs territoires respectifs.

La vie posthume du trust donna au procès un épilogue empreint d'ironie. Moins d'une semaine après que les actionnaires eurent reçu les parts qui leur revenaient dans les sociétés qui avaient constitué le holding, lesdites sociétés furent pour la première fois cotées à Wall Street. Ce fut le plus fantastique marché à la hausse jamais enregistré, et la valeur de l'ex-trust s'en trouva accrue dans des proportions phénoménales. La Standard du New Jersey passa de 260 dollars à 580 dollars l'action; la Standard d'Indiana, de 3 500 à 9 500. Ainsi, tandis que les gens se réjouissaient de la mort du trust, la valeur des actions de la Standard augmentait de 200 millions de dollars en l'espace de cinq mois à peine. On aurait dit l'illustration d'une des maximes favorites de Rockefeller : « Essayez toujours de transformer un désastre en succès. » Le président Roosevelt lui-même ne fut pas insensible à l'ironie de l'affaire. Dans un de ses discours, en 1912, méditant sur les résultats de l'action antitrust, il lança : « Rien d'étonnant si la prière de Wall Street se formule désormais ainsi : " O miséricordieuse Providence, donne-nous une nouvelle dissolution de trust ". »

Mais, pour l'instant du moins, Rockefeller avait autant le souci de donner que d'amasser. Les décisions qu'il serait amené à prendre au sujet de son immense fortune seraient, il en était conscient, aussi importantes que toutes celles qui avaient concerné le trust assassiné. Frederick Gates était là pour lui rappeler les dangers de l'inaction. « Votre fortune s'accumule sur votre tête comme une avalanche! Vous devez la distribuer plus vite qu'elle ne grandit! Autrement, elle vous écrasera, vous et vos enfants, et les enfants de vos enfants. »

Mais les projets de Gates ne se bornaient pas à donner de l'argent, même de fortes sommes, à des particuliers et à des organisations qui réclamaient des subsides. Lorsqu'il méditait sur l'avenir de la philanthropie, c'était avec une ferveur évangélique. Il rêvait de faire pour la charité ce que Samuel Dodd avait fait pour la Standard : un grand trust philanthropique qui « rationaliserait » le monde du don comme la Standard avait rationalisé celui du pétrole.

Voici un extrait des papiers confidentiels de Gates concernant Rockefeller et ce qu'ils avaient appelé entre eux « le difficile art de donner » :

« Je tremblais rien que d'observer le ressentiment populaire irraisonné à l'égard de la richesse de Mr. Rockefeller; pour la masse des gens, une calamité nationale. Ce préjugé n'était pourtant pas mon principal souci. Une telle fortune, ses possesseurs allaient-ils la transmettre à la postérité comme tant d'autres, avec des conséquences néfastes pour leurs descendants et de fortes tendances à la démoralisation sociale? Je ne voyais pas d'autre solution, pour Mr. Rockefeller et son fils, que de former une série de grandes entreprises philanthropiques pour le progrès de la civilisation dans tous ses aspects, dans ce pays comme dans tous les pays; dans la mesure du possible, des entreprises philanthropiques sans limites temporelles ni quantitatives, sans limite non plus d'objet, et se perpétuant à l'infini. »

Ces fondations, aurait pu ajouter Gates, seraient également on ne peut plus visibles, puisqu'elles s'intéressaient à des problèmes concernant la vie de l'Américain moyen : Rockefeller serait l'écran où il projetterait ses propres rêves.

Gates commença par inciter Rockefeller à créer la première institution qui porterait son nom : l'Institut médical Rockefeller (transformé, un demi-siècle plus tard, en Université Rockefeller par son petit-fils David). En 1897, s'inspirant des *Principes et Pratique de la médecine* d'Osler, Gates proposa à son patron un mémorandum pour la création d'un institut de recherche médicale sur le modèle de l'Institut Pasteur, de Paris, et du Koch Institute de Berlin. Gates avait le sentiment que la médecine telle qu'on la pratiquait à l'époque aux USA était un « fiasco », et que redresser la situation « ouvrirait à Mr. Rockefeller d'immenses perspectives ». Et même si l'institut ne parvenait pas à la moindre découverte, « le simple fait que lui, Mr. Rockefeller, avait instauré un tel institut de recherche... amènerait la création d'instituts semblables ou, à tout le moins, des fonds pour les créer ».

En 1901, l'Institut Rockefeller pour la recherche médicale fut officiellement inauguré. Ce fut le premier du genre en Amérique ; et un an plus tard, à la première dotation de 200 000 dollars, Rockefeller ajouta 1 million de dollars pour la construction et l'équipement d'un grand laboratoire dans le quartier Est de New York. On fit le choix du Dr Simon Flexner, de l'Université de Pennsylvanie, pour diriger l'Institut et sélectionner un personnel de brillants savants et de non moins brillants administrateurs.

En 1905, Flexner mit au point un sérum pour le traitement de la méningite, première d'une série de découvertes scientifiques magistralement orchestrées, parmi lesquelles d'importants progrès dans la fabrication d'un vaccin contre la fièvre jaune et des travaux de valeur sur la paralysie infantile et la pneumonie. Mieux encore, l'Institut allait fournir les compétences nécessaires aux campagnes de santé publique que la Fondation Rockefeller et d'autres organismes philanthropiques s'apprêtaient à lancer jusqu'aux confins du monde.

Lorsque Gates considérait l'Institut médical que son énergie et son imagination avaient contribué à créer, il trouvait des accents mystiques : « Dans ces salles sacrées, le Seigneur murmure Ses secrets. A ces hommes, Il révèle les profondeurs mystérieuses de son Être », écrivit-il. S'il abritait de telles pensées, Rockefeller ne les exprimait pas. Il continuait à étonner les gens en gardant le Dr H. F. Biggar, homéopathe, comme son médecin personnel, entretenant une méfiance fondamentale à l'égard de la médecine moderne tout en dispensant des millions pour parrainer ses progrès [1].

1. Gates s'en tapait la tête contre les murs. Sur la suggestion de Rockefeller, le Dr Biggar prépara un article à la gloire de l'homéopathie au moment où l'Institut était fondé. En le lisant, Gates explosa : « Il n'a pas suivi les progrès de la médecine ; il vit toujours dans le crépuscule de nos grands-pères. Son exposé illustre les sentiments courants d'il y a cinquante ans... Un homme capable de se contenter si facilement de croire ce qu'il veut bien croire devrait être fort heureux ; c'est sans doute le cas du Dr Biggar... » Ce qui n'empêcha pas Rockefeller de rester en relation avec Biggar jusqu'à la mort du docteur. Par la suite, évoquant le remplaçant, plus moderne, de

Gates aurait fait un excellent lieutenant de Rockefeller dans la Standard Oil, trente ans plus tôt. Le pasteur avait maîtrisé le système monopoliste qui avait permis à son employeur d'organiser l'industrie du pétrole, et il se proposait de l'adapter à la philanthropie. A la prière de Gates, Rockefeller écrivit à Carnegie, en 1908, l'invitant à entrer au conseil d'administration de sa prochaine grande entreprise philanthropique : le Comité de l'éducation (GEB), constitué en 1903.

Dès le début, le GEB, choisissant comme propos l'éducation des hommes de couleur, illustra parfaitement le principe du monopole. Il mit sa puissance financière derrière la coalition déjà en place en 1901 sous l'égide du Southern Education Board ; celle-ci comprenait les fonds Peabody et Slater (premières manifestations des fondations philanthropiques en Amérique) et le complexe éducatif Tuskegee-Hampton, dont émanait l'éducation supérieure à laquelle purent prétendre les affranchis de la période qui suivit la Reconstruction.

Son influence dans le Sud fut bientôt sans rivale, et le GEB élargit son rayon d'action pour englober le reste du pays. En 1905, Rockefeller ajouta 10 millions de dollars à la dotation initiale du GEB, et accompagna le don d'une lettre spécifiant que la somme devait servir « à promouvoir un vaste système d'éducation supérieure dans les États-Unis ». Le mot clé, comme le souligna plus tard Gates dans une note aux membres du conseil d'administration, c'était : *système*. Les 10 millions de dollars étaient destinés à « soumettre notre éducation supérieure à un vaste système discipliné, à décourager le gaspillage et le " double emploi ", à encourager l'économie et l'efficacité. Le désir de Mr. Rockefeller est de voir le fonds servir inlassablement ce grand but ».

Étape suivante : le GEB combina l'intérêt pour la médecine de l'Institut médical Rockefeller et son propre intérêt pour l'éducation dans une campagne qui allait révolutionner tout le système de la formation professionnelle en médecine. Le modèle de la nouvelle médecine devait être « Johns Hopkins [1] »; les règles de réorganisation de la formation médicale furent énoncées dans un rapport célèbre commandité par la Fondation Carnegie et rédigé par Abraham Flexner, membre du conseil d'administration du GEB, dont le frère Simon était à la tête de l'Institut. Moins de cinq ans après le Rapport Flexner, le GEB fournissant les fonds pour parrainer ses recommandations et aider les établissements désireux de s'y plier, le nombre des écoles médicales dans le pays passa de cent quarante-sept à quatre-vingt-quinze. La petite douzaine de bénéficiaires des 45 millions de dollars mis au service de la formation médicale comprenait « Johns Hopkins », Yale, l'Université de Chicago, Columbia et Harvard. Rien ne se ferait dorénavant dans le domaine médical hors de ces institutions.

Biggar, il écrivit à son fils : « Le docteur est venu me voir aujourd'hui. Il n'a pas voulu me donner le médicament que je voulais; je n'ai pas voulu prendre le médicament qu'il me proposait; mais nous eûmes une fort agréable conversation. »

1. « Johns Hopkins » est un hôpital doublé d'une université, dont la faculté de médecine est célèbre. (*N.d.T.*)

Rockefeller était satisfait de la bonne marche des œuvres de Gates, satisfait de voir se calmer la vindicte publique qui l'avait poursuivi sans pitié depuis la Société de Progrès du Sud, satisfait à la pensée que son fils délicat et fantasque, John D. Rockefeller junior, allait trouver là un point d'appui. Mais lui personnellement n'était pas intéressé outre mesure. Gates et Mr. Junior réglaient les détails de l'Institut et du GEB, fort bien; lui, pendant ce temps, jouait au golf, boursicotait, et jouissait de sa « retraite ». Ils étaient les entrepreneurs, lui n'était que l'investisseur. Son idée de la philanthropie était différente de la leur, plus pratique, et éveillait rarement sa passion. S'enthousiasmait-il soudain, comme lors de la réunion du GEB, en 1909, pour la création de la Commission sanitaire Rockefeller? c'est qu'il voyait là, tout à coup, une application pratique à la philanthropie.

Le Dr Victor Heiser, membre de la Commission sanitaire, et plus tard directeur des programmes sanitaires internationaux de la Fondation Rockefeller, fut un jour convié, avec un petit groupe de pontes de la profession médicale, à rencontrer Rockefeller. « Je voudrais vous poser une question, messieurs. Existe-t-il une maladie largement répandue dont vous pouvez dire : je sais tout sur elle, je peux la guérir, non à 50 ou même 80%, mais à 100%? »

« Personne n'avait jamais posé un tel problème à ces éminents médecins », rapporte le Dr Heiser. C'était une question pratique émanant d'un homme habitué à en vouloir pour son argent. Heureusement, un médecin du service US de la Santé publique, le Dr Carles Stiles, avait essayé d'attirer l'attention sur le rôle d'un ver[1] dans la propagation d'une forme de léthargie parmi les travailleurs des filatures de coton, dans les États du Sud. Cette maladie affectait des millions de gens, en effet, et on pouvait aisément la guérir ou la prévenir (pour 50 cents par personne, comme on le vit plus tard). Si le gouvernement (l'impôt sur le revenu n'était pas encore né) n'avait pas les moyens de lancer une telle campagne, une Commission sanitaire Rockefeller pouvait se le permettre. Le succès retentissant de la « campagne du ver » allait être le point de départ d'un double changement spectaculaire dans les mentalités : à l'égard de la santé publique en Amérique et à l'égard du nom de Rockefeller.

Mais Gates voyait plus grand encore que l'Institut, le GEB et la Commission sanitaire : une sorte de philanthropie globale. Il en avait évoqué les grandes lignes dans une lettre adressée à Rockefeller peu après la controverse sur l' « argent souillé » : « Quinze années durant, j'ai côtoyé quotidiennement cette grande fortune qui est la vôtre, commençait-il avec sa rhétorique coutumière. C'est à elle, en particulier à son emploi, que j'ai consacré toutes mes pensées. Il m'est désormais impossible d'éluder la grande question de la finalité de toute cette richesse. » Il poursuivait avec des suggestions sur la meilleure voie à prendre : Rockefeller pourrait « faire un legs final de cette grande fortune sous la forme d'entreprises philanthropiques permanentes pour le bien de l'humanité... ».

1. Le « hookworm ». (*N.d.T.*)

En 1910 fut créée la grande institution qui allait incarner la mission mondiale de la richesse rockefellérienne : Rockefeller confia à trois administrateurs — Gates, Mr. Junior et Harold McCormick, son gendre et héritier de la fortune de l'International Harvester — des titres de la Standard Oil d'un montant de 50 millions de dollars comme première mise de fonds destinée à la Fondation Rockefeller, au capital de 100 millions de dollars. L'année suivante, le sénateur Nelson Aldrich, beau-père de John D. Rockefeller junior et membre très influent du Congrès, déposa un projet de loi visant à l'obtention d'un statut fédéral pour ce qui devait devenir la plus grande fondation philanthropique du monde.

Ni la libéralité de Rockefeller tout au long de ces dix années, ni la première annonce de la Fondation (faisant état d'une dotation de quelque 500 millions de dollars...) n'eurent raison de la suspicion. Rockefeller choisissait bien son moment pour effectuer ses dons, faisaient remarquer les sceptiques : don généreux de 32 millions de dollars au GEB en 1907, au moment du jugement Landis; et maintenant, 100 millions de dollars au moment même où la Cour suprême envisageait une procédure de dissolution de la Standard. Grover Wickersham, ministre de la Justice du président Taft, dit que la proposition Aldrich n'était en fait qu'« un projet de loi destiné à institutionnaliser Rockefeller ». Et Theodore Roosevelt : « Bien évidemment, toutes les œuvres charitables du monde ne sauraient compenser les procédés douteux qui ont présidé à l'acquisition de telles fortunes. » Et l'éditorial d'un grand périodique d'ajouter : « Si la Standard Oil est un monstre, la Fondation Rockefeller pourrait bien engendrer une famille entière de Frankenstein. »

L'idée que John D. Rockefeller était animé de bonnes intentions rencontrait toujours le scepticisme. Aldrich lutta pied à pied pour faire passer son projet de loi au Congrès; il accepta des amendements pour dissiper les soupçons (la Fondation serait soumise à un plafond de 100 millions de dollars; de nouveaux membres du conseil d'administration seraient choisis par une commission comprenant le président et le vice-président des États-Unis, le premier juge de la Cour suprême, le vice-président du Sénat, le président de la Chambre des représentants et d'autres hauts fonctionnaires). Mais rien n'y fit. La loi ne passa pas.

Rockefeller annula le don initial et tenta de faire reconnaître la Fondation par l'État de New York, où les législateurs n'étaient pas aussi exigeants. En 1913, la Fondation reçut enfin son statut; fidèle à sa parole, Rockefeller déboursa 100 millions de dollars à l'intention de cette institution qui visait tout simplement à « promouvoir le bien-être de l'humanité à travers le monde ».

Quelques années après sa mise sur pied, la Fondation était en fait devenue cette présence internationale dont Gates avait naguère rêvé; elle était engagée dans quantité de campagnes de bienfaisance et d'éducation dans le pays et à l'étranger; elle étendait la campagne contre le ver et la fièvre jaune à ces mêmes terres tropicales du Pacifique où travaillaient les missionnaires chrétiens et où les sociétés commerciales et les expéditions militaires US établissaient des bases. La Fondation devint un élément de première importance dans la vie nationale, plus vite même que Gates n'avait osé l'espérer. Peu après sa création, il écrivit fièrement à un associé que c'était un bonheur d'avoir été « engagés ensemble dans une entreprise astreignante mais prodigieuse, grosse d'infinies possibilités... »

Ces institutions, qu'il avait si bien contribué à créer, ne connurent tout leur sens et toute leur force qu'à l'avènement de Rockefeller junior et de ses enfants. Quand, à soixante-treize ans, Gates quitta la direction de l'intitution qui couronnait son œuvre, il était conscient qu'elle pourrait un jour devenir aussi puissante que la Standard Oil elle-même : « Lorsque à votre mort vous êtes cité au tribunal du Dieu Tout-Puissant, que vous demandera-t-Il, à votre avis? Oseriez-vous croire un seul instant qu'Il se préoccupera de vos défauts insignifiants et de vos misérables vertus? Non. Il ne vous posera qu'une question : *Qu'as-tu fait en tant que membre du conseil d'administration de la Fondation Rockefeller?* »

CHAPITRE IV

« La philanthropie est à peu près la seule vertu qui soit appréciée à sa juste valeur par l'humanité », observa un jour Thoreau. De fait, les Américains étaient impressionnés par les débauches de charité de Rockefeller, précisément au moment où la vague de haine contre lui était en train de refluer. Les grandes attaques à sensation de Lloyd et de Tarbell avaient fait long feu; la controverse sur l'« argent souillé » était depuis longtemps résolue à la plus grande confusion des congrégationalistes. Les bienfaits de Rockefeller (500 millions de dollars à sa mort) avaient été superbement orchestrés et étaient venus au bon moment.

Commença alors (selon la loi d'airain du pendule de l'Histoire) une lente évolution du public en faveur de Rockefeller. Un remodelage de l'opinion qui, pour avoir l'air spontané, n'en était pas moins le fruit d'un travail remarquable. La mesure décisive, à cet effet, fut la décision d'abandonner la politique du silence à laquelle la Standard s'était toujours tenue.

En 1907, la Société avait engagé un ancien journaliste, Joseph I. C. Clarke, comme agent de publicité. Démarche audacieuse : l'industrie américaine recourait pour la deuxième fois seulement de son histoire à un employé chargé des relations publiques (le premier, Ivy Lee, maître incontesté de la profession, était appelé à devenir un dévoué rockefellérien, mais travaillait à l'époque pour les Chemins de fer de Pennsylvanie); et cette nomination voulait dire que le trust et son créateur allaient passer à l'offensive.

Flanqué de trois collaborateurs, en possession de tous les dossiers de la Standard, Clarke s'attela à la tâche. Comme il le nota plus tard dans son autobiographie : « Je suivis mon plan : défendre publiquement la Société. Un journal attaquait-il la Standard Oil? Je recherchais les faits, les exposais brièvement, envoyais l'agent local de la Standard Oil trouver le rédacteur en chef et exiger la publication de ma réponse. Cela marchait à merveille. La Standard Oil émergeait enfin de la clandestinité. »

Rockefeller y gagna autant que la Société. Finies les chroniques dévastatrices des journaux à sensation, comme *McClure's,* sur ses combinaisons pour faire de l'argent et la ruine qu'il semait derrière lui; Clarke lui organisa des interviews sur sa philosophie du don dans les colonnes du *Women's Home Companion* et d'autres revues prêtes à présenter une image plus riante du milliardaire vieillissant. Deux biographies officielles de Rockefeller furent mises en chantier. (La première, par un pasteur baptiste, fut lue à haute voix au conseil d'administration de la Standard au fur et à mesure de l'achèvement des chapitres, mais resta inachevée à la mort de l'auteur; la deuxième fut menée à bien; mais le chancelier de l'Université de Syracuse, James Roscoe Day, se révéla si hagiographique que son ouvrage fut rejeté sans appel, même par les partisans de Rockefeller [1].)

En 1908, avec l'aide compétente de Starr J. Murphy, Rockefeller évoqua son passé dans les pages des *Random Reminiscences*. L'autobiographie fut publiée en feuilletons dans le *World's Work* par le rédacteur en chef Walter Hines Page, membre du conseil d'administration de la Fondation Rockefeller et, plus tard, ambassadeur à la cour d'Angleterre.

Imperceptiblement, un changement se produisit, surtout à partir de 1913 lorsque le magistral Ivy Lee fut à son tour chargé de soigner l'image de marque de Rockefeller. Dès la formation de l'Institut de recherche médicale, la question du degré de publicité à donner aux immenses bienfaits rockefellériens avait toujours été épineuse. Rockefeller lui-même le sentait bien : il ne fallait pas que cela parût être une restitution de l'argent du crime. Dans une lettre à son fils, il dit : « Certains journaux persistent à affirmer de temps à autre que c'est une fois seulement la grande fortune accumulée que j'entrepris de la distribuer. Je pense que, par degrés prudents, grâce à Mr. Lee... ceci devrait être corrigé pour faire place à la vérité : aussitôt que l'argent commença à me rapporter, dès mon enfance, je commençai à le donner... »

Mais Lee n'avait nul besoin de leçons dans son art. Lui-même ne rendait jamais publiques les fortes sommes dont Rockefeller se plaisait parfois à augmenter les dotations des fondations : cela aurait senti un peu trop l'autoglorification... En revanche, il suscitait parmi les bénéficiaires de la largesse rockefellérienne des témoignages publics de gratitude. Lee provoquait des reportages illustrés : le milliardaire vieillissant allant à l'église, ses rapports avec ses voisins, ses parties de golf. Il voulait promouvoir sans éclats une nouvelle image de Rockefeller en tant qu'être humain.

La tentative visant à modifier l'image de la famille fut facilitée par l'inébranlable conviction de Rockefeller d'avoir été diffamé, et surtout par son étonnante longévité. Bon pied, bon œil à soixante-dix, puis à quatre-vingts ans, il survécut à tous ses collaborateurs. Henry H. Rogers était mort en 1909 (ses obsèques ramenèrent Rockefeller au 26 de Broadway pour la dernière fois); Archbold avait quitté la scène en 1916, et William Rockefeller en 1922.

La vieille garde passait; la génération nourrie d'une vision démoniaque de Rockefeller s'estompait; la suivante considérait avant tout la libéralité internationale de la Fondation Rockefeller; ou le fait que le père de la Standard Oil avait acheté des millions de bons du Trésor au moment de la Grande Guerre. John D. Rockefeller, pour le public, ce n'était plus l'homme en haut-de-forme, jaquette, pantalons rayés, se rendant au Sénat entouré de

---

1. La recherche du bon biographe de Rockefeller requit pas mal de temps, d'énergie et d'argent; finalement, le choix se porta sur l'historien Allan Nevins. Cette histoire est intéressante en soi.

gardes du corps; on le voyait en knickers, faisant une partie de golf ou photographié avec les six rejetons de son fils sur les vastes pelouses de Pocantico. Il devenait une vivante légende. En 1926, le *Saturday Evening Post* écrivait : « On peut dire sans se tromper que John D. a connu tous les problèmes que la vie pose à l'homme : paternité, intégrité morale, affaires, devoirs envers la postérité, longévité, religion, et qu'il les a tous brillamment résolus. » On le consultait comme un oracle sur les questions financières aussi bien que sur une infinité de problèmes domestiques.

La vieillesse est pour certains une saison où l'esprit d'apaisement vient remplacer les passions de jeunesse. Pour Rockefeller, en tout cas, qui ne s'était jamais permis de telles passions, c'était simplement le passage d'une étape de la vie à une autre chez un homme qui s'était toujours maîtrisé. (On ne le vit pleurer que deux fois : en s'en revenant prendre son petit déjeuner, après l'annonce de la mort de sa femme; en recevant l'information — fausse d'ailleurs — que la ferme du nord de l'État de New York où il avait vu le jour était placée sur des vérins à destination de Coney Island.) Il vit une fois une pièce de théâtre (de Weber et Fields), mais ne fut pas assez impressionné pour y retourner. Il demeura ce qu'il avait toujours été : un homme d'affaires. Chaque matin, pendant deux heures, il s'isolait dans un bureau privé à Kikjuit, le manoir de son domaine de Pocantico, et il achetait et vendait des actions par téléphone. Travail, certes, et en même temps distraction — une sorte de match de boxe imaginaire qui lui rappelait les grandes batailles du bon vieux temps.

Après le mariage de sa fille Edith à Fowler McCormick, Rockefeller détint jusqu'à 30 millions de dollars dans l'International Harvester. Grâce à son accord avec Morgan sur les mines de Mesabi, il était devenu le plus gros actionnaire de l'US Steel et siégeait à son conseil d'administration. Il avait investi sans lésiner dans une entreprise naissante appelée la General Motors, et conservait de puissants intérêts dans la Société générale des charbonnages et la Société « Colorado Fuel and Iron ». Le trust était mort, mais Rockefeller était toujours majoritaire dans les sociétés qui avaient recueilli son héritage. En 1931, il possédait 23 % de la Standard du New Jersey, 18 % de la Standard de l'Ohio, 15 % de la Standard de Californie, et 10 % de la Standard d'Indiana [1].

Au dire de son vieux condisciple et camarade Mark Hanna, Rockefeller aimait l'argent à la folie; rien, dans sa retraite, ne venait démentir cette affirmation. Avec ses employés, il ne fut jamais prodigue ni particulièrement pingre. Parmi la cohorte des jardiniers de Pocantico, l'un d'eux devait recevoir une prime de 5 dollars à Noël, mais on la lui enleva pour avoir passé ce jour férié avec sa femme et ses enfants. Les employés de la famille

---

1. La Première Guerre mondiale allait considérablement augmenter la valeur de ces Sociétés. En 1918, la Standard du New Jersey avait un revenu net de 45 millions de dollars, la Standard de New York, 29 millions, la Standard de Californie, 31 millions. Les diverses Sociétés qui avaient naguère constitué le Standard Trust firent connaître un revenu global de 450 millions de dollars pour l'année 1918.

Rockefeller n'avaient jamais congé pour la fête du Travail ; motif : « Au lieu de dépenser de l'argent à des amusements, mes employés auront ainsi la possibilité d'ajouter à leurs économies. S'ils avaient eu congé, il est clair qu'ils auraient dépensé de l'argent bêtement. »

Rockefeller était le genre d'homme, après le travail, à faire le tour de la maison pour fermer les becs de gaz. Un jour, il gronda George Rogers, son secrétaire privé, pour avoir refusé le remboursement d'une pièce de 5 cents qu'il lui avait empruntée pour un appel téléphonique (« Non, Rogers. n'oubliez pas cette transaction ; cette pièce représente l'intérêt d'une année entière sur un dollar »). Cependant, Rockefeller n'était pas avare. Sa famille vivait royalement, sinon avec l'élégance tape-à-l'œil des Gould, Frick et Morgan.

La valeur, pour Rockefeller, s'exprimait en dollars : il n'y avait pas d'autres critères ; les livres, les idées ne l'intéressaient pas. Toute sa longue vie durant, l'argent fut le centre philosophique de son univers. Même lorsqu'il supervisait la construction de son domaine de Pocantico, sa plus grande joie consistait à tenir des comptes où apparaissaient les bénéfices théoriques réalisés par la pépinière qui allait vendre des plants à ses autres domaines. Chaque chose avait un prix, dans son univers ordonné. Lorsqu'en 1918, son fils, Mr. Junior, âgé de quarante-quatre ans, lui demanda la permission et l'argent pour acheter une Aphrodite présumée être de Praxitèle, Rockefeller répondit : « Le prix que tu as l'intention d'y mettre est quatre fois supérieur au prix initialement prévu ; crois-tu que nous pourrions la vendre nous-mêmes quatre fois plus ? » Par la suite, il appela toujours bizarrement cette statue de couleur brune la « Vénus en chocolat ».

Rockefeller n'avait eu qu'une seule grande passion — la Standard — et dès qu'il se retira de cette institution qui avait dévoré sa vie, il fit penser à un saumon à la fin du frai, heureux de séjourner dans les eaux peu profondes, convaincu qu'il avait accompli sa destinée. Il se détendit. Son fils, qui était manager de l'équipe de football de Brown, avait un jour beaucoup insisté auprès de lui pour qu'il vînt assister au match joué à Carlisle ; le père entreprit le déplacement par sens du devoir familial ; mais, dès la deuxième mi-temps, il arpentait nerveusement les contre-allées, en haut-de-forme, encourageant l'équipe de Brown (il avait toujours eu comme cela d'étranges moments d'excitation). En vieillissant, il se permettait même de menues excentricités : après tout, ayant passé le cap de la vindicte publique, n'était-il pas maintenant une source inépuisable de plaisanteries et une mine pour les paroliers, lui dont le nom était devenu un synonyme inoffensif de grande richesse...

Il y avait, par exemple, cette manie de distribuer des pièces de monnaie : d'abord 5 cents pour tout le monde. Ensuite, 5 cents pour les enfants, 10 cents pour les adultes. C'était en partie une entreprise de relations publiques, jaillie de la fertile imagination de Lee ; mais Rockefeller s'y était mis avec enthousiasme. Les quelque 30 000 pièces flambant neuves qu'il distribua dans ses dernières années, il les accompagna presque toutes de ce conseil (digne de sa mère) : « 10 cents pour la banque, 1 cent pour la dépense. » Partout où il allait, les gens attendaient, la main tendue, réclamant une piécette dans l'espoir que par là une parcelle du génie du donateur se glisserait en eux. Rockefeller avait toujours quelques marrons d'Inde dans ses poches, et il lui arrivait d'en glisser un dans une main tendue, disant en badinant que c'était bon pour les rhumatismes.

Sa belle-sœur, Lucy Spelman, a pu dire que Rockefeller faisait montre d'une sorte de gaieté froide ; et de fait, la conscience accrue de son âge et de sa condition mortelle allait de pair avec la manifestation d'un certain humour distant. Souvent, après le petit déjeuner, il se levait de table et mettait le cap sur son bureau avec ces mots : « Eh bien, je pense que je vais voir ce que je peux faire pour me mettre à l'abri du besoin. » Un jour, au cours d'une séance de massage, en entendant ses os craquer, il grommela entre ses dents : « J'ai toute l'huile du pays, à ce qu'on dit, et j'ai même pas de quoi graisser mes articulations. » Une autre fois, quand le célèbre sculpteur Jo Davidson vint faire son buste, Rockefeller demanda si le travail préliminaire à la séance de pose pouvait d'une façon ou d'une autre avoir lieu tandis qu'il jouait au golf, car il avait horreur de perdre son temps. « Ce serait plutôt difficile, lui répondit Davidson. Je ne vois pas comment emporter mon argile avec moi. » Rockefeller réfléchit un instant, puis reprit : « Non ? Je transporte bien la mienne avec moi — tout le temps. »

Il avait des maisons à New York, en Floride, et à Seal Harbor (Maine) ; il se fit construire une retraite à Lakewood (New Jersey) appelée « Maison du Golf », où il se livrait à la passion de son grand âge. Mais après le vieux domaine de Forest Hill, à Cleveland, ravagé par un incendie en 1917, Pocantico demeurait son véritable amour. Il y était venu pour la première fois en 1893, après que son frère William eut acheté un bout de terrain non loin de la région du *Sleepy Hollow* [1] d'où Ichabod Crane s'était enfui, terrorisé, à la vue du Cavalier Sans Tête. Il s'était épris de cet endroit. Ses fils et petits-fils pouvaient bien nourrir de vastes aspirations internationales ; quant à lui, après sa retraite, il s'écarta très peu en esprit de Pocantico. En visite dans ses autres résidences, il se faisait envoyer les légumes et fruits frais de Pocantico ; également l'eau de sa source Rock Cut, mise en bouteille, lui était expédiée.

D'un jour à l'autre, ses occupations variaient si peu qu'elles faisaient presque songer à un rituel. L'emploi du temps remis à la presse à l'occasion d'un de ses anniversaires illustre parfaitement une vie dominée par le dicton du Bonhomme Richard : « Le Temps, c'est de l'Argent. » 6.30 : lever ; de 7 à 8 : lit les quotidiens ; 8 à 8.30 : petit déjeuner ; 8.30 à 8.45 : un bout de causette ; de 8.45 à 10 : les affaires ; 10 à 12 : 9 trous au golf ; 12 à 13.15 : prend un bain et se repose ; 13.15 à 15 : déjeune, joue au Numérica ; 15 à 17 : promenade en voiture ; 17 à 19 : repos ; on lui fait la lecture ; 19 : dîner ; 20 à

---

1. Titre abrégé d'une nouvelle de Washington Irving (1783-1859) dont le héros Ichabod est mêlé à des événements fantastiques. (*N.d.T.*)

22 : joue au Numérica, écoute de la musique jouée par un domestique; 22 : coucher.

Il parut rétrécir avec les années, à quatre-vingt-dix ans il pesait moins de 50 kg. Son visage étroit avait la texture d'un vieux parchemin marron, aussi fragile que les manuscrits de la mer Morte, et si couturé que la bouche et les yeux paraissaient tenus en place par un réseau de minuscules cicatrices. Il avait un appétit d'oiseau et n'avalait qu'une bouchée de chacun des plats qu'on lui présentait. Il devint le vestige d'un âge révolu; le nombre des années qu'il avait accumulées lui conférait une sorte de grâce. Il devint un personnage excentrique, « roulant » à bicyclette (il se balançait sur la selle tandis qu'un valet le poussait d'une main et, de l'autre, tenait une ombrelle au-dessus de sa tête). Il jouait au golf tous les jours, même s'il fallait mobiliser une petite armée de serviteurs pour déblayer à la pelle le terrain enfoui sous plusieurs pouces de neige; à quatre-vingts ans, il était encore capable de frapper une balle à plus de 100 mètres du tee. Par tous les temps, Rockefeller se préparait à sa promenade quotidienne en auto : gilet de papier, lunettes d'aviateur, casquette cache-poussière dont les rabats pendaient le long de son visage comme des oreilles de chien de chasse. Chaque année, le jour de son anniversaire, il apparaissait devant les caméras de l'actualité : un petit salut en portant la main au chapeau de paille, un sourire, parfois un bref message. (Pathé conserve précieusement la bande sonore où est enregistré un murmure presque inaudible sorti des lèvres ratatinées du vieillard : « Dieu bénisse la Standard Oil; Dieu vous bénisse tous! »)

Ses anniversaires étaient un événement local important; les enfants venaient voir jouer les orchestres, et s'empiffrer de glaces et de gâteaux. Il assuma le rôle de « Seigneur de Kikjuit », regardant sa famille croître et se multiplier dans la meilleure tradition biblique, et dépasser la lignée Stillman Rockefeller que son frère William avait engendrée. Elizabeth (« Bessie »), sa fille aînée, avait épousé le Dr Charles Strong, professeur à Cornell et fils de l'éminent pasteur baptiste Augustus Strong. (Leur fille unique épousa le marquis Georges de Cuevas, Grand d'Espagne, après une idylle internationale que John D. trouva plutôt choquante.) La deuxième fille de John D. Rockefeller, Alta, épousa E. Parmalee Prentice, jeune avocat de Chicago, qui vint plus tard s'installer à New York pour fonder le bureau d'avocats chargé des affaires de la famille Rockefeller, qui, par fusion, finit par devenir le bureau numéro un de Milbank & Tweed. Seule Edith, sa troisième fille, lui causa du chagrin.

Après son mariage, en 1895, avec Harold Fowler McCormick, héritier de la fortune de l'International Harvester, Edith avait déménagé à Chicago et vivait sur un pied royal. Un soir, elle portait une rangée de perles de 2 millions de dollars; le suivant, un collier d'émeraudes de 1 million de dollars avec 1 657 petits diamants. S'il ne s'était agi que d'ostentation, son père aurait pu fermer les yeux; mais ses affaires extra-maritales et ses goûts intellectuels étranges le déconcertaient. Elle s'engagea à fond dans la psychanalyse, étudia en Suisse sous la direction de Jung pendant plusieurs années, et retourna en Amérique pour proclamer que ce nouvel art allait lui permettre de guérir la tuberculose et autres maladies. Elle fut ensuite attirée par l'astrologie et la métempsycose, et prétendit être la réincarnation d'Ankhes-en-pa-Aten, fiancée-enfant d'un pharaon.

Edith se sépara de son mari, qui se remaria à l'âge de cinquante ans et subit une greffe glandulaire dont on disait grand bien. (Le donneur paraît avoir été un forgeron, ce qui inspira un rimatoire qui circula dans les salons de Chicago :

> Sous le grand châtaignier
> La forge du village il y a
> Mais la gaieté le forgeron l'a pas
> Ses glandes, c'est McCormick qui les a.)

Elle continua à dilapider des millions, à avoir des liaisons tapageuses avec des employés, léguant à l'un d'eux, un Suisse nommé Edward Krenn, la moitié de sa fortune à sa mort en 1932.

Mais Bessie, Edith, Alta et leurs enfants avaient beau venir de temps en temps, à Noël ou pour l'anniversaire du patriarche, il demeurait clair que Pocantico était un endroit où la primogéniture gouvernait. Aux filles on donna de généreux héritages de leur vivant, mais c'est le fils, John D. Rockefeller junior, qui reçut le nom et les charges de la lignée, puis l'immense fortune de quelque 500 millions de dollars pour lui et ses héritiers. Dans l'avenir, lui et sa descendance seraient en effet les seuls Rockefeller.

2. Le fils

« La racine du royaume est dans l'État.
La racine de l'État est dans la famille.
La racine de la famille est dans la
personne de son chef. »

Mencius.

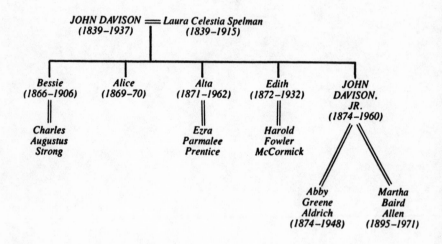

JOHN DAVISON ══ Laura Celestia Spelman
(1839–1937)   (1839–1915)

Bessie   Alice   Alta   Edith   JOHN
(1866–1906)   (1869–70)   (1871–1962)   (1872–1932)   DAVISON,
                                                             JR.
                                                             (1874–1960)

Charles   Ezra   Harold
Augustus   Parmalee   Fowler
Strong   Prentice   McCormick

                                              Abby   Martha
                                              Greene   Baird
                                              Aldrich   Allen
                                              (1874–1948)   (1895–1971)

CHAPITRE V

Hiver 1874 : John D. Rockefeller senior était à mi-chemin de sa carrière. Douze ans plus tôt, il avait lancé la firme Clark et Rockefeller; dans douze ans, il créerait le grand Standard Trust. Calme momentané dans une carrière d'une rapidité sans égale chez les autres géants de l' « Age Doré ». Il n'était pas encore célèbre, mais certains esprits perspicaces comprenaient que c'était un jeune homme qui avait de l'avenir. S'il n'était pas encore l'homme le plus riche du monde, ni même de Cleveland, il pouvait garder la tête haute au milieu de la nouvelle classe de patriciens industriels qui avaient pris en charge cette rude cité de fer et de pétrole. Tout ce qu'il touchait, il semblait le changer en or. Et le 29 janvier, la bonne fortune qui l'avait accompagné sa vie durant lui sourit une fois encore lorsque Cettie accoucha d'un héritier mâle. Le bébé était gros et sain. On l'appela naturellement John Davison Rockefeller junior.

« Le prince héritier », disait Edith Rockefeller de son frère, non sans une nuance de jalousie. Cependant, s'il grandit comme un prince du sang, il ne fut certes pas gâté. Petit, plutôt maladif, la mâchoire carrée des Spelman, grande bouche, yeux fragiles, Mr. Junior fut un enfant timide et sérieux, habituellement seul (tout jeune, il affirmait avec force qu'il ne pouvait y avoir qu'un John Davison Rockefeller et un seul; d'où le surnom). Il ne venait pas de compagnons de jeu à la maison d'Euclid Avenue, ses promenades dans les bois autour du domaine familial à Forest Hill étaient solitaires, sauf lorsqu'on pouvait engager le fils du gardien comme compagnon. Il passait de longues heures à l'église, sans pour autant soulager sa solitude puisque les fidèles (comme il se laissa aller à le dire) « étaient des gens de la petite bourgeoisie que je ne trouvais pas particulièrement sympathiques ».

La famille était sa seule ressource et il grandit en son sein. Son père était pour lui une sorte de héros de légende. Rockefeller senior était alors au sommet de sa forme; grand, l'air décidé, les yeux bleus capables de glacer un morceau d'acier, les favoris roussâtres bien fournis, il avait de quoi frapper à jamais l'imagination d'un jeune garçon. D'aucuns voyaient de la cruauté dans ses lèvres minces, mais à la maison, le rire les desserrait souvent. Plus tard, évoquant chaleureusement son père, Junior dira : « Il était l'un de nous. Il nous apprit à nager, à ramer, à faire du patin à glace, à monter à cheval... A Forest Hill, il adorait créer des sentiers à travers les bois, et lorsque nous sûmes monter à bicyclette, nous parcourions ces chemins au clair de lune. »

Mais c'est surtout leur rareté qui donnait tant de prix à ces merveilleux moments d'intimité. En grandissant, Junior vit son père de plus en plus accaparé par les guerres de conquête qu'il menait en tant que chef de la Standard Oil. Ce n'est pas qu'il trouvât plaisir au temps passé loin de sa femme et de sa famille : au contraire, la maison et la famille constituaient des bastions contre le monde. Lors d'un voyage qui le tint à New York plus longtemps que prévu, il répondit à Cettie, à Cleveland, en ces termes désolés : « Plus que jamais je sens... que le monde est plein d'imposture, de flatterie, de duperie; la maison est un havre de repos et de liberté. » Mais l'empire qu'il bâtissait requérait toute son énergie et toute son attention. Pendant ces fréquentes absences, son fils devenait l'enfant mâle du harem, la maisonnée Rockefeller vivant sous un véritable matriarcat.

Il y avait grand-mère Eliza, mince et austère, aussi affectueuse pour son brillant fils qu'elle était ombrageuse envers son époux absent. (« A table, elle s'asseyait toujours à côté de père; et avec quelle netteté je me rappelle avoir vu père lui tenir tendrement la main », rapporte Junior.) Il y avait aussi Lucy, la sœur de sa mère, la tante qu'il appelait Lute; d'abord visiteuse assidue, elle devint ensuite membre à part entière de la maisonnée lorsqu'elle eut franchi cette frontière invisible où, de jeune femme à marier, on devient vieille fille. Il y avait grand-mère Spelman, qui était venue vivre avec son gendre après la mort de son mari. Aussi ardente prohibitionniste qu'elle avait été abolitionniste vingt ans plus tôt, elle menait la croisade de la Société de tempérance de l'Ohio contre le Démon Rhum, et persuada son unique petit-fils de prendre une part active aux réunions où l'on prêchait la tempérance aux enfants. Elle obtint de Junior, avant même son dixième anniversaire, qu'il fît vœu « de s'abstenir de toutes boissons alcoolisées, de tabac et de paroles blasphématoires ». Lorsque, debout devant elle, il récita le poème qu'il avait mis des jours à apprendre, grand-mère Spelman fut émue aux larmes :

> Cinq cents le verre, vraiment croit-on
> Que c'est bien là le prix d'une boisson?
> Le prix d'une boisson, il va le citer
> Celui qui a perdu et courage et fierté,
> Gros tas d'argile qui se laisse noyer,
> D'une bête sauvage le fidèle reflet.

Il y avait ses sœurs : Bessie, Alta et Edith, ses aînées de huit, trois et deux ans; compagnes de jeu et mentors, sous leur direction il devint aussi expert en couture et tricot qu'il était maladroit dans les sports. Tous quatre passaient de longues heures à califourchon sur les branches d'un hêtre favori à Forest Hill. Bessie lisait des histoires, Junior crochetait son ouvrage de dame, Edith et Alta se balançaient, les jambes pendantes, le regard perdu dans le lointain. Par une mesure d'économie tout à fait superflue, Junior hérita de leurs vieux vêtements jusqu'à l'âge de huit ans. « Il a fallu que je porte les défroques de mes sœurs, confia-t-il plus tard à un ami. On me refilait toujours leurs robes. »

Mais de toutes les femmes qui l'entouraient dans sa vie quotidienne, la plus influente fut, sans conteste, sa mère. Cette petite femme frêle, extra-ordinairement volontaire, passa dans sa vie d'enfant comme une divinité, mettant tout son esprit et toute son énergie à « illustrer la vie du Christ » (comme le dira plus tard son fils). Sa douce discipline était théologique — et inflexible; nul besoin de coercition. Selon la remarque de Lute, « lors-qu'elle vous effleurait le bras de ses doigts avec une infinie douceur, elle mettait beaucoup de persuasion dans son geste ». Plus tard, Junior raconta à un ami qu'il ne se rappelait pas avoir entendu sa mère adresser « un mot cinglant ou irrité à son mari, à ses enfants, ni à tout autre membre de la maisonnée. Tout comme son mari pour le monde extérieur, elle était un modèle de femme d'intérieur ».

Comme un quidam disait à Rockefeller senior que ses deux plus belles réussites, c'était l'Institut de recherche médicale et son fils, Rockefeller répondit : « La seconde doit être attribuée à la mère du garçon. » En effet, Cettie Rockefeller consacrait le plus clair de son temps à l'instruction de tous ses enfants, qu'elle appelait un peu dramatiquement « mes précieux joyaux, qui me sont prêtés pour une saison et que je devrai rendre quand viendra l'appel »; mais il est vrai qu'elle se concentrait tout spécialement sur ce garçon sérieux qui transmettrait le nom de la famille à la génération suivante. Elle n'était pas sans ressemblance avec la mère de son mari; mais, chez elle, le mot clé, c'était le devoir (et non plus l'horreur du gaspillage) : devoir envers Dieu, la famille, et, en un sens, envers soi-même. Junior était un bon sujet. Se remémorant sa jeunesse, il affirma n'avoir jamais commis, enfant, une chose qu'il ne devait vraiment pas faire : « Je le dois entièrement à ma mère, qui nous parlait constamment du *devoir* et nous recommandait de ne pas déplaire au Seigneur et de plaire à nos parents. Elle nous insuffla la conscience du bien et du mal, exerçant notre volonté et nous amenant à vouloir faire ce que nous devions faire. » Donc, pas de lutte entre le désir et le devoir dans la maison d'Euclid Avenue...

Chaque matin, au petit déjeuner, on disait les prières; chaque membre de la famille, à tour de rôle, lisait des passages de la Bible. Le vendredi soir, on se réunissait pour prier. Le dimanche avaient lieu les Entretiens familiers, causeries au coin du feu au cours desquelles Mrs. Rockefeller demandait à chacun des enfants de se concentrer plus particulièrement sur un péché, d'en discuter avec elle, de prier avec elle à ce sujet, et de s'engager à le vaincre la semaine suivante. Elle incitait ses enfants à réfléchir sur chaque acte. « Ai-je raison de faire cela? Est-ce que j'ai bien fait mon devoir? » devaient-ils se demander afin de mesurer le désir à l'aune des conséquences.

Dans cette atmosphère contenue et contrôlée, les femmes Rockefeller livraient un combat résolu contre le monde impie qui appelait loin d'elles leurs hommes : le « docteur » William Avery Rockefeller, que l'on voyait si rarement, John Davison et Junior. Elles restaient fidèles à leur sagesse baptiste, et au principe que la vie est avant tout une affaire sérieuse, avec beaucoup de peines et peu de joies (selon les paroles de Samuel Johnson), et que si le bien devait triompher du mal, mieux valait éviter complètement la tentation. Les cartes étaient interdites chez les Rockefeller; pas de repas chaud le dimanche, de peur de profaner le jour du Seigneur en faisant la cuisine. On décourageait la frivolité tout aussi bien en semaine; même la famille d'oncle William était jugée un peu trop légère, d'où, petit à petit, un froid entre les deux branches Rockefeller. « Tout était centré autour de la maison et de l'église, à l'exclusion de tout le reste, remarqua plus tard Junior. Nous n'avions pas d'amis d'enfance, pas de camarades d'école. » Les ennemis de la jeunesse de Junior, ce ne furent ni Ida Tarbell ni Henry Demarest Lloyd [1], mais le Monde, la Chair et le Diable.

Peut-être y eut-il chez les filles, en particulier chez la fougueuse Edith (dont les escapades pèseraient ultérieurement d'un si grand poids sur le cœur de son père et de son frère), de furtives velléités de rébellion, mais probablement pas chez Junior. Lorsqu'il commença à écrire, une des maximes familières qu'il copia des centaines de fois dans ses cahiers, d'une belle écriture calligraphiée, semble résumer tout ce qu'il avait appris de la vie jusqu'alors : « Il n'est pas de plus grande victoire que sur soi-même. » Les héritiers des autres grandes fortunes du XIXᵉ siècle se préparaient peut-être à une vie de plaisir et d'amusement; mais lui, John D. Rockefeller junior, était appelé à de plus grandes choses. On lui avait confié la garde du nom familial et, partant, de son honneur. Il était de son devoir que le monde sût comme lui ce qu'était son père — un grand homme.

Malgré tous ses efforts, il était vraiment impossible à Cettie Rockefeller de maintenir totalement ses enfants dans leur innocence édénique. D'abord, les associés de son mari étaient toujours dans les parages. Et l'on fumait de gros cigares noirs, l'on avait l'haleine empestée de whisky, l'on jurait bruyamment dans le petit salon en discutant jusqu'à des heures indues la stratégie de la Standard Oil.

Ensuite, l'argent abondait à tel point dans la maison Rockefeller qu' « on aurait dit un élément naturel comme l'air ou l'eau », dira plus tard Junior. Et cela, les vêtements transmis de l'un à l'autre, ou le fait d'avoir une bicyclette pour quatre n'y pouvaient rien changer. Dès l'adolescence de Junior, l'immense fortune était réunie et le tollé général contre elle était à son comble. Il n'ajoutait pas foi à la presse à sensation, mais le sentiment de culpabilité auquel son père réussit à échapper rejaillit au double sur le fils.

Junior fit tous ses efforts pour tenir l'argent à distance. Son père l'aida, répétant que cette fortune, le Seigneur la lui avait donnée en garde, dépôt exceptionnel à ne pas gaspiller. John Davison apprit à Junior à tenir des comptes dans un registre semblable à son registre A. Mais cette discipline ne pouvait pas avoir le même sens pour un comptable de dix-huit ans qui se préparait à faire son chemin dans le monde, et pour le prince héritier du

---

1. Publicistes détracteurs de John D. Rockefeller. (*N.d.T.*)

trône de la Standard Oil. Junior eut, sans nul doute, le sentiment de parodier son père avec les rentrées suivantes : « Jouer du violon : 5 cents l'heure; boire de l'eau chaude : 5 cents le verre; tuer des mouches : 2 cents la mouche... » Mais la forme était plus importante que le contenu; ces comptes, il les exigerait plus tard de ses propres enfants, comme une sorte de correctif, comme si, grâce à cette minutieuse comptabilité, il espérait exorciser la souillure qui avait contaminé leur argent et maîtriser le désir effréné que celui-ci éveillait.

A l'âge de dix ans, changement de décor pour Junior. Son père, contraint de faire à New York des séjours de plus en plus longs, avait décidé d'emmener chaque fois sa famille avec lui. Pendant que se déroulaient les interminables négociations de la Standard, Cettie et les enfants occupaient de luxueux appartements dans des hôtels résidentiels comme le Windsor et le Buckingham. Lorsque cet arrangement devint trop malcommode, il acheta une demeure cossue, imposante, couverte de lierre (au 24 de la 54ᵉ Rue), qui avait appartenu à Collis Huntington, PDG des Chemins de fer de Californie.

Les chambres — murs tendus de soie, sols parquetés, lambris incrustés de nacre — finirent en exposition permanente au musée de la ville de New York et le site lui-même devint l'aire d'exposition à ciel ouvert du Musée d'art moderne. Mais, au temps de l'installation, les alentours étaient encore si peu peuplés qu'ils gardaient un petit air champêtre. Junior se rappela toujours le raclement sonore des chariots bâchés sur les pavés de la Vᵉ Avenue et ses longues promenades dans les terrains vagues. Les quelques maisons plantées là faisaient presque de l'ensemble une colonie de la Standard Oil : Flagler, de l'autre côté de la rue; les William Rockefeller, à quelques pas de là.

Après 1884, New York devint la résidence principale des Rockefeller; mais on resta attaché sentimentalement à Cleveland, et surtout à Forest Hill. La famille s'intégra à l'église baptiste de la Vᵉ Avenue; John Davison en devint diacre et administrateur, Cettie prit en main l'École du dimanche avec tant de sérieux qu'elle marquait un « C » dans les marges de son registre à côté des noms des enfants privilégiés dont elle pensait qu'ils étaient chrétiens, et par conséquent sauvés.

L'éducation séculière de Junior avait été confiée à des précepteurs, mais sa mère décida que l'heure était venue de l'envoyer à l'école. Pendant un an, il fréquenta l'École des langues étrangères de New York; puis, à seize ans, il fréquenta la très élégante École Cutler. Du côté des études, tout allait bien; mais cette bizarre tendance à la neurasthénie, qui avait toujours tracassé ses parents, s'aggravait. Il paraissait toujours soucieux, vivant constamment dans la crainte de commettre une faute, et ne se permettait jamais de moments de gaieté. Ce que ses parents appelaient prudemment une « nature nerveuse » l'amena bientôt au bord de la dépression. Il quitta l'école et partit recouvrer la santé à Forest Hill où il passa sa dix-septième année à ratisser des feuilles, à scier des bûches, à couper des arbres, dans l'espoir que le dur travail physique aurait raison de ses démons secrets, l'empêcherait d'être toujours au bord des larmes et lui donnerait du tonus pour la vie qui l'attendait. Il passa le plus clair de l'hiver parmi les érables gelés. Il en recueillait le sirop, qu'il faisait bouillir pour obtenir du sucre. C'était un travail agréable; mais cet innocent plaisir, il fallait le justifier et Junior tenait un compte détaillé du rendement obtenu et de l'argent ainsi gagné dans un petit calepin qu'il portait dans la poche de sa veste.

L'année suivante, il put retourner à Cutler; ensuite, pendant deux ans, il fréquenta Browning School en compagnie de son cousin Percy Rockefeller et de Harold McCormick, l'héritier de l'International Harvester qui bientôt courtisa sa sœur Edith. En 1893, il était prêt à entrer à l'université. Sur ses vingt ans, il était encore « timide, mal dans sa peau, peu robuste ».

L'idée d'aller à Yale souriait à Junior; mais il l'abandonna en apprenant qu'un groupe de fils à papa menant la grande vie donnait le ton à l'école. Après avoir consulté un ami de la famille, William Rainey Harper, l'homme que son père avait installé dans les fonctions de président de l'Université de Chicago, Junior décida qu'une université plus modeste conviendrait mieux à ses goûts et à sa nature toute de modération. Lorsque, pour la première fois de sa vie, il quitta sa famille, sa grand-mère lui souhaita bonne chance et sa mère l'adjura de suivre le sentier de la vertu. A son arrivée à Providence, il avait tout du béjaune. Il ne savait pas danser et refusait d'apprendre; il croyait que le centre, sur un terrain de football, s'appelait « le milieu ». Il mesurait dans les 1,70 m, pesait une soixantaine de kilos et son visage à la mâchoire carrée, constamment pincé et sérieux, loin d'évoquer un jeune étudiant insouciant, faisait penser à un jeune curé cagot sorti des pages du roman *Middlemarch* [1].

Il s'installa en bonne ménagère dans un appartement de Slater Hall, la résidence la plus moderne du campus, et il se mit aussitôt à ourler ses propres torchons, au grand amusement de ses « cothurnes ». On pouvait dire de lui ce qu'on voulait, mais il n'était pas le moins du monde hypocrite, et, pour la première fois de sa vie, il commença à se faire des amis. Au bout de la première semaine, il écrivit chez lui une lettre enthousiaste pour annoncer que les étudiants de première année avaient déjà tenu une réunion de prière animée, ce qui augurait bien pour les quatre années à venir, ajoutant que grand-mère Spelman serait « heureuse d'apprendre la présence de trois hommes de couleur dans la classe ».

Cette première année à l'université marqua chez Junior un épanouissement considérable. Bien qu'il écrivît chez lui toutes les semaines pour demander conseil à sa mère, par exemple sur le choix d'un club, c'était la première fois de sa vie qu'il était indépendant. Cettie lui écrivit que, d'après le ton de ses lettres, elle le sentait « grandement adonné au plaisir ». Oui, admit-il, il avait invité des amis chez lui à souper de biscuits et de chocolat au lait jusqu'à une

---

1. Roman de la romancière anglaise George Eliot (1819-1880), mais c'est plutôt dans les *Scenes from Clerical Life* qu'on trouve ce genre de héros. (*N.d.T.*)

heure tardive. Et, prenant son courage à deux mains, il annonça même à grand-mère qu'après mûre réflexion, il ne lui était plus possible de justifier l'interdiction de fumer à ceux qui venaient le voir chez lui. Mais la grande crise — danser, ne pas danser — ne surgit qu'en deuxième année. Question cruciale, surtout en raison de l'opposition farouche de sa mère à ce divertissement. En première année, il avait décliné toutes les invitations; mais il redoutait, s'il continuait ainsi, de se voir reléguer pour le restant de sa vie d'étudiant parmi les types qui font tapisserie. Non sans appréhension, il accepta une invitation. Craignant de faire un faux pas sur le plancher de la salle de bal poli comme un miroir, il demanda à l'un de ses camarades de valser avec lui, avant le bal, pour s'assurer qu'il avait bien en mémoire la géométrie des pas. En rentrant chez lui, cette nuit-là, il dut convenir que ce divertissement avait du bon.

Au cours de sa deuxième année à Brown, il eut vingt et un ans; le long bras de la famille s'étendit de New York à Providence pour lui rappeler, à cette occasion, qu'on attendait de lui de grandes choses. Il reçut des mots de félicitations de grand-mère Spelman, de tante Lute, et de sa mère qui lui dit : « Tu ne saurais mieux célébrer ton anniversaire... que par ce travail sérieux que tu fournis, j'en suis certaine, pour Dieu et le salut des âmes de tes camarades. » Son père lui envoya un chèque de 21 dollars (1 dollar par année) en guise de bougies, et un petit mot où il disait entre autres : « Comment t'expliquer le bonheur que nous trouvons tous en toi, et avec quelle impatience et quelle confiance nous faisons fond sur toi et ton avenir ? »

L'université fut en un sens une expérience normalisante, une halte momentanée sur la route de l'avenir. Pour la première fois de sa vie (et sans doute la seule), il vivait comme les jeunes gens de son âge. Il sortait avec des filles, assistait à des matches de football, allait au bal; au cours de l'été précédant sa quatrième année, arborant une belle barbe, il partit avec un ami visiter l'Europe à bicyclette. Mais il resta fidèle à ce rituel de petites économies qui lui valut une réputation d'original. Ses camarades s'amusaient de voir l'héritier d'une des plus grosses fortunes du pays se comporter comme un étudiant boursier — coupant soigneusement les bords effrangés de ses manchettes, ou, avec mille précautions, décollant à la vapeur les timbres-poste collés ensemble. Comme on disait à l'université : le temps que le jeune Rockefeller ait achevé sa méticuleuse vérification d'une addition, un autre s'était déjà levé pour payer. Des histoires circulaient dans l'école sur son avarice (car c'est ainsi qu'on interprétait son application à se montrer économe). Une fois, alors qu'il était trésorier de l'équipe de football (bénéficiaire pour la première fois, grâce à lui), il répondit à un joueur puissamment bâti qui lui réclamait une nouvelle paire de lacets : « Qu'est-ce que tu as fait de celle que je t'ai donnée la semaine dernière ? » A partir de ces anecdotes se construisit à l'université l'image de « Johnny Rock ». Quand il fut nommé président de la Fête des Troisième-Année, on pensa bien qu'il allait tenter de transformer cette bacchanale et son cortège traditionnel de

77

saouleries en excursion non alcoolisée. C'est de bonne grâce qu'on accepta, sous la houlette de « Johnny Rock », de rentrer à Providence à 2 heures du matin, « chacun tenant debout sans aide sur ses jambes — fait unique dans toute l'histoire de cette fête », comme il l'écrivit triomphant à sa mère et à sa grand-mère dès le lendemain.

Au cours de sa dernière année à Brown, Junior décida d'organiser un bal pour remercier tous ceux qui l'avaient reçu chez eux. Il avait besoin d'une hôtesse et en écrivit à sa mère : « Ce serait pour moi un immense plaisir si tu voulais bien présider cette réception, mais étant donné tes sentiments, c'est hors de question, je suppose... » Cettie Rockefeller en référa à son mari ; puis elle répondit en suggérant à Junior d'organiser un concert et de lancer ainsi « un mode de divertissement supérieur à la danse ». Mais son fils insista, et à contrecœur elle accepta de paraître en robe de soirée pour accueillir les quelque quatre cents invités de Junior, dans une grande salle de bal qu'il avait louée. Juste avant la soirée, cependant, elle fut prise soudain d'un violent mal de tête — l'ultime recours des dames en ces temps victoriens —, et ne quitta pas sa chambre d'hôtel. En queue de pie et gants blancs, stoïque, John D. Rockefeller resta seul à l'entrée du bal pour accueillir ses amis.

À l'époque où il passa son diplôme universitaire, Junior s'était débarrassé de l'attitude quelque peu bigote qu'il avait en entrant à Brown. Sa réussite dans les études lui avait valu l'insigne du club estudiantin Phi-Beta-Kappa ; la rigoureuse moralité des Spelman se voyait quelque peu tempérée par une philosophie plus proche de la tournure d'esprit pragmatique de son père. Junior écrivit à sa grand-mère Spelman : « Mes idéaux et mes opinions changent de maintes façons, je trouve. Je m'attacherai moins à la lettre de la loi, à présent, et davantage à son esprit. »

Dès la fin de l'intermède universitaire, l'avenir vint peser lourdement sur les épaules de Junior. Les violentes attaques subies par son père semblaient avoir eu raison de ses nerfs d'acier et de sa santé. Certes, Junior aimait s'abriter derrière l'insouciant plébéien « Johnny Rock », mais il restait John D. Rockefeller junior, et son devoir était clair : se tenir aux côtés de son père dans la lutte contre ses détracteurs. Ce serait l'œuvre de sa vie, il l'avait su de tout temps. Plus tard, un de ses collaborateurs lui demanda s'il avait envisagé de devenir pasteur, ce qui lui aurait peut-être mieux convenu ; Junior répondit : « Absolument pas. Ma seule pensée, dès mon enfance, fut d'aider mon père. Je savais dès le début que j'entrerais dans ses affaires. » Sorte de vocation religieuse rappelant les paroles du Christ : « Je dois aider mon père dans sa tâche. »

CHAPITRE VI

En 1897, des milliers de jeunes gens de bonne famille jetèrent un dernier regard nostalgique sur les murs couverts de lierre et les voûtes gothiques qui avaient abrités leurs années universitaires, et partirent prendre leur place dans le monde agité des affaires. C'était un moment prodigieux pour les puissances de la finance et de l'industrie américaines. L'année précédente, lors de la campagne présidentielle, Mark Hanna, le vieux camarade d'école de John D. Rockefeller, avait obtenu la victoire de l'étalon-or et de l' « argent de classe » sur l' « argent de masse », ouvrant la voie à une immense prospérité économique en Amérique. D'énormes sociétés naissaient en une nuit, des flots d'actions diluées inondaient les Bourses fiévreuses tel un Niagara tandis que se faisaient et se défaisaient les fortunes; et le centre de gravité de l'industrie américaine se déplaçait inexorablement du côté de Wall Street où les capitaines de la finance avaient la haute main sur le marché des valeurs. C'était la version financière de la Conquête de l'Ouest, l'Ère de la Ruée vers l'Argent.

Le 26 de Broadway était l'un des centres les plus légendaires de l'agitation financière de l'époque, mais, pour Junior, l'histoire manquait de suspense. Impossible au fils de John D. Rockefeller de faire ses preuves de façon classique : son entrée à l'adresse célèbre n'était pas un exploit, mais une chose inéluctable. Pour lui, pas d'alternative : diplôme en poche, il lui fallut faire sa malle et, en fils soumis, prendre place devant le lourd bureau de chêne mis de côté à son intention dans la petite pièce chichement meublée du 19e étage où se traitaient les affaires privées des Rockefeller. Il y retrouva George Rogers, secrétaire personnel de son père, un employé nommé Charles O. Heydt, Mrs. Tuttle, la télégraphiste qui se chargeait également de répondre au courrier de la haine, et une armée de comptables. Coiffant le tout, le digne révérend Frederick T. Gates, avec son visage énergiquement ciselé et ses cheveux gris ondulés.

Junior ne pouvait se sentir à l'aise avec Gates, son activité indisciplinée, ses passions bouillonnantes. Mais il le respectait et comprit que Gates devait lui servir de mentor. Sous la conduite de l'ex-pasteur, il fit l'apprentissage des affaires et des bienfaits de la famille Rockefeller.

Ayant maîtrisé la routine du bureau, Junior entreprit avec Gates de longs voyages en train pour visiter les investissements Rockefeller disséminés dans tout le pays. Il écouta le principal conseiller de son père exposer ses théories favorites : qu'une fortune aussi colossale que la sienne pouvait être le fléau d'une famille; et qu'on doit contraindre l'argent à payer une sorte de « dividende social ». Junior en était d'accord mais ne voyait pas très bien la place qui lui était dévolue dans les plans de Gates. En fait, sa tâche ne fut jamais précisée clairement. Stratégie astucieuse de la part de son père, dira-t-il plus tard, pour l'amener à développer sa propre sphère d'intérêts. Mais, durant ses débuts au 26 de Broadway, il craignit d'être entré dans un monde où tout étant donné d'avance sans qu'il y mît du sien. « Je n'ai jamais eu la satisfaction de gravir les échelons par mes propres moyens, dit-il un jour pensivement en évoquant cette vie de bureau. Les employés ont sur moi un avantage certain : ils peuvent se prouver à eux-mêmes leurs capacités dans les affaires. Moi pas. »

Ces débuts ne furent pas heureux pour Junior. Il était aux prises avec deux fortes personnalités — Gates et son père — et n'avait aucun moyen de se définir. « Du jour où je rejoignis le bureau de mon père jusqu'à celui de sa mort, mon seul désir fut de l'aider de toutes mes forces. J'ai toujours été aussi heureux de cirer ses chaussures, de préparer ses valises... que, plus tard, de le représenter dans un certain nombre de ses intérêts, commerciaux et philanthropiques. » Impossible même de se livrer à cette idée romantique qu'il avait de son rôle : celui d'un paladin s'acharnant à effacer la tache de l'écusson familial. Besogne trop lourde, et qu'il ne savait par quel bout prendre.

Selon une habitude constante chez lui en période de crise, Junior se réfugiait dans les détails. Il se chargea de régler les salaires du personnel au 26 de Broadway et des domestiques dans les diverses maisonnées Rockefeller. Il choisit le papier peint pour l'appartement de sa sœur Alta lorsqu'elle se maria. Il se chargea de placer l'argent donné par son père à tous les membres de la famille à titre de cadeau de Noël ou d'anniversaire. Il devint une sorte de chef comptable des affaires privées des Rockefeller. Il fut même un jour préposé au remplissage des encriers au 26 de Broadway. Ce genre de travail, il l'avait fait dix ans plus tôt lorsqu'il consignait l'assiduité à la prière des membres de la famille. Pourtant, s'il éprouvait un certain sentiment de sécurité à bien remplir ces petites obligations quotidiennes, ces tâches subalternes ne comblaient en rien l'abîme entre ses devoirs présents et ses perspectives d'avenir.

Vers cette époque, un vieil ami de l'université, Henry Cooper (promu plus tard à la tête d'une des affaires rockefel, riennes), vint voir Junior à New York et fut navré de trouver « Johnny Rock » si mélancolique. Il prit sur lui d'écrire une lettre de conseils à son vieil ami : « Cela te ferait du bien, je crois, de fumer une cigarette de temps à autre, ou quelque chose de ce genre... Essaie donc d'être un peu plus insouciant et léger... et vois si tu ne t'en trouves pas plus heureux... » C'est comme s'il avait conseillé à Junior de prendre le nom de Tarbell et de se lancer dans le journalisme à sensation : une telle détente était impossible. Il fallut plusieurs décennies à Junior pour se décider à admettre qu'il avait été malheureux pendant toute cette période;

mais, même alors, il n'imputa pas son état d'esprit au statut particulier qui lui avait été fait au bureau (ce qui serait revenu à engager la responsabilité de son père, fût-ce tardivement et indirectement); non, tout venait de son propre sentiment d'insuffisance. « Je n'eus guère de difficultés en entrant au service de mon père, dit-il, à part mon sentiment d'incapacité. Je n'avais pas la moindre confiance dans mes aptitudes... » Chaque fois qu'il fut sur le point de se permettre une allusion au malaise qui régnait dans sa vie au cours de cette période, il se retenait. En 1921, ses problèmes personnels depuis longtemps résolus, il confia à un interviewer du *Saturday Evening Post* : « Il ne m'a jamais été donné de façonner ma propre vie. Il fallait affronter de grandes responsabilités et je n'étais pas forcément l'homme de la situation; mais j'étais là, et moi seul... Si j'avais eu un penchant très net pour quelque autre domaine, je suppose que j'aurais refusé ce travail, mais tel n'était pas le cas... » Il se hâta aussitôt d'ajouter : « Mais ne vous y trompez pas : j'étais le plus heureux des hommes... Quand je pense aux chances immenses que j'ai eues, je me sens pénétré de gratitude et d'humilité. Et puis, les fardeaux que je porte ne m'ont pas autant accablé que s'ils s'étaient abattus sur moi en plein âge mûr. Je suis né avec eux et n'ai jamais connu autre chose... »

Si Junior avait secrètement rêvé de marcher sur les traces géantes de son père, le réveil dut être rude lorsqu'on lui donna sa première somme importante à investir. Depuis son arrivée au bureau, il avait emprunté de l'argent à son père (à 6 % par an) pour le placer dans des entreprises personnelles, à son nom et à celui d'Alta, les bénéfices étant partagés. Après quelques modestes succès, Junior rencontra un intermédiaire appelé David Lamar. Lamar parvint à le convaincre qu'il détenait des informations secrètes sur certains événements qui allaient bientôt augmenter de façon spectaculaire la valeur des actions de l'US Leather Company. Avec une ardeur qui trahissait son désir de « prouver ses capacités commerciales », Junior investit de fortes sommes; il acheta toutes les actions disponibles de l'US Leather Cy et découvrit, mais trop tard, qu'il avait été floué. Lamar (connu plus tard sous le nom de « Mandrin de Wall Street ») possédait lui-même les actions qu'il avait tant vantées, et les avait massivement vendues sur le marché à la hausse créé par les achats inconsidérés de Junior.

Junior perdit dans cette affaire plus d'un million de dollars. Il alla tout raconter à son père. Levant sur lui son regard impassible, le vieil homme (Mr. Senior, comme on commençait à l'appeler au bureau) dit simplement : « Ne t'en fais pas, John. Tout va bien, je te tirerai de là. » Mais cette absence de critique rendit en définitive la pilule encore plus amère à avaler. Quelques jours plus tard, Junior écrivit à son père, dans un accès de repentir : « Mon unique pensée, mon but unique depuis mon arrivée au bureau, a été de te décharger dans toute la mesure du possible des fardeaux que tu portes depuis si longtemps. Quelle amertume et quelle humiliation de constater que j'ai, au contraire, contribué à alourdir ces charges! »

A l'instar de « Chrétien » dans *le Voyage du Pèlerin* [1] (auquel un pasteur le comparera plus tard), Junior essaya de tourner le dos aux affaires du monde et de se concentrer sur la Cité éternelle. En 1900, il succéda à son professeur Charles Evans Hughes dans les fonctions de chef du cercle biblique masculin à l'église baptiste de la Ve Avenue. Ce faisant, il devint pour la première fois un personnage public et fit aussitôt l'expérience de la haine qui était attachée au nom de son père. La presse, qui avait ricané en apprenant qu'il s'était laissé tondre comme un bleu par le « Mandrin de Wall Street » (certains récits faisaient allégrement monter les pertes de Junior à 20 millions de dollars), se hâta de voir dans cette religion professée publiquement une preuve d'hypocrisie. « Vu l'emprise paternelle sur le portefeuille de la nation, les causeries de Junior sur les problèmes spirituels ne sont rien d'autre qu'un impôt sur la piété », affirma un éditorial.

Il tint bon. Au bout d'un an, son auditoire était passé de 50 à 200 élèves. Pour autant, il ne voyait pas là forcément un effet de l'éloquence de son ministère. Ayant remarqué que bon nombre des jeunes gens présents paraissaient motivés par l'espoir d'obtenir une situation, un journaliste du *New York Times* qui s'était infiltré dans la classe rendit compte, avec une ironie à peine voilée, de l'explication donnée par Junior d'un texte tiré de l'Évangile selon saint Matthieu (« Le Royaume des Cieux est semblable à un trésor dans un champ. »). Ainsi parlait le jeune Rockefeller : « Vous vous apercevrez que les plaisirs et les biens de ce monde ne valent rien, je dis absolument rien, s'ils sont acquis aux dépens de votre réputation et de votre dignité [ceci devant un auditoire de gens aux revenus manifestement modestes]. Soyez-en certains, si un homme ne revient pas chez lui le soir avec toute son intégrité morale, des idées droites et une conscience claire, il atteindra la fin de ses jours sans avoir rien trouvé ni rien acquis. »

Il prit même suffisamment confiance en lui pour se sentir capable d'affronter une tâche plus ambitieuse; il organisa à l'YMCA [2] de l'université de Brown une conférence où il entreprit de démontrer que le christianisme et les affaires, loin d'être antithétiques comme le proclamait alors le Parti du Peuple, étaient en fait complémentaires. Il alla même jusqu'à soutenir que la concurrence menait fatalement à l'association, et que l'élimination des entreprises plus petites et moins efficaces était un processus bénéfique : il faut tailler le rosier pour que s'épanouisse la rose de la Beauté américaine (il devait vite regretter cette formule).

Cette métaphore horticole vit le jour alors que l'histoire de la Standard Oil par Ida Tarbell paraissait en feuilleton dans *McClure's;* une grande masse de lecteurs pouvait ainsi apprécier la façon dont Rockefeller père avait manié le sécateur à l'encontre des producteurs et des raffineurs indépendants pour

---

1. Livre édifiant de John Bunyan (1628-1688) dont le héros « Chrétien » traverse symboliquement épreuves et tentations avant d'atteindre son salut. (*N.d.T.*)

2. Young Men Christian Association (YMCA) : Association chrétienne de jeunes gens. Elle possède des filiales partout dans le monde, ainsi que la Young Women Christian Association (YWCA). (*N.d.T.*)

cultiver son monopole. S'emparant de son imprudente métaphore, la presse attaqua violemment Junior. Un dessin satirique qui eut son heure de gloire le représentait... sous la forme d'un téléscripteur prêchant des cotations de la Bourse à l'Ecole du dimanche. Sept ans plus tard, un important pasteur du Michigan fut cité dans les journaux pour avoir rappelé cette métaphore et ajouté : « Une rose, quel que soit son nom, sentira toujours aussi bon ; mais, pour moi, l'odeur de cette rose-là sent un peu trop le pétrole brut. »

Junior découvrit que ses petites habitudes quotidiennes étaient épiées par le menu. Un journaliste hardi déclara que le rejeton de la plus grosse fortune du monde dépensait 30 cents par jour pour son déjeuner. Un autre amusa ses lecteurs en leur parlant de la façon dont Junior concevait les pourboires : il avait trouvé mieux que la technique paternelle, pourtant maligne, qui consistait à présenter une poignée de pièces à un serveur et à le laisser prendre ce qu'il osait ; lui ne donnait aucun pourboire : offrait-il à son barbier, influencé par ce que disaient de lui les journaux, un pourboire de 5 cents, on encadrait la pièce et on l'accrochait au mur : et aussitôt un journaliste de le raconter à son tour...

Dure époque : loin de parvenir à défendre sa famille contre les attaques, tout ce qu'il faisait semblait attirer sur elle davantage de ridicule. En outre, le public ne paraissait pas comprendre que « Junior » et l'homme qui avait bâti la Standard Oil n'étaient pas une seule et même personne. C'était un Rockefeller, et le monde venait de découvrir toute l'étendue de sa propre haine pour les Rockefeller.

Sa carrière semblait devoir être l'antithèse de celle de son père : défaite sur défaite. Au cours de ses premières années au 26 de Broadway, Junior, le travail terminé, se hâtait souvent vers l'écurie bâtie en pierres de taille derrière la maison de la 54e Rue, ôtait son manteau, prenait une scie et passait des heures à couper les bûches qu'il avait ramenées de la campagne. Il travaillait comme un fou, jusqu'à ce que son corps fût couvert de sueur et que sa respiration devînt haletante ; il ramassait alors son manteau et courait à la maison se jeter sur son lit, dans un état d'épuisement physique et moral.

Ces premières années au 26 de Broadway, pleines d'à-coups et de crises affectives, virent aussi des moments qui, par la suite, devaient apparaître comme décisifs. En particulier, c'est en 1902 que sa seule et unique histoire d'amour sérieuse connut son épanouissement.

Il avait rencontré Miss Abby Greene Aldrich sept ans plus tôt, au cours de ce fameux premier bal à Brown. Fille du sénateur Nelson Aldrich, de Rhode Island, c'était une jeune femme agréable, au long nez, au menton saillant, à la luxuriante chevelure rehaussée d'accroche-cœurs. Moins attirante peut-être que d'autres jeunes femmes de son entourage, elle savait se mettre en valeur ; c'était le genre de femme qu'on appellerait belle à quarante ans. En outre, elle était expansive, gracieuse, cultivée, toutes qualités qui faisaient défaut à

Junior. Lorsqu'ils se rencontrèrent, elle et sa sœur avaient déjà fait le tour de l'Europe, s'arrêtant dans les plus grandes capitales artistiques du monde comme deux ingénues d'un roman de Henry James.

Moins riches sans doute que les Rockefeller, les Aldrich étaient une famille puissante et d'ancienneté indiscutable. Nelson Aldrich descendait d'une famille de Bay Colony par son père, et de Roger Williams par sa mère ; tandis que sa femme pouvait faire remonter sa lignée jusqu'à un dénommé Brewster, pèlerin du *Mayflower*[1]. Ces choses-là avaient, à ce stade de l'évolution du pays, une importance qu'elles devaient perdre par la suite. Pour la première fois dans l'histoire de l'Amérique, une grande bourgeoisie nationale était apparue, désireuse de se définir et de s'imposer. Les dernières années avaient vu une floraison frénétique d'institutions aristocratiques et de sociétés généalogiques, comme *les Fils et les Filles de la Révolution américaine,* qui permettaient aux vieilles familles de la côte Est de se réunir et de se démarquer des nouveaux riches issus de Cleveland et autres provinces...

Les Rockefeller n'avaient pas d'ambitions d'ordre généalogique. (Par la suite, des parents éloignés, fondateurs d'une Association de la famille Rockefeller, informèrent John D. que, d'après leurs recherches, les origines du nom remonteraient au moins à la noblesse française du XVIe siècle, et peut-être même plus haut ; cela ne provoqua aucune réaction chez le milliardaire.) Mais Senior n'était pas indifférent aux avantages pratiques qu'une alliance avec une « famille » pouvait valoir à son nom « souillé ». Son propre cercle mondain s'était borné à l'YMCA, à la Société de tempérance et à l'église baptiste de la Ve Avenue, mais il attendait de Junior qu'il étendît la surface sociale et politique de la famille[2]. Le nom de Nelson Aldrich avait presque autant de poids au Congrès que celui de Rockefeller dans l'industrie. Entré au Sénat en 1881 avec une fortune estimée à 50 000 dollars, il se retira trente ans plus tard, après avoir dirigé la Chambre Haute sous sept présidents successifs, à la tête d'une fortune de 30 millions de dollars. A une époque où, fort irrévérencieusement, on appelait le Sénat le « Club des millionnaires » et où les sénateurs, qui n'étaient pas encore élus par un vote populaire, représentaient, disait-on, chacun des grandes affaires du pays, Nelson Aldrich avait la réputation de les représenter toutes. « Patron (politique) des États-Unis », ainsi l'appela Lincoln Steffens en 1905 dans un article à sensation de *McClure's* qui attirait l'attention sur les faveurs qu'il avait dispensées au trust du sucre. Et lorsque David Graham Phillips écrivit

1. Le *Mayflower,* parti de Southampton le 6 septembre 1620 avec 102 émigrés, aborda en Nouvelle-Angleterre le 21 décembre. Descendre d'un « pèlerin » du *Mayflower* vaut à un Américain le même prestige qu'en Europe un titre de noblesse ancien et prouvé. (*N.d.T.*)
2. La plupart des mariages célèbres de l'époque furent conclus entre la noblesse continentale et de jeunes et riches Américaines. Mais les mariages importants avaient lieu dans le pays, unissant entre elles presque toutes les familles opulentes. Ainsi, l'union des William Rockefeller et des Stillman. Une des filles de cette union (Geraldine Stillman Rockefeller) épousa Marcelus Dodge. Un fils, James Stillman Rockefeller, épousa la nièce de Carnegie, Nancy. Et le sang des vieux associés de John D. Harkness et Payne se mêla bientôt à celui des Vanderbilt et des Whitney. « La haute » devenait un cercle de plus en plus restreint.

« La trahison du Sénat », enquête à scandale publiée dans le *Cosmopolitan* de William Randolph Hearst, il consacra entièrement son deuxième article au sénateur de Rhode Island. Ami intime de Morgan, ennemi juré de William Jennings Bryan, puis de La Follette [1], il voyait sa mission la plus importante dans le « rapprochement de la politique et des affaires ».

Même si cette union n'avait pas été une alliance aussi naturelle tant pour les Rockefeller que pour les Aldrich, une évidente affection existait entre Junior et Abby depuis le moment où il avait trouvé le courage de lui demander de danser avec lui. Pleine de pitié pour son inadaptation sociale, elle l'aida à surmonter sa tendance à faire tapisserie et, pendant tout le reste de sa carrière universitaire, le nom de Junior fut fréquemment noté au crayon sur l'agenda mondain de la jeune fille. Il voyagea beaucoup avec la famille d'Abby et fut assez vite au courant des goûts de la jeune fille pour songer à prendre dans sa poche un paquet de craquelins quand ils allaient se promener dans les bois proches de la maison de campagne des Aldrich, dans l'État du Maine.

Il y avait là tous les signes d'un attachement sérieux. Presque tous les dimanches, il l'emmenait à l'église, puis ils allaient faire une partie de canotage sur la Ten Mile River, par exemple, pour terminer, une fois de retour chez les Aldrich, au 110 de Benevolent Street, par quelques croque-monsieur en guise de souper. La jeune fille vint à New York rendre visite aux parents Rockefeller et se laissa examiner par eux des pieds à la tête.

Pendant sa quatrième année de faculté, tout le monde pensait que l'annonce des fiançailles était proche. Mais lorsque Junior, après son diplôme, s'en alla travailler au 26 de Broadway, il était encore l'amoureux d'Abby et non son fiancé. De 1897 à 1901, il fit souvent le voyage de Providence pour passer des week-ends chez les Aldrich. Il savait que son indécision autorisait, en semaine, la présence d'autres prétendants ayant droit, eux aussi, aux croque-monsieur et aux jeux de charades avec Miss Aldrich ; cette pensée ne soulageait en rien le sentiment d'effroi qui le saisissait lorsque, le dimanche à minuit, il montait dans le wagon-lit afin de pouvoir être au 26 de Broadway le lundi matin. Et pourtant, il ne parvenait pas à prendre une décision.

Dix ans plus tard, s'adressant à son cercle biblique, Junior fit une allusion mystérieuse à un dilemme qui s'était naguère présenté à lui et dont il était venu à bout par « des années de fervente prière pour apprendre la volonté de Dieu ». Un demi-siècle plus tard, il reconnut que cette fameuse crise concernait Miss Abby Aldrich. « J'étais très épris d'elle, expliqua-t-il franchement à son ami Raymond Fosdick, mais j'avais de tout temps redouté d'épouser une femme et de découvrir trop tard que j'en aimais une autre... J'ai prié à ce sujet quatre années durant. »

Finalement, ce fut sa mère et non le Seigneur qui vint à son secours. Voyant que leur idylle en restait au même point, Junior et Abby décidèrent

1. Bryan (1860-1925) et La Follette (1855-1925) : hommes d'État progressistes américains hostiles à l'influence du « Big Business ». (*N.d.T.*)

une mise à l'épreuve : ils ne se verraient ni ne s'écriraient pendant six mois. Mais bien avant la fin de cette période, le pauvre Junior, déjà si malheureux dans sa carrière, s'en fut mendier les conseils de Cettie sur cette affaire de cœur qui traînait en longueur. « Il est clair que tu aimes Miss Aldrich, lui écrivit tout de go sa mère, pourquoi ne vas-tu pas la chercher ? » Deux jours plus tard, Junior prenait le train pour gagner Narragansett Bay, où se trouvait la maison de campagne des Aldrich. Il eut une entrevue solennelle avec le sénateur Aldrich sur son yacht mouillé au large de Newport ; il ne demanda pas la main d'Abby en se mettant humblement à genoux, mais amusa tout de même son futur beau-père (qui, à en croire la tradition familiale des Aldrich, avait toujours considéré le jeune Rockefeller comme quelque peu pharisien) en se lançant le plus sérieusement du monde dans un exposé détaillé de ses perspectives financières.

Le mariage eut lieu en octobre 1901 à Warwick, résidence d'été des Aldrich. Rockefeller père réserva plusieurs appartements à l'hôtel de Narragansett et affréta deux steamers pour faire la navette jusqu'à l'île, où des cars assuraient le transport des hôtes jusqu'au domaine. Selon le compte rendu du *Times,* « pendant plusieurs jours d'affilée, bateaux et trains amenèrent de New York, Washington, Newport et autres grandes villes leur contingent d'hôtes éminents issus des cercles politiques et mondains du pays... » ; on compta plus d'un millier d'invités présents et, au léger déplaisir de l'entourage Rockefeller, on sabla le champagne.

A la une des journaux, ce titre ronflant : « La Beauté épouse la Richesse. » Des reporters essayèrent de suivre le couple dans son voyage de noces, mais Junior et sa femme parvinrent à s'enfuir à Pocantico, que ses parents avaient déserté pour préserver leur retraite. Ce fut un intermède de longues promenades dans la gelée blanche du petit matin et les flamboyantes couleurs des après-midi d'automne. L'idylle qui se consomma là allait véritablement durer à jamais. Quelques semaines plus tard, Junior écrivit à sa mère une lettre enthousiaste, la remerciant de l'avoir aidé à se décider. Une seule fausse note dans ce début de vie à deux : Junior avait donné l'ordre à sa jeune femme de tenir un compte serré des dépenses quotidiennes, à la manière des Rockefeller, et elle avait carrément refusé. Il ne fit pas allusion dans sa lettre à ce petit acte de désobéissance ; en revanche, il fit remarquer à sa mère qu'elle ne lui avait jamais dit son opinion sur sa jeune femme. « Elle semble avoir été faite pour toi », répondit Cettie, dissipant ainsi les derniers doutes de son fils.

Sur bien des points, Abby était l'antithèse de Junior. Son caractère gai et sociable contrastait avec ses manières contraintes, et elle était aussi impulsive qu'il était prudent. Sans être brillante, elle avait assez d'esprit pour se plier par exemple au caprice d'une dame âgée qui ne cessa de l'appeler « Mrs. Roosevelt » tout au long d'un après-midi. Son beau-père craignait qu'elle ne fût peut-être un peu frivole. « Ton père redoute que je me lie avec trop de gens, écrivit-elle à Junior [qu'elle avait laissé au travail à New York, pour accompagner les parents Rockefeller en voyage]. Aussi déjeunons-nous le plus souvent dans ce que j'appelle la salle à manger des vieilles personnes, où il pense que je suis plus en sécurité. » Mais les Rockefeller ne tardèrent pas à s'adapter à elle [1].

Après leur lune de miel, les jeunes mariés s'installèrent au 4 de la 54e Rue, du côté opposé à Rockefeller père, en attendant que la demeure qu'ils faisaient construire tout près de là, au 10 de la même rue, fût achevée. C'était à l'époque l'une des plus grandes résidences privées de Manhattan : neuf étages, avec nursery, gymnase, logements spacieux pour les domestiques et employés. La maison ne tarda pas à se remplir. En 1903 naquit Abby, leur unique fille. Puis vinrent les cinq garçons, qui devaient jouer un si grand rôle dans la génération à venir : John D. III (1906), Nelson (1908), Laurance (1911), Winthrop (1912) et David (1915).

La famille partageait son temps entre la 54e Rue et Abeynton Lodge, la vieille maison qui faisait partie du domaine de Pocantico, à portée de voix de Kikjuit [2]. Dès qu'il pouvait s'absenter du 26 de Broadway, Junior et Abby voyageaient. Ils tombèrent amoureux de la mélancolique côte du Maine, en particulier de Mount Desert, splendide île de 30 kilomètres de long, toute en lacs et en montagnes verdoyantes. En 1910, ils y trouvèrent une demeure à vendre. Surplombant une crique de Seal Harbor et appelé à juste titre le Nid d'aigle, ce bâtiment de cent quatre pièces était construit en granit du Maine et recouvert de bardeaux très patinés par le climat de la côte. Un an après l'achat, la décoration était terminée, juste à temps pour la naissance de Nelson. Plus tard, ils arrangèrent le vaste parc à leur goût, avec un jardin japonais et une clôture couronnée de tuiles qui avaient jadis appartenu à la Grande Muraille de Chine.

Abby Aldrich Rockefeller prit bientôt une part active à la vie sociale et culturelle de New York. Elle voulait voir le modernisme frapper à la porte de l'art officiel, enfermé dans la tradition; et, en 1929, elle fut l'un des fondateurs du Musée d'art moderne, auquel la famille fit don du 4 de la 54e Rue. Mais, pour Junior, elle était davantage qu'une mondaine rehaussant le prestige de la famille Rockefeller. Elle était la seule et unique personne avec qui il pouvait être lui-même, laisser apparaître à la fois sa force et ses faiblesses, renoncer pour un temps au contrôle implacable qui avait dominé les vingt-cinq premières années de sa vie privée et publique. Junior avait horreur d'être loin d'elle; quand c'était le cas, il lui écrivait des lettres

---

1. Junior resta l'homme d'une seule femme, et son affection touchante avait même un petit côté comique. L'ex-secrétaire d'État Christian Herter raconta à Chalmers Roberts, journaliste au *Washington Post,* une histoire sur Rockefeller qu'il tenait de son père, artiste de son métier et ami de Junior. « Pa » Herter, qui vivait à Paris, était en train de peindre un splendide nu lorsque Rockefeller téléphona pour dire qu'il passerait faire une petite visite. « Pa » annonça à Yvonne, le modèle, l'arrivée d'un visiteur plutôt boutonné, et lui recommanda de rester immobile pendant qu'il parlerait avec Rockefeller. Dès qu'il fut là, Junior aperçut la fille nue. C'est à peine s'il put en détacher les yeux. Ces regards plutôt insistants finirent par agacer Yvonne. Sans un mot, elle se redressa lentement dans toute sa splendeur, toucha le sol de ses doigts, fit l'arbre droit et se dirigea sur Rockefeller en marchant sur les mains. L'air horrifié, il se dirigea vers la porte. En partant, il se tourna vers « Pa » en hurlant : « Ne raconte jamais ça à ma femme! »
2. La « maison mère » du domaine. (*N.d.T.*)

d'amour passionnées où il décrivait avec vivacité combien il se languissait d'elle. Vers la fin de sa vie, longtemps après la mort d'Abby, en classant ses papiers personnels pour les archives de la famille, il retrouva ces lettres, conservées par Abby. Les ayant relues, et après discussion avec un collaborateur qui l'aidait à trier les papiers, il décida qu'il valait mieux brûler une partie de cette correspondance si intensément personnelle et remplie de passion.

CHAPITRE VII

Au tournant du siècle, alors que s'éteignaient nombre des grandes figures qui avaient restructuré l'industrie américaine, le sort de leurs fortunes occupait autant les esprits que si elles avaient appartenu à la noblesse titrée. La plupart des héritiers, estimait-on, dilapideraient purement et simplement leur patrimoine. Le célèbre John W. Gates, à qui ses raids sur le marché de la Bourse et ses audacieuses spéculations dans l'industrie de l'acier avaient valu le surnom de « Gates Gagne-millions », laissa sa fortune à un fils dont les excès faisaient les délices du public, au point que la presse le baptisa « Gates Gâche-millions ». Nul ne pensait que Junior allait devenir prodigue, mais on se montrait curieux de savoir ce qu'il ferait de l'énorme fortune de la Standard Oil. En 1905, *Cosmopolitan* publia un ensemble d'articles intitulés « Qu'en fera-t-il? ». L'éditorial commençait ainsi : « La plus grosse fortune du monde, celle de M. John D. Rockefeller, soulève un intérêt considérable. Dans les prochaines années, cette fortune passera aux mains du fils, M. John D. Rockefeller junior. Inutile de dire que la puissance de cet argent couvre un champ si vaste que l'héritier d'une telle fortune peut, s'il en a le désir, révolutionner le monde... ou retarder la civilisation d'un quart de siècle en l'employant à mauvais escient. »

Aux autres de se poser ce genre de questions. Junior, quant à lui, était heureux, du moins pour le moment, de devoir prendre la barre au 26 de Broadway et de se retrouver maître à bord. Le mariage et la vie de famille l'avaient aidé à dissiper ses doutes sur la mission qui était la sienne. En outre, avant même ses fiançailles avec Miss Aldrich, il était devenu évident qu'il se sentait moins mal à l'aise dans le bureau de son père. Son premier franc succès, digne d'un Rockefeller, il l'avait remporté lors des phases finales du combat paternel pour la maîtrise des mines Mesabi de minerai de fer. Dans cette affaire, c'est Frederick Gates qui avait été le commandant en chef, mais Junior s'était montré un soldat efficace dans les interminables négociations. Un grand moment fut celui où Henry Rogers, le plus haut en couleur des brigands du « gang » de la Standard Oil, l'amena chez J. P. Morgan, qui voulait ces mines pour finir d'instaurer son gigantesque monopole de l'acier US. « Eh bien, votre prix? » avait grogné Morgan, ses épais sourcils froncés et son énorme pif boutonneux cramoisi de colère. « Il doit y avoir une erreur, je pense », avait répliqué Junior avec un tel sang-froid que son père en fit plus tard une de ses anecdotes favorites parmi celles qu'il aimait à mimer devant ses hôtes. « Je ne suis pas venu ici pour vendre. Mais si je comprends bien, vous, vous désiriez acheter ? » Lorsque ses parents, à Pocantico, eurent vent de cette rencontre, Cettie Rockefeller écrivit à son fils pour le féliciter, lui disant qu'à la lecture de la lettre où il décrivait l'entrevue avec Morgan, son père avait dit à haute voix : « Par Zeus ! mais Junior est un type épatant ! »

Après cela, Junior eut un rôle moins effacé dans les affaires familiales ; son père lui confia des responsabilités de plus en plus importantes jusqu'au moment où il devint vice-régent des intérêts Rockefeller. Il fut placé dans les conseils d'administration de la National City Bank, de l'US Steel, de la Standard du New Jersey, de la Colorado Fuel and Iron, de diverses compagnies de chemin de fer et de l'Université de Chicago. Au total, il accéda à la direction de dix-sept des plus importantes sociétés financières et industrielles du pays. Son père décida de l'augmenter, ce qui était bon signe : c'est ainsi qu'il témoignait son affection, comme la fois où il avait donné à Cettie un panier à ouvrage contenant 100 pièces d'or de 5 dollars. Le fils, alors âgé de vingt-huit ans, écrivit à son père un mot de remerciement chaleureux :

> Cher Père,
>
> Ce que tu m'as dit de mon salaire pour l'année écoulée, à la maison l'autre soir, m'a littéralement coupé le souffle. Cette nouvelle expression de ton amour et de ta confiance, je l'apprécie plus profondément que je ne saurais dire. Les services que je puis rendre valent-ils vraiment à tes yeux une somme aussi considérable que 10 000 dollars par an ? J'ai toujours eu une piètre opinion de mes capacités, mais ai-je besoin de t'assurer que, telles qu'elles sont, je les consacrerai entièrement et absolument à tes intérêts, et que tu peux à jamais me faire confiance ?
> Affectueusement,
>
> John.

L'éducation de Junior l'avait préparé à faire son devoir, mais l'avait également rempli d'aspirations que la réussite dans les affaires était impuissante à satisfaire.

Étant donné sa personnalité, il était bien naturel qu'il se sentît plus attiré par les fondations philanthropiques mises sur pied par le révérend Gates que par des monopoles comme la Standard Oil. Les premières étaient un territoire vierge, les secondes, malgré tout, souffraient d'une certaine « souillure ».

Rockefeller père ne s'intéressait pas au détail des plans philanthropiques de Gates et n'avait qu'une vague idée des problèmes qu'ils posaient. Son rapport affectif à cette générosité organisée était très lâche, en dépit de l'énormité des sommes qu'il y avait investies. Et cela laissait à Junior une voie libre dans laquelle il se sentait irrésistiblement attiré.

« Gates était l'imaginatif, le créateur. Moi, je vendais l'idée à père, je servais d'intermédiaire entre les deux au moment le plus opportun. » En choisissant l'instant propice où son père était « d'humeur détendue », après le repas ou en promenade, Junior recueillait une approbation « que d'autres n'auraient pu obtenir, parce que le moment aurait été mal choisi ». Cette quête du moment opportun supposait souvent l'aide de Cettie; Junior lui envoyait un rapport sur l'un de ses projets, accompagné d'un mot lui demandant de saisir le moment favorable pour le lire à père à haute voix et le mettre ainsi au courant de l'affaire et de ses « possibilités ».

Au cours des douze années qui suivirent, le père allait investir 446 719 371 dollars 22 (précision toute rockefellérienne) dans quatre vastes entreprises philanthropiques, l'Institut médical Rockefeller, le Comité pour l'éducation, la Fondation Rockefeller, et le Mémorial Laura Spelman Rockefeller. En cours de route, il confia à Junior des affaires qui lui permirent de jouer un rôle directorial actif au lieu de simplement occuper un siège familial dans tel ou tel conseil d'administration : des affaires dignes de l'héritier de la fortune Rockefeller, et, en outre, propres à répondre au vœu fervent du fils de restaurer l'honneur du nom paternel.

Si Gates était bien en effet le « cerveau » de ces projets, Junior était par trop modeste quand il affirmait que son rôle se bornait à vendre des idées à son père et à délier les cordons de la bourse familiale. Il prenait part aux explorations préliminaires, à la consultation de sommités dans les domaines concernés, à la recherche de personnel adéquat. Ainsi, lorsque Gates conçut l'idée d'un institut de recherche médicale, ce fut Junior qui fit le choix du Dr William Welch, de Johns Hopkins [1], un des grands patrons de la médecine à l'époque, pour en assurer la présidence. C'est lui également qui aida au recrutement de Simon Flexner et des autres membres du comité directeur, puis plaida auprès de son père en faveur de l'Institut et de ses plans de développement.

Aussitôt après avoir prêté la main à la naissance de l'Institut médical, Junior fut happé par le grand courant national du mouvement philanthropique et se vit en passe de devenir un personnage vraiment important. En 1901, il fut invité par le philanthrope Robert Ogden, qui avait longtemps animé le mouvement d'éducation sudiste, à participer avec cinquante autres éminentes personnalités à une tournée historique des écoles noires du Sud. Baptisée l'« Inspection spéciale des millionnaires », la tournée fit halte dans des institutions aussi célèbres que Hampton et Tuskegee, et Atlanta Female Baptist Seminary [2] qui, en 1884, après un don peut-être superflu de 5 000 dollars de la part de Rockefeller Junior, fut rebaptisé Spelman Seminary en l'honneur des grands-parents de Junior, abolitionnistes militants.

---

1. Voir note p. 58.
2. The Atlanta Female Baptist Seminary avait été fondé par Miss Sophia Packarô et Miss Harriet E. Gills en 1881 pour éduquer « filles et femmes de couleur ». Hampton et Tuskegee s'occupaient des garçons. L'esprit de ces institutions était paternaliste. (*N.d.T.*)

Le moment culminant de ce voyage fut une conférence à Winston-Salem où fut lancée une campagne pour la promotion dans les États du Sud d'écoles publiques subventionnées par l'impôt. Mais les implications de cette conférence dépassaient largement les problèmes d'éducation. L'orateur principal, Charles B. Aycock, qui venait de remporter une des victoires de la suprématie blanche en se faisant élire gouverneur de Caroline du Nord, proposa un « accord tacite » qui en disait long. Pour citer un livre d'histoire qui fait autorité sur la ségrégation dans le Sud, « les philanthropes donnèrent leur assentiment à la privation des droits civiques et aux lois de discrimination raciale et entreprirent de propager cet assentiment dans le Nord du pays, tandis que le gouverneur Aycock s'engageait publiquement à mettre le pouvoir et le prestige de ses hautes fonctions au service des écoles destinées aux Noirs — qu'on venait de priver de leurs droits civiques — afin d'empêcher que l'Assemblée de l'État ne vote des lois hostiles à leur égard ».

La campagne d'Aycock s'inscrivait dans un mouvement plus vaste lancé par les conservateurs sudistes aux fins d'attirer dans leur région les capitaux du Nord et d'y favoriser l'éclosion d'une industrie nouvelle en commençant par moderniser le système d'éducation. La Conférence pour l'éducation dans le Sud, réunie à Winston-Salem, cimenta une coalition nationale de philanthropes nordistes soutenant ce mouvement, sous l'égide du tout récent Southern Education Board, derrière lequel Junior et les nombreuses ressources de la fortune rockefellérienne devaient jouer un rôle prépondérant.

Dès son retour (ce voyage à Ogden fut pour lui « l'un des événements marquants de sa vie »), Junior organisa sans tarder une série de discussions concernant cette expédition, avec Gates, Senior et le rondelet secrétaire de la Société baptiste des missions de l'intérieur, le Dr Wallace Buttrick [1]. A l'issue de ces réunions se forma un petit groupe qui fut convoqué en février 1902 chez Junior pour créer le Comité de l'éducation. Au nom de son père, le jeune Rockefeller engagea dans la nouvelle fondation 1 million de dollars, à dépenser dans les dix années à venir. La plupart des membres du conseil d'administration du Comité de l'éducation venaient du Southern Education Board, y compris son président, William H. Baldwin [2].

Deux semaines après avoir reçu les lettres de Junior suggérant la création du Comité de l'éducation, Senior donna 10 millions de dollars et, un an et demi plus tard, récidiva avec un don de 32 millions de dollars. Au bout de dix ans, en 1921, il avait donné la somme impressionnante de 129 209 167

---

1. Les archives de la Fondation Rockefeller ont recueilli tous les papiers du Dr Wallace Buttrick, mais ceux-ci n'ont pas été publiés. (*N.d.T.*)
2. Vice-président de la Morgan Southern Railway et président du conseil d'administration de Tuskegee, Baldwin était un homme clé parmi les forces qui modelaient le nouveau Sud industriel. Bienfaiteur des Noirs, il formulait ainsi sa philosophie des relations interraciales et ses conseils à ses pupilles : « Affrontez le sort, évitez les questions sociales; laissez la politique tranquille, continuez à vous montrer patients, menez une vie morale; vivez simplement; apprenez à travailler et à travailler intelligemment... Sachez que c'est une erreur de chercher l'éducation hors de votre milieu naturel. »

dollars 10. On reconnaît là Rockefeller dans toute sa splendeur, et il allait en naître, de façon très caractéristique, une influence en proportion. Cette fondation allait attirer des hommes d'imagination, qui y verraient un support pratique pour leurs plans et leurs rêves sociaux; d'éventuels futurs bénéficiaires de la manne allaient adapter leurs programmes aux contours de sa philosophie dans l'espoir de recevoir des fonds [1].

Tandis que l'investissement philanthropique de son père dans l'Institut médical et le Comité d'éducation faisait de Junior le personnage central d'une puissante constellation d'institutions sociales et culturelles à l'intérieur du pays, la ferveur missionnaire de Frederick Gates, dans la section internationale de la Fondation Rockefeller, l'intégrait à une communauté d'hommes et d'idées qui, après la Première Guerre mondiale, allaient se rassembler en un petit cercle élitaire, celui des bâtisseurs d'empire de l'Amérique au-delà des mers.

C'est dès 1905, en pleine controverse sur « l'argent souillé », que Gates avait entrevu les implications internationales possibles de la philanthropie rockefellérienne. En fait, la pensée de laisser là les charités baptistes à l'échelon paroissial pour mettre de l'argent dans le Comité congrégationaliste chargé des missions à l'étranger ne laissait pas Gates indifférent. Quelques années auparavant, il avait eu entre les mains un important compte rendu de l'œuvre des missionnaires de langue anglaise de toutes confessions, qui avait produit sur lui une forte impression.

Semblable aux premiers efforts de Rockefeller dans le domaine du pétrole, l'entreprise missionnaire paraissait dispersée et mal coordonnée, écrivit Gates à son employeur, « mais l'étude de la carte du monde révèle en fait une ampleur d'organisation, une unité de plan, une maîtrise de la stratégie et de la tactique; tout cela suggère que l'ensemble est régi par un vaste plan établi à l'avance et que ses mouvements sont contrôlés et dirigés par un esprit supérieur ».

L'inspiration divine du mouvement missionnaire et son intelligence commerciale faisaient bon ménage. « Le fait est, concluait Gates, que les nations païennes, partout, sont pénétrées par la lumière, la civilisation, la vie

---

1. L'influence du Comité en matière d'éducation finit par s'étendre à tout le pays, mais demeura surtout prépondérante dans le Sud. Faisant office de banque pour les programmes d'éducation dans le Sud, il soutint de toute sa puissance le mouvement qui allait dominer durablement le cours de l'éducation et des relations interraciales aux USA. Revenant sur l'accord de Winston-Salem, le Comité d'éducation, les douze premières années, distribua 3 millions de dollars aux collèges blancs, 555 000 dollars aux instituts techniques noirs comme Hampton et Tuskegee, et 14 000 dollars seulement aux universités noires. Son influence était si envahissante que des figures internationales aussi importantes que W.E.B. Dubois se voyaient gênées dans leurs programmes par son omniprésence. Dans un numéro de *Crisis*, en 1925, le leader noir écrivit : « C'est une honte de voir des programmes absolument nécessaires dépendre des donations des riches au point de rendre toute critique honnête de plus en plus difficile parmi nous. Si quelqu'un se met à dire la vérité, ou à révéler des incompétences, ou à se révolter contre l'injustice, il est aussitôt assailli par un chœur de " chut! ", " Tu te dresses contre le Comité d'éducation! ", " Silence! Tu te fais des ennemis de la Fondation Rockefeller! Et ils te feront la peau! " »

industrielle moderne, les applications de la science moderne, tout cela par l'entremise directe ou indirecte des missionnaires. Même en mettant à part la question des convertis, les résultats simplement commerciaux de l'effort missionnaire pour notre propre pays atteignent chaque année près de mille fois ce qu'on dépense pour les missions. Par exemple, notre commerce avec Hawaii rapporte, aujourd'hui, me dit-on, 17 millions de dollars annuels. C'est tout juste si l'on a dépensé 5 % de cette somme pour christianiser et évangéliser les indigènes... Les missionnaires et leurs écoles introduisent dans les terres étrangères les applications de la science moderne : énergie de la vapeur, énergie électrique, outillage agricole moderne, produits industriels modernes. Il en résulte un accroissement énorme de la capacité productrice de ces pays étrangers; les voilà donc enrichis en tant qu'acheteurs des produits américains et nous en tant qu'importateurs de leurs propres produits. Nous sommes à l'aurore du développement du commerce, et cette aurore, avec toutes ses promesses, nous la devons aux missionnaires chrétiens et aux voies qu'ils ont ouvertes. »

Il exposa de nouveau cette vision devant Junior et les autres membres du conseil d'administration de la Fondation Rockefeller lors de sa toute première réunion. Le sentiment d'une mission mondiale des États-Unis et les termes de conquête et de salut par lesquels on la décrivait n'étaient pas de simples fleurs de rhétorique; Gates était l'incarnation d'un siècle d'impérialisme optimiste pour les « races de langue anglaise ». Le devoir d'apporter la lumière aux continents plongés dans les ténèbres constituait un thème favori pour ceux qui, comme lui, cherchaient à promouvoir une gestion industrialo-chrétienne du monde par l'Amérique.

C'est ce fameux devoir qui dicta à Gates et à la Fondation de lancer une série de campagnes ambitieuses contre les maladies tropicales, véritables fléaux qui rendaient ces régions peu perméables aux influences et aux entreprises de la civilisation. (Peu après l'adoption de ses statuts, les membres du conseil de la Fondation remirent à l'ordre du jour la « campagne contre le ver » [hookworm] de la Commission sanitaire Rockefeller, rebaptisée en Comité international de la santé, et prirent la résolution d'étendre ses travaux « à d'autres peuples et à d'autres pays ».) L'accent mis sur la santé publique ne relevait pas de la pure charité : il résultait de l'occupation militaire et coloniale des Philippines et des Caraïbes par les États-Unis, et les spécialistes qui devaient diriger l'ensemble de ce secteur pour le compte de la Fondation étaient recrutés là.

En 1914, tandis que la Fondation créait une Commission de la fièvre jaune sous la direction du général William C. Gorgas [1] et se mettait en branle pour

---

1. Gorgas avait été médecin général de l'armée américaine pendant l'occupation de Cuba, où il avait dirigé la campagne contre la fièvre jaune. Il était passé ensuite à Panama pour superviser les mesures d'aménagement sanitaire destinées à favoriser la construction du canal. « La politique américaine de générosité joua dans le succès du programme de pacification un rôle beaucoup plus important que la peur », affirma plus tard un historien militaire à propos des effets de cette campagne de santé publique.

extirper la maladie, Gates avait amené les membres du conseil d'administration à créer un Comité médical pour la Chine et à établir des plans pour la création d'une moderne faculté de médecine dans la Cité impériale de Pékin. Logés dans les 59 bâtiments aux toits de jade contigus au vieux Palais du prince Yu, où la voix légèrement nasale de Junior allait bientôt résonner étrangement dans la cour carrelée, lors des cérémonies d'inauguration, la faculté de médecine et l'hôpital de Pékin réunis (œuvres du nouveau Comité) allaient devenir le « Johns Hopkins chinois », le centre de formation médicale le plus important de Chine.

A une époque d'extension des empires et de réveil des nationalismes, cette faculté de médecine était à l'évidence un symbole ambivalent. Trois ans avant la création du Comité médical pour la Chine, ce pays, devenant une République sous la direction de Sun Yat-sen, était entré dans la phase moderne de son histoire; mais il demeurait sous le joug de la domination étrangère, et les quarante années suivantes virent la Chine déchirée par la guerre civile. Junior n'avait peut-être pas saisi toute l'importance de cet avant-poste en Chine, mais John R. Mott[1] — nommé président du conseil d'administration de la faculté par Gates lui-même — avait en 1914 invoqué l'instabilité de la Chine et sa faiblesse en tant que nation dans un discours où il plaidait pour la réalisation immédiate du projet : « Si nous attendons que la Chine devienne stable, nous perdons à tout jamais la plus belle occasion de nous occuper d'elle. »

Depuis l'instauration de la Iʳᵉ République de Chine en 1911, Mott avait été obsédé par cette « occasion absolument unique » offerte par la conjoncture. « Il n'existe au monde qu'une seule nation de quatre cents millions d'habitants, avait-il écrit, et la génération montante sera la première de l'ère moderne de ce pays. » La première vague d'étudiants à recevoir l'éducation moderne allait être la pépinière des dirigeants de la Chine nouvelle. C'est eux qui décideraient de l'avenir du pays. Il s'agissait de gagner l'esprit de ces pionniers au christianisme et aux valeurs de l'Occident.

Woodrow Wilson avait tenté de convaincre Mott de devenir ambassadeur en Chine, mais il déclina l'offre : ce poste l'aurait empêché d'avoir les coudées franches. Rien pour lui ne comptait davantage que les exigences de la mission mondiale, d'ordre privé, qu'il s'était fixée avec F. T. Gates et un certain nombre d'autres visionnaires. Cette mission devait façonner l'avenir du système international grâce à l'éducation et au travail missionnaire. La Fondation Rockefeller n'allait pas se contenter de soutenir cette croisade; très consciemment, grâce aux programmes d'éducation et de solidarité

---

1. Mott, secrétaire général du comité international de l'YMCA (Association des jeunes chrétiens), fut le protecteur et l'organisateur de générations d'étudiants qui accédèrent à des positions influentes dans le monde sous-développé. Toute sa vie, il allait demeurer l'associé de Junior et exercer une influence majeure sur ses activités philanthropiques et missionnaires au cours des quarante années à venir. Du vivant de Mott, Junior allait donner plus de 8 millions de dollars à l'YMCA et presque 6 millions à l'YWCA (Association des jeunes chrétiennes). Après la mort de son ami, Rockefeller donna 250 000 dollars pour mettre sur pied la Fondation des bourses d'études John R. Mott.

internationale lancés en 1914, elle allait la séculariser en en faisant un investissement du futur *leadership* américain.

A l'œuvre dans les coulisses de la Fondation, de l'Institut et du Comité de l'éducation, Junior eut l'occasion de rencontrer certains des hommes les plus brillants du pays. Homme à la parole rare, il n'était pas insensible à la puissance de leurs idées. Son attitude sans prétention, son souci des détails et son accès aux fonds qui seuls rendaient toute entreprise possible, lui permirent de tenir sa partie dans des situations où il eût autrement perdu pied. Les bâtisseurs des ambitieux programmes lancés par les entreprises philanthropiques et qui devaient transformer le visage de la médecine, de l'éducation et de la politique sociale américaines, étaient tous des personnages dynamiques, hommes d'affaires comme Ogden et Baldwin, missionnaires comme Mott et Gates, savants et administrateurs comme Flexner et Rose. Jusque-là, l'influence de Junior sur eux n'avait été que celle du porte-monnaie. Il existait toutefois une entreprise philanthropique, le Bureau de l'hygiène sociale, qui sollicita particulièrement son attention et qui, plus que toute autre, reçut la marque de son tempérament et de sa sensibilité.

En 1909, il avait été question de la prostitution lors de la campagne pour l'élection du maire de New York. Après quoi, Tammany Hall[1] avait « décidé » qu'un comité spécial enquêterait sur la traite des Blanches afin de dissiper tout soupçon quant au rôle de la municipalité dans ces affaires. Misant sur sa discrétion légendaire, on pressentit Junior pour la présidence de ce comité. Au début, il resta sur ses gardes : « Cette tâche me paraissait impossible. Quel sujet déprimant et sinistre! Et pouvait-on choisir moins compétent que moi? » On insista, faisant valoir qu'il s'agissait d'un devoir civique. Il se laissa fléchir : « Mes parents m'ont toujours enseigné qu'il est impossible de se soustraire à son devoir. »

Une fois mandaté, il se jeta dans ce travail avec une ardeur qui effraya Tammany Hall : « Je n'ai jamais travaillé aussi dur de ma vie, dira-t-il plus tard. J'étais attelé à ma tâche matin et soir. » Le comité, qui devait siéger un mois, siégea en fait six mois, à l'issue desquels il publia un rapport détaillé demandant qu'une commission fût désignée pour étudier les lois et méthodes destinées à lutter contre ce fléau social « dans les grandes agglomérations de notre pays et d'Europe, afin de réduire le fléau en question dans notre propre ville ». Le maire ayant refusé de mettre sur pied une telle commission, Junior décida d'aller de l'avant et de procéder lui-même à cette enquête.

Avec une application bien caractéristique, il commença par soumettre les grandes lignes de son projet à des éducateurs, à des intellectuels, à des hommes d'affaires : plus de cent personnes en tout, dont un jeune et

1. L'Hôtel de Ville de New York. (*N.d.T.*)

Senior et Junior dans les rues de New York (Archives familiales Rockefeller).

Ci-dessus : *les administrateurs du Comité de l'Éducation, vers 1914. Au premier rang, deuxième à partir de la gauche, F.T. Gates ; tout à fait à droite, Wallace Buttrick ; au second rang, troisième à partir de la gauche, Junior (Archives familiales Rockefeller).*

Ci-contre : *le sénateur Nelson Aldrich. Abby Aldrich Rockefeller. Le 10 de la 54ᵉ Rue Ouest, à New York (Archives familiales Rockefeller).*

Les enfants de Junior et Abby. De gauche à droite : *Abby (« Babs »), JDR 3, Nelson, Laurance, Winthrop et David (Archives familiales Rockefeller).*

Ci-contre : *W. L. Mackenzie King et Junior sur le point de descendre dans le puits de mine, Colorado, 1915* (en haut à gauche) ; *Bertram Cutler* (en haut à droite) ; *Thomas W. Debevoise* (en bas à gauche) ; *Raymond Fosdick* (en bas à droite) *(Archives familiales Rockefeller).*

Quatre générations: Junior, Senior et Nelson avec Rodman dans ses bras (Archives familiales Rockefeller).

Ci-contre : le bureau de Junior au 26 de Broadway, avant sa transformation en 1924. Senior à l'âge de 93 ans (Archives familiales Rockefeller).

Junior et ses fils attendant le train funéraire qui ramène le corps de Senior. De gauche à droite : Junior, David, Nelson, Winthrop, Laurance, JDR 3. (Archives familiales Rockefeller).

bouillant avocat, Raymond B. Fosdick. Protégé de Woodrow Wilson à Princeton, et alors commissaire aux Comptes à New York, Fosdick allait devenir un des hommes les plus influents de sa génération, le compagnon de Junior jusqu'à la fin de sa vie, son biographe, et, ultérieurement, un secrétaire adjoint de la Société des nations et le président de la Fondation Rockefeller.

Entouré des meilleurs avis, Junior mit sur pied en 1911 le Bureau de l'hygiène sociale, qui engloutit plus de 5 millions de dollars rockefellériens et joua un rôle important et largement méconnu dans la vie sociale du pays. Le Bureau baignait dans ce nouvel optimisme, promu par Dewey, quant à l'application des méthodes scientifiques aux problèmes de réforme sociale. Son tout premier acte fut d'envoyer à l'étranger Abraham Flexner (frère de Simon Flexner, directeur de l'Institut Rockefeller) pour étudier à fond la prostitution en Europe et ses caractères originaux par rapport aux États-Unis. Pourvu de lettres d'introduction émanant entre autres du secrétaire d'État Elihu Root, Flexner fit halte dans la plupart des grandes villes du continent. Séduit par la façon libérale dont les Scandinaves traitaient les prostituées, il n'en conclut pas moins que, pour contrôler ce fléau social, il fallait le dérober à la vue de manière à l'isoler, sinon à le faire disparaître. Flexner se rendit compte également qu'il était impossible de comprendre la prostitution si l'on se désintéressait du système légal qui favorisait sa floraison. En conséquence, le deuxième grand projet du Bureau consista à envoyer Fosdick en Europe pour entreprendre la première étude de fond sur l'administration policière à l'échelle internationale. Quand Fosdick revint aux États-Unis, après avoir constaté le professionnalisme de la police européenne, l'indiscipline et le relâchement des milieux policiers américains l'horrifia. Après la publication de son rapport, le colonel Arthur Woods, ex-commissaire de police à New York, apporta sa collaboration au Bureau et supervisa plus d'une douzaine d'études sur la police et les systèmes policiers. En 1936, *Fortune,* évoquant les efforts du Bureau dans ce domaine, écrira : « La science de la détection du crime lui doit tant que le numéro 1 du FBI, Edgar Hoover, attribue à ses investigations une grande partie du succès du système fédéral actuel. »

Le Bureau fut l'une des premières agences à se préoccuper de la drogue, au même titre que de la police et de la prostitution; plus tard, une fois le danger de l'opium reconnu par tous et des experts en matière de drogue engagés par le gouvernement fédéral, la police fédérale devait officiellement adopter et mettre en œuvre ses méthodes. Pour chaque sujet abordé, le Bureau de l'hygiène sociale créait un groupe d'experts qui concentraient leur compétence sur les problèmes sociaux dans le but d'isoler le péché, de l'éloigner des sources de sa satisfaction et, grâce à ce processus, de transformer ainsi les pécheurs en criminels. En dépit de ses apparences modernes, le point de vue social du Bureau rappelait étonnamment l'atmosphère baptiste et collet monté de la famille au sein de laquelle Junior avait grandi à Cleveland.

CHAPITRE VIII

Dans l'une des lettres où il tentait d'amener John D. senior à créer des entreprises philanthropiques, le révérend Gates avait souligné qu'elles devraient être si importantes qu' « en entrant au conseil d'administration de l'une d'elles, on devenait presque un personnage officiel ». Pour des hommes comme John Foster Dulles et Dean Rusk, qui quittèrent la Fondation Rockefeller pour devenir secrétaires d'État, il n'aurait su mieux dire. La chose valait également pour Junior lui-même au début de l'entreprise : aux yeux du public, quelques années plus tôt, Junior n'existait pas. (« Le jeune Mr. Rockefeller se contente d'être passif et inoffensif, écrivait une revue en 1905. Sans vertus et sans vices, il est la quintessence du médiocre, l'apogée du négatif, le comble de la banalité. ») Mais, grâce à ses liens avec les fondations charitables et les millions de dollars qu'elles dispensaient, l'image de Junior se mit à changer. Il devint une célébrité.

Les esprits avisés qui dirigeaient à présent la Standard — Archbold, Rogers et A. C. Bedford — mirent à profit cette promotion. Sur leur suggestion, Junior fut nommé vice-président du trust. Il effectua des tournées (enfin un Rockefeller en chair et en os venait s'occuper des pétroliers des terres reculées du Sud-Ouest!); il se chargea d'un nombre important de tâches diplomatiques, entre autres de cultiver les collègues du sénateur Nelson Aldrich et de les mettre au courant des vues de la Standard sur la législation affectant les perspectives de l'industrie pétrolière. Mais, au beau milieu de son mandat de président du Comité sur la traite des Blanches, qui le grandissait tant aux yeux de l'opinion, survint la publication de lettres infamantes d'Archbold par les journaux de la chaîne Hearst. Le jury qui attaqua le trust acheva de convaincre Junior — s'il en doutait encore — qu'il ne saurait publiquement se solidariser avec l'administration de la Standard. Il ne pouvait à la fois apparaître ouvertement comme un homme d'affaires et s'adonner à la philanthropie. Il fallait choisir, une fois pour toutes, entre les affaires et la charité; dans son esprit, il n'y avait pas l'ombre d'un doute sur les avantages respectifs des deux entreprises. Après en avoir discuté avec son père, il donna sa démission des postes qu'il occupait à la direction de la Standard Oil et de l'US Steel, et les autres postes de responsabilité suivirent. Hélas, une des rares sociétés avec lesquelles il conserva quelques liens était une entreprise de charbonnage apparemment inoffensive, loin dans l'Ouest du pays, la Colorado Fuel and Iron (CFI).

Les intérêts des Rockefeller dans la CFI remontaient au début du siècle. Alors que Junior était encore tout empêtré dans les difficultés de son apprentissage au 26 de Broadway, le fils du célèbre Jay Gould, George, naguère associé de Rockefeller père, parvint à persuader le milliardaire de s'intéresser aux actions de la CFI.

Ses énormes réserves étant encore plus importantes qu'à l'accoutumée par suite de la vente récente des mines Mesabi au trust US Steel de Morgan, Rockefeller avait expédié F. T. Gates en mission secrète au Colorado pour examiner l'affaire : le rapport de Gates l'avait convaincu de risquer un investissement initial de 6 millions de dollars.

Gates ayant fait valoir que la CFI ne deviendrait rentable qu'en changeant ses méthodes, Rockefeller porta son investissement à plus de 20 millions de dollars. Détenant ainsi 40 % des actions ordinaires et des actions privilégiées, et 43 % des obligations de la Société, il avait la haute main sur l'affaire. Gates remercia l'ancienne direction de la CFI en 1907 puis chercha un homme adéquat pour prendre la relève à Denver. Or l'oncle de Gates, Montgomery Bowers, âgé de soixante ans, qui avait fait ses preuves en créant la flotte de transporteurs de minerai de fer qui avait tant contribué au succès des mines Mesabi, s'était vu récemment conseiller par les docteurs d'emmener sa femme, atteinte de tuberculose, dans la région du Colorado. Prêt à faire le nécessaire pour rendre la CFI rentable, Bowers fut nommé président du conseil d'administration et s'engagea à rendre régulièrement des comptes à Gates et à Junior au 26 de Broadway.

La Société dont il prenait la direction était une parfaite illustration de ce que la presse libérale devait appeler plus tard « l'absolutisme industriel ». Les bas salaires des mineurs (environ 1,68 dollar par jour) leur étaient versés sous forme de bons uniquement utilisables dans les magasins de la Société, qui pratiquaient des prix exorbitants. Les mineurs vivaient dans de petits baraquements de deux pièces pour lesquels ils payaient à la Société des loyers astronomiques, et d'où ils pouvaient être expulsés à tout moment dans les trois jours. Les églises qu'ils fréquentaient étaient animées par des pasteurs appointés par la Société ; leurs enfants étaient éduqués dans des écoles contrôlées par la Société ; les bibliothèques de la Société passaient leurs ouvrages au peigne fin de la censure pour s'assurer qu'aucun livre réputé subversif (par exemple *l'Origine des espèces* de Darwin) n'y figurât. La Société consacrait plus de 20 000 dollars annuels à l'entretien d'un corps de détectives, de gardes et d'espions dont le travail consistait à préserver les camps de la contagion syndicaliste.

La CFI, de loin la plus importante industrie de la région, était le porte-parole de tous les chefs d'entreprise et une force politique non négligeable dans le Colorado. Par la suite, Bowers devait déclarer avec satisfaction que, dès sa nomination comme PDG, il avait fait inscrire sur les listes électorales tous ses ouvriers et ouvrières et qu'il les faisait voter à sa guise, y compris les 70% qui n'étaient pas naturalisés américains. Il ajoutait que « même leurs mules étaient inscrites, pour peu qu'elles eussent un nom ». La puissance politique ainsi obtenue permit aux chefs d'entreprise d'être assurés que les règles les plus élémentaires de sécurité ne seraient jamais appliquées chez eux, d'où une épidémie de morts et de blessures par accidents parmi les travailleurs. Les mineurs n'avaient aucun recours. Les tribunaux du comté étaient, pour ainsi dire, des succursales de la CFI, et les chefs de la police locale étaient tout aussi dépendants de la Société que les surveillants des mines.

Cependant, le syndicat des travailleurs des mines ne resta pas sourd aux doléances des mineurs et se fit l'écho du mécontentement et de la colère qui régnaient dans les camps. Rejetant sur les délégués syndicaux (qu'il appelait « agitateurs louches, socialistes et anarchistes ») la responsabilité des ennuis que la CFI commençait à avoir avec ses salariés, Bowers fit front contre eux et accepta de diriger les hostilités que le pressaient d'ouvrir les petits chefs d'entreprise. Il lança ainsi l'anathème contre les syndiqués : « Lorsque des hommes comme eux, flanqués d'universitaires sans valeur, de plumitifs encore plus minables de la presse à sensation et d'un tas de prédicateurs bêlants, se permettent d'attaquer les hommes d'affaires qui ont bâti les grandes industries... il est temps de prendre des mesures énergiques... » D'accord avec son oncle, Frederick Gates, après une tournée dans les mines, affirma, avec ses excès rhétoriques habituels, que le conflit qui s'annonçait ne serait rien de moins qu'un combat apocalyptique entre le Bien et le Mal. « La direction de la CFI, déclara-t-il, dresse un rempart entre le pays d'une part, et, de l'autre, le chaos, l'anarchie, la terreur, la confiscation de la propriété privée; ce faisant, elle mérite le soutien de tous ceux qui aiment leur pays. »

Les chefs d'entreprise firent appel à l'agence de détectives privés Baldwin-Felts et firent de ceux-ci le fer de lance d'une organisation paramilitaire dirigée contre le syndicat ouvrier. Composés de bons à rien et de gangsters rescapés des aventures de l'Ouest, les Baldwin-Felts étaient plus détestés encore que les Pinkerton [1]. Armés de Winchesters tout neufs et promus par les shérifs locaux au statut d'adjoints, les détectives se mirent à circuler dans les bassins houillers comme une véritable milice. En voyant cela, le syndicat comprit que l'heure était venue d'une épreuve de force décisive, et ses organisateurs raflèrent toutes les carabines et toutes les munitions disponibles dans les bazars des petites villes du Colorado.

Le 23 septembre 1913 au matin, les événements se précipitèrent : quelque 9 000 mineurs (soit près de 70% des travailleurs) quittèrent les bassins miniers avec leurs familles; ils s'installèrent dans des villages de tentes établis pour eux par le syndicat à proximité des petites villes minières, pratiquement anonymes, de la région. L'une d'elles s'appelait Ludlow.

---

1. Cette agence de détectives privés célèbre aux États-Unis fournissait aux entreprises une véritable police. (*N.d.T.*)

Les accrochages entre détectives privés et mineurs dégénérèrent en batailles rangées. L'une des plus sérieuses survint le 17 octobre : ce jour-là, les Baldwin-Felts s'entassèrent dans leur voiture blindée, que les mineurs appelaient Voiture de la Mort, foncèrent à toute allure sur un village de toile près de Forbes, le traversèrent en ouvrant le feu avec deux mitrailleuses montées sur leur véhicule et disparurent dans le crépuscule aussi vite qu'ils étaient venus.

Les mineurs ripostèrent de leur mieux. Quinze jours plus tard, le gouverneur du Colorado, Ammons, se décida à faire appel à la Garde nationale dans l'espoir de rétablir le calme. Pendant un temps, la Garde s'efforça de faire respecter la loi du Colorado qui interdisait l'introduction de briseurs de grève dans une zone en proie à des conflits du travail. Mais, l'hiver suivant, l'État se révéla incapable de payer la Garde sans recourir à l'aide des milieux d'affaires. Et la Garde, prenant alors ouvertement parti, escorta dans les bassins houillers les briseurs de grève qu'on faisait venir par chemin de fer de Pittsburgh et de Toledo. Vers la fin février, les caisses de l'État étant vides, le gouverneur Ammons retira la Garde nationale, hormis quelques unités postées en certains points stratégiques. Les hommes qui restèrent se trouvaient en opposition ouverte avec les grévistes.

Le 20 avril au matin, cette guerre ouvrière, qui avait déjà coûté des douzaines de vies, connut un paroxysme sanglant. Une compagnie de la Garde nationale, qui avait eu des accrochages répétés avec les grévistes, prit position sur une éminence surplombant les tentes de Ludlow. Le vent frisquet faisait claquer le linge qui séchait, tout raidi, sur les cordes, et emportait les longues spirales de fumée qui montaient des tuyaux de poêle sortant du sommet des tentes. Les grévistes observaient avec méfiance ces hommes postés au-dessus d'eux. A l'aube, un coup de feu (tiré par qui ?) retentit ; les gardes, très nerveux, ripostèrent avec leurs mitrailleuses Hotchkiss, déclenchant une bataille qui dura la journée entière.

Les tentes furent criblées de balles, puis incendiées ; les grévistes se réfugièrent dans des abris creusés sous les lattes des planchers. A la tombée de la nuit, c'était un spectacle de complète désolation : quarante morts et d'innombrables blessés. Mais le plus horrible eut lieu le lendemain matin : tandis que les gens de Ludlow émergeaient des abris souterrains et parcouraient, en comptant leurs pertes, le village de tentes réduit en cendres, ils découvrirent les corps de deux femmes et de onze enfants, morts asphyxiés dans leur refuge pendant l'incendie de la tente dressée au-dessus d'eux. Le massacre avait trouvé son symbole. Au fur et à mesure que les nouvelles de Ludlow se répandaient, d'autres villages de grévistes prirent l'offensive contre les propriétaires de mines, s'emparèrent des villes et attaquèrent des avant-postes dans un rayon de 400 km autour de Ludlow. Le président Woodrow Wilson fit intervenir les troupes fédérales pour mettre fin à ce qui menaçait de devenir une guerre civile.

Au début de cette grève, Junior était aux prises avec d'autres problèmes : en particulier, on prêtait à l'administration Wilson l'intention de faire adopter par le Congrès une législation antitrust. Il en avait discuté avec J. P. Morgan et d'autres éminents hommes d'affaires à bord du yacht du sénateur Aldrich. Mais les événements du Colorado finirent par l'alarmer et il se mit à suivre les dépêches de Denver avec une inquiétude grandissante ; bientôt, le plus clair de son temps au 26 de Broadway fut dévoré par la grève et les violences. Avant même que la grève n'éclate, la Maison-Blanche avait fait directement pression sur lui pour qu'il usât de son influence afin d'apaiser le conflit. Sa réponse avait été, comme toujours, qu'il n'était qu'un simple actionnaire de la Société : c'est la direction de Denver qui portait la responsabilité des opérations de la CFI sur le terrain. Lorsqu'on critiquait son attitude (ce qui se produisit fréquemment au cours des mois qui s'écoulèrent entre l'exode des grévistes et le massacre), il faisait remarquer que le 26 de Broadway se trouvait à 3 000 kilomètres du Colorado et qu'il avait les mains liées par sa propre situation.

Mais, à la vérité, il nourrissait sur cette question les idées les plus étroites. De toute évidence, il s'était complètement aligné sur ceux qui faisaient à ses yeux autorité : Gates et son père. Et Rockefeller père avait des principes exceptionnellement fermes en la matière. Pour lui, embaucher un ouvrier relevait de la charité ; dans les conflits avec les syndicats, les chefs d'entreprise se devaient de prendre de sévères mesures de rétorsion. Des années plus tôt, apprenant que Frick avait donné l'ordre d'abattre des grévistes dans les aciéries Homestead de Carnegie, John D. avait sur-le-champ expédié un télégramme de soutien au magnat du coke. Frick était devenu pour lui un symbole de résistance héroïque, non seulement à cause de son intervention à la Homestead, mais en raison de sa conduite lorsque, plus tard, un sympathisant des grévistes assassinés, fou de douleur, avait pénétré dans son bureau en criant vengeance. Atteint d'une balle et de plusieurs coups de couteau, Frick vint cependant à bout de son agresseur et voulut à tout prix poursuivre sa journée de travail, tout enveloppé de bandages sanglants. Le commentaire qu'il fit aux journalistes, à la sortie de son bureau, devait devenir un exemple pour tous ses pairs : « Je ne pense pas que je vais mourir mais, de toute façon, la Société Carnegie ne changera pas sa ligne de conduite et elle gagnera. »

Sa correspondance (qui devait être examinée et rendue publique par la Commission des conflits du travail [1], apportant des révélations stupéfiantes) prouve à l'envi que Junior épousait sans restriction aucune le point de vue de son père. Dès le 15 septembre 1913, soit une semaine avant l'arrêt de travail des mineurs, le ministre du Travail William Wilson avait dépêché Ethelbert Stewart, son principal médiateur, au 26 de Broadway, dans l'espoir de convaincre Rockefeller de tout mettre en œuvre pour éviter le conflit ; Junior

---

1. Nommée par le Congrès. (*N.d.T.*)

avait envoyé Stewart à l'avocat-conseil de la famille, Starr J. Murphy, lequel avait reçu pour consigne de renvoyer à nouveau Stewart vers les bureaux de la CFI à Denver. Bowers rapporta sa rencontre avec Stewart dans une lettre à Junior : « [Le médiateur] a été averti que nous continuerions d'exploiter les seules mines que nous pourrions protéger, que nous fermerions les autres, et que l'auteur de cette lettre, à l'instar de tous les cadres de notre Société, restera fidèle à cette déclaration jusqu'à ce que ses ossements deviennent aussi blancs que la craie des montagnes Rocheuses. » Trois semaines plus tard, Junior adressa à Bowers une lettre où il approuvait cette prise de position : « Nous avons le sentiment que ce que vous avez fait est juste et judicieux, et que la position que vous avez adoptée concernant la syndicalisation dans les mines est conforme aux intérêts du personnel de la Société. Quelle que soit l'issue de tout cela, nous resterons à vos côtés jusqu'au bout. » Quatre jours plus tard, il ajoutait : « Ce sont là des jours éprouvants, je m'en rends compte, pour la direction de la Société; ici nous suivons son action avec le plus grand intérêt, et sa position ferme et juste ne manquera pas d'avoir tout notre appui. »

Quelques mois plus tard, à Noël, Bowers écrivit à Junior un mot l'informant des pressions qu'il exerçait pour modifier la position du gouverneur Ammons sur un point crucial : son refus d'autoriser la Garde nationale à escorter les jaunes jusque sur les lieux de travail. Jusqu'alors, l'administration de l'État était restée favorable aux mineurs, et les violences avaient été sporadiques et limitées. « Il vous intéressera de savoir, écrivait Bowers, que nous sommes parvenus à nous assurer la coopération de tous les banquiers de la ville, qui ont eu trois ou quatre entretiens avec notre petit cow-boy de gouverneur. La pression exercée sur le gouverneur Ammons par les hommes les plus influents de l'État est probablement sans exemple. »

Junior, qui jusque-là avait redouté les effets de la grève, fut satisfait des résultats et ne releva pas, dans sa réponse à Bowers, les termes injurieux appliqués par celui-ci au gouverneur Ammons : « Cela signifie, je présume, que les choses étant pratiquement revenues à la normale, les affaires peuvent très largement reprendre. Quelle satisfaction de voir ce conflit devenir si rapidement une page du passé! Je sais que, ces derniers mois, Père a suivi tout ce qui avait trait à la CFI avec un intérêt et une satisfaction tout particuliers. »

Les choses ne revinrent pas à la « normale ». La situation devenant incontrôlable, le président Wilson tenta de trouver une formule acceptable par les deux parties. Les offres de médiation fédérale ayant été repoussées par Bowers et les chefs d'entreprise, à présent assurés de la victoire, un détachement de la Commission parlementaire d'enquête sur les mines se mit à interroger les gens sur la situation. Ces auditions commencèrent au début de février et, en mars, juste avant le massacre de Ludlow, Junior fut appelé à témoigner.

Le président du sous-comité, le républicain Martin Foster, souleva aussitôt la question des intérêts philanthropiques et financiers de Junior. « Je crois que vous vous intéressez aux mouvements d'action sociale et d'inspiration morale et que, récemment, vous avez présidé le Comité chargé d'enquêter sur la traite des Blanches. Ne pensez-vous pas que vous auriez pu vous pencher sur les grèves sanglantes qui se sont déroulées au Colorado, où vous avez mille salariés dont le bien-être ne semble pas avoir été votre souci dominant? »

Junior répondit évasivement : « J'ai vraiment agi pour le mieux, à mon avis, dans le sens des intérêts de ces salariés et des puissants investissements que je représente. Nous nous sommes assurés les services des meilleurs dirigeants et nous nous fions à leur jugement... » Le président insista : « Mais lorsqu'on tue des gens, lorsqu'on fusille des enfants, cela n'est-il pas assez grave à vos yeux pour mériter une concertation avec d'autres personnalités responsables, afin de voir si l'on peut mettre fin d'une façon ou d'une autre à ce genre de choses? » En guise de réponse, Junior réaffirma le principe cher à Gates et à son père : « La question n'était pas locale, mais nationale : va-t-on permettre aux travailleurs de travailler aux conditions de leur choix, quelles que soient ces conditions? En tant que copropriétaires de la mine, notre intérêt pour les ouvriers de ce pays est si grand, si profond, si sincère que nous sommes prêts à perdre jusqu'au dernier cent que nous avons investi dans cette société plutôt que de voir les hommes embauchés par nos soins privés de travail et poussés à des revendications qui n'émanent pas d'eux et où leur intérêt — comme le nôtre — est loin d'être évident. »

« Ne répugnez-vous pas, répliqua le président, à laisser se perpétrer ces massacres plutôt que de vous rendre sur place et de négocier pour rétablir le calme? » Réponse de Junior : « Une mesure et une seule pourrait mettre un terme à cette grève : la reconnaissance du syndicat. Mais nous portons aux ouvriers un intérêt si profond et nous croyons si sincèrement à la nécessité que nos mines restent libres, que nous avons l'intention de soutenir la direction de la mine quel que soit le prix à payer. »

« Même si cela entraîne la perte de vos mines et la mort de tous vos employés? »

« C'est une position de principe », répondit Junior.

Son attitude intransigeante souleva certes des critiques ici et là, mais les parents de Junior exultaient. Dans un télégramme expédié de Pocantico, sa mère lui dit qu'elle était fière de lui et que sa déposition était « un coup de clairon... en l'honneur des principes »; son père lui annonça qu'il lui faisait présent de dix mille actions de la CFI, confiant comme toujours au tintement de l'argent le soin de traduire ses sentiments. Junior se sentit d'autant plus raffermi dans ses vues. En fait, sa seule erreur fut de sous-estimer l'impact des événements de Ludlow sur l'opinion publique.

Erreur fatale, cependant. La nouvelle du massacre se répandit dans le pays comme l'éclair, et Junior fut poursuivi d'une haine au moins égale à celle dont son père avait été l'objet. Les piquets de grève d'Upton Sinclair le suivaient partout, avec leurs brassards de crêpe noir en signe de deuil, *memento mori* l'associant aux cadavres retirés des tentes calcinées de

Ludlow. Il y eut des manifestations et des rassemblements. La tension atteignit un tel degré que, lors d'un meeting syndical au Colorado, une des responsables, du nom de Marie Ganz, s'écria devant un groupe d'hommes vociférants : « Si vous aviez du cœur, John D. Rockefeller ne serait plus en vie demain. » Peu après, une explosion accidentelle tua une poignée de *Wobblies* (sobriquet hostile donné aux syndiqués) dans un logement de Lexington Avenue, à New York, et la police affirma que c'était à cause d'une bombe artisanale destinée au domicile de Junior, Lexington Avenue à New York. La revue socialiste *Appel à la raison* publia un poème au rythme bancal, mais trahissant une évidente émotion :

> « Tant qu'il a de l'argent à dépenser, ça lui est facile de tromper le peuple;
> Tant qu'il construit une chaumière ou deux et fait l'École du dimanche,
> Les flagorneurs le flattent, les lèche-bottes s'agenouillent, il est vénéré par tous les dégénérés.
> Et, pendant ce temps, les corps des petits enfants sont brûlés au pied des chênes du Colorado.
> Et cet âne poltron et cagot, ce fauteur de crimes et de haine,
> Avec l'avidité d'un chacal et un coffre-fort à la place du cœur,
> Pleurniche : " Pas de négociation ! " »

Mais la critique ne resta pas le fait d'une poignée de radicaux. « Chaque prière prononcée par Rockefeller est un affront au Christ qui mourut pour l'humanité souffrante », écrivit un journal de Denver, et le *Cleveland Leader* commença un long reportage par ces mots : « Les corps carbonisés de deux douzaines de femmes et d'enfants sont là pour témoigner que Rockefeller sait comment il faut s'y prendre pour gagner ! » Les organes de la presse libérale, y compris des publications aussi réputées que *The Nation, The New Republic, The Survey* et *Collier's,* prirent toutes le parti des ouvriers.

La lecture des journaux était donc pénible à Junior et il apprit à se protéger des mauvaises nouvelles, leçon qu'il ne devait jamais oublier par la suite. Ainsi, lors de la construction du Rockefeller Center, alors que l'architecture du gigantesque complexe était en butte à des attaques quotidiennes, un des associés de Junior lui demanda si les nouvelles et les commentaires ne le chagrinaient pas : « Je ne lis jamais les journaux quand ils sont susceptibles de me causer du souci. C'est une chose que j'ai apprise il y a des années, au moment des grèves dans l'Ouest. »

Ludlow était en passe de devenir l'albatros attaché autour du cou de Junior [1] pour le restant de ses jours; même s'il avait pu supporter l'image que lui renvoyait le miroir de l'opinion publique, Junior se rendait compte que tous ses patients efforts pour susciter bienveillance et respect autour du nom

---

1. Allusion à la *Ballade du vieux marin,* de Coleridge, dont le héros est puni de cette manière pour avoir tué un albatros aimé des matelots. *(N.d.T.)*

des Rockefeller étaient désormais compromis. Pis encore, les deux hommes qui l'avaient toujours soutenu, son père et le révérend Gates, ne pouvaient plus rien pour lui. Leurs idées à eux restaient figées dans la gangue du siècle passé.

Junior se mit à chercher de nouveaux conseillers et de nouveaux conseils. Il trouva deux hommes qui lui semblaient vivre et penser avec leur temps, et par là capables de lui indiquer un chemin pour sortir du chaos où il se trouvait. Ivy Lee, natif du Sud, et Mackenzie King, un libéral canadien, apparemment d'étranges alliés pour le fils de l'homme le plus riche du monde, mais qui avaient un trait en commun : l'un et l'autre, mais chacun à sa manière, étaient des prophètes des temps nouveaux, capables à la fois de faire preuve d'un extraordinaire sens du progrès et de rester en contact avec l'ordre des choses existant. Chacun à sa façon allait aider Rockefeller à se doter d'une nouvelle personnalité, lavée du péché de Ludlow, et, en outre, lui fournir la stratégie indispensable pour édifier et entretenir un appareil institutionnel capable de faire aborder la dynastie Rockefeller aux rivages du XXᵉ siècle.

« Ce qui meut les foules, ce sont les symboles et les formules », déclara un jour Ivy Lee devant une assemblée de dirigeants du rail à qui il expliquait les principes de son art. « Lorsqu'on a affaire aux foules, la réussite est une question de crédibilité. Nous savons qu'Henri VIII, par sa soumission déférente aux formes de la loi, pouvait amener le peuple à croire en lui presque aveuglément. »

Si Ivy Lee ne fut pas, à la lettre, l'inventeur des relations publiques, il est certain qu'il en fit un art et un instrument indispensables à la vie des entreprises du pays. Avec sa longue et fine silhouette de poète, ses yeux bleus, ses cheveux châtains, sa légère claudication qui s'accentuait avec la fatigue, Lee ne ressemblait guère aux autres hommes dont Junior avait fait ses collaborateurs. Certes, son accent traînant et ses manières élégantes du Sud contribuaient déjà à le distinguer des autres hommes liges des Rockefeller, mais son éducation lui avait également donné une façon différente de voir les choses.

Fils d'un prédicateur libéral de Georgie, qui prétendait descendre des Lee de Virginie [1], Ivy Lee comptait parmi les aristocratiques défenseurs du nouvel essor industriel du Sud, et était très réceptif au programme d'éducation du Comité créé dans le Sud à cet effet. Enfant, il avait passé des heures à écouter un ami de sa famille, Joel Chandler Harris (auteur du *Roman de Frère Lapin*), raconter des histoires nostalgiques sur les plantations de coton disparues, les esclaves fidèles et les bons maîtres. La maison Lee était

---

1. Robert Edward Lee, célèbre général sudiste au temps de la guerre de Sécession. (*N.d.T.*)

fréquentée par beaucoup d'autres hommes qui consacraient leur vie publique à essayer de panser les hideuses blessures de la guerre civile en adaptant la sensibilité du Sud à l'industrie venue du Nord, et à réconcilier les gens du Nord avec les curieux préjugés du Sud pleurant sur son passé. C'est à cette mission de conciliation qu'Ivy Lee allait s'adonner dans le domaine des relations industrielles et des conflits entre les milieux d'affaires et les travailleurs.

Diplômé de Princeton en 1898 (où, comme Raymond Fosdick, il avait succombé au charme de Woodrow Wilson), Lee était monté à New York pour réussir. Wall Street n'offrant aucune possibilité intéressante, il se mit à travailler pour le *New York Journal*. Il occupa ainsi plusieurs emplois dans la presse qui lui permirent du moins de s'initier aux problèmes du monde des affaires. La façon dont fonctionnaient les trusts le fascinait, tant pour leurs faiblesses que pour leur puissance ; mais l'article à sensation n'était pas son genre, bien au contraire. Il s'avisa que les techniques du journalisme, si bassement utilisées par une certaine presse pour montrer à la loupe les verrues sur la face des grandes entreprises, pouvaient aussi être utilisées pour mettre en valeur leurs traits les plus nobles. En 1903, il abandonna le journalisme pour la publicité, avec l'espoir d'accomplir pour les affaires ce que Billy Sunday [1] avait fait pour la religion [2].

Lorsque Junior fit appel à ses services en mai 1914, Lee travaillait comme attaché de direction auprès de Samuel Rea, président des Chemins de fer de Pennsylvanie. Les deux hommes se rencontrèrent au 26 de Broadway ; Junior lui dit tout à trac qu'il voulait apprendre l'art de cultiver son image de marque. A sa manière feutrée, il expliqua à Lee : « J'ai le sentiment que la presse et les hommes de ce pays se font une idée très fausse de mon père et de moi-même. J'aimerais connaître votre sentiment sur la façon de clarifier les choses. »

Pour commencer, Lee fit paraître une série de bulletins sur les événements du Colorado, avec l'aide du personnel dirigeant des mines et l'approbation de Junior.

Édités sous la forme d'une brochure intitulée *le Combat pour la liberté d'entreprise au Colorado,* ces textes furent diffusés dans le réseau des « faiseurs d'opinion » qu'il avait créé au long de huit années déjà consacrées aux relations publiques. Composés d'un choix d'articles déjà parus, d'opinions de citoyens influents et de matériel divers, ces bulletins tentaient

---

1. Évangéliste, charlatan et homme d'affaires, il réussit, aidé d'Aimée McPherson, à attirer à ses prêches des foules énormes. Le couple fut satirisé par Sinclair Lewis dans son roman *Elmer Gantry* (1927). (*N.d.T.*)

2. Il y parvint en effet. Ce faisant, il devint millionnaire et eut droit à une place dans le Bottin mondain (où sa profession, « relations publiques », contrastait étrangement avec celle des titans de l'industrie). Il eut pour clients des personnages comme Walter Chrysler, Charles Schwab, George Westinghouse et Henry Guggenheim, des trusts tels que la Standard Oil, l'American Tobacco et la General Mills. Cette dernière lui doit de très remarquables contributions, telles que la création de Betty Crocker et le slogan « le petit déjeuner des champions » qui orne toute boîte de *Corn Flakes*.

de donner la meilleure image possible de l'action des industriels pendant la grève et, inversement, de discréditer les syndicats.

Le vice-président de la Ligue pour la loi et l'ordre au Colorado alla jusqu'à écrire, dans l'un de ces bulletins, que la mort des deux femmes et des onze enfants était un drame dû à la négligence (un poêle renversé dans la tente) et ne devait rien au tir de la Garde nationale. Ces mensonges flagrants firent une grande impression au 26 de Broadway, mais valurent à Lee une notoriété douteuse dans les milieux littéraires engagés. Upton Sinclair le surnomma « *poison Ivy* » (sumac vénéneux), John Dos Passos en fit une caricature impitoyable dans *42e Parallèle* [1], et Carl Sandburg écrivit : « Il est pire qu'un homme de main ou qu'un tueur à gages. Dans une société organisée, sa façon de pervertir les valeurs est une arme plus redoutable que le bras des assassins qui ont abattu des femmes et brûlé des bébés à Ludlow. »

Malgré tout, les vues de Lee étaient moins réactionnaires que celles de son employeur. Après un voyage au Colorado, en août 1914, il conseilla à Junior de rendre public le nombre des actions détenues par les Rockefeller dans la CFI, et ajouta que Bowers et la direction de la Société s'étaient montrés beaucoup trop intransigeants dans leur attitude à l'égard des grévistes. Il conçut l'idée d'une campagne d'affiches informant les travailleurs des mines que les actionnaires désiraient les traiter avec justice et entendre leurs doléances. « J'ai la conviction que cette action publicitaire sera fort utile, dans un premier temps, pour regagner la confiance des mineurs et de l'opinion publique de cet État », écrivit-il à Junior, ajoutant : « Il me paraît de la plus haute importance de mettre sur pied dès que possible un plan d'ensemble et de trouver un mécanisme pour faire droit à ces doléances. Une telle mesure non seulement couperait l'herbe sous le pied aux syndicats, mais satisferait, j'en suis convaincu, la fraction la plus saine de l'opinion publique. »

Lee n'était pas l'homme capable de mettre au point un tel plan, et il le savait. Mais, tandis qu'il achevait son travail à Denver, l'homme *ad hoc* avait été pris à son tour dans les mailles de l'immense filet de la Fondation et signalé à l'attention de Junior.

Lorsqu'il entra dans l'équipe Rockefeller, Mackenzie King était un ex-enfant prodige de la politique canadienne; sa carrière, naguère prometteuse, semblait au point mort. Quinze ans plus tôt, il avait débuté au ministère du Travail et s'était si bien distingué qu'il fut élu au Parlement à l'âge de trente-quatre ans et désigné comme ministre du Travail du gouvernement libéral de Sir Wilfred Laurier. En 1911, il fut entraîné dans la chute de ce gouvernement et, pendant quelques années, il manœuvra sans succès pour s'assurer la direction du parti libéral; il fut blackboulé lors des nouvelles élections au Parlement. Au même moment, il se vit contraint de prendre en charge ses vieux parents, coup très rude pour ses ressources déjà maigres. Il chercha en vain une épouse, dans l'espoir que le mariage améliorerait ses

---

1. Sous les traits de Bob Anderson. (*N.d.T.*)

perspectives politiques. L'avenir, qui paraissait si brillant quelques années auparavant, ne semblait lui réserver désormais que des obligations écrasantes, sans les moyens de s'en acquitter. « Ma vie était comme un bateau qui faisait eau de toutes parts », confiait à son journal intime, à l'âge de quarante ans, ce petit-fils du patriote canadien William Lyon Mackenzie [1].

Mais voici que, le 1er juin 1914, King reçut de la Fondation Rockefeller un télégramme lui demandant de se rendre à New York pour y discuter d'un important projet en préparation. Il ignorait à l'époque qu'il devait cette invitation à un discours sur la sociologie du travail, qu'il avait prononcé à Cambridge quelques années auparavant. Parmi les auditeurs, le vénérable président de Harvard, Charles W. Eliot, avait été fort impressionné, de même que Jerome Greene, secrétaire de la Fondation Rockefeller dont Eliot était l'un des plus distingués administrateurs; tous deux estimèrent que Mackenzie, avec sa riche expérience des relations industrielles, pourrait être utile pour aider leur ami, le jeune Rockefeller, à effacer les tristes séquelles de l'affaire de Ludlow.

Mackenzie fut donc convié à un entretien avec Junior, Starr J. Murphy et Greene. Lorsqu'il arriva au 10 de la 54e Rue, le 6 juin au matin, Junior conçut une sympathie immédiate pour ce Canadien timide, vaguement mystique, qui avait le même âge que lui et le même sentiment d'insuffisance personnelle. A l'issue de cette première rencontre, Rockefeller eut l'impression d'avoir trouvé la personne capable de l'aider à donner une plus digne image du conflit du Colorado et à ramener la paix et l'honneur dans sa famille. « J'ai rarement été aussi impressionné par quelqu'un dès le premier abord », dira-t-il plus tard de King.

King mit de l'ordre dans ses affaires et se prépara à quitter sa terre natale pour une durée indéfinie. Avant de parvenir à un accord, on se chamailla quelque peu sur la question du salaire : King, qui n'avait pratiquement plus le sou, soutenait qu'il lui fallait 15 000 dollars par an pour faire face à ses obligations; Junior, aussi ménager de ses deniers que l'était son père, rétorquait que le chiffre de 10 000 dollars était plus proche de ce qu'il pensait accorder. Ils finirent par transiger à 12 000, ce qui, par une coïncidence amusante, était précisément le salaire que touchait déjà Ivy Lee.

Vers la fin du mois d'août 1914, les critiques nées de la grève étaient retombées; la production de la CFI et des autres sociétés était presque revenue à la normale, grâce aux briseurs de grève d'abord, puis au fait que les mineurs, affamés et terrorisés, avaient peu à peu repris le travail. La tâche de King consistait principalement à apporter de l'eau au moulin d'Ivy Lee et à son système de cahiers de doléances, destiné à montrer le souci d'équité qui animait la Société vis-à-vis des ouvriers dûment vaincus et soumis. Dans son journal intime, King nota qu'il savait quel verset de la Bible il convenait de citer à Junior : « Ils m'ont fait gardien de leurs vignes, mais la mienne, je ne

---

1. William Lyon Mackenzie (1795-1861), député républicain et maire de Toronto, essaya vainement de soulever le Haut-Canada contre la Couronne (1837). (*N.d.T.*)

l'ai point gardée. » Le Canadien concluait, d'une façon qui devait s'avérer prophétique : « La plus grande chose que Rockefeller ait accomplie dans sa vie, c'est d'avoir fait passer ce théâtre d'un conflit pour un Eden où hommes et femmes pourraient vivre dans le bonheur; et d'avoir convaincu l'opinion qu'il allait accomplir là la plus grande œuvre de sa vie. »

King rédigea un rapport préliminaire de six pages qui devait servir de base, par la suite, à son projet de commissions mixtes dans les entreprises. Il s'agissait essentiellement de créer, pour les représentants des ouvriers et pour la direction, les moyens de se rencontrer sous les auspices de la Société et d'entrer en contact hors la désagréable présence d'un syndicat indépendant. Il venait d'inventer le « syndicat-maison ».

Cet instrument patronal, avant d'être déclaré illégal par le Wagner Act de 1934, devait se révéler d'une inestimable utilité pour affaiblir les grands courants syndicaux de cette époque. Mis au courant du projet, le grand dirigeant syndical Samuel Gompers grommela : « Quelle autorité peut bien avoir un syndicat bidon pour exiger la réparation d'une injustice ou le respect d'un droit? » Cependant, lorsque le plan fut rendu public, certains eurent l'impression qu'on hissait le drapeau blanc sur le 26 de Broadway. Stupéfait de voir le jeune Rockefeller délaisser soudain le grand combat qui semblait lui tenir à cœur, L. M. Bowers rédigea à la hâte une lettre fébrile où il lui disait que, même si le plan King ne reconnaissait pas explicitement les syndicats, on ne manquerait pas d'y voir une capitulation. Il était soutenu par Gates, et même le très modéré Starr J. Murphy, que Junior avait expédié en reconnaissance à Denver, prônait une lutte « au finish » avec les mineurs affaiblis.

Junior laissa les choses mijoter quelque temps, puis, sommé de prendre une décision, il demanda sa démission à Bowers en janvier 1915. Par la suite, lorsqu'on l'interrogea sur cette affaire, il répondit que le vieil homme n'avait pas su « évoluer avec son temps ». Pour Bowers, le combat était terminé; il ne faisait que commencer pour Junior. Tandis que King entreprenait une tournée dans les mines, le 26 de Broadway fut informé que Junior serait appelé à comparaître en janvier devant Frank Walsh et la Commission présidentielle des conflits du travail.

Cette Commission avait vu le jour en 1912, à la suite d'une vague de violence dans les entreprises qui avait traumatisé le pays avant même la tragédie de Ludlow. Désignée par le Congrès, elle avait mandat d'enquêter sur les origines de l'agitation sociale et de proposer des réformes législatives; à sa tête se trouvait l'avocat Frank Walsh, un progressiste du Missouri, personnage haut en couleur qui avait naguère défendu le fils de Jesse James [1] dans un sensationnel procès relatif à l'attaque d'un train. Visage large sur un corps sec, Walsh avait mis d'emblée les points sur les i : malgré les vœux de

---

1. Hors-la-loi de l'époque, sujet d'une chanson célèbre encore chantée aujourd'hui. (*N.d.T.*)

certains, la Commission ne se satisferait pas d'un examen hâtif du problème ouvrier suivi d'un rapport pour la forme. Il avait l'intention de mener l'enquête la plus approfondie qui eût jamais été réalisée sur les entreprises américaines.

Au fil des séances, Walsh cita à comparaître Carnegie, J. P. Morgan, Henry Ford et autres géants industriels de l'époque, mais la Commission évita de trop les bousculer. Il devint vite évident que Walsh était surtout fasciné par les Rockefeller, et davantage par le fils que par le père.

Lors de sa première comparution devant la Commission des conflits du travail, en janvier 1915, Junior avait été abondamment préparé par King. Sa défense reposait avant tout sur l'affirmation que la responsabilité des événements du Colorado incombait uniquement à la direction des mines; en tant qu'administrateur et actionnaire, il n'avait pas été convié à donner son avis sur la conduite à tenir dans le conflit, ni bien informé des conditions de la lutte. Ses premières déclarations mêlaient les idées de King et le style harmonieux d'Ivy Lee; elles révélaient un homme nouveau : « Je crois sincèrement qu'il est tout aussi normal et avantageux pour les ouvriers de s'unir en groupes organisés pour la défense de leurs intérêts légitimes que pour les chefs d'entreprise de se concerter dans le même but », déclara Junior aux membres de la Commission (dont plusieurs se rappelaient l'avoir vu, deux ans plus tôt, devant la Commission Foster, s'opposer catégoriquement aux syndicats). Ces associations d'ouvriers, poursuivit Junior, « tantôt organisent l'entraide, tantôt s'efforcent d'obtenir des augmentations de salaires; mais, quel que soit leur but spécifique, du moment qu'elles visent à améliorer les conditions de vie des salariés sans pour autant gêner les intérêts de l'employeur et de la population (...), je les soutiens très chaleureusement ».

Le président Frank Walsh ne fut nullement impressionné. Il consacra les trois journées suivantes à déterminer quelle était la part de responsabilités qui revenait à Junior dans les événements du Colorado. Mr. Rockefeller estimait-il que les actionnaires d'une Société étaient dans une certaine mesure responsables des conditions de travail régnant dans les entreprises de cette Société? Sans aucun doute. En tant qu'administrateur et actionnaire, Mr. Rockefeller savait-il que les dommages et intérêts versés avant la grève pour la mort accidentelle d'ouvriers pères de famille dans l'industrie houillère du Colorado se montaient en moyenne à 700 dollars? Certainement pas. Rien que pour l'année précédente, vingt-cinq personnes avaient été tuées ou mutilées dans des accidents du travail à la CFI; et en vingt-trois ans, aucun tribunal du Colorado n'avait rendu le moindre jugement concernant un mutilé du travail ou un ouvrier tué dans ses mines : Mr. Rockefeller le savait-il? Non. Junior n'avait jamais eu vent de ces choses.

Walsh s'efforça d'ébranler le calme de Junior en soulevant la question d'Ivy Lee. Si Junior était aussi innocent qu'il le prétendait, pourquoi avait-il nommé au Colorado un plumitif à sa dévotion? Parce qu'il estimait, répondit Junior avec douceur, que les gens avaient le droit de savoir ce qui se passait sur les lieux de cette grève tragique. Walsh fit venir John Lawson à la barre et fit porter la discussion sur les entreprises philanthropiques de la Fondation Rockefeller au Colorado. Le bouillant chef syndicaliste, à qui la grève devait d'avoir pu tenir, personnage désormais légendaire dans les bassins houillers avec son foulard rouge autour du cou et son « 45 » à la hanche, dit avec force sarcasmes : « Ce n'est pas leur argent que dépensent ces grands messieurs de la vertu commercialisée, mais les salaires qu'ils refusent à la classe ouvrière américaine... Ils s'occupent de la santé des petits Chinois, des refuges pour les petits oiseaux (...) ou des pensions pour les veuves de New York, mais pas l'ombre d'un dollar pour les milliers de gars qui crèvent de faim au Colorado ! »

Pourtant, à la fin de la première série d'auditions, Junior avait gagné à sa cause la majorité de l'assistance. Il restait à ses yeux un honnête homme un peu lointain mais bien intentionné, que l'on attaquait sans motif valable. Il paraissait bien falot pour avoir réellement concouru à l'élaboration d'une politique aussi meurtrière à l'égard des ouvriers. Le jeune Walter Lippman nota dans *The New Republic :* « Nous avions devant nous le représentant d'une accumulation de richesses sans précédent dans l'histoire, le fils héritier de l'homme qu'on avait justement appelé le Grand Prêtre du capitalisme. Le culte de la liberté d'entreprise et l'idolâtrie du profit ont atteint un sommet dans sa famille. Il incarne la plus haute négation de l'égalité, et symbolise incontestablement tout ce qui menace le plus gravement la vie de la République. Malgré tout cela, il présentait les apparences morales caractéristiques de l'homme d'affaires moyen. »

Cependant, lorsque Walsh rappela Junior à la barre à Washington, le 19 mai 1915, par un après-midi étouffant, la confiance et la sympathie que l'héritier Rockefeller avait éveillées quelques mois plus tôt avaient disparu. Walsh avait mis à profit ce laps de temps pour faire saisir toutes les archives du 26 de Broadway ayant rapport à la CFI, y compris la correspondance avec Bowers où Junior s'était mis totalement à découvert. Quand, ce matin-là, le jeune Rockefeller pénétra dans l'hôtel Shoreham, un homme cracha dans sa direction et un autre cria d'une voix menaçante : « Rockefeller assassin ! » Il passa dans une pièce attenante à la grande salle de bal où avaient lieu les auditions et resta assis là, raide comme un piquet, les mains croisées blanchies aux articulations, la sueur perlant le long de la raie de ses cheveux. C'était un jour de canicule, l'assistance s'éventait avec des bouts de carton et Junior, cité à la barre, se mit à transpirer abondamment sous le feu roulant des questions de Walsh. Au cours des auditions antérieures, ses réponses n'avaient guère suscité de défiance ; il avait dans l'ensemble réussi, tout en restant un peu flou sur le détail des événements du Colorado, à s'assurer une position morale qui le plaçait au-dessus du conflit. Mais Walsh avait sapé cette position et le plongeait à présent dans l'embarras et l'incertitude. Pendant trois jours encore, Lee et King assistèrent impuissants à l'épreuve infligée à Junior, interrogé sans le moindre respect dû à son rang. Fosdick qualifia l'interrogatoire d'« impitoyable ».

Soixante ans devaient s'écouler avant qu'une Commission ne reprît ses investigations sur la richesse et les relations d'affaires de la famille : il fallut attendre que Nelson, fils de Junior, ouvre les archives familiales afin de voir confirmer sa nomination comme vice-président [1]. Walsh mit en lumière le fait que l'un des bulletins diffusés par Lee avait été rédigé d'après les points de vue antisyndicalistes de plusieurs hauts responsables de l'enseignement au Colorado, notamment le président de l'université et le doyen de la faculté des lettres de Denver, dont les établissements avaient reçu de la Fondation Rockefeller respectivement 225 000 dollars et 100 000 dollars de subventions. Il fit remarquer qu'après le massacre, Junior avait également prévu de faire don de 100 000 dollars au Comité de soutien aux chômeurs du Colorado, ainsi qu'à l'YMCA du Colorado du Sud.

Mais c'est surtout sur Junior lui-même que s'acharnait Walsh. Plus on avançait dans la procédure, plus passionné devenait son désir d'arracher au témoin qu'il malmenait l'aveu de sa culpabilité. Il explora toutes les facettes du caractère de Junior, sondant les mobiles et les perspectives des Rockefeller avec une âpreté qui ne fut jamais égalée par la suite.

L'échange suivant intervint après la lecture par Walsh d'une lettre de Junior à Bowers, datée du 26 décembre 1913, où il faisait état de la satisfaction de son père au vu de l'évolution de la grève :

Président Walsh : Comment exprima-t-il sa satisfaction : en disant qu'il était heureux de voir la tournure que prenaient les choses, ou simplement en riant?

Mr. Rockefeller junior : J'ai quelque peine à m'en souvenir, il y a un an et demi que cela s'est passé.

Président Walsh : Admettons que la façon précise dont il la manifesta vous échappe; est-il bien certain qu'il fut exceptionnellement satisfait de l'orientation des événements du Colorado?

Mr. Rockefeller junior : Vous paraissez le savoir.

Président Walsh : Je vais vous lire un passage de votre lettre : « Je sais que père a suivi les événements relatifs à la Société, ces derniers mois, avec un intérêt et une satisfaction tout particuliers. » Cette Société, c'est bien la CFI?

Mr. Rockefeller junior : Oui, monsieur le Président.

Président Walsh : Or, le 26 septembre, neuf mille de ses fidèles employés s'enfuyaient vers les canyons du Colorado plutôt que de continuer à travailler dans les conditions qui leur étaient faites...

Mr. Rockefeller junior : Oui, c'est bien ça, je crois, d'après les rapports qui me parvinrent.

Président Walsh : Et, quelques mois avant cette lettre où vous parlez de votre père, Jeff Farr, shérif du Comté de Huerfano, vous avait

---

1. Quand le président Ford appela Nelson à la vice-présidence, celui-ci dut fournir des explications publiques au Sénat sur la fortune des Rockefeller (23 septembre 1974).

dépêché trois cent soixante-deux tueurs, avait autorisé votre Société à les armer et les avait lâchés dans les mines; cela est exact, n'est-ce pas?

Mr. Rockefeller junior : C'est bien ce qu'on en a dit; je n'ai pas eu personnellement connaissance de la chose.

Président Walsh : N'est-il pas vrai que ces tueurs, avant le moment où vous parlez dans votre lettre de la satisfaction exceptionnelle de votre père, avaient criblé de balles de mitrailleuses le village de tentes de Forbes et blessé le fils d'un des grévistes de neuf balles à la jambe?

Mr. Rockefeller junior : Je ne puis me prononcer sur ce point.

Président Walsh : Avant la fameuse satisfaction de votre père exprimée dans votre lettre, n'est-il pas vrai qu'un effort avait été accompli en vue de faire se rencontrer les dirigeants de cette Société et les représentants des grévistes, qu'ils furent à cet effet réunis au palais du Parlement du Colorado et que les représentants de votre Société refusèrent de rencontrer ces hommes, dont ils n'étaient séparés que par une porte et une mince cloison? Je vous demande si, avant la lettre en question, vous n'aviez pas reçu une lettre de Mr. Bowers mentionnant qu'il avait employé tous les moyens pour forcer le gouverneur de l'État à s'aligner sur ses propres positions.

Mr. Rockefeller junior : Je ne m'en souviens pas. Si cette lettre provient bien de mon bureau, c'est que j'ai dû la voir.

Président Walsh : Vous voulez dire que, sur un point de cette importance, lorsqu'un de vos collaborateurs se vante de faire filer droit le gouverneur de l'État, vous avez tout oublié, après avoir vous-même soumis le texte de cette lettre à la Commission?

Mr. Rockefeller junior : Mais il y a là un monceau de lettres...

Président Walsh : Donc, vous l'avez oubliée.

Mr. Rockefeller junior : Oui, monsieur le Président.

Ce fut une dure épreuve. Pris dans les filets de l'impitoyable enquête de Walsh, Junior ne pouvait plus jouer les naïfs ni se prétendre étranger aux faits et gestes de la Société du Colorado; il ne pouvait que se rabattre sur le rôle du dragon rétif refusant de relever le défi de saint Georges. Cependant, à long terme, cette stratégie se révéla efficace, car l'interrogatoire de Walsh finit par achopper sur un point : malgré toute sa sympathie pour l'attitude sanguinaire des chefs d'entreprise envers les grévistes, on ne pouvait cependant accuser Junior d'avoir lui-même orchestré la riposte à la grève.

La seconde série d'auditions n'ajouta rien de nouveau à la conférence de presse triomphante tenue par Walsh le 23 avril, où il avait annoncé la saisie, au 26 de Broadway, de la correspondance de Junior et d'autres documents concernant la grève. Walsh fut finalement contraint de laisser Junior quitter la barre et, dès cet instant, l'enquête se trouva vidée de son sens. La Commission Walsh rendit public le rapport final qui parlait de Ludlow comme d'un « massacre anarchique, sans même l'excuse de l'idéalisme

chimérique qui peut enflammer l'esprit déséquilibré d'un poseur de bombe...
Cette anarchie-là n'est inspirée que par l'esprit de profit et de représailles ».
Mais Walsh était paralysé par les divisions internes de la Commission, par
les critiques du *New York World*, entre autres journaux influents, et par le
fait que le mandat de la Commission des conflits du travail avait expiré. Il
tenta de réunir des fonds privés pour poursuivre les travaux de la Commission, comme l'avait fait Junior au terme de la mission de son propre Comité
sur la traite des Blanches. Mais continuer une enquête d'ordre gouvernemental à titre privé, cela restait l'apanage de la richesse, non de la conscience
morale; et ce fut Junior qui eut le dernier mot contre le croisé du Missouri.

La torture que représentaient ces interrogatoires publics avait pris fin
quand Junior reçut de King cette lettre de conseil : « Il faudra te résoudre à
assumer un rôle dirigeant, que tu le veuilles ou non, me semble-t-il. Ta
modestie et ton humilité ne te permettent pas de le discerner, mais ceux qui
ont à cœur tes intérêts et ta vie le voient bien; et c'est principalement dans le
domaine des entreprises que tu dois te manifester. » Son plan était
audacieux. Moins de deux mois après avoir été tourné et retourné sur le
gril par la Commission des conflits du travail, le jeune Rockefeller allait
devenir un pionnier des relations entre patrons et ouvriers. La métamorphose
devait commencer par un pèlerinage à Ludlow et autres points chauds des
bassins houillers du Colorado.

C'est en septembre que l'expédition Rockefeller se mit finalement en
branle, après avoir été ajournée en raison de la mort de Cettie Rockefeller.
(Les sentiments d'hostilité envers la famille étaient si vifs que le vieux
Rockefeller qui, en raison d'un procès intenté par le fisc de l'État d'Ohio,
ne pouvait transférer les restes de son épouse à Cleveland dans le caveau
familial, dut poster des gardes à l'entrée du mausolée de la famille Archbold
où le corps de Cettie avait reçu temporairement asile.) Junior opposa un veto
particulièrement ferme à l'ordre donné par son père à Charles O. Heydt
d'emporter un pistolet pour le voyage, au cas où l'on attenterait à ses jours.

King, qui avait déjà parcouru le Colorado, fit office de guide. Leur petite
file de voitures fit d'abord halte à l'emplacement, désert et balayé par les
vents, où s'était naguère dressé le village de tentes de Ludlow. Le groupe des
Rockefeller descendit de voiture et resta planté là un bon moment en silence;
puis, tandis que la poussière s'accumulait sur leurs vêtements de coupe
sombre, ils s'avancèrent vers les deux traverses de chemin de fer calcinées
qu'on avait disposées en forme de croix au-dessus de la cavité où les treize
avaient trouvé la mort. Ils marquèrent un temps d'arrêt d'une ou deux
minutes, non sans gaucherie, puis remontèrent en voiture pour reprendre la
route en lacets qui menait aux camps miniers du Sud du Colorado.

Durant la quinzaine qui suivit, Junior se montra tout aussi abordable que
n'importe quel visiteur anonyme. Il se mêla aux mineurs, plutôt surpris au

début de voir un Rockefeller se promener ainsi parmi eux, discuta avec eux de leurs problèmes, partagea leurs repas de haricots et de purée dans des gamelles de fer-blanc, nettoyant comme eux la sauce avec des morceaux de pain. Il visita leurs foyers et bavarda avec eux à la lumière jaunâtre des lampes à pétrole, s'asseyant sur les lits dont les ressorts pointaient à travers la toile des sommiers. Escorté de King, il revêtit une combinaison et un casque de mineur avec sa lampe de tête et descendit dans les profondeurs des puits pour vérifier les mesures de sécurité dans les mines de la CFI.

Le clou de cette visite de deux semaines fut une soirée récréative dont Junior fut l'invité d'honneur, à l'école du camp de Cameron. Après s'être brièvement adressé, debout, aux ouvriers et à leurs familles, Junior surprit tout le monde en suggérant qu'on débarrassât le plancher pour danser. L'orchestre attaqua un fox-trot et Junior, ayant demandé à la femme du directeur de lui faire cet honneur, se mit à tournoyer avec elle, plein d'une raideur cérémonieuse héritée des années universitaires où il craignait tant de faire un faux pas sur le sol miroitant des salles de bal.

Tandis que retentissaient les premiers accords de l'orchestre, les journalistes qui escortaient Rockefeller se ruaient sur l'unique téléphone disponible. « Cet épisode et la publicité qui lui fut donnée dans tout l'État firent beaucoup plus pour la popularité de Rockefeller que toute une douzaine de discours ou de conférences », écrivit l'adjoint de King, F. A. McGregor. Au cours de la soirée, Rockefeller dansa avec toutes les femmes présentes — une vingtaine environ. A la fin du bal, il annonça qu'il offrait à Cameron, sur ses propres deniers, un kiosque à musique, avec un pavillon de danse pour faire bonne mesure.

Le 2 octobre, Rockefeller et King rencontrèrent dans la petite ville de Pueblo quelque deux cents délégués des ouvriers de la CFI, ainsi que les dirigeants de la Société, pour l'organisation des commissions mixtes. Junior parla le premier : « Je suis entré dans vos installations sanitaires et j'ai parlé aux hommes avant et après leur douche. Vous savez que nous avons presque dormi côte à côte. On a dit que j'avais dormi dans l'une de leurs chemises de nuit ; j'en aurais été fier si cette information avait été vraie. » Lorsque quelqu'un dans l'assistance hurla : « Où allons-nous ? », Rockefeller, avec tout l'à-propos d'un président de banquet, dit que cette remarque lui rappelait l'histoire de cet homme qui, au théâtre, s'était assis sur le chapeau de son voisin puis s'était relevé d'un bond en disant : « Je crois que je me suis assis sur votre chapeau ! », à quoi le propriétaire du couvre-chef avait répondu : « Comment cela, vous croyez ? Vous le savez fichtrement bien ! » Et Junior se tourna vers l'homme qui avait crié, disant : « Vous demandez où nous allons ? Vous le savez fichtrement bien ! »

Vint ensuite une leçon d'économie. Junior montra une table carrée placée à proximité, expliquant que les quatre côtés représentaient les actionnaires, le conseil d'administration, la direction et les ouvriers : « Cette petite table illustre ma conception d'une Société. Tout d'abord, on voit bien qu'elle serait inachevée sans ses quatre côtés. Chaque côté est indispensable ; chaque côté a son propre rôle à jouer. » Junior disposa ensuite une pile de pièces sur la table et dit aux ouvriers : « Ça, c'est les Rockefeller de New York, les plus gros scélérats que la terre ait jamais portés, qui ont tiré des millions de dollars de cette Société. » Tout en poursuivant son boniment, il balaya d'un revers de main plus de la moitié des pièces, et dit : « Ça, c'est la part régulièrement versée aux salariés toutes les quinzaines. » Sous les regards médusés de l'assistance, il retira ensuite de la pile une part plus modeste qui représentait, dit-il, la part de la direction. Puis il enleva les quelques pièces qui restaient : les jetons de présence des administrateurs. « Et voilà ! Il ne reste plus rien ! Voilà la CFI ! Car jamais, depuis que mon père et moi sommes devenus actionnaires de la Société, voici quatorze ans environ, jamais il n'y a eu 1 cent pour les simples actionnaires. Mettez ça dans vos poches avec votre mouchoir par-dessus, et voyez si cela concorde avec toutes ces histoires à dormir debout d'après lesquelles les actionnaires vous pressurent et essaient de vous rouler [1] ! »

La leçon d'économie tourna insensiblement à la leçon de morale : Si une partie était insatisfaite de son juste lot, elle bouleversait l'harmonie de la Société et mettait en danger les gains des autres parties. Les pièces revinrent sur la table ; et Junior souleva un des pieds pour illustrer ce qui arriverait aux salaires si l'une des parties tentait d'obtenir plus que sa part — sous-entendant que tel était l'objectif du syndicat. Il y avait, dit-il, des hommes qui parcouraient le pays en tous sens, racontant aux ouvriers qu'ils devaient essayer de réduire au maximum les heures de travail et de faire en sous-main le moins de travail possible. « Quiconque prêche cette doctrine en se prétendant votre ami est en fait votre mortel ennemi. » Si tout le monde du travail devait adopter cette attitude, il ne resterait rien pour personne...

Junior descendit et laissa la place à King. Le Canadien se mit en devoir de présenter son plan. Les ouvriers de la Société devaient élire leurs propres délégués à bulletin secret, à raison d'un pour cent cinquante hommes ; ces délégués, réunis en commissions mixtes avec des représentants de la direction, s'occuperaient des conditions de travail et d'existence — sécurité, hygiène, logement, éducation. Des conférences au niveau régional auraient lieu au moins tous les quatre mois, et il y avait une série de clauses très détaillées pour l'examen des doléances. Le scrutin eut lieu le 4 octobre ; malgré 2 000 abstentions, 2 404 des 2 846 bulletins exprimés soutenaient le programme qui allait bientôt être connu du monde entier sous le nom de plan Rockefeller.

A son retour du Colorado, Junior savait que ses tourments étaient enfin

1. Le public de Junior ignorait probablement que cette question avait surgi lors de la première série d'auditions de la Commission Walsh, lorsque Junior avait déclaré pour sa défense que sa famille n'avait reçu que 371 000 dollars de dividendes entre 1902 et 1914. Cependant, Walsh avait établi que la valeur du fonds de la CFI avait augmenté de quelque 19 millions de dollars pendant cette période et que le gros des bénéfices nets des Rockefeller provenait non pas d'actions, mais d'obligations porteuses d'intérêts dont le paiement n'avait jamais cessé. Ce calcul montrait que le profit des investissements rockefelleriens dans la CFI s'élevait en fait à plus de 9 millions de dollars.

terminés. Il emmena Mackenzie chez lui, rendre visite à son père. Celui-ci après une soirée de conversation, dit au Canadien : « J'aurais bien aimé vous avoir pour me conseiller dans le domaine politique pendant mes trente ou quarante années d'activité. » Son fils répliqua : « Je suis heureux que vous ne l'ayez pas eu ; vous m'auriez privé de la collaboration de Mr. King pendant les trente ou quarante années à venir. »

King ne devait pas rester très longtemps au service de Junior, mais il laissa derrière lui une empreinte profonde [1]. « Je me suis contenté d'être le porte-parole de King, dit Junior de cette période cruciale de sa vie. J'avais besoin de formation. Personne n'a autant fait pour moi que King. Il avait une expérience considérable des relations entre patrons et ouvriers ; moi, aucune. J'avais besoin de conseils. Il sentait intuitivement ce qu'il fallait faire, parler à tel homme, faire face à telle situation. » Raymond Fosdick, associé de Junior sa vie durant, et qui fut son biographe, émit le même avis ; il estima que Mackenzie King « avait exercé sur la pensée du jeune Rockefeller une influence plus grande que toute autre, hormis celle de son père ».

Pour Junior, l'affaire de Ludlow fut une expérience à la fois terrifiante et stimulante. (Bien après que le massacre fut tombé dans le grand oubli de l'histoire américaine, Junior en évoquait les péripéties avec son ami Raymond Fosdick, disant que c'était « une des choses les plus importantes qui soient arrivées à ma famille ». C'est encore ainsi qu'il en parla plus tard à ses petits-enfants.) C'est à travers elle que la famille Rockefeller entra dans le XXe siècle, et, qui plus est, que Junior se libéra du passé. Il acquit ses galons en prenant cette crise en main. La direction du clan lui revint, ainsi qu'à ses collaborateurs, Gates ayant quitté le 26 de Broadway pour se consacrer à l'administration de la Fondation. Il était désormais en passe de devenir une figure nationale à part entière, et sa voix allait se faire entendre sur toutes sortes de questions, allant de la prohibition au mouvement œcuménique. Il fut également reconnu — ô ironie — comme un grand spécialiste des relations entre patrons et ouvriers.

En 1919, le président Wilson l'invita à Washington à une conférence sur les rapports capital-travail. Les quarante-cinq participants étaient répartis en trois groupes représentant l'opinion publique, les ouvriers organisés et le

---

1. Il resta constamment à la disposition de Rockefeller, mais déclina toutes ses offres de devenir un collaborateur permanent. « Serais-je heureux de cheminer indéfiniment avec Mr. Rockefeller et de travailler pour les grandes sociétés ? J'en doute, écrivit-il dans son journal. Cette collaboration n'a jamais été à mes yeux qu'un marchepied, un moyen de mettre de l'argent de côté pour me lancer dans la bataille. » L'association avec Junior l'aida considérablement. En 1919, King rentra dans son pays natal et ramassa les morceaux de ce qui avait paru être une carrière politique brisée. Il fut élu chef du parti libéral et, devenu en 1921 Premier ministre du Canada, le demeura jusqu'après la guerre. Comme gage de son affection, Junior lui envoya un présent de 100 000 dollars lorsqu'il quitta le gouvernement, et il convainquit la Fondation Rockefeller de lui fournir 100 000 dollars de plus pour l'aider à mettre en ordre ses papiers et carnets intimes aux fins de publication.

onde des affaires. Signe de l'immense succès de la campagne de King, c'est nior qui fut choisi pour diriger le groupe représentant l'opinion publique. n outre, il parut combler toutes les espérances lorsqu'il prit parti, avec les uvriers et l'opinion publique, contre les représentants des milieux d'affaires, 1 soutenant la reconnaissance du fait syndical [1].

Il lui était agréable de se voir désigné dans la presse comme un éminent pécialiste des relations capital-travail, et de voir accolées à son nom des xpressions comme « courage moral » et « convictions élevées ».

L'attitude du public envers les Rockefeller commençait lentement à voluer, en partie à cause de la mentalité d'union sacrée consécutive à entrée de l'Amérique dans la Première Guerre mondiale.

Dès le départ, Junior fit en sorte de lier le nom de la famille à ce nouvement, obtenant de la Fondation un effort massif en faveur des soldats t des victimes de la guerre. En 1917, l'affaire de Ludlow désormais reléguée ans le passé, Junior entreprit avec fougue de mobiliser l'ensemble des ntreprises philanthropiques dans cette direction. Cependant qu'Ivy Lee acontait dans les journaux que l'héritier Rockefeller passait ses loisirs à ricoter des écharpes pour les troufions qui se battaient en France, Junior fit ne tournée des popotes et prononça jusqu'à trente-cinq discours en dix ours, dans le cadre d'un programme mis au point par l'YMCA pour le ninistère de la Guerre. Il s'assura également l'aide de son père, l'emmena vec lui à l'occasion de plusieurs déplacements et le convainquit de verser de ortes contributions (avec toute la publicité voulue) à la Croix-Rouge, à 'YMCA et à d'autres organismes de bienfaisance.

Mais sa plus belle réussite fut d'amener sept organismes religieux, dont 'YMCA, l'YWCA, le Conseil national catholique pour la guerre (les Chevaliers de Colomb), le Secours juif et l'Armée du Salut, à coordonner leurs efforts dans une campagne unitaire. Le trésorier de cette campagne fut son vieil ami John R. Mott, tandis que la publicité en était confiée à Ivy Lee. La Fondation Rockefeller donna 11 millions de dollars pour cette campagne, qui finit par en réunir plus de 200. Le coup d'envoi en fut un gala donné à Madison Square Garden; Junior, en tant que président de la région du Grand New York, y présenta le responsable permanent de la campagne nationale, Charles Evans Hughes, en déclarant d'emblée : « Ce rassemblement témoigne de l'unité du peuple américain. »

1. Mais, pour King, ce fut une rude tâche, dans les coulisses, d'amener Junior à reconnaître le principe de la convention collective. En 1920, Fosdick, très ennuyé, écrivait au Canadien : « Il me semble que Mr. Rockefeller devrait non seulement être d'accord sur ce principe, mais encore lutter pour lui... Seul un tel esprit de libéralisme pourra éviter la révolution, et encore... » C'est exactement ce que pensait King. « Le jour n'est plus où les forces organisées du travail peuvent être ignorées du capital », disait-il à Junior. Junior acquiesçait, puis sa méfiance naturelle vis-à-vis du syndicalisme reprenait le dessus, et de nouveau il hésitait. L'ayant vu une fois retomber dans ses ornières, King, découragé, écrivit : « Vous déclarer hostile à la convention collective, c'est vous placer, vous et les entreprises auxquelles votre nom est associé, sur un chemin où vous courez à votre perte... Si vous l'appuyez..., vous vous donnez au contraire les moyens de changer ce qui est actuellement une grande force militante dressée contre le capital au détriment de la Société, en une grande force coopérative qui travaillera la main dans la main avec le capital pour le bien de la Société. » Junior finit par se rendre à cette argumentation pragmatique.

Après la guerre vint la période du « retour à la vie normale », selon l formule du président Harding (1921-1923). Elle se caractérisa par l réadaptation de l'économie aux conditions de paix et par un climat d conservatisme où les grandes affaires et les puissantes fortunes étaient plu facilement acceptées du public.

On assista à un changement d'attitude subtil envers l'industrie pétrolière e les familles qui, comme les Rockefeller, en avaient été les pionniers. L' « âg de l'éclairage » fit place à l' « âge de l'énergie », l'avènement du moteur : combustion ayant fait tout à coup du pétrole un élément vital d l'organisation moderne des transports. « Qui possède le pétrole possédera l monde », avait lancé le commissaire français au Pétrole pendant la guerre portant ainsi témoignage de l'importance nouvelle qu'avait prise cette source d'énergie. Et Lord Curzon affirma, dans sa fameuse déclaration d'après guerre : « Les Alliés sont allés à la victoire sur la crête d'une vague de pétrole. »

En 1916, cinq ans après le procès victorieux du gouvernement contre le Standard Trust, A. C. Bedford, successeur de John Archbold comme président de la Jersey, avait été invité à la Maison-Blanche pour prendre la tête d'un Comité national du pétrole, afin d'organiser l'ensemble de l'industrie pétrolière dans le cadre d'une économie de guerre. Symbole des temps le Comité, qui comprenait les dirigeants de quelques vieux piliers du Standard Trust ainsi que des Sociétés montantes — Gulf, Texaco, Sinclair — se réunit au célèbre quartier général du 26 de Broadway, sous le portrait de Rockefeller en personne. L'organisation nationale de l'industrie pétrolière, à la construction de laquelle John D. Rockefeller avait consacré sa vie et que la vindicte populaire et la Cour suprême avaient mise en échec en 1911, se réalisait à présent sous les auspices gouvernementales et au nom de l'intérêt national.

Après la guerre, Bedford fut invité à devenir président de la Chambre de commerce américaine. Il refusa le poste, mais la portée de l'offre fut appréciée en ces termes par Ivy Lee qui suivait ces événements avec une vive satisfaction : « Mais rendez-vous compte de ce que cela signifie : le président de la Standard Oil du New Jersey, émanation directe de John D. Rockefeller, appelé à diriger l'association parlant au nom de tous les hommes d'affaires de tous les États-Unis! » A l'instigation de Lee, l'Institut américain du pétrole fut fondé par les mêmes hommes et les mêmes sociétés qui avaient été représentés au Comité Bedford; le temps de paix bénéficiait ainsi des arrangements coopératifs d'exploitation entre les sociétés pétrolières qui avaient contribué à la victoire. Bedford accepta la direction de l'Institut, et Ivy Lee fut d'accord pour s'occuper de ses relations publiques.

Le soutien accordé à l'industrie pétrolière par le nouveau secrétaire d'État Charles Evans Hughes (qui avait été autrefois le mentor de Junior au Cercle biblique de la Ve Avenue) fut si zélé que de mauvais esprits surnommèrent Hugues « le secrétaire au Pétrole ». Un membre du ministère des Affaires étrangères britannique put se plaindre que « les hauts fonctionnaires de

Washington se sont mis à penser, à parler, à écrire comme des dirigeants de la Standard Oil ».

Le pétrole était tout à coup devenu un élément crucial de la puissance nationale. La concurrence pour exploiter ses nouveaux gisements atteignit une telle intensité que Washington identifia formellement les réserves de pétrole de par le monde à son intérêt national [1]. Le fait que la puissance américaine était maintenant présente partout dans le monde, et l'articulation de plus en plus complexe de la politique étrangère avaient fait naître le besoin d'une nouvelle organisation pour décider de la stratégie internationale aux plus hauts niveaux. En 1921, un Conseil des relations avec l'étranger fut fondé par les magnats de la finance et de l'industrie : des hommes comme Thomas W. Lamont, conseiller financier de Wilson et associé principal de la House of Morgan; John W. Davis, avocat de la Morgan, porte-drapeau du parti démocrate en 1920 et administrateur de la Fondation Rockefeller. Junior et les entreprises philanthropiques rockefelleriennes furent pressentis pour fournir les premières mises de fonds du Conseil dont les membres fondateurs comptaient non seulement les relations financières et privées de Rockefeller, mais Fosdick et Jerome Greene, issus du cercle de ses proches conseillers.

Tout se passait comme si les lois de la gravité politique et sociale avaient changé : Junior se trouvait aspiré jusqu'au centre où se prenaient les décisions. Les temps étaient loin où, invités à prendre le thé à la Maison-Blanche par le président Taft, lui et Abby avaient été priés à la dernière minute d'entrer par une porte de service, par crainte du scandale. Junior allait bientôt prendre le petit déjeuner avec le président Coolidge dans le célèbre bureau ovale — non pas en qualité de vieux copain, ni de soutien financier pendant la campagne présidentielle, ni même, comme à l'accoutumée, de représentant du monde des affaires — mais en tant que dirigeant d'un groupe de citoyens d'élite veillant au respect des lois du pays.

Ludlow avait été un accès de fièvre qui avait affligé la famille pendant des années. La maladie était à présent jugulée et, à l'avenir, les Rockefeller, au lieu d'avoir contre eux les lois du pays, allaient contribuer à les façonner.

1. Le gouvernement devait si bien orchestrer cette quête du pétrole étranger que la compétition entre les sociétés US outre-mer allait être effectivement éliminée. Le président de la Standard, Walter Teagle, avait compris qu'il en irait ainsi dès la fin des années vingt, en recevant un mémorandum rédigé par un de ses directeurs concernant les nouvelles découvertes au Moyen-Orient. « La Standard Oil ne peut escompter un appui sérieux du département d'État si elle tente de toucher seule aux gisements de Mésopotamie. Il sera nécessaire, je crois, de prendre avec nous des associés, dont quelques-uns en dehors de nos sociétés satellites. Pour ma part, je choisirais la Standard Oil de New York, Sinclair, Doheny, Texas, et, cela me paraît indispensable, la Gulf. Je crois qu'un succès en Mésopotamie mettra tous ces gens-là en concurrence avec nous en Méditerranée et que l'association est franchement indésirable, sauf si elle s'avère indispensable pour obtenir le soutien du département d'État. »

CHAPITRE IX

Junior se trouvait à présent à la tête d'une constellation d'institutions culturelles et économiques de portée internationale et d'une puissance sans rivale dans la vie américaine. Il partageait le petit déjeuner des présidents; on l'acceptait dans des cercles où le nom de son père avait été frappé d'anathème. Il avait une vision de l'avenir. La seule chose qui lui faisait peut-être défaut, c'était, paradoxalement, l'indépendance financière. Après sa déposition devant la Commission Walsh, son père lui avait envoyé 40 000 actions supplémentaires de la CFI. Témoignage bien agréable de la fierté paternelle, mais, en même temps, symbole de son handicap majeur : il avait bientôt quarante-cinq ans et dépendait toujours des accès de générosité du vieil homme.

Cette question financière aurait pu finir par semer la zizanie entre le père et le fils; mais une loi vit le jour en 1916 par laquelle le gouvernement fédéral augmentait massivement les droits de succession : 10 % sur les fortunes dépassant 5 millions de dollars; l'année suivante, 25 % sur les fortunes de 10 millions de dollars et plus. C'est alors que le père, sans jamais signifier ni expliquer formellement ce qu'il était en train de faire, commença à transférer sa fortune à son fils. Tout d'abord, une énorme portion de la Jersey Standard, de Socony Mobil (la Standard de New York), de la Standard d'Indiana et des autres sociétés du grand trust morcelé. Ensuite, les entreprises industrielles regroupées par lui-même et Gates au cours de trente années d'efforts. Le transfert se poursuivit pendant cinq ans; en 1921, il était achevé. Il avait placé dans les 500 millions de dollars entre les mains de Junior : le vieil homme ne gardait par-devers lui qu'une vingtaine de millions de dollars pour boursicoter.

Du point de vue légal, le transfert de l'énorme fortune était réalisé et définitif, mais c'était là, d'une certaine manière, une illusion d'optique. Certes, Junior avait l'argent, mais, en un sens, cet argent appartiendrait toujours à l'homme qui l'avait amassé — tout comme son auréole de puissance et de gloire, aussi bien sur le marché financier que dans les entreprises philanthropiques. Junior n'avait rien gagné par lui-même. Son père avait dit que cet argent était un don de Dieu; Junior n'avait pas le choix : force lui était de le croire. Il n'en était lui-même que le dépositaire, et il disposait de cet argent selon les vœux supposés de son père (pour autant que le vieil homme montrât encore de l'intérêt pour ce genre de choses).

Douze années après le transfert, alors que Junior était en passe de devenir un des hommes les plus admirés du monde en raison de ses entreprises philanthropiques nombreuses et variées, il reconnut dans une lettre à son père que ce sentiment de dépendance n'avait pas changé : « Au cours de toutes ces années d'effort et de lutte, ta vie et ton exemple ont toujours exercé sur moi l'influence la plus puissante et la plus stimulante. Ce que tu as fait pour l'humanité et dans les affaires sur une si vaste échelle m'a profondément impressionné. La suprême joie de ma vie, c'est de m'être tenu moralement à tes côtés tandis que tu travaillais à ces grandes réalisations et que tu dispensais au monde ces bienfaits. »

Curieuse façon de renverser la situation : en effet, s'il y eut un collaborateur discret pendant cette trentaine d'années que dura leur tandem, ce fut bien Rockefeller père, qui n'assista jamais aux réunions des fondations, ne montra jamais qu'un intérêt éphémère pour les impressionnantes réalisations de son fils, et ne joua qu'un rôle secondaire dans les affaires familiales pendant toute cette période. Cette autodescription de Junior était en fin de compte une façon pénétrante de résumer sa propre vie : sa nature admirablement contrôlée ne pouvait pas mieux reconnaître la terrible suppression de soi que sa soumission au père avait entraînée.

Cette vénération inconditionnelle qu'il éprouvait pour son père mit une certaine distance entre eux, inévitablement. « Mon père pas plus que moi n'avions un tempérament expansif. Nous abordions les questions à débattre — mais jamais à bâtons rompus. » Il est difficile d'imaginer les réactions du vieil homme — plein d'expérience des hommes, et peu sensible à la flatterie — au flot de lettres chargées d'effusion qui coulait régulièrement de la plume de ce fils entre deux âges qui, bien qu'indépendant financièrement, ne manquait jamais de le remercier, même pour des choses insignifiantes.

Ainsi, en 1920, alors que lui parvenaient les dernières bribes de son formidable héritage, Junior, âgé de quarante-six ans, écrivit : « Mes plus cordiaux remerciements pour ton chèque de 1 000 dollars à l'occasion de Noël. Non seulement pour ce beau cadeau, mais aussi pour tous les merveilleux présents que tu nous as faits cette année, pour ces dons répétés qui ajoutent tant au confort et à l'agrément de notre vie familiale et qui, en raison même de leur continuité, suscitent toujours la plus grande gratitude. Je veux parler de l'électricité en ville, des chevaux pour la voiture à la campagne, du partage avec toi des produits de la ferme, des fleurs et des plantes de la serre, de la jouissance de la demeure d'Abeynton Lodge, et des mille services rendus à notre famille. »

L'attitude de Junior envers son père était d'autant plus surprenante que le vieil homme, à présent nonagénaire, se montrait capable d'excentricités ahurissantes ; il se voulait l'arbitre de toutes les conversations et feignait d'ignorer celles dont il n'avait pas la maîtrise. Dans l'élégante salle à manger de Kikjuit, au cours de grands dîners où lui-même ne mangeait presque rien, le maître de maison ne cessait de discourir. Comme le reconnut plus tard Raymond Fosdick dans une missive privée, au cours de ces années « il embarrassait fort ses enfants, surtout John Junior ». C'est cependant une chose que Junior ne voulut jamais admettre. Il voyait toujours son père par ses yeux d'enfant : on ne critique pas un si puissant personnage, on ne soupçonne pas une figure si vénérée de succomber à la sénilité.

En 1932 — Senior était alors dans sa quatre-vingt douzième année, Junior en avait cinquante-huit — le fils pouvait encore être blessé par un geste qui ne trahissait peut-être chez le vieil homme qu'un simple mouvement d'humeur. Un soir, Senior se plaignit à Thomas M. Debevoise, avocat personnel et proche conseiller de Junior : il avait l'impression que Junior lui devait bien dans les 3 500 000 dollars si on voulait s'en tenir à un « arrangement équitable » concernant les frais généraux des bureaux de la famille au cours des dix années écoulées. Mis au courant, Junior, accablé, le cœur brisé, écrivit à Debevoise dès le lendemain matin : « Durant toutes les années où j'ai été l'associé de mon père dans ses affaires, je me suis toujours efforcé, en toute occasion, de me montrer scrupuleusement consciencieux et équitable... Je n'ai jamais commis d'injustice qui demanderait aujourd'hui réparation, cela je ne puis l'admettre. Il serait contraire à ma dignité et au respect que me doivent ma femme et mes enfants d'admettre ou d'avoir l'air d'admettre une telle revendication, ou les faits sur lesquels elle prétend s'appuyer... »

Voilà pour la ligne de défense. Maintenant, « l'autre côté du tableau » — Junior n'alla jamais plus loin dans la révélation de son âme : « Pas une seule fois dans ma vie je ne me rappelle avoir demandé un seul cent à père. Avec moi, il a été la générosité même. Les vastes sommes qu'il m'a données, j'ai toujours cherché à les utiliser dans le droit fil de ce qu'il aurait fait, ayant toujours présentes à l'esprit ses largesses philanthropiques... Ce n'est ni par intrigue ni par choix que je suis devenu le bénéficiaire de ces immenses richesses, ainsi que des responsabilités écrasantes qui vont de pair, inévitablement, avec les chances merveilleuses qui m'ont été dispensées. Je n'en ai pas retiré un bonheur ineffable. Depuis ma prime jeunesse, je n'ai eu qu'un désir, qu'une pensée : aider Père de toutes les façons possibles. C'est l'effort de toute ma vie. J'ai toujours été fier de déposer à ses pieds, c'est-à-dire là où il devait être, le mérite de mes actes. Je me suis réjoui de la grandeur de ses réalisations sans égales dans l'industrie et des services qu'il a rendus à l'humanité sur toute la surface du globe. Je n'ai jamais rien recherché pour moi-même. Je me suis toujours efforcé de servir les intérêts de Père. Peut-être pouvez-vous comprendre, dès lors, quelle profonde blessure m'a infligée la critique implicitement contenue dans la requête de Père. Rien dans ma vie ne m'a atteint davantage. »

Mais le vieil homme avait déjà oublié l'affaire bien avant que son fils n'eût signé cette lettre. On ne sait pas si Debevoise informa John Davison de la peine qu'il avait faite à Junior. Le litige disparut comme il était venu : on n'en trouve plus la moindre allusion dans l'échange de lettres presque quotidien qui se poursuivit entre les deux hommes jusqu'à la mort de Senior. John Davison continua à jouer au golf ; Junior continua d'édifier ce mythe

Rockefeller qui, issu du père, n'arrivait cependant toujours pas à inclure tout à fait le fils.

En 1923, comme pour symboliser le passage du flambeau d'un Rockefeller à l'autre, Junior prit une importante décision destinée à rehausser le prestige de la mission des Rockefeller : il décida de redécorer les bureaux, ses bureaux désormais, dans l'immeuble de la Standard Oil au 26 de Broadway. Strictement fonctionnels du temps de Gates et de son père, ils avaient pris avec le temps un aspect un peu minable ; les doubles rideaux avaient fané à la lumière du soleil, le papier peint était décoloré et l'ameublement, râpé et bon pour une remise à neuf.

Pour le vieux Rockefeller, un bureau était tout simplement un endroit où traiter des affaires (« Tout ce qui avait trait à la commodité ou à l'utilité l'intéressait, dit Junior, mais il était indifférent à la beauté »). Aux yeux de la génération suivante, il s'agissait moins d'un endroit où négocier que d'un cabinet où s'élaborait la haute politique ; le bureau requérait une certaine majesté à la hauteur de cette tâche. Junior fit venir le célèbre Charles de Londres, le paya 70 000 dollars pour rénover les lieux de fond en comble. Des lambris de chêne vinrent par bateau d'une demeure Tudor anglaise ; au-dessus du foyer, un manteau de cheminée élizabéthain sculpté à la main ; chaises dans le style Jacques Ier, tables conventuelles, lustres. L'imposante bibliothèque murale n'était pas remplie de volumes reliés cuir de classiques victoriens, comme on aurait pu s'y attendre, mais d'ouvrages sur l'œuvre du Comité d'éducation, de la Fondation Rockefeller, du Bureau de l'hygiène sociale et de la famille Rockefeller elle-même. L'atmosphère générale avait changé ; ce n'était plus un bureau, mais *le* Bureau par excellence, symbole des liens existant entre les branches de l'activité rockefellérienne à venir : charité, finance et dynastie.

Quand Junior avait commencé à travailler pour son père, ce Bureau était mené par un seul homme et régi par cette vénérable figure que les employés appelaient « Papa » derrière son dos. Mais il y avait beau temps que l'influence de Frederick Gates dans les affaires personnelles des Rockefeller avait décliné (jusqu'à sa mort en 1923, il resta cependant un rouage essentiel des entreprises philanthropiques inspirées par son génie). Gates, dont l'éclipse datait de la crise de Ludlow [1], éprouvait une profonde méfiance à l'égard des experts, pressentant qu'ils plaçaient leurs propres intérêts bureaucratiques avant ceux de leurs patrons. Il avait mis Junior en garde

---

1. Mis en fureur par la façon dont Junior tendait l'autre joue dans sa déposition devant la Commission des conflits du travail, le révérend Gates avait fulminé : « Cette conduite est la conduite chrétienne ? Soit ! Moi, j'aurais confondu ce Walsh. Si nécessaire, j'aurais tout fait pour qu'on m'arrête ; à ma sortie du tribunal, je me serais débattu, j'aurais hurlé afin d'attirer l'attention sur mon cas avec toute la force et la clarté désirables devant le peuple des États-Unis. »

contre eux sur tous les tons ; il lui avait même prédit que, dans un avenir proche, les Rockefeller pourraient bien se retrouver dans la triste situation de Gulliver : ficelés et contrôlés par une flopée de conseillers lilliputiens.

Mais Junior trouvait un sentiment de sécurité dans les structures bureaucratiques. L'affaire de Ludlow lui avait enseigné la valeur des conseils éclairés et d'une équipe qui, comme disait Fosdick, était susceptible de multiplier ses yeux et ses oreilles et de faire valoir son point de vue à l'extérieur. Le désir de s'isoler tout en conservant la possibilité d'intervenir à tout moment trouvait là une élégante solution.

C'est ainsi que naquit au sein du Bureau Rockefeller une nouvelle catégorie : le Collaborateur. Junior s'était déjà entouré d'une armée de lieutenants ; à présent, il les dotait d'une sorte de statut officiel et en fit le noyau d'une organisation appelée à jouer un rôle considérable dans sa propre vie, puis, plus tard, à servir ses enfants et petits-enfants. Il prit l'habitude, lorsqu'il était en ville, de déjeuner chaque jour avec ses conseillers et de discuter avec eux des diverses affaires de la famille Rockefeller. Cette pratique n'était pas sans rappeler les réunions de son père avec les cadres dirigeants de la Standard ; mais, en un sens, les gens rassemblés par Junior allaient avoir une puissance bien supérieure à celle de l'équipe de la Standard Oil d'autrefois. Les collaborateurs rockefellériens allaient se partager sans problème entre les services rendus à la famille et ceux qu'ils rendraient aux administrations locales ou fédérales. Leur réseau allait se déployer sur toute la gamme des intérêts des Rockefeller, pétrole et banque, puis, partant, la politique étrangère, l'éducation, la religion, la médecine, la politique et l'art. Ils allaient aussi se préoccuper des questions de succession à l'intérieur même du Bureau et chercher sans relâche de nouveaux collaborateurs possédant des relations utiles, susceptibles par là d'étendre la puissance de l'organisation. Tout comme les adjoints de Senior avaient institutionnalisé la Standard Oil, les collaborateurs de Junior allaient faire des Rockefeller une institution permanente de la vie américaine.

Il allait falloir des dizaines d'années avant que le Bureau n'atteigne son apogée, avec plusieurs centaines de collaborateurs : les débuts furent modestes, avec des hommes que Junior avait hérités du règne de Gates. Parmi eux, Charles O. Heydt, engagé en 1897, l'année même où Junior était revenu de Brown, et qui s'était spécialisé dans les affaires immobilières. Également, Bertram Cutler, entré au service des Rockefeller en 1901 comme comptable, devenu un conseiller financier si avisé qu'après le départ de Gates, il fut capable de prendre en charge tous les investissements de la famille. Il finit par être connu à Wall Street comme « l'homme qui a la haute main sur les actions Rockefeller » : en cette qualité, il resta au service de la famille pendant cinquante et un ans.

Mais Junior ne tarda pas à confier des postes clés dans son Bureau à des gens de son âge et qui étaient ses propres obligés. A la mort de Starr J. Murphy en 1921, le poste décisif de conseiller juridique de la famille resta vacant pendant trois ans, avant que Junior ne décidât d'y nommer

Thomas M. Debevoise, vieil ami de l'université. Murphy était un homme de culture et de mesure, mais Debevoise n'avait pas la moindre trace d'idéologie et ne risquait pas de confondre ses inclinations personnelles avec les intérêts des Rockefeller. Il aimait accompagner ses démonstrations de petites anecdotes didactiques comme celle de l'homme qui, accrochant un tableau à un mur, s'aperçoit qu'il a appliqué ses coups de marteau sur la pointe et non sur la tête du clou, et décrète alors qu'il s'est trompé de mur. Ses contes moraux étaient peut-être assommants, mais ce petit travers ne l'empêcha pas de devenir quelqu'un de puissant chez les Rockefeller. Au cours de ses vingt-cinq années de service auprès de Junior, il acquit une influence sur le développement de la dynastie qui n'eut d'égale que celle de Gates.

La plupart des collaborateurs de Junior n'étaient pas employés à plein temps. Ils constituaient plutôt un groupe de gens qu'on appelait les « consultants ». Tout d'abord, ceux qui l'avaient conseillé avant et pendant l'affaire de Ludlow. Mackenzie King ne pouvait plus guère être sollicité que pour des avis d'ordre général. Ivy Lee, par contre, continua à représenter les Rockefeller, avec des honoraires annuels forfaitaires de 10 000 dollars. Prenant en main les relations publiques de la famille et leur appliquant les mêmes méthodes qu'aux sociétés dont il s'occupait, on le vit revenir sur le devant de la scène pour s'occuper de la promotion de grandes entreprises philanthropiques comme le Village colonial [1] de Williamsburg, et pour de grands drames comme, plus tard, la bataille de Junior pour évincer le président de la Standard d'Indiana. C'est sous l'influence de Lee que Junior en vint à retirer son soutien au 18e amendement, ouvrant la voie à l'abrogation de la prohibition. C'est lui qui amena l'Associated Press à remanier l'article nécrologique qu'elle gardait en réserve pour John D. Senior — à remplacer des données puisées chez I. Tarbell et dans la presse à sensation par des documents plus favorables recueillis par W. O. Inglis, journaliste qu'il avait engagé pour interviewer Rockefeller père pendant des centaines d'heures, premiers jalons d'une biographie qui devait faire autorité.

Parmi les collaborateurs, certains travaillaient avec Junior depuis la fondation du Bureau de l'hygiène sociale. Ainsi le colonel Arthur Woods, ex-maître d'école à Groton, qui avait épousé une Morgan et appelé un de ses fils John Pierpont [2]. Woods avait été chef de la police new-yorkaise de 1914 à 1918 et s'était employé à mettre un terme à cette époque bénie des gangsters où le chef des détectives de la ville fermait les yeux sur les agissements des voleurs à la tire et des escrocs, à la condition qu'ils ne touchent ni à Wall Street ni à la Ve Avenue et qu'ils signalent tous les truands étrangers à la cité. Il entra au service des Rockefeller auréolé d'une réputation d'intégrité. Bien qu'il dût prendre congé pour servir le gouvernement comme directeur du Comité d'information publique pendant la Première Guerre mondiale, puis comme chef de la Commission pour l'emploi sous l'administration Hoover, Woods fut l'homme à tout faire du Bureau et l'éminence grise de Junior.

1. « Colonial » désigne aux USA l'époque antérieure à la Guerre d'Indépendance. (*N.d.T.*)
2. John Pierpont Morgan (1837-1913) fut le fondateur de la banque Morgan. (*N.d.T.*)

Mais Junior était surtout attiré par les innovateurs de préférence aux administrateurs. Tout en subissant l'attraction de l'immense richesse rockefellérienne, l'orbite de ceux-là se situait loin du Bureau de Junior. Et s'ils étaient à leur tour attirés par cette fortune, c'était avant tout parce qu'ils voyaient dans sa puissance de grandes possibilités de réaliser leurs ambitieux projets.

Gates avait été le premier d'une série d'hommes talentueux qui avaient poussé les Rockefeller à « investir » dans les œuvres sociales. Il y en avait eu d'autres : Wickliffe Rose, les frères Flexner, John R. Mott, etc. Dans la génération de Junior, le plus remarquable fut Raymond Fosdick, ami de longue date et son futur biographe. L'ambitieux Fosdick au long visage était un démocrate, un progressiste wilsonien (l'historien Allan Nevins le classa dans « ce grand corps de jeunes idéalistes formés aux doctrines et à l'esprit du progressisme dans les dix années qui précédèrent la Première Guerre mondiale »). Entré dans l'entourage de Junior par le canal du Bureau de l'hygiène sociale, il compta parmi les tout premiers partisans de la création d'une organisation privée visant à améliorer l'efficacité gouvernementale, et avait obtenu le soutien de Rockefeller pour la création d'un Institut de recherche gouvernementale, bientôt reconverti en la très influente Institution Brookings. En 1916, il fut appelé à Washington par le ministre de la Guerre Newton Baker, en tant qu'expert sur la prostitution (en raison de l'étude qu'il en avait faite pour le Bureau de l'hygiène sociale) et s'employa à fermer tous les quartiers réservés des États-Unis afin de rendre les soldats « bons pour le combat » en 1917. Après la guerre, le président Wilson nomma Fosdick au secrétariat de la Société des Nations ; quand les États-Unis se retirèrent de la SDN, il prépara activement la création de l'Association de politique étrangère et organisa le Conseil des relations avec l'étranger, groupe choisi de gens instruits et policés que le colonel House avait réunis pour la première fois en 1918 dans le but de prodiguer des conseils à la délégation qui se rendait à la Conférence de la Paix à Paris. Il fit beaucoup pour amener Rockefeller à s'intéresser activement à la question de la réorganisation des sphères d'influence mondiale.

Fosdick aida et incita Junior à investir également dans le domaine des relations sociales. Avec King, il convainquit Rockefeller d'avancer de l'argent pour mettre sur pied une Organisation de conseillers en relations du travail, basée sur l'idée-force que les relations capital-travail sont un domaine à ne pas négliger et que la meilleure façon d'influer sur leur développement est de dispenser des conseils à cet effet aux chefs d'entreprise. L'argument, développé devant les hommes d'affaires, était le suivant : à ouvriers contents, profits accrus ; une augmentation des dépenses destinée à satisfaire la faiblesse humaine des travailleurs serait largement compensée par le fait que la productivité augmenterait en proportion du contentement des ouvriers. L'étape suivante consista à développer la toute nouvelle science des relations capital-travail et de la gestion des entreprises dans les universités américaines ; une section des Relations capital-travail fut créée à

Princeton en 1922, et, petit à petit, on établit des programmes similaires dans les autres établissements importants. Junior finança les cinq premières années du programme de Princeton, comme d'ailleurs tous les autres centres d'études des relations capital-travail mis sur pied dans les grandes universités dans l'entre-deux-guerres.

Le noyau des collaborateurs de Junior ne cessait de grossir. C'est Fosdick qui, le premier, attira l'attention de Junior sur Woods. En 1921, il engagea un autre jeune homme formidablement doué pour procéder à une étude détaillée sur le Metropolitan Museum, le Musée américain d'histoire naturelle et la Bibliothèque publique de New York, Junior ayant l'intention de doter chacune de ces institutions d'une somme de 1 million de dollars. Docteur en psychologie de l'Université de Chicago, Beardsley Ruml était un énorme Tchèque au visage rubicond, déjà établi dans les affaires et la philanthropie lorsque Fosdick le signala à l'attention de Junior. Conseiller des Sociétés Armour et Swift, assistant du président de la Société Carnegie, Ruml était l'un de ces intellectuels dynamiques de l'époque qui évoluaient avec aisance entre le monde des universités, celui des affaires et les milieux gouvernementaux, créant des organismes et des comités composés de personnalités influentes et, de façon générale, aidant à la remise à neuf de l'administration du pays.

Après son enquête sur les musées, Ruml fut invité à gérer le Fonds du Mémorial Laura Spelman. La moins bien définie, la plus mal dotée de toutes les fondations Rockefeller, elle avait pour but d' « améliorer le bien-être des femmes et des enfants », mais, jusqu'à l'arrivée de Ruml, elle avait sommeillé dans l'inactivité. Rapidement, il réorienta le Fonds afin de le faire servir à une réforme des sciences sociales visant à les rendre plus applicables aux problèmes de gestion et de personnel que l'administration de plus en plus ramifiée et les bureaucraties des grandes Sociétés trouvaient devant elles. Jetant tout le poids du Fonds derrière les efforts de Charles E. Merriam, chef du département de sciences politiques à Chicago, Ruml contribua à la conquête du monde universitaire par Merriam et son école « behaviouriste [1] ».

Au bout de quelques années de direction style Junior, le Bureau ressemblait de plus en plus à une grande administration. Les décisions, prises autrefois au gré des lubies et des préférences personnelles de Gates et de Senior, suivaient maintenant des filières régulières. Les fondations avaient chacune leurs administrateurs; pour ses propres dons charitables, Junior recourut de plus en plus aux conseils de ce qu'on appela bientôt au Bureau l' « usine philanthropique ». Elle était dirigée par Arthur Packard, ancien secrétaire itinérant de la Fondation pour la paix mondiale. Packard engagea

1. Ruml et Fosdick créèrent de concert le Conseil de recherches en sciences sociales; il « devint en Amérique l'instrument le plus important pour l'amélioration des échanges entre chercheurs sur les problèmes sociaux et pour le parrainage des recherches pluridisciplinaires », dira plus tard Fosdick. En sept ans, Ruml dépensa plus de 40 millions de dollars à créer les institutions et à recruter les talents qui devaient servir de mille manières l'expansion future de l'État américain et étendre considérablement l'influence rockefellérienne dans le monde universitaire.

une équipe dont la seule tâche allait consister à rechercher les bénéficiaires potentiels de la charité rockefellérienne. Des organisations aux buts les plus divers, de la défense des droits civiques au contrôle des naissances [1] défilèrent sous le regard scrutateur de Packard. Il décidait si elles étaient assez sérieuses et revêtaient assez d'importance — au moins potentiellement — pour mériter le soutien de Rockefeller.

Sous sa direction, le don fit bientôt partie du travail courant et des routines de bureau, permettant ainsi à Junior de maîtriser l'art de dépenser l'argent aussi bien que son père avait maîtrisé l'art de le gagner.

Son carnet de chèques paraissait suspendu au-dessus de la naissance de tout nouveau surgeon de la vie américaine. Depuis l'aide à la reconstruction de Versailles, ravagé par la guerre, jusqu'au soutien des égyptologues en mission au Moyen-Orient, ses centres d'intérêt paraissaient universels. Sa femme Abby, à qui l'on demandait un jour où était Junior, eut cette réflexion : « Je ne sais plus jamais où se trouve John, mais je suis certaine qu'il est en train de sauver le monde, quelque part. »

Ses collaborateurs agissaient beaucoup en son nom, notamment dans les secteurs de pointe. Lui trouvait personnellement plus d'attrait aux projets philanthropiques traditionnels comme la construction de musées et la restauration de palais et de cathédrales, genre de choses auxquelles les familles opulentes s'adonnaient depuis des lustres dans le style des Bonnes Fées. Mais les moyens de Junior étaient si considérables et son ambition si grande que, même en ce domaine, il alla plus loin que n'importe qui.

Ainsi, en 1923, le révérend William Goodwin, professeur de littérature sacrée à l'Université William et Mary, et pour un temps président du fonds de dotation de l'école, rencontra Rockefeller au cours d'une réunion du club Phi-Beta-Kappa à laquelle il assistait en tant que président du Comité chargé de rassembler les fonds. Pendant des années, Goodwin avait nourri en secret le rêve de restaurer la petite ville de Williamsburg; aujourd'hui minable et délabrée, elle avait été, trois siècles plus tôt, l'épicentre culturel et politique de la « Dynastie de Virginie [2] », qui avait joué un rôle éminent dans l'avènement de la République. Ce soir-là, Goodwin aborda le sujet devant Junior : il avait eu l'intuition, fort sagace, qu'un tel projet, visant à la création d'un sanctuaire national lié à la naissance de la démocratie américaine, ne pouvait pas laisser un Rockefeller indifférent.

Sur le moment, Junior se montra poliment encourageant, mais refusa de

1. Le Mouvement pour le planning familial et le contrôle des naissances en général (à l'origine, œuvre de Margaret Sanger), signalé à Junior par Fosdick, ne tarda pas à devenir une préoccupation centrale des Rockefeller. Dans une de ses lettres, Fosdick décrivait le problème démographique comme « un des graves périls de l'avenir », et il convainquit Junior de faire parvenir une contribution à Sanger. Arthur Packard enquêta dès lors sur certaines organisations qui faisaient du bruit autour du contrôle des naissances, et incita le Bureau Rockefeller à devenir leur bailleur de fonds et leur dispensateur de conseils.

2. Huit présidents y sont nés : Washington, Jefferson, Monroe, Madison, Tyler, Harrison, Taylor et Wilson. Au XVIIIᵉ siècle, Williamsburg était la capitale de l'État de Virginie. La « Virginia declaration of rights » de 1776 eut une grande influence sur la déclaration d'Indépendance (1776). (*N.d.T.*)

s'engager. En 1926, apprenant que Junior et Abby devaient traverser Williamsburg au retour d'un voyage dans le Sud, Goodwin décida de tenter sa chance une seconde fois. Il organisa une visite commentée du « vieux » Williamsburg, insistant tout particulièrement sur les bâtiments encore debout depuis l'époque coloniale. Il présenta au couple des croquis où s'élaborait sa vision de la cité restaurée. Pour sa plus grande joie, Junior accepta d'emporter les esquisses à New York.

L'un de ces derniers vieux bâtiments de brique étant à vendre — une auberge immortalisée par Boswell dans sa *Vie de Johnson* [1] — Junior décida de l'acheter. Il annonça la bonne nouvelle à Goodwin par télégramme, signant « le père de David » (prénom de son benjamin); par la suite, il adopta le pseudonyme de « Mr. David » pour ses transactions foncières, de peur de voir les prix monter en flèche à la seule mention du nom de Rockefeller. Respectant le secret absolu exigé par Junior, Goodwin commença à acheter en son nom une bonne partie de la vieille ville. C'est seulement après un an d'achats secrets que Junior donna à Goodwin le feu vert pour la mise en œuvre de ses plans de restauration globale de la cité. Un an s'écoula encore avant que Goodwin pût rendre public le nom du mécène et révéler le détail du projet; le moment venu, il annonça la nouvelle devant une salle remplie à craquer de citoyens de Williamsburg brûlant de curiosité : elle fut accueillie par une ovation spontanée.

Au début, on crut que Williamsburg une fois restauré serait une curiosité peu destinée à attirer les foules : vieilles auberges et tavernes furent reconstruites pour loger les visiteurs, mais voici qu'elles ne cessèrent d'afficher complet. Williamsburg avançait à pas de géant dans la voie du succès financier; Junior mit alors sur pied la Colonial Williamsburg, Société anonyme, d'abord confiée à Arthur Woods, puis à l'assistant de Woods, Kenneth Chorley. Williamsburg devint bientôt son entreprise philanthropique de prédilection. Il ne cessa, jusqu'à la fin de sa vie, d'y emmener sa famille au moins deux mois par an. Les Rockefeller logeaient à Basset Hall, la plus élégante demeure de la cité, que Junior avait réservée à son usage personnel. De sa cour de devant, il avait vue sur l'Amérique du XVIIIᵉ siècle et sur la manière dont fructifiait son investissement de 50 millions de dollars.

Junior se sentait à l'aise dans la reconstitution des siècles passés. Il en allait de même pour l'art. Rien en lui du collectionneur acharné, comme Frick et d'autres contemporains de son père. Il avait pourtant certains faibles, en particulier pour les porcelaines chinoises [2].

1. Boswell (1740-1795) publia une célèbre biographie du grand écrivain anglais Samuel Johnson. (*N.d.T.*)
2. En 1915, la célèbre collection de porcelaine de J. P. Morgan fut mise en vente à la mort du grand homme. Junior voulait à tout prix avoir ces pièces; mais c'était avant qu'il ne fût maître de la fortune et il dut demander à son père le million de dollars nécessaire à l'acquisition. La collection d'art, voilà une chose que Rockefeller père était bien incapable de comprendre. Quelques années avant la requête de Junior, il avait écrit à son fils : « Je suis convaincu que nous avons besoin d'étudier de plus en plus afin de ne pas nous asservir aux *choses*, de nous rapprocher de l'idéal de vie de Benjamin Franklin, et de nous asseoir à une table sans nappe

Tout comme il se tenait au courant des moindres détails de ses acquisitions à Williamsburg, examinant plans de masse et vieilles cartes de la ville avec le plus grand soin, il passait d'innombrables heures à inspecter avec minutie chaque nouvelle porcelaine, avant et après son achat, la faisant photographier, puis la classant lui-même. Plus tard, il acquit seul suffisamment de connaissances pour se sentir à l'aise parmi les peintures de l'école maniériste et la peinture romantique française. Mais une certaine forme d'art qu'il n'aimait pas du tout pénétrait sous son toit et venait orner les murs du musée aménagé au dernier étage de la demeure de la 54e Rue (l'ancienne salle de jeux des enfants) : les œuvres modernes commandées par Abby, qu'elle payait sur son propre héritage Aldrich : les O'Keeffe, les Bellow, les Braque et les Picasso.

Ces toiles heurtaient la sensibilité de Junior, et il n'arriva jamais à surmonter tout à fait ce malaise : « Je m'intéresse à la beauté et, d'une façon générale, je ne trouve pas de beauté dans l'art moderne. Tout ce que j'y trouve, c'est un désir d'expression de soi... », le type même de la faiblesse qu'il ne s'était jamais permise et qui le mettait dans tous ses états; au point que, beaucoup plus tard, lorsque son fils Nelson, le Rockefeller le plus versé dans l'art de son temps, demanda à Junior de poser pour le sculpteur italien Marini et lui envoya des photos de ses œuvres, Junior répondit dans sa lettre : « Tu sais que j'ai horreur de refuser quoi que ce soit à l'un de mes enfants; mais il me déplairait beaucoup de passer à la postérité de la façon indiquée par ces photos... »

Mais, surmontant son malaise devant l'originalité échevelée des peintures collectionnées par Abby, Junior s'en remettait courtoisement à elle en la matière, même s'il devait souffrir en recevant à dîner Matisse ou d'autres artistes qui dissimulaient mal leur mépris pour lui; et il alla même jusqu'à donner 5 millions de dollars pour aider sa femme à devenir cofondatrice du Musée d'art moderne en 1927. Lorsque ses enfants adultes eurent quitté la maison et qu'Abby et lui eurent déménagé dans un appartement moins spacieux de la Ve Avenue, il mit leur résidence de la 54e Rue à la disposition de ce qu'on appela toujours dans la famille « le Musée de mère ».

Il y avait un projet plus proche du cœur de Junior : les *Cloisters*, musée d'arches romanes, de sculptures gothiques et de tapisseries médiévales. Comme dans le cas de Williamsburg, Junior servit de bailleur de fonds au grand rêve d'un autre homme — cette fois, un artiste excentrique appelé George Grey Barnard, « l'un des collectionneurs les plus romantiques et les plus acharnés de notre temps » : faute d'argent, il s'était vu contraint de

---

pour prendre notre bol de bouillie. » Concernant la collection Morgan, il dit à Junior qu'il avait pris sa requête en considération, mais estimait « qu'il serait plus sage de ne pas faire cet investissement aujourd'hui ». Réponse immédiate et exceptionnellement vive de Junior; en passant, il rappela à son père ses mérites : « Je n'ai jamais gaspillé l'argent en chevaux, yachts, voitures ou autres folles dépenses. J'adore ces porcelaines, c'est mon seul péché mignon... Leur étude a été ma récréation et ma détente et j'en suis devenu très amateur. » Il ajouta — vérité incontestable — qu'il n'avait jamais rien demandé à son père; et l'argent fut avancé.

procéder lui-même au ratissage des abbayes en ruine et des églises d'Europe pour découvrir les trésors qu'il recherchait. Junior acheta les « Cloîtres Barnard » pour le Metropolitan Museum et les fit transférer à Fort Tryon Park, demeure qu'il avait précédemment achetée dans le haut des quartiers ouest de Manhattan. En 1935, il commença la construction d'un bâtiment de style abbatial pour abriter la collection. D'un goût impeccable, il fut achevé en 1938 et entouré de ravissants jardins conférant au lieu un air de calme retraite. Pour couronner le tout, Junior fit don à ce nouveau musée des célèbres tapisseries à la Licorne qui décoraient les murs de sa maison.

Le désir de bâtir des oasis de quiétude était très profondément ancré chez Junior ; et son intérêt pour la préservation du patrimoine artistique le conduisit tout normalement à se soucier de la préservation de la nature. Le domaine de 1 750 hectares à Pocantico, qui devait tant à Junior, avait déjà été pour lui une expérience de défense de l'environnement. Lorsqu'il acheta sa villégiature de Seal Harbor, Junior découvrit que l'ancien président de Harvard, Charles W. Eliot, Edsel Ford et d'autres voisins influents étaient inquiets à l'idée de voir l'île de Mount Desert abîmée par l'invasion des touristes et la circulation automobile. Junior les aida de manière décisive à préserver le site. En 1916, il avait réussi à regrouper 2 500 hectares qui furent donnés au gouvernement fédéral pour la création du premier parc national des États de l'Est.

S'il en était resté là, on aurait pu penser que la création du parc national d'Acadia n'avait été qu'un moyen d'isoler et de protéger sa retraite de Seal Harbor (Junior poursuivit ses achats de terrain à Mount Desert, pour en faire ensuite donation au parc, y compris une longue bande de terrain courant jusqu'à l'océan qui acheva de créer une barrière protectrice autour d'*Eyrie,* sa propre demeure). En fait, ce n'était que le début d'un important investissement rockefellérien dans le tout nouveau domaine de l'écologie.

En 1924, Junior fit un grand voyage touristique vers l'Ouest en compagnie d'Abby et de ses trois aînés, John III, Nelson et Laurance. Ils traversèrent d'abord le Nouveau Mexique, le Colorado, puis décidèrent de s'arrêter à Yellowstone, joyau de la chaîne de parcs nationaux qui avaient vu le jour en 1916. Le directeur du parc de Yellowstone, Horace Albright, fut averti par câble de la prochaine visite de Mr. Rockefeller junior, voyageant sous le pseudonyme de Mr. Davison. Quand Albright vint accueillir les Rockefeller à la gare, il découvrit que Junior avait déjà tout organisé : limousines avec chauffeur à sa disposition et emploi du temps détaillé. Lorsque la famille descendit du train, Albright fut encore plus surpris d'entendre Rockefeller commander à ses garçons de courir aider l'unique porteur noir à décharger les nombreux bagages des passagers. Puis lui-même et Abby, les garçons et leur médecin personnel partirent en voiture.

Les trois jours suivants, Junior parcourut le parc de Yellowstone en tous sens, puis gagna l'étape suivante, le parc du Glacier national où, avec les garçons, il fit deux semaines de camping dans les montagnes. De retour à

New York, il écrivit à Albright qu'il avait apprécié son séjour, mais que la vue des amoncellements de détritus au bord des pistes qui sillonnent Yellowstone l'avait désolé. Il demanda à Albright de chiffrer le coût d'une campagne de nettoyage et, au reçu de sa réponse, il envoya un chèque.

Deux années plus tard, Junior s'en retourna à Yellowstone avec Laurance et deux des enfants, Winthrop et David. Cette fois, il laissa Albright organiser le périple, et le directeur établit un itinéraire passant par la magnifique région de Jackson Hole, dans les Grand Tétons [1]. C'est à dessein qu'il fit passer les Rockefeller devant nombre de ranches et de cases délabrés qui déparaient le paysage; il fit part à Junior de ses craintes de voir la route touristique se dégrader encore avec la multiplication des baraques de marchands de frites et des panneaux publicitaires. Pour terminer, Albright avait prévu d'emprunter la grande corniche des Tétons. La vue sur les méandres de la Snake River, le long de la vallée de Jackson Hole, était belle à vous couper le souffle. Albright nota en passant que la spéculation foncière et la vente par lotissements, qui commençaient, constituaient une bien triste fin pour une aussi belle région; il ajouta qu'il avait toujours rêvé de trouver un moyen de la sauver.

Cet hiver-là, Junior demanda à Albright de venir à New York présenter ses plans pour la préservation de la région. Le directeur, croyant qu'il ne s'agissait que des terrains en bordure de la route, arriva armé de cartes et de maquettes destinées à matérialiser son projet. Il dit à Rockefeller qu'il en coûterait 250 000 dollars pour acheter ces terrains. Mais c'est alors qu'il se rendit compte que Junior envisageait l'achat de toute la vallée de Jackson Hole qu'il avait contemplée avec Albright du haut de la corniche. Rockefeller lui dit : « Je ne m'intéresse qu'à l'idéal. Vous m'avez montré un idéal. C'est le seul projet qui m'intéresse. » Sur ces mots, il invita Albright, stupéfait, à passer dans le bureau du colonel Woods pour commencer à entrer dans les détails [2].

Lors de son second voyage dans l'Ouest, Junior s'était également arrêté en Caroline du Nord où il avait été contacté par des membres de la Ligue de protection des séquoias qui l'avaient emmené en tournée automobile jusqu'à Eureka, par la forêt de séquoias, puis à Crescent City. Newton Drury, président de la Ligue, se rappelle avoir immobilisé le cortège de voitures pour permettre à Junior d'envoyer un télégramme téléphoné à son père pour lui souhaiter un heureux anniversaire. La liaison téléphonique était mauvaise; Junior criait : « Allô, ici Mr. Rockefeller! Je dis Mr. Rockefeller! » Tout à coup, il se tut, se retourna et dit avec une grimace : « L'homme au bout du

---

1. Le parc national des « Grands Tétons » est situé dans l'État de Wyoming. Les Tétons étaient une tribu d'Indiens. (*N.d.T.*)

2. Les pressions et controverses politiques émanant de résidents du Wyoming différèrent l'acceptation par l'État des 15 000 hectares réunis par Junior, à Jackson Hole, pour le prix d'un million et demi de dollars. Mais, en 1950, le site de Jackson Hole fut finalement annexé et devint la pièce maîtresse du parc national des Grands Tétons. Junior avait alors dépensé plusieurs autres millions à s'y construire un ranch (qui devint par la suite la résidence d'été de son fils Laurance) à édifier le Pavillon des Grands Tétons ainsi qu'en d'autres aménagements touristiques.

fil n'arrête pas de dire : " Oui, et ici, vous avez Mr. Carnegie ". » La bonne humeur présida au voyage et, à la fin, Junior accepta de verser la première de ses nombreuses contributions (plus de 2 millions de dollars au total) au futur parc national des Séquoias.

Plus tard, Junior donna encore de l'argent à d'autres entreprises écologiques visant à préserver les arbres séculaires de la Sierra Nevada, à créer le parc national du Grand Smokey, dans le Tennessee. Certains des hommes qui aidèrent Junior à préserver ces sites se trouvèrent alors propulsés dans les hautes sphères ministérielles. Ainsi d'Albright et de Drury qui, tout en restant dans l'orbite des Rockefeller, reçurent tous deux des postes de direction dans le nouvel Office des parcs nationaux et contribuèrent à lier intimement le nom des Rockefeller à la Défense de l'environnement.

Préservation des sites, élaboration de la politique étrangère ou recherche médicale, gestion des affaires publiques ou collection d'art : Junior occupait une place unique dans toutes les institutions influentes ou de prestige que comptait le pays. D'autres familles opulentes mettaient sur pied des fondations et faisaient des legs — la promulgation des lois fiscales du New Deal allait beaucoup développer cette tendance —, mais la plupart des dons importants allaient aux musées et aux hôpitaux, ou à telle université jadis fréquentée par le millionnaire en question, tandis que les dons plus modestes étaient le fait de lubies personnelles ou d'impulsions inspirées par une sorte de gloriole. Rien de tel chez Junior. Les élans de générosité qui étaient parvenus à se faufiler par les fissures de la glaciale neutralité baptiste étaient bannis comme inefficaces et virtuellement dangereux. Donner était, aux yeux de Junior, une profession, une vocation, un *métier*. Cherchant sans trêve de nouveaux domaines pour ses investissements charitables, il continua à dépenser la prodigieuse fortune qu'il avait reçue en partage avec une application en tous points comparable à celle dont son père avait fait preuve à la barre de son grand trust. Junior créa lui aussi des filiales un peu partout, et son empire philanthropique, en s'étendant, devint bientôt, à sa manière, une création tout aussi impressionnante que la Standard Oil.

Lui aussi avait hérité d'Eliza Rockefeller une tendance à contenir et à réduire le gaspillage. Dans le domaine de la théologie protestante et de la formation théologique, par exemple : en prenant de l'âge, Junior avait relâché ses liens avec l'Église baptiste de sa jeunesse (ses parents y étaient restés attachés leur vie durant) [1]. Il se rendit compte qu'en s'accrochant obstinément aux croyances fondamentalistes [2] et en se complaisant dans les

1. Chose étrange, toutefois, l'Église évangélique avait marqué sa sensibilité et garda une sorte d'emprise sur lui. Il devint (sans le crier sur les toits) un chaleureux partisan de Billy Sunday en 1917, et, quarante ans plus tard, engloutit 75 000 dollars dans la croisade new-yorkaise de Billy Graham.
2. Le *Fondamentalisme* s'en tient strictement à l'interprétation littérale des Écritures et combat les théories de l'évolution de Darwin comme contraires à la genèse. (*N.d.T.*)

querelles intestines, l'Église risquait fort de perdre son influence (tout comme son père avait compris que la concurrence effrénée entre raffineurs de pétrole empêcherait les prix de monter). Dès 1910, sous l'influence de Gates et de Mott, il avait été frappé par la façon dont les différentes sectes protestantes gaspillaient leur énergie en chamailleries sectaires, qui affaiblissaient considérablement les entreprises missionnaires à l'étranger. Après la Première Guerre mondiale, il s'occupa activement du Mouvement œcuménique mondial né de l'optimisme engendré par la victoire en Europe (si un commun effort avait pu venir à bout du Kaiser, pourquoi pas du paganisme?) et de cette idée pratique qu'il fallait une nouvelle croisade pour restaurer l'union entre les diverses factions hostiles du christianisme. La formation du Conseil fédéral des Églises en 1908 avait donné à ce mouvement œcuménique un début d'organisation, et Junior était de ceux qui pensaient que l'heure était venue de lancer le mouvement dans le reste du monde.

Il se jeta tête baissée dans cette mission, et, pour la première et la dernière fois, descendit dans l'arène en délaissant son rôle coutumier de personnage officiel. S'adressant à l'Union sociale baptiste en décembre 1917, il parla de l'Église et de son avenir en y mettant une chaleur exceptionnelle : « Puissé-je susciter dans vos esprits la vision qui s'impose à mes yeux ! Je vois toute préoccupation de secte dépassée et, à sa place, s'installer la coopération et l'émulation. Dans les grandes villes, je vois de grands centres religieux... Dans les petites, au lieu d'une demi-douzaine d'églises à l'article de la mort, en rivalité constante, je vois une ou deux églises fortes, regroupant tous les chrétiens de la ville. Je vois l'église façonner comme jamais la pensée du monde et assumer comme il se doit un rôle dirigeant dans tous les grands courants de pensée. Je la vois littéralement instaurer le royaume de Dieu sur terre. »

Junior se donna au Mouvement œcuménique mondial en payant à la fois de ses deniers et de sa personne : il apporta plus de 1 million de dollars à son budget de fonctionnement initial (de 40 millions de dollars) et fit dans tout le pays une épuisante tournée de conférences. Il avait compté sans le cynisme des différentes confessions qui se servirent du Mouvement comme d'une machine à recueillir des fonds ; elles firent ainsi rentrer dans leurs coffres près de 200 millions de dollars, n'en distrayant qu'à peine 2 pour la croisade. Ce fut bientôt la banqueroute ; et les sommes rassemblées par Junior ne contribuèrent pas à envoyer de par le monde des légions de soldats chrétiens, mais simplement à éponger les dettes du Mouvement.

Cette expérience rendit Junior plus prudent dans ses relations avec l'œcuménisme. Il continua cependant, sur une échelle plus modeste, à fonder des associations comme le Conseil fédéral des Églises et l'Institut de recherches sociales et religieuses qui commandita de nombreuses études religieuses basées sur les nouvelles méthodes des sciences sociales. Il parraina également une ambitieuse enquête sur l'efficacité de l'œuvre missionnaire. A l'instigation de John Mott, ami et mentor de Junior, et après environ une année d'études intensives sur l'Orient (principalement l'Inde, la Chine et le Japon), le groupe d'étude publia en 1932 un rapport intitulé *Examen critique des missions.* Aussi pragmatique que le Mouvement œcuménique mondial s'était montré utopique, ce rapport critiquait les missions étrangères dans le monde sous-développé, recommandait moins de prêches et de doctrine et plus de sympathie envers les cultures indigènes, préconisait un effort accru en matière d'éducation, de médecine et d'agriculture, et un transfert progressif des responsabilités aux autochtones.

Le rapport, dès sa parution, suscita une vive polémique. Mais Junior était convaincu de son importance. Il en avait lu plusieurs chapitres avant publication (il déclara à la commission qui avait mis au point cette étude qu'il les avait lus « la gorge serrée, et le cœur rempli d'un fervent cantique de louanges »). Les conclusions de l'*Examen critique des missions* s'accordaient parfaitement à cette conception nouvelle d'une totale mise à jour de l'Église qu'il avait puisée à l'Institut pour les relations pacifiques entre les peuples, à l'Association de politique étrangère, au Conseil des relations avec l'étranger et autres nouvelles organisations « internationalistes » où Mott, Fosdick et d'autres de ses conseillers l'avaient introduit.

Tout cela, au début des années trente, fit de Junior le financier le plus important du protestantisme libéral et œcuménique, et un point de ralliement pour ceux qui aspiraient à voir l'Église se transformer de l'intérieur. Ses amis et collaborateurs l'influencèrent fortement dans ce sens : Charles Evans Hughes, de l'église baptiste de la V⁰ Avenue (à présent Park Avenue), les révérends Battrick et Gates, des « trusts charitables », John Mott, et même Ivy Lee. Tous étaient partisans du modernisme dans l'Église, et d'accord avec les tendances « progressistes » qui transformaient la vie même du pays : centralisation des unités administratives, développement des idées scientifiques et de la technologie, internationalisation de l'influence et de la puissance américaines. Ils désiraient voir l'Église participer activement à cette évolution et conserver ainsi son efficacité comme facteur de cohésion de la société américaine. Contre eux se dressaient les fondamentalistes, attachés au conservatisme provincial de l'Amérique rurale, entichés de vieilles doctrines et de vieux usages.

Ces conflits s'exacerbèrent. Une tempête éclata sur la tête de l'un des jeunes ecclésiastiques de la nouvelle vague, le révérend Harry Emerson Fosdick, frère de Raymond et pasteur de la vieille église presbytérienne située à l'angle de la 11ᵉ Rue et de la Vᵉ Avenue. Fosdick faisait plutôt figure de conciliateur, non de guerrier, et lorsqu'il monta en chaire un matin de mai pour prononcer son sermon intitulé « Les fondamentalistes gagneront-ils ? », il ne voulait guère que prêcher la tolérance à l'égard des libéraux attaqués.

« Sans Ivy Lee, remarqua plus tard Fosdick, le sermon serait passé inaperçu. » Séduit par le libéralisme pragmatique de Fosdick, Lee se hâta de faire imprimer son sermon sous forme d'opuscule, modifiant le titre, ajoutant des intertitres et une introduction flatteuse. Il assura ensuite la diffusion de cette brochure dans toute l'Amérique. L'assaut qui en résulta contre Fosdick fit la « une » des journaux et suscita, pour citer Fosdick, « une explosion de malveillance à la limite de la férocité ». Quand la fumée se dissipa, Fosdick avait démissionné de l'église presbytérienne [1].

Fosdick, abandonnant son pastorat, reçut de Junior une invitation à déjeuner. Les deux hommes se connaissaient déjà ; et dès l'arrivée du jeune pasteur à Park Avenue, dans la nouvelle résidence des Rockefeller, Junior lui offrit d'emblée le ministère de sa propre église de Park Avenue, dont le pasteur allait bientôt prendre sa retraite. Surprise : Fosdick refusa. Junior lui en demanda la raison et il répondit sans ménagement : « Parce que vous êtes trop riche et que je n'ai pas envie d'être connu comme le pasteur de l'homme le plus riche du pays. » Il y eut un long silence et Junior reprit d'une voix traînante : « J'apprécie votre franchise, mais pensez-vous être davantage critiqué en raison de ma richesse que je ne le suis en raison de votre théologie ? »

Finalement, les fidèles de Park Avenue supprimèrent deux des obstacles que Fosdick avait jugé insurmontables. Ils n'exigèrent plus le baptême par immersion et acceptèrent d'installer leur église dans un quartier moins chic. Junior ayant avancé 26 millions de dollars pour la construction d'une nouvelle église interconfessionnelle entre Riverside Drive et Morningside Heights, Fosdick accepta ce ministère qui devint le pastorat le plus influent du pays et qui devait largement contribuer à la victoire des protestants libéraux.

Les attaques contre le modernisme ne se relâchèrent point et Junior continua à soutenir Fosdick en dépit de leurs fréquents désaccords. En décembre 1927, par exemple, Rockefeller écrivit à son nouveau pasteur pour se plaindre du sermon de la semaine précédente. Son thème : le conflit entre le capital et le travail ; Fosdick s'était montré légèrement critique à l'égard du premier. Abordant une question particulièrement brûlante pour lui, Junior notait : « Comme vous le savez, j'ai toute ma vie cherché à jeter un pont entre le travail et le capital ; je me suis efforcé de sympathiser avec l'un et l'autre et de comprendre leurs points de vue respectifs ; j'ai cherché à modérer l'attitude extrême des deux parties et à les amener à coopérer... » Et mettant l'accent sur la position particulière qu'il avait ainsi assumée personnellement, il ajoutait : « Tenir le juste milieu entre le capital et le travail, reconnaître les défauts de l'un et de l'autre, encourager leurs progrès, contribuer à les rapprocher, telle a été la ligne de conduite que je me suis fixée. »

La réponse de Fosdick ne fut pas des plus accommodantes. Elle appela une nouvelle note où Junior avançait ses arguments avec une vigueur accrue : « L'introduction dans les entreprises de normes de sécurité et de bien-être pour les ouvriers, partout où elles n'existent pas encore, requiert un lent processus d'éducation... Il m'a fallu des années pour réaliser quelques

---

1. La confrontation se poursuivit au cours de l'Assemblée générale protestante. Les fondamentalistes, dirigés par William Jennings Bryan, tentèrent d'excommunier Fosdick, l'accusant d'hérésie pour avoir émis des doutes sur l'Immaculée Conception. Fosdick dut sa victoire sur les amis de Bryan au concours d'un jeune avocat, laïc influent de cette Église, que cette question passionnait. Son nom : John Foster Dulles.

progrès en ce sens. Mais ces progrès se font peu à peu et, pour ma part, je traque sans relâche les négligences et avance dans cette voie avec énergie. » Comprenant enfin à quel point son protecteur était bouleversé, Fosdick s'empressa de répondre : « Bien évidemment, je n'ai pas douté une seconde que vous étiez un libéral et, si je n'avais eu la certitude de votre attachement aux idées progressistes dans les entreprises, je n'aurais jamais songé à accepter le ministère d'une église dont vous êtes un membre éminent et influent. Soyez donc assuré que s'il m'arrive en chaire de faire le coup de feu sur le problème capital-travail, je vous situe en pensée derrière mon fusil, non dans sa ligne de mire. »

Le 5 octobre 1930, six mille personnes se réunirent pour assister à l'inauguration de l'imposant édifice gothique de l'église de Riverside, d'un style que ses détracteurs appelèrent « néo-éclectique », compromis entre l'architecture moderne et l'architecture traditionnelle. Symboles de l'esprit interconfessionnel et de la réconciliation souhaitée entre la religion et la science, on pouvait voir sur le tympan surmontant le porche les figures de chefs religieux orientaux et celles d'éminents héros de l'histoire séculière : Confucius, Moïse, Hegel, Dante, Mahomet et jusqu'au redouté Darwin.

Le bâtiment lui-même était situé à la limite nord de la principale université new-yorkaise, Columbia (bénéficiaire de nombreuses donations importantes de la Fondation Rockefeller, du Comité de l'éducation ou du Mémorial Laura Spelman). Et il s'élevait à côté du Barnard College (auquel Senior avait donné de l'argent un demi-siècle plus tôt; en reconnaissance, Cettie avait été appelée à siéger au conseil d'administration). De l'autre côté de Claremont Avenue, qui longeait l'église de Riverside à l'est, se trouvait le Séminaire d'union théologique (Junior avait participé au choix de l'emplacement et, en 1922, il avait lancé la campagne de souscription avec un don de 1 083 333 dollars, soit le quart du budget envisagé). C'était l'un des instituts de théologie les plus en vue du pays, pépinière de porte-parole du protestantisme moderne aussi formidables que Reinhold Nieburh, Henry Pitney Van Dusen et John C. Bennett; la proximité de Riverside devait vivement rehausser l'influence de l'Union et des autres institutions que les Rockefeller avaient contribué à installer dans cette zone.

A l'heure de sa mort, Junior avait donné près de 75 millions de dollars — dont 23 millions au Fonds Sealantic « destiné à promouvoir et développer la formation théologique protestante » — apportant ainsi pierre après pierre à l'édifice de l'Église protestante unie dont il avait, plus que tout autre, rendu la construction possible [1].

1. Dans une certaine mesure, le rêve de Junior d'une Église unie et modernisée se réalisa. En 1950, le Conseil fédéral des Églises fusionna avec douze associations missionnaires protestantes pour former le Conseil national des Églises, Rockefeller fournissant les fonds de départ destinés à une vaste étude des structures organisationnelles du nouveau regroupement, et faisant don d'une grande parcelle de terrain dans son quartier général près de Riverside. Le Centre interéglise éleva bientôt ses quinze étages sur cet emplacement, QG des principales sectes protestantes d'Amérique pour leurs missions de l'intérieur et de l'étranger, ainsi que de leur Conseil national.

CHAPITRE X

Au début des années trente, le succès de Junior était indéniable; mais il avait été acheté à prix d'or. Ses lettres laissent apparaître un homme terrifié par la crainte de la maladie, souvent dans un état d'épuisement à la limite du supportable. En 1922, il souffrit d'atroces maux de tête que tous les docteurs consultés furent impuissants à guérir. Il séjourna trois semaines dans une clinique du Michigan où il subit toute une série de tests; au bout du compte, on attribua ses maux à une « auto-intoxication », née de son état d'extrême tension.

C'était inévitable, étant donné sa personnalité. Son père avait su se détendre, se divertir en jouant au golf ou en se laissant aller à sa verve devant ses convives. Junior ne possédait pas l'esprit ni l'ironie rafraîchissante du vieil homme. L'œil toujours fixé sur les projets à réaliser, il recherchait sans cesse de nouveaux moyens de faire progresser la dynastie qu'il édifiait, dans l'espoir de glaner encore un peu plus de considération publique, d'influence et d'honneur pour le nom des Rockefeller. Certes, il avait consacré tous ses efforts à la défense de son père, mais il était bien plutôt le fils de sa mère qui condamnait inconsciemment toute joie imméritée comme indigne d'un chrétien. Sa femme Abby connaissait bien cette tendance puritaine, et elle la combattit tout au long de leur vie commune. Un jour, Junior accepta à contrecœur d'aller voir une pièce intitulée *Harvey;* Abby écrivit à l'un de ses fils qu'après le spectacle, Junior lui avait demandé « ce que cela prouvait ». « Je lui ai répondu que cela prouvait l'importance d'avoir en ce bas monde des gens agréables. Bien que le personnage principal fût un ivrogne, il était tellement charmant qu'on finissait par se demander si le fait d'être sociable et amusant n'était pas — qui sait? — plus important que d'être tempérant et désagréable. »

Si Junior vint à bout de nombre de ses faiblesses, il fut à jamais incapable de se montrer sociable et amusant. Le côté cagot qu'il avait hérité des Spelman ne le quitta jamais complètement. Harold Ickes, ministre des Affaires intérieures de Roosevelt, écrivit dans son journal intime, à la suite d'une visite rendue aux Rockefeller junior à Pocantico : « A ce grand dîner, on ne servit ni cocktails ni vins. Il dit le *Benedicite;* pour cela, il dut réclamer silence en frappant de petits coups secs sur la table, et Mrs. Rockefeller me fit observer qu'il insistait toujours pour dire lui-même le *Benedicite,* même en présence d'un pasteur. » Il obéissait également à une étiquette rigide; même ses proches collaborateurs comme Mackenzie King et Raymond Fosdick, il ne les appela jamais autrement que « Mr. King » et « Mr. Fosdick » tout au long de leurs années de travail en commun. Il était capable de récompenser la loyauté avec de l'argent (100 000 dollars à King, 50 000 à Kenneth Chorley, entre autres dons généreux à ses collaborateurs dévoués), mais sans aucune chaleur. Il semblait y avoir en lui une lutte constante entre la magnanimité (qu'il admirait) et la parcimonie (mieux en accord avec sa personnalité vraie). A la mort subite du fils de Winthrop Aldrich, âgé de trois ans, Junior proposa aussitôt son aide et loua un train privé pour transporter la parentèle endeuillée aux obsèques; mais, par la suite, il mégota sur le prix et finit par facturer à son beau-frère quelque 229 dollars qu'il avait déboursés pour frais divers.

Drôle de petit bonhomme, bourré de contradictions. Si on lui avait demandé ce qu'il pensait au juste avoir fait en distribuant tous ces millions, il aurait pu répondre qu'il avait tenté de rapprocher hommes et nations, d'ouvrir et d'organiser des domaines d'action sociale importants, de jalonner le pays de curiosités historiques ou autres dont les gens pussent tirer agrément et connaissances. Dans une certaine mesure, oui, il avait réussi. Mais, sous l'altruisme, sa philanthropie avait un côté subtilement pratique; les bonnes œuvres faisaient fort bon ménage avec la puissance. Et le sentiment de contrôler l'événement lui venait de sa participation active aux différents aspects de la vie sociale du pays, ceux-là mêmes dont ses collaborateurs pressentaient l'importance future. Donner, pour lui, était une transaction comme une autre. Rien d'étonnant à cela, d'ailleurs; car, s'il avait jugé commode, après Ludlow, de trancher ses liens publics avec le monde des affaires, il n'en avait pas pour autant perdu de vue l'importance de l'argent. Jamais il ne délaissa son devoir d'administrer et de faire fructifier la fortune familiale. En fait, sa vie se compare à la parabole de la multiplication des pains et des poissons : dans le même temps où il distribuait des sommes considérables, il prenait toutes mesures destinées à s'assurer que ses cinq fils auraient à leur tour une somme semblable à celle que son père lui avait confiée.

Avant même de contrôler personnellement la fortune Rockefeller, Junior avait essayé de convaincre son père de la doter de traits plus modernes. Dès 1911, il avait fortement poussé le vieil homme à investir une partie de son argent dans des opérations financières. Senior partageait avec Henry Ford une aversion profonde pour les banquiers et leurs institutions. De son temps, il avait assisté à trop de manipulations sur les valeurs pour se sentir heureux d'avoir une partie de son capital engagé dans une banque. Mais son fils mit beaucoup d'insistance dans sa requête, assortissant sa lettre d'une citation d'un mémorandum qu'il avait demandé à Gates : « Pour être gérés convenablement, nos biens vont exiger à l'avenir nombre d'hommes qualifiés. Des parts importantes dans plusieurs sociétés financières nous donneront le droit de placer nos représentants dans les conseils d'administration desdites sociétés. Nos liens avec ces conseils d'administration, les renseignements glanés lors de leurs réunions, seront sans aucun doute très précieux ; nos représentants auront ainsi connaissance de faits importants qu'il est toujours nécessaire de connaître dans le monde des affaires, et les signaleront à l'attention de votre père. » Citation dont Junior approuvait les termes.

D'autres membres de l'entourage de Rockefeller achevèrent de le convaincre que la finance était bien devenue le pivot du monde des affaires. Son propre beau-père, Nelson Aldrich, porte-parole des milieux bancaires au Congrès, contribua de toutes ses forces à faire adopter la législation instituant le Système fédéral de réserves en 1910, ainsi qu'une concertation permanente entre les banquiers et l'Administration dans la gestion de l'argent du pays. Grâce à leur aide, Junior parvint finalement à persuader John Davison d'acheter une participation suffisante pour lui donner droit de regard sur la Société financière l'Équitable, filiale de l'ancienne Société d'assurances « l'Équitable » qui avait dû être liquidée en vertu de la loi de 1911.

La puissance secrète de la fortune rockefellérienne favorisa l'expansion rapide de cette société financière. En 1920, ses dépôts se montaient à 254 millions de dollars ; elle était devenue la huitième banque du pays. En 1929, elle avait absorbé quatorze petites banques et autres sociétés financières, après une série de fusions astucieuses ; elle était désormais l'une des banques les plus influentes des USA, et avait ouvert plusieurs succursales à l'étranger. Elle était devenue une pièce maîtresse dans l'organisation financière de plus en plus complexe de la fortune familiale et, à la mort subite (en décembre 1929) du président de l'Équitable, Chellis Austin, Junior s'inquiéta fort pour l'avenir de l'institution.

Avec son avocat-conseil Thomas Debevoise, il alla trouver son beau-frère Winthrop Aldrich pour le convaincre d'en prendre la tête.

Le jeune frère d'Abby était un candidat idéal pour ce poste. Bien fait de sa personne et d'allure distinguée, moustache en brosse à dents et yeux d'un beau vert, il était sorti de la faculté de droit de Harvard en 1907, avait épousé une petite-fille de Charles Crocker pourvue d'une dot importante (une partie de la fortune du magnat des Chemins de fer californiens), et avait débuté dans la firme Byrne, Cutcheon et Taylor. Mais, comme beaucoup d'autres Aldrich, c'est au service des Rockefeller qu'il fit sa véritable carrière. En 1918, Junior avait écrit à Charles Evans Hughes pour lui demander de trouver à son beau-frère une place digne de lui : « [Winthrop] a hérité bien des qualités et des capacités de son père, le sénateur Aldrich. Il a de l'instruction, il est cultivé, a beaucoup d'entregent, et il jouit de la sympathie générale... Je le tiens aujourd'hui pour un des jeunes gens les plus capables de cette ville. »

Le futur secrétaire d'État répondit qu'il ne disposait pour le moment d'aucun poste pour Aldrich dans sa firme ; Junior lui trouva alors une place dans le bureau d'avocats-conseils Murray, Prentice et Howland, lié à la famille depuis des années[1].

Le principal client du bureau Murray était la Société l'Équitable; et le jeune Aldrich se vit confier les affaires juridiques de ladite Société (en particulier les négociations préparatives aux fusions successives qui devaient en faire l'une des plus grandes banques du pays). Sa nomination à la présidence vacante de l'Équitable allait donc de soi; et, peu après son entrée en fonctions, il fut décidé que, pour préserver la position de l'Équitable dans la conjoncture économique difficile d'avant la Grande Crise (1929), le meilleur moyen serait de fusionner avec une institution encore plus importante. Junior et ses collaborateurs jetèrent leur dévolu sur la Chase National Bank, et, en 1930, firent une offre à son conseil d'administration.

Présidée par Albert H. Wiggin qui, pendant plus de vingt ans, avait conduit de main de maître son étonnante croissance (d'où cette réputation de grand banquier dont il jouissait dans tout le pays), la Chase disposait de plus de 2 milliards de dollars d'avoirs. Son succès était dû en grande partie aux relations personnelles de Wiggin. Il avait réuni des noms illustres au sein de son conseil d'administration : ainsi Charles Schwab, des Aciéries Bethlehem, Alfred Sloan, de la General Motors, Otto Kahn, de la Kuhn Loeb; lui-même siégeait aux conseils de cinquante autres sociétés, outre la Chase; pour prix de ses services, toutes ces sociétés étaient tenues de confier leurs comptes à sa banque. Suivant les sentiers de la « diplomatie du dollar », comme sa concurrente la National City Bank, Wiggin avait fait de la Chase une puissance dans nombre de pays d'Amérique latine, en particulier à Cuba.

Après l'accord officiel de fusion, on procéda au choix des administrateurs et des dirigeants de la nouvelle Société : Wiggin garda le poste de PDG; Aldrich devint directeur général. (Ce fut là l'unique poste de premier plan que l'Équitable obtint dans la Société.) La Chase était à présent la plus grande banque du monde par ses avoirs; elle comptait cinquante succursales dans le pays, dix à l'étranger, sans mentionner les bureaux de sa filiale, l'American Express (trente-quatre dans le pays, soixante-six au-delà des mers)[2].

1. Le premier contact de George Welwood Murray, principal associé de ce bureau, avec les Rockefeller datait du litige sur les limites des mines de fer de Mesabi. Parmelee Prentice, lui, était le mari d'Alta, la sœur de Junior. Son domaine, c'était la surveillance des intérêts légaux des Rockefeller, mais il consacrait le plus clair de son temps à des projets tels que la traduction en latin de *l'Ile au Trésor* et autres classiques, pour l'éducation de ses enfants. Aldrich fit entrer dans ce bureau plusieurs de ses vieux amis de la faculté de droit, dont Harrison Tweed, petit-fils du secrétaire d'État sous l'administration du président Rutherford Hayes. En 1921, le bureau prit le nom de Murray, Prentice et Aldrich.

2. Tandis que s'effectuait cette fusion, le bureau de Murray et Aldrich connaissait des changements qui allaient lui donner, dans le domaine juridique, une importance comparable à celle de la Chase dans le monde de la banque. En mai 1929, il fusionna avec la Webb, Patterson et Hadley (Vanderbilt Webb, spécialiste en biens immobiliers, prit en main les affaires juridiques de la Colonial Williamsburg et d'autres entreprises rockefellériennes; Robert Patterson quitta la firme en 1930 pour devenir juge fédéral, puis ministre de la Guerre dans l'administration Truman). En 1931, tandis qu'Aldrich était de plus en plus absorbé par la fusion avec la Chase, Junior fit entrer à ce bureau un vieil ami de l'université, Albert Milbank; et la

En 1932, lorsque Wiggin, âgé de soixante-cinq ans, prit sa retraite, le bureau du conseil d'administration de la Chase lui vota une annuité de 100 000 dollars et lui exprima sa gratitude dans une résolution ainsi rédigée : « La Chase National Bank est dans une très large mesure un monument élevé à l'énergie, à la sagacité, aux dons de visionnaire et au caractère de Wiggin. » Mais, au moment même où ces formules louangeuses étaient couchées sur le papier, des événements survenaient à Washington qui allaient leur conférer un arrière-goût amer.

Mauvais moment pour les banques et, bientôt, pour les banquiers eux-mêmes. Les réserves en or subirent une hémorragie de 173 millions de dollars dans les deux mois qui suivirent la retraite de Wiggin. Les faillites se succédaient à un tel rythme que tous les États de l'Union, l'un après l'autre, firent fermer les banques[1], dans l'espoir de couper court au début de panique des petits épargnants qui craignaient de voir les économies de toute leur vie partir soudain en fumée.

De la Maison-Blanche, Roosevelt vitupéra les banquiers et autres « potentats de l'économie » qui conformaient la destinée financière du pays à l'arbitraire de leurs propres intérêts.

Harcelés par le président, attaqués par l'opinion, les lions de Wall Street se déchaînèrent : en privé, ils dénoncèrent Roosevelt comme « traître à sa classe » et, en public, le traitèrent de nouveau tyran menant le pays au collectivisme. Mais même le boursier le plus buté ne pouvait être en désaccord avec la déclaration de Roosevelt dans son message au 73e Congrès : « Notre première tâche est de ne rouvrir que les banques dont la situation est saine. »

Encouragé par les Rockefeller, Winthrop Aldrich franchit alors une nouvelle étape. A la retraite de Wiggin, il était devenu le porte-parole de la Chase. Au début de 1933, il fit sans arrêt la navette entre New York et Washington, multiplia les déclarations devant les commissions parlementaires, alignant clairement les positions de sa banque et les siennes sur celles du président concernant la crise. Quels que fussent ses sentiments personnels, Aldrich devint publiquement un champion de la réforme bancaire, agissant avec ce pragmatisme et cette sensibilité à l'opinion publique que l'affaire de Ludlow avait imprimés à tout jamais à la conscience rockefellérienne. Aldrich pouvait bien apparaître comme un renégat aux yeux de ses collègues banquiers; mais les Rockefeller, eux, avaient perçu que le système était en danger et ne devrait son éventuel salut qu'à la réforme.

Aldrich était devenu le seul grand financier de Wall Street à soutenir

---

Milbank, Tweed, Hope et Webb fut ainsi constituée. La Milbank Tweed (comme on l'appela) devint le principal cabinet d'avocats-conseils des Rockefeller. Elle prit en main le budget de la Chase (mais pas celui de la Standard Oil, qui resta fidèle à la Sullivan et Cromwell de John Foster Dulles). Avec les années, elle devint une pépinière de talents juridiques et administratifs où puisèrent les diverses entreprises familiales. Leurs liens étaient si intimes que la Milbank Tweed finit par être reliée au Bureau Rockefeller par une ligne téléphonique directe.

1. Période exceptionnelle de dix jours pendant laquelle toutes les banques des États-Unis fermèrent leurs guichets sur ordre présidentiel. (*N.d.T.*)

publiquement le divorce entre investissements et opérations purement commerciales, la distinction entre financements à long terme et opérations à court terme. La confusion entre ces deux genres d'opérations avaient été, pour la banque Morgan, à l'origine de sa puissance. C'est ainsi qu'elle avait pu prendre le contrôle de l'US Steel, de la General Electric et d'autres sociétés géantes. Parmi les rumeurs qui circulèrent à Wall Street, l'une accusait Aldrich de servir de paravent aux Rockefeller dans leur tentative pour briser l'emprise de la Banque Morgan sur les affaires financières du pays. En fait, il s'agissait surtout, pour les Rockefeller et la Chase, de se mettre le plus possible à l'abri des effets de la réforme, puisque la Chase tirait sa propre puissance des affaires commerciales et que ce soutien publiquement apporté à la réforme ne pouvait que renforcer leur influence et rehausser leur prestige aux yeux de l'opinion.

En 1933, la Commission sénatoriale chargée des problèmes bancaires et monétaires se réunit sous la présidence de Ferdinand Pecora, afin de procéder à une enquête sur le monde de la finance.

Un incident bizarre marqua l'ouverture des séances : une naine, engagée à cet effet, sauta sur les genoux du jeune J. P. Morgan, et posa ainsi pour les photographes. Mais, dans les coulisses, se déroulait un drame autrement plus sérieux. Voyant que les loups cherchaient une proie, les Rockefeller décidèrent de leur jeter en pâture Albert Wiggin. Comme Charles Mitchell, son homologue à la tête de la National City Bank, Wiggin avait été un spéculateur d'envergure aux jours de grande prospérité. Avant cette enquête, aucun de ses collègues n'aurait pensé qu'il avait agi de façon irrégulière, même quand il spéculait sur les actions de la Chase en employant les dépôts d'une banque dont il était également le président (la Chase Securities Company, filiale de la Chase). Mais l'heure des révisions déchirantes était venue.

Wiggin comparut devant la Commission et tenta de se défendre. Mais c'était impossible : les Rockefeller l'avaient largué. Dans son témoignage, Aldrich se désolidarisa de l'homme dont il avait naguère fait l'éloge en le qualifiant de banquier numéro un du pays. Albert Milbank et les avocats-conseils de la Chase prêtèrent main-forte à Aldrich et à d'autres témoins, mais pas à Wiggin, bien qu'il fût encore un très important actionnaire de la banque. Ivy Lee était là, veillant à ce que les journaux donnent la meilleure version possible du témoignage d'Aldrich, mais il ne fit pas bénéficier Wiggin de ses conseils. A la fin des auditions, Wiggin n'était plus qu'un vieil homme dont le ressort était brisé, la réputation ternie, détruite l'influence au sein même de cette banque qui lui devait sa puissance.

Le successeur de Wiggin au poste de président du conseil d'administration de la Chase, Charles McCain, le relaya à la barre et fut contraint d'admettre sous serment qu'il avait lui aussi tiré des profits personnels des prêts et autres faveurs de la banque qu'il présidait. Il était donc à son tour compromis. Selon les termes employés par le président Roosevelt lors d'une entrevue accordée à Aldrich à la Maison-Blanche peu après la comparution de McCain, il n'était plus possible de laisser en place des gens de cette espèce.

On ne fut donc pas surpris de voir McCain quitter brusquement son poste peu après sa prestation de Washington ; et on ne le fut pas davantage de voir Winthrop Aldrich le remplacer à la présidence du conseil d'administration de la Chase.

D'un seul coup, la famille Rockefeller s'était assuré le contrôle de la plus grande banque du monde, tout en se donnant publiquement les gants de soutenir la réforme bancaire, et en faisant d'Aldrich une figure nationale. A Aldrich, maintenant, de mettre à profit cette situation pour étendre son influence. Thomas Debevoise lui écrivit, après la conclusion des auditions de la Commission Pecora : « Il devrait être à présent reconnu, me semble-t-il, que ce rôle dirigeant que vous ambitionniez, vous ne le tenez pas de nos mains, mais des services éminents et durables que vous avez su rendre à la banque, aux milieux financiers et à tout le pays. »

Tout en faisant de la Chase Bank la pierre angulaire de la puissance financière des Rockefeller pour les années à venir, Junior réinvestissait également une partie de ses actions de la Standard dans IBM, General Motors, General Electric, entre autres nouvelles sociétés. Mais il n'oubliait pas pour autant les origines de l'immense fortune des Rockefeller. Bien qu'il eût renoncé au poste élevé qui lui revenait de droit dans l'administration de la Standard Oil, il veilla à garder toute son influence au sein des sociétés qui la composaient. Malgré ses dons philanthropiques colossaux, il possédait toujours les plus gros paquets individuels d'actions dans ces filiales de la Standard et contrôlait indirectement des paquets d'actions encore plus considérables grâce aux dotations de ses fondations. Ami personnel d'A. C. Bedford, de la Jersey Standard, de Walter Teagle, de la Standard de Californie, et des autres présidents des compagnies créées par l'éclatement du trust, il dînait souvent avec eux. Il se rendait bien compte qu'aux yeux du public, la Standard Oil serait toujours une tache sur le blason familial, et, avec l'aide efficace d'Ivy Lee, il essaya de maintenir dans l'ombre le fait qu'il en était toujours propriétaire. Un jour, cependant, son identification à la Standard tourna à son avantage : en 1929, à l'occasion d'un différend retentissant avec le colonel Robert W. Stewart, dynamique président de la Standard d'Indiana.

Stewart, à la différence de la plupart des cadres dirigeants qui occupaient des positions clés dans les trente-trois sociétés créées lors de la dissolution du trust, n'était pas sorti de ses rangs mais y avait été introduit comme jeune avocat promis à un brillant avenir ; venu du Dakota du Sud, il paraissait capable d'apporter son concours aux affaires juridiques de la filiale d'Indiana. Au cours de la procédure engagée par la Cour suprême, Stewart avait impressionné le Bureau Rockefeller, et, en 1918, il fut nommé à la tête du service juridique de la Standard d'Indiana, puis désigné à son directoire avec l'appui personnel de Junior. Trois ans plus tard, après la mort de W. P. Cowan, collaborateur de longue date des Rockefeller et président de l'Indiana depuis la décision de la Cour suprême, Stewart devint PDG de cette société.

Comment imaginer personne plus différente de Junior? Le « colonel Bob », comme les employés de l'Indiana appelaient Stewart, était un ancien Rough Rider [1] débordant d'énergie, dominateur, avec toutes les qualités de vieil ours qui étaient aussi celles de Teddy Roosevelt. Taille : près de 2 mètres; poids : 120 kg; « un beau bourrelet de graisse sur la nuque » (selon les termes d'un journaliste); il pouvait compter sur le dévouement à toute épreuve de ses collègues et subordonnés. Voué corps et âme au commerce du pétrole, Stewart parcourait les petites villes du Midwest en prenant la parole dans les dîners d'affaires. Il menait campagne dans les États alimentés par sa Société, défendant la Standard et, en général, les milieux d'affaires contre les assauts de La Follette [2] et des populistes. Souvent, à la fin de ses discours, il chantait d'une belle voix de basse un refrain de sa composition :

> Standard Oil, Standard Oil
> Change les ténèbres en lumière;
> Apporte aux clients le bien-être.
> Standard Oil, Standard Oil,
> La maudire, la condamner, vous le pouvez,
> Mais vous en passer, jamais!
> Standard Oil!

Ses dons de bonimenteur n'avaient pas empêché Stewart de se tailler une place de premier ordre dans le monde américain des affaires. C'était un fonceur. Et il avait réussi à obtenir une production de pétrole brut en rapport avec les vastes capacités de raffinage et de commercialisation de l'Indiana. Le débouché commercial des stations-service connut grâce à lui un développement remarquable; tandis que ses concurrents continuaient à distribuer leur pétrole par wagons-citernes, il parvint à s'assurer le contrôle d'un vaste territoire pour la chaîne de stations-service de sa Société. Sous sa ferme direction, l'Indiana se trouvait en position favorable pour profiter de la révolution dans la production de masse qu'avait annoncée la détermination d'Henry Ford de « fabriquer une automobile pour le peuple ». En 1928, l'Indiana contrôlait une région qui comptait 50 % de toutes les voitures immatriculées, sans parler des tracteurs et des machines agricoles. En huit années seulement, sous la direction de Stewart, l'Indiana avait plus que triplé ses avoirs; de sorte que le *New York Times* pouvait écrire de lui : « Si le pétrole doit connaître un nouveau Rockefeller, ou, plus modestement, un second Jim Hill ou Harriman, Stewart est tout indiqué pour le rôle. » Pourtant, comme beaucoup d'autres Icares du pétrole à cette époque, Stewart n'allait pas tarder à se brûler les ailes.

Après le décret de dissolution, l'empire de la Standard Oil avait été divisé par des mains d'orfèvre; le trust, dissous pour favoriser la compétition,

1. Culotte de peau : sobriquet donné aux officiers et soldats d'un célèbre régiment de cavalerie, composé de volontaires, recruté et organisé par Th. Roosevelt pendant la guerre hispano-américaine. (*N.d.T.*)
2. Voir note p. 85.

s'était vu partager en branches complémentaires plutôt que concurrentes; les hommes à leur tête conservaient un dévouement sans faille à l'ancienne société mère. Cette fidélité était encouragée par maints avantages financiers. Ainsi W. P. Cowan, le prédécesseur de Stewart : après la dissolution du trust, il reçut 303 actions de sa Société (d'une valeur de 165 135 dollars), mais, en accord avec les termes du décret de la Cour suprême, il obtint également 420 parts (228 000 dollars) dans la Jersey Standard, 320 (172 000 dollars) dans la Standard de New York, etc. Même en l'absence d'une telle communauté d'intérêts personnels, les proconsuls de l'ancien empire n'avaient nul besoin qu'on leur explique que la concurrence pouvait être nuisible à tous (après tout, n'était-ce pas le principe qui avait présidé à toute la destinée de la Standard?).

Les années vingt virent le départ en retraite ou le décès de plusieurs membres de la vieille garde de l'ex-Standard. Une seconde génération monta, moins étroitement liée à la famille Rockefeller, moins attachée au vieux trust. Stewart en était un exemple typique : les contraintes de l'ancien ordre des choses l'impatientaient et il menaçait de briser ces règles non écrites qui maintenaient la cohésion de l'ex-trust. Il avait refusé de travailler avec l'Union Tank Car Company, ce parc de wagons-citernes mis sur pied par Rockefeller père bien des années auparavant afin d'écraser ses concurrents. Au lieu d'utiliser systématiquement ces wagons, comme les autres sociétés de la Standard, Stewart avait commandité la constitution d'un parc particulier pour l'Indiana. Qui plus est, il s'était dérobé aux limites imposées à la Société après dissolution, en particulier à la fameuse clause conditionnelle qui lui faisait obligation de se concentrer sur le raffinage et de s'approvisionner pour son brut auprès d'autres sociétés de l'ancien trust. Peu après son entrée en fonctions, Stewart s'était efforcé de fusionner avec d'autres sociétés susceptibles d'améliorer la position de l'Indiana et d'élargir son champ d'opérations. En 1922, il faillit obtenir la fusion avec la rivale géante de la Standard, la Gulf Oil des Mellon. Un an plus tard, il stupéfia le monde du pétrole en acquérant un important paquet d'actions de la Pan American Petroleum and Transportation d'E. L. Doheny, une des plus grandes productrices mondiales de brut, avec d'immenses réserves au Mexique et au Venezuela (où la Lago Petroleum extrayait environ 45 000 barils par jour) et une flotte de bateaux-citernes d'une valeur de 10 millions de dollars. Avec ce nouvel approvisionnement en brut, Stewart entreprit de donner à l'Indiana une expansion qui paraissait sans limites, osant même empiéter sur le territoire des puissantes Standard du New Jersey et de New York.

Stewart était un intrus; il portait atteinte à l'ordre établi. L'expulser de la société aurait remué trop de boue. Les discussions durent cependant aller bon train, sur la côte Est, sur l'attitude à adopter à l'égard du parvenu de l'Indiana. C'est alors que le destin eut la bonne idée d'offrir à Junior le scandale de la Continental Trading, et l'on put s'occuper de lui du haut d'une position morale inattaquable.

S'il existait une loi en politique permettant de condamner chaque administration au scandale qu'elle mérite, le scandale de Teapot Dome [1] serait à citer comme un exemple parfait de justice immanente. Harding lui-même était un produit de la machine politique de Mark Hanna et avait poussé le protégé de John Archbold, le sénateur Joseph Foraker, à la présidence en 1908. Son cabinet (baptisé par les critiques « l'Administration du Pétrole ») comprenait un avocat de la Standard Oil (Charles Evans Hughes) comme chef du département d'État; le propriétaire de la Gulf Oil (Andrew Mellon) comme ministre des Finances; un avocat de la Sinclair Oil (Will Hays) comme ministre des Postes, et un protégé de « Doheny, Sinclair et Cleveland Dodge », Albert Fall, comme ministre des Affaires intérieures et du Domaine. Fall accepta un pot-de-vin de Sinclair en échange d'un bail sur les gisements pétroliers de la Marine à Teapot Dome (Wyoming); le scandale éclata.

Le 17 novembre 1921, Stewart s'était compromis dans l'affaire : un petit groupe s'était réuni à l'hôtel Vanderbilt de New York, comprenant Stewart, bien sûr, Sinclair, les présidents de la Midwest Oil (succursale de l'Indiana Standard) et de la Praire Oil Gas (autre filiale de l'ancien trust), et A. E. Humphreys, prospecteur indépendant qui venait de réussir un beau coup en acquérant les fabuleux gisements de Mexia (Texas). Humphreys accepta de vendre au groupe 33 333 333 1/3 barils de son brut à 1 dollar et demi le baril. Toutefois, l'achat ne devait pas se faire au nom des sociétés que ces hommes représentaient, mais en leur nom propre — ou plutôt au nom de la société qu'ils avaient fondée dans ce but : la Continental Trading. La Continental devait revendre le pétrole à 1 dollar 75 le baril à la Sinclair et à la Prairie Oil Gas, ce qui rapporterait 8 millions de dollars au consortium. Mais, entre-temps, le scandale de Teapot Dome éclata; le groupe fut contraint de mettre un terme à son association et de brûler sa comptabilité. Les associés n'avaient eu le temps de retirer de leur coup que 3 millions de dollars, soit 750 000 pour chacun.

L'affaire aurait pu échapper à toute vérification publique si Harry Sinclair n'avait employé une partie de ses 750 000 dollars à donner un bakchich au ministre Fall. Le faux pas était fait et le colonel Bob fut englouti dans le tourbillon du scandale national. En mars 1925, le procès Sinclair commença à Cheyenne (Wyoming); on s'attendait que Stewart en fût le témoin-vedette. Mais quand le procès s'ouvrit, la cour fut informée par un directeur de la Standard que Stewart avait quitté son poste pour « une destination inconnue » d'Amérique latine et ne pouvait être rejoint.

Fureur des magistrats. Junior, qui depuis le début avait tout fait pour rester hors de portée des enquêtes (comme toujours lorsque la Standard Oil avait des ennuis, il arguait que la famille n'était plus mêlée activement à ses

---

1. Les puits de pétrole de Teapot Dome, dans l'État de Wyoming, propriété inaliénable de la Marine des USA, furent commercialisés illégalement par des entreprises privées. (*N.d.T.*)

affaires), commençait à avoir chaud. Les gens n'ignoraient pas qu'il était de loin le plus gros actionnaire; ils lui reprochaient d'avoir permis à Stewart d'entraver l'action du Congrès pour faire toute la lumière sur ce scandale dont les répercussions en chaîne minaient la confiance dans le gouvernement, à un degré qui devait rester inégalé jusqu'à l'explosion du Watergate, un demi-siècle plus tard.

L'éditorial du 23 mars 1925 du *New York World* piqua Junior au vif : « Où sont les hommes qui agissent et parlent au nom des riches et respectables intérêts qui dominent ces sociétés? Qu'ont-ils fait, que font-ils pour la protection de leur propre réputation et de leur honneur personnel? John D. Rockefeller junior est un important actionnaire de la Prairie Oil and Gas; la Fondation Rockefeller aussi. Le Comité de l'éducation est un important actionnaire de la Prairie Oil et de la Standard Oil d'Indiana. Toutes deux sont soutenues par des donations Rockefeller. Rockefeller junior prend son petit déjeuner à la Maison-Blanche et discute de l'application des lois avec le président. Mais qu'a-t-il fait pour l'application d'une loi qui affecte les sociétés pétrolières où ses intérêts sont en jeu? Quand a-t-il l'intention de s'y mettre, qu'a-t-il l'intention de faire dans le cas de sa propre société où des administrateurs et des cadres dirigeants ont manqué à tous leurs devoirs envers l'administration? »

Ce même jour, poursuivi par les avertissements de Fosdick qui craignait de voir cette affaire porter préjudice aux diverses fondations (elles-mêmes importantes actionnaires de la Standard) et prendre les proportions d'un second Ludlow si on ne l'enrayait pas à temps, Junior envoya un télégramme comminatoire aux bureaux de l'Indiana, exigeant qu'on le fît parvenir à Stewart, où qu'il se trouvât. En termes sévères, il démontrait au directeur combien son attitude était préjudiciable à « vous-même, à votre Société, aux actionnaires dont on cite les noms, à moi-même, au Comité de l'éducation et à la Fondation Rockefeller ». Junior pressait Stewart d'agir au plus vite pour « ôter tout fondement à l'accusation ».

Le 27 mars, Stewart revint à New York et rencontra Junior. Le reproche voilé d'avoir quitté le pays pour des raisons peu légitimes lui avait déplu; il signifia en termes clairs à Junior que sa Société pas plus que lui-même n'avaient rien commis de malhonnête dans cette transaction de la Continental Trading, et qu'en outre la Société en avait bénéficié. Le colonel n'était pas d'humeur à supporter les réprimandes, et Junior en resta là.

Mais l'incertitude persista; les critiques à l'égard de Rockefeller aussi. Les attaques dans le *World* et le *Post Dispatch* de Saint Louis prirent une tournure si désagréable que Junior et Debevoise allèrent trouver Ralph Pulitzer [1] pour lui exposer la délicate situation rockefellérienne. La presse disait à présent que Rockefeller devait chasser Stewart, mesure qu'il ne voulait pas prendre car elle aurait démenti la fiction qu'il avait entretenue sur le relâchement de ses liens avec la Standard Oil. Puis, en janvier 1928,

---

1. Journaliste influent de l'époque, à ne pas confondre avec son frère Joseph Pulitzer qui créa le *Post Dispatch* en 1878 et institua en 1918 le Prix qui porte son nom. (*N.d.T.*)

Thomas Walsh,.président d'une commission sénatoriale chargée d'enquêter
sur la Continental Trading, écrivit à Junior pour lui demander de
contraindre Stewart et d'autres dirigeants de la Standard à comparaître et à
dire la vérité. Junior promit de faire son possible; il exigea publiquement que
Stewart vînt déposer et Stewart finit par accepter [1].

Il nia tout agissement irrégulier, refusa de répondre à certaines questions
capitales qu'on lui posait. Junior lui-même vint alors à la barre pour
exprimer sa déception devant le refus de Stewart de répondre aux questions
posées. « Personnellement, j'ai largement investi dans l'industrie du pétrole.
Qui plus est, mon père fut l'un des pionniers de son développement. La
situation présente affecte non seulement certains individus mais l'ensemble
de cette industrie. » Après avoir témoigné, il fit une déclaration à la radio
(reprise par toutes les stations) condamnant sans appel la malhonnêteté en
affaires.

Le 24 avril 1928, nouvelle déposition de Stewart. Les enquêteurs avaient
mis la main sur ses 750 000 dollars; cette fois, changement complet
d'attitude : il reconnut avoir touché l'argent, tout en affirmant avoir eu
l'intention, dès le début, de le verser à sa Société; en attendant, il l'avait
déposé dans une banque. Déjà inculpé d'outrage à la cour pour avoir refusé
de répondre à ses questions lors de la précédente comparution, Stewart se vit
alors accuser de faux témoignage.

Junior ne pouvait plus reculer. Il hésitait depuis trois ans, mais il allait
maintenant devoir agir (avec l'espoir que ce qui allait suivre serait considéré
par l'opinion comme une croisade et non comme une bataille pour le
contrôle de l'Indiana). Il convoqua Stewart au 26 de Broadway et lui
demanda de démissionner. Le colonel Bob refusa. Le lendemain, Junior fit
une déclaration expliquant ce qui s'était passé et qu'il avait perdu toute
confiance en Stewart. Il était désormais engagé dans ce qui allait devenir la
plus grande bataille souterraine de toute l'histoire des grosses sociétés
industrielles américaines.

L'assemblée annuelle des actionnaires était prévue pour le 7 mars 1929.
Dès janvier, Junior réunit un conseil de guerre qui allait dépenser quelque
100 000 dollars pour détrôner le bouillant colonel. Winthrop Aldrich fut le
commandant en chef des opérations; Thomas Debevoise assura le travail

---

1. Cleveland Rodgers, chroniqueur à *l'Aigle* de Brooklyn, se rappela avoir suggéré à son
rédacteur en chef de relancer les critiques adressées à Stewart par Junior. Ils firent venir Ivy Lee
et lui demandèrent ce que comptait faire Rockefeller. Le conseiller en relations publiques
répondit qu'il ne pouvait rien faire de plus. Rodgers rédigea alors un éditorial accusant Junior
de vouloir satisfaire à ses responsabilités morales par un simple « geste pieux » et rien d'autre.
Quelques jours plus tard, Rodgers fut vivement surpris de voir Winthrop Aldrich et Junior en
personne entrer dans son bureau. « Mr. Rockefeller me dit que Mr. Lee avait cherché à
arranger les choses de son mieux, mais qu'il ne savait pas de quoi il parlait », écrivit plus tard
Rodgers. Junior donna son assurance aux rédacteurs de *l'Aigle* qu'il avait l'intention de
poursuivre vigoureusement l'affaire. Après son départ, Rodgers et les autres rédacteurs
discutèrent de cette visite. Ils tombèrent d'accord : elle annonçait probablement une bataille
souterraine pour s'assurer le contrôle de la Standard d'Indiana, ce qui ferait monter le prix des
actions. Ils appelèrent un agent de change au téléphone et achetèrent plusieurs actions. Plus
tard, ils les revendirent avec un bénéfice suffisant pour aller passer des vacances à Cuba.

d'état-major; Ivy Lee fut préposé à l'action psychologique. Bertram Cutler Fosdick et le colonel Woods se virent également confier des missions de combat, tandis que Charles Evans Hughes faisait office de conseiller juridique de l'état-major clandestin. Concentrant ses efforts sur les actionnaires de vingt-quatre villes importantes, celui-ci se réunit chaque jour à 10 heures, pendant deux mois, pour discuter des progrès de la bataille. Ils communiquaient par télégrammes codés, Junior craignant par-dessus tout de voir Stewart découvrir que les jeux étaient faits, et que la certitude anticipée de sa défaite n'amenât l'adversaire à traîner les Rockefeller dans la boue.

Stewart était assez réaliste pour savoir que Junior n'était pas le type d'homme à s'engager dans une bataille sans être assuré de la gagner, mais il fit face aux Rockefeller. Pour mener son combat contre eux, il se donna les gants d'en appeler au peuple, comme s'il s'agissait d'une élection au sein de « la plus grande démocratie du monde ». Il organisa des rassemblements d'ouvriers de la Standard et s'y fit applaudir en se présentant comme l'auteur d'un plan généreux d'actionnariat ouvrier, entre autres réformes de même calibre. Puis il rameuta les ouvriers reconnaissants pour faire à sa place du porte à porte auprès des actionnaires. Des placards publicitaires furent payés par les ouvriers de la Standard et parurent dans les journaux avec un portrait de Stewart accompagné de la légende suivante : « Il est pour Nous — Nous sommes pour Lui. » A chaque instant, on rappelait l'essor impressionnant de l'Indiana sous la direction de Stewart. Le 29 janvier, il annonça que les bénéfices de l'année étaient deux fois supérieurs à ceux de l'année précédente et que les actionnaires toucheraient un dividende de 9 dollars par action. Une semaine plus tard, tirant pleinement parti des prérogatives attachées à ses fonctions et de la prospérité de la Société, il fit adopter par son conseil d'administration le plus fort dividende en titres et en espèces jamais annoncé dans l'histoire de la Société, provoquant une hausse spectaculaire des actions de la Standard d'Indiana à Wall Street.

L'opération eût été imparable si la Standard avait vraiment mérité le titre de « plus grande démocratie du monde » que Stewart lui avait attribué. Curieuse démocratie... Dès janvier 1925, deux semaines après le début de leur campagne, l'état-major clandestin de Rockefeller avait déjà en main 43,5 % des parts; et deux semaines plus tard, le 7 février, Aldrich annonça publiquement qu'on en avait réuni 51 % : 15 % environ à Junior, à sa famille, à ses fondations, le reste appartenant en majeure partie à Whitney, Flagler, Harkness, Rodgers et autres familles de l'ancienne Standard Oil qui s'étaient hâtées de répondre à l'appel de leur chef de file.

Le 7 mars au matin, vers 10 h 20, une escouade de motards de la police s'arrêta devant la Whiting Community House où devait se tenir l'assemblée annuelle des actionnaires de la Standard Oil d'Indiana. Ils escortaient un cortège de limousines transportant les vingt-cinq membres du groupe Rockefeller, Winthrop Aldrich en tête. Junior n'était pas parmi eux. Deux mois auparavant, le 9 janvier, au tout début des hostilités, il s'était embarqué pour l'Égypte afin d'être hors d'atteinte au moment le plus chaud de la bataille. En ce matin de mars humide et glacé, il était en Palestine et fut informé des résultats par télégramme.

Stewart était l'un des rares, dans la salle bondée, à connaître les résultats avec certitude. Il était venu présider à sa propre défaite pour en faire un ultime triomphe. Il demanda silence et lut le rapport d'activité de l'année écoulée. C'était l'année la plus spectaculaire de toute l'histoire de la Société; Stewart souligna avec force ses réalisations. Les bénéfices nets avaient doublé; les fonds de réserve atteignaient un plafond; l'intérêt du capital investi se montait à 17 %.

Quand vint le moment de nommer le nouveau conseil d'administration, l'assistant de Stewart présenta la liste des candidats; puis Winthrop Aldrich se leva (il était au premier rang, dans la partie réservée au groupe Rockefeller) et lut la même liste à l'exception des noms de Stewart et de L. L. Stephens, un directeur dont l'état-major Rockefeller avait jugé qu'il s'était montré d'une fidélité déplacée à l'égard de Stewart dans tout ce combat souterrain. On passa au vote. Nulle surprise. La proclamation des résultats fit apparaître que 31 000 actionnaires avaient voté pour Stewart, et 15 000 seulement pour Rockefeller, mais les actionnaires rockefellériens contrôlaient 60 % des parts, ceux de Stewart, 32 % seulement. Le nouveau conseil d'administration était donc élu; identique à l'ancien par sa composition (à l'exception de Stewart et de Stephens), il était cependant très différent. Il avait perdu son chef, mais il avait gagné un maître absolu — les représentants de Rockefeller étaient en effet élus pour un an et pouvaient servir à congédier à tout instant n'importe quels membres du conseil, sans limitation de nombre.

Pendant toute la durée du combat, le principal atout extérieur de Rockefeller avait été la presse. En janvier et février, Ivy Lee avait suscité 428 éditoriaux sur la bataille, dans quarante-cinq États différents, dont l'écrasante majorité soutenait Rockefeller. « Au milieu du triste embrouillamini de l'histoire du pétrole et des manœuvres de politiciens corrompus qui ont été étalées devant l'opinion américaine, déclara le *Chicago Evening Post*, l'attitude de John D. Rockefeller tranche comme un exemple remarquable et réconfortant de courage et de conscience. » Un extrait d'éditorial, abondamment repris, proclamait que « Rockefeller n'a jamais mieux servi son pays qu'aujourd'hui, dans sa lutte contre le colonel Stewart ».

Beaucoup de gens, dans le Midwest, — en particulier parmi ceux qui s'étaient prononcés contre la procédure souterraine de Rockefeller — virent dans la lutte contre Stewart une tentative des sociétés de l'Est pour mettre un frein au développement et à l'expansion autonomes de l'Indiana. Les faits semblèrent leur donner raison en 1932 lorsque les nouveaux directeurs de l'Indiana décidèrent de vendre à la Standard du New Jersey, à la requête de celle-ci, les biens considérables que la Pan American Petroleum and Transport détenait à l'étranger[1]. Ces biens étrangers comprenaient les

1. Un autre élément vint considérablement renforcer cette hypothèse : en effet, moins de trois semaines après la victoire de Rockefeller fut ouverte une enquête sur la Pan American

gisements de brut mexicains et vénézuéliens que Stewart avait acquis de main de maître. Les puits vénézuéliens allaient bientôt servir de base à la constitution de la fabuleuse Creole Petroleum : ses incroyables bénéfices en tant que succursale de la Jersey amenèrent *Fortune* à décrire l'ensemble de l'opération comme « le vol du siècle ».

L'achat se fit en échange d'actions de la Jersey; par ce biais, l'Indiana devint un actionnaire important (7 % des parts) de la Jersey, créant officiellement entre les deux sociétés cette communauté d'intérêts que Stewart avait failli mettre en question. Pour raffermir encore ce lien, on invita les directeurs des deux sociétés, l'Indiana et la Jersey, à siéger au conseil d'administration de la Chase National Bank. Et pour corser encore cette étonnante affaire Stewart, une décennie après la bataille souterraine, le fils de Junior, Nelson, plaça de l'argent dans la Creole Petroleum et fut appelé à siéger à son conseil d'administration; ce fut pour lui le début d'une spécialisation dans les affaires latino-américaines qui devait décider de sa carrière politique.

La bataille contre Stewart avait renforcé la position de Junior comme principal porte-parole des milieux d'affaires les plus importants du pays. Toutefois, le 24 octobre 1929 (le fameux Jeudi noir), quand, sous les premiers effets du Grand Krach, les actions s'effondrèrent à Wall Street, l'avenir de ces grands intérêts parut sérieusement compromis. Dans les bureaux de J. P. Morgan et Cie, au 23 de Wall Street, les présidents des principales banques du pays se réunirent ostensiblement pour tenter de restaurer la confiance, rappelant que vingt-deux ans plus tôt, dans des circonstances également dramatiques, le vieux Morgan avait donné le coup d'arrêt à la panique de 1907. Tout près de là, au 15 de Broadway, Ivy Lee était suspendu au téléphone, pressant Junior de mesurer tout l'avantage d'une déclaration publique du vieux patriarche Rockefeller, âgé de quatre-vingt-dix ans, en cette conjoncture historique d'une exceptionnelle gravité.

C'est avec réticence que Senior se laissa entraîner dans le tourbillon provoqué par les jeunes et imprudentes générations qui lui avaient succédé. Mais, pour faire plaisir à son fils, il accepta finalement de lire un communiqué qui, pour la pénétration de ses vues économiques, s'apparentait

---

Petroleum and Transport (dirigée par le fils de Stewart) et ses biens au Venezuela. Le 5 avril, Debevoise, devenu le porte-parole de l'« état-major clandestin », écrivit au président de l'Indiana : « Plus j'entends parler de la Pan American et de La Lago [sa succursale vénézuélienne], plus il me paraît nécessaire d'effectuer une enquête approfondie sur leurs affaires, et pas simplement sur leur comptabilité — enquête qui se soldera, j'en suis de plus en plus convaincu, par un nettoyage complet. Je ne crois pas que vous aurez envie de garder les Stewart, père ou fils. En règle générale, il serait préférable que la Société n'ait plus rien à voir avec aucun membre de cette famille; mais vous trouverez sans doute mille raisons de procéder aux changements nécessaires pour assurer à votre Société une meilleure direction. »

au célèbre commentaire de Calvin Coolidge [1] : « Quand les mises à pied augmentent, il en résulte du chômage. »

« Dans notre certitude que, fondamentalement, les conditions du pays sont saines —, dit-il de cette voix chevrotante qu'on n'avait pas entendue en public depuis plus de dix ans —, nous venons, mon fils et moi, d'acheter en Bourse de bonnes et solides actions. » (Ce qui suscita cette repartie d'Eddie Cantor [2], probablement fort appréciée : « Tiens, bien sûr, à qui d'autre resterait-il assez d'argent? ») Deux semaines plus tard, le marché avait encore dégringolé de 82 points (soit du quart de sa valeur); les journaux annoncèrent que la famille Rockefeller avait passé un ordre d'achat d'un million de dollars afin de maintenir le cours des actions de la Standard du New Jersey à 50 dollars [3].

La déclaration de Senior sur la santé et la solidité du pays n'avait jamais prétendu tenir lieu d'analyse économique circonstanciée; elle entendait simplement démontrer une fois de plus que les Rockefeller continuaient de miser à la hausse sur les actions de l'Amérique. Le rôle de Winthrop Aldrich et de la Chase dans la réforme bancaire, puis le combat de Junior contre Stewart avaient beaucoup fait pour les placer du côté du droit durant cette difficile période. Mais leur décision de faire construire le Rockefeller Center à l'heure même du désastre boursier revêtit un symbolisme d'une évidence criante : c'était un acte de foi héroïque dans l'avenir américain au moment même où le présent plongeait au cœur des ténèbres.

Avec le temps, Ivy Lee parvint à donner à l'entreprise l'apparence d'un programme de travaux publics financé par fonds privés. Mais elle n'avait pas débuté ainsi. En fait, tout avait commencé en 1928, en un temps où l'expansion montait en flèche et semblait ne jamais devoir s'arrêter. La Société du Metropolitan Opera, désireuse de changer de quartier, était entrée en pourparlers avec l'Université de Columbia pour louer le terrain que celle-ci possédait entre la 49e et la 50e Rue et la Ve et la VIe Avenue. Otto Kahn avait attiré l'attention de Junior sur ce projet; après consultation de « cinq experts en biens immobiliers », qui tous qualifièrent le projet de « bonne affaire », Junior prit le terrain à bail pour une durée de vingt-quatre ans, en échange d'un loyer de 3,3 millions de dollars.

Vint la débâcle. La Société du Metropolitan Opera se défila; Junior fut confronté avec l'effondrement de son plan et avec une perte annuelle de 3 millions de dollars par an jusqu'à ce que l'économie veuille bien se redresser. La décision qu'il prit alors reflétait bien ce sens pratique qui lui avait dicté

---

1. Vice-président des États-Unis, Calvin Coolidge devint président à la mort de Harding en 1923 et fut réélu en 1924. (*N.d.T.*)
2. Acteur et chanteur comique de l'époque. (*N.d.T.*)
3. Junior et ses collaborateurs voyaient d'un très mauvais œil la passivité de l'administration Hoover dans cette conjoncture économique. En 1930, le président avait tenté de les apaiser en nommant le colonel Arthur Woods à la tête d'une mission spéciale sur le chômage. Woods était allé à Washington, convaincu qu'il fallait d'urgence mettre sur pied un programme de travaux publics d'un milliard de dollars. Mais Hoover opposa son veto à un projet de loi prévoyant la création d'une agence fédérale de l'emploi : Woods démissionna, fort contrarié, et rentra à New York.

cette réponse, un jour que Fosdick lui faisait compliment pour son courage : « Il arrive souvent qu'un homme se fourre dans un impossible pétrin. Il est coincé. Il veut fuir, mais il n'y a pas d'issue. Alors il fuit en avant, c'est la seule voie ouverte, et les gens appellent ça du courage. » Junior allait ainsi utiliser ses immenses ressources pour sauvegarder son propre essor au milieu du marasme.

La situation économique rendait le financement du projet difficile, même pour un Rockefeller. D'après les estimations, les bâtiments allaient coûter à eux seuls quelque 120 millions de dollars (dont 45 millions provenant d'un prêt de la Société d'assurances la Métropolitaine, garanti personnellement par Junior ; le reste, il se l'était procuré lui-même, en dépit des pertes colossales que cela supposait). Un jour, Junior pénétra dans le bureau de Wallace Harrison, l'homme qui, en tant qu'architecte en chef, fut le premier à s'installer dans le building de la RCA [1]. Remarquant l'air abattu de Junior, Harrison lui demanda ce qui n'allait pas. Junior répondit qu'il venait d'être contraint de vendre des actions de la Standard de New York à 2 dollars l'action. Cependant, petit à petit, le projet prenait corps. En 1933, l'immeuble de la RCA ouvrait ses portes, et Junior fêta l'événement en quittant l'immeuble de la Standard Oil, au 26 de Broadway, pour installer les bureaux de la famille Rockefeller — connu désormais comme la salle n° 5600 — au 56ᵉ étage du 30, place Rockefeller :

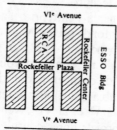

Le Rockefeller Center à New York
(plan des traducteurs).

Trois cabinets d'architectes travaillant sur le projet, Junior eut l'occasion d'assumer le rôle de médiateur qu'il connaissait si bien. Il s'occupa des plans et des détails de la construction avec ce zèle et cette passion qui l'avaient animé pour Williamsburg et d'autres de ses entreprises immobilières. Il passait des heures en compagnie des architectes et des entrepreneurs ; il lui arrivait fréquemment de sortir de sa poche un mètre pliant de menuisier — seule petite excentricité personnelle qu'il se fût jamais permise. (Des années plus tard, les enfants de Nelson, Steven et Ann, cassèrent accidentellement le fameux mètre pliant du grand-père ; on fit en vain des douzaines de magasins new-yorkais pour en trouver un semblable.)

La décision de Junior d'aller de l'avant était en général considérée comme une preuve de cran ; toutefois, de mauvais esprits estimaient qu'il était plutôt

1. En fait, le Rockefeller Center devint un ensemble de bâtiments à usage commercial dont le plus haut gratte-ciel (70 étages) fut occupé par la Radio Corporation of America (RCA). (*N.d.T.*)

bizarre, pour un philanthrope, d'engloutir tant d'argent dans une entreprise de ce genre... Mais construire avait de tout temps été la passion dominante de Junior. Toutes ses œuvres préférées — Williamsburg, les Cloisters, Versailles — relevaient du domaine de la construction; là, il pouvait constater et mesurer de jour en jour les progrès accomplis. C'était une façon de laisser son empreinte sur le monde. Chaque nouvel édifice était un hommage rendu à sa valeur, sous forme de béton et d'acier; rien ne le rendait plus heureux que de tenir des bleus d'architecte entre ses mains et de discuter avec les ouvriers sur l'un de ses chantiers.

(Un célèbre promoteur immobilier de New York, assis un jour à côté de Junior lors d'un banquet, fut étonné de voir Rockefeller se pencher tout à coup vers lui, et lui murmurer : « Vous savez, je vous envie. Oui, je vous envie. Vous, au moins, vous laisserez quelque chose derrière vous : les grands édifices que vous avez bâtis. » Lorsqu'il se remaria après la mort d'Abby, il se déclara « promoteur immobilier » sur les fiches d'état civil nécessaires aux épousailles.)

Pour faire avaliser le grand projet d'une cité au sein de la cité, on l'assortit de plusieurs tentatives plus ou moins réussies visant à accompagner cette opération financière d'autres entreprises revêtant une apparence d'utilité publique. (*Fortune* appela cette opération la « philanthropie à 6 % ».) La moins heureuse de toutes fut la tentative de mise en valeur du vieux domaine de Forest Hill, à Cleveland. Un incendie avait détruit la demeure en 1917, mais les Rockefeller n'avaient pas pris la peine de la reconstruire. En 1928, Junior obtint de son père l'autorisation de transformer Forest Hill en une belle zone résidentielle pour jeunes cadres d'avenir de Cleveland. Il divisa le terrain en lotissements, à l'exception de parties communes qui seraient réservées à des parcs et à un terrain de golf; et il décida de faire construire un millier de pavillons, dans une fourchette de prix comprise entre 25 000 et 40 000 dollars, genre fermettes normandes, dans un paysage soigné, avec tout l'équipement moderne : entreprise qui se chiffrait à 75 millions de dollars.

Mais s'il existait à New York toute une couche de cadres supérieurs financièrement à même de s'offrir un habitat dans une telle résidence, il n'en allait pas encore de même à Cleveland. En dépit de ses offres alléchantes de vente à tempérament sans versement initial, Junior ne parvint à vendre que trois cents pavillons : il arrêta la construction; finalement, il fit don du reste du terrain à la ville.

Par la suite, il s'engagea dans la construction de logements modernes destinés aux employés de la Jersey Standard à Bayonne, et dans le Bronx d'autres logements pour ouvriers syndiqués. Les deux affaires échouèrent, le prix des appartements étant trop élevé. Il avait également acheté tout le bloc compris entre la 149e, la 150e Rue, la VIIe et la VIIIe Avenue, dans le but d'y aménager une sorte de HLM pour Noirs. Pour citer Charles O'Heydt, collaborateur de Junior, ces appartements « Paul Laurance Dunbar » furent construits « dans le dessein de montrer ce qu'on peut faire en matière de

157

logement coopératif à l'intention des gens de couleur, et dans le but évident d'encourager d'autres promoteurs à en faire autant ». L'ensemble ouvrit ses portes vers la fin de 1929, mais ce ne fut pas un succès, en dépit de locataires illustres comme W. E. B. Dubois et Bill « Bojangles » Robinson. En 1932, Junior, contraint de modifier son idée première de copropriété, se mit à louer les appartements « Dunbar »; par la suite, il vendit l'immeuble de HLM en totalité.

Le Rockefeller Center, cependant, connut une destinée toute différente. Le philanthrope, chez Junior, y voyait une occasion de faire quelque chose pour la ville; et le promoteur immobilier se rendait compte que l'affaire était promise au succès. Dès le début des négociations, il avait tenu à ce que l'entreprise s'avérât rentable. Sitôt qu'Ivy Lee lui eut parlé des pourparlers entre la Société du Metropolitan Opera et l'Université de Columbia et l'eut lancé sur l'affaire, Junior avait fait modifier les plans afin que tout le terrain inutilisé pour l'édification du nouvel opéra pût servir à des fins commerciales. Il avait consulté plusieurs experts pour chiffrer le montant du rapport si l'on décidait de sous-louer le terrain à des sociétés qui y élèveraient leurs propres bâtiments. Les estimations atteignirent 5,8 millions de dollars, ce qui suffit amplement à expliquer l'enthousiasme initial de Junior.

Lorsque la crise s'aggrava et que la Société de l'Opéra dut renoncer à son projet, Junior décida de le mener seul et sur grande échelle : il ne subsistait plus la moindre ambiguïté, désormais, sur la destination finale de l'affaire. La résolution du conseil d'administration en fait foi : « Dorénavant, la Place deviendra fondamentalement un centre commercial, visant à un maximum de beauté compatible avec un maximum de rentabilité. »

Il s'agissait bien d'un investissement, aucun doute là-dessus; mais, d'une certaine façon, plus subtile et plus complète, c'était aussi pour Junior un monument personnel, un hommage rendu au grand nom de l'histoire des affaires et de la philanthropie. Certains critiques architecturaux comme Lewis Mumford pouvaient bien faire la fine bouche : à mi-chemin de sa réalisation, les journaux l'appelaient déjà la VIIIe Merveille du Monde. En fait, tandis que de la presse influencée par Ivy Lee déferlait un flot intarissable de superlatifs, Debevoise s'inquiétait. En janvier 1933, il écrivit à Ivy Lee : « Dans toute cette publicité sur le Centre, on relève une glorification effrénée de son gigantisme. Si tant est que ce genre de publicité ait jamais été bon, il est maintenant largement usé. Et, à mon avis, il n'est certainement pas souhaitable de poursuivre plus longtemps une propagande basée sur des slogans du genre : le Centre est la plus grande entreprise de son espèce jamais réalisée avec des capitaux privés; l'immeuble de la RCA a la superficie la plus grande du monde; le Music Hall est le plus grand théâtre du monde... — et ainsi de suite jusqu'à la nausée. Si l'on n'y met un point final, la seule conclusion que pourra en tirer le public, c'est que Mr. Rockefeller et consorts ont les plus grosses têtes du monde. »

Pourtant, c'était bien en partie pour séduire l'opinion publique qu'avait été lancée l'entreprise, comme d'ailleurs toutes les autres opérations de la famille

Rockefeller. Ayant remarqué qu'un grand nombre de gens s'arrêtaient chaque jour pour contempler les énormes excavations, Lee et Junior eurent l'idée de créer ce qu'ils appelèrent un « Club des inspecteurs du trottoir » destiné à favoriser la surveillance des chantiers, et ils proposèrent des cartes d'adhérents aux badauds les plus assidus...

L'entreprise ne connut pas de grèves ; le syndicat du bâtiment était heureux de l'aubaine : plusieurs millions d'heures de travail pour ses adhérents. Le jeune Nelson Rockefeller, frais émoulu de Dartmouth et cherchant à se frayer un chemin dans les affaires familiales, eut néanmoins du mal à convaincre son père de changer le nom de la réalisation. Junior, en effet, « ne voulait pas voir le nom de la famille inscrit en grosses lettres sur un building ». La « Cité de la Radio » (tel était son nom sur les bleus d'architecte) devint en fait le Rockefeller Center.

C'est en 1937, peu avant l'achèvement du grand monument, que John D. Rockefeller senior rendit l'âme. Il garda ses esprits jusqu'au bout, mais, vers le milieu de sa neuvième décennie, il s'était déjà rendu compte de l'extrême fragilité du corps : « Je suis comme ta bicyclette quand tu descends une côte en roue libre. Je peux descendre jusqu'à un certain point ; au-delà, rien à faire », dit-il à son petit-fils Laurance. Son but était d'atteindre les cent ans, mais la Nature a des lois auxquelles même un Rockefeller doit se plier. Dans la nuit du dimanche 23 mai, le médecin du père fit appeler Junior, celui-ci accourut bouleversé, réveilla les domestiques qui se pressèrent dans l'office en se demandant ce qui se passait à l'étage. A 4 heures du matin, le vieil homme sombra dans le coma ; une heure plus tard, il était mort.

Le lendemain, Abby écrivit à sa sœur : « On peut dire, je pense, qu'il est mort dans son sommeil. Une fin merveilleuse, vraiment. John et moi avions parfois peur qu'il finît cloué sur un lit de douleur, mais, vois-tu, il avait fait quarante kilomètres en voiture le vendredi avant sa mort, il a passé quatre heures confortablement installé au jardin samedi, et il n'a manqué matines que dimanche. Ç'a été une fin de vie vraiment remarquable. »

Le 25 mai, service funèbre à Pocantico, par le révérend Harry Emerson Fosdick. Deux des fils de Junior, Nelson et Winthrop, se trouvaient en Amérique latine lorsque la nouvelle les atteignit ; ils voyagèrent quarante-huit heures d'affilée afin d'être à la maison pour l'enterrement de leur aïeul. Les descendants de William Rockefeller étaient présents, de même que les familles des plus anciens collaborateurs de John Davison dans le trust, ainsi que quelques vieux amis qu'il s'était faits au cours de ses années de retraite. Après le service, les domestiques de Pocantico défilèrent dans la grande maison, chapeau à la main, pour adresser un dernier regard au maître de Kikjuit. A 6 heures et demie, ce soir-là, Junior et ses cinq garçons montèrent dans les deux wagons privés qui faisaient partie du convoi funèbre ramenant le corps dans sa terre natale. Le 27 mai, John D. Rockefeller était de retour à

Cleveland, là où sa grande aventure avait commencé, trois quarts de siècle plus tôt. Tandis qu'on le descendait en terre, entre sa mère et sa femme, dans la concession qu'il avait achetée des dizaines d'années auparavant, les bureaux et magasins de la Standard Oil et de ses filiales dans tout le pays et le reste du monde observèrent cinq minutes d'arrêt de travail; les ouvriers et employés firent une pause pour honorer cet homme naguère si détesté, à présent admiré comme un bienfaiteur de l'humanité.

Deux ans plus tard, son père mort mais certes pas oublié, John D. Rockefeller junior, coiffé d'un casque et muni de gros gants de maçon, le front plissé par l'attention, enfonçait le dernier rivet du Rockefeller Center. Il avait soixante-trois ans. Sa vie n'était pas terminée, loin de là, mais, en un sens, ce qu'il s'était juré d'accomplir était mené à bien. La voix du peuple, illustrée par Ida Tarbell, Frank Walsh et autres, avait traîné dans la boue la fortune de la dynastie : Junior avait tenté de montrer que cette richesse avait simplement été confiée à sa famille, à charge pour elle de l'investir dans le bien-être de l'humanité. Ils avaient affirmé que le nom de Rockefeller était synonyme de pouvoir et de privilèges exorbitants : Junior avait tenté de prouver qu'il était l'incarnation de la responsabilité et du sens du devoir. L'homme qui s'éloignait à présent de la poutrelle et se débarrassait du pistolet à rivets dans un tonnerre d'applaudissements était devenu le symbole d'une réussite individuelle impensable quarante ans plus tôt, mais il était aussi l'auteur d'un « mythe Rockefeller » dont l'essor était désormais aussi impressionnant que le gigantesque assemblage de poutrelles qui le surplombait. Le Rockefeller Center était la clef de voûte de toute une existence, l'*opus magnum* de Junior. Mais sa vraie réussite serait finalement ailleurs : ce serait ses enfants, qui attendaient dans la coulisse.

3. Les frères

« La famille aujourd'hui — tout comme il y a deux
millénaires dans la Rome impériale — est souveraine
dans le gouvernement de la richesse; elle l'amasse,
veille sur elle, la conserve intacte de génération en
génération. Parce qu'elle est (au rebours de cette
invention relativement récente : le trust) une institution
de caractère privé et, par conséquent, susceptible
d'échapper dans le respect apparent des lois aux
enquêtes gouvernementales, la famille se prête admirablement aux alliances déclarées et, en même temps,
peut servir d'instrument aux combinaisons financières
les plus confidentielles. Par définition, la famille est une
institution sacro-sainte et aucune commission gouvernementale ne saurait mettre son nez dans ses affaires
sans heurter une foule de préjugés... Seule la famille
offre un rempart contre les procédures démocratiques,
non pas hors des lois, mais au-dessus des lois. »

Ferdinand Lundberg.

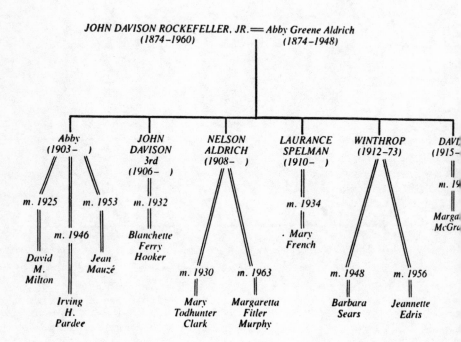

CHAPITRE XI

Dès le début, les choses furent plus faciles pour les enfants de Junior qu'elles ne l'avaient été pour Junior lui-même. Lorsque Mrs. David Gardiner, matrone d'une éminente famille de la société new-yorkaise, interdit à son fils de jouer avec les cinq garçons Rockefeller, son interdiction (assortie de cette remarque : « Aucun de mes enfants ne jouera avec les petits-fils d'un gangster ») fut jugée déplacée, et même ridicule. Les Rockefeller étaient depuis longtemps acceptés dans les cercles les plus fermés de la société américaine. Reçus par les Gens Bien, ils étaient eux-mêmes des gens à connaître. Mrs. Rockefeller junior était l'une des rares dames de la ville à pouvoir se rendre à une soirée chez les William Vanderbilt et assister, le lendemain, à la réunion mondaine de Mrs. Cornelius Vanderbilt, sans devoir pour autant prendre parti dans la guerre acharnée qui sévissait entre les deux clans.

Mais tout en sachant qu'il était indispensable à ses enfants de grandir dans la « bonne » société, Junior comprenait aussi qu'ils ne devaient pas s'identifier trop ostensiblement à la classe dominante. Il voulait que ses fils sachent s'adapter aux conditions changeantes de la société américaine, faculté que ces gens-là n'avaient plus. En outre, il redoutait les effets qu'exercerait probablement sur leur personnalité la fréquentation exclusive des gens « chics ». Les exemples ne manquaient pas d'héritiers de grandes fortunes qui, incapables de trouver leur voie, caricatures de fils à papa sans motivation ni but dans la vie, gaspillaient leur patrimoine à ce que H. L. Mencken[1] appelait les deux principales occupations des opulents : le polo et la polygamie — et ne servaient guère plus, en définitive, qu'à alimenter les potins de la presse à sensation.

Leur monde aurait très bien pu ignorer ce qui se passait derrière les murs des DuPont, des Astor, des Vanderbilt, etc.; mais les journaux du matin s'arrangeaient pour rendre publiques de sombres histoires de divorce et de débauche. Junior, lui, entendait que la vie privée des Rockefeller restât privée. Et il y parvint. On ne savait à l'extérieur que ce qu'il voulait bien révéler : par exemple, que John D. senior, à présent à la retraite et devenu légèrement excentrique, passait d'une splendide demeure à une autre au rythme des saisons, et n'apparaissait en public que pour jouer au golf ou

1. Pamphlétaire et satiriste né en 1880. (*N.d.T.*)

163

pour distribuer une quantité inépuisable de pièces de 10 cents; que lui-même, son fils, consacrait le plus clair de son temps aux plus ambitieuses entreprises philanthropiques qui aient jamais été imaginées; et que la troisième génération comptait six enfants.

Après une première fille appelée Abby (et surnommée « Babs » pour la distinguer de sa mère), née en 1903, vinrent en effet John III en 1906, Nelson en 1908, Laurance en 1911, Winthrop en 1912 et David en 1915. Pendant des années, les journaux n'eurent rien d'autre à se mettre sous la dent que leurs prénoms et leurs dates de naissance; en 1922, on apprit que Nelson s'était blessé accidentellement à la jambe avec une carabine à air comprimé.

Et pourtant, combien de tentatives pour soulever l'élégant rideau que Junior avait tiré autour de sa famille! Il ne se passait guère de semaine que les gardes de Pocantico ne surprennent quelque journaliste ou photographe en train d'essayer de passer par-dessus ou par-dessous les clôtures pour découvrir l'histoire intime de la famille. Aucun n'y parvint jamais, et pas davantage les jeunes femmes qui, chaque mois, tentaient de prendre les grilles d'assaut dans l'espoir de convaincre un Rockefeller de les épouser. Si elles avaient réussi à les franchir, quelle n'eût pas été leur surprise de constater que Junior et ses enfants, s'ils faisaient de fréquents séjours au domaine, n'y vivaient pas en permanence.

Junior avait beaucoup souffert d'être élevé dans une atmosphère trop protégée, presque hermétiquement close; il en était conscient et ne désirait pas retomber dans cette erreur. Ses affaires, cependant, exigeaient sa présence au cœur de New York, et c'est là que vivait sa famille, dans l'énorme maison à neuf étages du 10 de la 54ᵉ Rue. Central Park était à deux pas et les six enfants allaient y jouer tous les jours, incognito, après l'école, en compagnie de gouvernantes françaises, invariablement appelées Mademoiselle, de bonnes d'enfants ou de mentors recrutés au Séminaire d'union théologique.

On retrouvait dans leur éducation nombre des traits qui avaient marqué celle de leur père, mais en aucune façon la fameuse austérité qu'il avait connue quand, enfant à Cleveland, vivant dans le domaine de Forest Hill, il partageait avec ses sœurs une unique bicyclette et portait leurs vieilles nippes. Sans être outrageusement gâtés, ils ne manquaient de rien. Cependant, tout comme leur père, ils devaient gagner leur argent de poche — en chassant les mouches, en cirant les chaussures ou en ratissant les feuilles des allées. Comme Junior, ils tenaient des comptes; on leur avait permis de voir le registre A de leur grand-père et d'en consulter les pages jaunissantes et fragiles, aux inscriptions décolorées, comme s'il s'était agi de quelque précieux incunable. « Je craignais toujours, dira Junior plus tard, de voir l'argent corrompre mes enfants; je voulais qu'ils en connaissent la valeur, qu'ils sachent ne pas le gaspiller ni le dépenser inutilement. » Les enfants dont, à la fin de la semaine, le livre de comptes comportait un oubli étaient pénalisés de 5 cents, tandis que ceux dont les comptes étaient impeccables recevaient un boni de 5 cents. Il n'échappait pas à Junior que John III était le plus souvent récompensé, tandis que Winthrop en était presque toujours de sa poche. Il aimait à penser qu'il y avait là un antidote efficace à leurs grandes espérances financières. Une anecdote concernant ses garçons, bien qu'apocryphe, le mettait en joie : un de leurs amis, qui avait vu leur bateau à voile relativement modeste, leur avait demandé, alors qu'ils passaient devant un splendide yacht mouillé non loin de là : « Comment ça se fait que vous n'en ayez pas un comme ça, les gars? »; il s'était attiré la réponse méprisante de l'un des frères : « Tu nous prends pour des Vanderbilt? »

Le fait de s'appeler Rockefeller ne fit pas d'abord grand effet sur eux. Ils vivaient dans leur propre monde, jouant ensemble au dernier étage de la maison de la 54e Rue. Parfois, on les autorisait à saluer, avant d'aller au lit, les hôtes de marque que leur mère et leur père avaient à dîner, et ils entendaient des bribes de conversation. Mais ils furent bien plus impressionnés, pendant la Grande Guerre, quand leur mère les réquisitionna pour venir en aide au groupe de dames qui, sous sa direction et dans le sous-sol de sa propre maison, confectionnait des pansements pour la Croix-Rouge. Même Winthrop, alors âgé de trois ans, reçut un uniforme blanc et fut autorisé à transporter des pansements de l'endroit où on les emballait à celui où on les mettait en colis pour l'expédition. Ils pensaient que tous les autres enfants en faisaient autant, et que tous aussi avaient un jardin d'où ils pouvaient voir défiler les anciens combattants sur la Ve Avenue — avec de grands vides dans leurs rangs pour marquer la place des camarades tombés au combat.

Ils passaient leurs étés à Seal Harbor, où ils jouaient avec les enfants des Edsel Ford, des Eliot et autres familles éminentes qui avaient obtenu que l'île de Mount Desert fût classée parc national afin de préserver sa brumeuse splendeur et leurs chers refuges retirés. Entourée de luxuriants jardins où les fleurs annuelles étaient remplacées plusieurs fois par an, avec des statues orientales et des pelouses soigneusement tondues, la maison paternelle ressemblait à une énorme auberge; elle était située à quelques mètres de la mer et ils apprirent la navigation en se risquant sur l'Atlantique à bord de leur petit voilier. Pendant ces vacances familiales dans le Maine, chacun des enfants avait sa gouvernante personnelle; de temps à autre, Junior et Abby s'éclipsaient et partaient seuls en promenade jusqu'à Rest House, spacieuse cabane en bois enfoncée dans les bois derrière l'*Eyrie* [1] où ils déjeunaient d'airelles, de pain et de beurre et fêtaient ces moments d'intimité, loin des domestiques, en faisant eux-mêmes leur vaisselle une fois leur pique-nique terminé.

Les enfants aimaient beaucoup Seal Harbor, mais ils raffolaient surtout de Pocantico, domaine de 1 750 hectares, plein de recoins, où ils passaient les week-ends et les petites vacances. La maison où ils séjournaient, Abeynton Lodge, était à portée de voix de Kikjuit, la Grande Maison, que leur père avait fait construire pour Senior. Sise sur une éminence qui commandait le flanc de la colline, avec vue sur les bois et le cours de l'Hudson, l'imposante

1. Construite par le père de Junior. (*N.d.T.*)

demeure géorgienne faisait paraître minuscule le vieil homme ridé qu'ils appelaient cérémonieusement grand-père. Mais ils sentaient que c'était plus un monument qu'une maison que Junior avait élevé en son honneur; la pièce maîtresse du domaine était ornée de jardins en terrasses à la façon du XVIIIe siècle, avec des arbustes ornementaux, d'immenses parterres de fleurs, des orangers venus du domaine du marquis d'Aux du Mans, des mélèzes d'Écosse, des ifs d'Angleterre, des fontaines de pierre qui alimentaient un petit ruisseau encaissé pavé de dalles de couleur, et était entourée d'un terrain de golf à neuf trous.

Junior avait également fait construire une maison de jeux pour Babs — quatre pièces meublées, de la taille d'un petit appartement — afin qu'elle eût un endroit où aller quand les filles du hameau de Pocantico Hills venaient jouer avec elle. Mais, lorsque les gens faisaient allusion à *la* maison de jeux, ils voulaient parler du gymnase à deux étages, avec piscine couverte, terrains de tennis couverts et en plein air, terrain de basket-ball couvert, cours rectangulaires pour jouer au squash, salle de billard et boulingrins, qu'il avait édifié pour ses garçons. C'est là qu'après avoir joué enfants, ils devaient recevoir, devenus adolescents, jusqu'à cinquante amis à la fois pour des soirées animées par des orchestres que Junior faisait venir de New York, tandis qu'Abby s'occupait d'inviter des chaperons. Plus tard, lorsque Nelson devint gouverneur, ces bals perdirent de leur bonne tenue. A la vue des couples ivres qui revenaient du parc en titubant, leurs habits de soirée tout fripés et salis par l'herbe, un gardien très ancien dans la maison eut alors ce commentaire acide : « On n'aurait jamais vu ça du temps de Mr. Junior. »

Pocantico était dix fois plus grand que Monaco, cinq fois plus grand que Central Park. L'entretien de la Grande Maison coûtait à lui seul 50 000 dollars par an; pour la propriété dans son ensemble, il fallait compter 500 000 dollars. Les garçons avaient à leur disposition des chevaux, avec un maître d'équitation pour les accompagner sur les pistes; ils pouvaient aussi emprunter une des nombreuses voitures électriques qui circulaient en silence autour du « parc », 125 hectares de pelouses au cœur du domaine. A cette splendeur organisée s'opposait l'austérité des comptes et des corvées. Voilà, semblait dire leur père, les récompenses que vous êtes en droit d'attendre si vous travaillez avec acharnement et supportez sans faiblir les contraintes attachées au nom de Rockefeller. C'était une façon de leur enseigner — mais en ne le formulant jamais explicitement — qu'ils devaient, sans pour autant s'interdire d'en profiter, maîtriser leur richesse[1].

1. Junior travailla des années à rassembler les terres de Pocantico. En 1922, il acheta pour 825 000 dollars le village d'East View, dans les faubourgs de Tarrytown (avec quarante-six maisons, une épicerie-bazar, une poste, une salle de fêtes). Il versa ensuite 900 000 dollars au New York Central pour obtenir le déplacement des lignes de chemin de fer qui traversaient son domaine. En 1929, il paya 800 000 dollars pour annexer le village de Pocantico Hills. Le 17 juillet 1929, le *New York Times* écrivit : « Pocantico Hills semblait bien destiné à connaître, un jour ou l'autre, le sort du hameau d'East View, et à sombrer dans le domaine tentaculaire des Rockefeller. John D. Rockefeller junior a acheté aujourd'hui deux nouveaux terrains dans la commune de Pocantico Hills. Il ne reste à présent que douze parcelles dans le voisinage à ne pas

Le domaine avait donc, au moins en partie, une valeur pédagogique. Mais les enfants de Junior devaient toujours mieux se rappeler les joies simples que les leçons : les parties de cartes avec Abby et la dégustation de glaces maison par les moites après-midi de juillet; les sorties dans les forêts alentour avec les gardes-chasse, au printemps, à la recherche d'animaux nouveau-nés; la chasse aux nuisibles, qu'ils rapportaient au régisseur de leur grand-père pour toucher la prime de 25 cents. Vers dix ou douze ans, tous les garçons eurent des « coccinelles », voitures légères à quatre places, carrossées en bois peint en rouge et sur lesquelles on avait adapté des moteurs Smith. Ils se rendaient voir des amis « en ville », dans le minuscule hameau de Pocantico Hills. En hiver, un mécanicien de Tarrytown venait poser sur ces véhicules des roues garnies de clous afin de permettre aux enfants de se débrouiller sur les routes verglacées.

Pocantico était le centre spirituel de la vie de la famille; c'était vraiment le royaume des Rockefeller, au même titre que Blenheim était celui des Churchill. Tous les membres de la famille avaient à son endroit des yeux de propriétaires. L'un des jardiniers avait vu, un jour, le jeune David Rockefeller se promener le long des pistes cavalières avec sa fiancée Peggy McGrall, qui pelait une orange tout en flânant et avait laissé tomber les épluchures derrière elle; lorsqu'il s'en aperçut, David revint sur ses pas, ramassa les peaux d'orange, les prit dans sa poche et dit à Peggy : « Ici, on ne jette pas de saletés. »

Mais le plus extraordinaire, dans ce domaine, c'est que le grand-père y vivait. Les enfants de Junior savaient pertinemment qu'ils n'étaient pas ses chouchous, il avait une préférence inexplicable pour Fowler McCormick, fils unique de sa fille Edith — la brebis galeuse. Cependant, il les aimait bien et les voyait bien plus souvent que ses autres petits-enfants. Senior vivait avec sa gouvernante et son valet de chambre dans cette demeure bien trop grande pour lui, et ses petits-enfants étaient toujours frappés de constater à quel point il était différent de leur père. Chacun des garçons se rappelle avoir joué à chat perché avec le vieil homme, étonnamment alerte, et raconte aujourd'hui encore sur lui telle ou telle anecdote favorite. Ainsi, pour Winthrop, celle du jour où il avait accompagné son père en visite à Kikjuit : son grand-père venait d'être malade et était encore au lit; il s'éveilla lorsqu'ils entrèrent dans la chambre, sourit, mais n'ouvrit pas la bouche; puis il demanda à son valet de chambre d'apporter les journaux de l'après-midi, et c'est seulement après avoir examiné les derniers cours de la Bourse qu'il consentit à leur parler.

Les dimanches après-midi étaient de grandes occasions. On exigeait des garçons qu'ils revêtissent leurs vestes noires, avec cols à la Eton et pantalons rayés, pour aller dîner chez leur grand-père. Ils le revoient très nettement

être la propriété des Rockefeller. Il y a trente-cinq ans, Pocantico Hills était un village prospère d'environ 1 500 personnes. Aujourd'hui, il ne compte même plus 100 personnes, soit une dizaine de familles. »

présidant la table, sa perruque blanche légèrement de guingois (la doublure de tissu visible à la raie des cheveux), ses yeux dépourvus de cils passant avec vivacité d'un visage à l'autre tandis qu'il mangeait du bout des lèvres et, de sa voix traînante et ironique, singeait des gens connus de tous les convives. Parfois, Junior semblait mal à l'aise, mais sa vénération pour ce vieil homme au visage parcheminé leur indiquait que celui-ci n'était pas dérangé mentalement. Et si eux-mêmes étaient différents des autres, apprirent-ils dès leur plus jeune âge, ce n'était pas en raison de leur richesse, mais parce que grand-père était leur ancêtre.

Les enfants de Junior étaient nés à l'époque la plus difficile de sa vie, ponctuant les moments des plus graves crises traversées par la famille. Babs était venue au monde l'année de la parution du livre d'Ida Tarbell; Laurance, l'année où la Standard fut déclarée monopole illégal [1]; Winthrop, l'année du massacre de Ludlow; et David, alors que les enquêtes de Walsh étaient en cours. Quand ils étaient tout petits, la famille recevait si régulièrement des lettres de menaces que Junior, craignant pour leur vie, appointa des gardes pour veiller sur eux vingt-quatre heures sur vingt-quatre. (« Père ne nous permettait même pas de nous laisser prendre en photo, se souvient David. Selon lui, une photo de nous dans un journal pouvait donner de mauvaises idées à un criminel. ») Cependant, au début de leur adolescence, les conflits commençant à s'apaiser, leur père put consacrer plus de temps à s'occuper d'eux et les préparer à ce qu'il aimait appeler « les grandes affaires qui nous ont été données en partage ». Dans un discours qu'il fit aux étudiants de Princeton, lors de la cérémonie de fin d'études, il déclara : « Même à l'ère de la machine, il est des choses assez importantes pour réclamer la plus grande attention personnelle : par exemple, le métier de père. » L'éducation des enfants constituait pour lui un devoir, et Junior s'efforçait toujours d'être à la hauteur de tous ses devoirs.

Le rôle de pédagogue lui convenait bien. Il s'arrangeait pour les voir au moins pendant le petit déjeuner (à 7 h 45 précises), pour prier avec eux et examiner leur travail scolaire ainsi que leurs opinions. Il les interrogeait sur leurs comptes et insistait pour qu'ils évitent de commettre un délit de gaspillage en laissant les lumières allumées ou en ne finissant pas ce qu'ils avaient dans leur assiette. Lors de leurs séjours à Pocantico, ils faisaient ensemble de grandes promenades au cours desquelles il leur enseignait le nom et le rythme de croissance des arbres du pays. Les garçons savaient qu'il avait toujours dans sa poche des morceaux de sucre d'érable, mais ne les leur distribuerait en récompense qu'à la fin de la promenade.

Il tenait beaucoup à les voir assister respectueusement au service religieux

1. Et dut en conséquence se démanteler, du moins en apparence. (*N.d.T.*)

du dimanche. Parfois, il les chapitrait sur les responsabilités toutes particulières que leur donnait leur appartenance à la famille Rockefeller. Le mercredi soir était consacré à l'« éducation domestique » : les enfants devaient faire la cuisine, et chacun préparait un plat différent pour le repas du soir. Ceci avait pour but de modérer leurs éventuelles tendances à nourrir une trop haute opinion d'eux-mêmes. Lorsqu'ils partirent dans l'Ouest, en 1924, pour camper à Yellowstone, Junior leur dit d'aider le porteur à décharger les bagages du train, puis ils se rendirent au Pavillon en car, comme tout le monde, tandis qu'Abby et lui montaient dans une voiture particulière avec chauffeur. Après le mariage de Babs, il décida de laisser entrer les badauds qui s'étaient rassemblés devant la maison de la 54e rue et invita ses fils à introduire des groupes de gens au rez-de-chaussée pour leur montrer le gigantesque gâteau de mariage. « Je pense que cette expérience a été très profitable à mes fils, dit-il plus tard à son ami Fosdick. Il faut qu'ils apprennent à n'avoir ni mépris ni crainte pour l'homme de la rue. »

Junior présenta également ses garçons à ses collaborateurs et conseillers de longue date. Ils grandirent en sachant que Mr. Debevoise, Mr. Cutler et les autres membres du Bureau du 26 de Broadway étaient là pour les servir tout autant que leur père. A Yellowstone, c'est le directeur du parc, Horace Albright, qui guida personnellement leurs excursions. Lorsqu'ils firent une croisière sur le Nil, ils furent accompagnés du Dr Charles Breasted, le meilleur égyptologue d'Amérique (dont Junior avait financé les expéditions), qui chaque soir, sur le pont du vapeur, leur passait des diapositives des sites qu'ils allaient voir le lendemain. Même lorsqu'ils étaient à la maison et qu'il leur prenait la fantaisie, un samedi après-midi, d'aller flâner jusqu'au Muséum d'histoire naturelle, le directeur Henry Fairfield Osborn sortait lui-même de son bureau pour leur montrer les nouvelles pièces de ses collections.

Père consciencieux, Junior éprouvait plus de difficulté à se montrer également un père affectueux. Son tempérament le poussait à contenir soigneusement ses sentiments. Longtemps même après l'affaire de Ludlow, il était souvent très tendu et ses enfants étaient accoutumés à le voir s'aliter avec des rhumes ou des migraines épouvantables. Il supportait mal leur exubérance et ne savait pas toujours comment les prendre. Il laissait ce soin à sa femme. Abby, autour de qui tournait toute la véritable intimité de la maisonnée, se rendait compte que leur présence le fatiguait. « Votre père est si merveilleusement attentionné, écrivit-elle un jour à l'un de ses fils, et si prévenant pour tous les gens qui l'approchent que, j'en suis certaine, il doit lui arriver par moments de nous trouver tous un petit peu pénibles. Peut-être y a-t-il trop d'Aldrich en nous, et pas assez de Rockefeller. »

Le sang des Aldrich, qu'Abby avait introduit dans la famille, était vigoureux, tout comme celui des Spelman à la génération précédente. Mais il s'agissait moins chez elle d'un sentiment humanitaire, comme chez Laura Spelman, que d'une spontanéité et d'une exubérance qui faisaient défaut à son mari et à toute la famille de celui-ci. La joie de vivre d'Abby ne devait jamais cesser d'attirer les commentaires, au même titre que sa prédilection pour les chapeaux « flagada »; ces particularités faisaient partie de son héritage familial.

Les grands-parents Aldrich moururent alors que les enfants Rockefeller étaient encore jeunes, laissant peu de souvenirs. Mais il y avait toujours dans les parages d'autres membres de la famille Aldrich — l'oncle Richard, représentant du Rhode Island, l'oncle Winthrop, collaborateur de leur père et directeur de la Banque, les cousins Aldrich avec qui ils jouaient. Ils avaient parfois aussi la compagnie de leur tante Lucy Aldrich, vieille fille sourde à qui il était arrivé des tas d'aventures. Infatigable voyageuse, toujours aux quatre coins du monde, elle avait fait la « une » des journaux en 1923, à l'occasion d'un voyage en Orient : kidnappée et séquestrée pendant plusieurs jours par des bandits chinois, elle avait réussi à préserver non seulement sa chasteté en jouant les harpies, mais aussi ses précieux bijoux, qu'elle avait camouflés dans les bouts de ses souliers.

Ayant remarqué que les prières familiales imposées par son mari avaient tendance à apparaître aux enfants comme une corvée, Abby recopia des versets de la Bible sur des morceaux de carton pour qu'ils les apprennent plus facilement par cœur. Junior, certes, ne se privait pas, quand on l'interviewait, de faire de belles déclarations sur sa philosophie de l'éducation : « Qu'une famille soit riche ou modeste, l'éducation des enfants présente les mêmes problèmes et appelle les mêmes solutions — l'accent mis sur des études sérieuses — et la nécessité de leur inculquer à la fois une morale et de solides principes religieux. » Mais c'est en grande partie l'intercession d'Abby qui fit lever l'interdit sur la pratique dominicale du tennis et des divertissements en général, et qui inaugura le règne d'un libéralisme familial inconnu des deux générations précédentes de Rockefeller.

En fait, une sorte de complot paraissait souvent unir Abby et ses enfants, réticents devant certaines habitudes de Junior : celle, par exemple, de tous les réunir le dimanche après-midi pour des séances musicales impromptues (chacun étudiait un instrument de musique différent) ou de les rassembler le soir pour chanter des cantiques. Un jour qu'Abby n'avait pu assister à l'une de ces séances, le jeune Nelson lui écrivit une note qui exprimait bien leur manque d'enthousiasme : « Ce soir, nous avons chanté des hymnes, mais heureusement Pa a dû se rendre à l'église et nous avons arrêté à huit heures moins le quart. » L'autoritarisme que Junior avait connu dans sa jeunesse baptiste n'arrivait d'ailleurs pas à se perpétuer dans cette atmosphère permissive et, lorsqu'il essaya d'arracher à ses fils la promesse de s'abstenir de cigarettes et d'alcool jusqu'à leur majorité, il dut leur faire miroiter une récompense de 2 500 dollars; même ainsi, seuls Nelson et David réussirent à persévérer assez longtemps pour toucher cette somme.

Junior avait souvent tendance à considérer ses enfants, en particulier les cinq garçons, comme un tout. Dans son esprit, ils représentaient la génération montante des Rockefeller, héritière non seulement de la fortune proprement dite, mais aussi de l'appareil financier et philanthropique complexe qu'il continuait à mettre en place pour l'utiliser. Mais, pour Abby, ils restaient des individualités : elle les voyait grandir avec chacun des problèmes et un tempérament propres, qui les suivraient toute leur vie. Babs semblait déplacée dans cet univers d'hommes et l'on n'attendait guère d'elle d'autre exploit que de faire un bon mariage. John III, dit « Johnny », paraissait un peu écrasé par le nom qu'il portait; son long visage était toujours renfrogné et perplexe; perpétuellement mal à l'aise dans sa frêle carcasse, il avait des gestes saccadés; il ressemblait à son père et Abby le froissait souvent en l'appelant par plaisanterie « Demi John [1] ». Nelson avait, avec la mâchoire carrée de sa mère, l'énergie des Aldrich. Il cherchait passionnément à surpasser ses autres frères et y parvenait généralement. Tom Pyle, qui fut pendant des années garde du corps et factotum au domaine de Pocantico, donnait parfois des conseils aux garçons quand ils s'exerçaient au stand de tir. Il n'y vit Nelson qu'une fois; après avoir tiré pendant un bon moment, celui-ci lui demanda : « Est-ce que je pourrai devenir meilleur que mes frères? » Pyle répondit : « Non, pas encore. Ils sont très forts. Il faudra vous entraîner pour les rattraper. » Le garçon s'en alla et ne revint jamais.

Laurance était frêle et souvent malade, mais, parmi les enfants, il était le seul à montrer quelque sens de l'humour. Il devint le complice de Nelson en toutes choses; son visage en lame de couteau, ses petits rires timides et goguenards n'étaient pas sans rappeler le premier John Davison. Winthrop, petit rondouillard au visage lunaire, était gentil et gauche, il était facile de le faire marcher; ses frères sentaient en lui l'élément faible de la famille et ne cessaient de l'asticoter. David portait encore culottes courtes de velours et chemises brodées alors que les autres étaient déjà grands. Il avait une sorte de sérénité et de confiance en soi qui leur faisait défaut. Bien protégé par sa position de benjamin, il n'éprouvait pas le besoin de lutter pour se mettre en avant. Les domestiques de Pocantico se le rappellent, promeneur solitaire dans le domaine, avec dans les mains un filet à papillon ou un panier tressé rempli de roses cueillies pour sa mère.

Le jeu de leurs alliances variait d'un jour à l'autre. Cependant, le lien solide entre Nelson et Laurance et le pacte de défense mutuelle entre Winthrop et David résistèrent au temps. La situation familiale fourmillait d'ambiguïtés, et les frères luttaient entre eux pour la préséance et le pouvoir. Babs, John III et Laurance, d'un tempérament plus froid que les autres, étaient sans conteste des Rockefeller et prenaient très au sérieux les observations de leur père sur les responsabilités que cela comportait. Nelson, Winthrop et David étaient des Aldrich au physique et au moral, plus audacieux, plus chaleureux, plus entreprenants que les autres, et ils avaient le soutien de leur mère.

Nelson avait beau souvent contrarier son père et s'attirer ses foudres en déclenchant des fous rires par les singeries qu'il faisait à table, Abby sentait bien qu'il s'en sortirait toujours grâce à la vitalité des Aldrich. Pour

---

1. Calembour sur son prénom, identique à celui de son père; « demi-john » désigne aussi une dame-jeanne. (*N.d.T.*)

Winthrop, elle en était moins sûre. Elle savait que Nelson et Laurance le taquinaient et se moquaient de lui jusqu'à lui faire perdre patience et créer ainsi un prétexte pour se liguer contre lui. Lorsque Winthrop tomba malade (de la même maladie rénale qui avait récemment emporté son cousin Winthrop Aldrich junior), Nelson s'amusa à le terrifier en lui promettant un sort similaire : « Deux cousins, le même nom, la même maladie, le premier est mort ; comment te sens-tu aujourd'hui ? »

Abby s'efforçait d'apaiser les conflits. Un jour, elle écrivit à Nelson, pensionnaire à l'école avec ses frères : « Lorsque vous reviendrez à la maison tous les trois, j'espère que vous ne ferez rien pour troubler les sentiments amicaux que David et Winthrop éprouvent actuellement l'un pour l'autre. Cela me paraît cruel que de grands garçons comme vous s'en prennent toujours à Winthrop. C'est vrai qu'il est souvent pénible, mais vous savez très bien que la seule façon de le corriger, c'est d'être gentil avec lui. Les injures ne font que le fâcher ou le mettre dans des rages folles, alors que, si vous le traitiez gentiment et avec affection, il ferait n'importe quoi pour vous. » Ces querelles amenaient Junior, de son côté, à administrer des fessées mémorables, par exemple le jour où Nelson avait attiré Winthrop sur un tape-cul et l'avait fait tomber en sautant à terre brusquement, après quoi Winthrop s'était vengé en frappant son aîné d'un coup de fourche au genou.

Babs, qu'on avait envoyée à la très conservatrice école de filles de Miss Chapin, était la plus rebelle des six. Pendant des années, elle fut en continuel conflit avec son père ; cela s'aggrava encore quand, au sortir de l'université, en 1921, elle devint la première Rockefeller, après trois générations (à l'exception d'Eliza avec sa pipe de cow-boy), à fumer ostensiblement et à prendre un verre à l'occasion. Un jour, elle s'endormit une cigarette à la main et mit le feu à son matelas. Devenue une jeune fille extrêmement séduisante, elle adopta les robes vaporeuses, les chapeaux cloches et l'hédonisme fiévreux caractéristiques de l'ère du jazz, et passa son année de « débutante » en soirées et dîners, rentrant tard et dormant jusqu'à midi pour recommencer la nuit suivante. Elle était courtisée par un jeune avocat nommé David Milton, dont les parents avaient une maison de campagne dans la région. Il avait une Stutz de sport rouge, et tous deux adoraient rouler vite. Ils passaient à grand fracas sur les chemins de Pocantico, s'arrêtaient hors de la vue de leurs parents pour poursuivre leur idylle, sans prêter aucune attention aux ouvriers tout proches. « On aurait dit qu'on n'était rien de plus que des poteaux », dira l'un de ceux-ci. Ils se marièrent en 1922.

John III, l'aîné des garçons, suivit les traces de son père : Browning School, puis Loomis, un pensionnat du Connecticut. C'est là qu'il reçut une lettre de sa mère où, inquiète à la pensée qu'il pourrait hériter des dispositions saturniennes de son père en même temps que de son nom, elle le suppliait de fréquenter les bals. « J'ai reçu ta lettre lundi et elle m'a mis complètement à plat, répondit-il. L'idée d'aller aux bals ne me séduit pas beaucoup pour le moment, je dois dire... On dirait que c'est là ton unique ambition : me faire aller au bal. Certes, j'imagine que j'irai si telle est ta volonté. » Dans le domaine de l'éducation comme ailleurs, John III suivit une voie différente de celle de ses jeunes frères, qui eurent le privilège d'être mêlés à l'une des expériences pédagogiques les plus intéressantes de l'époque.

Lincoln School était la création personnelle d'Abraham Flexner, collaborateur de longue date de la famille ainsi que son frère Simon, directeur de l'Institut Rockefeller pour la recherche médicale. Pendant des années, Flexner avait dirigé dans sa ville natale de Louisville une institution privée qui marchait fort bien; pas d'examens, pas de bulletins, un programme débarrassé des vieux classiques, tout y allait dans le sens du progressisme du XXᵉ siècle. Bon nombre d'élèves de Flexner aboutirent à Harvard, où ils impressionnèrent le président Charles W. Eliot [1]. En 1914, Eliot et Flexner se retrouvèrent tous deux au conseil d'administration du Comité de l'éducation, qui s'inquiétait à ce moment-là de « la lenteur et de l'inefficacité » des universités américaines : ils décidèrent alors de ressusciter certains aspects de l'expérience de Louisville dans un lycée pilote où serait tenté un type d'éducation « adapté aux besoins du monde moderne » (Flexner).

En 1917, le Comité de l'éducation, en collaboration avec le Columbia Teachers College, installa la Lincoln School dans un bâtiment à l'angle de la 123ᵉ Rue et de l'Avenue Amsterdam. Ce fut un modèle de pragmatisme à la Dewey [2]. Le grec et le latin étaient bannis, on n'apprenait plus l'histoire par cœur, et l'on suivait des cours sur la culture moderne, inspirés des nouvelles méthodes des sciences sociales. L'attitude à l'égard des étudiants était plus souple; chacun travaillait selon son rythme, sans aucune des formes traditionnelles de coercition. Pour donner tout son sens à cette expérience pédagogique, et conformément à la philosophie des Rockefeller et d'autres riches mécènes, l'école recruta grâce à un système de bourses une poignée d'étudiants pauvres ou issus des minorités ethniques. Lorsque la Lincoln ouvrit ses portes en 1917, vingt-trois des plus brillants diplômés du Teachers College étaient là pour enseigner aux cent seize étudiants.

Les fils Rockefeller partaient tôt le matin pour l'école. Les premières années, ils s'y rendaient à pied ou sur patins à roulettes et, lorsqu'ils étaient fatigués, prenaient place sur la banquette arrière de la limousine qui, conformément aux instructions de Junior, les suivait à vitesse réduite. (Leur mère allait les reprendre à 3 heures dans une voiture électrique appelée « boîte à chapeaux » à cause de sa forme. Plus tard, ils utilisèrent tous le vieux tacot Ford de Nelson.) « Tout le monde à l'école s'avait que c'étaient des Rockefeller, mais on l'oubliait au bout d'un moment. Ils se fondaient dans l'atmosphère générale de l'école. Nelson, en particulier, était toujours à vous taper dans le dos et à rire avec vous. Il avait un succès fou, briguant et obtenant toujours les postes de chef de classe. Toutes les filles le trouvaient

---

1. Charles W. Eliot (1834-1926), président de l'Université. (*N.d.T.*)
2. John Dewey (1859-1952), philosophe américain qui prônait une pédagogie fondée sur le pragmatisme. (*N.d.T.*)

formidablement beau et avaient le béguin pour lui », se rappelle Mrs. Linda Storrow, une de ses camarades de classe.

Outre l'argent nécessaire à la mise en place de l'expérience, les Rockefeller apportèrent beaucoup à l'école. L'amiral Byrd, par exemple, dont Junior avait aidé à financer l'expédition polaire, fut une des nombreuses personnalités qui vinrent y prendre la parole sur leur invitation. L'école apporta également beaucoup aux Rockefeller. Pas tellement du point de vue scolaire car, si David et Laurance réussissaient très bien, Nelson, lui, faillit ne pas obtenir son diplôme, nécessaire pour entrer à l'université, et quant à Winthrop, ce fut un désastre : il fallut le retirer de l'école et l'envoyer à Loomis. Mais c'est surtout d'un autre point de vue que l'Ecole Lincoln joua un rôle important dans les années d'apprentissage des quatre frères : elle leur apprit à se mêler aux autres sans être paralysés par la conscience de la distance infranchissable qui les en séparait. A propos de cette simplicité que l'Ecole Lincoln et d'autres expériences « normalisantes » étaient destinées à leur inculquer, Nelson apporta plus tard un témoignage peut-être exagéré : « Je n'ai de ma vie ressenti à ce moment-là le moindre malaise ni la moindre gêne vis-à-vis du nom ou de l'argent de ma famille. Il m'est même arrivé, quoique rarement, d'éprouver un peu d'embarras au cours de certaines soirées, quand je ne connaissais pas les garçons qui étaient là et qui sortaient des meilleures écoles préparatoires : je n'arrivais pas à m'intégrer à leur groupe. »

En 1929, la presse fut autorisée pour la première fois à rencontrer l'un des fils de Mr. Junior : l'aîné des garçons, John D. III, frais émoulu de l'université et prêt à respecter la tradition familiale en allant travailler pour son père. Grand, mince, légèrement dégingandé, il rougissait facilement ; l'air franc du collier, la mâchoire carrée, il avait le visage typique du héros américain, tel que Charles Lindbergh et Gary Cooper allaient bientôt le populariser. Après l'avoir observé lors de sa première conférence de presse, le reporter de la revue *Outlook* écrivit : « C'est l'occasion ou jamais, pour la ploutocratie américaine, d'avoir son prince de Galles. Le jeune Rockefeller n'est pas simplement un enfant de riche ; c'est le symbole vivant de l'immense fortune dont jouit encore la troisième génération de sa famille, le rejeton d'une fière dynastie dont il devra assurer le règne avec sagesse afin d'en transmettre l'héritage intact. (...) De l'argent, il en aura plus qu'on ne saurait imaginer. Mais des plaisirs? C'est une autre affaire. »

C'était bien là le problème. « Mr. John », comme on l'appelait au Bureau paternel, avait consenti à fréquenter les bals pour faire plaisir à sa mère, mais il n'y avait jamais trouvé grand agrément. A Princeton, la « promotion 39 » l'avait élu « éminemment apte à réussir » (véritable canular [1]) ; mais il ne

---

1. Ce sont les étudiants eux-mêmes qui décernent ce « label ». Dans le cas de John, qui n'était pas brillant mais dont l'avenir n'inspirait pas d'inquiétude, l'humour était évident. (*N.d.T.*)

s'était jamais vraiment senti à l'aise dans cette école que Scott Fitzgerald, « Bunny » Wilson et leurs amis avaient transformée en académie de jazz. En dépit de la richesse et des relations de sa famille, il s'y était senti provincial, et handicapé par son nom comme un autre aurait pu l'être par des mains trop grandes. Ses amis adoraient raconter l'anecdote suivante : un jour, il avait essayé de payer par chèque dans un magasin, non loin du campus; après un coup d'œil à la signature, le propriétaire avait poussé un soupir de dégoût et épinglé le chèque sur le mur au-dessus de sa caisse à côté de faux signés « J. P. Morgan », « Abe Lincolns », etc., rendant John III tout rouge d'embarras. Mais ce genre d'incidents était exceptionnel; en général, il avait plutôt à se défendre contre un excès de curiosité concernant les Rockefeller. Il avait le même nom et le même tempérament que son père et, comme Junior dans sa jeunesse, il souffrait d'un manque de confiance en lui-même : toute sa vie, il fut à la recherche de lieux où s'affirmer tout en assumant le rôle officiel qui lui revenait en tant que premier héritier mâle de sa génération.

A Princeton, il se fit quelque temps démarcheur en publicité pour le journal de l'école. Il tenta également de devenir, comme son père à Brown, responsable de l'équipe de foot, mais n'y parvint pas. JDR 3 (il avait lui-même forgé ce sigle) passait son temps libre à donner des cours à des enfants d'immigrés ou à faire du travail bénévole pour l'YMCA; c'était sa façon d'apporter sa « contribution ». Il n'échappait à personne que prendre une décision, même la plus anodine, était pour lui une véritable torture. En outre, sa naïveté faisait presque peine à voir. Quelques années après sa sortie de l'université, il épousa Blanchette Ferry Hooker (fille de l'héritière de la fortune des marchands de semences Ferry et du fondateur de la Hooker Electro-chemical). Lorsque le jeune Rockefeller et sa ravissante épouse descendirent du bateau après leur voyage de noces aux Bermudes, les journalistes lui demandèrent quel avait été le moment le plus merveilleux du voyage; il répondit en rougissant : « Eh bien, la partie lune de miel... »

A la fin de sa troisième année d'université, JDR 3 passa ses vacances à travailler comme intérimaire au centre d'information de la Société des Nations. L'année suivante, diplôme en poche, il se rendit comme représentant de son père à une conférence de l'Institut pour les relations pacifiques entre les peuples qui avait lieu à Kyoto, au Japon (il devait toute sa vie s'intéresser à l'Orient), puis, de là, poursuivit son tour du monde. De retour aux États-Unis, il entra aussitôt au Bureau paternel et chercha un champ d'action où il pourrait mettre en valeur ses deux points forts : un sens moral rigide et une capacité de concentration opiniâtre. Il se lança dans une étude sur la délinquance juvénile à New York et passa de longues heures à discuter avec des jeunes et avec les autorités judiciaires. Il aurait pu se risquer dans d'autres domaines qui l'intéressaient particulièrement, mais son père avait déjà des projets relativement à son avenir.

Il y avait une différence fondamentale entre Junior et ses fils. Junior avait grandi obnubilé par cette idée fixe : seconder son propre père. Il avait assez bien réussi pour que ses fils n'eussent pas à entreprendre semblable croisade. Mais les affaires de la famille s'étaient considérablement étendues au cours des trente dernières années. Bien qu'il n'eût pas conçu de plan d'ensemble pour les associer à ses affaires, Junior s'attendait bien à voir ses héritiers s'engager à ses côtés. Il décida que son fils aîné, si accommodant, avait tout à fait le tempérament voulu pour s'occuper des affaires philanthropiques de la famille. En 1931, JDR 3 devint membre du conseil d'administration de la Fondation, du Comité de l'éducation, de l'Institut Rockefeller, du Conseil médical pour la Chine, etc. : trente-trois conseils ou comités différents au total.

Quarante-trois ans plus tard, assis au-dessous d'un portrait du premier John Davison par Charles Eastman et accroché dans son bureau lambrissé de chêne, au 56e étage de l'immeuble RCA du Rockefeller Center, JDR 3 devait évoquer ses débuts avec une ironie révélatrice d'une amertume inavouée, mais tenace : « Ses fils suivraient la même voie que lui, telle était l'idée de mon père. Mes frères et moi ferions ce qui lui était utile. Je pris part à un nombre considérable de ses activités. Je fus catapulté, tout jeune, dans un grand nombre d'institutions parfaitement rodées, où je travaillai parmi des gens plus âgés et plus compétents que moi. C'était passionnant et extrêmement instructif, mais tout m'était mâché d'avance, je ne pouvais même pas me permettre la plus petite erreur. Président d'un comité d'embauche par-ci, d'un comité financier par-là, j'étais toujours et partout avec mon père, dans les comités et les conseils, que ce soit à la Fondation Rockefeller ou au Tennis Club de Seal Harbor. Car je présidais pour lui le Comité de tennis de Seal Harbor où j'avais pour mission de trouver chaque année le professionnel qu'il nous fallait : cela décrit bien quel était l'éventail de mes possibilités ! »

Les leçons de l'expérience de JDR 3 ne furent pas perdues pour ses jeunes frères. Ils voyaient s'ouvrir devant eux le même destin — vie découpée en petites tâches et corvées, subordination de leurs ambitions aux exigences de leur rôle institutionnel. Mais l'idée d'une révolte, tout au moins chez JDR 3, était totalement exclue. Quand on est le prince de Galles, il est tout simplement impossible de refuser l'étiquette ou de chercher une carrière en harmonie avec ses goûts. On ne peut qu'attendre de monter sur le trône.

Aux yeux de la plupart des gens, le grand drame de la troisième génération semblait être de savoir comment JDR 3 utiliserait le pouvoir que son père lui avait confié, comment il ferait progresser les affaires de la famille. Mais ses proches se rendaient bien compte que le fils aîné, incapable d'incarner à lui seul la destinée de la famille, ne pourrait conserver son droit héréditaire au rôle dirigeant. En fait, le drame de la troisième génération allait être l'abandon du principe de primogéniture et la relégation de JDR 3 à une position secondaire dans sa génération.

Il n'y avait pas de lutte ouverte pour le pouvoir : l'ordre de naissance et le caprice du code génétique avaient décidé de tout. Voici ce que dit Howard Knowles, qui fut au service de la famille pendant de longues années : « John était distant et réservé. On avait toujours l'impression qu'il préférait rester en retrait. Il était très timide et vous croisait sans vous dire un mot, s'il le pouvait. Nelson, lui, vous donnait une claque dans le dos en entrant dans la pièce et vous demandait comment ça allait. Quelle différence! Il écrasait John, sans même le vouloir, par la seule force de sa personnalité. Je me rappelle un jour où tous les garçons — déjà des jeunes gens — posaient ensemble pour une photo. Comme par hasard, Nelson siégeait au milieu, concentrait toute l'attention, plaisantait et faisait rire tout le monde. John se tenait à une extrémité, l'air calme et sérieux. Les photographes étaient prêts à commencer quand Nelson, tout à coup, prit conscience de la situation. Il marcha vers John, lui passa le bras autour des épaules et lui dit : " Allez, viens, Johnny, c'est toi l'aîné, tu dois être au centre. " John obtempéra, mais cela ne changea rien : où qu'il s'assît, Nelson était toujours le point de mire. »

Jeune garçon, Nelson semblait déjà doué d'une énergie sans limites. Cela ravissait sa mère mais son père ne l'admettait pas sans difficultés. S'il admirait en secret l'entrain de son fils, avec une pointe d'envie pour la considération que cela lui valait auprès d'Abby, Junior avait toujours tendance à le réfréner et à le plier plus étroitement à sa propre conception, plus rigoureuse, de la responsabilité. Opposition profonde, pratiquement insoluble, qui affectait presque tous les aspects de leur vie. Voici un exemple de conflit particulièrement révélateur entre le père et le fils. Nelson était gaucher, et son père voyait là une mauvaise habitude à changer. Pendant le repas, il passait une bande de caoutchouc autour de la main de son fils et y attachait une ficelle à laquelle il donnait une secousse chaque fois que Nelson oubliait de se servir de sa main droite pour s'emparer d'un objet. Certains voyaient dans ce dressage un symbole des rapports de Junior avec tous ses fils; mais la vraie leçon de l'histoire, c'est que dans la lutte sourde qui l'opposa pendant des années à Junior, son deuxième fils ne céda pas.

Dès le début, Nelson se sentit appelé à une destinée hors pair. Il avait reçu le prénom de son grand-père maternel, Nelson Aldrich, dont il ne gardait pas le moindre souvenir (sauf par les récits de sa mère sur les exploits politiques du sénateur). Mais Nelson voyait un présage plus important encore dans le fait d'être né le jour anniversaire de John D. Rockefeller senior (précisément l'année où le vieil homme, paraissant à la barre des témoins au cours du procès en dissolution du trust, avait eu ces mots merveilleux : si le Standard Trust a pu voir le jour, c'est grâce à « l'absorption charitable » de ses concurrents). Nelson fut toujours conscient de cette double tradition. Plus tard, il dira : « L'exemple de mes grands-pères fut pour moi un prodigieux stimulant... Grand-père Rockefeller savait mener les hommes. Grand-père Aldrich, tout à fait différent, savait les manier. » A l'opposé de John III, Nelson n'essaya pas de pénétrer les arcanes de la tradition dont il était issu; il se contenta de l'adopter, joyeusement, sans affres.

A l'origine, Nelson espérait suivre JDR 3 à Princeton, mais son travail était si médiocre que, pendant un temps, on crut impossible de l'envoyer dans aucune des « bonnes » écoles. Il fallut avoir recours à des leçons particulières, ce qui n'altéra en rien sa confiance en lui. Un jour, il avoua à un ami : « Tu sais, mon QI n'est pas très élevé. » L'ami lui demanda ce qui motivait cette opinion, et Nelson répondit avec le sourire : « Eh bien, j'ai passé un test, et j'ai vu le résultat. » Il donna un coup de collier pendant son année terminale à l'Ecole Lincoln et parvint à entrer à Dartmouth, où il travailla suffisamment pour triompher d'une dyslexie tenace qui avait échappé à tout diagnostic (il bouleversait l'ordre des mots et des phrases en lisant); il devint même membre du Phi-Beta-Kappa. Les faits l'intéressaient plus que les idées; il cherchait toujours à mettre les concepts à l'épreuve de la pratique, comme pour s'assurer de leur valeur marchande avant de les admettre.

L'image de lui que retinrent ses camarades était celle d'un étudiant vêtu de chandails informes et de pantalons en velours côtelé, les cheveux frisés, avec un éternel sourire qui lui rétrécissait les yeux et faisait grimacer le bas de son visage carré. Sensiblement moins grand que JDR 3, il était bâti en force; la première année, il sortit de la traditionnelle bagarre annuelle entre étudiants de première et de deuxième année avec un œil au beurre noir. Même s'il ne s'était pas appelé Rockefeller, le surnom de « Rocky » lui aurait parfaitement convenu. Certains de ses camarades, à Dartmouth, se méfiaient de lui et disaient percevoir, derrière sa familiarité, ce que le Dr Johnson avait appelé la naturelle arrogance de la richesse. Mais la plupart d'entre eux étaient attirés par ses manières insouciantes et son beau visage aux traits déjà marqués; il fut élu vice-président des troisième année, mais échoua par deux fois dans ses campagnes pour accéder à la présidence.

Nelson était un être paradoxal. De tous les frères, c'était le plus porté à suivre ses impulsions et ses désirs, et le plus libre du sentiment de culpabilité qui semblait, chez les Rockefeller, aller de pair avec la richesse. Mais cela ne le conduisit nullement à briser les amarres. Au contraire, il était toujours prompt à défendre sa famille. Quand vint le moment, en quatrième année, de choisir un sujet de thèse d'économie, il décida de justifier la création de la Standard Oil par son grand-père. Le vieil homme trouva le projet amusant, mais refusa de se laisser interviewer par Nelson ès qualités. Tout cela était pour lui de l'histoire ancienne; d'ailleurs, il n'avait jamais vraiment approuvé les efforts de Junior pour transformer en entreprise héroïque ce qui n'avait été, après tout, qu'une affaire commerciale. Mais cet intérêt de Nelson fit plaisir à Junior : il y trouva une justification de ses propres tentatives pour encourager la fidélité à l'égard de la famille. Il proposa son concours à Nelson et lui communiqua le manuscrit inédit que le journaliste W. O. Inglis avait été chargé par Ivy Lee de concocter après une série de conversations avec Senior. Autant les critiques énoncées par Tarbell et autres gratte-papier à gages avaient laissé Nelson indifférent, autant il dévora avidement le manuscrit d'Inglis; sa lecture achevée, il écrivit à ses parents : « Jamais rien ne m'a intéressé davantage... Pour la première fois, j'ai eu l'impression de vraiment connaître un peu grand-père — j'ai entrevu la puissance et la grandeur de sa vie. »

Curieuse période de la succession des Rockefeller. Cette même idée de puissance, qui avait été un fardeau pour Junior, aiguisait l'appétit de Nelson. Il n'était pas question pour lui de chercher à l'occulter, mais de s'en montrer digne. Au fil des ans, la coïncidence des deux anniversaires (le sien et celui de son grand-père) revêtit à ses yeux une signification de plus en plus profonde. « Cela semble drôle de penser que c'est aujourd'hui le 90ᵉ anniversaire de grand-père et mon 21ᵉ anniversaire, écrivit-il à ses parents au cours de sa quatrième année à Dartmouth. Ce 90 fait paraître mon 21 minuscule et insignifiant, tout comme un jeune arbuste au pied d'un sapin majestueux. Mais l'arbuste a encore le temps de grandir et de se développer et pourrait devenir un jour un arbre assez considérable : qui sait ? »

Belle formule; mais Nelson (et ses parents le savaient fort bien) n'était pas prêt à se contenter d'une croissance lente ou incertaine. Voyant son frère aîné végéter dans le Bureau paternel où il faisait seulement figure d'employé privilégié, Nelson commença à se poser des questions sur son avenir dans la maison. Plus la fin de ses études approchait, plus la question de savoir quelle serait sa place exacte dans les affaires familiales le tracassait. Il dévoila indirectement sa pensée dans une lettre à ses parents : « Vous savez, gravir tranquillement les échelons dans une affaire qu'un autre homme a créée, mettre ses pas dans les pas d'un autre, opérer quelques petits changements de détail par-ci, par-là; puis, finalement, disons à soixante ans, atteindre le sommet pour diriger vraiment pendant quelques années — franchement, ce n'est pas là l'idée que je me fais d'une vie bien remplie. »

Mais cette résolution fut temporairement reléguée par une autre. Entre sa troisième et sa quatrième année, Nelson et son frère Laurance avaient pris part à l'expédition de Sir Wilfred Grenfell dans l'Antarctique. Pendant le voyage de retour, à ses préoccupations pour son avenir se mêlaient des pensées pour Mary Todhunter Clark, jeune fille qu'il avait naguère rencontrée à Seal Harbor et n'avait cessé de revoir. A Dartmouth, au cours des trois premières années, « Tod » n'avait guère été pour lui qu'une petite amie parmi bien d'autres. Mais, la fin des études approchant, il se décida à devenir « sérieux ». Il écrivit à sa mère : « Tu sais, je commence à croire que je suis réellement amoureux de Tod, du moins j'en ai le sentiment. Parmi les filles que je connais, elle est la seule qui parvient presque à soutenir la comparaison avec toi... » Son père eut beau l'adjurer de ne pas s'emballer, il se fiança dès le début de l'automne.

Cette décision déchaîna le courroux de Junior; il y vit une nouvelle manifestation de l'impétuosité de son fils. Mais il aimait bien la jeune fille, et Abby également. Grande, brune, le visage allongé et aristocratique, Mary Clark avait grandi à Philadelphie dans un domaine octroyé à ses ancêtres par le roi George III. Après avoir fréquenté la célèbre Ecole Foxcroft, en Virginie, elle était allée passer un an à Paris pour se « peaufiner ». Intelligente, douée d'un sens de l'humour assez développé, elle semblait aussi à l'aise en tenue de cheval qu'en robe du soir. Elle avait des manières impeccables et un sens de la dignité tout à fait impressionnant, qui prit avec le temps une tournure quasi royale : elle devait supporter avec un remarquable stoïcisme les scandales extraconjugaux de son époux et sa décision de demander le divorce.

Abby finit par calmer Junior et par lui faire accepter les fiançailles. Cette union n'était d'ailleurs pas sans rappeler leur propre mariage, puisqu'elle apportait à la famille des contacts sociaux du meilleur aloi. (Le grand-père maternel de Tod, George B. Roberts, avait été président des Chemins de fer de Pennsylvanie ; son cousin, Joseph Clark, démocrate libéral, allait devenir sénateur de Pennsylvanie.) Au cours de l'hiver 1929, Junior envoya les deux jeunes gens rendre visite à Senior, dans sa maison d'hiver de Floride, et le vieil homme, pour montrer qu'il approuvait le choix de son petit-fils, fit avec Tod une partie de golf rituelle. Quand Nelson, à présent diplômé, épousa Tod (ce fut un élégant mariage célébré à Philadelphie), Junior fit savoir à Senior qu'une somme de 20 000 dollars (la même qu'il avait donnée à Babs) serait un cadeau de noces suffisant : « Je suis convaincu qu'ils mettront la somme de côté et feront quelque placement sûr, qui sera le premier germe de leur fortune future », écrivit-il. Lui-même, pour sa part, leur offrit un voyage autour du monde.

Ce fut le genre de voyage que seuls un ambassadeur extraordinaire des États-Unis ou un Rockefeller pouvaient s'offrir. Si les ports d'escale étaient exotiques — Honolulu, Tokyo, Séoul, Pékin, Java, Sumatra et Bali, entre autres —, ce n'était pas pour autant un voyage au cœur des ténèbres, loin de là : la Standard Oil répandait sa lumière civilisatrice dans ces régions du globe depuis un demi-siècle et, à chaque étape, les jeunes mariés étaient accueillis par un représentant de la Société, qui organisait pour eux des promenades à dos d'éléphant dans la jungle et autres divertissements exotiques, et les conviait à des dîners d'apparat en compagnie de princes, de rois ou de dignitaires locaux. Junior avait obtenu du Premier ministre Ramsay MacDonald des lettres d'introduction grâce auxquelles Nelson et Tod purent pénétrer dans des zones de l'Empire britannique où la Standard Oil n'avait pas pris pied. A Delhi, ils rencontrèrent le poète Tagore et se rendirent chez Gandhi : c'était pour lui jour de silence, mais il leur fit remettre une note disant qu'il les accueillerait volontiers le lendemain matin.

De retour à New York après environ neuf mois d'absence, ils emménagèrent dans un appartement de la V\ Avenue ; Junior espérait que Nelson serait prêt à se fixer et à se consacrer aux tâches familiales, à l'instar de son frère aîné. Mais les gens que Nelson avait rencontrés, les spectacles qu'il avait vus n'avaient fait qu'enflammer davantage son ambition d'entreprendre lui-même, et seul, une grande tâche.

Au cours de l'été 1931, lorsqu'il alla enfin travailler au 26 de Broadway, il y vit ses pires craintes confirmées. Tout y marchait au rythme de la baguette paternelle et obéissait à des rites, institutionnalisés tout au long des quarante dernières années. Où qu'il se tournât, Nelson se heurtait au bloc formé par Cutler, Debevoise et les autres conseillers de son père.

En 1932 naquit Rodman Clark Rockefeller, le premier fils de Nelson. La quatrième génération posa pour une photo historique. (Babs avait déjà deux filles, « Mitzie » et Marilyn, mais la naissance d'héritières ne justifiait pas une photo dynastique.) Sa fierté d'être le père du premier héritier mâle de la nouvelle génération n'empêcha pas Nelson de renâcler devant les méthodes du 26 de Broadway. Il finit par quitter l'orbite paternelle. Bravant le souhait, clairement exprimé par Junior, de le voir concentrer son énergie sur des entreprises qu'ils estimeraient tous deux importantes, Nelson accepta l'invitation qu'on lui avait faite d'entrer au conseil d'administration du Metropolitan Museum of Art. (Il s'occupait déjà activement du Musée d'art moderne.) « Ce qui à mes yeux justifie le temps que je passe à ce travail, écrivit-il à son père, c'est le sentiment que l'aspect esthétique est presque aussi important, dans la vie des hommes, que le développement spirituel ou le bien-être physique. J'ajoute que les contacts offerts par une situation de ce genre ne sont pas négligeables. »

Nelson n'abandonna jamais vraiment son bureau au 26 de Broadway. Simplement, d'autres projets l'attiraient également. En 1932, il forma avec deux amis une étrange Société, la Turck et Cie, qui s'occupait à la fois de courtage et de location de bureaux. Nelson s'y révéla très retors et montra une promptitude à utiliser les relations familiales qui déplut à Junior. (Voici comment cela fonctionnait : si Turck et Cie découvrait, par exemple, une cimenterie désireuse d'accroître son volume d'affaires, elle lui proposait un prêt de la Chase Bank et un contrat pour une partie des travaux du Rockefeller Center ; en retour, la cimenterie acceptait de prendre en location des bureaux dans le Rockefeller Center, et la Turck et Cie recevait une commission pour son entremise.) Bientôt, Nelson désintéressa ses partenaires, changea le nom de la Société, qui devint la Special Work Inc., et limita les opérations à la location de bureaux dans le complexe du Rockefeller Center.

Mais, à la fin, force lui fut d'admettre que seules les institutions appartenant à sa famille étaient capables de lui donner le genre de puissance auquel il aspirait. Le tournant eut lieu vers la fin de 1933, à son retour de Mexico où il était allé acheter des tableaux pour le Musée d'art moderne. Il écrivit à son père une lettre où il admettait que ses « idées et théories avaient jusqu'à présent été plutôt fluctuantes » et affirmait qu'il « venait d'entrer dans une nouvelle phase ». Il se montrait disposé à patienter pour atteindre ses objectifs :

> « La Special Work m'a donné la possibilité d'agir sur une échelle réduite — mes fautes étaient sans grande conséquence, puisque la responsabilité m'en incombait entièrement. Ce travail a été pour moi, incontestablement, d'une valeur inestimable : me voici plein de confiance, alors qu'auparavant je tâtonnais avec crainte dans les ténèbres. J'ai cependant fini par acquérir une vision mieux proportionnée des choses, et je me rends compte à présent que les activités de la Special Work n'ont qu'une importance relative. En outre, je

181

commence à percevoir plus clairement l'importance, et même la signification internationale de certaines des choses qui se font ici, dans ce bureau. Ce qui m'a particulièrement aidé à prendre une vue d'ensemble de ces problèmes, c'est l'étude que j'ai faite des activités du Bureau. Avant de prendre le temps de réfléchir, je n'avais pas saisi la signification de ce qui se déroulait ici...

Cette lettre vise à te dire que... j'espère pouvoir t'apporter désormais un concours plus efficace. Le temps que j'ai passé loin du Bureau n'a pas été gaspillé, à mon avis, car j'ai beaucoup plus d'expérience maintenant qu'il y a deux ans, et devrais donc pouvoir me rendre plus utile. Dans l'immédiat, j'ai l'intention de me familiariser avec tous les aspects de tes affaires immobilières, et de mettre à profit toutes les occasions pour connaître à fond tes intérêts pétroliers, miniers et bancaires. Bien entendu, s'il y a des problèmes particuliers où je puisse t'être utile, je serai trop heureux de faire ce qui est en mon pouvoir.

En résumé, je voudrais simplement que tu saches par cette lettre que je suis de retour au bercail, de mon plein gré, et que dorénavant mon seul désir est de t'être aussi utile que me le permettra mon expérience limitée... »

Dans ce rapprochement avec son père, il entrait certes une part d'égoïsme : Nelson avait senti qu'en contribuant à étendre l'influence de sa famille, il rehausserait du même coup sa propre importance. Mais le retour de l'enfant prodigue avait aussi des motivations plus profondes. Bien que totalement différent de son père, Nelson se rendait compte comme lui que les Rockefeller étaient sur le point de disposer d'une puissance que nul autre groupe n'avait jamais exercée dans la vie américaine. Comme Junior, il pensait que les Rockefeller étaient appelés à un destin hors du commun et qu'il avait le devoir de le servir.

De retour au bercail, dans le bureau familial du Rockefeller Center, Nelson interrogea les collaborateurs de son père sur la façon dont la troisième génération allait à leur avis devoir se comporter. Si la plupart des conseils qu'il reçut s'avérèrent anodins, une note de l'avocat Thomas Debevoise, relative aux dons charitables que devraient faire les frères, portait le débat au niveau philosophique :

« Depuis des années, on s'accorde à reconnaître que les dons charitables des Rockefeller ne sont consentis qu'après un examen minutieux et mûre réflexion. Aussi la présence de leur nom sur une liste de souscripteurs suffit-elle à rassurer le public... Il est bien sûr infiniment désirable que Mr. Rockefeller senior et Mr. Rockefeller junior poursuivent cette politique. Faut-il que la famille de Mr. Rockefeller junior la continue à son tour? Certes, en un sens, les cinq garçons n'ont pas besoin de se montrer aussi circonspects que leur père.

Aucun d'entre eux ne sera soumis à ces pressions extérieures qui ont causé à leur père tant d'ennuis, aucun d'entre eux ne supportera seul, comme lui, le fardeau d'une fortune colossale et de responsabilités pratiquement illimitées. Mais le nom transmis par leur père, ils seront cinq à l'utiliser au lieu d'un seul; et à moins qu'ils n'adoptent tous les cinq une politique commune, semblable dans ses grandes lignes à celle de leur père, le nom qu'ils transmettront à leurs propres enfants n'aura plus rien de commun avec ce qu'il est aujourd'hui. Construit par un seul homme à chacune des deux premières générations, le nom des Rockefeller peut aisément être détruit par cinq en une seule. Il sera cinq fois plus difficile pour les héritiers de protéger leur nom, à moins que les cinq ne suivent la même politique d'ensemble. »

Le conseil de Debevoise exprimait bien la sagesse conservatrice qu'on pouvait attendre d'un homme devenu pour ainsi dire le notaire de la famille. Mais sa logique était sans faille. L'hostilité qui avait naguère assiégé la fortune des Rockefeller avait diminué? Soit. Mais cette fortune aussi : en partie du fait des nouvelles dispositions fiscales, en partie à cause des sommes énormes investies dans les entreprises philanthropiques et dans les biens de la dynastie elle-même (le Bureau et les domaines). Mais, surtout, la fortune se trouvait diminuée parce qu'au lieu d'un héritier unique, la génération actuelle comportait cinq héritiers mâles. Le nom en revanche avait grandi, en raison inverse de cette diminution. C'était là un capital à préserver et à mettre en valeur [1].

Une étrange coopération s'établit entre Junior et celui de ses fils qui lui ressemblait le moins. Nelson devint le représentant de son père pour la troisième génération, surveillant avec anxiété les progrès de ses frères et les encourageant. De retour au Bureau paternel, il veilla sur ce que faisaient les autres et s'attacha à élaborer un plan capable d'harmoniser leurs efforts. Il se délectait de l'image qu'on était déjà en train de créer dans le public : celle de cinq remarquables jeunes gens, dénués de tout égoïsme, aucunement corrompus par la richesse, dévoués au bien public et « en réserve de la nation ».

Le 18 décembre 1934, Junior informa par lettre chacun de ses fils qu'il leur transmettait pratiquement tout ce qui restait de sa fortune, sous forme de dépôts constitués en grande partie par des actions de la Standard Oil, et représentant environ 40 millions de dollars pour chacun. « Aujourd'hui, j'ai constitué un dépôt en ta faveur, ainsi qu'à chacun de mes autres enfants, écrivit-il à Laurance. Je t'ai déjà parlé de ces dépôts et des raisons que j'ai

---

1. Des années plus tard, l'un des frères dira à Joe Alex Morris : « Ce que nous avons vraiment, c'est notre nom. Voilà notre gros capital. Il ouvre toutes les portes et, puisque notre argent est dispersé, notre nom vaut bien davantage tant qu'il reste honorable. Notre premier souci doit être d'y veiller. »

eues de les effectuer. Cette mesure est conforme à la politique que votre grand-père Rockefeller avait adoptée à l'égard de ses propres enfants — et que vos propres enfants, je l'espère, suivront à leur tour... Comme tu sais, grand-père et moi avons toujours été très sensibles aux responsabilités que donne la richesse. Il pense comme moi que ces responsabilités, et les occasions qu'elles fournissent de vivre utilement et de rendre à l'humanité des services désintéressés, devraient être partagées avec les représentants de la génération montante dès que ceux-ci ont acquis la maturité suffisante... »

En se défaisant ainsi de sa fortune, Junior avait agi plus hâtivement qu'il ne l'eût souhaité, mais les nouvelles lois du New Deal en matière de succession auraient rogné plus de 70 % de l'héritage s'il était mort sans l'avoir fait. C'est en 1934 également que la nouvelle loi dite des « Securities and Exchange » exigea de toutes personnes possédant 10 % et plus des actions d'une société qu'elles déclarent l'étendue de leurs avoirs. Après avoir ainsi effectué les « Dépôts 1934 » (comme on les appela), Junior s'était défait d'une quantité suffisante de ses actions de la Standard du New Jersey et de la Standard de Californie pour échapper à la déclaration prévue par la fameuse loi.

Même si le moment avait été dicté par des circonstances extérieures, la transmission de la fortune d'une génération à l'autre se serait faite de toute façon. Instant décisif pour la dynastie Rockefeller, tous en avaient conscience, les fils comme le père. L'événement sembla même inciter Nelson, en particulier, à redoubler d'énergie. Depuis son entrée au 26 de Broadway, celui-ci était devenu administrateur du Rockefeller Center; il s'agissait à présent de louer les bureaux, dans la conjoncture défavorable de la crise. Nelson s'y lança à corps perdu.

Période difficile pour essayer d'attirer des locataires! L'Empire State Building lui-même (avec Al Smith pour président et un ascenseur fait exprès pour emmener les touristes voir le toit d'où King-Kong abattait des avions de combat [1]) n'était utilisé qu'aux deux tiers. Mais Nelson réussit de façon si spectaculaire que son concurrent dans le domaine de l'immobilier, August Heckscher, déposa plainte contre lui, exigeant 10 millions de dollars de dommages et intérêts : il accusait Nelson d'avoir versé de l'argent pour lui enlever des locataires, et de leur avoir proposé des loyers si avantageux qu'ils ne couvraient même pas les impôts immobiliers, les intérêts de l'investissement et les frais généraux des immeubles du Centre. Mais Nelson, qui mesurait parfaitement l'importance qu'il y avait à faire triompher l'aventureux pari de son père, continua à aller de l'avant, utilisant ses remarquables talents pour remplir les locaux vides et se faire des amis — par exemple, le jeune George Meany [2], dirigeant du syndicat new-yorkais du bâtiment, qui

1. Orang-outang gigantesque qui, dans un film célèbre, se réfugie au sommet de l'Empire State Building, tenant prisonnière dans une de ses mains une frêle Américaine qu'il a enlevée. (N.d.T.)

2. Le syndicaliste George Meany réalisa la fusion entre deux grands syndicats rivaux, l'AFL et le CIO, dont il devint le président en 1955. (N.d.T.)

maintint l'entreprise à l'abri de toute grève et devint par la suite un contact politique important. Il s'arrangea même pour apaiser la tempête soulevée par la peinture murale de Diego Rivera, seul incident survenu pendant la construction du Rockefeller Center [1].

Nelson, devenu le spécialiste des relations publiques du Centre, semblait prendre plaisir à prononcer, selon la description d'un journaliste du *New Yorker,* « de gracieux petits discours, à la manière d'un entraîneur de basket de lycée qui aurait particulièrement bien réussi », pour les inaugurations successives des bâtiments et des rues qui les séparaient. Si le Centre trouva le moyen de se tirer d'affaire dans la sombre conjoncture économique de 1938, d'abord sans pertes puis, même, avec profits, ce fut en grande partie grâce à Nelson. En récompense, Junior l'en nomma président.

Lorsqu'il se lançait dans une entreprise, Nelson faisait toujours preuve d'une énergie apparemment inépuisable. Il était capable de se consacrer à plusieurs activités à la fois et de s'arranger pour établir un lien entre elles, si différentes qu'elles fussent au départ. C'est ainsi qu'en même temps qu'il s'engageait à fond dans les affaires familiales au Rockefeller Center, il évoluait également à l'avant-garde du mouvement artistique. Depuis sa première année universitaire, il partageait la passion de sa mère pour l'art moderne ; par ailleurs, il avait acheté à Sumatra, pendant son voyage de noces, la première pièce (un manche de couteau en forme de tête réduite) de ce qui allait devenir la plus belle collection d'art primitif de tout le pays. Peu après son retour à New York, sa mère l'avait fait entrer au comité consultatif du Musée d'art moderne (MOMA). A l'époque, il tentait de réussir hors du Bureau familial et, peut-être en réaction contre l'aversion bien connue de son père pour le modernisme, il s'était engagé à fond dans cette voie ; il avait dénoué les querelles intestines qui sévissaient dans l'administration du Musée et s'était fait élire à son conseil en 1932. (Il devait dire plus tard : « C'est au Musée d'art moderne que j'ai acquis mes talents politiques. ») Abby, en sa double qualité de mère et de fondatrice, avait l'œil sur la carrière artistique de son fils ; en 1935, il devint trésorier du Musée et, quatre ans plus tard, il fut élu président.

Certains membres du conseil d'administration mettaient en doute son sens esthétique, sursautaient quand ils l'entendaient appeler la collection permanente « les trucs d'en bas », et supportaient mal de voir des spécialistes de la

---

1. Le célèbre artiste mexicain avait d'abord été pressenti par Nelson pour réaliser les peintures murales du Centre. Nelson possédait plusieurs de ses toiles, et Rivera était fort apprécié d'Abby ; il avait réalisé un portrait de Babs jeune fille auquel elle attachait beaucoup de prix. Mais Nelson réagit vivement devant ce qui prenait l'allure d'une satire du capitalisme : piliers de tripot dégénérés, filles pitoyables au dernier stade de la syphilis, capitalistes rapaces. La goutte d'eau qui fit déborder le vase (du fait de l'anticommunisme virulent du jeune Nelson) fut l'insertion dans l'œuvre d'un grand portrait de Lénine. Il tenta d'obtenir la suppression de cette image scandaleuse. Devant le refus de Rivera, Nelson Rockefeller essaya de faire enlever l'œuvre et de la placer au Musée d'art moderne. Il échoua. La crise éclata ; l'œuvre de Rivera fut retirée du Centre, mais Nelson parvint à convaincre les New-Yorkais qu'il avait été plus que raisonnable, et il fit preuve ensuite d'assez de bonne volonté envers Rivera pour bientôt renouer avec lui des liens d'amitié.

rationalisation et de l'organisation commerciale et industrielle venir fourrer leur nez, à sa demande, dans le fonctionnement du Musée ; mais ils ne pouvaient s'empêcher d'admirer la façon dont il suscitait des adhésions et élargissait les assises du MOMA. En 1939, lorsque le Musée s'installa définitivement dans les locaux de la 54ᵉ Rue (par un autre effet de la générosité des Rockefeller), l'inauguration solennelle fut marquée par un discours de Franklin D. Roosevelt, retransmis à la radio, et par un autre de Nelson A. Rockefeller — qui s'arrangea pour ne pas préciser que le MOMA existait depuis dix ans et avait déjà connu avant lui d'autres présidents [1].

Les affaires artistiques et l'art des affaires se confondaient souvent lorsque Nelson se rendait à des conférences internationales et rentrait tout chargé de trésors. En 1937, lors de son premier voyage au Pérou, le bimoteur qu'il avait frété était tellement bourré d'objets d'art qu'il eut quelque difficulté, au retour, à passer les cols élevés des Andes. Trois ans plus tard, lorsqu'il rendit visite au président mexicain Cárdenas pour discuter des expropriations de la Standard Oil, il se présenta non comme « el principe de Gasolina » (le prince du Pétrole, comme l'avait surnommé la presse mexicaine), mais comme le président du Musée d'art moderne, venu en visite au Mexique afin d'organiser à New York une exposition sur les origines de la culture mexicaine.

La vie de Nelson était exceptionnellement intégrée aux valeurs Rockefeller. Tôt ou tard, il était inévitable qu'il fût attiré vers les puissantes sociétés pétrolières avec lesquelles sa famille continuait d'entretenir des liens discrets. En 1934, au moment de son retour au bercail familial, il était entré à la Chase sur le conseil de Debevoise, afin de se familiariser avec son fonctionnement et de comprendre comment elle s'adaptait à toute la gamme des intérêts de son père.

Mais ce qui intéressait réellement Nelson à la Chase, c'était le département étranger et les relations avec la politique internationale et les sociétés pétrolières. Son père avait refusé de répondre à toute correspondance concernant la Standard ; il avait tout fait pour accréditer l'idée fallacieuse que, sauf en cas de crise morale extraordinaire — comme l'affaire Stewart [2] — les Rockefeller étaient dans la Standard de simples actionnaires sans influence particulière [3].

---

1. Dans son histoire du MOMA, le critique d'art Russell Lynes écrit : « Il est indubitable que les Rockefeller furent la famille régnante du Musée et que la dynastie, présente dès la naissance du Musée... est toujours là. » Après Nelson, David reprit en effet la présidence du Musée, puis Blanchette, la femme de JDR 3. La famille était admirablement placée pour imprimer son sceau sur le développement de l'art moderne en Amérique et favoriser la carrière des artistes qu'elle protégeait et dont elle collectionnait les œuvres, tout en contribuant à établir certaines normes esthétiques. Outre les relations que lui procuraient le MOMA et d'autres musées, la famille était bien placée pour maintenir la cote des toiles qu'elle possédait, comme on s'en aperçut lors de l'enquête à laquelle fut soumis Nelson pour confirmer sa nomination à la vice-présidence des USA : il reconnut que la valeur de sa collection atteignait, au bas mot, 33 millions de dollars.

2. Stewart était le dirigeant de l'Indiana entré en rébellion ouverte contre la famille et finalement écrasé par elle. *(N.d.T.)*

3. Dans l'une des lettres qu'il envoyait périodiquement à tous ses fils, Junior écrivit : « De

Nelson n'avait pas oublié pourtant les visites des présidents des diverses sociétés de la Standard à la 54ᵉ Rue et leurs longues discussions avec Junior. Au cours de ces réunions privées, Junior n'avait jamais caché qu'il était en fait le patron; Nelson lui-même n'avait donc aucun scrupule à utiliser les relations de la famille et la puissance qu'elles lui conféraient.

Au cours de son apprentissage à la Chase, il se lia avec Joseph Rovensky qui, en tant que responsable du département étranger de la banque, connaissait les principaux dirigeants des cartels internationaux contrôlant les marchés de matières premières. Rovensky était également bien introduit auprès des importantes personnalités du monde du pétrole. Lorsque Nelson se rendit à Londres comme représentant de la Chase, en 1935, Rovensky l'aida à nouer des contacts et observa avec satisfaction comment son jeune protégé commençait à manipuler les entreprises dépendant de la sphère d'influence familiale, d'une manière que son père n'eût pas osé adopter aussi ouvertement. Lorsque Fred Gehle, vice-président de la Chase, le pria de faire transférer à la banque les comptes des sociétés de la Standard Oil, Nelson répondit : « J'ai discuté longuement avec lui [le trésorier de la Standard du New Jersey], hier, il se prépare à transférer, petit à petit, une vingtaine de comptes de leurs succursales à la Chase National Bank... A mon retour d'Europe, je m'occuperai, avec la Socony Vacuum [Standard de New York], de l'éventualité d'un lien plus étroit... »

Les discussions parmi les grands pétroliers internationaux, dans leurs réunions de Londres et de Paris, portaient sur les fabuleux gisements du lac Maracaibo, qui firent du Venezuela, en un tournemain, le premier producteur mondial de pétrole après les États-Unis. Plus de cent sociétés étaient en compétition pour le brut vénézuélien, mais à la fin il n'en resta plus que trois qui s'assurèrent le contrôle à 99 % de la production : la Standard du New Jersey (qui avait acquis les biens de la Standard d'Indiana à la suite de la bataille contre Stewart) avec 49 % de la production; Shell avec 36 % et la succursale de la Gulf avec 14 %. Le plus grand producteur vénézuélien était, de très loin, la Creole Petroleum, joyau de la couronne dans la constellation de la Jersey. C'est cette Société qui intéressait Nelson. Il demanda à son père d'échanger des actions de la Standard, qui figuraient dans son dépôt personnel, contre des actions de la Creole Petroleum en nombre suffisant pour lui permettre de devenir un actionnaire de poids et entrer ainsi au conseil d'administration.

---

temps à autre, mon père recevait, comme moi, des requêtes de tous ordres émanant tantôt d'actionnaires et d'anciens cadres de l'une ou plusieurs des sociétés de la Standard, tantôt de gens qui avaient l'impression, d'une façon ou d'une autre, d'avoir été lésés par les agissements des dirigeants ou des représentants de ces sociétés. Père n'a jamais entrepris de répondre directement à ces demandes, et moi non plus. Cette politique nous met à l'abri de l'embarras qu'on peut éprouver à se pencher sur des griefs personnels et à répondre à ce type de requêtes, ainsi que du danger inhérent à toute position suggérant un contrôle quelconque des entreprises au sein desquelles, en raison de notre grande quantité d'actions, on pourrait conclure à notre influence prépondérante. Cette politique s'est révélée sage, et je vous engage tous à la faire vôtre pour la protection de la famille. »

1935 marqua un tournant dans l'histoire de la Creole Petroleum et des autres sociétés qui contrôlaient la richesse pétrolière du Venezuela, car à la mi-décembre survint la mort de Juan Vicente Gómez, dictateur depuis 1908. Le régime de Gómez avait été l'un des plus sanglants et des plus corrompus de l'histoire de l'Amérique latine. Mais, tandis que les Vénézuéliens gémissaient sous sa botte, les compagnies pétrolières étrangères, elles, s'étaient enrichies. Pendant la grande prospérité des années vingt, au moment où il s'agissait d'obtenir des concessions dans le bassin de Maracaibo, Gómez leur avait accordé tout ce qu'elles demandaient — et avait été payé grassement en retour. A sa mort, le pétrole constituait 99 % des exportations vénézuéliennes. A côté de cela, près de 70 % des habitants étaient illettrés, 60 % vivaient dans des cahutes au sol de terre battue, et 32 % seulement avaient un emploi.

Les cercles des dirigeants pétroliers (où Nelson évoluait avec aisance) s'inquiétèrent des sévères lois de réforme votées par le nouveau gouvernement, à propos du pétrole, pour apaiser le mouvement nationaliste et revendicatif que la dictature de Gómez avait muselé pendant des dizaines d'années. Mais ils étaient bien plus inquiets encore de voir l'Hémisphère [1] tout entier, de plus en plus, soumis à une propagande politique qu'ils assimilaient au communisme. En 1937, le régime révolutionnaire bolivien nationalisa les biens de la Standard Oil et, l'année suivante, le gouvernement Cárdenas, au Mexique, agissant selon le programme des dirigeants travaillistes marxistes, amorça la nationalisation des intérêts pétroliers étrangers.

Le jeune Rockefeller était aux premières lignes dans cette lutte. Au printemps 1937, il partit faire une tournée des vingt pays d'Amérique latine : le clou du voyage fut la remontée de l'Orénoque, au Venezuela, dans un yacht de la Standard Oil. Il avait emmené avec lui Rovensky, Jay Crane (directeur de la Standard), sa femme Tod et son frère Winthrop (qui commençait lui aussi à s'intéresser au pétrole). Visite des propriétés de la Creole Petroleum, visite de Caracas, rencontres avec le général López Contreras, successeur de Gómez, avec son cabinet au grand complet et, en deux soirées, avec les gouverneurs de quatre provinces vénézuéliennes : Nelson, ravi, annonça à ses parents : « A moins d'événements imprévus, le Venezuela me paraît devoir être politiquement un des pays les plus sains du monde — et certainement saturé de pétrole. »

Ce voyage marqua un tournant dans sa vie. Il y trouva l' « affaire sensationnelle » qu'il cherchait depuis longtemps. Après Caracas, il suivit un cours accéléré d'espagnol à l'école Berlitz ; c'eût été mal le connaître que de voir là un enthousiasme passager. Rien n'était plus sérieux pour lui que l'Amérique latine. Il réunit les directeurs de la Jersey afin de leur faire partager ses vues sur la crise et sur la nécessité de saisir l'occasion ; il les exhorta à une politique sociale plus active, faisant remarquer que les biens de la Jersey dépendaient de la volonté du peuple et des lois des gouvernements.

1. Ce terme désigne, aux États-Unis, l'ensemble des pays d'Amérique latine. (*N.d.T.*)

Faute de reconnaître ses responsabilités sociales, « la Société se verrait un jour ou l'autre spoliée ».

Il était impossible à un pétrolier d'ignorer un Rockefeller, même âgé de trente ans à peine; mais le conseil d'administration de la Jersey, puissance indépendante, n'était pas non plus obligé de suivre ses conseils. Il s'était plié aux nouvelles lois du gouvernement vénézuélien et ne voyait aucune raison de se lancer dans la campagne de libéralisation que semblait recommander Nelson. Pourtant, Nelson ne se tint pas pour battu; il fit ses valises, se rendit au Venezuela et, se prévalant de son statut d'administrateur de la Creole Petroleum, exigea des cadres locaux qu'ils se montrent plus attentifs aux conditions locales. Avec sa fougue habituelle, il réclama la fin des manifestations les plus criantes de chauvinisme culturel qui caractérisaient le comportement du business américain à l'étranger.

Ces vétérans du monde du pétrole se trouvèrent soudain harcelés par l'héritier Rockefeller, qui passa des semaines à inspecter leurs entreprises et à leur expliquer que, loin de manifester un vague idéalisme, les changements qu'il préconisait visaient à éviter une éventuelle mainmise des communistes, qui risquaient d'aboutir à une spoliation totale comme au Mexique. (« Il ne lisait guère, rapporte Carl Spaeth, son collaborateur vénézuélien, mais il avait lu un livre sur les mésaventures d'Esso au Mexique, et en avait été vivement impressionné. Il entendait que nous le lisions tous et gardions ce précédent présent à l'esprit. »)

Nelson trouva des alliés modérés en la personne d'Arthur Proudfit, directeur général de la Creole, et d'Eugene Holman, président de son conseil d'administration. (Par la suite, Holman devint président de la Jersey, et Proudfit se hissa jusqu'à la présidence de la Creole.) Ils sentaient bien, eux aussi, l'intensité de la révolte qui couvait en Amérique latine. Le problème, pour les sociétés pétrolières, dira plus tard Proudfit, était de prouver aux Vénézuéliens « que nous apportons une contribution importante à la culture, à l'éducation et au bien-être général du pays ».

Ceux qui, dans l'administration de la Creole Petroleum, s'opposèrent aux idées du jeune Rockefeller ou prirent, bien à tort, ses manières enjouées pour de la faiblesse, se retrouvèrent transférés ailleurs, mis à la retraite ou relégués à un poste subalterne. Bientôt tomba le barbelé qu'on avait dressé autour des concessions de la Creole Petroleum dans le bassin de Maracaibo. Douze instructeurs de chez Berlitz furent engagés pour aider les directeurs et le personnel américain de la Compagnie à polir leur espagnol et à assimiler les rudiments de la culture vénézuélienne. Un programme de santé publique, semblable à ceux de la Fondation Rockefeller, fut mis en œuvre avec l'aide du gouvernement pour combattre l'ankylostomiase [1], la malaria et les autres maladies tropicales qui accablaient les travailleurs des concessions pétrolières.

1. L'ankylostome est un ver tropical qui produit chez ceux qu'il infecte un état léthargique permanent. (*N.d.T.*)

L'un des principaux griefs dont on chargea les sociétés pétrolières dans les années qui suivirent la mort de Gómez était celui d'avoir fait reposer l'économie vénézuélienne, par le boom pétrolier, sur l'exportation d'un produit unique, ce qui avait entraîné la ruine de l'agriculture, la flambée des prix et le naufrage de l'industrie locale. Pour lutter contre cet état de fait, tous les partis politiques du pays estimaient nécessaire de diversifier l'économie. Ouvrir les voies de cette diversification (tout en édifiant une Société à grand rendement), tel fut le but de la nouvelle croisade de Nelson.

En 1940, il rassembla un groupe d'amis et de collaborateurs et constitua la Compania de Fomento Venezolano (Société pour le développement du Venezuela). Le capital initial était de 3 millions de dollars, dont un tiers venait de sa famille, un tiers de partenaires vénézuéliens et le troisième tiers des sociétés pétrolières. Nelson avait présenté à la Jersey cette idée visant à stabiliser l'économie vénézuélienne; on lui avait promis un investissement de 300 000 dollars s'il réussissait à obtenir des engagements similaires de la Gulf et de la Shell; à la grande surprise des administrateurs de la Jersey, il y était parvenu.

La première réalisation de la Compania fut un énorme hôtel, l'Avila, auquel Nelson consacra beaucoup de temps. Il fit lui-même des voyages éclair au Venezuela, tandis que cinq de ses lieutenants faisaient sans arrêt la navette entre New York et Caracas pour surveiller les progrès de la construction. Au cours de l'été 1940, Robert Bottome, que Nelson avait enlevé au service des loyers du Rockefeller Center, lui écrivit pour lui suggérer d'envisager d'autres investissements en même temps que cet hôtel [1].

Mais la guerre approchait et Nelson se demandait si de tels investissements seraient sûrs, quelle que fût la tournure des événements. Il envoya Carl Spaeth à Caracas pour étudier la situation. « Retarder des programmes comme les nôtres jusqu'après la guerre, répondit Spaeth par lettre, c'est perdre une excellente occasion de prendre de vitesse les intérêts commerciaux allemands, qui afflueront probablement ici, soutenus par des subsides importants, dans l'hypothèse où l'Allemagne gagnerait la guerre. »

Ce genre de *Realpolitik* ne manquait pas d'attrait pour un homme qu'effrayait beaucoup plus l'action des communistes sur les passions nationalistes en Amérique latine que les conséquences qu'aurait pour l'Hémisphère une éventuelle victoire allemande en Europe. Cependant, à l'approche de la guerre, la situation avait nettement changé dans le sous-continent et les ambitions de Nelson l'orientaient plutôt vers Washington. A

---

1. Peu après sa création, la Compania avait été contactée par Henry Linam, de la Standard Oil, qui suggérait qu'elle mît sur pied un service de forage pour l'eau; la Standard fournirait le matériel de forage, se réservant les droits d'exploitation sur toute découverte géologique autre que l'eau. « L'idée me séduit assez, écrivit Bottome à Nelson. Une telle Société nous procurerait un prétexte parfait pour sillonner le pays, pour entrer en relation avec les milieux d'affaires et politiques locaux dans tout le Venezuela et, cela va sans dire, pour avoir l'œil sur toutes les possibilités qui pourraient s'offrir à nous. » Quelques mois plus tard, en juillet 1940, Bottome récrivit en proposant des investissements dans les domaines des produits pharmaceutiques, de l'amiante et des circuits de distribution alimentaire.

peu près à l'époque où il fondait la Compania, il rassembla un groupe de gens de son âge pour la plupart, qui partageaient à peu près ses vues et qu'il avait rencontrés lors de sa première tournée en Amérique du Sud. Les réunions qu'ils tenaient régulièrement sur la situation en Amérique latine et sur les plans à mettre en œuvre pour y faire face, ressemblaient à un conseil de guerre.

De vingt ans l'aîné, l'oncle Joe Rovensky était l'éminence grise du groupe. Rovensky avait un peu pâti du *New Deal* au moment de l'enquête sur la Chase et des auditions de Pecora, et persiflait les spécialistes qui entouraient Roosevelt; c'était à son avis « le genre d'hommes qui ne seront contents que lorsqu'ils auront mis le pays en coupe réglée ». Mais, sur les questions relatives aux économies nationales, il était l'expert des experts et, lorsque Nelson s'en fut à Washington pour entrer dans l'administration Roosevelt, Rovensky l'y suivit. Jay Crane, de la Jersey Standard, faisait également partie du groupe d'études, ainsi que Wallace Harrison, ce grand garçon laconique venu de Nouvelle-Angleterre qui s'était distingué en devenant l'architecte en chef du Rockefeller Center. Parmi ses contemporains, d'autres eurent plus d'influence sur le plan esthétique, mais « Wally » devait concevoir les plans de complexes immobiliers dépassant le milliard de dollars; il devint l'architecte attitré de la famille Rockefeller et de plus, pour Nelson, un collaborateur d'une fidélité à toute épreuve.

Il y avait enfin Beardsley Ruml, un économiste tchèque au large visage rubicond que Raymond Fosdick avait introduit dans l'orbite des Rockefeller plusieurs années auparavant et qui était à présent le principal élément intellectuel du Groupe (c'est ainsi que les profanes les désignaient; eux-mêmes préféraient adopter le nom trouvé par Ruml : « la Junta »). Robert Moses a décrit Ruml comme « un gros homme rondouillard et tonitruant, pétillant d'esprit et de drôlerie, pédagogue dans l'âme, extrêmement stimulant, un peu excentrique et pas toujours très modéré dans sa façon de s'exprimer ». Au début, le Groupe se réunissait chez lui, à Greenwich Village, puis chez Nelson, dans son appartement de la Ve Avenue. La crise mondiale s'aggravant, leurs discussions s'attachèrent à définir les grandes lignes d'une politique pour l'Hémisphère, qui fût compatible avec les idées de Nelson. Vers la fin du printemps 1940, Ruml, à la lumière de leurs discussions, avait concocté une sorte de livre blanc intitulé *Politique économique de l'Hémisphère* et où il ébauchait les mécanismes capables d'accroître le rythme des investissements américains en Amérique latine et d'empêcher les nazis, une fois la paix revenue, d'y gagner la bataille diplomatique à la même vitesse que leurs armées en Europe.

Le 14 juin 1940 au soir, Nelson se présenta à la Maison-Blanche avec son mémorandum de trois pages, qu'il remit au bras droit de Roosevelt, Harry Hopkins. Sur la demande de celui-ci, Rockefeller lut à haute voix ce texte qui commençait plutôt comme un manifeste que comme une simple recommandation politique : « Que la guerre se termine par la victoire des Allemands ou des Alliés, les États-Unis doivent protéger leur position internationale par des mesures économiques propres à briser la concurrence résultant des pratiques commerciales des pays totalitaires... »

Moins d'un mois plus tard, le 8 juillet, alors que Nelson fêtait son 32e anniversaire avec sa famille et ses intimes, le téléphone sonna; on l'appelait de Washington. C'était James Forrestal, chef de cabinet du président Roosevelt. Homme passionné et méfiant, Forrestal s'était déjà distingué comme l' « enfant prodige » de Wall Street en réussissant la fusion des Sociétés de construction automobile Chrysler et Dodge. Des années plus tôt, cité à comparaître par la Commission Pecora, il reconnut avoir manipulé à son profit des millions de dollars en titres étrangers, au moment de la grande prospérité des années vingt; mais, comme beaucoup de ceux que le président avait dénoncés comme des « impérialistes de l'économie », Forrestal avait fait amende honorable depuis en cautionnant (bien à contrecœur) les réformes de Roosevelt, se mettant ainsi en réserve de la nation dans l'attente que sonne l'heure où le pays aurait besoin de lui.

Il téléphonait à Nelson pour lui demander s'il acceptait de venir à Washington prendre le poste, tout récemment créé, de coordinateur des affaires interaméricaines? Rockefeller demanda quelques jours de réflexion; il devait en référer à Wendel Wilkie, porte-drapeau des républicains à la présidence et dont la candidature, suscitée dans une large mesure par l'oncle Winthrop, était soutenue à grands frais par la famille Rockefeller. Mais, avant même de raccrocher, il connaissait déjà la réponse : non seulement accepter ce poste était pour lui un devoir patriotique, comme le lui avait dit Wilkie, mais c'est lui-même qui en avait suggéré la création lors d'une conversation avec Harry Hopkins, un mois plus tôt à peine.

CHAPITRE XII

Enfant, Laurance Spelman Rockefeller avait toujours été le copain de Nelson; adulte, il le demeura. Mais, au moment de l'appel téléphonique de Forrestal, Laurance commençait à sortir de l'ombre de son frère et à devenir un grand jeune homme distingué promis à une belle carrière. Ses traits autrefois espiègles s'étaient affinés. Quelque chose, dans ce long visage au nez droit et aux yeux intelligents, rappelait le premier John Davison, quelque chose aussi dans le pli moqueur de la bouche où les gens étaient enclins, peut-être à tort, à lire un certain cynisme. Laurance, c'était à présent le genre d'homme parfaitement à l'aise en queue de pie dans un cadre arts-décos. Une raie tracée au cordeau, les cheveux coiffés à la perfection, il avait l'air dans son élément dans les cocktails où on le voyait tirer sur sa cigarette tout en étudiant à la dérobée les visages parmi la foule. Enfant, il se plaisait à bricoler les appareils pour voir à l'intérieur comment ils fonctionnaient; adulte, il manifestait le même intérêt pour les gens.

Son aisance dans la société ne devait rien à la familiarité naturelle d'un Nelson; cette façon de se faire valoir lui était étrangère. Pour lui, parler avec les gens était comme une agréable passe d'armes où il se plaisait à parer les tentatives visant à enfoncer ses défenses. Des cinq frères, c'est lui qui devait être le plus sensible au conflit entre le rôle social d'un Rockefeller et la personne privée que ce rôle mettait en danger. Il faisait montre, vis-à-vis de la famille, d'un agnosticisme tranquille : dans la même veine, ses réflexions l'avaient amené, au cours de son adolescence, à avouer des doutes concernant l'existence de Dieu, tandis que ses frères acceptaient tout bonnement les rites attachés aux convictions religieuses de leur père, même si leur contenu les dépassait. Plus que tous les autres, Laurance pensait par lui-même.

Il suivit John III à Princeton, où l'on dit aussi de lui qu'il était « éminemment apte à réussir ». Il se spécialisa en philosophie et suivit tous les cours possibles en ce domaine. Son diplôme de fin d'études s'intitulait : « Le concept de Valeur et sa relation avec l'Éthique. » Par la suite, toutefois, lorsque sa carrière le projeta sous les feux de la rampe, Laurance se détourna de Kant pour se pencher sur Norman Vincent Peale [1] (*la Puissance de la*

1. Le révérend N. V. Peale, né en 1898, prétendait aider les gens qui avaient des problèmes en mêlant aux préceptes de la religion les conseils des psychiatres. *La Puissance de la pensée positive* est un des manuels qu'il écrivit à cet effet. (*N.d.T.*)

pensée positive devint son livre de chevet). Étant des cinq frères le plus sensible aux problèmes moraux inhérents à la condition de Rockefeller il s'efforçait d'en aplanir les difficultés par l'effet de sa propre volonté.

Quand il obtint son diplôme universitaire, ses deux frères aînés travaillaient déjà dans l'affaire familiale et étaient devenus de jeunes hommes d'affaires. (En 1932, par exemple, tandis qu'il achevait son mémoire de quatrième année, ils avaient assisté à une réunion dramatique avec Thomas Debevoise, les frères Fosdick et George Wickersham — ex-ministre de la Justice, à la tête d'une commission nationale d'enquête sur la prohibition — où Junior avait pris la décision historique de retirer son soutien au 18e amendement [1]. Il ne restait plus à Laurance qu'à trouver un chemin bien à lui, lui permettant de réussir par ses propres moyens en faisant fi des restes de JDR 3 et de Nelson.

Des cinq frères, il était le plus passionné de grand air; il était tombé sous le charme d'Horace Albright, lors du voyage à Yellowstone en 1924, et il avait accompli un périple mémorable en campant dans les États de l'Ouest au cours des vacances d'été, entre sa troisième et sa quatrième année d'université. Le tout nouveau domaine de l'écologie était peut-être une entreprise philanthropique acceptable, pourtant il n'était pas assez solide pour justifier la carrière d'un Rockefeller, du moins pour l'instant.

En partie pour faire plaisir à sa mère (elle pensait qu'il « serait agréable d'avoir un avocat dans la famille »), il s'inscrivit à la faculté de droit de Harvard. Mais il n'avait vraiment pas le feu sacré. Au milieu du premier semestre, il tomba malade. Abby s'était toujours inquiétée de sa fragilité quand il était enfant; au cours de sa dernière année à Princeton, il avait attrapé la roséole et avait été si malade qu'elle l'avait fait revenir à la maison et l'avait veillé dans une pièce obscure pour sauver ses yeux; elle lui avait lu ses cours à haute voix pour l'aider à préparer ses examens de fin d'année. Mais, cette fois, il avait une pneumonie; Abby le retira de la faculté de droit et l'envoya en Floride passer l'hiver avec son grand-père.

Laurance réintégra Harvard en 1934, termina l'année puis décida que le droit ne l'intéressait plus. Il prit la résolution d'épouser Mary French, sœur du compagnon de chambre de Nelson à Dartmouth, descendante de la famille Billings, du Vermont, fondatrice du chemin de fer du Pacifique Nord. Le courriériste Cholly Knickerbocker signala l'événement en faisant remarquer que « les French comptent parmi nos familles les plus conservatrices. Mary, avec ses manières simples et charmantes et sa nature plutôt réservée, s'inscrit dans une tradition que les Rockefeller ont toujours essayé de perpétuer chez leurs enfants ». Ayant désormais deux Mary dans la famille, Abby prit l'habitude de les appeler « Mary Nelson » et « Mary Laurance ».

Ils s'installèrent à New York (plus tard, ils firent l'acquisition du Manoir,

---

1. Le 29 janvier 1919, le Congrès vota le 18e amendement qui imposa la prohibition de l'alcool à tous les États de l'Union. Cet amendement fut abrogé par le 21e amendement en 1933. (*N.d.T.*)

à Woodstock — Vermont — d'où la famille de Mary était originaire), et Laurance commença à travailler à la salle n° 5600. Après quelques mois d'apprentissage à la Chase, il entra au conseil d'administration du Rockefeller Center. Mais, il le dira plus tard, il cherchait alors quelque chose « qui ne le mît pas en concurrence avec les goûts du reste de la famille, avec ce que ce genre d'activité eût comporté d'ennui ». Cela montrait bien à quel point, sous Junior, la famille s'était éloignée de ses origines : le genre d'activité qui correspondait le mieux à cette description de Laurance, c'était en effet les affaires...

Laurance s'intéressait au mobilier scandinave contemporain, qui était à la mode au milieu des années trente. En 1937, avec les architectes Wallace Harrison et Harmon Goldstone, il forma une société d'importations et ventes appelée New Furniture, Inc. (le Nouveau Mobilier). Mais, pour Laurance, les affaires étaient moins une façon de faire de l'argent — bien que cela eût son importance pour sanctionner la réussite — qu'un moyen de se définir lui-même « en prenant certains types de risques ». Quelques semaines après la mort de Senior, Laurance racheta la charge de son grand-père à la Bourse. Les sociétés bien établies qu'il put y observer l'intéressaient moins que les entreprises naissantes qu'il pouvait aider en leur vouant une partie de la puissance attachée au nom et au réseau de relations de la famille. Séduit par les belles implications existentielles du terme, Laurance s'intitula « capitaliste aventureux ».

Parmi les nouvelles technologies, il soutint en premier lieu l'aéronautique. Ni son grand-père ni son père n'étaient jamais montés à bord d'un avion; mais Laurance était de son temps. En 1938, il fut invité à entrer dans une Société que la Kuhn-Loeb mettait sur pied pour soutenir un des héros d'enfance de Laurance, le capitaine Eddie Rickenbacker. L'as de l'aviation de la Première Guerre mondiale voulait racheter l'Eastern Airlines (Société qu'il avait dirigée et rendue prospère) à la General Motors; pour ce faire, il avait besoin de 3 millions et demi de dollars. Le groupe Kuhn-Loeb se procura les capitaux auxquels Laurance contribua pour la modeste somme de 10 000 dollars. L'énergique Rickenbacker, véritable bourreau de travail, séduisit Laurance; au cours des années suivantes, celui-ci devait augmenter ses investissements dans l'Eastern, mettant à profit des fractionnements d'actions et des facultés de rachat pour devenir le principal actionnaire et étendre son influence au sein du conseil d'administration.

Entre-temps, en 1939, un jeune promoteur aussi ambitieux et sûr de lui que l'était Laurance entra en contact avec lui. Venu d'Arkansas, James S. McDonnell, énergique Écossais de haute taille, travaillait depuis des années pour la Glenn L. Martin. Mais, la menace de guerre se précisant, il avait décidé de créer sa propre Société et de construire des avions selon ses propres plans. Il loua un bureau au-dessus du hangar des American Airlines, à l'aéroport de Saint-Louis, engagea quinze ingénieurs et leur laissa la bride sur le cou pour dessiner un nouvel avion de combat tandis qu'il partait en quête de commanditaires pour la Société et d'acheteurs pour sa future production.

195

Laurance écouta d'abord McDonnell par courtoisie vis-à-vis d'un ancien de Princeton. Puis il s'intéressa réellement à sa proposition — d'abord parce qu'il voulait se lancer dans la production à un moment où, de toute évidence, on allait avoir besoin d'avions de combat, et surtout parce que McDonnell s'intéressait aux appareils à réaction. Laurance investit 10 000 dollars pour aider l'entreprise à décoller, puis se mit en devoir de lui obtenir des contrats gouvernementaux.

En 1940, engagé jusqu'au cou dans toutes ces entreprises de pointe, Laurance supplia son père de le laisser puiser des capitaux dans son « Dépôt de 1934 ». « Comme tu sais, en ce qui concerne le Dépôt que tu as si généreusement établi à mon nom, lui écrivit-il, j'étais habilité à recevoir le montant de la rente et le capital additionnel dès mes trente ans révolus. Ce moment étant arrivé, j'aimerais beaucoup demander officiellement ce capital... En formulant cette requête, voici ce que j'ai à l'esprit : je voudrais diversifier mes actions pétrolières en investissant dans l'industrie des transports aériens, en particulier par l'Eastern Airlines. Je me suis déjà engagé à investir 50 000 dollars de plus dans notre South American Development Cy, et je puis me sentir enclin à aller plus loin dans l'avenir. J'ai déjà investi près de 100 000 dollars dans diverses petites entreprises de l'industrie aéronautique ; par suite, le bras droit du ministre de la Marine, Mr. James Forrestal, m'a demandé de mettre sur pied une société destinée à aider son ministère à gérer et à financer certaines sociétés... »

Mais c'est au moment où, pendant la guerre, il servait dans la Marine, que ces débuts tâtonnants dans l'aéronautique devinrent assez importants pour que Laurance y vît sa vocation.

Hormis l'ardeur de Nelson à se jeter dans l'action à Washington, la guerre, désormais imminente, semblait fort éloignée des préoccupations rockefellériennes. Famille exceptionnellement idyllique, à en juger d'après les photographies officielles de l'époque où six enfants souriants entourent des parents pleins de fierté. Mais, derrière les apparences, on retrouvait là les catégories inhérentes à toutes les familles : les vainqueurs, les victimes et ceux qui parviennent à surnager. Par la suite, il parut évident aux enfants de John III que l'épanouissement personnel de leur père avait été freiné par l'emprise que Junior exerçait sur lui ; quant aux filles de Babs, elles considéraient qu'une ombre avait plané sur la vie de leur mère à cause de la préférence avouée d'Abby pour ses garçons. Mais ces blessures étaient mineures au regard de celles de Winthrop. Abby avait toujours été consciente de sa vulnérabilité, mais ne s'était jamais montrée assez proche des menus faits de la vie quotidienne de ses enfants pour pouvoir y porter remède. Aux yeux de ses frères, sa bonne nature, sa naïveté, ses crises de larmes et d'irritabilité avaient toujours constitué autant de signes de faiblesse. C'était un canard boiteux : il fallait donc le houspiller, le brimer. Et ce n'est qu'au prix de ces blessures que les frères semblaient en mesure d'instaurer cette puissante cohésion qui devait régner parmi eux pendant le demi-siècle à venir.

En un sens, les problèmes auxquels fut confronté Winthrop étaient caractéristiques de tous les enfants situés « au milieu ». Brimé par Nelson et Laurance au-dessus de lui, éclipsé par David, son précoce cadet, il était coincé ; la famille lui refusait toute place bien à lui. C'était un cercle vicieux : plus on le maltraitait, plus il devenait difficile ; plus il devenait difficile, plus les mauvais traitements semblaient justifiés. Il finit par se sentir à part, exclu de la famille. Il confia un jour à l'un de ses collaborateurs une impression d'enfance, à tout jamais inscrite dans sa mémoire : le soir, en allant au lit, il observait les ombres projetées sur le mur de sa chambre, les nuits de clair de lune, par les garde-fous que son père avait fait installer devant les fenêtres. Les barreaux étaient là pour prévenir toute intrusion, mais, aux yeux de Winthrop, ils n'avaient d'autre propos que de le tenir enfermé.

Il devint la « brebis galeuse » de la famille. Il avait le désir éperdu (presque pathétique, si l'on en croit certains amis de la famille) de réussir selon les critères paternels. Mais à peine avait-il atteint l'âge de l'adolescence que ses frères aînés avaient déjà épuisé toutes les possibilités : l'un s'évertuait courageusement à se montrer digne de l'impressionnante tradition Rockefeller, l'autre l'épousait avec passion. Quelle autre façon de se distinguer restait-il alors à Winthrop, sinon l'échec ?

A l'Ecole Lincoln, il était aimable et doux, très apprécié des enfants qui n'étaient pas ses frères ; mais ses notes étaient catastrophiques. Junior en conclut qu'il avait besoin d'un milieu plus autoritaire et il l'expédia au pensionnat de Loomis. Et c'est ainsi que Winthrop arriva au bout de sa scolarité ; Abby, fort soulagée, écrivit à sa sœur : « Dieu soit loué, le voici réellement diplômé ! » Ses vacances d'été, il les passa à bûcher sous la houlette d'un directeur d'études, et grâce également à l'intercession paternelle, il réussit à entrer à Yale. Mais, soustrait au champ de vision de son père, il commença à se relâcher. Pendant des semaines, il négligea son livre de comptes ; ce fut la panique, à la fin du premier semestre, quand il lui fallut montrer son registre à Junior afin d'obtenir l'allocation du semestre suivant. La situation s'avéra un jour si mauvaise que l'idée lui traversa l'esprit de soustraire de l'argent à un autre étudiant, afin d'équilibrer ses comptes ; au lieu de cela, dans son désir d'éviter un affrontement majeur avec son père, il sollicita de Babs un emprunt substantiel, qu'il mit trois ans à rembourser.

Il était entré avec la promotion de 1935. Après deux semestres désastreux, on le rétrograda dans la classe 36. Qu'avait-il retiré de ses années d'université ? Simplement, de son avis même, l'habitude de fumer et de boire. Non sans mal, d'ailleurs. Au début, au bout de trois verres, il se sentait extrêmement vaseux. Mais, comme il le dit tristement par la suite : « Hélas, je vins à bout de ce désagrément ! » Il annonça à ses parents qu'il ne voyait pas l'intérêt de poursuivre ses études. Ils en tombèrent d'accord. En quittant définitivement New Haven, il était déboussolé, mais point malheureux. « Bon garçon un peu mou » : c'est ainsi, le plus souvent, que le décrivaient les autres étudiants ; mais ce n'était pas le genre de qualité qu'on appréciait dans la famille.

Les traits doux et réguliers, le regard sensible, Winthrop était finalement le plus beau de tous les garçons Rockefeller. (Lorsqu'il arbora une moustache militaire à l'Armée, des femmes virent en lui un Clark Gable au visage poupin.) Il était également le plus grand et le plus fort : 1,90 m, 110 kg. Il semblait presque embarrassé par sa taille, par ce poids mort qu'il traînait après lui ; cette corpulence, mieux valait ne pas songer à l'enfourner dans un bureau, pour le moment du moins, il était bien d'accord là-dessus avec son père. Junior l'envoya donc à la Société de raffinage Humble, gigantesque filiale texane de la Standard pour le traitement du brut.

Winthrop passa la majeure partie de l'année 1936 dans les gisements pétroliers du Texas, à faire son apprentissage sur le tas. Il était le premier des frères à vivre comme un ouvrier. Il reçut des menaces de mort et son père voulut lui engager des gardes du corps ; mais Winthrop refusa d'être ainsi escorté ; il se borna à verser 1 dollar en échange d'un brevet de shérif-adjoint assorti d'une autorisation de port d'arme. Chose plus grave, il était en butte à la méfiance de ses compagnons de travail qui le prirent au début pour un espion placé parmi eux par la direction. Il finit par les convaincre que, si une société pétrolière désirait infiltrer un espion, elle n'irait jamais choisir un Rockefeller. Ils n'en continuèrent pas moins à lui jouer de mauvaises farces et à mettre à rude épreuve son endurance et sa patience. Où qu'on le plaçât, il fit bien son travail d'ouvrier ; à la fin de l'année, il avait travaillé à tous les stades de la production pétrolière (foreur, débardeur, raffineur, poseur de tuyaux). Il avait gagné l'amitié et l'estime de ses compagnons de travail, qui l'appelaient « Rock ». Winthrop se plaisait bien dans ce monde où un homme, quel que fût son nom, était apprécié selon la vitesse et l'habileté qu'il mettait à creuser des trous de poteaux. Cette année-là resta toujours dans sa mémoire comme la meilleure de sa vie.

Cependant, sa réussite en tant qu'ouvrier ne pouvait tenir lieu de but à son existence. Si intensément qu'il aimât cette vie, ce n'était, il le savait bien, qu'un prélude à la tâche qui l'attendait à New York. Il avait beau frayer avec les gens ordinaires, la famille n'allait pas le lâcher comme ça. A la fin de son année à la Humble, Junior le fit rentrer et l'installa comme « bleu » à la Chase Bank sans pour autant renoncer à le caser, le moment venu, dans l'une des sociétés pétrolières qu'il contrôlait. En 1937, après la fameuse expédition sur l'Orénoque et la tournée des gisements vénézuéliens organisées par Nelson, Winthrop entra au service du commerce extérieur de la Socony Vacuum et assuma une part des obligations philanthropiques de la famille en devenant vice-président du Fonds du Grand New York. Il faisait de son mieux pour s'intégrer à l'équipe familiale ; mais comme il était difficile d'avoir droit à leur estime ! A vingt-cinq ans, presque tout le monde l'appelait encore « Winny », et Nelson, qui connaissait fort bien son aversion pour ce surnom d'enfance, le présentait encore aux gens comme « mon petit frère, Wissy. Wissy [1] ! »

Les États-Unis étaient littéralement suspendus à l'annonce de la déclaration de guerre et beaucoup de jeunes gens, dans l'attente des événements, marquaient le pas dans la planification de leur avenir. Mais Winthrop, devant la multitude des choix qui s'offraient à lui, semblait tout à fait perdu. Son père se faisait beaucoup de souci pour lui : le bruit courait que Winthrop avait un penchant pour la boisson, et les courriéristes révélaient bien souvent l'avoir vu à « El Morroco » et autres boîtes de nuit ; ce fut donc pour lui un grand soulagement de voir ce fils si difficile s'engager comme simple fantassin en 1941.

Au cours des réunions de famille, les frères se gaussaient parfois de l'infinie puissance que certains commentateurs leur attribuaient. Un jour, en l'absence de Winthrop, ils jouèrent à se partager le monde au gré de leurs goûts personnels. Nelson « reçut » l'Amérique latine ; John, l'Asie ; David, l'Europe, etc. Un de leurs collaborateurs se rappelle que quelqu'un demanda alors : « Eh bien, et Winny ? » Laurance lâcha une plaisanterie à la hauteur de la situation : « Winny ? Oh, laissons-lui l'Armée. »

Si Winthrop était le plus simple des fils Rockefeller, son jeune frère David était le plus sérieux, le plus conscient, d'entrée de jeu, des droits que lui conférait sa naissance. (Voici le témoignage de sa fille Peggy : « L'oncle John ne semble pas à l'aise dans son rôle. Père, lui, l'est tout à fait. En tout cas, s'il est la proie de conflits intérieurs, cela ne se voit pas. ») Par sa prudence et son souci des formes, il ressemblait énormément à son père. Cependant, chez David, la réserve ne trahissait aucune insécurité, mais un sentiment d'insularité. C'était le dernier de la famille, le bébé. Il s'était développé tout seul. Avec les années, ceci contribua à le doter d'une confiance en soi à toute épreuve.

Intelligent, bien dans sa peau, il était heureux d'avoir eu quatre frères aînés vainqueurs de batailles dont il pouvait goûter les fruits sans avoir pris le risque de les cueillir. Horace Albright le revoit, petit garçon joufflu galopant dans les forêts de Yellowstone et retournant les roches en quête de feuilles fossilisées et de spécimens de coléoptères. Premières manifestations de la passion de toute une vie, éveillée par l'intérêt qu'un professeur de seconde à l'École Lincoln lui avait inspiré pour l'entomologie. Lorsqu'il entra à Harvard, sa passion pour les coléoptères était si vive qu'il obtint du chargé de cours la permission de suivre des études supérieures d'entomologie, bien qu'il fût en première année. Par la suite, alors même qu'il était devenu le maître de la vénérable Chase Manhattan Bank, il surprenait ses collègues — dont la plupart se faisait du comportement d'un Rockefeller une idée plus

---

1. Par une perfide allusion à « sissy » qui veut dire « lavette ». (*N.d.T.*)

élevée que lui-même — qui le voyaient tout à coup tomber en extase au beau milieu d'une conversation, glisser lentement la main dans sa poche intérieure tout en regardant fixement le sol, en extraire d'un geste vif un petit flacon, bondir sur quelque spécimen, reboucher la fiole, la remettre dans sa poche et reprendre la conversation comme si de rien n'était. Sa collection privée de coléoptères, l'une des plus belles du monde, devait être classée par le Museum d'histoire naturelle. En retour, il subventionna une station de recherches en Arizona, qui organisait des missions de ramassage dans tout le Sud-Ouest. Deux des espèces qu'on parvint à isoler furent baptisées en son honneur *Armaedora Rockefelleri* (un petit coléoptère marron ponctué de taches jaunes) et *Cicindela Rockefelleri* (sorte de coléoptère tigré) [1].

Enfant, David était gros et disgracieux. L'un des jardiniers au service de la famille à Pocantico évoque le souvenir suivant : un jour, levant les yeux de sur son travail, il aperçut David assis sous un arbre, interrogé par son précepteur tandis qu'il jouait mollement avec son arc et ses flèches. Nelson et Winthrop (pour une fois de connivence), s'approchant à pas de loup, dirigèrent sur lui le jet du tuyau d'arrosage, ce qui le fit hurler de rage. Lorsque le jardinier leur demanda la raison de leur geste, Nelson répliqua avec impertinence : « Parce qu'il est gras et paresseux, et nous voulons lui faire faire de l'exercice. » D'après une autre légende du florilège familial, lorsque David, accompagnant ses parents en Égypte en 1926, décida d'escalader une des pyramides, il fallut engager deux porteurs arabes, l'un pour tirer, l'autre pour pousser, afin de lui permettre d'atteindre le sommet...

A l'École Lincoln, sa popularité n'était pas extraordinaire. Mrs. Marr, ancienne camarade de classe des Rockefeller, se rappelle que tout le monde aimait bien Nelson, Laurance et Winthrop. « David était plus jeune, mais il passait son temps à se vanter : de son argent, de ses déplacements, de son voyage en Europe et de tout l'argent que possédait sa famille. Aussi, mon opinion de lycéenne, c'est qu'il était plutôt casse-pied. »

En 1936 — l'année de son diplôme à Harvard — David avait perdu de sa graisse, c'était plutôt un jeune homme « bien en chair » avec un visage agréable flanqué d'un long museau de renard. Son père l'envoya au Canada rendre visite à Mackenzie King et profiter des conseils du Premier ministre. Junior écrivit à son vieil ami des temps de Ludlow : « Mon benjamin a l'esprit subtil. Affaires mondiales et sujets culturels sont d'un égal intérêt pour lui. Entrera-t-il d'une façon ou d'une autre dans les affaires? Sera-t-il en fin de compte attiré vers une carrière politique ou les services diplomatiques? L'avenir seul le dira. »

King tomba d'accord que, pour ce Rockefeller-là, le ciel était bien la seule limite imaginable; mais il estimait qu'il fallait attendre. Devant une situation

---

1. Quand David fut devenu directeur général de la Chase, des dignitaires et hommes d'affaires étrangers, au courant de son étrange passion, lui envoyèrent fréquemment des spécimens pour sa collection. Selon Edna Bruderle, une de ses secrétaires, les bestioles n'étaient pas toujours épinglées sur une planche de liège : « La seule chose qu'il fallait faire devant ces paquets aux formes bizarres, c'était de couper la ficelle et de reculer. »

mondiale aussi imprévisible, ce que David avait de mieux à faire, c'était de s'inscrire à une grande école. A l'automne, il partit pour la faculté d'économie politique de Londres, et se trouva invité au genre de cocktails habituellement réservés aux diplomates et fonctionnaires de haut rang. Il rencontra la famille de l'ambassadeur Joseph Kennedy et sortit avec sa fille Kathleen. En dehors de ses cours, il travailla plusieurs heures par semaine à la succursale londonienne de la Chase.

A la fin de sa deuxième année à la faculté d'économie politique, David reçut une lettre de Nelson qui commençait à prendre au sérieux son rôle de chef de file de la troisième génération — lettre bourrée de conseils avunculaires sur la vie à l'étranger, et de nouvelles optimistes concernant la famille : « ...Winny devient un type bien, son esprit s'élargit; quant à Larry, il est toujours inimitablement semblable à lui-même. Avec les années, notre famille voit s'accroître considérablement ses chances de rendre de réels services et de jouer un rôle important dans la vie du pays. Les connaissances que tu acquiers en ce moment vont être d'une inestimable valeur pour notre groupe et j'ai grand-hâte de voir arriver le jour où, tes études terminées, tu pourras nous apporter un point de vue qui nous fait malheureusement défaut à l'heure actuelle. »

Ce « point de vue », c'était une connaissance spécialisée de l'économie. Ayant terminé ses études à Londres, David retourna à l'université de Chicago où il passa sa thèse de doctorat en 1938. Nouvel avatar de la solennelle maxime d'Eliza Rockefeller — « A gaspillage éhonté, honteuse pauvreté » —, il rédigea une thèse intitulée « Ressources inutilisées et gaspillage économique ». Il accusait les monopoles d'être contre-productifs; l'éducation familiale et la vieille formation baptiste apparaissaient clairement dans sa critique de l'oisiveté comme « la forme la plus odieuse du gaspillage ».

Il s'en revint à New York en 1940 et ne tarda pas à épouser Margaret McGrath. A ce stade (juste avant l'appel téléphonique de Forrestal à Nelson), c'est David, parmi tous les frères, qui paraissait promis à une carrière politique. Son esprit était ferme, analytique. A l'université, il s'était exprimé publiquement sur les problèmes contemporains, tout en sachant fort bien, ce faisant, qu'il serait inévitablement amené à défendre sa famille. En 1939, Harold Ickes, ministre des Affaires intérieures, écrivit dans son journal : « David Rockefeller était là. Il ressemble beaucoup à sa mère; c'est un gentil garçon. Il a l'intention de faire de la politique et désire me demander conseil. On lui a proposé, je ne sais trop comment, d'entrer dans l'équipe du maire La Guardia [1]; doit-il accepter tout de suite ou attendre et passer d'abord par Washington? »

Finalement, il accepta le poste, pour dépanner La Guardia. Il prit plaisir à travailler pour la cité; mais le maire La Guardia dut le prier de ne plus répondre au téléphone en disant : « Ici l'Hôtel de Ville, Rockefeller à

---

1. La Guardia (1882-1947) fut le premier maire de New York à appartenir à une minorité ethnique (Italiens, Irlandais, Juifs, etc.). Un aéroport de New York porte son nom. (*N.d.T.*)

l'appareil. » Après ce passage dans l'administration, il décida cependant une bonne fois qu'il n'était point fait pour la politique — du moins pour la politique qui supposait un recours aux urnes. Ce n'est pas qu'il eût moins d'ambition que Nelson, mais il n'aimait pas la bagarre. Lui aussi avait du goût pour le pouvoir, mais, à la différence de Nelson, il se refusait à le tenir d'un électorat capricieux. « L'ennui, avec la politique, c'est qu'on passe tout son temps à essayer de se faire élire », remarqua-t-il par la suite.

Pour David et ses frères, la Deuxième Guerre mondiale fut un saut dans l'avenir, comme l'avait dit Virginia Woolf d'un conflit antérieur. Dès la déclaration de guerre éclata un scandale qui révéla tout le chemin parcouru depuis l'époque où Standard Oil et Rockefeller étaient synonymes, et qui démontra toute la sagesse dont Junior avait fait preuve en dissociant, aux yeux du public, sa famille de la Société. En effet, tandis que l'Amérique commençait à mobiliser, la Standard Oil se trouva une fois de plus mêlée à des révélations infamantes. Dans les années vingt, la Jersey était entrée dans un cartel avec le trust pétrochimique allemand I. G. Farben. Les relations d'affaires s'étaient poursuivies même après l'accession au pouvoir de Hitler. En 1941, à la veille de Pearl Harbor, au cours d'une série d'auditions de la Commission sénatoriale chargée d'enquêter sur la Défense nationale, le vice-ministre de la Justice Thurman Arnold lut une lettre rédigée par Frank A. Howard, vice-président de la Standard, révélant que la Société avait reconduit le contrat de cartel avec les nazis en Hollande. « Nous avons tout fait pour parvenir à un *modus vivendi,* sans préjuger de l'attitude des États-Unis dans le conflit », disait la lettre. Il y avait là un désintérêt si évident pour toute notion de patrie que Harry S. Truman, président de la Commission, avait quitté la salle en grommelant : « Ça sent la trahison, j'en ai bien peur. » Quant à Ivy Lee, il avait déjà laissé des plumes dans une affaire semblable. En 1934, la Jersey l'avait envoyé en Allemagne pour étudier avec I. G. Farben les moyens d'améliorer l'image de marque de ce trust, ainsi que celle du Troisième Reich avec lequel la Jersey entretenait des liens solides sur le plan économique et politique. De retour aux USA, Lee avait dû subir un sévère interrogatoire devant la Commission spéciale des activités anti-américaines. Sa déposition devant la Commission fut rendue publique au début juillet, une semaine et demie après la « nuit des longs couteaux ». La presse rapprocha les deux événements et titra en première page : « Lee démasqué comme attaché de presse de Hitler. »

Ivy Lee était déjà gravement atteint d'une tumeur au cerveau; cette tempête d'hostilité lui brisa le moral et l'acheva. Il mourut la même année, déshonoré. A Berlin, l'ambassadeur de Washington nota dans ses carnets : « Encore un exemple parmi des milliers d'autres où l'amour de l'argent ruine la vie d'un homme. Je n'ai pas un mot élogieux à transmettre sur son compte au département d'État. » Et à Ormond Beach (Floride) où des journalistes s'étaient rassemblés ce soir-là devant la porte du premier John Davison pour connaître ses réactions à la mort de l'homme qui l'avait tant aidé à redorer son blason moral, on fit savoir que Mr. Rockefeller ne pouvait être dérangé sous aucun prétexte après 6 heures.

N'ayant rien oublié du scandale Lee, Junior s'inquiétait fort de voir la Commission Truman pénétrer les arcanes du cartel Standard-Farben. (On savait déjà que Farben faisait travailler la main-d'œuvre esclave des camps de concentration nazis[1].) Il demanda aux directeurs de la Standard un mémorandum secret exposant leurs tractations avec les puissances de l'Axe, afin de le produire pour sa propre défense si les choses en arrivaient là. Ses craintes n'étaient pas fondées; Rockefeller était devenu un citoyen au-dessus de tout soupçon. L'affaire de Ludlow était vraiment du passé.

1. I. G. Farben avait installé une usine à Birkenau-Auschwitz afin de profiter de la main-d'œuvre juive. D'après le commandant du camp d'Auschwitz, Rudolf Hoess, « la durée d'utilisation d'un détenu » par l'usine « était de trois mois ». Après quoi, à bout de forces, il était gazé. (N.d.T.)

CHAPITRE XIII

1942 : mobilisation des Rockefeller. L'approche de la guerre, de façon bien caractéristique, avait conduit John III à siéger à un nombre accru de conseils d'administration : Comité des enfants réfugiés, l'USO[1], la Croix-Rouge américaine et bien d'autres. Vers la fin de 1942, il était entré dans la Marine et s'était installé à Washington. Laurance y était lui aussi en garnison : il s'était servi de ses liens avec Forrestal et de ses relations avec l'industrie aéronautique naissante pour obtenir un poste d'inspecteur de la production et du développement des avions de combat. Winthrop fut le seul à devenir officier en gravissant les échelons un à un. Il appréciait l'esprit démocratique de la caserne (comme naguère celui des camps pétroliers); il reçut le baptême du feu dans le Pacifique et fut légèrement blessé lors du débarquement à Okinawa. Quant à David, il s'engagea immédiatement après Pearl Harbor, sortit de l'école d'élèves-officiers, servit pendant deux ans en Afrique du Nord dans les services de renseignements, puis se rendit à Paris comme attaché militaire adjoint.

Entre-temps, Junior déployait sur le front intérieur la même activité que pendant la Première Guerre mondiale; il devint la véritable force agissante derrière l'USO et autres œuvres destinées à aider les troupes à garder le moral tout en sauvegardant la morale. Avec son confortable héritage Aldrich (l' « argent fou » qui lui servait à acheter la plupart de ces toiles modernes, honnies de son époux), Abby fit preuve d'une curieuse imagination dans son effort de guerre. Elle était sensible à des problèmes qui échappaient à la vision de son mari. Lors d'un voyage de détente à Williamsburg, elle avait remarqué que les soldats en permission se plaisaient à regarder les étudiantes de l'université William et Mary, mais qu'ils devaient toujours rester debout, s'accroupir dans l'herbe ou chercher quelque appui. Pour alléger leur sort, elle acheta une série de bancs qu'elle fit placer à des endroits stratégiques pour permettre aux troufions de se rincer l'œil tout en étant confortablement assis.

Abby s'inquiétait pour ses fils sous les drapeaux; souvent elle veillait tard le soir pour écouter les nouvelles, la main en cornet autour de l'oreille, assise sur le rebord de sa baignoire de la salle de bains où elle avait transporté son poste de radio afin de ne pas déranger son mari qui avait maintenu contre

1. USO : Organisation qui se chargeait d'envoyer des troupes d'acteurs ou de chanteurs pour divertir les GI's américains en opération outre-mer. (*N.d.T.*)

vents et marées l'heure réglementaire du coucher. Seuls Winthrop et David se trouvaient dans des zones de combat ; elle s'inquiétait tout particulièrement pour eux, mais craignait que John et Laurance ne fussent également requis pour monter au feu. Quant au fils dont elle suivait de plus près les faits et gestes, Nelson, son préféré, il n'était pas le moins du monde soldat. Civil, il était néanmoins bien plus au fait des problèmes de la guerre que les autres.

Quand il se rendit à Washington en 1940 pour prendre en main le Bureau des affaires interaméricaines (l'OIAA), Nelson était le « castor ambitieux qui finit seul toutes les jetées » (selon l'expression du futur président de l'AEC [1], David Lilienthal). Pour les hauts fonctionnaires en place du département d'État, déjà inquiets des empiètements éventuels du nouveau Bureau (contrariés en tout premier lieu que le président eût consenti à sa création), l'arrivée de ce jeune loup de trente-deux ans, qui amenait avec lui ses propres experts, n'avait rien de rassurant. « Bee » Ruml ne voulut pas entrer à l'OIAA à plein temps, mais accepta de venir régulièrement à Washington en qualité de conseiller de Nelson. Joe Rovensky et Wally Harrison, membres du « Groupe », se virent confier des positions clés, ainsi que John Hay Whitney, ami de la famille, producteur d'*Autant en emporte le vent* et futur ambassadeur en Grande-Bretagne ; Carl Spaeth, de la Compania ; et John Lockwood, jeune avocat de la Milbank Tweed, affable mais mordant, que JDR 3 avait recommandé à Nelson. A l'exception de Spaeth, qui par la suite devait encourir le déplaisir de Nelson en acceptant de travailler pour le compte d'un service rival à l'intérieur du département d'État, tous ces hommes avaient en commun une fidélité absolue envers leur patron. « Nelson ne veut pas de " béni-oui-oui ", mais d'hommes liges — en premier lieu, en dernier lieu et pour toujours. »

Nelson et « Tod » avaient alors cinq enfants. Après Rodman, il y avait eu Ann et Steven, puis les jumeaux Michaël et Mary. Toute la famille avait déménagé dans une grande résidence de Foxhall Road, où logèrent à un moment ou à un autre presque tous les membres de son équipe de l'OIAA, dont certains (comme les Spaeth) en semi-permanence. La maison Rockefeller avait beau s'animer du charme irrésistible de Nelson, elle ne devint jamais tout à fait ce salon de la culture latino-américaine dont il avait rêvé. En dépit des orchestres folkloriques itinérants et des assiettes débordant de tortillas, les soirées qu'il donnait prenaient facilement un ton guindé et didactique. Une dame qui y assista souvent durant les années de guerre se remémore Nelson allant accueillir ses hôtes à la porte et leur remettant une feuille polycopiée de chansons en espagnol qu'on les prierait d'entonner à un moment donné de la soirée.

Nelson n'était pas à sa place, de toute évidence, dans l'atmosphère

---

1. Atomic Energy Commission. (*N.d.T.*)

étouffante du *New Deal*; peu en accord avec les façons de penser des conseillers de Roosevelt, il se méfiait de certains de leurs plans à tendance idéaliste. Cela ne l'empêcha pas de foncer tête baissée, avec la dernière énergie : il connaissait mieux qu'eux les ressorts du pouvoir et ne répugnait pas à mettre son savoir au service de gens pratiques. Il avait réuni une impressionnante équipe d'experts et avait manifestement l'intention de faire de la « boutique Rockefeller » (comme on l'appelait) le centre de la diplomatie de l'Hémisphère. Washington était pour lui le meilleur des mondes : les vieux n'y avaient pas sur lui la même emprise que son père. Les perspectives qui s'ouvraient à lui le galvanisaient.

Il se mettait au travail dès 6 heures du matin, écoutait les informations installé sous son solarium électrique, rédigeait des notes tout en prenant son petit déjeuner, et souvent trouvait le temps de faire un double au tennis avec Henry Wallace avant d'arriver au bureau à 8 h 30. Il passait l'heure du déjeuner à travailler et emportait chez lui du travail inachevé, après avoir fait le plein de collaborateurs dans sa voiture. (« Nelson avait toujours des gens autour de lui, rappelle un de ses assistants de l'époque. On eût dit qu'il avait besoin de voir son reflet sur leur visage. ») Il dînait fréquemment avec des diplomates latino-américains ou des hauts fonctionnaires, et il n'était pas rare qu'il poursuivît ainsi ses activités jusqu'à minuit, s'endormant tout à coup dans un fauteuil du salon au beau milieu d'une conversation.

Si sa maison prenait l'allure d'un bureau ou d'un dortoir, son Bureau se mit bientôt à ressembler à un PC de temps de guerre. Réunions d'état-major dans le plus pur style des armées, avec cartes, diagrammes, tracés, projecteurs de diapositives, bref, tout l'arsenal. Le style militaire était pour Nelson indispensable à l'efficacité; en outre, quoi de plus naturel puisque Nelson siégeait au comité consultatif du Conseil de Défense nationale? Certes, l'Amérique latine ne risquait pas de devenir un théâtre d'opérations, mais, comme fournisseur de matières premières, elle était appelée à jouer un rôle important dans la lutte armée contre les puissances de l'Axe.

Personne à Washington ne se lança dans la campagne pour « épouiller » le continent américain de la « peste brune » avec plus d'enthousiasme que Rockefeller. Au moment même où il lisait à Harry Hopkins [1] la note où Ruml proposait des moyens de renforcer les liens avec le reste de l'Hémisphère, il savait pertinemment que la guerre en Europe créait des occasions nouvelles. A la suite du blocus britannique, un tiers des marchés latino-américains se trouvaient fermés: bonne occasion pour réorienter l'ensemble du commerce en direction des États-Unis. « Un des objectifs principaux du programme à long terme de mon bureau, expliquait Rockefeller dans un mémorandum officiel, consiste à réduire la dépendance de l'Amérique latine à l'égard de l'Europe en tant qu'importatrice de matières premières et exportatrice de produits manufacturés. » Ceci, ajoutait-il, était une importante « mesure de défense de l'Hémisphère ».

---

1. Le bras droit de Roosevelt. (*N.d.T.*)

Tandis que s'intensifiaient les combats avec l'Axe (bien que les USA fussent toujours « officiellement » neutres), le bureau de Rockefeller se lança en première ligne, avec propagande et campagne de pressions, pour contraindre les firmes US en Amérique latine à se débarrasser de tous ressortissants allemands et italiens, effort qui impliquait à l'occasion la visite de Nelson en personne au PDG de la société coupable, pour s'assurer qu'elle tenait compte de la liste noire. Les Britanniques eux-mêmes n'étaient pas épargnés dans cette croisade visant à purifier l'Hémisphère des influences commerciales étrangères. Joe Rovensky, nommé par Nelson coordonnateur adjoint, produisit un plan très complexe pour contraindre l'allié britannique à lâcher certains de ses acquis les plus précieux au Chili et en Argentine, en échange des approvisionnements en vivres qu'il recevait pour soutenir son effort de guerre [1].

Plus la guerre avançait, plus il devenait clair que la Grande-Bretagne paierait sa survie avec ce qui avait représenté naguère son tribut impérial. L'aide prêt-bail fit elle-même l'objet d'un troc contre ses importantes bases des Caraïbes. (« Tout comme le siècle dernier en Amérique latine fut un " siècle britannique ", déclara le président de la Chambre de commerce US tandis que se déroulaient ces tractations, le siècle à venir sera un siècle américain. ») Cependant, Nelson aurait été le dernier à admettre qu'il prenait ainsi part à la conquête d'un marché à l'échelle d'un continent. Il nourrissait pour l'Amérique latine des sentiments très personnels, une passion de collectionneur pour sa culture et son art. Il aimait les Latino-Américains et, même en tournée d'enquête, il lui arrivait souvent de trouver quelque prétexte pour plonger en bras de chemise dans la foule d'un *mercado* (marché), parler aux camelots, leur acheter quelque chose, ou pour disparaître dans la cahute mexicaine d'un artisan-paysan pour marchander et emporter une œuvre d'art populaire. Il avait acquis un splendide domaine dans la montagne, au Venezuela, dans le site même où avait vécu le « libertador » Simon Bolivar lorsqu'il avait fait cette remarque restée célèbre : « Les États-Unis semblent voués par la Providence à accabler l'Amérique latine de tous les maux au nom de la liberté. »

Nelson n'ignorait pas qu'on accusait la politique US à l'égard de l'Amérique latine de reposer sur des principes totalement dépourvus d'idéalisme, mais ces accusations ne lui faisaient pas peur. « La propagande totalitaire se lance déjà à l'attaque de la politique de solidarité à l'égard de l'Hémisphère mise en œuvre par notre gouvernement, la qualifiant d'expédient hypocrite destiné à mettre les pays latino-américains en coupe réglée pour nos besoins personnels pendant la crise. Afin de combattre de telles contre-vérités et de démontrer la sincérité et la permanence de notre politique »,

---

1. Une note de l'OIAA concernant le plan Rovensky ne peut résister à l'analogie avec le marché de la Bourse. Elle affirmait qu'il y avait de « bons placements dans le portefeuille britannique », puis remarquait : « pourquoi ne pas les ramasser dès à présent ? », ajoutant qu'il y avait par contre « toute une camelote que la Grande-Bretagne pouvait être autorisée à conserver ».

lança-t-il dans une déclaration officielle, il est nécessaire « de développer et de resserrer les liens culturels et spirituels », compléments indispensables des liens commerciaux.

Sous sa direction, l'OIAA, déployant une activité débordante, multiplia tournées et échanges : expositions, troupes de ballet, compétitions sportives, visites d'experts ou d'hommes politiques. Programme ambitieux, au-delà de tout ce qui avait été envisagé, et qui coûtait les yeux de la tête. Lorsque Forrestal avait offert à Nelson le poste de coordonnateur, il lui avait dit que le budget annuel de l'OIAA serait de 3 millions et demi de dollars, plus les sommes qu'il pourrait soutirer au Congrès à force de cajoleries. Mais, à la fin de sa quatrième année d'exercice, Rockefeller avait obtenu et dépensé 140 millions de dollars et engagé des centaines d'employés.

Ce qui lui attira les foudres des esprits conservateurs du Congrès. De là date sa réputation de « gros dépensier », qui le poursuivra tout au long de sa carrière politique. Un fonctionnaire du département d'État critiqua sa façon de « vendre » l'image de marque des USA dans l'Hémisphère comme un exemple de « vantardise nationale » excessive. Un autre jour, un membre républicain du Congrès interrompit les débats pour accuser Rockefeller de n'être qu'un « bureaucrate du New Deal ». Mais Nelson parvint à désarmer les critiques demeurés insensibles à son charme, et put poursuivre son exercice de corde raide. Comme le nota Henry Wallace dans ses carnets : « Aujourd'hui, j'ai donné au président la définition du coordonnateur selon Nelson Rockefeller : un homme capable d'expédier les billes aux quatre coins du billard sans perdre de vue la sienne. »

Le Bureau des affaires interaméricaines était devenu l'une des institutions les plus brillantes de Washington. Sa base d'opérations la plus visible fut la section de Publications et d'Information, dont le personnage clé était un ex-journaliste de l'Associated Press, mince et prématurément grisonnant, Francis Jamieson. Jamieson avait obtenu le Prix Pulitzer pour un reportage bien documenté sur le rapt du bébé Lindbergh, et avait également révélé des qualités de stratège politique de premier ordre en faisant aboutir la campagne de Charles Edison pour le gouvernorat du New Jersey contre l'énorme machinerie électorale de Hague. Plus tard, il avait rencontré Winthrop Rockefeller, engagé comme lui pour le compte du Fonds du Grand New York. Et Winthrop l'avait recommandé à Nelson. Attiré par la sincérité vigoureuse de Jamieson, Nelson lui avait offert deux postes : chef des relations publiques de la Creole Petroleum, ou responsable de la publicité pour la campagne de Willkie [1] ; il les avait refusés l'un et l'autre. Mais quand se présenta un emploi à Washington, il accepta.

Ses collègues de l'OIAA le revoient, assis durant les réunions, une cigarette pendant de ses lèvres (Jamieson était un ancien alcoolique, devenu fumeur invétéré), apparemment tout occupé à se curer les ongles avec le rabat de sa

1. Willkie (1892-1944) fut candidat républicain à la présidence en 1940 contre Roosevelt. (*N.d.T.*)

pochette d'allumettes. Mais ses commentaires incisifs montraient qu'il savait écouter ; on en vint à compter sur lui pour résumer et analyser les discussions. Avec l'avocat John Lockwood et Wally Harrison, Jamieson entra dans le cercle des proches collaborateurs de Nelson. Il assumait le rôle de l'avocat du diable dans le bureau du coordonnateur, soutenant l'attitude du « non » systématique pour mettre à l'épreuve la solidité et la persistance des enthousiasmes subits de Rockefeller. C'est Jamieson qui eut assez d'intelligence politique pour voir dans l'OIAA le parfait tremplin pour une carrière politique au niveau national, et pour promouvoir Nelson en même temps que les programmes du bureau des affaires interaméricaines [1]. Il devint vite « Frankie », le meilleur ami et conseiller qu'eut jamais Nelson.

Sous Jamieson, la section des Publications et de l'Information devint le fer de lance du programme de l'OIAA et la première agence de propagande dont se dota le gouvernement — préfiguration de l'Office of Facts and Figures d'Archibald MacLeish. Elle publia entre autres *la Guardia,* luxueuse revue mensuelle rédigée en espagnol et s'inspirant de *Life,* diffusée dans toute l'Amérique latine et qui finit par toucher plus d'un demi-million de lecteurs. La Section imprima une édition hebdomadaire du *New York Times* au Chili et la distribua partout, sauf en Argentine où la censure la refoula. A l'actif de Jamieson, également, des programmes de radio couvrant toute l'Amérique latine, précurseurs de la fameuse « Voix de l'Amérique ».

Les parties plus ambitieuses du programme du coordonnateur — encouragement au développement économique à long terme en Amérique latine, par exemple — s'avérèrent bien plus difficiles à mettre en œuvre que la vente d'une bonne image de marque du « bon voisin » dans tout l'Hémisphère. En fait, la résistance aux attaques contre les conditions de vie féodales émanait en grande partie des comités de coordination installés par Nelson lui-même dans chaque pays du sous-continent. Ils étaient « composés des plus gros hommes d'affaires » (comme s'en plaignit un vieux diplomate américain dans une lettre au sous-secrétaire d'État), pour ne parler que des directeurs locaux de la Standard Oil, de la Guggenheim, de la General Electric et de la United Fruit. « Ils ont des idées très arrêtées sur ce que devrait être notre politique d'ensemble, et, généralement, des idées on ne peut plus réactionnaires [2]. » D'importantes livraisons d'armes aux dictateurs latino-américains — contradiction interne entre ce que Rovensky appelait « l'intervention au jour le jour » et « les objectifs à long terme » — repoussèrent aux calendes grecques les

---

1. « Tout en faisant mousser les États-Unis en Amérique latine, commenta la *New Republic* vers la fin de la guerre, Jamieson avait fait de Nelson Rockefeller une personnalité internationale ; travail d'orfèvre qu'Ivy Lee lui-même aurait été contraint d'admirer — et aux dépens du gouvernement des États-Unis. Personne, à part Nelson lui-même, n'est plus désireux que Francis Jamieson de voir Nelson Rockefeller marcher sur les traces politiques de son grand-père Aldrich. »
2. En 1942, Rovensky fut contraint de quitter le bureau du coordonnateur. A la suite du massacre de mineurs boliviens dans les mines d'étain de Catavi et des révélations selon lesquelles l'ambassadeur US en Bolivie avait mis le feu aux poudres en intervenant pour le compte des magnats de l'étain, il fut révélé que Rovensky était vice-président des mines de Patiño, un des plus gros producteurs d'étain du pays.

réformes démocratiques et le développement économique prévus par l'OIAA.

Chez les intellectuels latino-américains, les critiques allaient bon train. Le pédagogue péruvien Luis Alberto Sanchez écrivit dans la revue *Inter American* : « En Amérique latine, la guerre a considérablement appauvri les pauvres et enrichi les riches. Elle a augmenté le pouvoir politique et militaire de l'armée... Les grandes sociétés latino-américaines d'import-export... réalisent des profits juteux. Et pendant ce temps... où sont pour l'homme de la rue les profits matériels ou moraux de cette guerre où il avait placé ses espoirs bien avant que son gouvernement eût pris position?... »

Point de vue minoritaire, cependant, parmi ceux qui comptaient. Bien avant que l'on sût avec certitude que l'issue de la guerre serait favorable aux Alliés, l'Amérique latine était entrée dans l'orbite US, situation dont le jeune Nelson Rockefeller était en grande partie l'artisan. Le 17 mai 1944, la Société Pan American lui décerna sa médaille d'or pour l'œuvre accomplie pendant la guerre. Le lendemain matin, son père lui écrivit une lettre de félicitations se terminant par ces mots : « ... Ainsi, le cœur gonflé d'orgueil et de gratitude, je dis : Bravo, mon fils, tu as bien travaillé, tu as su maintenir très haut la tradition de service public de notre famille, tu as ajouté à l'honneur du nom familial. »

En novembre de la même année, au cours d'une visite à Haïti, Nelson fut informé d'un changement à la tête du département d'État, annonciateur d'une nouvelle phase dans sa carrière washingtonienne. Cordell Hull venait de donner sa démission de ministre des Affaires étrangères; son successeur, Edward Stettinius junior, ex-directeur de l'US Steel, informa Nelson que le président désirait le nommer au poste de sous-secrétaire d'État pour les Affaires latino-américaines. Nelson, à qui son implacable ambition et sa soif de pouvoir avaient déjà valu de nombreux ennemis au département d'État, comprit la signification de la formulation de Stettinius : c'était bien le *président* qui l'appelait à ce poste, non le ministre. Allait-il accepter? Après consultation de Harry Hopkins, qui l'assura que Franklin D. Roosevelt était entièrement gagné à ses idées concernant l'ensemble de l'Hémisphère, il finit par laisser le bureau de coordonnateur à son ami Wally Harrison et accepta ce nouveau poste.

La nouvelle carrière de Nelson ne devait pas durer longtemps. Mais ses répercussions furent grosses de conséquences, émettant des ondes de choc qui eussent été inimaginables hors d'un contexte où tout l'édifice des affaires internationales subissait bouleversements et mutations. Cette carrière de sous-secrétaire ne dura que neuf petits mois; mais, pendant ce laps de temps, que d'événements! D'abord, l'ultime et décisive rencontre des Trois Grands à Yalta; l'inauguration des Nations unies à San Francisco; le lâcher de la bombe atomique à Hiroshima. Mais il y eut des changements plus profonds :

les vieux empires coloniaux de l'Europe et du Japon quittaient la scène internationale, tandis qu'une nouvelle puissance, la Russie soviétique, faisait sentir sa présence d'inquiétante façon. Avec la fin de la guerre, un monde ancien se mourait ; et on assistait à la naissance d'un monde nouveau qui recevait le baptême du feu dans une guerre d'une nouvelle sorte : la guerre froide.

En 1944, Nelson, assistant à une réunion du Comité de défense interaméricain, y entendit de la bouche du président, le général Embick, qui était aussi chef d'état-major général des armées, une description pessimiste du monde de l'après-guerre. Cette réunion fit sur lui une profonde impression. A l'avenir, affirma le général Embick devant les membres du Comité de défense, on ne pourra faire la guerre qu'à coups de matières premières, de capacité industrielle, de masse de main-d'œuvre, de zones d'influence. En fait, il ne restait plus en lice que deux blocs : l'Occident et l'Union soviétique. La Chine, ajouta-t-il, maintiendrait entre eux l'équilibre de la puissance.

Avec un petit groupe d'élus qui prit part à la suite des événements, Nelson eut le sentiment d'être « présent à la création d'un monde », selon la formule mémorable et significative de Dean Acheson. Les principaux théâtres de la guerre froide allaient être d'abord l'Europe, puis l'Asie, mais, pour un bref et lourd instant du printemps 1945, un prologue révélateur au drame à venir se joua sur son propre fief : l'Amérique latine.

Les Républiques latino-américaines avaient adopté une position réservée dans la lutte contre les puissances de l'Axe. Deux seulement des vingt Républiques avaient envoyé des forces symboliques dans la zone des combats ; sept autres, dont le chef de file était l'Argentine, avaient tout bonnement omis de déclarer la guerre. Vers la fin des hostilités, Rockefeller et le département d'État exercèrent des pressions pour susciter dans l'Hémisphère un front antifasciste mieux affirmé. Les nations latino-américaines qui n'avaient pas encore déclaré la guerre à l'Allemagne et au Japon furent sommées de le faire avant le 1er février si elles désiraient être admises dans la nouvelle organisation des Nations unies. En même temps, Rockefeller mit en œuvre des plans destinés à réunir une Conférence interaméricaine afin de donner forme au système interaméricain qui s'ébauchait et d'élaborer un pacte de défense en bonne et due forme.

La conférence se tint dans le célèbre palais de Chapultepec, à Mexico ; dès le début, ce fut un « show » Rockefeller. Dans un geste de grandiose diplomatie paternaliste, Nelson affréta un avion spécial pour assurer le transport des ambassadeurs latino-américains en poste à Washington. Le secrétaire d'État Stettinius était là, mais, d'après le témoignage de l'ambassadeur US au Mexique, « complètement perdu ». Un schisme ne tarda pas à se créer à l'intérieur de la délégation américaine, dont les implications allaient se faire sentir, deux mois plus tard, lors de l'Assemblée des Nations unies à San Francisco.

La querelle surgit à propos de l'accord de défense mutuelle (connu sous le nom d'accord de Chapultepec) ; ce fut la réalisation la plus durable de la conférence de Mexico (et le prototype des futures alliances de l'OTAN et de l'OTASE). L'accord garantissait les frontières existantes et stipulait qu'une attaque contre l'un quelconque des États américains serait considérée comme une agression contre tous. C'est cet aspect régional du pacte qui souleva la colère de la Section des affaires internationales du département d'État, dirigée par Leo Pasvolsky, conseiller spécial du secrétaire d'État. Aux yeux de Pasvolsky et de ses partisans, un tel accord remettait en cause l'engagement pris tout récemment par les États-Unis à Dumbarton Oaks de porter toutes dissensions internationales devant la nouvelle organisation mondiale (les Nations unies). Il pouvait inciter l'Union soviétique et d'autres grandes puissances à conclure des pactes de sécurité régionaux similaires avec une foule de petits États faciles à dominer. La controverse passionnée au sein de la délégation US à Mexico vit cependant la victoire de Rockefeller, d'A. A. Berle Jr (nommé tout récemment ambassadeur au Brésil) et du sénateur républicain Warren Austin, vieux routier de la Commission des relations avec l'étranger ; ils étaient soutenus par les grands manitous de l'Armée et de la Marine, furieux à la pensée de sacrifier un pacte de sécurité militaire à un concept idéaliste ou qui leur semblait tel.

La guerre presque terminée, Nelson s'était reconverti dans la lutte contre le communisme, jetant par-dessus bord le bagage idéologique de la croisade antifasciste et adoptant l'attitude qui allait caractériser, dans les années à venir, la politique washingtonienne de guerre froide. Peu avant la conférence, Nicolo Tucci, chef du Bureau de recherche latino-américain au département d'État, démissionna et demanda au ministre Hull de supprimer purement et simplement son service ; en effet, dira-t-il plus tard, « mon Bureau avait pour tâche de neutraliser la propagande nazie et fasciste en Amérique du Sud, et pendant ce temps Rockefeller invitait les pires fascistes et les pires nazis à Washington ». Lorsque Tucci fit part de ses griefs à Nelson, il s'entendit répondre : « Tout le monde est utile ; nous allons amener ces gens-là à adopter une attitude amicale envers les États-Unis. » Et Larry Levy, alors avocat de Rockefeller, d'ajouter : « Ne vous en faites pas ; ces gens-là, nous les achèterons. »

La presse libérale regimba à l'un de ces achats : l'Argentine (tout récemment dénoncée par l'ex-secrétaire d'État Hull comme « le refuge et le QG du mouvement fasciste dans l'Hémisphère »). A la conférence de Chapultepec, Nelson avait introduit une résolution dont Berle avait rédigé les grandes lignes, spécifiant les réformes internes nécessaires à la « réinsertion de Buenos Aires dans le système interaméricain et la communauté des nations démocratiques ».

Bien peu croyaient en un changement du gouvernement argentin, mais, pour Nelson, seuls les gestes comptaient. Lorsqu'enfin Peron déclara la guerre à l'Axe, un peu moins de deux semaines avant le Jour de la Victoire en Europe, Nelson dépêcha son adjoint Avra Warren pour y étudier *pro forma* les conditions de la vie politique. Le choix de Warren n'était pas ortuit. Ancien ambassadeur en République dominicaine, ami intime du dictateur Trujillo (il avait placé son propre fils à l'académie militaire du « Bienfaiteur »), Warren passa deux jours en Argentine et s'en revint assurer Nelson que le régime militaire n'avait plus rien de fasciste, ni en intention ni en fait.

Ayant pris connaissance du rapport Warren, Rockefeller, dès le lendemain, monta à bord du fameux avion spécial rempli de diplomates latino-américains et mit le cap sur San Francisco, bien décidé à déjouer toutes les manœuvres de Pasvolsky et autres opposants du département d'État pour lier l'accord de Chapultepec à la nouvelle organisation mondiale, et par là même refuser d'y admettre l'Argentine.

A l'origine, il n'avait pas été invité à la conférence. A la mort de Franklin D. Roosevelt, Nelson n'avait plus de protecteur à Washington. Mais quand Stettinius, une fois à San Francisco, se rendit compte qu'un vote massif serait utile, il fit venir Rockefeller et lui donna le feu vert pour aiguillonner en quelque sorte les nations latino-américaines. Une fois sur le terrain, Rockefeller se lança dans les intrigues de la conférence avec un enthousiasme caractéristique. Discutant sans trêve avec les représentants de l'Hémisphère et rameutant tout un clan politique formé des membres de la délégation US favorables à sa position (en particulier le puissant sénateur de droite Arthur Vandenberg), Rockefeller fit l'impossible pour amener la position officielle américaine à coïncider avec ses vues. Affirmant sa conviction que les États-Unis, « à moins d'opérer avec un groupe solide dans cet Hémisphère, n'auraient jamais les coudées franches sur le front mondial », il avait l'air d'un auxiliaire de chef de parti qui tente de capter les votes de droite et de gauche sans se demander à quoi il engage son camp. Un fonctionnaire du département d'État s'en plaignit : « Par moments, personne ne semblait savoir ce qu'il faisait. Il agissait comme s'il était une délégation à lui tout seul. »

Au sein de la délégation US, le point de vue nelsonien se heurtait à une vive résistance, et les passions s'exacerbaient. Trois autres secrétaires adjoints (Dean Acheson, James Dunn et Archibald MacLeish) partageaient les craintes de Pasvolsky et des autres membres de la Direction des affaires internationales concernant le soutien de Rockefeller au régime péroniste. Par deux fois, à Yalta, Roosevelt avait promis à Staline que les États-Unis ne soutiendraient pas l'Argentine, en raison de ses antécédents fascistes, dans ses tentatives pour entrer dans l'organisation mondiale. Mais ces considérations ne freinaient nullement Rockefeller dans sa résolution d'obtenir à tout prix l'admission de l'Argentine, au mépris de toutes les oppositions.

Il avait même profité de l'état de faiblesse du président malade (c'est du moins ce qu'affirmèrent ses détracteurs au sein du département d'État) pour lui arracher, un mois à peine avant sa mort, son approbation de la manœuvre argentine. Des années plus tard, le vieux diplomate Charles E. Bohlen — présent à Yalta et aux grandes conférences du temps de guerre aux côtés de Roosevelt — écrivit non sans une certaine amertume : « Je me faisais constamment du souci sur l'effet que Roosevelt produisait en public ; c'était l'évidence un homme malade. Ses mains tremblaient à tel point qu'il lui éta[it] difficile de tenir un télégramme... Le pouvoir de concentration du présiden[t] Roosevelt s'affaiblissait, son énergie vitale s'appauvrissait : il était don[c] contraint de s'en remettre, plus qu'il ne l'eût fait en temps normal, à la bonn[e] foi et au jugement de ses conseillers. Il se trouva des gens pour profiter d[e] son état, j'ai le regret de le dire. Ainsi, un haut fonctionnaire d[u] gouvernement américain (Nelson A. Rockefeller, me dit-on, alors sous-secrétaire) eut le front de placer sous les yeux de Roosevelt un rappor[t] recommandant d'admettre l'Argentine comme membre fondateur de l'orga[-]nisation des Nations unies. Affaire pratiquement oubliée aujourd'hui ; mai[s] elle constituait une violation flagrante des accords de Yalta aux terme[s] desquels seules les nations qui avaient déclaré la guerre à l'Allemagn[e] pouvaient prétendre devenir membres fondateurs. Ce qui excluait l'Argen[-]tine. Mais Roosevelt signa le rapport sans en comprendre vraiment toute l[a] portée. »

Le heurt avec les Russes eut lieu à l'Assemblée générale ; mais l'action d[u] « rouleau compresseur » déployée par Rockefeller dans les coulisses étai[t] irrésistible. Lors des escarmouches préliminaires, Molotov, ministre de[s] Affaires étrangères soviétique, se tailla un beau succès et embarrassa fort l[a] délégation américaine en citant diverses accusations contre Peron et l[e] fascisme argentin que Roosevelt, Hull et Rockefeller avaient eux-même[s] lancées dans un passé récent. Mais les jeux étaient faits, les États-Uni[s] obtinrent la majorité : au décompte final, il y eut trente-deux voix pou[r] l'admission de l'Argentine à l'ONU, et seulement les quatre votes du bloc soviétique pour se prononcer contre (Russie, Ukraine, Biélorussie, Yougosla-vie).

L'accord de Chapultepec était le point suivant à l'ordre du jour de la conférence de San Francisco. Mais Nelson était déjà reparti pour Washing-ton afin de s'entretenir avec le président Truman des critiques hostiles provoquées par le vote sur l'Argentine [1]. De retour à la conférence des Nations unies le 5 mai, Nelson découvrit que Stettinius avait cédé aux pressions au sein même de sa délégation et qu'il s'était plus ou moins engagé à introduire un amendement à la Charte des Nations unies, stipulant que, sauf dans le cas de « mesures contre les nations ennemies dans cette guerre »,

1. La presse fut déconcertée par la conduite agressive de Rockefeller et de Stettinius dans cette affaire. Citant un reportage publié peu de temps auparavant sur le climat policier qui régnait à Buenos Aires, le *Washington Post* fit paraître un éditorial vengeur dénonçant le vote sur l'admission de l'Argentine : « Ce régime, décrit... comme ayant commis " récemment des actes dépassant tout ce que le signataire de ce reportage a pu voir en dix-sept ans de séjour dans l'Italie fasciste " — ce régime a été catapulté dans la confrérie des États épris de paix, à San Francisco, par le secrétaire d'État Stettinius et le secrétaire adjoint Rockefeller. Les héros de cet exploit se considèrent-ils comme particulièrement habiles ou simplement cyniques? Nous l'ignorons. » Et, dans une série d'articles où il stigmatisait cette façon de procéder comme « le viol à la hussarde d'une conférence mondiale grâce à un bloc de vingt votes », Walter Lippmann lança un cri d'alarme : les États-Unis ont « adopté une ligne de conduite qui, si elle devient notre ligne définitive, aura les conséquences les plus désastreuses ».

aucune action ne saurait être engagée « en vertu de pactes régionaux ou par les agences régionales sans l'autorisation du Conseil de sécurité ».

Cet amendement officialisait, dans l'ordre mondial, le concept de « solidarité internationale » que les États-Unis eux-mêmes avaient proposé à Dumbarton Oaks [1] en remplacement du système de pactes entre nations et d'alliances militaires qui s'était soldé par deux conflits désastreux en l'espace d'une génération. Mais, aux yeux de Nelson, cette clause allait flanquer par terre toute sa politique latino-américaine. Il sollicita sur-le-champ, dès son arrivée à San Francisco, un entretien privé avec Stettinius ; mais on lui répondit que le secrétaire d'État était « épuisé », et qu'il devrait voir, à sa place, Pasvolsky ou le secrétaire adjoint James Dunn, tous deux opposés à ses vues. Nelson ne se tint pas pour battu. Il lança une contre-offensive, organisa un dîner avec le sénateur Vandenberg : membre éminent de la délégation, Vandenberg faisait en outre la pluie et le beau temps au Sénat ; seul il pouvait faire approuver par le Sénat la Charte des Nations unies et, par conséquent, éviter un fiasco qui aurait répété celui de la Société des Nations [2].

Au cours des conversations qu'il eut avec Vandenberg dans son appartement de l'hôtel Saint-Francis, Nelson joua sur la peur des Soviets que le sénateur ne se cachait pas d'éprouver. Il dit que l'amendement proposé semblait invalider la doctrine Monroe [3] ; il affirma que rien ne pourrait faire plus plaisir aux Britanniques et aux Français, car un tel amendement affaiblirait le système interaméricain qui faisait échec à leur expansion politique dans l'Hémisphère. A la fin de la soirée, Vandenberg annonça qu'il écrirait une lettre à Stettinius demandant de sauvegarder, à titre exceptionnel, l'accord de Chapultepec. L'alliance régionale qu'il prévoyait était en effet « l'expression d'une politique interaméricaine constante depuis plus d'un siècle et qui reste sans aucun équivalent dans le monde ».

Lorsque Stettinius reçut la lettre le lendemain matin, ce fut « la révolution » dans tout son QG (comme le nota plus tard Vandenberg dans ses carnets). La délégation US dans son ensemble s'opposa à la position Rockefeller-Vandenberg. Parmi les opposants, certains comme Pasvolsky, qui s'étaient livrés des mois durant à des joutes oratoires contre l'éloquence décapante de Rockefeller, avaient espéré reprendre à San Francisco ce qu'ils avaient dû céder à Mexico. Mais l'opposition ne se limitait pas aux idéalistes ou aux ennemis politiques ou personnels de Rockefeller. En fait, l'un des critiques les plus acharnés était Foster Dulles, conseiller de politique étrangère républicain et éminent avocat international. Associé de longue date

---

1. La conférence de Dumbarton Oaks, qui dura du 21 août au 7 octobre 1944, rassembla les représentants des Alliés et se donna pour tâche d'organiser la sécurité du monde après la paix. (*N.d.T.*)

2. Le Sénat américain ayant refusé de ratifier le traité de Versailles (20 novembre 1919), les USA se retirèrent de la Société des Nations. (*N.d.T.*)

3. La doctrine Monroe (1823) interdisait à l'Europe d'intervenir dans les affaires des deux Amériques. Elle comportait, en contrepartie, une non-intervention des USA en Europe. (*N.d.T.*)

au cabinet d'avocats Sullivan and Cromwell, conseil juridique de la Standard Oil et depuis longtemps membre du conseil d'administration de la Fondation Rockefeller, Dulles était un personnage important dans la galaxie Rockefeller; pourtant, en l'occurrence, il était si choqué par la collusion de Nelson avec Vandenberg qu'il l'accusa de s'engager dans une voie « dangereuse et néfaste » qui « risquait de faire capoter la conférence ».

Aux yeux de Foster Dulles et d'autres experts en diplomatie internationale, le droit de légitime défense reconnu *de facto* dans la Charte des Nations unies laissait aux États-Unis une importante marge de manœuvre pour la défense de l'Hémisphère, y compris le pouvoir d'intervenir dans les pays latino-américains. Si cette intervention s'avérait dans l'avenir nécessaire, ils craignaient qu'une reconnaissance explicite de droits régionaux n'amenât les Russes à exiger des prérogatives similaires en Europe de l'Est et dans d'autres régions voisines. L'argument était subtil et pouvait entraîner l'adhésion. Mais Rockefeller et Vandenberg demeurèrent inflexibles. « J'avertis la délégation, note Vandenberg dans ses carnets, que si cette question n'est pas clairement mentionnée dans la Charte, je ne serais pas surpris de voir le Sénat émettre des réserves à ce sujet, réserves que j'appuierais... »

Après la réunion, le secrétaire adjoint à la Guerre, John J. McCloy, appela Henry Stimson, son supérieur au ministère, pour lui demander conseil. A l'époque, Stimson était reconnu comme le doyen de la diplomatie américaine; il avait servi comme secrétaire d'État à la Guerre ou au département d'État dans quatre équipes successives depuis l'administration Taft; il était l'éminence grise du Conseil des relations avec l'étranger, et son bureau était devenu une école de formation pour des jeunes comme McCloy, Robert Lovett, entre autres, qui allaient modeler la politique américaine de l'après-guerre, les meilleurs et les plus brillants de leur époque et de leur catégorie, mais pratiquement inconnus hors du petit monde élitaire où ils se mouvaient [1].

« Ma position est la suivante, dit McCloy à Stimson au moment de cet appel téléphonique en provenance de San Francisco : nous devrions pouvoir jouer sur les deux tableaux; nous devrions être libres à la fois d'agir en Amérique latine grâce à cet arrangement régional et d'intervenir promptement en Europe. » McCloy ajouta que les partisans du projet de Dumbarton Oaks au sein de la délégation avaient le sentiment que le renforcement du concept régional préconisé par Rockefeller saperait le concept même d'organisation mondiale. « Ces gens-là iront jusqu'à dire que le Conseil de sécurité et l'Organisation mondiale ont été court-circuités. Et je n'irai pas jusqu'à leur donner tort... »

Stimson était d'accord. Mais il estimait possible d'insister sur le caractère

---

1. Par exemple, McCloy, avocat de la Cravath Swaine, allait occuper, au cours de sa carrière, les postes de haut-commissaire en Allemagne occupée, de coordonnateur des activités de contrôle des armements US, de président de la Chase Manhattan Bank et de la Fondation Ford. Le banquier Lovett, lui, devait devenir secrétaire d'État à la Défense dans le cabinet Truman.

exceptionnel de la volonté US de conserver un droit d'intervention en Amérique latine. A son avis, la délégation américaine devait opposer son veto à toute revendication russe de prérogatives similaires en Europe, en arguant du fait que les interventions russes ne revêtiraient pas un caractère « modéré » ; en effet, la Russie, pour compenser la relative faiblesse de ses positions en Europe, aurait par trop tendance à faire sentir son poids. Par contre, « nos bricolages chez ces petits gars [en Amérique latine] ne bouleverseront aucun équilibre en Europe ».

Cet après-midi-là, McCloy informa la délégation US que le secrétaire d'État à la Guerre souhaitait que l'alliance interaméricaine fût reconnue en toutes lettres, à titre d'exception, même si l'URSS ne devait pas donner d'emblée son accord. D'après McCloy, Stimson escomptait que cette mesure ne créerait pas de précédent. La formule concoctée alors par Harold Stassen à la demande de Rockefeller exemptait explicitement l'accord de Chapultepec et la doctrine Monroe de l'interdit pesant sur les alliances régionales. Les Britanniques, dont les intérêts en Amérique latine avaient du plomb dans l'aile, y virent un « régionalisme de la pire espèce » ; mais on parvint finalement à un compromis entre alliés. On supprima toute allusion à Chapultepec, et le concept régional fut officiellement reconnu au détour d'une clause sur la légitime défense ; l'article 51 de la Charte des Nations unies était né [1], base « juridique » de toutes les alliances militaires d'après-guerre.

Une fois de plus, Nelson avait gagné. Mais il s'était épuisé dans cette bataille. Sa popularité, qui n'avait jamais été très forte à la Maison-Blanche depuis l'arrivée de Harry Truman, connut une chute dramatique à la fin de la conférence de San Francisco, lorsque James Byrnes remplaça au département d'État l'infortuné Stettinius. Juste retour, c'est un rebondissement de la question argentine qui précipita le départ de Nelson de Washington. Par suite des attaques continuelles des libéraux et des syndicats contre l'alliance avec le péronisme, la destitution de Rockefeller était le geste au prix duquel on pouvait sauver cette politique. Le 23 août, Byrnes et lui devaient se rencontrer pour évoquer les problèmes de l'Amérique latine d'après-guerre. Mais à peine Rockefeller eut-il ouvert la bouche que Byrnes l'interrompit brutalement : « Franchement, inutile de discuter. Le président va accepter votre démission. » Nelson se rendit à la Maison-Blanche pour avoir un entretien avec le président. « Je lui ai dit que je ne voulais pas démissionner ; que l'Amérique du Sud était trop importante. » Truman en tomba fort

---

1. Au nom de l'article 51, les USA devaient mettre sur pied le pacte de Rio en 1947. L'Organisation du traité de l'Atlantique Nord — l'OTAN — devait suivre deux ans plus tard (riposte des Soviétiques : le pacte de Varsovie), puis l'OTASE (Organisation du traité de l'Asie du Sud-Est) en 1954. C'est sous l'égide de l'OTASE que les troupes US pénétrèrent au Vietnam.

John Foster Dulles, qui avait été l'artisan de ce pacte funeste, ne tarda pas à présenter ses excuses au jeune Rockefeller pour s'être opposé à lui à San Francisco ; il rendit hommage à l'importante contribution nelsonienne ; de fait, c'est Rockefeller qui avait jeté les bases de la politique étrangère que Dulles devait lui-même poursuivre à la tête du département d'État sous Eisenhower.

poliment d'accord, mais dit qu'il se voyait contraint de soutenir son ministre Byrnes. Racontant plus tard à des amis l'histoire de ce rendez-vous à la Maison-Blanche, Nelson devait terminer par ces mots, comme s'il n'y croyait pas encore tout à fait : « Et il m'a flanqué à la porte!... »

CHAPITRE XIV

Pour les frères Rockefeller, les années de guerre furent une occasion d'échapper à la discipline paternelle et de rectifier à mi-parcours la trajectoire de leur vie. Nelson, le seul qui aurait pu suivre le chemin grand-paternel et se lancer dans une carrière pétrolière, se sentait attiré, pour le meilleur ou pour le pire, par la conquête du pouvoir politique à Washington. John III, libéré de l'emprise de son père pour la première fois de sa vie, était sur le point de « découvrir sa véritable voie ». Laurance avait trouvé le moyen de concilier ses talents de « faiseur d'argent » et son intérêt pour les nouvelles technologies, devenues si importantes dans la politique d'armement et de défense. David avait senti que, parmi les nombreuses possibilités qui s'offraient à lui, sa vraie vocation le conduisait à la Chase Bank. Seul Winthrop était encore irrésolu. Fini les peccadilles de jeune homme. Ses erreurs, à l'avenir, allaient être celles d'un adulte; en effet, comme les autres, il avait vraiment atteint sa majorité. A la déclaration de guerre, ils étaient encore les fils de Mr. Rockefeller; à la fin des hostilités, ils étaient les frères Rockefeller.

Ils revinrent chez eux pleins de confiance : leur génération était désormais capable de gérer le monde; et eux-mêmes de se substituer à leur père pour gouverner la famille. En 1940, juste avant l'entrée en guerre des USA, ils s'étaient unis pour créer le Fonds des frères Rockefeller et diriger leur propre entreprise philanthropique. Ils introduisirent dans ses statuts une déclaration d'intentions qui n'était pas sans évoquer le préambule d'un document constitutionnel :

> « Nous, soussignés, étant frères et ayant des intérêts et des objectifs communs, nous sommes réunis dans le dessein de devenir, au service du pays, des guides intrépides selon la tradition instaurée par notre grand-père, poursuivie et étendue par nos parents. En unissant nos efforts et en coordonnant nos activités, nous espérons faire montre de plus d'efficacité pour aider au maintien et au développement de la forme républicaine de notre gouvernement et du système de libre entreprise qui, selon nous, ont été les éléments fondamentaux qui ont fait des États-Unis une puissante nation d'hommes libres... Dans le droit fil de ces convictions, nous sommes prêts à subordonner, si et quand nécessaire, nos intérêts privés ou personnels à l'accomplisse-

ment de ces objectifs désintéressés. Nos capacités individuelles et les ressources matérielles dont nous nous trouvons disposer, nous avons l'intention de les mettre au service de ces objectifs. Agissant ensemble d'un commun accord, nous serons en position plus forte, non seulement pour promouvoir nos intérêts communs, mais pour sauvegarder et développer les intérêts qui sont propres à chacun de nous. Nous serons libres de poursuivre des carrières indépendantes selon les goûts de chacun, et en même temps nous profiterons au maximum de la diversité de nos vocations pour atteindre les objectifs communs. En conséquence, nous constituons ici une association dont la finalité sera la réalisation des objectifs précités. »

Pearl Harbor les avait quelque peu détournés de cette entreprise ; à présent, six ans plus tard, ils revenaient dans les bureaux du 56ᵉ étage de l'immeuble RCA, au Rockefeller Center, pour reprendre l'affaire là où ils l'avaient laissée. Leur père y avait réservé à chacun des locaux, à l'époque où le Bureau familial y avait été transféré, quittant l'adresse historique du 26 de Broadway, et bien que Winthrop travaillât alors dans les gisements pétrolifères et David à l'université. Au milieu de la salle nº 5600 (ainsi appelait-on le quartier général de la famille) trônait le lourd mobilier du bureau personnel de Junior : depuis plusieurs dizaines d'années, il reflétait son tempérament sérieux, tout comme les peintures modernes, taches de couleur sur les murs des bureaux des frères, reflétaient les leurs. Nul besoin d'être expert en décoration pour se rendre compte à quel point ces deux styles juraient.

« Période de renouveau, dira plus tard John III. Nous débarquions tous ensemble, décidés à obtenir une redistribution des tâches. » Nelson se vit attribuer un poste de responsabilité à la direction du Rockefeller Center ; John, à la Fondation ; Laurance reprit en main la Société de conservation du site de Jackson Hole, entre autres sociétés écologiques ; David entra au conseil d'administration de l'Institut de la recherche médicale (bientôt rebaptisé université Rockefeller) et prit en charge l'église du Riverside.

Malgré certaine confusion inévitable, les choses semblèrent marcher, dans l'ensemble, comme Junior l'avait toujours espéré. Il avait soixante-dix ans, jouissait d'une bonne santé et d'un grand prestige ; loin de songer à la retraite, il projetait de travailler avec ses fils ; le pays était dans le besoin et la conjoncture était unique. John Lockwood — l'avocat de la Milbank Tweed qui était parti pour Washington avec Nelson et s'en revenait à présent avec lui, comparait le Bureau à un système solaire : « Mr. Rockefeller junior, c'était un soleil, et ses garçons les planètes. Si l'un d'eux s'approchait trop, il se brûlait ; s'il s'éloignait trop, il tourbillonnait dans l'espace. La situation était censée permettre à chacun des garçons de trouver son orbite parfaite autour du père. »

En fait, la situation ne ressemblait en rien à l'harmonie platonicienne des sphères célestes. Derrière ces apparences d'unité, de collaboration et d'absolue correction que les Rockefeller s'arrangèrent toujours pour sauve-garder, même aux époques des plus vives tensions entre eux, il y avait conflit, lutte de préséance parmi les fils, et un désir impatient d'échapper à l'autorité paternelle. Comme à l'ordinaire, Nelson était au centre de l'opposition. Il s'était habitué aux mœurs de Washington où chaque pion sur l'échiquier pouvait aller aussi loin que le lui permettait sa capacité manœuvrière. Il n'était pas heureux de retrouver une situation dominée par des règles plus restrictives, — ordre qui ne tenait aucun compte de l'évolution de sa personnalité au cours des cinq dernières années. Presque aussitôt, il se mit à agir avec une désinvolture et un mépris des convenances qui réveilla le vieil antagonisme entre son père et lui.

Nelson avait été nommé par le maire O'Dwyer membre d'une commission chargée de persuader l'Organisation des Nations unies de s'installer en permanence à New York. L'espoir initial de voir les délégués accepter le vieil emplacement de l'Exposition universelle à Flushing Meadow s'était évanoui. Il semblait à présent que Philadelphie et même San Francisco eussent de meilleures chances d'abriter le siège permanent de la nouvelle organisation mondiale. Impulsivement, Nelson avait proposé aux Nations unies le théâtre du Rockefeller Center pour y tenir son Assemblée générale ; ce geste n'avait pas échappé à la presse. Mais son père, agacé de n'avoir pas été consulté, et peu enclin à résilier son bail avec les locataires du Centre, opposa son veto à cette idée, contraignant son fils, vexé et embarrassé, à retirer son offre.

Les délégués des Nations unies avaient fixé au 11 décembre 1946 la date limite de leur décision. Nelson se trouvait avec Frank Jamieson au Mexique où ils assistaient à l'intronisation du président Aleman. Lorsque James Reston, du *New York Times,* fit part à Jamieson de son impression que les délégués avaient toujours un faible pour New York pour peu qu'on leur trouvât le site idéal, Nelson décida de reprendre l'avion pour New York afin de faire une dernière tentative. Le 10 décembre au matin, il présida dans la salle n° 5600 une grande séance de *brain-storming* avec ses proches collabora-teurs, Jamieson, Harrison, Lockwood et son frère Laurance. Quelqu'un sug-géra Pocantico. Nelson fit aussitôt apporter une carte et prit le téléphone pour amener ses frères absents, par ses paroles lénifiantes, à donner leur accord à l'abandon de tout ou partie des terres familiales de Tarrytown. L'un après l'autre, ils acceptèrent, John III avec beaucoup de réticence, et David après avoir demandé d'une voix plaintive : « Ne pourrais-je me contenter de donner de l'argent, à la place? » Il obtint même un OK angoissé de Junior ; mais le comité de sélection du site annonça alors que les délégués avaient l'impression que le Comté de Westchester était par trop éloigné.

C'est ce soir-là, quelques heures seulement avant la décision finale des Nations unies, que Wally Harrison signala un terrain de huit hectares et demi que le bouillant promoteur immobilier William Zeckendorf mettait en valeur le long de l'East River, entre la 42ᵉ et la 49ᵉ Rue — appelé « X City ». Harrison (qui devait devenir l'architecte en chef du projet) estimait que Zeckendorf accepterait de vendre pour 8 millions et demi de dollars. La conclusion de ce marché présenterait également l'avantage de neutraliser un sérieux rival potentiel du Rockefeller Center, qui n'était alors occupé qu'à 60 %, et de promouvoir toute la zone de la « ville moyenne » de New York [1].

Le moral considérablement remonté, Nelson appela son père au téléphone ; celui-ci proposa de donner personnellement le montant global de la somme. « Dis donc, Pa, c'est extrêmement généreux ! » s'exclama Nelson. Avant même d'avoir raccroché, il envoya Harrison à la recherche de Zeckendorf ; Harrison le trouva au « Monte Carlo », sa boîte de nuit, où le marché fut conclu séance tenante.

Deux jours plus tard, après l'acceptation officielle du site de l'East River par les délégués des Nations unies, Junior, tout en prenant son petit déjeuner avec Nelson, signa les documents nécessaires. Nelson était prêt à filer les remettre au sénateur Warren Austin, chef de la délégation US des Nations unies, mais son père le retint par la veste et lui dit plutôt gentiment : « Ça te paraît racheter l'incident du théâtre du Centre ? » Témoin de la scène, Frank Jamieson se demanda si Nelson avait bien compris ce que son père avait voulu dire, tant il était excité à la pensée de conclure le marché. Il mit son bras autour des épaules de son père, puis s'en fut rencontrer Austin. Tout finit donc bien, mais cet épisode l'avait affermi dans sa conviction qu'il n'aurait jamais les coudées franches tant que les leviers de commande et les insignes de la puissance familiale ne lui auraient pas été remis, ainsi qu'à ses frères. Cela ne pouvait se faire en une nuit. Mais cela devait se faire.

Ce sentiment, Nelson le partageait avec tous ses frères. Comme le remarqua Lindsley Kimball, collaborateur que Junior avait fait entrer au Bureau en 1940, « les frères sentaient qu'ils devaient absolument sortir de l'ombre de leur père. C'était pour eux une nécessité. Je me rappelle avoir vu Winthrop venir à moi, un jour, le visage baigné de larmes et me dire : " Oh, si seulement je pouvais faire quelque chose tout seul ! " Le père était un homme coriace. Deux des frères éprouvaient à son égard une sorte de terreur — ils évitaient autant que possible de l'approcher ».

Tour de contrôle des investissements financiers et philanthropiques de la famille, le Bureau était fort logiquement l'endroit où commencer à donner l'assaut. Dès 1933, lorsqu'il avait pris la décision de se consacrer aux affaires de la famille, Nelson avait fait appel à une Société d'organisation et de rationalisation commerciale et industrielle ; il désirait la voir procéder à une étude de fonctionnement du Bureau ainsi qu'à une expertise et à un inventaire de ses activités : comme il l'avait alors écrit à son père, « la famille Rockefeller entre dans la troisième phase de son développement ; cette période sera fertile en grandes occasions de servir la société, mais la cohésion de la famille sera en même temps sérieusement mise à l'épreuve ».

Junior nourrissait des sentiments mêlés devant le goût un peu précoce de Nelson pour la planification des affaires de la famille. Se rappelant ses

1. Quartier de Manhattan au sud de Central Park. (*N.d.T.*)

propres débuts au Bureau paternel du 26 de Broadway, peut-être fut-il déconcerté par la proposition de Nelson de diviser le patrimoine; et sans doute amusé de voir son fils, âgé de vingt-trois ans, décidé à résoudre par avance les éventuels conflits à coups de protocoles détaillés, en faisant fi de cette flexibilité qui était le trait distinctif du fonctionnement du Bureau. En un sens, oui, le Bureau était compartimenté : Arthur Packard s'occupait des entreprises philanthropiques, Bertram Cutler, des investissements, Tom Debevoise, des problèmes juridiques; mais, en fait, ils étaient tous polyvalents et agissaient tous de concert. Et, avant tout, ils étaient les collaborateurs de Junior. Lorsque Junior était en ville, ils déjeunaient tous ensemble à la bonne franquette et dirigeaient les affaires avec une aisance de bon ton [1].

Cette harmonie était à présent ébranlée par le retour des frères après la guerre, avec la remise sur le tapis, par Nelson en particulier, du vieux projet de partage de l'autorité. Les frères amenaient avec eux des idées nouvelles et témoignaient à l'égard de leurs aînés d'une impatience qu'ils n'auraient pas osé laissé paraître avant-guerre. N'ayant pas de relations affectives très vives avec ses fils, Junior était plutôt désorienté par cette attitude. Pour la vieille garde de ses collaborateurs, c'était encore bien pis : à leurs yeux, les frères menaçaient le fonctionnement même de cette institution complexe et exceptionnelle qu'ils avaient mis au point au fil des ans; les frères, c'était une malédiction pour les intérêts de l'homme et pour la mission qu'ils avaient toujours servis. Dans leur esprit, les frères en général — mais Nelson en particulier — allaient transformer le Bureau en véritable cirque, le hasarder dans des affaires qui dégraderaient la noble qualité de ses opérations.

Le conflit tournait autour de Debevoise. Il avait vieilli et s'était sclérosé. Pour lui, les garçons, c'était le chaos; à leurs yeux, il n'était qu'une vieille ganache. Le « Premier ministre », comme on l'appelait, entendait ne pas tolérer le moindre écart par rapport aux méthodes de fonctionnement éprouvées par les ans. Mais les garçons, de leur côté, sentaient la nécessité de doter le Bureau d'allures plus contemporaines en vue de concilier le monde d'après-guerre et leurs propres préférences. Nelson n'ignorait pas que, s'il parvenait à s'assurer personnellement la fidélité des *consiglieri* (conseillers) de la famille, il obtiendrait du même coup la direction de la famille; et il entreprit une campagne visant à remplacer Debevoise.

Pendant un certain temps, le conflit couva, mais, en 1947, il éclata au grand jour. Nelson voulait engager John Lockwood (devenu en fait son avocat personnel) comme conseil juridique officiel pour la famille tout entière. Sachant que ses jours étaient comptés, mais éprouvant un sentiment de responsabilité envers le reste de la vieille garde, Debevoise tenta de faire

---

1. En permettant à ses collaborateurs de partager, même dans une modeste mesure, sa munificence et de devenir eux-mêmes des presque-Rockefeller, la famille s'assurait de leur fidélité. Un collaborateur, évoquant plus tard cette question, rappela la façon dont Robert Kennedy s'était conduit en suzerain, présentant à l'un de ses assistants ses poignets de chemise afin qu'il y plaçât les boutons de manchettes. « Personne chez les Rockefeller n'aurait fait une chose pareille », ajouta-t-il.

nommer Vanderbilt Webb (engagé au Bureau depuis 1939) pour lui succéder. La lutte pour le pouvoir qui s'ensuivit fut menée avec une certaine élégance et les discussions prirent un tour si distingué que bon nombre d'employés subalternes ne se rendirent compte de rien. Ses années washingtoniennes avaient fait de Nelson un orfèvre en la matière. Les fumées du combat à peine dissipées, Lockwood se retrouva le principal avocat de la famille, Webb était neutralisé, hormis quelques attributions spéciales, et le statut de Debevoise se trouvait réduit à celui de conseiller honoraire attaché à la personne de Junior.

« Nelson avait eu gain de cause, mais il avait fallu jouer serré », rappela Lockwood bien des années plus tard ; alors âgé de soixante-cinq ans, limite fixée par les frères pour le départ à la retraite, il s'en était retourné à son vieux bureau de la Milbank Tweed. « Nelson avait senti que l'heure était favorable au changement, alors il y était allé carrément. Si Junior était vraiment resté en prise sur les événements, rien de tout ça ne serait arrivé ! Mais Junior n'avait pas de contact avec ses fils. Quand le *coup* eut réussi et que je fus engagé officiellement, Junior me fit venir dans son bureau et me dit : " Mr. Lockwood, vous êtes à présent le conseiller de la famille et l'une des choses que je vous demanderai, c'est de m'expliquer la mentalité de mes garçons. " »

Une fois Debevoise remplacé, les frères ne trouvèrent plus de résistance devant eux. Packard, Cutler et les vieux de la vieille se montrèrent plus disposés à partager leur allégeance entre le père et les fils, et à consentir à l'inévitable évolution de la dynastie. En retour, les frères indiquèrent clairement qu'ils n'avaient pas la moindre intention de continuer la purge, et qu'ils étaient prêts à laisser la vieille garde en place jusqu'à l'âge de la retraite. Bien qu'ils fussent toujours, administrativement, les hôtes de leur père (il ne leur fit jamais payer de loyer et ne leur demanda jamais de prendre leur part des frais généraux considérables du Bureau), les frères commencèrent à se créer des mini-bureaux personnels où ils faisaient entrer des collaborateurs à leur dévotion qui remplaçaient l'état-major de Junior, atteint par la mort ou l'âge de la retraite. Sur la porte de la salle n° 5600, la plaque disait désormais : « Rockefeller : Bureau de MM. Rockefeller. » Il y avait maintenant tant de chefs au-dessus d'eux que les employés prirent l'habitude de les distinguer en les appelant « Mr. John », « Mr. Nelson », « Mr. Laurance », etc.

Deuxième cible : le Rockefeller Center. Après des négociations qui traînèrent en longueur, Nelson finit par convaincre son père que le moment était venu de lui transférer, ainsi qu'à ses frères, les actions du Centre. Spéculation portant sur des millions de dollars dans les années trente, le Centre avait à présent franchi le point critique : c'était l'affaire immobilière la plus imposante et la plus cotée de tout New York ; sa valeur marchande n'avait cessé de grimper, après-guerre, avec ce prodigieux développement qu'avait connu la « ville moyenne » de Manhattan, à la suite de l'installation des Nations unies. Le contrôle exercé par les frères sur le Centre leur donnait voix au chapitre dans toutes les affaires de la cité, et leur permettait en outre de disposer de douzaines de situations bien rémunérées où ils pouvaient caser (ils ne s'en privèrent pas) des gens qu'ils désiraient regrouper autour d'eux. Nelson, sachant que c'était là le capital le plus important pour sa génération, avait persuadé son père de transférer les actions du Centre sur les cinq « Dépôts 1934 » qu'il avait créés en faveur de ses fils.

Pour un homme considéré par ses fils comme distant et autoritaire, Junior accédait aux exigences de leur maturité plus facilement que prévu. La seule fois où il mit réellement le holà à leurs initiatives, ce fut lorsque ses fils commencèrent à guigner Pocantico. On avait édifié de nouvelles résidences sur le domaine, et déjà une nouvelle génération — la quatrième — d'enfants Rockefeller jouait dans ses bois; mais Pocantico était toujours cette calme retraite que Junior avait persuadé son propre père d'acheter un demi-siècle auparavant.

Depuis lors, Junior n'avait cessé de reculer les frontières du domaine en acquérant systématiquement tous les terrains avoisinants qui se trouvaient à vendre. Après la mort de Senior, il avait emménagé dans la Grande Maison, assumant ainsi le rôle de maître de Kikjuit. Ses enfants s'installèrent dans des demeures qui semblaient refléter le caractère propre et les rapports interpersonnels de la troisième génération.

Après leur mariage, Babs et David Milton avaient élu domicile à la Saportas (du nom d'un vieil excentrique qui l'avait construite et plus tard vendue à Junior), grande demeure en pierre du pays, romantiquement nichée au fond des bois; mais Babs s'était sentie par trop éloignée de ses parents, qui vivaient dans le « parc » proprement dit, et avait fait construire une maison plus proche de celle de son père. Les Milton y emménagèrent en 1939.

JDR 3 recherchait la solitude; il fit construire un château à la française, au toit d'ardoises, dans une longue prairie vallonnée près de la ville de Mount Pleasant, en 1940. On pouvait lire là le désir d'échapper aux sujétions qu'impliquait le statut de Rockefeller, en vivant à l'écart de Kikjuit; par contre, ses frères cadets s'installèrent en plein centre spirituel du domaine. Après son mariage, Nelson jeta son dévolu sur Hawes House, vieille maison coloniale hollandaise, avec de profondes balafres sur la porte (la légende locale disait qu'elles étaient l'œuvre des sabres de soldats hessois pendant la guerre d'Indépendance).

Laurance construisit, à un jet de pierre de chez Nelson, une maison moderne en briques blanches qu'il appela Kent House. Et David — on n'en attendait pas moins de l'esprit d'économie d'un homme dont la thèse de doctorat avait trait au gaspillage — racheta la maison de Babs après son divorce en 1943, et la baptisa Hudson Pines. Winthrop ne se décida jamais à construire une habitation permanente à Pocantico; mais il faisait d'assez fréquents séjours à Breuer House, construction ultramoderne toute en bois et en verre conçue par Marcel Breuer; exposée au Musée d'art moderne, elle avait ensuite été démontée en ses éléments, chargée sur des remorques et transportée par camions à Pocantico où elle fut reconstituée. On l'appela toujours la « maison d'amis ».

Les frères pouvaient bien avoir d'autres résidences (trois ou quatre chacun, en moyenne), on les avait encouragés à venir s'installer à Pocantico. Cela allait de soi, comme d'embrasser une carrière au service du pays. Mais tous avaient beau y bénéficier de prérogatives princières, Pocantico était toujours, dans une large mesure, le royaume de Junior. Tandis que ses fils lui ôtaient des mains, l'une après l'autre, les affaires qu'il avait dirigées, Junior se retirait dans son fief comme dans sa dernière place-forte. Même dans la période d'après-guerre, calèches, chevaux et voitures électriques n'étaient réformés que sur son ordre exprès. La répartition des abondants produits agricoles et laitiers de Pocantico était faite par ses régisseurs. Un jour de canicule, Tod, la femme de Nelson, avait amené ses enfants patauger dans le ruisseau japonais ; Junior lui fit une scène, lui ordonnant de les sortir de là.

A présent, Nelson proposait qu'on reconnût juridiquement aux frères un droit de propriété sur Pocantico, comme pour le Rockefeller Center, mais cela n'alla pas tout seul. Il y eut des froissements, des négociations qui traînèrent en longueur ; tout cela eût peut-être été évité si Abby avait été là pour arrondir les angles, jouant son rôle habituel de médiatrice entre son mari et ses enfants. Mais, au milieu de la guerre, elle était devenue cardiaque ; en 1946, sérieusement atteinte, elle dut passer les rudes mois d'hiver à Tucson, où Junior et elle dégotèrent une petite auberge qui fit leurs délices. Elle passait ses journées assise au soleil, écrivant à ses enfants et à ses petits-enfants. Junior lui lisait *Jane Eyre* à haute voix, mais il refusa d'aller jusqu'au bout des *Hauts de Hurlevent,* prétextant que la noirceur du roman l'excédait. En 1948, Abby eut une attaque et mourut, laissant un vide immense dans la vie de ses fils et dans leurs relations avec leur père. (Nelson fut particulièrement bouleversé par la mort de sa mère. Comme le dira plus tard son fils Steven : « Je pense ne l'avoir jamais vu aussi affecté qu'à la mort de grand-mère. » Il commanda à Matisse, à sa mémoire, un vitrail couleur de rose pour la petite chapelle de Pocantico Hills.)

Après de longs pourparlers, Nelson finit par convaincre Junior, en 1950, de créer la Société immobilière des Hills, Société holding englobant tous les terrains appartenant à la famille, Pocantico inclus. Au début, Junior en était le seul actionnaire. Mais en 1952, Nelson le poussa à vendre aux frères ses actions dans la Hills. Il adressa une note où il faisait remarquer que « la cession des actions aux frères ne changerait rien, du vivant du premier, aux rapports réels du père et de ses fils avec la propriété ». Cependant, il était entendu que, s'il désirait soulever ou discuter des problèmes concernant la propriété, le président de la Société, c'est-à-dire Nelson (élu par ses frères), « aurait pleine autorité pour traiter avec lui ».

Junior tiqua à cette idée, tout en se montrant sensible aux arguments de Nelson concernant les droits de succession, et à ses craintes de voir la confusion régner dans le domaine dans l'éventualité de sa mort. Il eut cependant beaucoup de peine à accepter, comme il le nota dans une lettre à son ami Debevoise au printemps 1952 : « Cette vente, j'ai toutes les raisons de la faire, je suppose; quelle raison aurais-je de ne pas y procéder? D'un autre côté, j'éprouve toujours le sentiment un peu simplet qu'il est plus agréable de posséder la maison qu'on habite. A l'automne, peut-être aurai-je dépassé le caractère irrationnel de ma position, eu égard aux nombreux avantages qu'apporterait une vente. »

Quelques mois plus tard, Junior finit par céder. Il accepta de vendre à ses fils ses actions dans la Hills, en se réservant la jouissance à vie de la propriété. Les parts furent réparties au *prorata* des intérêts respectifs des frères dans la zone du « parc ». Nelson et Laurance, qui y possédaient leurs résidences, obtinrent 30, 75 %; David, qui vivait non loin du parc, se vit attribuer 23 %; John III et Winthrop reçurent chacun 7,75 %. Le prix payé pour ces 124 hectares et demi avec leurs bâtiments aurait fait hurler des experts en biens immobiliers : 311 000 dollars pour un ensemble qui valait dix fois plus.

Un peu déconcerté par la hâte avec laquelle ses fils avaient pris en main les institutions de la famille, Junior se rendait compte que c'était pourtant là l'aboutissement logique de toute l'éducation qu'il leur avait donnée depuis l'enfance. C'était non seulement inévitable, mais souhaitable. Mais le fait que Nelson fût tellement plus ambitieux et plus compétent que ses frères lui donnait du souci, tout comme le fait qu'il ne sentait pas chez ses fils autant d'intérêt pour la philanthropie qu'il l'avait espéré.

La famille conservait de l'influence sur la Fondation Rockefeller, mais en avait perdu le contrôle. L'heure de vérité avait sonné dès 1936; à cette date, Raymond Fosdick avait clairement indiqué qu'il voulait bien assumer la présidence de la Fondation, à la condition expresse qu'elle devînt indépendante de la famille. Mais, même avant cela — en fait, dès le moment où la Commission Walsh avait révélé les utilisations « personnelles » que la famille avait faites de la Fondation — Junior avait compris que si la principale des entreprises philanthropiques familiales devait jouer un rôle primordial dans la vie du pays, il ne fallait pas qu'on pût l'accuser d'être un instrument aux mains des gens qui l'avaient dotée. Junior lui-même avait hérité de telles sommes à transformer en dons qu'il n'avait pas réellement besoin de la Fondation. Mais ses fils ne disposeraient pas d'autant d'argent à dépenser, ils avaient donc besoin d'une institution qui conférerait toute l'aura nécessaire à leurs dons et leur permettrait de contrôler et de diriger leurs opérations philanthropiques dans des domaines intimement liés aux carrières qu'ils allaient embrasser. Voilà pourquoi, en premier lieu, le Fonds des frères Rockefeller avait été créé. Voilà pourquoi Junior lui avait fait don de 58 millions de dollars en 1951, le propulsant ainsi au tout premier rang et en faisant d'emblée l'une des quatre plus importantes fondations du pays.

Une entreprise philanthropique d'envergure, tous les leviers de commande de la puissance familiale entre leurs mains : les frères étaient prêts à voler de leurs propres ailes.

CHAPITRE XV

Individuellement ou pris ensemble, les frères Rockefeller semblaient incarner le *nec plus ultra* dans la tradition des grandes et puissantes familles d'Amérique. Enthousiastes, dévoués à leurs tâches, engagés dans l'action, ils donnaient une impression de santé morale à toute épreuve. Ils représentaient une fortune et une puissance conscientes de leurs responsabilités. Sur les photos de famille prises au début des années cinquante dans la salle n° 5600, on voit cinq chevaliers en complets-veston prêts à partir en campagne pour « le bien-être de l'humanité » selon les préceptes paternels.

Mais les photos ne disaient pas tout. Par exemple, on n'y voyait jamais Babs. Que pouvait-on attendre d'une femme, sinon de contracter un mariage heureux, chose dont elle semblait parfaitement incapable? En 1942, les employés et domestiques de Pocantico, toujours les premiers avertis de ce qui se passait, avaient remarqué que David Milton, son mari, s'absentait pendant des périodes de plus en plus longues. L'année suivante, il cessa complètement de venir; la séparation devint officielle. Après son divorce, Babs vendit à son frère David sa maison de Pocantico, s'installa à Long Island et se remaria. Lorsqu'on lui demandait pourquoi elle venait si rarement à Pocantico, elle répondait qu'elle ne pouvait supporter les souvenirs doux-amers qui y étaient attachés.

Junior fut bouleversé par les ennuis de Babs; mais, avec sa sœur Edith, il avait déjà connu ce genre de caractère : une femme qui sait ce qu'elle veut mais ne sait pas où elle va. En un sens, c'était presque dans l'ordre des choses qu'il fût déçu par sa fille. Les malheurs de Winthrop, en revanche, représentèrent un problème beaucoup plus sérieux.

Sa chevelure commençait à s'éclaircir; il portait encore les cicatrices des brûlures reçues lors du choc d'un avion kamikaze contre le navire à bord duquel il se trouvait, pendant le débarquement à Okinawa; mais, à part cela, Winthrop n'avait guère changé. Par certains côtés, il était très semblable à ses frères — bon ton, bonnes manières, parti républicain. Une lettre écrite à son père après les élections de 1944, qui ramenèrent une fois de plus Franklin Roosevelt à la Maison-Blanche, en témoigne : « ...On dit que 67 % des soldats ont voté pour Roosevelt. On a peine à croire que ceux qui, parmi nous, se battent pour offrir au pays l'occasion de saisir sa chance, sont prêts dans le même temps à tourner le dos à leurs convictions et à lui voter un quatrième mandat. »

Mais, par ailleurs, il était bien différent. Il n'avait pas, comme ses frères, l'art de s'emparer d'un événement, d'une occasion, et de les plier à ses buts. De retour chez lui après le service actif, il avait proposé au secrétaire à la Guerre Robert Patterson (l'avocat de Wall Street qui s'était engagé en même temps que Winthrop et avait commencé ses classes avec lui comme cuistot; les deux hommes étaient cuistots ensemble quand Patterson se vit notifier qu'il était appelé au gouvernement) d'enquêter sur les problèmes des anciens combattants. Patterson donna le feu vert et, pendant la première moitié de 1946, Winthrop sillonna les États-Unis en automobile pour étudier la façon dont les hommes qui avaient donné au pays les meilleures années de leur vie étaient accueillis à leur retour. Dans le rapport qu'il adressa au Pentagone à la fin de l'année, il concluait que le G.I. Bill [1] n'était qu'une « tentative pour acheter les anciens combattants avec de l'argent liquide »; il suggérait la création, dans chaque communauté, de comités de citoyens chargés de résoudre les problèmes humains cas par cas. Il offrit d'engager sur ses propres deniers le premier million de dollars pour la réalisation de ce projet. Mais le président Truman, qui venait à peine de se débarrasser d'un Rockefeller, n'était aucunement pressé d'en engager un autre à un poste aussi important, et il enterra l'affaire.

Nelson aurait sûrement trouvé quelque moyen bien à lui d'arracher le morceau, mais Winthrop, lui, lâcha prise. Il retourna à New York, reprit son ancien boulot à la Socony Vacuum. Avant la guerre, il avait été engagé dans les services étrangers de la Société. Chargé des liaisons avec le Proche-Orient, il avait visité l'Iran pour le compte de l'Anglo-Iranian Oil Cy; il était en Égypte quand Hitler avait envahi la Pologne. Mais, à son retour, la Socony lui octroya un poste moins brillant, dans la section Production. Travail de bureau qu'il assuma sans le moindre enthousiasme. Il se situait en marge des bouleversements qui remodelaient la famille, sans pour autant refuser les obligations imposées par son père : c'est ainsi, notamment, qu'il accepta le rôle d'inspecteur de Colonial Williamsburg, et de siéger au conseil d'administration de la Ligue urbaine. Nelson le fit également nommer président de la section Logement d'une nouvelle société, appelée IBEC, qu'il mettait sur pied pour prendre la relève de la Compania de Fomento Venezolano (Société de développement vénézuélien). Mais il manifestait une sorte de somnambulisme dans son travail; on aurait dit qu'on voulait le faire entrer de force dans des vêtements qui n'étaient pas à ses mesures. Sa mère, déjà âgée, s'en rendit compte non sans inquiétude. En 1947, elle écrivit à sa sœur Lucy : « Je crois que Winthrop souffre encore des séquelles de la guerre; et il est un peu effrayé de voir la famille essayer d'exercer sur lui sa tutelle. »

Winthrop reprit ses habitudes nocturnes exactement comme avant-guerre. Ses rendez-vous fréquents avec l'actrice Mary Martin amenèrent les courriéristes à spéculer sur leur mariage éventuel. Il se remit sérieusement à

---

1. Loi votée en 1944, permettant aux anciens combattants démobilisés de parfaire leurs études aux frais de l'État. (*N.d.T.*)

boire et fut abondamment parasité par les demi-mondains de la « Café Society » new-yorkaise [1]. (« Quel type charmant, rappelle un ami intime de la famille; mais, il faut bien le dire, à trente-cinq ans, il avait déjà tout de l'alcoolique invétéré. ») Puis, en 1948, un quart d'heure après minuit, le jour de la Saint-Valentin, il épousa une blonde opulente appelée Barbara (« Bobo ») Sears. Le mariage fut célébré chez un ami en Floride. Ni son père ni sa mère n'y assistèrent.

Quand la nouvelle du mariage du « play-boy » Rockefeller tomba des téléscripteurs, la presse fit des pieds et des mains pour découvrir l'identité exacte de cette fameuse Bobo Sears. Cholly Knickerbocker informa dédaigneusement ses lecteurs qu'il s'agissait de Mrs. Barbara Paul Sears, des Philadelphia Main Line Sears. En fait, il s'agissait de Jievute Paulekiute, issue d'une famille d'immigrants lithuaniens dans un coron près de Noblestown. Fana des stars de l'époque en ses jeunes années, elle avait adopté le prénom plus prestigieux d'Èva, abrégé son nom de famille et commencé à se mettre en quête d'une carrière à l'écran. A dix-sept ans, elle avait gagné à Chicago un concours de beauté (on l'avait baptisée pour l'occasion Miss Lithuanie), elle avait obtenu de petits rôles sur scène, puis avait réussi à arracher le rôle principal dans une production itinérante de *Tobacco Road* [2]. En 1945, elle avait épousé un riche Bostonien, Richard Sears. Même après le divorce, elle restait attachée à certains préjugés sociaux de son ex-mari. « Je fus vraiment surprise de trouver les Rockefeller dans le Bottin mondain, répondit-elle à la question d'un journaliste sur ses impressions de Cendrillon épousant le prince charmant. La famille Sears les considérait comme des marchands. »

En septembre, à la naissance de leur premier et unique enfant, Winthrop Paul, le *New York Times* signala l'événement sans faire remarquer parallèlement que le mariage ne datait guère que de sept mois. Mais, avant même la venue au monde du bébé, le mariage de Cendrillon avait passé l'heure de minuit et tourné à la catastrophe. Au bout d'un an à peine, le couple se sépara; Bobo partit vivre avec sa mère dans le Midwest, emportant son jeune fils. Elle confia le soin de s'occuper du divorce à un avocat qui exigea pour elle la somme astronomique de 6 millions de dollars.

Les frères Rockefeller firent bloc autour de Winthrop; ils lui prêtèrent de l'argent pour le règlement du divorce; ils prirent des hypothèques sur la partie de Pocantico qui revenait à Winthrop et sur ses autres biens, afin que Bobo ne pût les revendiquer en tant que biens de la communauté. Mais ils avaient tous conscience que Winthrop s'était couvert de ridicule et qu'il avait déshonoré la famille. Il était inutile de le dire : la conclusion se tirait d'elle-même. Pour Winthrop, ce fut le tournant décisif de sa vie : il dut reconnaître une fois pour toutes qu'il n'y avait pour lui aucune place dans le milieu positif et affairé de ses père et frères. Il cessa tout travail à la Socony; et,

---

1. La « Café Society » n'est pas tout à fait aussi « select » que la « Society ». (*N.d.T.*)
2. Pièce tirée du roman d'Erskine Caldwell *la Route du Tabac*. (*N.d.T.*)

petit à petit, il commença à trancher ses liens avec le monde où il avait grandi. Il buvait sec, ses yeux viraient au jaunâtre, sa grande carcasse se chargeait de graisse et de bouffissures. Au début de 1953, il se rendit en Arkansas : en effet, pour obtenir le divorce, il lui fallait résider quatre-vingt-dix jours dans l'État ; en outre, Winthrop souhaitait rendre visite à son ami Frank Newell, vieux copain de l'Armée qui vivait là. Newell le balada dans l'État, lui fit rencontrer certaines personnalités de Little Rock. Winthrop trouva la région agréablement provinciale et il s'avisa qu'après avoir été un parmi cinq à New York, il lui serait loisible de n'être qu'un parmi un million en Arkansas. Après plusieurs allées et venues entre Little Rock et Manhattan, il décida de s'installer pour de bon en Arkansas ; mais il n'avait pas compris qu'après avoir rompu avec la famille, il verrait son père se dresser comme l'archange brandissant une épée de feu pour tout lui interdire.

Il était parti vaincu vers le Sud, mais sans pour autant vouloir mener une vie monacale. Un de ses premiers actes fut d'acheter quelque 463 hectares de riches terres au sommet de la montagne Petit Jean, aux fortes pentes richement boisées, près de la bourgade arkansasienne de Morrilton. Il fit appel à une armée de travailleurs pour déboiser et tondre littéralement le sommet de la montagne, faisant place nette pour l'implantation d'une solide ferme qu'il appela Winrock ; d'aucuns virent là une tentative pour recréer Pocantico. Winthrop investit 2 millions de dollars dans le domaine ; il aménagea de longues pelouses vallonnées, un terrain d'aviation dans la vallée boisée, d'où il pourrait décoller avec son Falcon Jet et être à Little Rock en cinq minutes. Il créa deux lacs qu'il nomma lac Abby et lac Lucy en l'honneur de sa mère et de sa tante. Il introduisit des bovins de la célèbre race de Santa Gertrudis, qui ne tardèrent pas à lui valoir une bonne renommée parmi les éleveurs.

En quelques années, Winrock Farm devint la première merveille de l'Arkansas. Elle attirait plus de 50 000 visiteurs par an, pour la plupart citoyens de cet État, le plus pauvre de la fédération ; ils venaient béer d'admiration devant les splendeurs de l'endroit, dont un taureau primé appelé Rock, d'une valeur de 31 000 dollars. Winthrop commença à jouer un certain rôle dans la vie rustique de l'État ; il fit don de plusieurs millions de dollars pour la création d'une école-pilote destinée à montrer comment on pourrait amender le système éducatif aberrant de l'État, puis pour la création d'une clinique. Comme il le dit à un journaliste, il aimait cet État parce que « ce qu'on y fait se voit très vite. On voit les résultats ».

En 1956, après sa nomination à la tête de la Commission de développement industriel de l'Arkansas, les observateurs pensaient qu'il avait toutes chances de connaître un bel avenir politique s'il s'enrôlait sous la bannière démocrate. La même année, il épousa une jolie divorcée, Jeannette Edris, fille du propriétaire d'une chaîne de cinémas. Il semblait heureux, il paraissait avoir trouvé sa voie : « Rockefeller, l'homme des bois ». Un jour, alors qu'il faisait visiter Winrock à un groupe de journalistes de l'Est, il s'arrêta, désigna d'un large geste la magnifique vallée découverte du haut de la montagne Petit Jean, et dit : « Voici mon œuvre. Elle est totalement indépendante de toutes les entreprises de la famille Rockefeller. »

Tandis que Winthrop faisait sa vie de son côté, les autres frères essayaient de rester fidèle à l'engagement qu'ils avaient souscrit de « subordonner, si et quand nécessaire, nos intérêts privés ou personnels à l'accomplissement de nos objectifs désintéressés ». Cela n'excluait pas les tensions entre eux. Nelson n'avait pas mené son combat contre le père pour le plaisir de donner à la politique familiale une direction collégiale. Selon la formule célèbre, ils étaient tous égaux, mais l'un d'eux l'était plus que les autres. A chaque vacance dans la salle n° 5600, Nelson y installait un de ses collaborateurs à lui. Il dominait le Bureau et lui imprima le sceau de sa personnalité. Dans les conseils de famille, il avait notamment fait valoir que la troisième génération, se « lançant dans la vie publique » comme jamais les Rockefeller ne l'avaient fait jusque-là, avait besoin d'un homme ayant atteint un niveau politique élevé pour coordonner les relations publiques de la famille. Le candidat tout désigné à ce poste, c'était Frank Jamieson. Lorsque Nelson le proposa, personne ne put élever d'objections : en effet, pendant toutes ses années de collaboration avec Nelson, Jamieson avait noué des liens d'amitié avec les autres frères. N'empêche, c'était là encore un petit coup d'État, du même acabit que le remplacement de Debevoise par John Lockwood. Celui-ci devait dire par la suite : « Ce poste de chargé des relations publiques était un poste clé : en effet, celui qui l'occupait se trouvait effectivement à la tête de la famille. Et il fut toujours évident que Frank travaillait pour Nelson d'abord, et en second lieu seulement pour les autres frères. C'est à la carrière de Nelson qu'il s'intéressait avant tout. Ces années-là furent marquées par des moments de rivalité et de manœuvres sans aménité entre les frères. »

Les autres ne se révoltèrent jamais contre Nelson. Il émanait de lui une sorte de chaleur qu'on ne trouvait pas à pareil degré chez les autres : après la mort d'Abby, Nelson était devenu le centre affectif où reprenaient vigueur tous les liens familiaux. En outre, son ambition même n'était pas sans mélange. Manifestée de manière trop flagrante, elle eût attiré un réflexe de blocage de la part des autres ; mais tous les frères avaient bénéficié de son empressement à mener le combat œdipien contre Junior. Après cette victoire, en tant que nouveau dynaste de la famille, il attendait d'eux que, tout autant que lui-même, ils fissent leurs preuves.

Non sans ironie, la situation potentiellement explosive qui régnait salle n° 5600 se trouva en fin de compte stabilisée par l'élément qui précisément la menaçait : l'ambition de Nelson. Comme le remarque Lockwood, « Nelson a toujours été un homme à programmes. Il aimait connaître avec exactitude la place et le degré d'autorité de chacun. C'est de la sorte qu'il avait prise sur les choses. Son attitude au Bureau était par trop rigide. Je suis certain que s'il n'avait pas quitté la salle n° 5600, l'institution aurait fini par s'écrouler. C'est à l'absence de Nelson qu'on peut attribuer sa longévité ». Il avait certes pris d'assaut la famille, mais son imagination continuait de tourner autour d'un axe reliant Washington à l'Amérique latine.

Le 26 août 1945, au lendemain de sa « démission » de secrétaire adjoint au département d'État, Nelson revint à New York et convoqua le « Groupe » — sa fameuse équipe de conseillers sur l'Amérique latine, à laquelle étaient venus s'ajouter, après la guerre, Lockwood, Frank Jamieson et Berent Friele, un Norvégien dont la famille était dans le commerce du café depuis cinq générations et qui avait renoncé à la présidence de la Société américaine du café et à la direction de la Société A. and P. pour devenir le « collaborateur » de Nelson. Le but avoué de cette réunion (et des suivantes) était de trouver un véhicule pour les idées que Nelson estimait vitales pour l'avenir de la « coopération » interaméricaine, et de hâter son retour triomphal à Washington.

Résultat de leurs délibérations : une fondation, l'Association américaine pour le développement économique et social sur le plan international (AIA), créée « dans le but de promouvoir parmi les peuples du monde entier l'autodéveloppement, un meilleur niveau de vie, ainsi que la compréhension mutuelle et la coopération ». Mais, dans la pratique, le programme de l'AIA se limitait à l'Amérique latine, avec deux objectifs principaux : le Venezuela, champ d'action personnel de Nelson ; et le Brésil, le plus grand et le plus important pays de l'Hémisphère.

Les programmes de l'AIA visaient principalement à assurer la formation des Latino-Américains dans les domaines de l'alimentation, de la santé, de la vie rurale, et à leur fournir des renseignements pratiques pour l'amélioration des techniques agricoles.

En septembre 1948, Hudgens et Rockefeller arrivèrent à Belo Horizonte, capitale de la province brésilienne du Minas Gerais, dans l'espoir d'y mettre sur pied un projet pilote. Ils espéraient réunir les fonds nécessaires à leur projet auprès de personnes privées et de sociétés. Ce fut un échec [1], bien

---

1. Hudgens, administrateur de l'AIA, raconta plus tard les démarches qu'il avait entreprises pour se procurer les fonds nécessaires à un plan de crédit agricole de sa conception, auprès de la société Coca Cola au Brésil. « En guise d'entrée en matière, je dis que je ne m'étais jamais trouvé à un carrefour dans les Andes, ou en tout autre lieu d'Amérique latine, sans pouvoir acheter un Coca Cola... J'en avais conclu que s'il y avait un produit américain directement lié à l'amélioration des conditions de vie et à l'augmentation du pouvoir d'achat des populations rurales, c'était bien le Coca Cola... A tort ou à raison, si vivre mieux, cela veut dire pouvoir acheter du Coca Cola, il était éminemment réaliste, pour Coca Cola, de prendre une participation dans mon plan de crédit ; " en outre, cela donnerait à votre Société l'occasion de faire un apport au pays dans lequel elle s'est installée, et à miser sur l'essor de son commerce. " Le directeur de Coca Cola écouta jusqu'au bout le discours de Hudgens ; mais, à l'issue de la rencontre, Hudgens et Rockefeller savaient que la Société n'apporterait pas la moindre contribution. Nelson dit à Hudgens : « Tu sais ce que pense cet homme en ce moment ? Il se dit :

que Rockefeller fût parvenu à convaincre le gouvernement brésilien de continuer à assurer le financement de l'entreprise une fois qu'elle aurait démarré.

Les compagnies pétrolières, par contre, furent heureuses de coopérer avec l'AIA au Venezuela. Depuis la guerre, l'*Acción democrática* — de centre gauche — avait accédé au pouvoir; elle avait aussitôt prélevé une taxe de 50 % sur les bénéfices des sociétés pétrolières (qui étaient stupéfiants : 200 millions de dollars s'étaient déversés dans les coffres de la Creole Petroleum durant la seule année 1948). Pis encore : on voyait émerger un puissant mouvement syndical qui tenait la dragée haute aux sociétés pétrolières. Ces mesures entraînèrent une riposte tous azimuts. Les magnats US du pétrole appuyaient vigoureusement la politique d'ouverture au Moyen-Orient destinée à susciter un concurrent potentiel du brut vénézué-lien [1], et multipliaient à Caracas les contacts avec les officiers de droite à qui déplaisaient les orientations « socialistes » du nouveau gouvernement Betan-court; en même temps, ils se lançaient dans une intense campagne de relations publiques pour convaincre les Vénézuéliens que les producteurs de pétrole américains étaient, en fait, des citoyens conscients et organisés, désireux de favoriser la croissance économique et le progrès social de leur pays. Lorsque Nelson vint proposer aux sociétés pétrolières de soutenir les programmes de l'AIA pour faire la preuve de l'intérêt qu'elles portaient à la prospérité du Venezuela, il rencontra des oreilles attentives. Les sociétés pétrolières allaient finalement fournir près de la moitié des 14 millions de

---

" Je ne vais pas mettre mon argent dans un truc qui va encore faire la preuve que Nelson Rockefeller est un philanthrope d'envergure mondiale. " »

1. Ces mesures, étalées sur des années, avaient déjà fortement marqué la politique internationale et devaient constituer le pivot de la guerre froide à ses débuts. Le 12 mars 1947, le président Truman, dans son adresse au Congrès, avait proclamé les débuts officiels du conflit idéologique d'après-guerre. « Les grandes proclamations ne parlaient que de la Grèce et de la Turquie — dit un commentateur du *Time* — mais les murmures derrière ces proclamations ne parlaient que de l'océan de pétrole au sud de ces pays. » Sous les déserts brûlants d'Arabie Saoudite, d'Iran, d'Irak et des émirats du golfe Persique, gisaient quelque 150 milliards de barils de pétrole, selon les estimations. « La valeur de tout ceci? demandait *Time*. En numéraire, de quoi faire surgir une centaine de Rockefeller; sur le plan logistique, comme comptent les nations, une valeur proprement inestimable. » *Time* note par ailleurs que, « tandis que les États-Unis amorçaient ainsi leur grand tournant historique, un puissant consortium de sociétés pétrolières prit également une décision historique. Avec l'approbation tacite des gouverne-ments US et britannique, ces sociétés concluent une série de marchés — les plus gros jamais réalisés dans le domaine des valeurs-vedettes cotées en Bourse — visant à développer et à exploiter à fond cet océan de pétrole. La Standard Oil (New Jersey) se trouvait tout naturellement à la tête du groupe; Eugene Holman, son président, avait des visées internationales. Il se lança à corps perdu dans la réalisation de ces plans époustouflants. La Jersey Standard et ses partenaires allaient dépenser plus de 300 millions de dollars dans cette région si troublée du Moyen-Orient pour exploiter son pétrole. » La doctrine Truman ne datait pas d'une semaine que la Standard du New Jersey annonçait sa décision de considérer dorénavant comme lettre morte les fameux accords de 1928 (Red Line). Ceux-ci avaient réglé dans les moindres détails l'organisation d'un cartel mondial du pétrole avec les rivaux européens, le Groupe Royal Dutch Shell et l'Anglo-Iranian Oil (devenue la British Petroleum). Le nouvel arrangement ouvrait désormais l'Arabie Saoudite, chasse gardée britannique, aux grands pétroliers US.

dollars que l'AIA devait collecter et dépenser en vingt années d'existence, tout le reste ou presque provenant de la famille.

Mais, dans la poursuite de cette association avec le Venezuela, Rockefeller avait été contraint de modifier la conception initiale de l'AIA, créant deux organismes au lieu d'un. Au départ, Lockwood avait prédit à Nelson que la création de l'AIA, fondation à but non lucratif mais animée de visées fort lucratives derrière ses objectifs philanthropiques, ne serait pas viable. C'est lui qui suggéra la création de deux sociétés. « Il faudrait une société du dimanche et une société des jours de semaine ; n'est-ce pas dans la tradition historique, puritaine et protestante de ce pays — faire de l'argent toute la semaine et s'occuper de charité le dimanche... »

Le 9 janvier 1947, Nelson se rendit aux raisons de Lockwood et créa la Société internationale d'équipement (IBEC), pendant à but lucratif de l'AIA, la société jumelle et désintéressée. Durant ses cinq premières années de fonctionnement, la Creole Petroleum et la Shell consentirent à investir dans cette société 13 millions de dollars. Il allait sans dire que cet investissement devait valoir aux deux sociétés pétrolières des actions privilégiées dans l'IBEC, tandis que la majorité des actions ordinaires restait aux mains de Nelson et de la famille Rockefeller. Pour ne pas être accusé de favoriser « l'impérialisme yankee », l'IBEC évita dans ses statuts de s'assigner pour but des profits matériels. Au lieu de cela, l'IBEC se présenta comme désireuse de favoriser « le développement économique en divers lieux du monde, d'augmenter la production et la disponibilité des biens, marchandises et services utiles à la vie et au mode de vie de leurs peuples, afin de promouvoir leur niveau de vie ».

Quoique sa déclaration d'intentions ressemblât davantage à un manifeste qu'à un programme d'investissements, l'IBEC ouvrait la voie aux placements et opérations de grande envergure que Nelson allait mettre sur pied.

L'IBEC démarra avec l'idée qu'on pouvait favoriser le développement économique en créant des industries nouvelles, en améliorant les circuits de distribution des biens de consommation courante et en abaissant les tarifs des services publics. Mais, dès le départ, elle connut de sérieuses difficultés, notamment par manque de considération pour les mœurs et usages locaux. Ainsi, au Venezuela, un projet fort coûteux de construction d'une pêcherie de thon échoua faute d'avoir tenu compte des habitudes alimentaires des Vénézuéliens. Mais c'est surtout le programme de distribution qui révéla la nature utopique du projet initial de l'IBEC. Nelson avait décidé de reprendre la CADA, circuit utilisé par les sociétés pétrolières pour approvisionner leurs magasins d'alimentation : il en fit un distributeur en gros dans tout le Venezuela. (En raison des pressions syndicales exigeant l'abaissement des prix des produits vendus aux ouvriers, les sociétés apprécièrent hautement cette occasion de remettre la direction de la CADA en d'autres mains.) Mais l'IBEC se trouva aussitôt confrontée à un problème majeur : pour réussir, il fallait couper l'herbe sous le pied aux hommes d'affaires vénézuéliens à la tête des circuits de distribution déjà en place. La revue *Fortune* donna la parole à l'un d'eux : « Parler de l'abaissement des profits pour le bien de l'économie, c'est parfait pour vous, Mr. Rockefeller ; mais vous attendez-vous vraiment à nous voir renoncer — dans le but de réaliser un malheureux 10 % — à des bénéfices de 30 %, 50 %, voire 100 %, qui sont tout à fait possibles étant donné la pénurie de capitaux vénézuéliens ? »

Nelson n'avait surtout pas l'intention de partir en guerre contre les lois de la concurrence latino-américaine ni contre la grande bourgeoisie vénézuélienne. Comme l'écrivait *Fortune :* « Rockefeller semble avoir compris que les sociétés IBEC, si elles veulent susciter une émulation sur grande échelle, doivent pratiquer les taux de profits normaux en Amérique latine. » Mais, avant de pouvoir mettre en pratique ces conseils de sagesse commerciale et mettre au point ce que Nelson appelait une formule « plus dure » de « bonne association », la société dut faire le compte des échecs de sa période de lancement. En 1952, le gouvernement vénézuélien et les sociétés pétrolières avaient abandonné le navire. Au Brésil, on avait également assisté à des pertes sévères et à des faillites importantes. Les erreurs de la première décennie de l'IBEC devaient coûter à Nelson plus de 7 millions de dollars.

Il alla trouver Junior dans l'espoir d'obtenir l'argent frais dont il avait besoin pour compenser les pertes de l'IBEC. « Père, dit-il au patriarche, j'ai besoin d'un million de dollars pour sauver l'IBEC. » Mais les réactions hostiles des milieux nationalistes latino-américains à l'égard de Nelson, en raison de son immixtion dans les affaires intérieures de leur pays, inquiétaient Junior. Et il n'y avait pas de quoi apaiser ses craintes quand il entendait Jamieson lui répéter que son fils était « probablement le Nord-Américain numéro un aux yeux du Brésilien moyen ». Junior consentit à venir au secours de son fils, mais à une condition : qu'il mît fin à toute l'opération, après le sauvetage de l'IBEC. « Entendu, père », répondit froidement Nelson en quittant la pièce.

En fin de compte, Nelson parvint à se procurer l'argent par d'autres biais, et l'IBEC put repartir d'un bon pied. Nelson liquida les entreprises qui battaient de l'aile ; il renforça les entreprises florissantes et se mit en quête de nouveaux domaines plus profitables à ses investissements. Ce qui était arrivé au programme de distribution de denrées alimentaires (CADA) résumait bien la nouvelle physionomie de sa société. On l'avait sommé de réaliser des profits latino-américains « normaux » ? Eh bien, il ne restait plus, selon toute logique, qu'à maximiser ces profits en construisant des supermarchés dans tout le pays : ils vendraient des marchandises en provenance des USA et étrangleraient le petit commerce. Loin de mettre sur pied une économie vénézuélienne autochtone, son entreprise (prétendument de coopération américano-vénézuélienne) contribua en fait à accentuer la dépendance du pays à l'égard des biens de consommation US.

Le succès fut acheté au prix du principe même qui avait présidé à la création de l'IBEC et qui la distinguait des autres sociétés. Tandis qu'intervenaient ces revirements dans la CADA et les autres programmes, l'IBEC faisait l'acquisition d'entreprises industrielles fort rentables aux États-

Unis mêmes : une fabrique de biens d'équipement pour l'extraction du pétrole à Cleveland (la VD Anderson) et une fabrique de valves hydrauliques à Akron (la « Bellows »). Addition ultérieure d'importance : l'Arbor Acres Farms, dans le Connecticut, une des plus grandes entreprises mondiales d'élevage de volaille. En d'autres termes, la masse impressionnante des avoirs qu'elle finit par accumuler, l'IBEC la tint davantage de l'acquisition de sociétés US déjà existantes et florissantes, que du développement d'industries nouvelles au Venezuela ou au Brésil. A la fin de sa deuxième décennie, plus de la moitié des revenus de l'IBEC provenaient d'Amérique latine où elle avait cependant placé moins d'un tiers de ses capitaux.

Nelson essayait de se cacher le fait que la « conscience morale » de l'IBEC avait disparu en faisant remarquer que l'AIA existait toujours. Mais, en fait, les programmes de la Société jumelle à but non lucratif ne retinrent que fort peu l'attention après la naissance de l'IBEC. De surcroît, la symbiose entre les deux institutions était souvent plus complexe que ne le laissait supposer la division en société philanthropique d'une part, et entreprise rentable de l'autre. Peu après sa création, l'AIA avait, par exemple, fait procéder à une étude de marché sur la production de maïs hybride au Brésil. Elle avait découvert qu'une société brésilienne (Agroceres Limitada) se préparait à se lancer dans la culture industrielle du seul hybride implanté dans le pays. Les données furent fournies à l'IBEC qui proposa aux propriétaires brésiliens d'Agroceres de créer avec eux une nouvelle société. La nouvelle entreprise fut baptisée la SASA ; en grandissant, elle réclama de plus en plus de capitaux. Les termes initiaux de l'accord, selon lesquels les Brésiliens pourraient acquérir 49 % des actions au départ, puis 51 % au bout de dix ans, s'avérèrent utopiques, et les Brésiliens durent se contenter d'une part d'actions beaucoup moins élevée dans une société qui avait pris des dimensions imprévisibles. Avec les années, la SASA devint l'une des six plus importantes sociétés productrices du maïs hybride dans le monde, et l'une des étoiles dans la constellation des sociétés satellites de l'IBEC [1].

Le changement de politique de l'IBEC ne se produisit pas en un jour. Mais la société, elle, ne cessait de grandir. A son vingtième anniversaire, son chiffre d'affaires annuel avait dépassé les 200 millions de dollars, lui valant de figurer sur la liste des « 500 » établie par *Fortune,* en compagnie des autres géants de l'économie US. Elle comptait plus de cent quarante filiales dans trente-trois pays, avait à son actif des sociétés d'investissement à capital variable, des compagnies d'assurances, des sociétés immobilières et une multitude d'autres entreprises. Elle était devenue une société pionnière — mais pas tout à fait dans le sens prévu à l'origine par Rockefeller. Loin d'être

1. Autre exemple des effets de ce changement de vocation au Venezuela. Lorsque l'IBEC décida de se lancer dans la production laitière, il y avait un concurrent autochtone, l'Inlaca. La Compagnie de Rockefeller parvint à couper l'herbe sous le pied à l'Inlaca en mélangeant du lait en poudre dilué — provenant de surplus alimentaires US — au lait frais. Quand elle eut monopolisé le marché (procédé qui n'était pas sans rappeler l'histoire du grand trust de la Standard), la Société fit monter le prix du lait à 32 cents le litre, 50 % plus cher qu'aux États-Unis.

une société semi-philanthropique destinée à modifier les données fondamentales de la dépendance latino-américaine, l'IBEC était la préfiguration d'une nouvelle forme d'entreprise — la multinationale US, avec filiales et marchés disséminés aux quatre coins de la planète — qui allait devenir un fait majeur de la vie économique du monde sous-développé dans la seconde moitié du xxᵉ siècle.

Tandis que Nelson multipliait ses efforts pour amener l'IBEC à accumuler les profits, Harry Truman préparait son second discours inaugural autour d'un plan d'action en trois points dans le domaine des relations internationales. Les deux premiers points n'étaient que la continuation de programmes antérieurs, mais le troisième, promettant un « accord commun visant à renforcer la sécurité dans la zone nord-atlantique », constituait un nouveau point de départ de la politique étrangère américaine : une alliance militaire de temps de paix — l'OTAN — assortie de pouvoirs transocéaniques.

Tandis que se préparait l'ébauche du discours inaugural, le président se vit proposer un quatrième point, émanant de Ben Hardy, haut fonctionnaire du département d'État qui avait travaillé pendant la guerre pour Nelson et Jamieson au service de presse du Bureau du coordonnateur. Impressionné par les programmes d'assistance technique de l'OIAA et par les plans ultérieurement mis en œuvre par Nelson aux débuts de l'AIA, Hardy suggérait que le président exprimât son appui moral à un programme d'assistance technique au tiers monde, ce qui ajouterait une note idéaliste à son discours et émousserait quelque peu le caractère belliqueux du Point 3. A la dernière minute, Truman introduisit la proposition Hardy réclamant un « nouveau programme audacieux » d'aide technique et financière. Les capitales du monde entier louèrent le président pour son sens de l'histoire et pour la générosité de la proposition — connue désormais sous le nom de « Point 4 » — et ne retinrent rien d'autre du discours inaugural.

A la lecture de ce texte, dans les journaux du matin, Nelson fut ravi. Il n'avait eu aucun contact avec la Maison-Blanche depuis que Truman l'avait mis dehors, trois ans et demi auparavant ; mais il envoya immédiatement une lettre au président pour lui dire que le Point 4 constituait l'événement majeur en politique étrangère depuis des dizaines d'années ; petite flatterie, il ajoutait que ce Point 4 était propre à assurer à tout jamais la place de Truman dans les manuels d'histoire.

Cette formule flatteuse trahissait chez Nelson le désir impatient de retourner à Washington ; mais il ne reçut pas d'invitation. En juin, Truman demanda 45 millions de dollars pour satisfaire au Point 4 — la relative modicité de la somme indiquait nettement que ce programme n'avait éveillé son intérêt que pour ses effets rhétoriques. Nelson se rendit maintes fois à Washington pour témoigner devant des commissions parlementaires de ce que lui avaient enseigné ses activités au sein de l'AIA et de l'IBEC en Amérique latine, et qui pourrait servir à l'élaboration des projets de lois dont le Point 4 devait faire l'objet; il insista à plusieurs reprises sur la nécessité de créer, pour la mise en œuvre de ces programmes, un office qui échapperait au contrôle du département d'État.

Le même été, Nelson eut l'occasion de rendre visite au président; au cours de leur entretien, il émit l'idée que la ferme position des pays latino-américains à l'ONU en faveur de l'intervention US en Corée justifiait un discours de reconnaissance. Truman en tomba d'accord et Nelson, désireux d'apporter son concours, proposa de « réunir quelques idées » qui pourraient être utiles au président dans l'élaboration de son discours. Le président remit le texte de Nelson à son secrétaire d'État Dean Acheson, qui n'avait pas oublié l'attitude de Rockefeller à San Francisco alors que lui-même faisait corps avec Pasvolsky et les autres membres de la Division des affaires internationales. Acheson reçut les suggestions de Nelson avec politesse, mais il n'y eut jamais de discours.

En novembre 1950, toutefois, Truman nomma Nelson à la présidence d'un Comité consultatif de développement international, chargé d'émettre des suggestions sur la mise en application du Point 4. L'exaltation de Rockefeller à l'annonce de cette nomination s'accrut d'autant lorsque le président lui eut donné à entendre qu'il voulait voir le Comité préparer le terrain, pour ce nouveau programme d'aide, sur le modèle du Comité présidé par Averell Harriman et qui avait naguère jeté les bases de la réalisation du plan Marshall. Nelson mit une condition à son acceptation : en vue précisément d'assumer ce rôle d'envergure, il fallait éviter de limiter l'étude à l'aide technique, mais l'élargir au problème global de l'assistance économique au monde sous-développé.

Constituant son équipe de travail, Nelson recruta son vieux professeur d'économie politique de Dartmouth, Stacy May, qui s'était employé à l'initier à Marx et au péril communiste, et dont il avait souvent sollicité avec confiance les conseils d'ordre économique à propos des entreprises de l'AIA et de l'IBEC; également, l'avocat Oscar Ruebhausen, de la Debevoise, Plimpton and Gates, à qui il avait recouru de plus en plus fréquemment pour les questions juridiques, Lockwood étant de plus en plus absorbé par les affaires du bureau familial.

Au bout de cinq mois de travail, le Comité de développement international publia son rapport intitulé *Associés dans le progrès,* qui mettait l'accent sur l'importance du capital privé comme clé du développement, soutenu par l'aide gouvernementale en ce qui concerne les routes, les équipements portuaires, l'irrigation, les installations électriques, c'est-à-dire « l'infrastructure ». Mais la proposition la plus importante, particulièrement chère à Nelson, recommandait la concentration de toutes les principales activités économiques à l'étranger dans un office central, une administration des activités économiques US outre-mer, dirigée par un administrateur unique et n'ayant de comptes à rendre qu'au président.

Le Point 4 avait déjà été attaqué par la droite conservatrice qui l'avait traité de plan destiné à fournir « un berlingot de lait à chaque Hottentot ». Rockefeller partit donc travailler au corps un certain nombre d'opposants potentiels du Congrès, par exemple les sénateurs Taft et Byrd. Mais, tandis qu'il s'employait à rassembler des appuis de ce côté, il négligeait une opposition bien plus puissante qui s'organisait parmi les hauts fonctionnaires de l'Exécutif.

Une fois assuré du soutien de Taft, Nelson vint annoncer la bonne nouvelle au conseiller spécial du président, Averell Harriman, autorité dans le domaine des programmes économiques à destination de l'étranger et chef de l'administration de la Coopération économique (le fameux office qui administrait le plan Marshall), bientôt supplantée par le nouvel office nelsonien. La rencontre ne fut pas couronnée de succès. L'exubérance de Rockefeller se heurta au roc Harriman, qui avait joué un rôle important dans la politique étrangère de la dernière administration (de même qu'à San Francisco) et qui voyait dans la proposition de Nelson une simple tentative pour se constituer une sinécure. En termes mesurés, il annonça à Nelson qu'il avait le projet de continuer l'action de l'ECA (pourtant créée à titre temporaire) et d'étendre son champ d'action plutôt que de lancer le nouvel office proposé par Nelson dans son rapport.

Nelson fut finalement invité par Edward G. Miller Jr (qui occupait son ancien poste de secrétaire adjoint chargé des Affaires latino-américaines) à témoigner devant la Commission des affaires étrangères de la Chambre des représentants. Il profita de l'occasion pour tenter de soulever une lame de fond en faveur de son administration économique d'outre-mer. Après un rappel de ses expériences passées dans les affaires latino-américaines, il se lança dans une déclaration soigneusement préparée qu'il intitula *Nouveau point de vue sur la Sécurité internationale* : « En tant que nation, nous représentons 6 % de la population du globe et 7 % des terres émergées. Juste avant la dernière guerre, nous produisions environ 33 %, bref, un tiers des produits manufacturés dans le monde, et nous détenions un tiers des réserves mondiales de matières premières, les uns et les autres s'équilibrant. » Nelson étala ensuite devant la Commission les diagrammes statistiques mis au point par ses assistants pour illustrer la croissance comparative des biens industriels et des matières premières de 1899 à 1951, montrant que la production industrielle US atteignait à présent 50 % du total mondial, alors que leur production de matières premières stagnait à un tiers. « Ainsi, expliqua Nelson, il y a un abîme entre notre production industrielle et notre production de matières premières. Nous dépendons à présent de pays étrangers pour plus d'un tiers de nos besoins industriels en matières premières... Question : D'où tirons-nous les matières premières que nous importons ? Réponse : 73 % de nos approvisionnements en matériaux d'importance stratégique et vitale proviennent des régions sous-développées. Il faut se faire à cette idée : les États-Unis ne trouvent plus la base de leur propre sécurité à l'intérieur de leurs propres frontières. Fait pour le moins surprenant étant donné notre histoire de complète indépendance — du moins le pensions-nous [1]. »

En un sens, Nelson avait fait œuvre de pionnier dans l'édification du système d'alliances par lequel Washington enserrait à présent la planète entière. (La loi au sujet de laquelle il déposait ses conclusions devint la loi de Sécurité mutuelle, portant sur l'élaboration d'un programme d'aide militaire massive aux pays étrangers.) En 1947, les dispositions de l'accord de Chapultepec avaient été traduites dans les faits par la conclusion du pacte de Rio, premier des accords de défense d'après-guerre. Certains détracteurs de ce pacte étaient néanmoins d'avis que les menaces de conflits en Amérique latine résultaient principalement du grand nombre de ses régimes militaires. Jusqu'à l'intervention de Patterson, secrétaire à la Guerre, le Congrès n'avait montré aucun empressement à dégager les fonds nécessaires pour équiper les armées d'Amérique latine. Mais qui aurait pu s'étonner, après la signature du pacte et les premières livraisons d'armes, de ce que les seules opérations militaires d'importance fussent des *coups d'État,* au Pérou et au Venezuela ? Au Venezuela, le gouvernement réformiste de l'*Acción democrática* fut renversé et une féroce dictature militaire fut instaurée par le général Marco Pérez Jimenez. Une des premières actions du nouveau régime, au grand soulagement de la Creole Petroleum et des autres sociétés, fut l'écrasement du mouvement ouvrier vénézuélien.

Tout en considérant l'aide militaire comme essentielle à tout programme de sécurité, Nelson était convaincu qu'elle devait trouver place dans un plan d'ensemble comprenant autant d'efforts sur le plan économique et social. Assistance technique et programmes de santé publique n'étaient pas seulement nécessaires pour améliorer l'image de marque US dans les pays sous-développés ; il s'agissait là d'infrastructures essentielles au fonctionnement de l'économie sur lesquelles reposaient en fin de compte la puissance et la sécurité nationales. « Par exemple, impossible d'obtenir du caoutchouc d'Amazonie pendant la dernière guerre, en raison des maladies endémiques et des carences alimentaires des habitants, expliqua Nelson à la Commission des affaires étrangères de la Chambre des représentants. Il fallait d'abord vaincre ces fléaux, si on voulait mettre la main sur le caoutchouc. Force est de constater que tous ces facteurs sont interdépendants, surtout dans les régions sous-développées du monde. »

1. Le terme de « sécurité » dont Nelson ponctuait ses remarques était devenu un de ces mots à forte charge affective et ayant de multiples résonances quand il s'agissait de la nation. *Sécurité sociale :* cette formule avait contribué à l'introduction d'une grande partie de la législation réformiste du New Deal; *sécurité collective :* sous cette bannière, Washington avait abandonné sa neutralité pour entrer dans la guerre mondiale ; *sécurité intérieure :* cette obsession avait empoisonné le climat politique du pays au début de la guerre froide. Il était normal que les frères intégrassent ce terme à la vision et aux perspectives de la dynastie dont ils faisaient partie. « De même que les chances de gagner de l'argent ne sont plus les mêmes aujourd'hui que du temps de mon père ou de mon grand-père, de même les occasions d'assumer un service public ont changé... La grande idée de grand-père était le salut des âmes. Père, lui, disait qu'il fallait faire quelque chose pour maintenir les gens en bonne santé tout en sauvant leur âme. Ma génération est peut-être d'accord sur ces deux principes, mais elle ajoute que les gens ont droit à la sécurité. »

En conclusion de son discours à la Chambre, Nelson demanda avec insistance la création d'une administration des activités économiques US outre-mer pour orchestrer et soutenir, avec l'aide et les garanties gouvernementales, le flot de milliards de dollars du capital privé américain dans le monde sous-développé. Cette suggestion suscita l'enthousiasme des représentants. Mais Rockefeller ne fut pas invité à se rendre au Sénat pour s'expliquer. Comme il devenait évident qu'il avait échoué dans sa tentative pour créer un nouvel office chapeautant l'ensemble des activités économiques US à l'étranger, il demanda une entrevue au président Truman et lui remit sa démission du Comité consultatif de développement international. A son arrivée à la Maison-Blanche, il rencontra par hasard Harriman qui en sortait. Les deux hommes se serrèrent la main et s'observèrent avec une cordialité circonspecte ; Nelson dit : « Je ne fais qu'entrer pour présenter ma démission de président du Comité consultatif. »

« Oh non, s'exclama Harriman. Le travail commence à peine ! »

Rockefeller sourit d'un air entendu, et entra annoncer sa décision. Cette démarche n'était pas sans rappeler une entrevue semblable à la Maison-Blanche, six ans plus tôt ; mais, cette fois-ci, il n'y avait aucune surprise de part et d'autre. « Nous eûmes une conversation très agréable, dira plus tard Nelson. Il n'aurait pu être plus aimable. »

En mars 1952, A. A. Berle junior nota dans ses carnets que Nelson, avec l'aide de Wally Harrison, avait aménagé une « petite maison » derrière le Musée d'art moderne, « centre d'un groupe très restreint et singulièrement ésotérique de gens sérieux ». Nelson n'avait pas oublié les jours fiévreux d'avant-guerre, où le « Groupe » et lui-même avaient élaboré en toute indépendance une politique dont le gouvernement avait dû tenir compte, et il était prêt à s'y essayer de nouveau. En compagnie des frères Rockefeller se retrouvaient dans ce petit club Berle, Harrison, Jamieson et Ruml, déjà plus très jeune. L'idée était la suivante : toute personne parrainée par deux des membres pouvait venir discuter en déjeunant. Parmi les sujets abordés, il y en avait un qui allait sans dire : que restait-il à faire aux frères — en particulier à Nelson — maintenant qu'ils avaient en main la puissance et l'influence attachées à leur nom ? Rappelant cette remarque de Nelson : « Si le système capitaliste s'avère pour le moins capable de réalisations, alors c'est bien aux frères Rockefeller de jouer » — Berle commenta : « L'influence des frères Rockefeller est une grosse bulle à laquelle Nelson tente d'imprimer une direction intellectuelle et philosophique. »

Sa récente expérience à Washington avait été démoralisante. L'administration Truman avait accepté ses idées mais lui avait refusé le rôle de promoteur qu'il avait le sentiment de mériter. Mais, à présent, cette administration arrivait au bout de son rouleau et les Rockefeller soutinrent la candidature du général Dwight D. Eisenhower aussi massivement que celle de Willkie et de Dewey par le passé, et avec des chances de succès beaucoup plus grandes. L'oncle de Nelson, Winthrop Aldrich, avait joué un rôle décisif pour convaincre Eisenhower de se présenter, puis dans l'organisation de l'énorme machine financière destinée à soutenir Ike contre Taft à la Convention du parti républicain. Nelson avait donc toutes les raisons de penser que, dans l'ère républicaine qui s'ouvrait, il pourrait vaincre toutes traces de sentiments antirockefellériens à Washington et s'élever à une situation de premier plan dans le domaine des affaires étrangères. Lorsque, une petite semaine avant son élection, Eisenhower le nomma à la tête d'un Comité consultatif pour l'organisation du gouvernement, chargé de balayer les vieilleries administratives de vingt années de règne démocrate, il parut évident que son heure avait enfin sonné.

Ce n'était pas tout à fait le poste auquel il aspirait. Ses sentiments anticommunistes, avec l'aggravation de la guerre froide, étaient devenus chez lui un véritable prurit. Il désirait fort se trouver aux premières lignes de la politique, mais, au département d'État, on n'avait pas encore oublié ses menées de San Francisco, sept années auparavant, et le redoutable Dulles (bien que réconcilié depuis longtemps avec Nelson) entendait protéger à fond sa propre position d'avocat-conseil du président pour les Affaires étrangères [1]. Le poste obtenu par Nelson n'était peut-être pas brillant, mais il avait le mérite de lui permettre de rencontrer fréquemment le président et son chef de cabinet, Sherman Adams, ancien étudiant de Dartmouth lui aussi, qui s'était trouvé à ses côtés au conseil d'administration de l'école.

En qualité de président du Comité consultatif présidentiel pour l'organisation du gouvernement, Nelson put aborder la politique étrangère par la bande. Une des premières suggestions de son Comité au président élu fut la création d'un poste, indépendant du ministère, visant à coordonner le travail des quelque quarante services concernés par tel ou tel aspect des Affaires étrangères. Mais ce plan heurtait de plein fouet les intérêts de Dulles, qui devait être la Némésis numéro un — mais non pas la seule — de Rockefeller dans l'administration Eisenhower. Il y en avait une autre : l'adjoint de Dulles, le général Walter Bedell (« Beetle ») Smith, qui venait d'abandonner à Allen Dulles, frère de Foster, son poste à la tête de la CIA. Ancien chef d'état-major d'Ike, « Beetle » était un personnage clé de l'administration, la seule filière sûre pour arriver à être reçu par le président. (Outre les rapports de confiance qui existaient entre les deux hommes, Ike faisait grand cas du talent de « Beetle », unique à ses yeux, pour « coucher les décisions sur une feuille de papier ».) Par une de ces curieuses aberrations assez fréquentes

---

1. Dulles savait pertinemment qu'Eisenhower ne l'avait pas choisi d'emblée comme secrétaire d'État. Ike avait d'abord pensé à John McCloy, mais le sénateur Robert Taft avait opposé son veto, le trouvant trop proche des « banquiers internationaux » et des « New Dealers de Roosevelt », et, par implication, des Rockefeller. (« Depuis 1936, tous les candidats républicains à la présidence ont été nommés par la Chase Bank », accusait Taft avec amertume après sa défaite à la Convention de 1952.) Dulles faisait également partie des classes dirigeantes de la côte Est, mais son anticommunisme militant lui donnait le pas sur McCloy (plus particulièrement en ce qui concernait l'Asie, cheval de bataille de la droite la plus réactionnaire).

sous l'ère McCarthy, « Beetle » était convaincu que Nelson, en dépit de son ardeur à défendre la cause du monde libre, était communiste, ou à tout le moins progressiste ; alors qu'il était encore à la tête de la CIA, il avait fait part de ses soupçons à Ike en personne.

Au cours de ses premiers mois d'activité, le Comité de Nelson produisit plusieurs plans de réorganisation ministérielle, passant de l'Agriculture à la Défense, et sans épargner la Maison-Blanche elle-même. Un de ces plans prévoyait la fusion des programmes du *New Deal* en matière de santé, d'éducation et de sécurité sociale en un seul poste ministériel ; et lorsque la création du ministère de la Santé, de l'Éducation et du Bien-Être (HEW) fut officiellement approuvée par le Congrès en avril 1953, Nelson fut nommé secrétaire-adjoint d'Oveta Culp Hobby [1].

Dès qu'il fut promu à la tête du nouvel office, avec son budget de 2 milliards de dollars et ses trente-cinq mille employés, le premier souci de Nelson fut de s'aménager un PC (comme du temps de l'OIAA) et de commander l'équipement audiovisuel le plus moderne en vue des réunions de travail hebdomadaires. A tous égards, au cours du bref passage qu'il y fit, il fut la locomotive du ministère. Pourtant, le cœur n'y était pas. William Mitchell, fonctionnaire de l'administration de la Sécurité sociale, le décrivit ainsi à cette époque : « Il ne me parut jamais efficace, ni même particulièrement imaginatif... et il semblait avoir pour conseillers de vagues personnages issus de la périphérie de l'administration. Des gens apparemment liés aux nombreux intérêts extérieurs des Rockefeller ; personnellement, j'estime qu'il aurait été mille fois plus à l'aise s'il les avait laissés là où il les avait pris. »

Dix-huit mois après sa nomination au ministère de la Santé publique (HEW), qui n'avait jamais été à ses yeux qu'un poste d'attente, Nelson put enfin avoir accès aux affaires internationales : en effet, C. D. Jackson ayant démissionné de son poste d'assistant spécial du président, Nelson fut appelé à lui succéder. Jackson avait été « assistant spécial pour l'action psychologique » ; Nelson devenait « assistant spécial pour la stratégie de la guerre froide ». Ces différences d'appellation reflétaient la nature particulière du poste lui-même : officiellement destiné à donner « conseil et assistance pour le développement d'une compréhension et d'une coopération accrues entre les peuples » — il s'agissait en fait du poste de coordonnateur présidentiel chargé de la CIA [2].

---

1. Quand la WAC (Women Army Corps : auxiliaires féminins de l'armée) fut formée en 1943, Oveta Culp Hobby en avait été nommée directrice avec le grade de colonelle. (*N.d.T.*)

2. Selon Dillon Anderson, qui succéda à Nelson, ce poste était nécessaire dans la mesure où, lors de sa création par le Congrès, la CIA avait été placée sous la juridiction du Conseil national de sécurité. Pour des raisons constitutionnelles, Eisenhower avait décidé de la placer sous l'autorité directe du président. Mais, en même temps, il préférait ne pas être au courant d'opérations clandestines — comme le renversement du régime d'Arbenz, démocratiquement élu, au Guatemala : il éprouvait ensuite trop de difficulté à fournir une couverture à la CIA lors des conférences de presse. Pour résoudre cette difficulté, il chargea une équipe de superviser ces opérations-là : le secrétaire adjoint à la Défense, le secrétaire adjoint au département d'État et son propre assistant spécial.

Rendant directement compte au président, Nelson assistait aux réunions du cabinet, du Conseil de politique économique extérieure, et du Conseil national de sécurité — c'est-à-dire de l'appareil gouvernemental au niveau le plus élevé. Il coiffait également une unité secrète, appelée Groupe de coordination et de planification, comprenant, outre lui-même, le secrétaire adjoint à la Défense et le chef de la CIA ; ce groupe était chargé de faire appliquer les décisions du Conseil national de sécurité. Ce poste n'était pas sans parenté avec le fameux poste de super-coordonnateur dont Nelson avait suggéré la création. Mais Dulles faisait toujours obstruction. Il n'avait pas oublié la façon dont son oncle, Robert Lansing, secrétaire d'État sous Woodrow Wilson, avait été refait par le colonel House. Répugnant aux hostilités ouvertes avec Rockefeller, il laissait volontiers ses subordonnés, en particulier le secrétaire adjoint Herbert Hoover junior, faire échec à Nelson. La tension monta dangereusement à propos du plan « Cieux ouverts [1] », au Sommet de Genève en 1955.

Les premières années de la présidence Eisenhower avaient été marquées par d'incessants conflits sur la question de la politique nucléaire. L'Union soviétique grignotant la suprématie atomique US, Eisenhower en vint de plus en plus à considérer un conflit nucléaire comme « suicidaire ». Dulles, par contre, était séduit par la doctrine des « représailles massives ». Dans le domaine de la politique asiatique, il avait fait équipe avec l'amiral Radford, président du Conseil des chefs d'états-majors et ardent défenseur de la « guerre nucléaire préventive », pour recommander l'entrée de l'Amérique dans le conflit franco-indochinois. C'est avec répugnance qu'il se laissa traîner au Sommet de Genève — première rencontre de ce type entre les chefs d'État américain et soviétique depuis 1945.

Le 10 mai, les négociateurs soviétiques renversèrent le cours de neuf années d'histoire du désarmement ; ils acceptaient le plan occidental de limitation des effectifs, la réduction des armements conventionnels, le calendrier et les modalités occidentales de destruction des stocks d'armes nucléaires, ainsi que la diminution de toutes les forces armées. Comble de stupeur : pour la première fois, les Soviétiques entérinaient les plans occidentaux concernant les inspections, y compris les survols et l'installation de postes permanents de contrôle international derrière le rideau de fer.

Il y avait peut-être là — les historiens le diront un jour — une occasion unique d'arrêter l'escalade dans la course aux armements nucléaires. Mais le Pentagone et le quartier général de la CIA à Langley Field (Virginie occidentale) accueillirent la nouvelle de la volte-face russe avec méfiance. Décidés à préserver à tout prix l'avantage US dans la course aux armements, et en même temps soucieux de ne pas donner au Kremlin, par un pur et simple rejet des apparentes concessions soviétiques, un immense avantage dans son « offensive de paix », ils tombèrent d'accord que le problème, pour eux,

---

1. A ce Sommet, les Russes proposèrent une réduction des armements avec possibilité pour chacun des deux pays d'inspecter l'autre, y compris par la voie des airs. (*N.d.T.*)

consistait à reprendre l'initiative politique. Cette tâche incomba à l'assistant spécial pour la stratégie de guerre froide.

Premier geste de Nelson : rassemblement dans le plus grand secret d'une importante équipe d'experts, de chercheurs et de penseurs à la base maritime de Quantico. Au cours de plusieurs jours de délibérations, le groupe élabora le plan « Cieux ouverts » : selon ce plan, Soviétiques et Américains recevaient l'autorisation d'opérer des survols aériens en territoire adverse, pour se prémunir contre toute attaque surprise éventuelle. Aux yeux de l'opinion mondiale, ce plan pouvait paraître plein d'audace et de générosité ; mais les Russes, eux, n'avaient d'autre choix que de le repousser ; en effet, il était en retrait par rapport aux mesures concrètes de désarmement antérieurement acceptées, et il faisait bon marché de leur atout principal, le secret, sans contrepartie valable. (A l'époque, les Soviétiques étaient dépourvus de système de lancement permettant une attaque nucléaire dirigée contre les USA, alors même que l'ensemble du continent eurasien était entouré d'une ceinture de bases aériennes US.) Pour faire bonne mesure, l'équipe de Quantico émit une proposition d'échange des plans détaillés de toutes les installations militaires existant dans chacun des deux pays. (« Nous savions que les Soviétiques n'accepteraient pas, avoua Eisenhower par la suite. Nous en avions la conviction absolue. »)

Quelques jours avant le départ du président pour Genève, Nelson présenta le plan « Cieux ouverts » dans un mémorandum on ne peut plus concis (une page). Le président y vit une proposition intéressante et convoqua Rockefeller à une réunion de travail avec le secrétaire d'État Dulles, la veille même de son départ. Dulles avait vu d'un mauvais œil les initiatives de Nelson. « J'ai l'impression qu'il a réuni une grosse équipe, avait-il dit à Sherman Adams, lui faisant part de ses appréhensions. Il les a cantonnés à Quantico, et personne ne sait ce qu'ils fabriquent. » Aux yeux de Dulles, la présentation d'un « plan de paix » n'avait aucune valeur particulière. Pour lui, le Sommet ne devait être qu'une tribune où seraient exposés les principes et engagements qui faisaient des USA un adversaire du communisme, un point c'est tout. « Nous ne voulons pas transformer cette réunion en plate-forme de propagande », dit-il en tournant en dérision le plan de Nelson.

Les jours qui précédèrent le Sommet furent occupés par des manœuvres fiévreuses : le secrétaire d'État tentait d'empêcher Nelson de se rendre à Genève, tout comme il s'était naguère efforcé de le tenir à l'écart de la Conférence des Nations unies à San Francisco. En fin de compte, le président se vit contraint d'accepter un compromis : Rockefeller était autorisé à se rendre à Paris, siège des rencontres préliminaires d'experts qui assisteraient au Sommet ; mais il n'irait pas jusqu'à Genève.

Une fois sur le sol européen, Nelson commença à se démener pour trouver des partisans à sa proposition « Cieux ouverts ». Cette fois, il ne pouvait compter sur l'appui d'un individu aussi prestigieux que Vandenberg ; mais il parvint à obtenir le soutien du commandant en chef des troupes de l'OTAN, Gruenther, et de l'amiral Radford. Le jour de l'ouverture du Sommet, le

Premier ministre Boulganine mit l'accent sur le fait que les Soviétiques avaient accepté les propositions occidentales de désarmement et proposa une importante réduction des forces conventionnelles des grandes puissances. Le lendemain matin, Dulles reçut un télégramme codé, signé de l'amiral Radford, l'adjurant avec énergie d'adopter le plan Rockefeller, seul moyen de sauver le Sommet. Nelson (qui avait passé, la veille, une bonne partie de la soirée à rédiger le télégramme avec le responsable américain des problèmes de désarmement, Harold Stassen) s'assura que le président en recevrait copie par l'intermédiaire de son aide de camp, le colonel Andrew Goodpaster.

Nelson fut convoqué à Genève où Eisenhower, une nouvelle fois, avait repris le dossier « Cieux ouverts » avec Dulles. Le secrétaire d'État reconnut que les circonstances l'avaient amené à changer d'avis. Dès le lendemain, Eisenhower, debout, dans le magnifique Palais des Nations, put observer de sa position dominante les visages tournés vers lui dans l'expectative. Regardant bien en face la délégation russe, il rassembla toute sa force de sincérité kansasienne et commença par ces mots : « L'heure est venue de mettre fin à la guerre froide »; et d'exposer les grandes lignes du plan « Cieux ouverts ». Succès complet et immédiat. Eisenhower devint le héros de la Conférence. Un mois plus tard, le délégué US à la Conférence du désarmement, Harold Stassen, put retirer en toute quiétude toutes les propositions de désarmement faites par les USA au cours des dix dernières années et acceptées dans leur ensemble par l'Union soviétique.

Quelques observateurs avertis n'avaient pas ménagé le plan Rockefeller, où ils ne voyaient guère plus qu'une opération de relations publiques. (Richard Rovere avait dit : « C'est l'intervention de Batten, Barton, Durstine et Osborn dans les affaires mondiales. ») Dulles restait lui aussi sceptique sur le plan Rockefeller, mais d'un tout autre point de vue. « Genève va sûrement créer des problèmes aux nations libres, notait-il à son retour, non sans appréhension, dans un télégramme adressé à tous les chefs de mission. Pendant huit années, la peur et un certain sentiment de supériorité morale ont formé le ciment qui les soudait entre elles. Aujourd'hui, la peur a diminué; quant à la ligne de démarcation morale entre les Soviets et nous, elle s'est plutôt estompée. »

Mais Nelson allait déjà de l'avant. Il persuada Eisenhower de l'autoriser à organiser un autre séminaire à Quantico (qui devait prendre le nom de Quantico II) sur les moyens de tirer parti des avantages obtenus au Sommet dans le cadre de la guerre froide. Mais, lorsque les propositions furent portées à la connaissance de l'équipe gouvernementale, Nelson se heurta à un formidable mur d'opposition [1]. Dulles tenait le haut du pavé, et, s'il était d'accord avec Rockefeller sur les principes politiques fondamentaux, il était opposé à sa stratégie. Même attitude chez le secrétaire aux Finances, George

---

1. Toujours archisecrètes, les propositions de Quantico II comprenaient un plan d'ensemble pour la conduite future de la guerre froide; estimation du coût des opérations : 18 milliards de dollars.

Humphrey, modéré du Middlewest et farouche adversaire des « grosses dépenses ». (S'il avait accepté la théorie des « représailles massives » de Dulles, c'est parce qu'on la lui avait présentée comme « une affaire sensationnelle » et un moyen d'utiliser la menace nucléaire pour réduire les dépenses en forces conventionnelles.) Humphrey mit à profit ses relations d'amitié personnelles avec Eisenhower pour faire barrage aux programmes de Nelson et attaquer sa stratégie en dénonçant les dépenses qu'elle entraînerait.

Au cours des mois qui suivirent Genève, trouvant Eisenhower de moins en moins réceptif, Nelson envisagea de donner sa démission du poste d'assistant spécial. Le secrétaire à la Défense du moment, Charles Wilson (qui avait établi entre l'intérêt national et celui de sa vieille firme, la General Motors. une équation parfaite), demanda à Rockefeller s'il lui plairait de devenir son adjoint. Rockefeller accepta, sachant que Wilson allait se retirer, et voyant là une possibilité de se caser quand viendrait l'heure de son remplacement. Mais, moins d'une semaine plus tard, Wilson le rappelait pour lui annoncer que sa nomination était à l'eau, Humphrey ayant persuadé Ike que ce serait une erreur de nommer un tel « dépensier » à la tête de la Défense. Le 31 décembre 1955 prit donc fin le troisième tour de service de Rockefeller à Washington : il donna sa démission d'assistant spécial du président pour la stratégie de guerre froide. Les guerres — chaudes, froides ou d'extermination réciproque — avaient ainsi ponctué les grands moments de ses fonctions fédérales.

CHAPITRE XVI

Vers le milieu des années cinquante, les États-Unis menaient leur croisade anticommuniste dans le monde entier. Quant à la famille Rockefeller, elle était de plus en plus considérée comme un rouage important dans la vie même du pays. Si ce n'était pas exactement la « conspiration Rockefeller » dénoncée par certains, cela avait toutes les apparences d'une organisation minutieuse. Grâce à ses liens avec la Chase Bank, les diverses sociétés de la Standard Oil, des sociétés d'investissement, des cabinets d'avocats aussi importants que Kuhn-Loeb, Lazard Frères, Debevoise-Plimpton et Milbank-Tweed, la famille avait les moyens de prendre le pouls de toutes les grandes affaires financières et industrielles du pays. Par l'intermédiaire de la Fondation Rockefeller, du Conseil des relations avec l'étranger et du parti républicain, elle était liée aux plus hautes instances de la politique nationale. Si des hommes appartenant à « l'élite du pouvoir » se rassemblaient pour prendre les décisions capitales qu'exigeait cette période d'après-guerre, il y avait fatalement parmi eux un ou deux personnages clés issus de la direction d'institutions dépendant étroitement de la famille. Des hommes comme John McCloy, C. Douglas Dillon, James Forrestal, Robert Patterson, Robert A. Lovett, les frères Dulles ou Winthrop Aldrich n'avaient jamais été promus à des fonctions officielles par des élections, mais ils exerçaient une puissance bien supérieure, à maints égards, à celle des hommes politiques qu'ils secondaient. Tandis que ceux-là façonnaient les contours de la stratégie américaine d'après-guerre, les techniciens de la politique qui allaient leur succéder (des hommes comme les frères Bundy, W. W. Rostow, Zbigniew Breszinski, Henry Kissinger) travaillaient à se frayer un chemin dans l'ensemble des instituts internationaux et des « réservoirs à cerveaux » dont la création devait tant à la Fondation Rockefeller.

L'environnement social, politique et financier dans lequel évoluaient les Rockefeller était lui-même composé par ces individus et ces institutions; ensemble, ils constituaient un système de puissance organisé de façon privée, assez influent pour orienter la vie économique, intellectuelle et politique du pays. Pour les frères et leur entourage, c'est pendant la guerre froide que cette influence atteignit véritablement son apogée. Génération tourmentée, pensera la génération critique de la décennie suivante. Ce fut bien plutôt un moment exaltant de triomphe national : l'Amérique était la première puissance du globe et leur tour était venu de refaire le monde. Nelson était le

Rockefeller le plus engagé dans ce maelström d'événements, s'efforçant contre vents et marées d'en occuper le centre ; mais même celui de ses frères qui lui ressemblait le moins n'en était pas bien loin.

Quand il s'en revint à Washington après la guerre, JDR 3, s'il était aussi maigre et avait la mâchoire aussi carrée que naguère, n'avait plus qu'un toupet de cheveux bruns sur le sommet du crâne, et ses cinquante ans avaient partiellement dissipé l'air naïf qui le caractérisait à sa sortie de l'université. Il n'avait pas perdu l'habitude de marcher légèrement voûté, dans l'espoir de réduire sa haute taille et de se faire moins remarquer, mais il paraissait un peu plus sûr de lui que par le passé. La modeste tâche qu'on lui avait confiée — farfouiller dans des papiers militaires et rédiger des rapports — semblait lui avoir procuré l'occasion unique d'inventorier sa personnalité. Jamais il ne pourrait, comme Nelson, gagner les gens à sa cause en les prenant par les épaules et en rigolant un bon coup avec eux : c'était une affaire entendue ; mais le sérieux dont il était coutumier, s'il parvenait à le faire reconnaître, pourrait à la longue lui rendre les mêmes services.

Avant la guerre, il n'avait jamais vraiment eu l'occasion de se révéler, mais, avec une étonnante passivité (quasi somnambulique, selon certains amis de la famille), il avait accepté toutes les responsabilités qu'on lui mettait sur le dos, quelle qu'en fût l'importance. Le départ de Nelson (après ses diverses tentatives d'indépendance, jugées irresponsables et mal accueillies par son père), puis le retour de l'enfant prodigue, qui prenait soudain plus de valeur que ses propres années de travail assidu, avaient plongé JDR 3 dans la perplexité et le chagrin. Dans la Marine, il trouva le temps et l'éloignement nécessaires pour comprendre que, pendant cette période difficile de sa vie, il lui avait manqué quelque chose. Un de ses plus proches collaborateurs dira sans ménagement : « John a vécu dans une cellule capitonnée depuis 1927 jusqu'à la guerre. » A son retour, il n'avait aucune envie de remettre la camisole de force.

Sa femme le soutint dans cette décision. Un administrateur du Musée d'art moderne (dont elle devint présidente par la suite) émit sur elle ce jugement : « S'il existait une aristocratie naturelle, fondée sur les qualités personnelles et non sur l'argent, c'est Blanchette que je proposerais comme reine. » C'était là le genre de flatteries dont les Rockefeller de souche avaient très vite appris à se méfier ; mais « Mrs. John » (ainsi la désignait le personnel) aimait à entendre de tels compliments et elle semblait beaucoup plus à l'aise que son mari dans leur univers social. Cette femme imposante et attirante, qui savait faire preuve d'une élégance presque glaciale dans les occasions officielles, était sensible, en privé, au grave traumatisme qu'avait subi son mari à qui son rang d'aîné valait toutes les contraintes et bien peu des prérogatives attachées à son nom. Elle sentait la colère qu'il ressentait à voir Nelson usurper le rôle qu'il aurait dû tenir. Elle savait aussi qu'il ne donnerait jamais libre cours à cette colère. L'attitude de certains employés de la salle n° 5600 montrait bien qu'ils considéraient JDR 3 comme un homme médiocre et dépourvu d'idées, et cela la mettait en rage. Elle commença à pousser son mari en avant — mais avec discrétion, comme si cette impulsion ne venait que de lui-même. Donald McLean, administrateur de la clinique Leahy de Boston et le plus proche collaborateur de JDR 3 pendant quinze ans, remarque à ce propos : « Si John a réussi, c'est en grande partie à l'intérêt de Blanchette pour sa carrière qu'il le doit. Elle n'a pas cherché à s'occuper de ses activités mais, plus subtilement, elle s'est efforcée de le faire sortir de sa coquille et elle y est parvenue. »

Toutefois, même ses efforts d'émancipation restaient contenus dans les cadres fixés par Nelson. Le choix qu'il fit de McLean pour le conseiller et diriger son personnel était déjà significatif. McLean avait été un jeune avocat d'avenir à la Milbank Tweed, au service de John Lockwood, lui-même déjà conseil juridique de Nelson. Pendant quelque temps, McLean s'était occupé sporadiquement de JDR 3 et de sa famille; mais soudain, comme il le raconte, John s'était adressé à lui pour lui dire : « Vous me connaissez, vous connaissez les affaires de ma famille; je m'efforce de voler de mes propres ailes et je voudrais avoir quelqu'un à mes côtés pendant cette période de transition de mon existence. » McLean alla consulter Lockwood pour savoir s'il devait accepter l'offre : il connaissait assez le Bureau Rockefeller pour se rendre compte que c'était un « emploi compliqué », mais Lockwood le convainquit d'accepter et lui promit d'être son « ange gardien ».

JDR 3 enviait à Nelson la facilité avec laquelle, chez lui, l'homme public et l'homme privé se confondaient. Avant la guerre, John avait tenté de réaliser cette synthèse; mais toujours, en lui, l'homme public était contraint à certaines choses que l'homme privé désirait à tout prix éviter. Aussi décida-t-il d'accepter une fois pour toutes ce dédoublement schizophrénique et d'essayer de s'en accommoder au mieux. Dans sa semi-retraite, au château qu'il avait fait construire à Pocantico, il commença à jeter ces bases affectives dont l'avaient privé, dans son enfance, les trop grandes espérances paternelles et la vivacité de ses jeunes frères. La famille qu'il éleva avec Blanchette à Fieldwood Farm (une première fille, Sandra, un garçon appelé « Jay » et deux autres filles, Hope et Alida) faisait en quelque sorte contre-poids à *la* Famille. JDR 3 fit construire, au 1, Beekman Place, à New York, une résidence plus mondaine et mieux adaptée au rôle qu'il entendait jouer désormais.

Ses efforts se portèrent d'abord sur l'Asie. A l'origine, il ne s'était intéressé à cette partie du monde que parce que son père s'y intéressait et souhaitait le voir s'y intéresser. Pourtant, il était vraiment attiré par l'Orient. En 1929, il s'était rendu à Kyoto et s'était promené parmi les temples et les sanctuaires aux sculptures de bois doré; dans les jardins ornementaux, il avait devisé avec certains des ex-dirigeants retirés dans ce centre religieux du vieux Japon. Tout comme Nelson aimait les enthousiasmes spontanés et le *machisme* traditionnel du tempérament latin, JDR 3 appréciait les cérémonieuses demi-teintes de l'esprit oriental.

Pendant la période qu'il passa dans la Marine, JDR 3 cessa de considérer simplement l'Orient comme une zone où pouvait s'exercer la philanthropie familiale et comprit que c'était une région vitale pour l'équilibre mondial. D'abord affecté au service des effectifs de la Marine, il avait été muté auprès du comité chargé de coordonner l'action des ministères de la Guerre, de la Marine et des Affaires étrangères pour devenir ensuite l'assistant spécial d'Artemus Gates, secrétaire adjoint à la Marine pour les affaires d'Extrême-Orient. Son intérêt pour l'Asie en tant que zone d'intérêt vital pour les USA se confirma lorsqu'il assista, après la victoire, à la conférence d'Honolulu sur l'Extrême-Orient.

Au cours de l'été 1949, tandis que les Russes faisaient exploser leur première bombe atomique et que les armées de Mao Tsé-toung entamaient leur marche décisive sur Pékin, le chef du département d'État, Acheson, nomma un comité de trois hommes pour effectuer une mission d'enquête à travers l'Asie. Philip Jessup, du département d'État, y était secondé par Raymond Fosdick, alors président de la Fondation Rockefeller, et par Everett Case, administrateur de l'Institut pour les relations pacifiques [1].

Le trio fit une halte à Saigon pour une visite de reconnaissance officielle à l'empereur Bao-Daï, fantoche que les Français venaient de mettre en place pour faire pièce à Hô Chi Minh. De retour aux États-Unis, l'équipe soumit les résultats de son enquête à une table ronde de spécialistes de la Chine, convoquée au département d'État pour définir la politique à tenir vis-à-vis des communistes chinois. JDR 3 faisait partie de ce petit groupe d'experts.

Fallait-il tout mettre en œuvre pour tenter de provoquer la chute du nouveau régime (ce qui aurait pour effet de le jeter dans les bras de la Russie), ou maintenir des relations diplomatiques et commerciales avec le continent chinois afin de préserver les chances des forces nationalistes et de détourner Pékin du camp moscovite ? JDR 3 prit une part fort réduite aux discussions mais, lorsqu'il intervint, il n'y alla pas de main morte : « Concernant le commerce avec la Chine, j'estime qu'on devrait y mettre fin. La manière la plus rapide de barrer la route au communisme, c'est de le discréditer aux yeux du peuple chinois. Il me semble que si l'économie périclite, une opposition se formera, ce qui est essentiel pour qu'une nouvelle direction puisse s'installer en Chine... Je me rends bien compte que l'arrêt des échanges commerciaux sera une occasion non négligeable de propagande pour les communistes qui diront que nous affamons le peuple chinois ; mais

1. Lors de l'entrée en guerre des États-Unis, après Pearl Harbor, les institutions Rockefeller les mieux liées à l'Asie prirent une valeur nouvelle grâce aux renseignements qu'elles pouvaient fournir. L'Institut pour les relations pacifiques, lancé avec l'appui financier de Junior lors de l'une des « conférences YMCA » de son ami John Mott, devint le centre du réseau américain de renseignements dans le Pacifique. Son monopole était si exclusif dans cette zone que pratiquement tous les chefs OSS affectés à l'Asie du Sud-Est étaient membres de l'IPR. Les Rockefeller s'efforcèrent cependant de minimiser leurs liens avec l'Institut lorsque, par la suite, le sénateur McCarthy s'en prit à sa politique et à son personnel.

j'ai l'impression que toute position que nous pourrions adopter ferait l'objet d'une propagande dirigée contre nous... »

C'était là, ajouta-t-il, « une appréciation négative du problème chinois, et j'ai horreur des appréciations négatives », mais elle reflétait l'opinion de la majorité des hommes que JDR 3 voyait au Conseil des relations avec l'étranger et qu'il considérait comme ses pairs. Les participants à la table ronde, cependant, venaient d'horizons plus divers, étaient plus attachés aux formes, moins liés aux hautes sphères de la société. Leur manque d'enthousiasme pour la ligne dure qu'il préconisait troubla JDR 3 et, de retour à New York, il écrivit une lettre de relance à Philip Jessup, qui avait présidé la réunion. Il notait que tout le monde avait paru estimer que, même si la Chine n'était pas directement aux ordres de Moscou, sa pensée et son idéologie étaient « à l'unisson » avec celles du Kremlin. La grande question qui se posait dès lors était de savoir « si la Chine était vraiment différente ». JDR 3 s'avouait très préoccupé par la réponse positive que donnaient implicitement à cette question la majorité des experts de cette table ronde : « L'hypothèse selon laquelle la Chine est différente de l'URSS était sous-jacente, m'a-t-il semblé, à la majeure partie des interventions. Croyez-vous que ce postulat se justifie aujourd'hui, à l'heure où les régimes totalitaires possèdent des méthodes de contrôle aussi efficaces que la police secrète et la mitraillette ? »

L'analyse par JDR 3 des éléments qui devaient façonner le destin de la Chine n'était peut-être pas la plus subtile, mais c'est elle qui allait prévaloir pendant une vingtaine d'années. Isoler et encercler Mao, tel devait être l'objectif central de la politique asiatique des États-Unis, dont la pièce maîtresse était le Japon. L'heure était venue de négocier un traité de paix afin d'intégrer les Japonais au système de sécurité américain en Extrême-Orient. Pour donner à cette initiative une allure bipartite, Dean Acheson désigna John Foster Dulles, conseiller en politique étrangère de Dewey, pour négocier le traité de paix [1]. Dulles fit à son tour appel à JDR 3.

Mesquin, sans cœur, Dulles ne devait jamais inspirer de grands sentiments d'attachement à la plupart de ses collègues et collaborateurs. Mais, entre lui et JDR 3, se fit jour une sorte d'affection. Ils se connaissaient depuis des

---

1. Quand Dulles, âgé de soixante-trois ans, fut choisi pour cette mission, son étoile était au plus bas. Conseiller républicain pour les Affaires étrangères et pressenti par Dewey (alors gouverneur de New York) pour postuler un siège sénatorial vacant, il venait de prendre une veste : Herbert Lehman avait remporté contre lui une éclatante victoire, après l'une des campagnes les plus virulentes de l'histoire de New York ; on y insista avec tant de véhémence sur l'échec de l'administration Truman devant le « péril rouge » que la réputation de fin diplomate dont avait bénéficié Dulles avant cette campagne semblait à jamais enterrée. Il alla trouver Dean Rusk (à l'époque secrétaire adjoint pour les affaires d'Extrême-Orient) et lui demanda de le recommander à Acheson, qui décida de le sélectionner pour la mission au Japon, en tout premier lieu parce qu'il pouvait ainsi désarmer la droite maccarthyste. (Des années plus tard, Acheson confia à un journaliste : « Vous me voyez demander au Congrès de conclure ce genre de traité ? Ils auraient dit : "Tiens, voilà ce communiste d'Acheson. À présent, il veut aider les Japs". ») Au bout du compte, une telle prudence devait s'avérer inutile, le déclenchement de la guerre de Corée ayant fait de cette mission au Japon une question de sécurité nationale.

années, ils évoluaient dans le même petit monde des clubs, associations et conseils d'administration les plus fermés de New York. Dulles était administrateur de la Fondation Rockefeller depuis 1935; lorsqu'il fut nommé à la tête du conseil d'administration en 1950, JDR 3 et lui se virent très fréquemment; il leur arrivait souvent de se réunir dans l'appartement de Dulles pour discuter, par exemple, du choix d'un nouveau président. (En 1952, ils décidèrent de confier le poste à Dean Rusk, alors au chômage, les démocrates ayant perdu le pouvoir.) Dulles n'éprouvait que méfiance à l'égard de Nelson, mais il se prit d'amitié pour John. Il sentit peut-être qu'il y avait de la ressource chez le plus réprimé des frères Rockefeller; en tout cas, il comprit fort bien l'utilité de JDR 3 dans des négociations où ses liens culturels et philanthropiques avec l'Extrême-Orient seraient un atout de poids.

Cette mission au Japon, en 1951, marqua un tournant dans la vie de JDR 3. Non qu'il eût alors accès aux hautes sphères de la diplomatie ou de la grande politique. Sa tâche était bien plus limitée que la difficile négociation entreprise par Dulles lui-même : « J'avais fort peu à voir avec la négociation proprement dite. J'avais toute latitude pour agir de mon côté : je rencontrai d'abord quantité de Japonais, tentai de me faire une idée de leur opinion, des perspectives d'avenir; ceci fait, j'entrepris de discuter avec eux des initiatives à prendre pour rapprocher nos deux peuples sur des bases positives... Les six semaines que je passai là-bas, je les employai à poser des jalons, à préciser ma propre pensée et à élaborer des propositions pour Dulles. »

Bien qu'il n'eût guère été dans cette mission qu'une sorte de membre d'honneur, JDR 3 avait reçu de Dulles l'assurance que son apport jouerait un rôle important dans l'avenir des relations nippo-américaines. L'idée que les relations culturelles constituaient un aspect important de la diplomatie était de plus en plus admise dans les cercles de politique étrangère (on la devait d'ailleurs à Nelson, du temps où il occupait les fonctions de coordonnateur). JDR 3 rassembla une petite équipe et passa de nouveau plusieurs semaines au Japon à discuter avec les responsables politiques et culturels dans l'ensemble du pays. De retour aux USA, il se mit à rédiger son rapport en collaboration avec une équipe d'experts formée par Dulles et détachée du département d'État. Ce document de quatre-vingt-huit pages suggérait la mise en place d'un « pont culturel » à travers le Pacifique : échange d'étudiants et de professeurs, création de centres culturels nippo-américains aux États-Unis et au Japon, visites régulières de hauts responsables des deux pays.

Cela ne semblait pas grand-chose en comparaison des pourparlers ultra-secrets concernant les bases nucléaires sous-marines, les accords tarifaires, etc.; mais Dulles sut apprécier l'importance de cet apport et du processus recommandé par Rockefeller. Après lecture du document, il écrivit à Paul Hoffman, ancien du plan Marshall, travaillant à présent pour la Fondation Ford : « Ils [les Japonais] veulent faire partie intégrante du monde libre. Il est essentiel, de notre point de vue, qu'ils atteignent cet objectif... Un des acteurs les plus importants, c'est qu'ils aient conscience de l'intérêt à long terme que nous leur portons. A mon sens, il serait particulièrement efficace de les amener à cette conscience par des voies sereines, non politiques. Je pense tout particulièrement au biais culturel... »

Comme le dit aujourd'hui JDR 3, cette mission au Japon fut « un pas décisif sur la voie de mon indépendance hors de l'orbite familiale ». La mission Dulles l'aida à résoudre à la fois ses problèmes personnels et familiaux. Grâce à elle, JDR 3 s'enhardit à se lancer seul dans toute une série d'entreprises animées par l'esprit de la mission américaine en Asie : grâce à de multiples efforts dans le domaine socio-culturel, transformer le Pacifique en brise-lames contre le raz de marée communiste.

Ce débouché et ces orientations allaient permettre à JDR 3 de ne plus travailler salle n° 5600 et de ne plus buter en permanence sur Nelson. La tension entre les deux frères ne fut jamais portée sur la place publique, mais, à l'époque, on avait du mal à éviter ou à contenir les frictions. Les contacts entre les deux frères — au Fonds des frères, par exemple — montraient assez leur rivalité. JDR 3, spécialiste publiquement reconnu de la philanthropie, était président du Fonds depuis sa création. Mais Nelson inspirait ses activités. Dans le souvenir de Donald McLean, « Nelson était une personnalité dominatrice. Il était rapide et Johnny ne l'était pas. De sorte que toutes les idées de Nelson étaient retenues et celles de Johnny, très rarement. Après les réunions du Fonds, tout le personnel était sur le pont à boulonner dur pour Nelson, et tout le monde oubliait John dans son coin ».

Une des carrières qui s'offrait à présent à JDR 3 était celle d'ambassadeur extraordinaire, à titre officieux, pour les affaires japonaises. Peu après avoir achevé son rapport pour Dulles, il avait reçu une lettre du département d'État l'adjurant de poursuivre ses efforts pour nouer des liens nippo-américains de l'intérieur même du « secteur privé ». La Japan Society convenait parfaitement à cette tâche. Fondée en 1907, ses activités suspendues précipitamment pendant la guerre, elle fonctionnait derechef et se cherchait un nouveau président. Lorsqu'on proposa le poste à JDR 3, il accepta et s'assura immédiatement la participation de Dulles à la tête d'un conseil d'administration remanié [1].

Dans son rôle de président de la Japan Society, JDR 3 présida le premier dîner en l'honneur du premier ambassadeur du Japon aux USA depuis la fin des hostilités; pendant les vingt années à venir, il allait recevoir

---

1. Un an plus tard, dans une lettre à son ami John J. McCloy, il soulignait ses raisons d'accepter le poste et le pressait de participer à l'œuvre de cette Société : « Ma propre décision... a été prise en fonction de trois considérations : 1. Mon sentiment de la grande importance du Japon pour toute cette région d'Asie — comparable à mes yeux à celle de l'Allemagne en Europe; 2. Ma conviction que les quatre ou cinq années qui viennent seront décisives pour l'avenir du Japon; autrement dit, s'il peut se tirer d'affaire avec succès au terme de cette période, il apportera une contribution très positive au monde libre; 3. Ma conviction qu'une institution comme la Japan Society peut, si elle est dirigée avec suffisamment d'intuition, contribuer réellement au respect et à la compréhension mutuels entre nos deux pays. »

tous les Premiers ministres japonais et tous les membres de la famille royale en visite aux États-Unis. Il dut accroître à cet effet la rubrique « frais de réception » dans le budget de la Société, sans d'ailleurs y apporter de contribution personnelle ; il devint un familier non seulement des hommes d'affaires et les hommes d'État japonais, dont le flot commença à déferler sur les USA, mais aussi des musiciens, des troupes Kabuki et des acteurs du Nô. On le voyait souvent à la Maison du Japon, longue silhouette drapée dans un kimono, présidant un « thé » en l'honneur de dignitaires en visite. Il faisait si parfaitement corps avec la cause de l'amélioration des relations nippo-américaines que, lorsque le producteur Josh Logan reçut le script complet de *Sayonara* [1], il l'envoya à Rockefeller, car il voulait connaître son opinion avant de commencer le tournage.

La mission Dulles avait ouvert d'autres perspectives en dehors même du Japon. Les problèmes démographiques, par exemple. Ce domaine n'était inconnu ni de JDR 3, ni de sa famille. En 1925, Beardsley Ruml, alors directeur du Fonds du Mémorial Laura Spelman Rockefeller, avait écrit à Raymond Fosdick pour attirer son attention sur ces questions et lui faire valoir que les Rockefeller auraient tout intérêt à se pencher sur elles. Neuf ans plus tard, quand le Mémorial et le Comité de l'éducation fusionnèrent au sein de la Fondation Rockefeller, JDR 3 fit part à son père de ses craintes de voir disparaître, parmi les activités de la Fondation, le programme d'éducation sexuelle du Comité de l'éducation ; il lui suggérait de soutenir ce programme par des donations privées. « Je prends la liberté de te faire cette suggestion, écrivait-il, en raison du très grand intérêt personnel que je porte au contrôle des naissances et aux questions qui s'y rattachent... Je suis arrivé à la conclusion que c'est dans ce domaine qu'il sera le plus utile, pour le moment du moins, de concentrer mes subventions. »

Ce n'était pas, à l'époque, une cause populaire. L'Église catholique s'opposait au contrôle des naissances avec toute la fougue qu'elle déploiera plus tard contre l'avortement. L'AMA [2] rejeta la pratique du contrôle des naissances jusqu'en 1937, et, même alors, stipula qu'elle n'était tolérable que dans des « cas thérapeutiques ». Au cours des années cinquante, cependant, l'anathème lancé contre cette pratique perdit de sa virulence, en particulier lorsque les discussions sur le contrôle des naissances se portèrent sur les pays du monde sous-développé. Disparut également le préjugé selon lequel ces questions étaient plutôt indignes de l'intérêt d'un homme. En revêtant de plus en plus d'importance, le problème allait attirer hommes d'affaires et chefs militaires, comme Hugh Moore et le général William Draper, qui devait utiliser pour en rendre compte une expression aussi apocalyptique que celle de « bombe démographique ».

JDR 3 contribua beaucoup à favoriser cette évolution. Le spectacle des

---

1. Film de Logan dont l'action se situe au Japon. (*N.d.T.*)
2. American Medical Association, fondée en 1847, analogue à l'Ordre des médecins français. Positions conservatrices sur la contraception et l'avortement. (*N.d.T.*)

masses grouillantes d'Asie l'avait beaucoup impressionné lors de son voyage en 1951; il en était revenu convaincu que la stabilité et le progrès économique des pays sous-développés allaient exiger le contrôle de leur démographie galopante. Il comprit que, pour atteindre ce but, il fallait doter la question d'un statut scientifique et d'une technologie exportable.

La Fondation Rockefeller paraissait toute désignée pour lancer un programme de ce genre. En 1948, son président, Fosdick, avait envoyé quatre hommes en mission d'enquête en Extrême-Orient. Dans une série de propositions formulées avec beaucoup de prudence, l'équipe envisageait de pousser l'étude du problème, sans recommander d'action immédiate; pourtant, ces modestes propositions en vue d'un programme à venir avaient été rejetées par le conseil d'administration de la Fondation [1]. C'est pourtant à la Fondation que JDR 3 présenta ses propres propositions.

Représentant de la famille au sein du conseil d'administration, il en était devenu président en 1952, lorsque Dulles était entré dans l'administration Eisenhower. Il semblait donc occuper le poste clé pour coiffer la politique de la Fondation. Mais celle-ci avait beaucoup évolué depuis sa création par Gates et son administration directe par Junior. Elle jouissait à présent d'un grand prestige international et d'une influence socio-politique incommensurable aux USA comme à l'étranger. Ses dirigeants étaient souvent pressentis pour assumer de hautes fonctions gouvernementales : Dean Rusk, devenu président de la Fondation un an après le départ de Dulles, devait partir pour Washington comme secrétaire d'État de Kennedy, et son propre successeur, J. George Harrar, devait se voir offrir le même poste (comme si celui-ci devait revenir à la Fondation par une sorte de droit héréditaire) lorsque Nixon vint au pouvoir. Nelson aurait peut-être pu plier à sa volonté les glorieux administrateurs de la Fondation (réunis, ils avaient l'air de représenter tout ce qui comptait dans le pays dans le domaine des sciences, de l'enseignement et de la finance), mais certainement pas JDR 3. Non, ce Rockefeller-là n'était pas capable de faire adopter un programme qu'il défendit pourtant avec ardeur dans une institution qui portait son nom. Quand il y repense aujourd'hui, il hausse les épaules et déclare : « Eh bien, j'ai poussé la question aussi loin que possible, dans les limites du raisonnable, mais je ne suis pas arrivé à les convaincre. »

Une telle rebuffade, quelques années plus tôt, l'aurait probablement accablé; mais la mission Dulles avait affermi sa confiance dans ses propres capacités opérationnelles. Il désigna Donald McLean pour s'atteler à la création d'un programme de recherche, de développement et de divulgation des connaissances en matière démographique. Tandis que son principal assistant explorait le sujet avec Frank Notestein et d'autres, JDR 3 rencontra

---

1. Frank Notestein, fondateur du Bureau de recherche démographique à Princeton en 1936, faisait partie de cette équipe et rend l'Église responsable pour l'attitude « je m'en lave les mains » de la Fondation. « Tandis que nous étions sur le terrain occupés à imaginer ce qu'il *faudrait* faire, le cardinal Spellman, lui, était de retour à New York et indiquait aux administrateurs de la Fondation ce qui *serait* fait. »

257

fortuitement Lewis Strauss dans l'unique endroit du 56ᵉ étage du Rockefeller Center où tous les hommes — Rockefeller ou non-Rockefeller — étaient égaux en droit : les toilettes, juste au bout du corridor principal.

Important banquier lié à la Kuhn-Loeb, membre fondateur de la Commission de l'énergie atomique, Strauss avait quitté l'administration Truman, un an auparavant, pour venir travailler salle nᵒ 5600. Au cours de cette brève rencontre, il dit à JDR 3 qu'il le savait en quête d'un moyen d'éveiller l'intérêt pour les problèmes démographiques. Pourquoi ne pas organiser une conférence de savants où seraient conviés non seulement la poignée d'hommes déjà spécialisés dans les questions de démographie et de contrôle des naissances, mais également les meilleurs experts dans les domaines voisins de l'écologie, de l'alimentation, de l'agronomie? « On pourrait les réunir sous l'égide de l'Académie nationale des sciences. Son président, Det Bronk, sera ravi, j'en suis certain, de la parrainer si nous donnons l'argent nécessaire. »

Après en avoir discuté avec McLean, JDR 3 reconnut le bien-fondé de la proposition de Strauss. En s'abritant sous l'aile de la Science dans tout ce qu'elle avait de plus officiel, ils pouvaient gagner à leur cause des hommes comme Bronk (qui devint par la suite président de l'Institut médical Rockefeller), et Karl Kompton, du MIT [1], tout en évitant le mauvais côté « sensationnel » né de la polémique entre les partisans du contrôle des naissances et l'Église catholique. De concert avec Notestein, McLean dressa une liste des participants et c'est en juin 1952, à Basset Hall (Colonial Williamsburg) que se tint la conférence. Tout se passa fort bien. « Quand certains partisans de la ligne dure, comme Kingsley Davis, voulurent présenter le problème démographique en termes de crise, les savants leur bondirent dessus et " replacèrent le problème en perspective ". On ne sortit jamais des limites qu'on s'était assignées. » A la fin de la réunion, Strauss et McLean proposèrent la création d'une Fondation consacrée aux problèmes de population. La motion fut adoptée à l'unanimité.

De prime abord, JDR 3 aurait souhaité voir la nouvelle organisation dirigée par le Fonds des frères; il en était président et la vocation du Fonds était précisément d'encourager des expériences de « philanthropie de pointe ». Mais, avec les années, le Fonds était devenu de plus en plus conservateur dans le choix des programmes qu'il acceptait d'épauler. Il avait épousé la personnalité d'Arthur Packard, principal conseiller de Junior en matière de philanthropie, plus soucieux d'éviter les erreurs que d'appuyer les innovations. En 1952, la maladie contraignit Packard à passer le flambeau à Dana Creel, affable sudiste (venu du même coin de Georgie qu'Ivy Lee), contemporain des frères, mobilisé comme eux en 1940 et capable de les représenter dans le cadre des donations familiales. Diplômé en droit d'Emory, Creel avait fait l'école de commerce de Harvard : il avait donc de

---

1. Massachusetts Institute of Technology, fondé à Boston en 1865, transporté à Cambridge (Mass.) en 1916. (*N.d.T.*)

la philanthropie une vue à la fois juridique et commerciale, et son principal souci, tout à fait dans la ligne de Packard, était de ne pas briser ce délicat équilibre.

Rien de surprenant, dans ces conditions, si le Fonds des frères ne voulut pas se lancer dans le programme d'étude de la surpopulation. Creel estimait qu'il pèserait d'un poids trop lourd dans l'organisation, tandis que Frank Jamieson le considérait comme politiquement dangereux. Catholique devenu indifférent, Jamieson n'éprouvait aucun scrupule d'ordre religieux à l'égard du projet de JDR 3 ; mais son appréciation était conditionnée par ses propres espoirs de diriger un jour une campagne politique en faveur de Nelson Rockefeller. Comme le dit McLean : « Frankie était censé être chargé des relations publiques de l'ensemble de la famille ; en fait, il ne se souciait vraiment que de Nelson. Il veillait à écarter tout ce qui risquait d'altérer les chances de Nelson. » Une fois de plus, John III se retrouvait seul.

En novembre 1952, avec l'aide de Strauss (et de McLean pour s'occuper du travail de détail), John III avait mis sur pied une nouvelle institution baptisée Conseil démographique. Il apporta 250 000 dollars à son budget initial, prit la présidence du conseil d'administration et choisit Frederick Osborn, ex-général d'Armée, comme directeur [1]. Au cours des années suivantes, l'opinion américaine commençant à s'émouvoir de la « croissance galopante » de la population du globe révélée par des statistiques on ne peut plus éloquentes, le « Pop Conseil » (comme on l'appela) joua un rôle de premier plan dans la création de tout un appareil spécialisé dans le domaine de la démographie. Le Conseil accorda des subventions à divers instituts et universités, transformant l'œuvre d'une poignée d'érudits en discipline académique à part entière. Petit à petit, les effets de ce travail d'avant-garde se firent sentir. Six ans après ses débuts, un rapport publié par le département d'État sur les tendances de la population mondiale lançait le premier cri d'alarme : la rapidité de la croissance démographique pourrait bien constituer « l'un des plus grands obstacles au progrès socio-économique et au maintien de la stabilité politique dans les régions sous-développées du monde ». L'année suivante, en 1959, une sous-commission créée à cet effet et présidée par le général en retraite William Draper surprit la Commission sénatoriale des relations avec l'étranger en affirmant qu'une aide économique à long terme aux pays sous-développés serait vouée à l'échec si le contrôle démographique ne faisait pas également partie d'un tel programme. Vers la fin de sa première décennie d'activité, le succès du « Pop Conseil » pouvait se

---

1. Arrivé par sa seule énergie — financièrement aussi bien qu'intellectuellement — Osborn était sensiblement différent de son fameux oncle Henry Fairfield Osborn, conservateur et pro-aryen déclaré ; quelques années auparavant, l'oncle avait admis dans une lettre adressée à Junior que le moment était peut-être venu de placer un « aimable Hébreu » au conseil d'administration de la Société zoologique de New York... Frederick Osborn avait étudié l'eugénisme et écrit des livres qui faisaient autorité sur le sujet. Comme le note Frank Notestein : « La famille Rockefeller s'était beaucoup penchée sur cette nomination. John devait trouver un homme qui ne ferait pas sauter la baraque, et cependant capable de promouvoir la compétence technique du Conseil démographique. Osborn était cet homme rêvé.

mesurer au fait que les problèmes de population faisaient désormais partie intégrante de tous les programmes US en matière de politique étrangère; en outre, la majeure partie du budget annuel du Conseil (15 millions de dollars) était désormais couverte par les Fondations Ford et Rockefeller et par le gouvernement US.

A l'époque où il lança le « Pop Conseil », JDR 3 avait également créé une institution appelée Conseil du développement agricole. (« John a toujours eu un faible pour les " conseils " », expliqua McLean.) Il était l'expression de ce fameux souci rockefellérien de l'équilibre : une considération négative comme le contrôle des naissances devait être compensée par une considération positive comme l'accroissement de la production alimentaire. Baptisé à l'origine « Conseil des affaires culturelles et économiques », l'ADC, tourné spécifiquement vers l'Asie, était une entreprise d'assistance technique destinée à propager les résultats des recherches de la Fondation Rockefeller sur les fameuses « céréales miracles », et à hâter ainsi l'avènement de la « révolution verte ».

Vers la fin des années cinquante, JDR 3 avait parcouru un long chemin depuis l'époque où il n'était que le simple employé de son père. Assez peu connu de la plupart des Américains, il subissait encore de petites humiliations (ainsi, lorsque l'*Encyclopaedia Britannica,* dans une de ses éditions, parla de Nelson comme du « fils aîné de John D. Rockefeller junior »). Mais quelques personnes bien informées commençaient à l'apprécier, non tant pour son intelligence extrême que pour sa capacité d'utiliser son nom, ses relations, et pour l'opiniâtreté qu'il mettait à accomplir ses desseins. Il ne faisait aucun doute qu'il était la figure centrale du mouvement d'intérêt pour les questions démographiques, et, sur la liste des célébrités, il était devenu « Mr. Asie » (surnom forgé pour lui par le *New Yorker*). Le département d'État le consultait fréquemment et le priait de se charger de l'accueil de hautes personnalités en visite. En 1953, Sherman Adams, chef de cabinet à la Maison-Blanche sous Eisenhower, convoqua JDR 3 et lui offrit l'ambassade d'Indonésie; mais il déclina l'offre; il était fermement attaché au principe paternel selon lequel l'homme porteur du nom dynastique devait se maintenir au-dessus des partis, de la course aux honneurs, de la politique [1].

Mr. Asie prit ses obligations au sérieux. Pratiquement tous les ans, il entreprenait un voyage en Extrême-Orient; ces périples, parfois de plusieurs mois et englobant des douzaines de pays, étaient harassants. Un autre que lui aurait pu les transformer en parties de plaisir, mais pas l'aîné des frères Rockefeller. Il refusa catégoriquement les offres de la Fondation Ford et de

---

1. Il faut dire que l'offre lui fut présentée de façon plutôt déconcertante. « Ce qui déplut à John, rappelle Donald McLean, c'est que Sherman n'avait pas l'air de savoir exactement s'il devait lui offrir l'ambassade d'Indonésie ou celle de l'Inde; il dit même à John qu'il le rappellerait quand il aurait éclairci ce point. »

diverses sociétés américaines de l'héberger dans les résidences qu'elles possédaient dans les pays qu'il visitait; il préférait supporter les rigueurs des hôtels locaux, cherchant par là à rester plus proche des autochtones.

Lewis Lapham (journaliste qui accompagna JDR 3 dans l'un de ses déplacements) déclare qu'il vécut là une « expérience exténuante ». Première étape : Tokyo, où il avait de vieux amis à saluer; ensuite, Hong Kong; puis Taïwan, pour visiter une petite ville de province où le « Pop Conseil » travaillait en cheville avec l'IUD[1]; Manille, où il inspecta la Fondation Magsaysay qu'il avait contribué à mettre sur pied, et l'Institut du riz de la Fondation Rockefeller; Bangkok, pour la réunion annuelle du Conseil de développement agricole...

« Nous étions sur pied dès 7 heures du matin, rappelle Lapham. Et allez, visite d'une clinique ou d'un établissement agricole. Puis, long repas cérémonieux, très éprouvant, avec un quelconque chef d'État. Rockefeller, d'humeur égale, supportait la longue succession de plats sans jamais se départir de sa courtoisie. En général, il se retirait de bonne heure, laissant McLean veiller tard dans la nuit avec les gens du cru pour leur indiquer par exemple ce qu'ils devaient faire pour obtenir des subventions du " Pop Conseil ". »

Il y eut cette étrange épiphanie dans les rues de Dacca, qui paraît résumer JDR 3 et sa perception des choses : « Nous traversâmes la ville par une chaleur particulièrement éprouvante. Elle était grouillante, sale, sordide, puante, misérable, une vraie fourmilière. Les gens étaient couchés dans la rue; on avait l'impression qu'ils s'enroulaient littéralement autour de nos chevilles. Je me rappellerai toujours Rockefeller, debout au milieu de tout ça, très grand, très maigre, transpirant dans son costume fripé et étreignant son porte-documents. Il hochait légèrement la tête, mais son visage était impassible. Les yeux fixés sur cette nuée de gens, il dit plus ou moins dans sa barbe, de son ton tranquille : " Eh bien, tout le problème est là, n'est-ce pas? " Puis il tourna les talons et se mit en marche vers le lieu de la réunion suivante. »

A la fin des années cinquante, JDR 3 était parvenu, d'une certaine manière, à se libérer de sa famille; pas tellement de son mythe qu'il contribuait à maintenir, mais du fait familial. Pour lui, tout avait commencé avec Dulles. « J'ai écrit à Foster, à l'agonie, pour lui dire ce que le voyage au Japon avait signifié pour moi, dit-il pensivement. Mais il ne m'a jamais répondu. A-t-il même jamais lu ma lettre? » Quoi qu'il en soit, John D. Rockefeller III figura parmi les vingt-trois hommes choisis pour porter les cordons du poêle par la veuve de l'ancien ministre des Affaires étrangères; quand on le vit apparaître aux funérailles, il n'était pas simplement l'homme qui associait symboliquement son nom à l'hommage rendu à l'homme politique défunt, mais une personnalité publique qui avait fait ses preuves.

---

1. Intra-uterine Devices. (*N.d.T.*)

CHAPITRE XVII

C'est en octobre 1954 que William Zeckendorf, promoteur immobilier new-yorkais, reçut un appel téléphonique à longue distance de Spyros Skouras, directeur des studios de la XXᵉ Century Fox. Ami de Howard Hughes [1] depuis ses débuts à Hollywood, Skouras confia à Zeckendorf que le timide milliardaire envisageait de liquider toutes ses affaires afin de consacrer son temps et son argent à la recherche médicale. « Voyez-vous un groupe assez solide pour prendre ça en main? » lui demanda-t-il. Après une seconde de réflexion, Zeckendorf répondit avec emphase : « Cela m'a tout l'air d'une affaire à réserver aux Rockefeller. »

Les premiers contacts de Zeckendorf avec la famille remontaient aux pourparlers de vente du site des Nations unies à Nelson. Mais ce fut Laurance qu'il appela pour la circonstance; Laurance, âgé de quarante ans, était connu comme un investisseur avisé et le plus « affairiste » des Rockefeller. « Croyez-vous que Hughes ait réellement l'intention de vendre? » demanda Laurance de sa voix traînante, légèrement nasillarde, quand l'appel de Zeckendorf lui fut parvenu à la salle nº 5600. Le promoteur immobilier avoua qu'il ne savait pas vraiment; mais, à son avis, c'était une affaire à suivre. Comme le raconta plus tard Zeckendorf, « l'intérêt de Laurance était éveillé. Ce genre d'affaires flattait son goût du risque et son esprit malicieux ». Rockefeller décida de prendre l'avion pour la Californie aux fins d'investigation. Il déjeuna peu après avec Zeckendorf et Skouras à la terrasse de l'hôtel de Beverly Hills, afin de mettre au point les consignes de sécurité qui devaient, lui dit-on, entourer sa rencontre avec Hughes. Ces précautions amusaient Rockefeller qui ne répugnait pas, lui, à quitter son bureau de la salle nº 5600 en début d'après-midi, à descendre d'un pas rapide la Vᵉ Avenue et à s'engouffrer dans un bar pour y manger un sandwich sur le pouce. Mais il suivit le plan à la lettre : à 1 h 30 précise, Skouras devait quitter la table, prendre un taxi pour une destination convenue à l'avance; là, on le prendrait en charge et on le conduirait jusqu'à Hughes; à 1 h 50, ce serait le tour de Rockefeller et de Zeckendorf; ils devaient se rendre en voiture jusqu'à un certain carrefour où un homme en chemise rouge viendrait à leur rencontre et les conduirait au rendez-vous dans sa propre voiture.

1. Il s'agit du milliardaire américain qui avait une telle phobie de la publicité qu'il passa sa vie à se cacher. Mort en avril 1976. (*N.d.T.*)

Arrivés devant une grande maison dans un quartier résidentiel de la banlieue de Los Angeles, ils furent escortés jusqu'à la porte d'entrée par l'un des jeunes gardes qui patrouillaient dans la propriété, puis introduits dans une pièce où les attendait Hughes. Pantalon froissé, sandales de tennis crasseuses, barbe de trois jours, Hughes se tenait assis, brandissant le récepteur de son appareil acoustique dans la direction de ses interlocuteurs. Par contraste, Rockefeller avait toute l'apparence d'un aristocrate européen — mince, impeccablement vêtu d'un costume croisé, les traits lisses et calmes, un sourire attentif abaissant les commissures de ses lèvres et lui donnant un air méprisant.

Comment imaginer que ces deux hommes, hormis leur immense richesse, eussent pu avoir quelque chose en commun ? Cependant, l'un comme l'autre avaient été liés aux débuts de l'aviation commerciale (Laurance avait investi dans l'Eastern Airlines ; Hughes avait été cet audacieux pionnier qui avait fait de la TWA l'une des plus grosses compagnies américaines et qui la possédait à présent tout entière). Laurance avait un moment envisagé la fusion entre l'Eastern et une Société de longs courriers transcontinentaux ; et le fait que la TWA fût peut-être à vendre justifiait à lui seul son déplacement.

Hughes l'excentrique s'amusait beaucoup à l'idée de faire venir chez lui un Rockefeller ; Hughes l'affairiste était désireux de savoir à combien un homme dans la position de Laurance évaluait ses biens : mais, dès les premières minutes de conversation, il devint clair que ni l'une ni l'autre des personnalités de Hughes n'avait vraiment l'intention de vendre. Zeckendorf risqua le chiffre de 500 millions de dollars ; Hughes dit qu'il était loin du compte, mais refusa d'indiquer le chiffre qu'il avait à l'esprit. Laurance, d'un ton glacial, fit remarquer qu'il n'était pas venu faire une bonne affaire, mais uniquement parce que Hughes avait annoncé son intention de consacrer le produit de la vente à la recherche médicale. En tant qu'administrateur de la Clinique du cancer du Sloan-Kettering Memorial, il était bien entendu intéressé, pour cette unique raison. La réunion prit fin ; l'un et l'autre promirent de réfléchir plus avant à une opération qu'ils savaient tous deux ne jamais devoir réaliser.

JDR 3 aurait mal supporté d'être berné par un homme comme Hughes ; pas Laurance. C'était une expérience et il allait pouvoir en régaler ses convives à table. Il était aussi fier de ses talents de conteur que de son originalité, de ses goûts modernes qui s'exprimaient dans les gracieuses lignes horizontales de Kent House, dans le choix de la Bentley métallisée qui trônait au milieu d'un parc de quatre automobiles, et jusque dans la façon dont, l'été, il descendait l'Hudson jusqu'à son bureau du Rockefeller Center à bord de la vedette lance-torpilles aménagée qu'il avait mouillée en rade du domaine de Pocantico. Tout chez lui se situait dans les demi-teintes, à la limite du scepticisme, mais toujours à la pointe de son époque. Sa femme Mary avait beau être d'une obsessionnelle piété, les enfants de Laurance (Laura, Marion, Lucy et Laurance junior) grandissaient dans une atmosphère de libre pensée, hors de toutes les prières familiales de la maisonnée nelsonienne ou des conversations sérieuses sur le devoir que l'on tenait à Fieldwood Farm. Style introspectif, qui prenait ses distances avec la réalité, et, pour des Rockefeller, étonnamment intellectuel. Laurance était le seul capable de répondre à une question concernant l'un des membres de la famille par un *bon mot* qui changeait avec élégance un défaut en qualité. (Par exemple, il dit de Winthrop, peu doué : « Il est de plain-pied avec l'homme de la rue. » Et, pour défendre l'hyperactif Nelson : « Il agit constamment sur son milieu. ») En fait, plus de style que de substance, eût-on dit parfois.

Avant la guerre, sa voie avait paru moins bien tracée que celle de ses frères. Mais le temps passé dans la Marine lui avait donné une bonne connaissance des investissements susceptibles de favoriser à la fois l'« intérêt national » et le sien propre. Durant presque toute la guerre, il avait été chargé par les services de l'Aéronavale du contrôle des chaînes de montage de chasseurs qui étaient assemblés sur la côte Ouest. Puis, quelques mois avant Hiroshima, il fut muté au service des avions de combat. Il profita de cette position avantageuse pour aider des entreprises comme la McDonnell, avec laquelle il s'était lié avant-guerre. Dès que J. S. McDonnell apprit que Laurance allait prendre un poste qui le mettrait en rapport avec James Forrestal, secrétaire à la Marine, il lui écrivit en le pressant de glisser un mot en faveur de leur entreprise commune. « Notre Société aime bien la concurrence, prétendait-il dans sa lettre, mais, vu la situation actuelle, nous pourrions fournir la Marine dans des délais records, du moins si la Marine peut nous dire entre quat-z-yeux de quel nouveau modèle d'avion elle a le plus besoin [1]. »

(En fait, l'avenir était déjà inscrit en filigrane dans la carrière fulgurante de la Société qu'il avait soutenue à ses débuts en 1939. Tournant avec un personnel de quinze hommes au moment où la guerre éclata, la Société McDonnell comptait plus de 5 000 ouvriers à la fin des hostilités et s'était instituée « Centre de recherche pour la propulsion à réaction ». En 1943, la Société avait obtenu un contrat pour la construction du premier appareil de combat à réaction basé sur porte-avions, le Phantom FH 1, qui réussit son décollage et son atterrissage d'essai sur l'*USS Franklin D. Roosevelt* en janvier 1946. Avant même sa commercialisation, McDonnell rendit ce prototype désuet avec un successeur plus rapide et plus efficace, le Banshee, qui devait être *le* réacteur de la guerre de Corée. Au moment où le dernier Banshee quitta sa rampe de lancement à l'usine Saint-Louis, McDonnell

1. Laurance réalisa tous ses biens pour acheter des parts dans les avions McDonnell, au début de 1945, lorsqu'il fut muté au département chargé des avions de combat. A sa démobilisation, il avait racheté 73 000 actions pour un montant de 405 000 dollars. En 1946, des enquêteurs gouvernementaux entrèrent en contact avec la Société McDonnell : ils voulaient savoir si Laurance avait usé de son influence pour l'adjudication de contrats en leur faveur. Pendant un certain temps, on eut l'impression qu'une enquête allait avoir lieu ; mais McDonnell et Laurance écrivirent des lettres où ils niaient qu'il y ait eu trafic d'influence, et l'affaire fut classée.

s'était assuré un contrat pour le Demon, premier avion de combat de l'ère nouvelle, — balles et obus disparaissant déjà au profit des missiles téléguidés.)

Peut-être Laurance était-il déjà au courant de l'intention de Forrestal d'obtenir du Congrès les moyens de commander le nouvel armement d'après-guerre en profitant de l'émotion que cette guerre soulevait encore; de toute façon, il avait vu sur les planches à dessin les plans de ces appareils et de ces nouvelles armes capables non seulement de révolutionner la guerre, mais l'économie et peut-être même l'ensemble de la Société. Pour atteindre au niveau de « préparation » préconisé par l'état-major (qui rejoignait les préoccupations d'hommes comme le sénateur Vandenberg et son propre frère Nelson dans le domaine de la politique internationale), le gouvernement ne pouvait attendre un développement spontané de la recherche, il allait devoir souscrire à ces dépenses et maintenir la mobilisation du temps de guerre.

Laurance avait posé un pied d'explorateur sur cette terre vierge que le président Eisenhower allait nommer plus tard le complexe militaro-industriel, et il en était fort impressionné. Comme Nelson dont il continuait à suivre l'exemple, il passa de la guerre mondiale à la guerre froide sans prendre le temps, ou presque, de s'apercevoir que la paix était intervenue. (« Je ne me suis jamais vraiment senti démobilisé », confia-t-il plus tard à un correspondant du *Time* qui l'interrogeait sur ses contacts du temps de paix avec la Marine.)

Outre McDonnell, Laurance avait d'autres liens avec ce nouveau domaine d'activité. En 1946, la Marine vint lui exposer le problème suivant : une Société d'hélicoptères fondée par Frank Piasecki (fils d'un tailleur polonais immigré) et qui avait bénéficié d'un contrat pour la construction de vingt petits appareils en 1943, était en train de faire faillite. Laurance pouvait-il apporter son aide? Après enquête, Laurance estima que la Société en question avait besoin d'une injection de capital et d'une direction commerciale renforcée. Il décida de présider un consortium constitué par ses amis Douglas Dillon et A. Felix DuPont, et il acheta 51 % des actions Piasecki, pour un montant de 500 000 dollars. Lorsque la guerre éclata en Corée, Laurance et ses amis avaient financièrement renfloué Piasecki; et lorsqu'un représentant de la Société se fut rendu dans la zone des combats et fut parvenu à convaincre les généraux qu'un des hélicoptères récemment construits par sa Société pour le sauvetage en région arctique, commandé par l'armée de l'Air, pourrait aisément être converti pour le transport des troupes, la production de Piasecki commença à jouer un rôle décisif dans le domaine de la « guerre limitée ».

Les investissements de Laurance dans de jeunes sociétés à potentiel stratégique ne s'arrêtèrent pas là. La Marine s'intéressait à la Reaction Motors, Société du New Jersey engagée dans des recherches ultra-secrètes sur les fusées à carburant liquide. Comme la Société des hélicoptères Piasecki, elle avait des ingénieurs remarquables, mais une administration défaillante. Pour 500 000 dollars, Laurance acheta 21 % des actions de la Société et envoya ses collaborateurs remettre de l'ordre dans sa gestion. Il acheta

également 20 % des actions de Marquardt Aircraft, constructeur de stato-
réacteurs [1]; il devint actionnaire (27 %) de la Wallace Aviation, construc-
teurs d'ailettes pour moteurs à réaction; il entra pour 30 % dans la Flight
Refueling (ravitaillement en vol), pour 24 % dans l'Airborne Instruments
Laboratory, et pour 24 % dans l'Aircraft Radio, spécialisée dans l'équipement électronique.

Pour faire en sorte que ses investissements passent avantageusement le cap
des dix ans, il réunit un groupe de collaborateurs chargés de veiller sur ses
entreprises et de les rendre rentables. Des noms comme Harper Woodward
(ancien secrétaire du président de Harvard) et Teddy Walkowitz (ex-officier
d'aviation doté de solides relations dans les milieux scientifiques) n'étaient
pas archi-connus, même à Wall Street; mais les observateurs apprirent vite
que leur présence au sein d'un conseil d'administration (« Collaborateurs de
Laurance S. Rockefeller », ainsi se présentaient-ils) signifiait la plupart du
temps que la Société était jeune, qu'elle venait de recevoir une injection de
capital rockefellérien et que sa nouvelle équipe directoriale jouait des coudes
pour obtenir des contrats gouvernementaux, tandis que les anciens associés,
plus décontractés, étaient plutôt contents d'avoir fusionné avec une Société
plus importante.

Les collaborateurs de Laurance étaient différents des employés que les
autres frères avaient introduits salle n° 5600. Ils ne se souciaient ni de la
politique familiale, ni même de la carrière personnelle de leur employeur.
C'étaient des brasseurs d'argent, des techniciens qui surveillaient les
investissements de Laurance (ainsi d'ailleurs que d'autres placements de la
famille); ils étaient ses yeux et ses oreilles et multipliaient les suggestions
pour l'engager dans ce qu'ils appelaient les productions des « nouveaux
horizons » — la technologie nouvelle, de l'optique aux ordinateurs, laquelle
s'alimentait à l'industrie de guerre.

D'après une rumeur qui devait circuler salle n° 5600, un collaborateur de
Laurance aurait commis l'erreur de rejeter une offre d'intéressement dans la
Société Xérox à ses débuts. Vrai ou faux? Quoi qu'il en soit, dans la plupart
des cas, les intuitions de cette équipe s'avérèrent fondées [2]. Au début des
années cinquante, avant même que la Commission de l'énergie atomique ne
rendît public son programme d'utilisation pacifique de l'énergie nucléaire,
les collaborateurs de Laurance l'avaient convaincu d'acheter 17 % des actions
d'une jeune société appelée « les Associés du développement de l'atome », qui
avait commencé à travailler dans la technologie du carburant nucléaire en
prévision du jour où on assisterait à une vaste prolifération des réacteurs. En

---

1. Propulseur à réaction, sans organe mobile, constitué par une tuyère thermopropul-
sive. (*N.d.T.*)
2. En 1950, cependant, Laurance commit une grosse faute en vendant ses actions McDonnell.
Pour un investissement de 400 000 dollars, il en réalisa 8 millions, mais la Société (dont le chiffre
d'affaires atteignait alors dans les 20 millions de dollars) commençait tout juste son ascension.
Elle finit par fusionner avec la Douglas Aircraft et par devenir l'une des trois principales sociétés
productrices du matériel de défense le plus sophistiqué, géant multimilliardaire où la participation initiale de Laurance lui aurait valu cent fois le bénéfice qu'il en retira.

1957, ils le persuadèrent également d'investir dans une nouvelle firme de Boston, l'ITEK, qui allait connaître une des croissances les plus phénoménales de toute cette période.

Ses relations (celles de la famille et les siennes propres) au sein de l'administration et dans les milieux financiers lui servirent énormément : mais Laurance se targuait d'être le genre d'homme qui aurait mené à bien toutes ces entreprises même s'il ne s'était pas appelé Rockefeller. Moins sensible que ses deux aînés à ce qu'il appelait « l'élan missionnaire » (en fait, l'extravagance de la rhétorique familiale paraissait plutôt l'embarrasser), il n'était tout de même pas étranger au débat sur les orientations qu'aurait à prendre la troisième génération Rockefeller. Comme toujours, il souscrivait à l'opinion de Nelson : la famille devait s'efforcer d'étendre son influence : et il estimait que sa meilleure contribution personnelle serait d'ordre financier ; non seulement parce que la fortune avait diminué depuis le jour où Junior avait commencé à l'éparpiller (« Nous n'avons plus autant d'argent qu'autrefois, en tout cas pas de la même manière », remarqua un jour Laurance sur un ton ironique) ; mais parce qu'il avait l'intuition que la période d'après-guerre connaîtrait, grâce aux progrès technologiques, de nouveaux centres de puissance, auxquels les Rockefeller seraient avisés de se lier s'ils ne voulaient pas devenir une famille de second rang.

Affaires, famille, missions avaient paru converger, aux yeux de Laurance, dans la création de la Société des frères Rockefeller en 1945. Le *Daily News* de New York salua la naissance de la nouvelle entreprise par l'un de ses célèbres titres : « Entrée en société de la bande à Rockefeller ». Mais la société, elle, préférait se qualifier de « Société holding d'innovation » et de « tentative pour réaliser un progrès social et économique aussi bien que de justes bénéfices » ; le capital initial de 1,5 million de dollars fut investi à part égale par chacun des frères.

Toutefois, l'aspect missionnaire était désormais secondaire (c'était un projet signé Laurance). L'un de ses collaborateurs, Randolf Marston, écrivit à un directeur de la Chase Bank : « Je veux simplement vous donner une idée des champs d'investissement qui retiennent principalement l'intérêt de la Société des frères Rockefeller. Intérêt prioritaire : les industries aéronautiques et de transport aérien ; autres centres d'intérêt : développement industriel dans des pays étrangers possédant des matières premières, surtout si la production peut engendrer un véritable profit social. » Aux yeux de Laurance, la Société ne se distinguait guère, au bout du compte, des autres Sociétés où il risquait un capital pour réaliser des profits.

Ainsi, Laurance envoya un expert au Congo belge, source fabuleuse de matières premières et la plus convoitée des colonies africaines, « pour étudier les conditions d'établissement d'une industrie cotonnière... ». Au terme de son enquête, l'expert précisa que la main-d'œuvre était bon marché (environ 5 à 7 cents l'heure) et qu'on y obtiendrait du coton à moitié du prix US.

Laurance créa alors les Filatures et Tissages africains avec des hommes d'affaires belges (qui contrôlaient 60 % des actions) et un ami de la famille,

C. Douglas Dillon. On fréta par bateau une usine préfabriquée venant de Caroline du Sud, on engagea de la main-d'œuvre autochtone et la société commença à produire dès 1955. Elle ne tarda pas à réaliser des bénéfices et à influencer les habitudes de consommation d'un petit nombre de Congolais enrichis par les nouveaux circuits monétaires. « Il était intéressant de noter les changements au fur et à mesure que les femmes se préoccupaient de mode, remarqua un collaborateur de Rockefeller; on se serait cru dans la Ve Avenue. »

Cet investissement au Congo ne demeura pas isolé; Laurance investit dans la Cegeac (distributeur d'automobiles), dont Dillon acheta lui aussi quelques actions; dans la Cobega (fabrication de boîtes de conserve); l'Anacongo (production et mise en conserve d'ananas); et la Cico (cimenteries). Mais, à la différence des entreprises de l'IBEC [1] en Amérique latine, ces investissements ne furent jamais « politiques » au sens où ils l'auraient été avec Nelson. Et la plupart des avoirs furent revendus dès les premiers soubresauts de l'indépendance congolaise.

La Société des frères Rockefeller n'était que le premier d'un ensemble de moyens créés par Laurance au fil des ans pour assurer à la famille une participation dans les nouvelles entreprises promises à un bel avenir. De portée limitée, cette évolution n'en marquait pas moins un changement significatif dans l'identité de la famille. Du temps de Junior, l'aspect financier des activités du Bureau faisait l'objet d'un contrôle strict, expression de sa conviction que, pour un Rockefeller, c'était une occupation dangereuse que de vouloir faire de l'argent. (L'insistance rituelle sur le « juste » profit et les « bénéfices sociaux », perpétuée par le service de relations publiques de la Société des frères Rockefeller à l'occasion de tous projets commerciaux où s'engageaient les frères, constituait encore un hommage partiel à cette conviction.) Aux temps héroïques, on avait investi avec discrétion et modération; lorsqu'un homme comme Bertram Cutler siégeait à un conseil d'administration pour représenter les intérêts Rockefeller, c'était presque toujours une manœuvre défensive destinée à protéger un investissement ancien, non une tentative pour étendre les intérêts Rockefeller. Laurance avait désormais réussi à réintroduire les considérations financières au cœur du Bureau, comme du temps de son grand-père.

JDR 3, voyant la philanthropie reléguée à l'arrière-plan, n'approuvait pas vraiment cette nouvelle orientation; Winthrop, embourbé dans ses problèmes personnels puis se retirant dans l'Arkansas, cessa de participer activement aux entreprises de la Société des frères Rockefeller. Mais Laurance avait depuis longtemps compris que l'importance de la troisième génération Rockefeller reposerait sur les intérêts et les capacités d'un triumvirat :

---

1. L'IBEC (voir plus haut) ou International Basic Economic Corporation, créée en 1947 par Nelson en tant que société à but lucratif. Dans son esprit, elle équilibrait l'AIA (American International Association) qu'il avait créée dans le dessein d'élever le niveau de vie des peuples sous-développés, particulièrement en Amérique latine. (*N.d.T.*)

Nelson, David et lui-même. Aucun des trois ne s'alarmait de voir le Bureau familial subir ce subtil changement qui allait le transformer en efficace machine à faire de l'argent. Moins engagé dans les affaires publiques que ses frères, c'est Laurance qui prit finalement la direction de la salle n° 5600.

Bertram Cutler était entré au Bureau en 1902, au 26 de Broadway, comme comptable, et n'avait cessé depuis d'administrer les investissements familiaux; il fit partie de cette vieille garde maintenue par les frères en raison de ses très longues années de fidélité à l'égard de Junior, mais aussi en tant que précieuse source d'information. Cependant, bien avant le départ en retraite de Cutler en 1951, Laurance s'était mis en quête d'un homme pour le remplacer, aussi capable que lui de surveiller le développement du genre de Bureau qu'il avait en vue. Il pensait bien l'avoir trouvé lorsqu'il avait engagé Lewis Strauss en 1950.

La carrière de Strauss (ses détracteurs affirmaient qu'il tenait particulièrement à la prononciation *Straws,* pour masquer ses origines juives) s'étendait sur deux générations et couvrait des emplois divers. Secrétaire d'Herbert Hoover pendant la Première Guerre mondiale, il avait, pendant son séjour en France, rencontré Mortimer Schiff, rejeton de la dynastie banquière Kuhn Loeb, qui l'avait convié à travailler dans sa firme à New York. En 1928, Strauss était devenu associé à part entière de la banque d'investissement; il proposa alors sa collaboration aux services financiers de la Société US de caoutchouc (de DuPont; Uniroyal par la suite); il aida George Eastman à faire breveter et à commercialiser le procédé kodachrome, et soutint dès le début les inventions du Dr Edward Land, père de l'appareil Polaroïd.

Officier de réserve (dans la Marine, cela allait de soi quand on visait à s'assimiler à la haute bourgeoisie), il entra dans l'active après Pearl Harbor. Parrainé par James Forrestal, comme lui boursier, il s'était élevé jusqu'à une position influente au secrétariat à la Marine et fut promu contre-amiral deux mois après Hiroshima.

C'est par l'entremise de Strauss, Laurance était bien placé pour le savoir, que Forrestal avait accepté en 1944 de demander au Congrès de voter les crédits militaires d'après-guerre, alors que l'émotion soulevée par la guerre n'était pas encore retombée. Faisant remarquer que les Alliés pouvaient légitimement prétendre mettre la main sur les savants et les découvertes scientifiques de l'Allemagne, considérés comme prise de guerre, Strauss s'était arrangé pour faire envoyer une mission d'experts de la Marine en Allemagne aux fins de repérer les talents, avant même la reddition. A la fin de la guerre, il fit partie de la première Commission de l'énergie atomique, et, avant sa démission en 1950, il avait presque à lui seul convaincu le président Truman de passer outre à l'opinion majoritaire de ladite Commission et de poursuivre la fabrication de la bombe à hydrogène.

Pour son retour dans le privé, Strauss choisit le Bureau de M. Rockefeller (la salle n° 5600, comme on l'appelait désormais); il prit en main le directeur du Bureau, sorte d'équipe responsable de l'ensemble des opérations. En sa double capacité de banquier expert en investissements et d'ancien conseiller gouvernemental, Strauss était admirablement préparé à son double rôle : surveillance du portefeuille sans cesse plus nourri de la Société des frères Rockefeller, et découverte de nouveaux domaines où un investissement avait des chances de coïncider avec les choix et les dépenses de la Défense. Strauss entra également au conseil d'administration du Rockefeller Center, le capital indivis le plus précieux des frères, et passa une grande partie de 1952 en négociations complexes avec l'Université de Columbia pour un renouvellement du bail du Centre. Considéré d'une manière générale comme le collaborateur de Laurance, Strauss n'en était pas moins grandement utile à tous les frères. Lorsque JDR 3 décida de s'occuper des problèmes démographiques, Strauss joua un rôle décisif pour lui assurer le soutien des milieux scientifiques. Quand la Chase Bank commença, la première, à étudier le domaine d'avenir de l'énergie atomique et à investir dans les réacteurs, c'est un des vieux amis de Strauss, le physicien Laurance Hafstad, qui vint diriger la nouvelle section.

Strauss ne resta pas longtemps salle n° 5600 ; il quitta les Rockefeller en 1953 quand Eisenhower le rappela à Washington pour présider la Commission de l'énergie atomique dans la nouvelle administration. Mais son bref passage avait suffi à démontrer la nécessité, au sein du Bureau, d'un homme fort, semblable aux frères par l'âge et les perspectives, et qui administrât leurs finances. John D. Rockefeller senior avait eu pour principal conseiller un visionnaire aux multiples projets (Gates) ; Junior, un avocat modéré (Debevoise) ; pour la troisième génération, ce serait un homme de finances. Après le départ de Strauss, Laurance et David se mirent en quête d'un homme de talent, capable de le remplacer durablement, et finirent par jeter leur dévolu, en 1957, sur un jeune banquier de la Kuhn Loeb, J. Richardson Dilworth. Avec Frank Jamieson et John Lockwood, Dilworth fit dès lors partie de la troïka chargée de guider la famille. Mais il était déjà évident qu'il deviendrait tôt ou tard l'homme numéro un de la salle n° 5600.

A la fin de leur fameux « cycle de dix ans », les placements de Laurance commencèrent en effet à lui rapporter, conformément à ses prévisions. Les sociétés dans lesquelles il était entré étaient à présent assez fortes pour offrir d'attrayantes possibilités de fusion. Les hélicoptères Piasecki furent rachetés par Boeing, et, à peu près en même temps, la Reaction Motors fut absorbée par la Thiokol. Certaines transactions s'avérèrent plus complexes. En 1950, Laurance avait acheté 85 % de Marquardt Aircraft. Quatre ans plus tard, il vendit des actions en quantité suffisante pour qu'Olin Mathiesen pût disposer de 25 % des parts de Marquardt, en échange de quoi il put siéger au conseil d'administration d'Olin. Cette position avantageuse lui permit de faire fusionner la division chimique d'Olin Mathiesen avec un autre de ses placements, les Associés du développement nucléaire, pour former la United Nuclear, la plus grande affaire privée US de matière fissible [1].

Ces fusions n'obéissaient toutefois à aucune stratégie d'ensemble ; Laurance n'essayait pas d'échafauder ses placements dans le but d'atteindre une position dominante dans les industries aéronautiques ou d'armement. La poursuite du monopole était taboue pour le petit-fils de John Davison Ier. Les fusions qu'il entreprenait l'associaient généralement à des sociétés trop importantes pour que ses propres sociétés pussent prétendre y jouer un rôle influent dans l'avenir. Aussi liquidait-il généralement ses avoirs une fois réalisé un bénéfice respectable. Dans le cas de l'ITEK, qui en un clin d'œil se trouva à la pointe de la technologie de reconnaissance et de surveillance aériennes (fournissant les caméras équipant les U 2 et les satellites-espions) et, en moins de dix ans, put figurer, avec plus de 100 millions de dollars de chiffre d'affaires, sur la prestigieuse liste des « 500 » établie par *Fortune*, Laurance se garda cependant de rien liquider.

L'ITEK était la première société dans laquelle Laurance était entré dès l'origine (sur le conseil de Teddy Walkowitz, il avait placé 750 000 dollars dans cette firme du Massachusetts aussitôt après sa constitution) : illustration frappante des caprices de la fortune en matière de placements. Car l'ITEK, dans l'esprit de ses fondateurs, était destiné à produire une variante des microfilms Kodak pour leur utilisation dans les grandes bibliothèques — technologie qui n'avait rien à voir avec la reconnaissance aérienne et qui ne fut pas développée. L'un des trois fondateurs de la firme, l'ex-vice-président Duncan (« Dunc ») MacDonald, qui, en tant que physicien, avait dirigé une équipe travaillant sur la reconnaissance aérienne pour le Conseil de la recherche en matière de Défense nationale pendant la Deuxième Guerre mondiale, reconnaît que « le succès de l'ITEK résulta de domaines d'activité totalement imprévus ».

Un mois après la fondation de l'ITEK, MacDonald se rendit à Saint-Louis pour y lire une communication scientifique ; à son retour, il décida de s'arrêter au quartier général de la CIA à Langley Field (Virginie), sous l'étrange prétexte d'y reprendre une canne à pêche qu'il avait laissée là. (Il s'y rendait souvent en tant que membre scientifique du conseil consultatif de l'US Air Force, expert en optique et en technologie de surveillance.) C'est alors qu'il reçut un coup de téléphone de son successeur à la tête du Laboratoire de recherches physiques de Boston (il l'avait fondé à la requête de l'US Air Force, à la fin de la Deuxième Guerre mondiale, pour y conduire ses expériences sur la reconnaissance aérienne). Son correspondant annonça à MacDonald que l'administration Eisenhower, toujours préoccupée de limiter les dépenses, venait d'avertir le Laboratoire créé et subventionné par

---

1. Quand des entreprises de ce genre réussissaient, la joie était double : les objectifs se réalisaient en même temps que les profits s'accumulaient. John Menke, chef de la United Nuclear, raconte : « Rockefeller et ses collaborateurs s'intéressaient à ce qu'ils considéraient comme une technologie largement ouverte sur l'avenir. Ils firent beaucoup pour nous embarquer sur le navire Olin. Ils estimaient que la création de la United Nuclear serait un renforcement profitable à l'économie, sans pour autant perdre de vue les promesses de confortables profits. Et c'est bien ce qui se produisit. »

le gouvernement que son contrat expirait dans les trente jours. On était le 4 octobre 1957, les Russes venaient de lancer le premier satellite autour de la terre. MacDonald savait que le gouvernement allait faire marche arrière; il se rendit en toute hâte dans le Massachusetts afin de convaincre ses collègues de faire l'acquisition du Laboratoire de recherche pour le compte de l'ITEK. « En moins de six mois, l'ITEK eut un carnet de commandes de 3 à 4 millions de dollars de contrats gouvernementaux, et nos actions furent cotées en Bourse à 30 dollars. »

Jusqu'alors, Laurance et ses collaborateurs étaient restés à l'arrière-plan; ils avaient désigné les membres du directoire et s'étaient contentés de faire approuver la nomination du responsable financier de la Société. Mais, à présent, les choses commençaient à bouger. Laurance introduisit Franklin Lindsay, ancien administrateur de la CIA, que Nelson avait rencontré au premier séminaire de Quantico, pour diriger la Société, et remercia les deux autres hommes recrutés par Duncan MacDonald pour fonder l'ITEK. Un programme prudent de développement fut élaboré. « Dès que le truc commença à valoir quelque chose, rappelle MacDonald non sans tristesse, la direction fut remaniée et un glissement s'opéra en faveur des principes de prudence, au détriment de l'esprit d'innovation qui avait valu à la Société son ascension foudroyante. Cela devint une société d'habiles gestionnaires, qui n'avaient cependant pas la moindre idée de ce qu'ils géraient. »

Au terme de ses quinze premières années de spéculation, la mise initiale de 9 millions de dollars avait produit dans les 40 millions de dollars. Certes, le capital de Laurance avait plus que quadruplé, le résultat était fort honorable. Mais que penser en voyant les sommes bien plus importantes qu'il avait laissées dans la masse des actions de la très conservatrice Socony Oil, tripler dans le même laps de temps sans le moindre effort de sa part? Par ailleurs, s'il essayait de mesurer sa réussite au fait que les 4/5 de ses placements s'étaient avérés rentables — ce qui était un excellent score — il devait bien se rendre à l'évidence : ce qui, pour un homme ordinaire, était peut-être un pari audacieux, devenait vite un placement sûr lorsqu'un Rockefeller y appliquait la puissance de son nom, de ses relations et de son capital.

Laurance avait atteint l'apogée de sa carrière. En tant que Rockefeller, il ne pouvait se permettre de faire des masses d'argent en usant de méthodes « sauvages », ni de fonder un nouveau monopole. Mais, en tant que membre de la troisième génération d'une dynastie publique, il ne pouvait être pleinement satisfait de sa position ni d'être resté dans les coulisses. A la fin de son propre « cycle de dix ans », il commença à se détacher des affaires et à rechercher un domaine susceptible de lui offrir de meilleures bases pour bâtir cette personnalité publique que tout fils de John D. Rockefeller junior se devait d'acquérir.

Il était normal qu'il se tournât vers l'écologie. Dans sa jeunesse, il avait montré plus de goût pour les activités de plein air que ses frères; il avait été sensible à la part importante que son père avait prise dans le développement des parcs nationaux. Il avait eu pour mentors les principaux conseillers de son père en matière de préservation des sites : Horace Albright et Fairfield Osborn (fils d'Henry Fairfield Osborn, de la Société zoologique de New York, auteur d'un important ouvrage intitulé *Notre planète pillée,* et considéré comme une autorité dans ce domaine). Laurance devait dire un jour à ses enfants que ces deux hommes — ainsi que le capitaine Eddie Rickenbacker — avaient exercé sur sa carrière la plus grande influence.

En 1947, Laurance avait pris la tête de la Société pour la préservation de Jackson Hole, cette fondation que son père avait créée dans le but de poursuivre ses entreprises écologiques; la même année, il aida « Fair » Osborn à mettre sur pied la « Fondation de conservation », qui devint bientôt l'une des institutions les plus prestigieuses de son genre. A l'époque, il ne s'était pas engagé plus avant, ses propres intérêts et ceux de la nation s'étant alors entremêlés dans les entreprises où il avait risqué des capitaux importants. L'écologie représentait certes une bonne entreprise philanthropique (tout comme son œuvre au titre d'administrateur de la Clinique de traitement du cancer du Mémorial Sloan Kettering), mais ce champ d'activité ne paraissait pas alors assez important pour mobiliser durablement son intérêt.

Au début des années cinquante, cependant, la défense de l'environnement se vit brusquement promue au rang des grands centres d'intérêts nationaux. L'anxiété née de l'éclatement de la guerre de Corée et la bipolarisation accrue du monde avaient débouché sur un climat de panique quand se trouva posée la question de savoir si, oui ou non, les réserves américaines de matières premières étaient suffisantes pour affronter la crise à venir (compte tenu notamment de l'agitation nationaliste et des tendances neutralistes des pays du tiers monde). L'avertissement que Nelson avait lancé devant la Commission des affaires étrangères de la Chambre des représentants [1] était désormais repris par les plus hautes instances de l'État. En 1951, Truman nomma une Commission présidentielle sur la politique des matières premières, présidée par William Paley, directeur de la CBS, afin d'étudier les besoins présents et futurs du pays, sans exclure l'éventualité d'une guerre, et de faire des propositions en conséquence. Nelson et Horace Albright comparurent tous deux devant la Commission pour apporter leur témoignage sur cette crise.

Le rapport de la Commission, publié en juin 1952 sous le titre : *Ressources pour la Liberté,* commençait par cette question : « Les États-Unis ont-ils les moyens matériels de préserver leur civilisation? » Une bonne partie des cinq tomes de cette étude était consacrée à un inventaire détaillé de chacune des ressources stratégiques localisées dans les pays sous-développés; ces pays,

---

1. « En dépit de la pauvreté de leur production particulière ou collective, les économies des régions sous-développées sont d'une importance cruciale pour les États-Unis et l'Europe occidentale... En ce qui concerne les matériaux stratégiques dont dépend l'armement, elles fournissent les trois quarts de l'ensemble des importations US. »

selon le rapport, offraient la meilleure solution au problème américain, car « le niveau de vie y était très bas, les ressources naturelles abondantes et relativement peu exploitées, souvent en quantités très excédentaires par rapport à leurs besoins à venir ». Aux États-Unis mêmes, l'étude demandait que l'industrie privée eût accès aux sources de matières premières US ainsi qu'aux domaines appartenant à l'État. Elle critiquait le principe ascétique de conservation à tout prix, qui n'était rien d'autre qu'une thésaurisation stérile. Une conservation bien comprise, aux yeux de la Commission, devait coïncider avec une exploitation efficace des forces de travail et des matières premières ; c'était là une conception « positive, compatible avec le développement et la forte consommation, au lieu de prêcher l'abstinence et les économies ».

Laurance et ses collaborateurs lurent avec enthousiasme les conclusions de *Ressources pour la liberté* (en lui conférant une dimension de sécurité nationale, le rapport avait rendu le domaine de l'écologie digne d'attention) ; ils se joignirent au chœur de ceux qui envisageaient le contrôle des sources de matières premières comme une préparation nécessaire à la survie. Fairfield Osborn, qui reçut la médaille du Mérite Theodore Roosevelt quelques semaines après la parution du rapport de la Commission Paley, commença en ces termes son discours de remerciement : « Nous autres Américains ne sommes pas encore assez conscients du fait que l'écologie, c'est-à-dire l'utilisation et le développement rationnels des ressources nationales, doit être considérée comme un chapitre essentiel de tout programme de défense nationale. J'entends par là non seulement la défense militaire, mais la défense de toutes les valeurs qui font de la vie américaine ce qu'elle est. Il devient évident qu'aucun peuple, à notre époque moderne comme dans les temps anciens, ne peut conserver ses forces intérieures ni son influence mondiale si ses ressources viennent à lui manquer. Pour donner un exemple contemporain, la domination de la Grande-Bretagne a subi une éclipse parce qu'elle ne peut plus compter sur les ressources qu'elle tirait de son empire colonial. »

En décembre 1953, la Fondation Ford approfondit le débat en réunissant une Conférence du demi-siècle sur les ressources pour l'avenir. Après l'allocution de bienvenue aux 1 600 délégués, prononcée par le président Eisenhower, on fit circuler un canevas de travail préparé par l'Institut Brookings : « L'exploitation mondiale des ressources peut-elle à la longue se maintenir au niveau des besoins grandissants de l'économie américaine ? Jusqu'à quel point les aspirations et les besoins grandissants des peuples d'autres pays permettront-ils à l'industrie US d'accaparer une aussi grande partie de la production totale de matières premières qu'elle le fait actuellement ? Quelles sont les conséquences, en matière de sécurité, lorsqu'on dépend d'approvisionnements lointains et de routes d'approvisionnement vulnérables ? »

L'un des résultats de cette conférence fut la décision de Ford de subventionner une institution chargée de mettre au point une stratégie des matières premières et de s'assurer ultérieurement que cette stratégie ne quitterait jamais les lobes frontaux de la conscience washingtonienne. « Les

Ressources pour l'avenir » (c'est le nom que reçut cette institution) suscita un climat d'intense réflexion où des spécialistes pouvaient un jour évoquer la pollution des voies d'eau de la côte Nord-Ouest du Pacifique et, le lendemain, l'extraction des matières premières en Asie du Sud-Est. Cette institution avait été bâtie sur la crête d'une vague. Peu après sa création de fait, le président Eisenhower défendit le nouvel engagement US au Sud-Vietnam en alléguant que ce pays était le premier d'une rangée de dominos et que « deux des ressources de cette région, mondialement utilisées, sont l'étain et le tungstène. Tous deux sont très importants. Et il y en a d'autres, bien sûr, les plantations d'hévéas, etc. [1] ».

Les réserves mondiales étaient au centre des délibérations de « Ressources pour l'avenir » (qui convia Laurance à son conseil d'administration en 1958); mais l'attention se portait également sur les changements qui intervenaient dans la société américaine, notamment sur cette abondance d'après-guerre qui avait donné aux classes moyennes la mobilité et les loisirs jusqu'alors réservés aux riches. Cette évolution alimentait également les débats des clubs et autres associations auxquels appartenaient les Rockefeller. Bien des adhérents, se sentant menacés dans leurs refuges inviolables, réagissaient avec un violent mépris; mais Laurance n'assistait pas sans intérêt à cette évolution qui lui permettait de combiner son passé d'homme d'affaires et son avenir d'écologiste. Annonçant haut et clair qu'il entendait promouvoir l'art de « rapprocher harmonieusement l'homme et la nature », il se mit à jeter les plans d'une chaîne de stations de luxe dans des régions sauvages mais qui n'étaient plus trop éloignées des villes maintenant qu'Eastern et d'autres compagnies lançaient leurs longs courriers à travers les USA.

Les graines de ce projet avaient été semées dès 1951 par « Bee » Ruml. Il était, à l'époque, le seul Nord-Américain à siéger au Bureau de développement industriel, qui menait l'opération Promotion de Porto Rico (il s'agissait alors d'attirer l'industrie US sur l'île, par des « vacances fiscales » et la promesse d'une abondante main-d'œuvre à bon marché). Au cours de ses périples à Porto Rico, Ruml était tombé sur le splendide domaine de Livingston, sis en bordure des plages à l'ouest de San Juan. L'Université de Porto Rico envisageait d'aménager cet endroit en jardin botanique, mais Ruml avait un autre plan : sous l'égide de la Promotion pour Porto Rico, faire du domaine de Livingston une importante station balnéaire avec terrains de golf et plages aménagées. Il soumit l'idée à Laurance, qui fit faire une étude de marché. Au vu des conclusions favorables, il entreprit aussitôt la construction de l'élégant hôtel Dorado Beach, terminé en 1956, qui coûta 9 millions de dollars.

---

1. « Ressources pour l'avenir » fut également le lieu où s'opéra un chassé-croisé quasi incestueux d'hommes qui avaient mis au point toutes les opérations rockefellériennes de conservation des sites. « Fair » Osborn était au conseil d'administration; quand il démissionna en 1953, l'omniprésent Beardsley Ruml occupa son siège. Horace Albright fut président du conseil d'administration de « Ressources pour l'avenir » pendant ses six premières années. (Laurance a dit de lui : « Il est à nos projets ce que le levain est au pain »; et il ajouta cette réflexion très spirituelle : « C'est père qui a fourni la pâte. »)

En bon Rockefeller, il ne pouvait s'empêcher d'avoir des choses une vision globale. Là où d'autres n'auraient vu qu'événements décousus, il percevait des développements simultanés. Pour lui, une entreprise devait conduire en toute logique à la suivante. Tout s'enchaînait. Apprenant que la plantation de Caneel Bay, luxueuse station sur l'île Saint-John (la mieux préservée des îles Vierges) était à vendre, il l'acheta pour 600 000 dollars et commença séance tenante l'achat des terrains environnants. Comme son père, des dizaines d'années auparavant, avait décidé de protéger sa vieille retraite de Seal Harbor en faisant don des terres qui formèrent le noyau du parc national d'Acadie, Laurance prit la décision d'acheter à cette fin les propriétés qui entouraient la station ; geste philanthropique qui allait faire de la belle Saint-John l'un des joyaux du réseau des parcs nationaux, et, en même temps, assurait pragmatiquement la protection de ses investissements. En 1955, sa Société de préservation du site de Jackson Hole avait dépensé plus de 2 millions de dollars à rassembler près de 3 000 hectares. Laurance les céda ensuite au ministère des Affaires intérieures. Le parc national des îles Vierges fut inauguré l'année suivante par des cérémonies qui coïncidèrent évidemment avec l'ouverture officielle de la station balnéaire, entièrement réaménagée, de la plantation de Caneel Bay.

De son père, Laurance avait hérité ce besoin de laisser aux constructions dont il émaillait le paysage le soin de refléter sa personnalité. De Junior, il avait l'amour sincère, bien qu'un tantinet abstrait, de la nature. Chaque été, il emmenait sa famille au J. Y. Ranch dans les Grands Tétons. Il était personnellement plus heureux d'admirer les impressionnantes montagnes, bien assis dans un patio, plutôt que de se balader sur leurs pistes, mais les vertus « revigorantes » de la nature réveillaient en lui les tendances philosophiques de ses années d'université. « Au contact de la nature, disait-il, les gens éprouvent une sorte de rapport mystique, presque physique. Cela exalte et stimule la création. »

Outre sa dimension esthétique et ses prolongements sociaux et financiers, le domaine vivifiant de la préservation des sites répondait à un besoin personnel. Pendant des années, Laurance s'était trouvé à l'aise dans l'anonymat qui lui permettait d'œuvrer dans les coulisses de la finance. Il avait réussi, mais pas de la même façon que ses frères. Pour la première fois de sa vie, il éprouvait le désir de se consacrer à une réalisation susceptible de lui valoir une consécration publique. Cette impulsion n'était pas étrangère à une donnée biologique — sa cinquantième année était en vue — mais, plus encore, elle venait de son appartenance à une famille qui avait fini par compter sur un certain millimétrage annuel d'éloges dans le *New York Times* pour s'assurer qu'elle était dans le droit chemin.

Cette évolution n'engendra chez Laurance ni dramatique agitation intérieure, ni doute de soi, ni crise psychologique ; simplement, un changement de routine dans l'agenda, où priorité absolue fut accordée à l'écologie. Comme pour toute autre décision, un tel choix fut précédé par une étude. A l'époque de l'inauguration du splendide parc des îles Vierges, Kenneth

Chorley, collaborateur rockefellérien, chargea la firme de relations publiques Earl Newsome d'entreprendre une enquête sur le rôle que la Société de préservation du site de Jackson Hole pourrait jouer dans le mouvement écologique à l'importance sans cesse grandissante. Le rapport approfondi qui en résulta fit remarquer que l'Américain moyen allait bientôt connaître un accroissement considérable de ses revenus et de ses loisirs. (« ... La tendance est telle que si rien n'est entrepris pour fournir le cadre et les installations permettant de profiter au maximum des loisirs, la question pourrait bien se transformer en inquiétant problème social. ») Par conséquent, l'aménagement des sites allait devenir une question primordiale. malgré l'absence d'organisation « responsable » capable de prendre sur-le-champ la direction des opérations. La prolifération de petits groupes comme le Sierra Club comptait pour peu de chose, leur existence dépendant du bénévolat d'une poignée de « fanatiques qui n'avaient à cœur de défendre qu'une vue étroitement personnelle de la question ».

En conclusion, le rapport Newsome suggérait que la Société de préservation du site de Jackson Hole changeât de nom et tentât d'assumer une position dirigeante afin de conférer une certaine cohérence à l'essor du mouvement écologique, car « elle est déjà riche d'une expérience spécifique et positive... (et) elle a derrière elle des réalisations connues et appréciées ». Qui plus est, elle reflétait la personnalité « de l'homme qui, en son temps, a contribué plus que tout autre à ces réalisations. Il y a peu de chances pour qu'il trouve son équivalent dans l'avenir ».

Laurance n'était pas tenté de repousser du pied une flatterie qui coïncidait si bien avec son désir de jouer un rôle public comme « écologiste numéro 1 des USA ». Par égard pour le rôle historique qu'avait joué la Société de préservation du site de Jackson Hole, il ne modifia pas son nom ; il préféra mettre sur pied une nouvelle organisation, l'Association américaine de préservation des sites. Dès 1958, son *curriculum vitae* penchait déjà lourdement du côté de sa nouvelle vocation. Il se retrouvait membre de la commission du parc Palisades ; administrateur de la Société de préservation de l'Hudson ; membre du conseil d'administration de la Fondation de préservation et de la Société zoologique de New York, et administrateur de « Ressources pour l'avenir ». Son entrée dans le monde des missions d'études et des commissions officielles eut lieu cette même année, lorsque le président Eisenhower le choisit (ce fut son premier poste gouvernemental important) pour diriger la Commission des ressources et de l'inventaire des loisirs de plein air, qui devait déterminer les besoins récréatifs de la nation jusqu'en l'an 2000. Ainsi, le frère Rockefeller qui, avec humour, s'était naguère surnommé « le Harpo Marx [1] de la famille » pour stigmatiser son absence de l'arène publique, se trouvait maintenant en bonne position pour atteindre la renommée.

---

1. Le plus effacé des quatre frères Marx, comiques célèbres de l'époque dont les films font encore la joie des cinéphiles. (*N.d.T.*)

CHAPITRE XVIII

Pendant les dix premières années de sa carrière, David obéit au même rituel matinal que les autres jeunes cadres supérieurs pleins d'avenir : rapide série de mouvements de gymnastique, petit déjeuner léger avec toasts, bacon et café, et marche rapide de sa demeure de briques rouges à quatre étages, sur les hauteurs de l'East Side, jusqu'au métro de Lexington Avenue. Grand, paraissant plus lourd qu'il ne l'était en vérité, il n'aurait eu aucun mal à se faire reconnaître des autres jeunes dirigeants d'entreprises qui fréquentaient le métro new-yorkais, non pas à cause de son nom, mais par divers symboles de fonction qu'il arborait, tel le porte-documents ventru, le *Wall Street Journal* serré sous le bras, le sempiternel uniforme composé du costume sombre, de la chemise blanche avec un soupçon d'amidon au col, et des souliers pointus cirés mais non pas brillants. Le visage rond et le long nez saillant auraient pu exprimer la bonne humeur d'un joyeux luron s'ils avaient appartenu à un autre homme, mais c'était le visage de David Rockefeller, banquier de son état, dont la philosophie de la vie tenait en ces mots qu'il avait adressés un jour à son fils aîné : « Quoi que tu fasses, si tu le fais avec assez d'énergie, tu y prendras goût. L'important, c'est de travailler et de travailler dur. »

C'est bien ce qu'avait fait David en débutant (comme le remarqua fièrement Junior) « au bas de l'échelle ». En 1946, cependant que ses frères rivalisaient au sein du Bureau familial, il commença à travailler au département étranger de la Chase comme directeur adjoint : poste de début pour un jeune entamant une carrière de dirigeant. Deux ans plus tard, comme second vice-président, il avait la charge des affaires de la banque en Amérique du Sud ; il ouvrit des succursales à Cuba, Porto Rico et Panama, et il lança une influente revue financière trimestrielle, *Latin American Highlights*. En 1952, il était l'un des six principaux vice-présidents de la Chase (mais pas encore administrateur comme son frère Laurance, le seul membre du conseil d'administration qui eût moins de cinquante ans).

En 1955, il devint directeur général adjoint ; un an plus tard, il fut promu à la vice-présidence du conseil d'administration de la Chase. Sans parler des autres avantages, ce poste donnait droit à une limousine avec chauffeur à plein temps, et signifiait la fin des parcours en métro aux heures de presse. Il aurait pu s'offrir ce luxe de toute façon, bien sûr, mais David connaissait la loi non écrite selon laquelle un luxe non gagné fait tort à la carrière d'un homme, voire à son image de marque.

Ascension rapide pour un homme d'à peine quarante ans; en vérité, c'était la carrière soignée d'un héritier présomptif plutôt que l'histoire d'une réussite à la Horatio Alger; mais elle n'était pas rapide au point de paraître due *exclusivement* au népotisme. Avec sa jeunesse, son intelligence, sa thèse de doctorat en économie politique, David était exactement le genre d'homme recherché par les banques (indépendamment de son nom). Il n'avait certes pas l'intention de se soumettre à la fastidieuse ascension de l'homme sorti des rangs; mais il savait que jamais il ne jouirait de l'autorité voulue s'il apparaissait seulement comme le fils du patron; il fit donc en sorte de payer son dû, pour le profit d'autrui, sinon pour le sien. Il avait patiemment travaillé dans toutes les principales branches de la Banque (à l'exception du domaine relativement mystérieux des dépôts), y compris la recherche économique et les relations avec les clients, pourtant bien peu enthousiasmantes. Bien que ses goûts personnels le portassent exclusivement vers la banque internationale, il passa un certain temps à organiser un département métropolitain et à prôner une extension du système des succursales.

Jusqu'alors, la Chase avait repoussé une telle innovation; elle avait préféré se concentrer sur les affaires des sociétés et le département étranger. Dans cette course effrénée aux dollars de l'épargnant qui caractérisa le monde bancaire d'après-guerre, la Chase était tombée de la première à la troisième place, désavantagée par le fait que sur ses vingt-huit succursales, deux seulement ne se trouvaient pas à Manhattan. Elle décida de résoudre le problème par la fusion (c'est déjà par ce moyen qu'elle avait frayé son chemin jusqu'au sommet du monde bancaire dans les années trente) et jeta son dévolu sur la Banque de la Société Manhattan, quinzième seulement par la taille, mais puissamment représentée par des succursales dans les autres quartiers de la ville [1].

John McCloy, qui était chargé du compte Rockefeller à la Milbank Tweed et qui devint président du conseil d'administration de la Chase en 1953, lorsque Winthrop Aldrich fut nommé ambassadeur US en Angleterre, employa toute son habileté juridique à mener à bien la fusion; en 1955, la nouvelle Chase Manhattan fit ses débuts en qualité de plus grande banque du pays.

David n'était que l'un des quatre directeurs généraux des deux institutions nouvellement fusionnées; mais son avenir était tout tracé. « Parmi les dirigeants, nota *Business Week* au moment de cette fusion, c'est David Rockefeller l'héritier présomptif... » Pour certains de ses collègues, son sourire quasi perpétuel s'apparentait davantage au rictus, mais la plupart acceptaient David comme on se plie à l'inévitable. Il accentuait la distance

---

1. La Société Manhattan avait été fondée par Aaron Burr, Alexander Hamilton et d'autres citoyens influents, en 1799, pour acheminer par canalisations l'eau fraîche à New York lors d'une épidémie de fièvre jaune. Par la suite, elle élargit son contrat pour y faire entrer les affaires bancaires; à l'époque de la fusion, c'était la plus ancienne banque des États-Unis.

qui le séparait naturellement des autres en se cantonnant dans cette réserve polie mais impressionnante qui amena l'un de ses collaborateurs à le surnommer « le quadragénaire flegmatique ». Il n'avait pas le don de Nelson pour simuler chaleur et familiarité (« Personne, mais vous m'entendez, personne n'appelle David Rockefeller " Rocky " », rappela avec force un administrateur de la Chase à un journaliste qui avait commis l'impardonnable gaffe) ; mais, comme son aîné, il jouissait de la constitution des Aldrich qui lui permettait de travailler tout le jour, de rentrer chez lui se changer et de rencontrer des gens dans des soirées mondaines, ce qui faisait de lui un atout si précieux pour la banque.

Parfois, sa journée de travail s'étirait sur dix-huit heures. « Je suis stupéfait de sa force de travail, dit un vice-président de la Chase. Il faut voir son emploi du temps lorsqu'il assiste à la convention de l'Association des banquiers américains ; c'est à n'y pas croire. Je l'ai consulté et je me suis dit que si j'étais David Rockefeller, je le retournerai illico à la secrétaire. On aurait du mal à y trouver un moment pour aller aux toilettes. » Pourtant, le plus acharné à suivre cet emploi du temps si serré, c'était bien David lui-même. Tout en prenant de plus en plus d'importance à la banque, il en était venu à se considérer comme un *self-made-man*. Même sa femme Peggy, la plus critique et la plus indépendante des épouses Rockefeller, éleva ses enfants dans l'idée qu'ils étaient différents de leurs cousins parce que leur père était le seul Rockefeller qui eût une « profession ».

Au dire des amis de la famille, David, avec l'âge, ressemblait de plus en plus à son père. Il était méthodique, ordonné, raisonnable. Il était tout juste assez bon danseur pour avoir gagné — par courtoisie — un concours de polka avec sa femme comme partenaire. Peu d'imagination quand il s'agissait de jeux de société, mais il en avait quand il était question de choses tangibles ou de plans d'architecte. Son désir bien arrêté de ne pas toucher aux vérités établies avait quelque chose de victorien. Certes, il finit par devenir quelqu'un d'important au Musée d'art moderne (David avait commencé à s'intéresser à l'art contemporain à l'époque où il avait demandé à Albert Barr, président du Musée, de décorer sa résidence principale de tableaux susceptibles de fournir un cadre de vie « stimulant du point de vue esthétique » pour ses enfants) ; certes, il devait finalement réunir l'une des plus belles collections du monde de tableaux postimpressionnistes ; mais sa première passion avait été de collectionner les porcelaines chinoises, semblables à celles qu'il avait vu Junior passer des heures à admirer, arranger et répertorier dans son appartement de Park Avenue. De son père, il avait aussi hérité le goût de l'immobilier et du bâtiment. Comme lui, il aimait laisser l'empreinte de sa volonté dans les changements apportés à la physionomie d'une cité. Libre de tout malaise quant à son rôle, de tout doute quant à la mission de la famille, il finit par devenir le parfait Rockefeller.

Quand Junior eut remis à ses fils la direction des institutions qu'il avait créées et des intérêts qu'il avait développés, il s'ensuivit une redistribution des responsabilités. La combinaison, chez David, du sérieux et de la compétence le désignait tout naturellement pour la présidence de l'Institut de recherche médicale, peut-être l'initiative préférée de la famille. En 1950, il prit la succession de son père à la tête de l'Institut, puis, en 1953, il renonça à ce poste pour devenir président du conseil d'administration; la direction, vacante, fut bientôt assurée par Detlev Bronk. L'un des six personnages les plus puissants du nouvel aréopage scientifique, Bronk avait été élu à la présidence de l'Académie nationale des sciences en 1950, battant James O. Conant, candidat du comité chargé de la nomination, à l'issue d'une bataille d'hémicycle sans précédent; les artisans de la victoire de Bronk furent Wendell Latimer, Edward Teller, Ernest Lawrence et Luis Alvarez, tous appartenant au Laboratoire de radioactivité de Berkeley, et tous convaincus que le développement des armes à hydrogène constituait la seule réponse valable au péril soviétique.

Sous la direction de Bronk et avec l'appui de David, une réorganisation de l'Institut fut entreprise sur-le-champ; il fut transformé en université et en centre de recherche scientifique. (C'est en 1965 qu'il devint officiellement l'Université Rockefeller.) Spécialisé dans la recherche de pointe, il devint rapidement l'un des six instituts scientifiques les plus prestigieux et les plus influents du pays, avec une brochette de prix Nobel qui ne le cédait qu'à Harvard et Berkeley.

C'est aussi David qui manifesta de l'intérêt (mais du strict point de vue de l'homme d'affaires) pour les investissements de son père dans les institutions groupées sur les hauteurs de Morningside. On avait comparé cet ensemble à une Acropole moderne, accumulation de valeurs spirituelles, culturelles et intellectuelles unique dans l'ensemble du pays [1]. Dès 1946, il avait pris part à diverses discussions sur l'environnement de Morningside, qui avait de plus en plus tendance à se scinder en deux communautés. Sur les hauteurs s'élevaient les institutions de la civilisation et de la culture, aux imposantes architectures dominées par le beffroi gothique de l'église de Riverside; tandis qu'en bas, dans une boucle appelée la « Vallée », s'entassaient les immeubles d'habitation de 60 000 personnes, hideux bâtiments qui se dégradaient rapidement et où l'on vivait à six ou huit personnes par pièce. Socialement et économiquement, la Vallée était une excroissance du « Harlem espagnol [2] ».

Les directeurs de la Maison internationale décidèrent de confier une étude du problème à William Munnecke, urbaniste de l'Université de Chicago. C'est David, lui-même membre du conseil d'administration de cette Université, qui avait attiré leur attention sur Munnecke. Son rapport conclut

1. L'Université de Columbia, Barnard College, Teachers College, la Maison internationale, l'église de Riverside, le Séminaire de l'union théologique, le Séminaire théologique juif, l'École de musique Juilliard, l'église de Corpus Christi, la cathédrale Saint-Jean-Baptiste, entre autres.
2. Le quartier de Harlem où se sont groupés de nombreux Portoricains. (*N.d.T.*)

à la nécessité d'un « effort total », de la part des institutions avoisinantes, pour réhabiliter cette zone. En février 1947, David organisa un dîner-débat auquel assistèrent ceux qui, depuis des années, étaient liés à toutes les activités de la famille au sein de la cité, notamment Harry Emerson Fosdick, de l'église de Riverside, Wally Harrison, ainsi que des représentants des autres institutions de Morningside. Ce rassemblement donna lieu à la constitution d'une Société, la Morningside Heights —, avec David pour président (il apporta 104 000 dollars pour aider à son lancement). David avait pour mandat de réaliser un plan sans précédent de « rénovation urbaine ». C'était la première fois qu'on se lançait dans la « réfection » du cadre de vie d'une communauté aussi importante aux États-Unis.

La cité approuva la condamnation des 5 hectares lépreux habités par 3 000 familles environ ; la Morningside Heights réunit 15 millions de dollars pour la démolition des habitations condamnées et l'édification d'un ensemble moderne d'appartements qui ferait office de barrage contre de nouvelles incursions du ghetto environnant [1]. Il devint vite évident que le nouvel ensemble ne pourrait loger qu'un millier de familles. En outre, comme on avait prévu de construire des appartements « pour revenus moyens », qui jamais, parmi les personnes expropriées, pourrait y prétendre ? En dépit des efforts visant à apaiser le mécontentement local en associant la communauté à des décisions déjà prises et en s'efforçant de reloger ailleurs ceux qui étaient contraints de vider les lieux, une forte opposition au plan se fit jour. Un Comité « Sauvez-nos-foyers » organisa sur place la résistance et, au cours d'un meeting houleux, David fut contraint d'affronter les interrupteurs et les protestataires en défendant avec sang-froid le projet et sa propre personne. En fin de compte, les rénovateurs de Morningside triomphèrent. En 1954, l'année où commença la démolition, Columbia célébrait son bicentenaire et l'Université nomma David docteur *honoris causa*, rendant hommage à son « dévouement sans relâche ».

D'une certaine façon, ce plan Morningside n'était de la part de David qu'une tentative destinée à protéger les investissements familiaux dans le secteur. Au fil des années, Junior avait fait don de plus de 50 millions de dollars à l'église de Riverside, au Séminaire de l'union théologique et à la Maison internationale. Mais c'était là aussi l'aboutissement logique d'une conception « bancaire » de ce qu'est une cité, uniquement perçue comme la somme des affaires et des institutions qu'elle contient. Parlant de la planification urbaine en général, David devait dire plus tard : « C'est tout à la fois le domaine de l'économiste, de l'homme d'affaires, du haut fonctionnaire, mais, par-dessus tout, du citoyen... Tout être doué d'intelligence se doit de se projeter dans l'avenir, de poursuivre un objectif. Je crois au système de la libre entreprise — et non à la planification socialiste. »

1. Vingt ans plus tard, par analogie avec la situation des « poches » tenues par les Américains au Vietnam, des étudiants de l'Université de Columbia en grève devaient reprocher au projet de n'être qu'une « enclave » à l'intérieur du ghetto, et faire remarquer qu'un tiers du budget de Morningside Heights allait à la police pour défendre les limites de cette zone protégée.

L'ascension de David à la banque lui avait valu une place de choix dans la communauté financière : et son intérêt pour le développement urbain le porta tout naturellement à se préoccuper du sort du quartier de la finance dont l'avenir paraissait fort compromis vers le milieu des années cinquante. Au début du siècle, le secteur de Wall Street avait connu la première période d'éclosion des gratte-ciel de la cité : mais, depuis la Grande Crise, on y avait bien peu construit. Et, tandis que le bas de la ville s'installait dans une sorte de décadence royale, le centre connaissait un essor immobilier fort impressionnant. La Chase elle-même était à la croisée des chemins ; elle avait tellement débordé de son quartier général du 18 de Pine Street que son administration avait essaimé dans huit bâtiments éparpillés dans le quartier.

Les administrateurs n'ignoraient pas que, s'ils prenaient la décision de déménager la banque vers le haut de la ville, ils risquaient fort de provoquer un sauve-qui-peut propre à transformer le quartier de la finance en ville fantôme. Ils savaient aussi, selon l'expression de Warren Linquist, bras droit de David, que ce quartier était « le cœur où bat le sang des capitaux qui font vivre le monde libre », et qu'on ne pouvait guère songer à le recréer dans une autre partie de la cité. Le fait que la Chase y avait dans les 40 millions de dollars en investissements immobiliers pesa lourd dans la décision de son administration d'entreprendre l'impossible pour réhabiliter le quartier. Ce mélange de hautes considérations et de pragmatisme se trouva joliment illustré par l'une des formules de David : « De même que l'arbre est condamné à mort dès que le cœur est pourri, de même une cité dont seule la lisière est saine ne peut survivre longtemps... Il est d'ailleurs à remarquer que les milieux d'affaires perdraient d'importantes valeurs à laisser le bas de la ville se dégrader. »

La tâche qui les attendait était colossale : il fallait trouver des sites appropriés, vendre de vieux bureaux, renégocier des baux, tout cela aux pires conditions du marché, en raison de l'incertitude qui planait sur l'avenir du quartier. Pour réaliser un tel exploit, David fit appel à William Zeckendorf ; son intuition dans le choix du site des Nations unies, ses plans audacieux pour le développement de L'Enfant [1] Plaza à Washington, le désignaient on ne peut mieux pour cette tâche qu'il baptisa par la suite les « Grandes Manœuvres de Wall Street ».

Mandaté par la Chase pour construire un édifice de 60 millions de dollars au bas mot, et disposant d'un espace vide acheté à la Société mutualiste d'assurance sur la vie, Zeckendorf déménagea plusieurs banques (la Chemical, la Morgan et la Hanover), persuada la Société Irving de reprendre les biens de la Hanover, et liquida une demi-douzaine d'autres propriétés sur la rive.

Tandis que Zeckendorf s'employait ainsi à créer le cœur de la nouvelle « Wall Street », David constituait l'Association Downtown Lower Manhat-

1. L'ingénieur français Charles L'Enfant (1754-1825), engagé à vingt-trois ans dans les troupes de La Fayette. Washington lui demanda de tracer les plans de la capitale fédérale. (*N.d.T.*)

tan (DLMA) réunissant les grosses institutions financières du quartier pour en planifier le développement. Les propositions de la DLMA nécessitaient 1 milliard de dollars de fonds publics et privés pour construire des logements, des immeubles à usage commercial et pour aménager des parcs au sud de Wall Street, dans un quartier « principalement occupé par des taudis, jouxtant la plus grande concentration de valeurs immobilières de la cité », observa David. Il ajouta : « Je ne vois pas d'autre quartier de cette ville qui soit aussi propice à l'expansion sans dépenses excessives. »

L'élément le plus audacieux dans le plan de la DLMA était la création d'un centre commercial mondial, deux gratte-ciel jumeaux de cent dix étages bâtis sur huit des plus coûteux hectares du monde. Ce serait la version davidienne du Rockefeller Center. « Un centre commercial mondial paraît logique, expliqua-t-il tranquillement, et il paraît logique de le situer près des banques qui prêtent leur concours à l'essentiel du commerce extérieur des États-Unis [1]. »

Comme dans le cas de Morningside Heights, le centre commercial devait s'élever sur des terrains occupés jusque-là par des logements à bas prix et de petites entreprises ; résidents et boutiquiers portèrent l'affaire devant les tribunaux, arguant que le projet visait moins à stimuler le commerce qu'à faire monter la valeur des biens possédés entre autres par la Chase dans le bas de Manhattan. Si de telles critiques glissèrent sur David, c'est qu'il était convaincu d'agir avec le même souci du bien public qui avait toujours été la motivation profonde de son père. Si ce qui était bon pour la cité était également bon pour sa banque, ça n'en était que mieux.

L'accession de David à la tête de la Chase fit des bureaux qu'il occupait salle n° 5600, ainsi qu'à la banque, le centre de la puissance et de l'influence économiques des Rockefeller. Les réseaux des intérêts familiaux et de la Chase s'entrecroisaient grâce aux dépôts, aux sociétés de la Standard Oil que servait la banque, aux bureaux de la Milbank Tweed (qui se partageait avec la Chase les talents de personnalités telles que John McCloy). Les ressources de la Chase, y compris son armée d'économistes-statisticiens, étaient toujours à la disposition des financiers du Bureau de la famille, et lorsque Laurance envoyait ses collaborateurs dans les compagnies aérospatiales où il avait investi, ils pouvaient en général compter sur une généreuse ouverture de crédits de la grosse banque pour les soutenir dans leurs efforts visant à infléchir la politique desdites sociétés.

1. En contraste avec la « phase Zeckendorf » de l'opération, la planification s'attachait à ce stade à convertir une spéculation risquée en pari sans risque. La clé consistait à mettre dans le coup le port de New York, qui fonctionne comme une société privée dotée d'importants privilèges : droit d'expropriation des terrains et faculté d'emprunter à des taux d'intérêt exempts d'impôts. Un emprunt initial de 210 millions de dollars fut réparti entre les dix banques membres de l'Association « Downtown Lower Manhattan » de David ; les deux ténors, la Chase et la First National City Bank, y pourvurent chacune pour 19 %.

En fait, il était souvent bien difficile de différencier les affaires de la banque de celles de la famille, leurs intérêts communs ayant tendance à se mêler. Parfois, cette intrication devenait telle qu'elle attirait fatalement l'attention des organismes fédéraux. Ce fut pour cette raison que le Conseil de l'aviation s'opposa à la fusion de l'Eastern Lines et de l'American Lines [1]. Mais ce cas ne fut pas la règle.

Comme la First National City Bank, sa grande rivale, la Chase était une banque internationale, donc fort préoccupée par les orientations de la politique gouvernementale et ses implications dans le commerce extérieur. L'intérêt de David pour les questions internationales datait de longtemps (la devise souvent répétée de Junior, à savoir qu'il fallait se soucier du « bien-être de l'humanité », avait tout autant marqué sa jeunesse que les vacances loin du monde et les gouvernantes); il était naturel qu'il fût particulièrement attiré par cet aspect de l'activité de la banque.

En 1948, il fit la tournée des succursales de la banque en Amérique latine. Le mémorandum qu'il rédigea à son retour à l'intention de son oncle Winthrop Aldrich montrait qu'il souscrivait à la philosophie de son frère Nelson : donner aux entreprises américaines à l'étranger une coloration protectrice, grâce à une identification aux sentiments nationalistes du cru. « Il est indubitable que la tendance au nationalisme et à tout ce qu'il implique prend de plus en plus d'ampleur en Amérique latine. Fini le temps où nos voisins latino-américains toléraient des institutions américaines sur leur sol; ou alors, il faut que ces institutions acceptent de s'intéresser à l'économie locale. Je crois donc qu'il y va de notre propre intérêt que la Chase repense de fond en comble sa politique à l'égard de l'Amérique latine... Je ne crois pas que les autres sociétés nord-américaines aient encore fait de grands pas dans cette voie; nous avons donc l'occasion d'être des pionniers en ce domaine. »

Administrateurs et fonctionnaires de la Chase (et d'autres grosses banques new-yorkaises) faisaient régulièrement la navette entre Washington et Wall Street pour prodiguer leurs avis et conseils au gouvernement et faire entendre la voix des milieux financiers dans les difficiles questions d'État, en particulier dans les affaires internationales [2]. Pour discuter de politique

---

1. Respectivement 5e et 3e parmi les sociétés de transport aérien du pays, l'Eastern et l'American perdaient cependant de l'argent à la fin des années cinquante; en même temps, elles étaient confrontées à la nécessité de dépenses massives pour se moderniser et adopter les nouveaux réacteurs qui allaient envahir le marché. Les négociations furent conduites par C.R. Smith, président, et Manly Fleischman, administrateur, côté American, et côté Eastern, par Laurance Rockefeller et son collaborateur Harper Woodward. Fleischman était également administrateur de la Compagnie d'assurances-vie L'Équitable, qui avait prêté 90 millions de dollars à l'Eastern et 60 millions de dollars à l'American; tandis que Smith cumulait les fonctions d'administrateur de la Chase, qui avait prêté 28 millions de dollars à l'Eastern. David (également administrateur de l'Équitable) savait que la fusion aurait pour double effet de soutenir la position de son frère Laurance en tant qu'actionnaire principal de l'Eastern et de protéger les prêts substantiels de la Chase et de l'Équitable.
2. David affirma plus tard qu'il « était impossible de dissocier une grande banque internationale du gouvernement et de sa politique ». La Chase en était la démonstration éclatante. A la suite de ses déclarations en faveur des réformes du New Deal, qui l'avaient

étrangère et se faire entendre, ils se réunissaient souvent au Conseil des relations avec l'étranger; les réunions se tenaient dans la vieille demeure Pratt que Junior avait achetée puis offert à cette organisation, quelques années plus tôt, pour y abriter son quartier général.

Élu membre du Conseil en 1957, David y avait rejoint John et Nelson (ainsi que divers collaborateurs de la famille ou relations d'affaires comme John Lockwood, Debevoise, Raymond Fosdick, Donald McLean, Frederick Osborn, Beardsley Ruml, C. Douglas Dillon et John McCloy). Ses frères n'assistaient aux réunions que dans la mesure où leur emploi du temps le leur permettait; mais David, lui, s'engagea à fond dans l'organisation elle-même. Il reconnut par la suite qu'en dehors de la banque proprement dite, le Conseil des relations avec l'étranger était sa plus importante activité. Il s'en occupa à tous les niveaux, le parrainant, l'administrant, lui adressant ses suggestions. En 1953, il donna 23 000 dollars pour subventionner une étude spéciale du Conseil sur les tarifs douaniers; l'année suivante, il prit part à un débat sur les armes nucléaires et la politique étrangère, dirigé par un jeune et brillant professeur de Harvard qui avait appartenu autrefois aux services de renseignements de l'Armée : Henry Kissinger.

Décision prise de s'engager à fond dans le Conseil, l'ascension de David jusqu'au poste dirigeant était inéluctable, comme pour la Chase. C'est en 1972 seulement qu'il devint président du conseil d'administration, mais simplement parce que McCloy, qui occupait la fonction avant lui, la conserva vingt ans. Pendant l'intérim, il se contenta d'une vice-présidence et du fait que son cousin et ami George S. Franklin (« Benjy » pour les intimes) en était le directeur général : à ce titre, il avait la haute main sur la composition du Conseil, organisait les débats et les groupes d'étude, les discussions et les conférences, bref, toutes les activités du Conseil.

Dans le cours de ces activités, David n'apparaissait pas aux observateurs occasionnels comme une force dynamique ou dominante; ce n'était pas son genre. Lorsqu'il fallait prendre une décision importante concernant les finances ou le budget, il se lançait à fond dans la discussion; et ses vastes connaissances en la matière, ainsi que son accès unique aux moyens des Rockefeller et aux institutions du pays, conféraient à son opinion beaucoup de valeur et de poids. Mais son véritable talent de dirigeant était différent;

---

catapulté au premier rang de la nation, Winthrop Aldrich avait étroitement lié la banque à la politique nationale, au point de faire du patriotisme une sorte d'affaire personnelle. Pendant la guerre, la Chase avait ouvert des bureaux destinés à venir en aide au corps expéditionnaire américain en Afrique du Nord (où David avait tenu garnison en tant qu'officier du 2e Bureau); en 1944, elle avait rouvert sa succursale de Paris, sur les talons des troupes de débarquement d'Eisenhower. En 1947, sur une suggestion de Tom Clark, ministre de la Justice, Aldrich avait organisé au nom de la Fondation du patrimoine américain le « Train de la Liberté », exposition itinérante des textes constitutionnels de la nation, comme antidote au communisme. En 1948, après la rupture entre Tito et Staline, la Chase devint la principale liaison bancaire avec la Banque de Yougoslavie, et en 1950, elle fut l'une des premières banques à accorder des crédits à l'Espagne de Franco, importante alliée dans la guerre froide. Vingt ans plus tard, elle fut la première banque US à ouvrir une succursale à Moscou, et la première à s'installer en Chine après la visite de Nixon à Pékin.

pour reprendre les termes d'un membre du Conseil, « il exprimait l'opinion générale des gens bien informés qui participaient aux réunions du Conseil ». Gardien du cœur même de l'*establishment*, point fixe de son ordre moral, il en était moins l'architecte ou le leader que le dépositaire de ses lumières et de ses volontés.

Sa position privilégiée au sein du Conseil permettait à David de connaître de l'intérieur les événements en cours de la politique étrangère américaine. Une crise politique surgissait-elle dans les régions pétrolières du Moyen-Orient ? Le secrétaire d'État Dulles (également membre du Conseil) tenait ses collègues au courant de ses développements. Lorsque, après l'affaire du canal de Suez, le continent africain commença à retenir sérieusement l'attention des États-Unis, le Conseil organisa un séminaire pour discuter de la situation et de son évolution. C'est un ami de David, Harold K. Hochschild, représentant les plus grands intérêts dans les mines de cuivre d'Afrique du Sud, qui assura la direction du groupe d'étude.

En septembre 1958, David et d'autres membres du groupe Hochschild entreprirent un voyage de deux semaines en Afrique, subventionné (45 000 dollars) par la Société Carnegie afin de faciliter une étude de la situation sur place. La même année, sur l'insistance de Nelson (très désireux, dans la perspective de la guerre froide, de disposer d'un poste d'écoute sur le continent africain), le Fonds des frères Rockefeller ouvrit une filiale à Lagos, au Nigeria. Le Fonds n'eut jamais d'autre bureau à l'étranger ; son budget de 250 000 dollars était destiné à financer des études concernant les possibilités d'investissement au Ghana et au Nigeria. Centre d'observation de tout le continent africain, ce bureau fut dirigé par Robert Fleming, ex-agent de renseignements US et directeur de la Mobil Oil en Afrique [1].

En 1959, lorsque l'Aga Khan prit la décision de rencontrer David au cours d'un voyage en Amérique, Rockefeller disposait déjà d'un réseau très étendu de relations avec le monde sous-développé, d'une façon qui combinait les affaires bancaires et de plus larges préoccupations géopolitiques. Lors de ses fréquents voyages, et systématiquement, David rendait des visites de courtoisie aux chefs d'État. Mais il s'intéressait tout spécialement à l'Afrique, l'Aga Khan le savait. Des territoires entiers d'une grande richesse minérale y étaient sur le point de se libérer du joug colonial européen : autant d'occasions à saisir pour les investisseurs US.

Après avoir déjeuné en compagnie de David dans la salle du conseil de la Chase, l'Aga Khan sollicita de son hôte une aide destinée à un centre de traitement du cancer que sa Fondation de recherche en Afrique construisait au Kenya. David proposa 10 000 dollars. Mais l'Aga Khan voulait davan-

---

1. Dans son rapport annuel aux services centraux du Fonds des frères Rockefeller, Fleming écrivit : « Un élément de la scène ghanéenne qu'il est intéressant de noter au passage, c'est l'importance grandissante des influences de l'Europe de l'Est. Le directeur [Fleming] a fait la connaissance de l'attaché commercial soviétique ; le voici donc, dans une modeste mesure, au courant de leurs plans et de leurs intentions concernant l'économie ghanéenne. Nous n'avons nul sujet de nous en préoccuper, sauf à noter la présence d'éléments concurrentiels, les services proposés par l'Est étant identiques aux nôtres. »

tage : pouvoir utiliser le nom de Rockefeller comme vice-président du conseil d'administration de cette Fondation. Ce don-là, David n'était pas prêt à le faire. Par la suite, l'Aga Khan écrivit à Rockefeller comme un homme du monde à un autre, pour le presser de reconsidérer sa décision : « J'ai oublié de souligner un point, qui gagne chaque jour en importance dans l'Est africain : les dirigeants nationalistes africains, comme Julius Nyerere, Tom Mboya et le Dr Kiano, se méfient de plus en plus des entreprises étrangères d'implantation récente dans l'Est africain... Considérant votre intérêt pour le plan de mise en valeur de la vallée de Kitobere Sujar et votre éventuel désir d'entreprendre à l'avenir des projets similaires dans la région, je ne puis vous dissimuler que vous seriez peut-être très avisé de vous lier publiquement à une organisation apolitique et non raciste... Peut-être vous a-t-on informé que la nouvelle des importants investissements de la Chase Manhattan en Afrique du Sud a eu sur le reste du continent africain des répercussions qui n'étaient pas entièrement favorables... »

La Chase avait effectivement ouvert des succursales à Johannesburg, au Cap et dans le Transvaal; ceci marqua le début des liens officiels avec l'apartheid et le « pouvoir blanc » en Afrique du Sud, qui devaient être à l'origine d'une crise capitale pour David. La Chase et sa Division internationale commençaient également à s'implanter au Nigeria et dans l'Est africain [1], et David, associé dans la fabrique de textiles de Laurance au Congo, avait également ses propres spéculations foncières au Kenya. Mais il pouvait se permettre de ne pas prêter attention à la menace voilée contenue dans la lettre de l'Aga Khan. Car les institutions rockefelleriennes avaient depuis longtemps développé un très large éventail d'activités qui permettait à David d'établir des contacts avec les dirigeants des nouvelles nations sans le secours de personne. A peu près à l'époque de la lettre de l'Aga Khan, en fait, David envoyait une note à son ami Sir Ernest Vesey, officier colonial britannique, où il s'engageait à apporter une contribution personnelle de 10 000 dollars en vue de la construction du United Kenya Club, à Nairobi, lieu de réunion pour directeurs commerciaux de toutes couleurs. Ancien ministre des Finances du Kenya, Vesey avait récemment accepté un poste similaire au Tanganyika, dans le gouvernement de Julius Nyerere. David, qui avait déjà noué des liens amicaux avec Tom Mboya grâce à un programme

1. En 1959, Robert Fleming, en qualité d'administrateur de la filiale du Fonds des frères au Nigeria, écrivit à New York pour rappeler que le 1er octobre serait célébrée l'indépendance nigérienne. Soulignant le fait que les orientations nigériennes favorables à la politique occidentale et aux économies conservatrices faisaient de cette date un événement important, Fleming demandait si l'un des frères ne pouvait pas être présent. Quand David fut pressenti, il écrivit à John Watts, employé de la Chase au Nigeria, pour connaître sa réaction. La réponse de Watts illustre bien l'étendue des intérêts de la banque et leur fusion avec ceux des frères. « Dans toute la mesure du possible, je pense que vous devriez essayer d'être présent; vous connaissez la plupart des personnalités marquantes du pays; vous les avez reçues ici à la banque: pour elles, vous représentez le Fonds des frères Rockefeller; la Chase a lancé une souscription pour l'ouverture d'un établissement bancaire à caractère commercial au Nigeria; la Société d'investissement de la Chase a d'importants intérêts dans une fabrique de textiles du pays; la banque et la société d'investissement ont convenu de souscrire pour 2 millions et demi de dollars à un emprunt du port autonome... »

l'échanges universitaires dirigé par l'Institut afro-américain de Harold Hochschild [1], et qui avait reçu Nyerere dans son domaine de Pocantico, écrivit en réponse à Vesey : « Je suis très heureux de ta décision [d'entrer dans le gouvernement Nyerere] — d'autant plus qu'il m'a beaucoup impressionné lors de sa récente visite aux États-Unis. Il vous a peut-être dit que nous avons déjeuné ensemble chez moi à Tarrytown, lors de son séjour... Si l'Afrique est porteuse d'autres hommes de son calibre, j'augure fort bien de son avenir. »

Vers la fin de la décennie, David, dans un style bien à lui, était devenu une sorte de banquier-homme d'État. Volant de continent en continent à bord de la Caravelle familiale à quinze places, il traitait avec les monarques et les ministres, faisant montre d'une autorité qui n'était jusque-là que l'apanage des diplomates de haut rang. Il avait un fichier à la Chase comprenant les noms de 20 000 personnalités haut placées dans le monde entier et qu'il considérait comme des « amis personnels ». Il répondait en tous points aux exigences de son personnage : trilingue, fin connaisseur en vins, avec une participation dans le vignoble français, et à Pocantico une cave réputée, à température contrôlée, scellée par une porte de chambre forte; yachtman, avec trois bateaux de 12 mètres à bord desquels il sillonnait la mer au large du Maine, depuis son élégant domaine de Seal Harbor; détenteur d'une très importante collection d'impressionnistes et de postimpressionnistes; et assez gourmet pour franchir à pied le plus tranquillement du monde un barrage de paras français, à l'époque de la guerre d'Algérie, pour se rendre dans l'un de es restaurants parisiens préférés. Pour ses six enfants (David junior, Abby, Neva, Peggy, Richard et Eileen), il devenait à de très rares moments une personne privée, lorsqu'il les conviait par exemple à se joindre à lui sous la douche; mais, à leurs yeux comme aux yeux du monde, il était avant tout un banquier et un Rockefeller.

En 1960, le *New York Post* lança le nom de David comme candidat d'union idéal au poste de maire de New York. Cela excita l'intérêt de David, mais il n'était pas vraiment tenté, car il se savait déjà capable d'atteindre des buts politiques (remodelage de la cité de New York ou politique étrangère) sans avoir à passer par la filière politique traditionnelle. A moins de quarante-cinq ans, il savait qu'il pouvait espérer devenir bientôt président de la Chase et président de son conseil d'administration. Il confia à ses intimes qu'il n'écartait pas l'idée, plus tard, de prendre un poste élevé, obtenu par nomination, pour couronner sa carrière; mais, pour l'heure, il était mieux placé, pour servir sa famille et lui-même, à l'intérieur de l'institution qui était la pierre angulaire de leur puissance.

---

1. Cet institut instruisait environ 90 % des étudiants africains aux États-Unis; il avait été mis sur pied avec l'aide de la CIA au milieu des années cinquante. En 1963, Dana Creel, de la salle n° 5 600, devint président de son conseil d'administration.

CHAPITRE XIX

Nelson se réjouissait des réalisations de ses frères; il les voyait comme une couronne de perles rehaussant de leur éclat le joyau de sa propre carrière. Mais, après ses expériences dans l'administration Eisenhower, on ne distinguait pas avec précision où pouvait mener cette carrière nelsonienne. En quittant Washington pour la troisième fois à la fin de 1955, il savait qu'il ne serait jamais à la tête du département d'État, comme il l'avait naguère espéré. Même pour un Rockefeller, il avait coupé trop de ponts. Et les réparer n'était pas dans sa nature. Encore moins passer, comme Dulles, la moitié de sa carrière dans l'intrigue et les manœuvres avilissantes au sein du parti républicain pour atteindre un poste dirigeant élevé. A ce carrefour de sa vie, il s'en revint donc à New York. A. A. Berle, son ami et conseiller, à la suite d'une conversation téléphonique avec Rockefeller le 4 avril 1956, nota dans ses carnets : « Avec Nelson... la question est toujours : que faire de sa vie? On ne saurait pourtant disposer d'un plus merveilleux nécessaire du parfait bricoleur; mais il y manque les plans et les bons conseils. »

Tout en réfléchissant, Nelson reprit ses anciens postes d'influence au sein des institutions familiales : président du Rockefeller Center; président de l'IBEC, de l'AIA et du Musée d'art moderne [1]. Il fréquenta de nouveau le Bureau familial, qui s'était développé au même rythme que les carrières des frères, au point de comprendre, en 1956, plus de 100 employés dans les services clés des affaires fiscales, de la comptabilité, des investissements, des relations publiques et de la philanthropie. Le Bureau gérait désormais tous les aspects de la vie de la famille — depuis la paie de la petite armée de jardiniers et de gardiens de Pocantico et des autres domaines jusqu'à la planification des voyages à bord des avions familiaux. Bien qu'il eût depuis longtemps essaimé au-delà du 56e étage, occupant partiellement les étages inférieurs et supérieurs, on continuait de l'appeler officiellement la salle n° 5600.

Au cours des dix dernières années qui avaient suivi la guerre, le Bureau avait été marqué par la personnalité des frères, tant dans sa décoration et son style

1. En 1957, il créa également le Musée d'art primitif pour abriter sa remarquable collection Après la mort de son fils Michael, en 1961, lors d'une expédition anthropologique en Nouvelle-Guinée, la collection reçut son nom, en honneur à sa mémoire. En 1969, Nelson fit don du Musée d'art primitif au Metropolitan Art Museum qui s'agrandit tout spécialement d'une aile pour le loger.

que dans le fait qu'année après année, les vieux gentlemen solennels vêtus de costumes sombres et arborant cet air d'écrasante discrétion caractéristique des collaborateurs de Mr. Rockefeller junior avaient commencé à disparaître (les uns mourant, les autres partant à la retraite).

Le Fonds des frères Rockefeller s'était également développé en taille et en influence. Dans l'administration toujours plus nombreuse du Bureau, il était devenu la première institution de la troisième génération et Nelson, entre autres hautes fonctions, s'installa à sa présidence. La direction du Fonds était le poste qui lui convenait le mieux. Sous celle de JDR 3, il n'avait acquis aucun trait particulier qui eût pu gêner Nelson lorsqu'il s'efforça de le rendre conforme à ses buts. Et, à la différence de la Fondation Rockefeller, le Fonds n'était pas devenu une institution indépendante dotée d'un conseil d'administration indépendant. Il existait pour servir les frères Rockefeller ; et sa mission philanthropique reposait toujours et avant tout sur la défense et le progrès de causes liées à leurs carrières et à leurs intérêts personnels.

Dès l'instant où, en 1956, il eut remplacé son aîné à la présidence, Nelson s'attacha à transformer le Fonds en instrument personnel ; il venait de se rendre compte que le genre de pouvoir auquel il aspirait ne pouvait s'obtenir que par le biais d'un mandat électoral. L'idée n'était d'ailleurs pas nouvelle. Dès 1949, on lui avait suggéré de se présenter comme candidat aux fonctions de maire de New York. (Raillerie immédiate d'un de ses collaborateurs : « Il ne veut pas être maire, il veut être pape. ») Sept ans plus tard, les dirigeants républicains avaient vu en lui un candidat très possible au siège sénatorial laissé vacant par Irving Ives[1]. Mais Nelson avait décidé de briguer le gouvernorat, marchepied utilisé avant lui par Al Smith, Franklin D. Roosevelt et Tom Dewey dans leur course à la présidence — seul but à la mesure de son ambition.

L'élection du gouverneur ne devait pas avoir lieu avant 1958. En attendant, le Fonds des frères Rockefeller était l'instrument idéal pour maintenir le nom de Nelson sur le devant de la scène publique[2].

Son entreprise la plus ambitieuse, et de loin, fut la mise sur pied des « Études » du Groupe Rockefeller ; cette entreprise réunit les quatre frères dans une démonstration éclatante de leur capacité commune à influencer la politique nationale. Lorsque, trois ans plus tard, les « Études » furent achevées et publiées sous le titre *Perspectives pour l'Amérique,* les administrateurs avaient dépensé plus d'un million de dollars à rassembler environ une centaine des noms les plus illustres et les plus influents d'Amérique en vue de ce projet. A l'origine, il y eut peut-être l'amertume d'avoir été lâché par

1. Sénateur, auteur d'un projet de loi contre la discrimination raciale dans l'emploi. (*N.d.T.*)
2. Ainsi que dans l'esprit de gens importants. Une des subventions accordées par le Fonds des frères Rockefeller sous le règne de Nelson alla à la Fondation Sam Rayburn, au Texas, qui souhaitait créer une bibliothèque Rayburn pour y déposer les archives personnelles du speaker de la Chambre. Nelson donna 300 000 dollars. Les conseillers *ad hoc* engagés par le Fonds pour évaluer le projet avertirent Nelson qu'il n'avait virtuellement aucune valeur en tant que musée ou bibliothèque, et ne serait guère plus qu'un monument personnel. Mais Nelson s'intéressait moins aux aspects philanthropiques qu'aux implications politiques, et il maintint son don.

l'administration Eisenhower, une volonté d'aller de l'avant et d'élaborer un manifeste personnel destiné à servir de plate-forme au parti républicain. Mais, quand les six groupes d'études eurent enfin présenté leur rapport, leurs conclusions devaient aussi bien trouver place dans les plates-formes de l'un et l'autre parti lors des élections présidentielles de 1960, et allaient exercer une profonde influence sur le cours de la politique militaire et des affaires intérieures américaines pendant la difficile décennie à venir.

Le président du groupe d'études sur la politique étrangère était Dean Rusk, président de la Fondation Rockefeller, bientôt secrétaire d'État dans l'administration Kennedy. A la tête du Séminaire sur l'éducation, John Gardner, président de la Société Carnegie, futur collègue de Rusk dans l'administration Kennedy-Johnson en qualité de ministre de la Santé publique. Figuraient également au programme une étude sur les aspects internationaux de la politique économique au xxᵉ siècle (David y participait), et une autre sur l'économie intérieure. Mais l'étude qui devait avoir le plus grand retentissement, et de loin, sur tout l'édifice de la société américaine au cours des années suivantes, avait pour thème la sécurité internationale; à sa tête : Henry Kissinger [1].

L'Étude II (comme on l'appelait) était pour l'essentiel une réédition du groupe d'études sur les armes nucléaires qu'avait dirigé Henry Kissinger pour le Conseil des relations avec l'étranger. Six de ses membres étaient des anciens de ce groupe d'études, en particulier son président, Gordon Dean, ancien représentant de l'AEC [2], devenu vice-président pour l'énergie nucléaire de l'un des plus gros fournisseurs de la Défense, la General Dynamics; Edward Teller, le physicien atomiste, vint se joindre au groupe; en 1950, avec Strauss, Dean et les officiers supérieurs de l'armée de l'Air, il avait réussi à battre la tendance majoritaire de l'AEC et à pousser à fond le développement de la bombe H, au terme d'une lutte qui, pendant plus d'une décennie, devait profondément diviser l'élite scientifico-militaire. Les vues de Teller sur les armes nucléaires et la nécessité de parvenir à la suprématie absolue dans la course aux armements étaient en tous points semblables à celles de Nelson; lors des campagnes politiques à venir, les deux hommes, dans leurs domaines respectifs, n'allaient pas manquer de se soutenir mutuellement.

L'ensemble des études reflétait la vision apocalyptique nelsonienne de la

---

1. Tout comme Nelson, Kissinger se trouvait alors à un tournant critique de sa carrière. Deux ans plus tôt, jeune et ambitieux chargé de cours en poste à Harvard, il avait cherché, au-delà du monde universitaire, l'expérience qui lui permettrait de s'en revenir à Cambridge par la grand-porte. Au début de 1955, on l'avait pressenti pour le poste vacant de rédacteur en chef de la revue *Foreign Affairs*. Mais son style littéraire teuton le rendait inapte à de telles fonctions. Simultanément, Mac George Bundy, doyen de Harvard, venait de le recommander comme rapporteur d'un groupe d'études sur les armes nucléaires au Conseil des relations avec l'étranger. Collaborant avec des hommes comme le général James Gavin, Roswell Gilpatric et Paul Nitze, Kissinger utilisa la matière des délibérations du groupe dans son livre *Armes nucléaires et Politique étrangère;* cet ouvrage étudiait la possibilité d'une « guerre nucléaire limitée » et, chose surprenante, prit place dans les listes de best-sellers.

2. Atomic Energy Committee. (*N.d.T.*)

guerre froide. (« Ce qui est en question, c'est tout bonnement l'avenir de l'Amérique et la liberté du monde », proclamait-il dans le préambule au rapport final.) Mais c'est surtout la sécurité internationale qui le passionnait. On pouvait voir dans le rapport d'Étude II une réfutation point par point de la politique de défense d'Eisenhower, en particulier des efforts de son administration pour limiter les dépenses militaires. « Lorsque la sécurité des États-Unis et du monde libre est en jeu, déclarait Étude II dans l'un de ses plus mémorables passages, le coût qu'entraîne sa défense ne saurait être la considération primordiale. » Défiant ouvertement le prestige militaire du président, Étude II reprochait au budget d'alors d'être « insuffisant même pour le simple maintien de notre niveau militaire actuel », et recommandait « des augmentations successives de l'ordre de 3 milliards de dollars par an au cours des prochains exercices ». Priorité des priorités : les missiles antimissiles, le développement des unités mobiles traditionnelles, « essentielles dans un conflit limité », et le lancement d'un programme national de défense civile avec abris atomiques, afin de préparer le pays à l'éventualité d'une guerre nucléaire généralisée.

Étude II se préoccupait avant tout des questions d'armement nucléaire ; une dissension interne — la seule — se fit jour lorsque divers membres s'interrogèrent sur l'efficacité des « bombes atomiques tactiques » en cas de « guerres limitées ». Henry Kissinger, président de l'Étude, eut tôt fait de dissiper et de balayer ces doutes (il devait par la suite se rétracter) : « De très puissantes armes nucléaires peuvent être utilisées de telle sorte qu'elles aient un effet négligeable sur la population civile », prétendait le rapport final (« la plus mirifique déclaration qu'il ait jamais faite », commenta I. F. Stone, l'humoriste numéro 1 de Washington). Au nombre des propositions spécifiques d'Étude II : carte blanche pour doter les alliés de l'OTAN d'armement nucléaire, et déploiement des armes nucléaires afin qu'elles puissent être utilisées pour de « simples opérations de police » hors frontières, comme dans les « guerres locales limitées ».

Sur cette question des guerres limitées impliquant l'utilisation d'armes nucléaires ou classiques, Nelson était en opposition formelle avec l'administration Eisenhower. Pour citer George Humphrey, ministre des Finances et vieil ennemi de Nelson, les États-Unis « n'ont que faire des petites guerres. Si une situation surgit où nos intérêts menacés justifient notre intervention, intervenons massivement avec tout notre potentiel, ou ne nous en mêlons pas ». Étude II envisageait un autre type d'intervention, annonciateur de la funeste décennie en Asie du Sud-Est : « Notre sécurité peut être mise en danger non seulement par une agression déclarée, mais aussi par des transformations dont on cache, autant que faire se peut, le caractère agressif. Ces " guerres cachées " peuvent prendre le visage d'une révolution intérieure ou d'une guerre civile ; elles peuvent être provoquées de l'extérieur ou exploitées par l'extérieur. Nous en avons déjà un exemple : la Grèce. Un autre : le Vietnam. »

Il ne fait pas de doute que le retentissement considérable du rapport s'explique en partie par le choix du moment de sa parution. Les efforts d'Eisenhower pour tenir bon sur la question des dépenses militaires et chercher un terrain d'entente avec les Russes, suscitaient un mécontentement grandissant au Pentagone et dans l'ensemble du « complexe militaro-industriel » (comme l'appellera le président lui-même dans son discours d'adieu). En outre, le 4 octobre 1957, les Russes, à la très grande surprise des stratèges occidentaux, lancèrent leur premier satellite autour de la terre révélant ainsi leur avance, courte mais inattendue, dans un des domaines de la course aux armements. C'est dans le tapage provoqué par le lancement du « Spoutnik », alors que tous les gros bonnets du Pentagone semblaient réclamer des fonds pour combler ce nouveau retard, que Nelson hâta l'achèvement du rapport d'Étude II.

Galvanisé par les réactions qu'engendra dans tout le pays le lancement de l'engin spatial russe, Rockefeller mit tout en œuvre pour faire venir au président un mémorandum résumant les conclusions d'Étude II (spéciale-ment mis au point par Kissinger). Il fit appel au général Lucius Clay (membre du Séminaire et vieux compagnon d'armes d'Eisenhower) pour le présenter à la Maison-Blanche. Il demanda également à Sherman Adams, son ancien collègue et co-administrateur de Dartmouth, de tenter de faire intégrer les propositions de l'Étude concernant la réorganisation de la défense dans le message sur l'État de l'Union de 1958. Cette démarche se solda par un échec.

Le 10 janvier 1958, désespérant de la capacité washingtonienne d'agir promptement dans ce qu'il considérait comme un cas d'urgence national, Nelson, sur le point de rendre publique sa candidature au poste de gouverneur, se présenta devant la Commission sénatoriale des Armées présidée par le sénateur Lyndon Johnson, et lança ce terrible avertissement : « Depuis la Deuxième Guerre mondiale, les États-Unis n'ont cessé de sous-estimer la technologie militaire de l'URSS. A défaut de renverser les tendances actuelles, l'équilibre mondial des forces sera détruit en faveur du bloc soviétique. Face à cette éventualité, nous n'aurons pas de sitôt une nouvelle occasion de remédier à nos manquements... »

Tout ce qu'il était possible de faire en tant que « citoyen privé », il l'avait fait [1]. En outre, il avait atteint ce point où, ayant lancé une entreprise avec succès, il commençait à s'en désintéresser et ne demandait qu'à passer la main. Au printemps de 1958, la plupart des rapports étant soit publiés, soit

1. Le rapport final d'Étude II allait demeurer l'ultime monument du Fonds des frères, au sens où le Rockefeller Center avait été l'ultime monument de Junior. Nelson devait contraindre Nixon à l'accepter en 1960 ; John F. Kennedy, quant à lui, l'accepta de son plein gré. (Voici ce qu'en dit le journaliste Tom Braden, évoquant ses déplacements dans l'avion de campagne de Kennedy au cours des primaires : « Quand surgissait une question de politique étrangère, Kennedy criait à Salinger : « Hé, Pierre, attrape les Études des frères Rockefeller. Tu trouveras tout là-dedans. ») L'un des passages du rapport pouvait s'appliquer presque aussi parfaitement aux Rockefeller eux-mêmes qu'au pays : « Le sentiment d'être regardés — au sens quasi biblique du mot : d'être jugés — n'a jamais quitté les États-Unis... Les Américains se sont toujours souciés du jugement de l'Histoire, de l'appréciation finale portée sur leur œuvre. Ils ont toujours eu conscience que les espoirs du monde étaient en quelque sorte liés à leur réussite. »

:n voie de publication, il rendit sa liberté à Kissinger et se retira lui-même, aissant à Laurance, en qualité de nouveau président du Projet d'études péciales et du Fonds des frères Rockefeller, le soin de fignoler les détails. Il allait désormais consacrer toute son attention à la lutte électorale à venir.

D'emblée, il se heurta à une résistance inattendue. Certains membres de la famille, notamment JDR 3, faisaient une grande différence entre le service public (par exemple, le fait de siéger au sein de certaines commissions, d'accepter des postes par nomination) et la recherche agressive de telle ou elle fonction étatique par une lutte électorale propre à raviver les vieux antagonismes. Le désir de maintenir la famille à l'écart de toute publicité était partagé dans une certaine mesure par David, et par l'élément féminin qui n'avait cependant aucune voix au chapitre dans les conseils de la salle nº 5600. Mais Nelson ne s'embarrassait pas de tels scrupules.

De l'avis des experts, 1958 allait être une « année démocrate ». N'en parlons plus, dit Tom Dewey à Nelson. Même Frank Jamieson, qui depuis plus de quinze ans n'avait cessé de guider la carrière politique de Rockefeller, était d'avis qu'il devait attendre son heure. Curieusement, c'est le gouverneur en titre, Averell Harriman, qui aida Nelson à se décider. Les chances des républicains étaient si faibles, avait-il noté ironiquement dès 1957, qu'ils devraient présenter un perdant probable « comme Nelson Rockefeller » : ce qui ne l'empêcha pas de nommer Nelson à la tête d'une commission gouvernementale mixte chargée de mettre un terme à une querelle entre les partis à propos du découpage électoral. Cette commission pour une Convention constitutionnelle (dont les travaux, publiés, tinrent en dix-sept volumes) donna l'occasion à Nelson de voyager un peu partout dans l'État, de parler aux dirigeants politiques locaux, et d'être étroitement associé aux yeux des électeurs aux problèmes de cet État.

C'est au printemps 1958 qu'il prit la décision de tenter sa chance. Il forma un comité de campagne dont le noyau comprenait de fidèles conseillers comme Jamieson, Lockwood, Harrison et Stacy May, ainsi que des hommes nouveaux comme William Ronan, ancien professeur à l'Université de New York, que Nelson avait eu l'occasion de rencontrer au cours des travaux de la commission pour une Convention constitutionnelle, l'avocat George Hinman, et un jeune élu, Malcolm Wilson, appartenant à la tendance modérée du parti, universellement respecté et dont le soutien lui fut précieux pour triompher des accusations de libéralisme portées contre lui. C'est à côté d'un buste en bronze de son grand-père, dans la salle nº 5600, que Nelson annonça sa candidature devant une batterie de caméras de télévision. « Ce dont nous avons besoin, dit-il, c'est d'une bonne transfusion de courage politique, afin de saisir toutes nos chances et de mettre à profit les idées d'hommes animés de convictions, au talent créateur et ayant foi en l'avenir. » Puis, Jamieson et Ronan restant à New York pour organiser sa campagne,

Nelson se mit en route en compagnie de Wilson dans une Buick conduite par son fils Steven, afin de faire la tournée de l'État et de convaincre les présidents de comités qu'il correspondait bien à cette définition.

Son identification avec le New Deal, avec les dépenses fédérales massives, ne le recommandait guère aux yeux des New-Yorkais du nord de l'État. Mais l'opposition potentielle à Rockefeller au sein de son parti, déjà faible au départ, fut démoralisée par la perspective de devoir lutter contre l'argent rockefellérien, et par les sombres prédictions annonçant un raz de marée démocrate. En août, quand la Convention républicaine se réunit, aucun nom ne lui fut opposé.

En fait, la suite des événements devait révéler que sa désignation se décida au tout dernier soir de la Convention; non que Nelson eût introduit dans son discours d'acceptation ou dans la plate-forme du parti quelque élément nouveau. Son état-major de campagne, installé dans son appartement, écoutait alors le reportage radiodiffusé de la Convention démocrate à Buffalo; on annonça soudain que Carmine De Sapio, le « boss » de Tammany Hall (siège du parti démocrate), avait contraint le gouverneur Harriman d'accepter son candidat, Frank Hogan, procureur de Manhattan, comme candidat désigné du parti aux fonctions de sénateur. « Ça y est, dit Jamieson en bondissant de sa chaise. C'est là-dessus qu'il faut faire porter notre campagne! » Malcolm Wilson s'aperçut alors que tout le monde dans la pièce regardait « Jamie » comme s'il était tombé sur la tête. « Nous nous sommes dit intérieurement : " Encore? Oh non, ce n'est pas possible! " De mémoire d'homme, on s'était toujours battu à mort contre Tammany Hall, et toujours sans aucun profit. »

Révéler au grand jour le côté dictatorial du « boss » en politique [1], tel était le choix instinctif de Jamieson, qui avait conservé des réflexes de journaliste et se souvenait de la campagne qu'il avait menée vingt ans plus tôt pour l'élection de Charles Edison au gouvernorat du New Jersey, contre la machine électorale du « boss » Hague. Mais, cette fois, comme le craignait Wilson, on ne pourrait se contenter de harceler Tammany Hall (l'un des plus anciens et des plus célèbres clubs politiques US, englobant toute l'organisation du parti démocrate de Manhattan). Ce serait une campagne destinée à saper la confiance des électeurs dans l'autorité morale du gouverneur Harriman. On allait mettre l'accent sur le contraste entre sa capitulation et l'attitude du gouverneur Al Smith quand, en 1924, Tammany Hall avait voulu le contraindre à accepter William Randolph Hearst [2] sur la liste des candidats. Al Smith s'était enfermé dans une chambre d'hôtel et avait menacé de ne pas se présenter plutôt que de céder. Au mépris des centaines de pronostics défavorables émis depuis des mois par les enquêteurs, Rockefeller, qui démarrait sa campagne avec quelque 35 % des suffrages, se

---

1. C'est en effet une quasi-dictature. Le « boss », maître absolu des votants, et tenant en main les administrés de son district, dicte sa politique, choisit ses candidats, etc. (*N.d.T.*)
2. Hearst (1863-1951), propriétaire du *New York American* et d'une chaîne d'environ quarante journaux et magazines, fut le créateur de la presse à sensation. (*N.d.T.*).

mit donc à sillonner l'État en comparant le « courage » de Smith et « l'abdication » de Harriman.

Lorsqu'il se rendait dans le nord de l'État devant des auditoires conservateurs, Rockefeller ne tarissait pas sur les dépenses excessives de l'administration Harriman. Mais la ville de New York, bastion du parti démocrate, n'en offrait pas moins un milieu propice au déploiement des nombreuses facettes de sa personnalité politique. Il s'y présenta comme un libéral et fit valoir les relations et alliances établies par sa famille en trois générations d'existence consacrées à la philanthropie. Aux Noirs, on rappela que les Rockefeller avaient fondé l'Université Spelman, édifié les immeubles locatifs Paul Laurence Dunbar, et maintenu en vie la Ligue urbaine. Les Juifs n'ignoraient pas que les Rockefeller avaient généreusement acheté des bons de soutien à Israël et apporté maintes contributions aux entreprises philanthropiques juives. Aux syndicalistes, on fit prendre conscience de la haute estime dans laquelle leurs dirigeants tenaient Nelson. Quant au citoyen ordinaire, n'était-il pas tout entouré des réalisations immobilières de la famille — le Rockefeller Center, les Cloisters, le Musée d'art moderne, l'imposant Lincoln Center au lancement duquel JDR 3 avait aidé, sans compter les plans ambitieux de David pour la rénovation du bas de la ville?

Les talents d'orateur politique de Nelson n'étaient vraiment pas à même de soulever les foules. Dès le début, les techniciens de son état-major avaient grincé des dents quand ils l'avaient vu se mettre à lire des notes toutes préparées; sa dyslexie lui faisait écorcher des mots, inverser des phrases, et, d'une manière générale, souffrir mille morts quand il s'évertuait à vouloir déchiffrer le papier qu'il avait sous les yeux. (Il finit par surmonter partiellement cette difficulté en apprenant par cœur les passages clés de ses discours.) Mais il possédait un atout maître : son aptitude à considérer la politique comme une affaire de contacts. Ses nombreux et téméraires bains de foule suscitaient des effets extraordinaires, non parce que les gens avaient soudain la révélation d'un homme comme les autres, mais parce que Nelson acceptait de bon gré d'abandonner son attitude d'aristocrate glacial et, pour un instant du moins, d'agir comme tout un chacun. Charisme tout particulier, qui tenait à son nom. Les gens aimaient le voir de près et le toucher. Nelson le savait et mettait toute la gomme.

Face aux multiples visages de la ville de New York, il était le candidat idéal. Il fit la tournée de Harlem dans un camion ouvert, Count Basie assis au piano à ses côtés; il s'adressa aux auditoires portoricains dans un espagnol assez correct, leur disant qu'il n'aspirait qu'à devenir un « autentico representante del pueblo »; déjà nasillarde, sa voix prenait un accent plébéien plus prononcé lorsqu'il haranguait des ouvriers sur leur lieu de travail. Les autres problèmes de la campagne devenaient secondaires quand Nelson se présentait devant une foule rassemblée par ses sympathisants et lui offrait le spectacle d'un Rockefeller distribuant des casquettes publicitaires à son nom et ingurgitant toute nourriture exotique qui lui était offerte. (Un dirigeant du parti démocrate se moqua plus tard des ambitions présiden-

tielles de Nelson en disant : « Ce gars-là, qu'est-ce qu'il a fait à part bouffer
des raviolis à la juive, je vous le demande ? ») Tom Morgan, futur assistant
du maire John Lindsay, écrivit, après avoir observé Nelson sur les sentiers de
la guerre au cours de sa campagne de 1958 : « Il faisait frémir les foules. Il
faisait parade de cette fameuse personnalité rockefellérienne, si vantée, si
louée et si redoutée, qui était, comme la beauté chez les femmes, à la fois
donnée et créée de toutes pièces. »

Comme naguère à son bureau de coordonnateur, Nelson s'imposait un train
d'enfer, ne dormant jamais plus de six heures par nuit au cours de sa
tournée : soit près de 15 000 km à travers l'État et plus de cent discours
officiels. Pour s'assurer que l'odyssée de Rockefeller était parfaitement
couverte par les media, Jamieson avait imaginé (innovation pour l'époque)
de faire accompagner Nelson par une équipe de télévision et, chaque après-
midi, de distribuer les bobines consacrées à tel ou tel aspect des activités
électorales de la journée à des stations locales qui risquaient de n'avoir pu les
filmer par leurs propres moyens.

Un autre candidat démocrate aurait pu utiliser l'argument de sa richesse
contre Rockefeller ; mais le gouverneur Harriman, son concurrent, était lui-
même le rejeton de la fortune d'un magnat, et il dépensa autant que les
Rockefeller dans ce que les journaux appelèrent « le *sweepstake* des
milliardaires ». Le gouverneur en titre tenta vainement de faire de cette
élection un référendum sur l'administration Eisenhower. Nelson garda
l'offensive. A la fin de la campagne, la haute silhouette patricienne de
Harriman était courbée par la fatigue et ses traits décomposés et affaissés par
la défaite. Par comparaison, Nelson apparaissait d'autant plus jeune et au
mieux de sa forme.

C'est au tout début de la soirée du 5 novembre que le gouverneur quitta
ses appartements de Baltimore et fut escorté jusqu'à la salle de danse où il
prononça quelques mots pour reconnaître sa défaite. A quelques rues de là,
Nelson fendait la foule, arborant ce sourire à belles dents qui réduisait ses
yeux à deux fentes. Flanqué de Tod, sa femme, et de son fils préféré Michael,
il montait à la rencontre de la victoire. Quelques semaines plus tard, lors de
la Saint-Sylvestre, l'Histoire était au rendez-vous lorsqu'il rendit hommage à
la tradition dont il était issu en prononçant le serment solennel d'entrée en
fonctions, la main droite posée sur la Bible de sa bisaïeule Eliza.

On avait peine à le remarquer, car il était parvenu à dissimuler toute trace
d'émotion, mais personne ne fut plus profondément ému par cette prestation
de serment de Nelson que son père. A quatre-vingt-cinq ans, affaibli de corps
mais non d'esprit, Mr. Junior était fier de tous ses fils — moins pour leurs
réalisations, peut-être, que pour la façon dont leur réussite justifiait ses
propres efforts de père. En 1955, après lecture d'un portrait collectif des
garçons paru dans *Fortune,* il leur écrivit une lettre commune (cela lui

arrivait parfois en d'importantes occasions) : « Ce que vous êtes en train d'accomplir pour le bien-être de l'humanité à travers le monde est stupéfiant. C'est par ces articles que j'ai pu faire le point de vos nombreuses activités. Comme je suis fier de tout ce que vous apportez à votre temps et à votre génération, de la manière modeste, avisée et intelligente dont vous vous y prenez, et, par-dessus tout, de la sorte d'hommes que vous êtes! Notre famille a reçu en partage des chances exceptionnelles, assorties de responsabilités d'égale ampleur. Magnifiquement et modestement, vous vous montrez, mes garçons, à la hauteur de ces chances et de ces responsabilités. »

Lorsque, retour de guerre, ses fils avaient commencé à prendre en main le Bureau et les autres institutions qu'il avait créées de ses mains, Junior avait été déconcerté; il avait eu le sentiment, une fois de plus, qu'il ne connaissait pas réellement ses garçons, et il avait espéré que *leurs* collaborateurs l'aideraient à les mieux comprendre. En fait, ils lui avaient signifié que l'heure de la relève était venue et qu'il devait s'effacer, même s'il se sentait encore au printemps de la vie. Ils avaient également rejeté des conseillers comme Debevoise, qui l'avaient servi si longtemps et fidèlement. Ils avaient modifié l'identité même de la famille, accomplissant des choses qui étaient étrangères à Junior, en laissant d'autres de côté, qu'il estimait importantes. Il aurait certes pu les freiner, mais toute l'éducation qu'Abby et lui-même leur avaient donnée avait tendu à ce but : les voir, comme aujourd'hui, assumer leurs propres responsabilités. Il s'était efforcé de se retirer avec élégance à l'arrière-plan, sans abandonner les affaires familiales, mais plutôt en réduisant le champ de ses intérêts de façon à éviter tout conflit avec eux.

Au début des années cinquante, Junior avait continué à se rendre au Bureau chaque fois qu'il se trouvait en ville; installé pendant de longues heures devant la grande table de travail de style Jacques Ier, il s'occupait d'affaires auxquelles il tenait, tout en s'efforçant de se faire une idée des entreprises dans lesquelles s'engageaient peu à peu ses fils et, avec eux, la famille. Il lui restait cependant la puissance du porte-monnaie, car c'est lui qui contrôlait les quelque 200 millions de dollars de la grande fortune qui n'avaient pas été placés en dépôt pour ses descendants. Si l'un de ses fils avait besoin d'argent liquide pour l'un quelconque de ses projets et répugnait à entamer le capital de son dépôt, c'est toujours vers lui qu'il se tournait. C'était lui qui payait les factures du Bureau. Il demeurait le patriarche comme, en un sens, il l'avait toujours été, depuis sa jeunesse, mais son pouvoir s'amenuisait de jour en jour.

Pendant des années, il avait fui le vedettariat. Mais, vers le milieu des années cinquante, il capitula et accepta de devenir une célébrité : l'apothéose de sa famille, il le reconnaissait enfin, avait commencé quarante ans plus tôt par une obscure série d'événements dans les plaines venteuses du Colorado du Sud. Une organisation comme le United Negro College Fund ne pouvait rêver d'un meilleur patronage que celui de Junior pour figurer sur son papier à en-tête; sa présence dans toute cérémonie conférait à l'événement une résonance morale exceptionnelle. En 1956, son ami Henry Luce lui fit les honneurs de la couverture de *Time;* le reportage, intitulé « Un homme droit », notait qu'« au même titre qu'un général ayant conduit les troupes américaines à la victoire ou qu'un homme d'État ayant conduit la diplomatie US au succès, John D. Rockefeller junior a sa place parmi les authentiques héros américains, parce qu'il a consacré sa vie à l'action sociale constructive. »

Toujours plus proche d'un contemporain du siècle victorien que d'un homme de notre temps, Junior avait l'air, dans le tourbillon du monde d'après-guerre où évoluaient ses fils, d'un survivant d'une époque révolue.

En 1952, David Lillienthal, ancien haut-commissaire de la TVA [1] et de l'AEC, rencontra Junior à l'occasion d'un dîner chez JDR 3, au 1, Beekman Place, et fut frappé par le caractère anachronique de son apparence physique et de sa conversation. En rentrant chez lui ce soir-là, il nota ses impressions dans son journal : « Il était assis à mes côtés dans la bibliothèque après le dîner, aussi curieux de ma personne que moi de lui. J'ignore ce qui l'intéressait en moi, rien peut-être, mais, quant à moi, j'avoue avoir été fasciné par ses chaussures. Des *bottines à boutons!* Belles, évidemment, étincelantes... Ses propos révélaient une sorte d'anxiété, d'inquiétude enfouie; il évitait d'exprimer trop nettement sa déception devant la diminution de la durée du travail, par exemple, de peur de passer à nos yeux pour favorable aux horaires excessivement longs — mais, disait-il, où est l'utilité des loisirs si les gens ne savent qu'en faire? »

La mort d'Abby l'avait anéanti. Peu après les funérailles, il avait convié tout le personnel de la salle n° 5600 à Pocantico. Une écharpe noire autour du cou, il leur avait fait les honneurs de la maison et des jardins, parlant sans cesse de sa femme et leur disant à quel point il l'avait chérie. Il était terriblement seul, comme perdu sans elle. Ses fils poussèrent un soupir de soulagement quand, quelques années plus tard, en 1953, Junior épousa Martha Baird Allen, âgée de cinquante-trois ans, veuve d'un ancien camarade d'université. (Fantaisie on ne peut plus exceptionnelle de sa part, Junior inscrivit « promoteur » à la rubrique « profession » de l'acte de mariage.) Ils aimaient bien tous « tante Martha »; mais, avec le temps et leur père prenant de l'âge, les relations se tendirent avec elle quand ils eurent le sentiment qu'elle monopolisait Junior et ne facilitait guère ses rencontres avec eux. Ils savaient néanmoins que ce remariage ne constituait pas un affront à la mémoire de leur mère et qu'il procurait une compagnie à Junior, tout en contribuant à résoudre les problèmes fiscaux concernant le reste de ses biens. (Les experts du Bureau trouvèrent un moyen de lui éviter de payer tout impôt foncier en stipulant qu'une moitié de ses biens irait à sa femme et l'autre au Fonds des frères Rockefeller, exonéré d'impôt — combine qui devint célèbre dans les milieux spécialisés sous le nom de « testament Rockefeller ».)

---

1. Tennessee Valley Authority : agence gouvernementale chargée de prévenir les inondations et de développer l'exploitation de l'énergie hydraulique. (*N.d.T.*)

En vieillissant, Junior ne s'était pas complètement abandonné à cette phase automnale de réconciliation qui vient, dit-on, avec le grand âge ; en tout cas, pas avec son enfant prodigue Winthrop. Les erreurs de jeunesse de Winthrop, ses frasques de play-boy, et, pour couronner le tout, sa disgrâce à la suite de son mariage et de son divorce, il voulait bien les pardonner ; mais les oublier, jamais. Lorsque Winthrop reprit pied et partit pour l'Arkansas, loin d'apaiser son père, cette décision ne fit qu'assener un coup supplémentaire à l'idée de la famille que Junior avait mis sa vie à bâtir.

Il n'y eut pas entre eux de rupture ouverte ; en fait, leurs relations étaient même cordiales, au cours des fréquents séjours de Winthrop à New York. Mais les deux hommes savaient qu'une frontière invisible les séparait désormais inéluctablement. Junior ne se rendit jamais en Arkansas pour visiter Winrock Farm ou apprécier les autres réalisations de son fils dans son nouveau domaine. Aux yeux de tous, il était clair que Winthrop recherchait et attendait la bénédiction paternelle qui l'aiderait à surmonter ce sentiment de culpabilité qu'il traînait depuis si longtemps ; mais Junior déclina toutes ses invitations, disant que c'était bien trop lui demander, alors qu'il se rendait en Arizona tous les hivers avec Martha. Ce châtiment semblait particulièrement cruel ; un observateur proche de la famille dira plus tard : « Mr. Rockefeller serait allé au bout du monde pour le " bien-être de l'humanité ", c'était bien connu, mais il refusa de faire 500 kilomètres pour le mieux-être de son fils. »

Le patriarcat que Junior continuait d'exercer à Pocantico tournait autour des dîners dominicaux ; ils avaient lieu dans la Grande Maison, et il y conviait à tour de rôle chacun de ses fils et leur famille. Lorsqu'il donnait de l'argent à ses petits-enfants pour leur anniversaire, il accompagnait le chèque d'un petit sermon, espérant transmettre les idéaux de la mission familiale à la nouvelle génération. Les jeunes lui tenaient beaucoup à cœur. Un jour, son ami Fosdick le trouva exceptionnellement heureux et lui en demanda la raison. Junior répondit qu'il venait d'acheter vingt-deux Bibles, une pour chacun de ses petits-enfants. Lorsqu'il accepta de laisser écrire sa biographie, il spécifia que c'était à seule fin que ses enfants pussent « savoir quel genre d'homme je me suis efforcé d'être ».

Sa vie était très régulière, comme elle l'avait toujours été : lever à 7 heures ; petit déjeuner à 8 heures ; travail jusqu'à midi ; déjeuner ; après quoi il se mettait en pyjama pour un somme d'une heure, suivi d'une promenade avec Martha dans la Cadillac. Une partie de l'hiver se passait toujours à Tucson, dans la petite auberge qu'Abby et lui avaient découverte des années auparavant et où ils avaient connu leurs heures les plus romantiques. On passait le printemps et l'automne à Pocantico, avec des interludes à Basset Hall d'où il pouvait contempler Williamsburg désormais aussi animé qu'à l'époque coloniale. L'été, on résidait à Seal Harbor : trônant dans la splendeur quasi orientale de la salle de séjour, il travaillait à son bureau tout en admirant par la fenêtre l'Atlantique s'étendant à perte de vue jusqu'à l'horizon.

Sa propre mission accomplie, il consacra ses dernières années à penser à la famille. Aux yeux du public, il était le Rockefeller anonyme, le pont entre un père fameux et des fils célèbres ; mais il avait joué son rôle. Il avait protégé et étendu le patrimoine ; et il en avait fait un usage qui devait permettre aux générations futures d'hériter d'un nom prestigieux. Peut-être n'aurait-il pas songé à utiliser le terme de « dynastie » ; pourtant, quelque chose — une dimension morale et sociale née de ses propres efforts — distinguait sa branche de celle de son oncle William — les Stillman Rockefeller — comme d'autres familles très riches qui, sans doute, avaient fait des dons importants à la société, mais ne s'étaient jamais consacrées autant que lui à la fusion des ambitions nationales et familiales.

En 1959, on l'opéra de la prostate. Au début de 1960, à quatre-vingt-six ans, son état physique était extrêmement faible ; les os de son visage saillaient, ses doigts noueux tremblaient à tel point qu'il pouvait à peine écrire. Lorsqu'il recevait de vieux amis (pour une dernière visite, on le savait de part et d'autre), il était souvent assis à la fenêtre, les genoux entourés d'une couverture, se chauffant au soleil printanier. Ses fils faisant désormais son travail à sa place, il ne savait trop que leur demander de plus et il les déconcertait par son désir de rester seul. Le 10 mai 1960, Mr. Junior rendit l'âme. Il avait si longtemps et si bien payé pour les péchés de son père que c'était le monde, à présent, qui lui était redevable.

Archétype du Rockefeller, il mourut au moment où sa création la plus ambitieuse, la famille elle-même, atteignait à son zénith. Mais on pouvait déjà déceler combien cette mort appauvrissait la famille, l'affaiblissait face à l'avenir. Son petit-fils, John D. Rockefeller IV, rentra en avion du Japon, où il faisait ses études, pour assister à la cérémonie funèbre. « C'était très impressionnant, la mort de grand-père. Je me rappelle avoir profondément ressenti que ce n'était pas seulement mon grand-père qui venait de mourir. C'était la fin d'une époque. C'était une page de l'Histoire qui venait d'être tournée. »

CHAPITRE XX

Le décès de Junior n'affecta pas ses fils aussi gravement que la mort de leur mère. Le ressort des relations entre le père et les fils avait été l'accomplissement des tâches, non l'affection. Il avait été un mentor, un Pygmalion ; en retour, ils avaient assumé les responsabilités qu'il avait accumulées. Ils portèrent son deuil discrètement ; loin d'être accablée par le chagrin, la troisième génération Rockefeller parut laisser échapper un soupir de soulagement à la mort de l'homme qui avait été à la fois un père, un maître et un symbole.

Steven, le fils de Nelson, aura plus tard ce commentaire : « La mort de grand-père ne suscita pas la même qualité d'émotion que la mort de grand-mère. Sans doute parce qu'il y avait ces Cinq Frères, tous rongeant leur frein. Leur père les avait impitoyablement tenus en laisse. Ils étaient tous plus forts que lui, plus nombreux, mais il les avait fait filer droit. »

Pour Nelson qui, en compagnie de Laurance, s'était rendu par avion à Tucson pour assister Junior dans ses derniers moments et ramener ses cendres à New York pour la cérémonie funèbre, cette perte avait été plus facile à supporter qu'une autre, survenue quelques mois auparavant : celle de Frank Jamieson, l'être qui, à l'exception de Laurance, avait été son plus proche compagnon, pendant plus de vingt ans, l'ami qui avait triomphé de cette ultime pellicule de méfiance qui isolait les frères même de leurs plus fidèles collaborateurs. « Frankie » avait été le roc sur lequel Nelson avait bâti sa carrière. Il était mort à cinquante-cinq ans, d'un cancer du poumon, avant même de pouvoir goûter pleinement les fruits de son œuvre : le modelage de la carrière politique de Nelson. Quelle tristesse de voir Jamieson se traîner aux réunions de la salle n° 5600, dans les dernières semaines de sa vie ; on aurait dit qu'il espérait arrêter la mort qu'un instant, juste le temps d'aider encore Nelson à passer un cap décisif dans sa vie politique.

A peine eut-il arraché son premier succès électoral que Nelson se retrouva de nouveau sur la brèche. Dans son discours de prise de fonctions, le nouveau gouverneur exhorta les New-Yorkais à montrer la voie vers un monde meilleur, comme s'ils n'étaient eux-mêmes que l'avant-garde d'une clientèle électorale autrement plus vaste. Deux mois à peine après son installation (il avait accroché ses Picasso et ses Léger préférés aux murs de sa résidence officielle), il avait transformé en QG politique new-yorkais deux maisons qu'il possédait dans la 55e Rue ; il y avait installé un important état-major, avec mission de travailler discrètement à son investiture par le parti républicain dans la course à la Maison-Blanche de 1960. L'opération fut bientôt en bonne voie et si bien lancée que, comparés à elle, les efforts de John F. Kennedy en ce printemps-là ne valaient guère mieux, selon les termes de T. H. White, qu' « une tournée de music-hall dans le Montana ».

Nelson savait qu'il avait enflammé l'imagination des citoyens républicains dans tout le pays par sa campagne de 1958 et qu'un sondage effectué à la demande de l'entourage de Nixon auprès des électeurs lui donnait 40 points contre 38 au vice-président. Une question se posait : de quel œil les caciques du parti allaient-ils le considérer, lui et son arrogant défi? Au mois de mai, il se lança à grand fracas dans une tournée électorale nationale, qui lui offrit tout à la fois l'occasion de s'engouffrer et de se démener dans des salles sursaturées de fumée et celle de recevoir la réponse qu'il attendait.

Depuis le jour où il avait quitté l'administration Eisenhower, Nelson avait l'œil fixé sur la Maison-Blanche. S'il avait été candidat au poste de gouverneur de préférence à ceux de sénateur ou de maire de New York, c'est en partie parce que maints gouverneurs de New York étaient déjà passés de l'Albany Hall au bureau ovale. Le choix serait entre lui et Richard Nixon? Voilà qui renforçait sa résolution. Nelson n'avait pas éprouvé la moindre répugnance à faire connaître *urbi et orbi* sa piètre opinion du vice-président. « La seule pensée que Dick Nixon pourrait être président me révulse », confia-t-il à un ami. Nixon avait les plus mauvaises idées, les plus mauvais amis, les plus mauvaises raisons pour rechercher le pouvoir. Il n'avait aucune vue d'ensemble sur le rôle du parti républicain et encore moins sur celui de la présidence. Son défi à cette loi d'airain de la politique qui faisait de Nixon l'héritier présomptif, le candidat désigné, Nelson le sentait justifié par le fait que le parti « était pratiquement une dépendance de la famille Rockefeller, au même titre que la Fondation Rockefeller ou l'Université Rockefeller », devait écrire T. H. White. Nelson serait bien allé jusqu'à prendre à part les sceptiques, à sortir de sa poche un morceau de papier soigneusement plié, et à leur dire que la somme extraordinairement élevée qu'ils voyaient inscrite là à l'encre bleue représentait les dons des Rockefeller aux républicains pour les dernières années écoulées...

Les gens qui venaient voir Nelson en tournée aimaient bien sa fougue et le nasillement populaire de sa voix. Mais les présidents de comités et autres caciques du parti étaient moins enthousiastes. Tout au long des six dernières années, Nixon avait assidûment cultivé les vignobles de l'État et les campagnes les plus reculées en tant que doublure d'un président qui ne devait pas être, selon l'expression consacrée, « politiquement conditionné ». Ils avaient une dette envers lui, et la meilleure façon de payer cette dette, c'était de faire marcher pour lui la machine du parti. Au demeurant, il leur aurait été loisible de ne pas l'honorer s'ils n'avaient eu des doutes sérieux sur la version rockefellérienne du républicanisme, si étrangère, semblait-il, à la circonspection d'une région, comme le Midwest par exemple, sur laquelle Eisenhower avait su miser pendant huit bonnes années.

Pour la première fois de sa carrière politique, Nelson commença à sentir la force latente de cette aile du parti dont Robert Taft était depuis longtemps le porte-parole ; se modelant sur la majorité silencieuse du pays ; méfiante à l'égard des engagements américains dans le reste du monde, à l'égard de Wall Street et de la côte Est ; peu à l'aise avec les grandes idées et les budgets monumentaux. Et même Wall Street, la propre circonscription de Nelson, n'était pas chaude pour risquer sa mise sur lui. A titre de premier sondage, Nelson avait incité J. R. Dilworth, du Bureau familial, et son frère David, à entamer une tournée électorale dans les milieux financiers. Ils trouvèrent de gros hommes d'affaires républicains partisans à tous crins de Nixon : ils n'avaient pas pour lui une affection particulière, mais, à leurs yeux, le vice-président présentait l'avantage de n'être qu'une table rase politique sur laquelle ils auraient tout loisir de graver leurs propres intérêts. Ils craignaient qu'un Rockefeller, au contraire, échappant à ces contrôles qui étaient la rançon de la pêche aux soutiens financiers, fût tout sauf malléable. Au demeurant, ils savaient pertinemment que les deux hommes étaient idéologiquement très proches, et que de toute l'administration Eisenhower, c'est Nixon qui s'était montré le plus réceptif à la ligne dure de Nelson.

La route des primaires s'ouvrait donc pour Nelson ; l'heure était venue de prouver ce qu'il n'avait cessé de dire à l'appareil du parti : que Nixon ne faisait pas le poids devant les électeurs. Mais de là à foncer tête baissée contre Eisenhower lui-même ? Tout en sachant fort bien que l'administration de ce dernier avait été désastreuse — intermède d'indécision et d'incompétence entre le New Deal et l'avenir tel qu'il l'avait dépeint dans les rapports des « Études » — Nelson n'avait nul besoin de Frank Jamieson pour comprendre qu'une condamnation publique des deux présidences d'Eisenhower équivaudrait pour lui à un suicide politique.

L'état-major de campagne rassemblé par ses soins poursuivait sa recherche d'un cheval de bataille. Emmet Hughes, éminent journaliste et ancien rédacteur des discours d'Eisenhower, vint se joindre à Kissinger comme idéologue en chef de Nelson, et s'employa à trouver des positions destinées à réduire Nixon à la défensive. Mais, vers la fin de 1959, après six mois de sondages décourageants, Nelson se rendit compte qu'il était en perte de vitesse. Au lendemain de Noël, il lut une déclaration préparée par Hughes, annonçant son retrait d'une compétition dans laquelle il n'était jamais officiellement entré. Invité par le Comité national républicain à présider et à prononcer l'allocution d'usage à la Convention, il refusa, disant qu'il n'avait pas même l'intention d'y participer ; il ajouta qu'en aucun cas il ne serait intéressé par une désignation à la vice-présidence.

Cependant, tout espoir n'avait pas disparu. De temps à autre, il descendait en flammes les caciques du parti qui lui avaient barré la route vers la désignation. Il continuait à se considérer comme candidat potentiel : cela devint évident vers la fin du printemps, lorsqu'il rencontra le Premier soviétique Nikita Khrouchtchev, en visite aux États-Unis. Cette première visite d'un chef d'État soviétique depuis 1917 constituait un pas décisif dans le dégel succédant à la guerre froide, dégel que l'énorme prestige personnel d'Eisenhower avait rendu possible en dépit de formidables pressions politiques. Au cours de sa rencontre avec Rockefeller, le Premier soviétique proposa un toast à la « coexistence pacifique »; mais Nelson refusa de le porter, précisant qu'il n'accepterait de boire qu'à la « coopération ». Il expliqua par la suite au journaliste Chalmers Roberts les raisons de son attitude : il était persuadé que l'entourage de Khrouchtchev comprenait des psychologues chargés de jauger le caractère des présidents US à venir, et il n'avait pas voulu leur apparaître comme un mou.

Ce fut alors l'échec de la réunion au Sommet, le 17 mai 1960, à la suite de l'incident de l'avion-espion U 2 abattu au-dessus de l'URSS et du refus d'Eisenhower de présenter des excuses; Nelson y vit l'occasion tant attendue. Il fit étudier par son ami et conseiller Oren Root les possibilités d'élaborer un projet semblable à celui que Root avait mis sur pied pour Wendell Willkie [1]; et il autorisa son agent L. Judson Morhouse à répandre la nouvelle qu'il était disponible, réflexion faite, et prêt à participer à la Convention. Le jour de la fête nationale, sept semaines seulement avant la réunion des délégués prévue à Chicago, Nelson s'enferma avec Hughes pour une longue séance de réflexion; et il en sortit pour se lancer dans une offensive éclair contre le parti républicain et Nixon. Le 8 juin, Rockefeller ouvrit le feu en déclarant à la presse : « Je suis très inquiet de constater que les responsables du parti républicain n'ont pas réussi à indiquer clairement où va le parti et ce qu'il se propose de faire s'il lui incombait de guider la nation... » Faisant allusion à un « dangereux retard » des États-Unis par rapport à l'Union soviétique dans le domaine des fusées, il réclama une augmentation du budget de la Défense de 5 milliards de dollars, 500 millions de dollars pour la Défense civile, et une intensification de 50 % de la production nationale.

Cet assaut décisif contre le parti républicain et son héritier présomptif dura jusqu'à la Convention. Nixon, qui avait justifié sa désignation par toute une série de victoires lors des primaires, éprouvait une appréhension grandissante devant les attaques du gouverneur. Puis, quelques jours à peine avant l'ouverture de la Convention, Rockefeller annonça que le programme du parti — document appelé en temps ordinaire à un très faible retentissement — n'était pas satisfaisant; il laissa entendre qu'il y aurait une bataille d'assemblée pour le modifier. Désireux d'éviter à tout prix une scission, Nixon demanda à Herbert Brownell, ancien ministre de la Justice, de prendre contact avec les collaborateurs du gouverneur et de proposer une rencontre afin de discuter de la situation. Rockefeller dicta alors les conditions de cette rencontre, qui ulcérèrent durablement son rival (même si, au fil des années, leurs chemins et leurs destins politiques allaient se côtoyer ou se croiser bien plus souvent qu'ils ne l'eussent cru possible) : le vice-président devrait appeler personnellement Nelson pour solliciter ce rendez-vous; celui-ci aurait

---

1. Candidat républicain à la présidence en 1940 contre Roosevelt. (*N.d.T.*)

lieu dans un lieu choisi par Nelson; et Rockefeller serait chargé de rendre public le communiqué à l'issue de l'entrevue.

Le 23 juillet, deux jours avant l'ouverture de la Convention républicaine, Nixon accomplit à New York son voyage de Damas... L'entrevue débuta par un dîner chez Nelson, dans son pied-à-terre de trente-deux pièces, et s'ouvrit sur un refus catégorique de Nelson d'être pressenti pour la vice-présidence; les deux hommes travaillèrent jusqu'à 3 heures du matin; le programme fut réécrit, y furent inclus quatorze points du programme nelsonien — en particulier, sa position plus dure en matière de défense, et son attitude plus libérale dans le domaine des droits civiques. A la fin, sur une ligne téléphonique spéciale que Nelson avait fait installer à dessein, ils firent part de leurs décisions au Comité du programme du parti républicain, créant quelque surprise dans la mesure où ce dernier avait déjà bouclé son travail après des semaines de délibérations à Chicago.

Le pacte de la Vᵉ Avenue, comme on l'appela, irrita Eisenhower; il apparaissait comme une condamnation de ses huit années de présidence, et semblait âprement critiquer sa gestion dans le domaine des affaires étrangères et des questions militaires. Le sénateur Barry Goldwater l'appela « le Munich du parti républicain ». Mais, aux yeux de Nelson, de telles accusations ne faisaient que confirmer sa victoire. Brandissant le document devant les journalistes à son arrivée à la Convention de Chicago, il dit : « Il faut être tombé sur la tête pour ne pas voir qu'il y a là-dedans toutes les idées auxquelles je tiens. » Sans se soucier d'évaluer le nombre ni l'amertume des ennemis qu'il se créait, Nelson couronna son œuvre de virtuose en acceptant de paraître devant la Convention, le dernier soir (il avait refusé de participer à la désignation de Nixon), pour présenter le candidat. Devant un auditoire ahuri, il conclut la litanie des exhortations habituelles par ces mots : « ... et voici l'homme qui, en janvier prochain, succédera à Dwight D. Eisenhower — Richard *E*. Nixon [1] ! »

En dépit de cette gaffe sur le second prénom (qu'il fit rectifier dans la transcription officielle du discours), Nelson rentra à New York pleinement satisfait. Si Nixon était élu en novembre, il pourrait s'enorgueillir d'avoir conduit le parti dans la bonne direction; si Nixon perdait, il pourrait dire que c'est pour ne s'être pas suffisamment incliné dans la direction qu'il avait proposée. De toute façon, la prochaine fois que les républicains choisiraient leur candidat à la présidence, il se trouverait en position de force. Son ami, A. A. Berle junior, démocrate, le félicita par un : « Bon jeu, et bien joué. » Et le prestige de Nelson ne se porta pas plus mal lorsque J. F. Kennedy confia à ses intimes, après son élection, que si Rockefeller avait été son adversaire, les républicains l'auraient probablement emporté.

---

1. C'est Richard *M*. (Milhous) Nixon qu'il fallait dire. (*N.d.T.*)

Période grisante pour Nelson. Sa popularité était toujours grande à New York, en dépit de l'augmentation des impôts locaux, et son administration se lançait dans un programme de construction publique qui allait changer l'aspect de l'État presque aussi radicalement que ses finances. Certaines des actions entreprises lors de son premier mandat de gouverneur semblaient destinées à servir de démonstrations pour le reste du pays. Il se mit en devoir de faire de New York la capitale de l'industrie nucléaire du pays en créant l'Office d'État pour la recherche et le développement atomique. Il se prépara également à l'éventualité d'utilisations moins pacifiques de l'énergie atomique en proposant un programme de construction d'abris de 100 millions de dollars [1]. La Nouvelle Frontière [2] ne pouvait se désintéresser de ce qu'il faisait. Après tout, nombre de ses innovations spécifiques étaient basées sur des programmes et des idées qui devaient beaucoup à la ténacité de Nelson. En fait, l'administration Kennedy se caractérisa par une mise à exécution, presque point par point, des propositions contenues dans les Études du Groupe des frères Rockefeller : fantastique escalade dans l'équipement militaire du pays, impliquant une augmentation annuelle de plusieurs milliards de dollars du budget de la Défense; intensification prioritaire de la construction des ICBM [3]; développement d'une force d'intervention contre-révolutionnaire, bientôt mise à l'épreuve au Vietnam.

L'évidente considération du président Kennedy flattait Nelson. Mais le rêve obsessionnel d'avoir un jour sa propre parade inaugurale le long de Pennsylvania Avenue ne le quittait pas, surtout depuis que l'échec de Nixon avait laissé vacante la direction du parti. Une semaine après l'élection de Kennedy, Nelson organisa une réunion à Pocantico, à laquelle il convia Emmett Hughes, Harrison, Lockwood, George Hinman et d'autres collaborateurs fidèles, pour élaborer un plan à longue échéance : les élections

1. Comme saisi de frénésie, Nelson prit tout un train de mesures en vue de la construction d'un bunker de 4 millions de dollars dans la capitale de l'État, susceptible d'abriter 700 des plus hauts fonctionnaires pendant au moins deux semaines. Un dépôt, au-dessous de sa maison de Pocantico, fut transformé en abri, et une cave de son appartement de Manhattan subit le même sort. (Sous sa maison de Pocantico, Laurance construisit un abri semblable à un sous-marin, relié à un autre abri anti-atomique, avec assez de denrées pour permettre une survie souterraine de plusieurs mois.) Entre-temps, Nelson soutenait fermement le plan de son ami Edward Teller — un abri de 200 dollars dans chaque maison de New York — et houspillait le corps législatif pour qu'il accorde de larges exonérations fiscales à tout foyer qui se doterait d'un abri. Jack Bronston, ancien sénateur de l'État de New York, remarque à propos de cette session : « Ce fut la seule politique tout à fait en accord avec la personnalité réelle de Nelson. En dépit d'une forte opposition, il joua son va-tout en faveur de ce plan. Je me rappelle un après-midi où il invita un groupe d'amis dans le salon rouge de sa demeure d'Albany. Les fameuses cartes couvraient les murs, ornées de bombes nucléaires qui explosaient en couleur. Longuement, avec beaucoup d'émotion, il nous exposa combien de vies ces abris pourraient sauver en cas d'attaque nucléaire. Je crois que ce programme a été l'entreprise la plus sincère de toute sa vie. » Rockefeller alla même jusqu'à ramener ses abris lors d'une rencontre avec Nehru, au cours de la visite à New York du Premier ministre indien, en 1960 : « Il ne m'a parlé que d'abris anti-atomiques, dira plus tard Nehru. Il m'a même donné une brochure : comment construire mon propre abri. »

2. « La Frontière », dans l'histoire des États-Unis, était la zone limitrophe du pays non encore explorée. « La Nouvelle Frontière » fut le nom que l'administration Kennedy donna à son programme politique. (*N.d.T.*)

3. Missiles à longue portée. (*N.d.T.*)

présidentielles de 1964. Le groupe fonctionna comme une sorte de cabinet-fantôme : sous-tendant ses réunions de travail régulières, il y avait cette idée que le seul problème de Nelson, lors de ces élections, serait de triompher du charisme de Kennedy. Mais Nelson s'était acquis dans son propre parti une réputation de renégat, il ne comptait plus ses ennemis parmi les fidèles du parti et les milieux conservateurs de Chicago. Il fallait réparer les ponts; et, sous la direction tactique de George Hinman, Nelson se remit une fois de plus en campagne, cette fois pour amadouer la droite républicaine.

Il se lança dans une série de démarches soigneusement calculées. En premier lieu, il contacta Barry Goldwater qui était à présent le leader de l'aile conservatrice du parti. Nelson convia le sénateur de l'Arizona à des déjeuners intimes dans sa maison de Foxhall Road, à Washington, qu'il avait gardée depuis l'époque de l'OIAA [1]; il lui exposa sa philosophie, ses vues politiques. Au début de 1962 (selon Robert Evans, journaliste washingtonien), Goldwater disait à ses amis conservateurs : « En fin de compte, Rocky n'est pas un mauvais type. Il est plus conservateur qu'il n'en a l'air. Vous devriez lui parler, un de ces jours. » En moins d'un an, il était prêt à disparaître de la liste des candidats à la présidence par suite de sa confiance toute neuve dans le gouverneur de New York.

Nelson paya publiquement ses dettes envers la droite républicaine en attaquant furieusement Kennedy lorsque le président vint à créer un nouveau ministère des Affaires urbaines. Dans un discours prononcé à Des Moines, Nelson dénonça cette innovation comme une atteinte à la Constitution, et il condamna la nomination de Robert Weaver à la tête de ce ministère (le premier Noir de l'histoire américaine à devenir ministre) comme un « trucage politique ». Tout au long de 1963, il lança des coups de patte à la politique étrangère de Kennedy, lui reprochant son attitude « conciliante » envers les communistes et ses « concessions » aux Russes dans le domaine des expériences atomiques qui, disait-il, « mettaient en danger la sécurité nationale ». Donnant du bout des lèvres son adhésion à la proposition du Test Ban Treaty (Arrêt des essais nucléaires), il fut prompt à formuler des réserves : « L'administration devrait prendre toutes mesures destinées à sauvegarder la faculté d'intervention de nos forces afin de décourager ou de déjouer toute agression communiste contre les peuples libres en tout point du globe. Nous devrions nous engager, au niveau national, à... nous montrer prêts à tout instant, à nous montrer capables d'utiliser les armes nucléaires, à nous montrer résolus à le faire pour repousser une telle agression, seuls ou avec nos alliés. »

Puis, au ravissement de ses nouveaux partenaires de droite, et au grand scandale de la presse libérale, il se lança dans une critique acerbe de ce qu'il appela l'« échec » de Kennedy à Cuba : « Il m'est très difficile de comprendre pourquoi nous soutenons au Vietnam les combattants de la

---

1. The Office of Inter-American Affairs dont Nelson était devenu le « coordinateur » en 1940; ce fut son premier poste officiel. (*N.d.T.*)

liberté et pourquoi nous les freinons et les empêchons d'agir à Cuba... J'ose espérer que ce n'est pas dans le but de faire des concessions aux Soviétiques ou de leur faire plaisir. »

Ses ambitions se réalisaient à un rythme satisfaisant, même pour lui. Mais ses proches savaient que sa vie personnelle recélait une bombe à retardement qui risquait d'exploser à tout moment. C'était son mariage avec Tod, bousillé depuis quelque temps. Au fil des années, Tod s'était de plus en plus cantonnée dans le rôle de Calpurnia [1]; les traits de son long visage se figeaient en un masque stoïque lorsque les rumeurs des infidélités répétées de son époux atteignaient ses oreilles. Elle s'était accoutumée à voir, en entrant dans une pièce, cesser subitement des conversations qui allaient bon train sur son mari : et avec qui il était maintenant, et comment il avait envoyé Untel en mission d'enquête aux frais de la princesse dans tel pays où l'IBEC avait à faire, afin de jouir en son absence de la compagnie de sa femme.

Était-ce là un aspect inhérent à cette pornographie apparemment inévitable de la vie politique? Quoi qu'il en soit, le rôle de la femme de César en était rendu d'autant plus insupportable. Tout dans son éducation répugnait aux vulgarités de l'arène politique, aux plaisanteries insipides des réceptions, aux dîners et divertissements officiels. Elle n'était pas, en termes de campagne électorale, un « atout politique ». En outre, elle ne pouvait accepter ce qu'un ami de la famille décrit comme le Complexe du Grand Homme : « Tod était fine, plus fine et plus spirituelle que Nelson, en fait. Plus il s'absorbait dans sa carrière politique et commençait à croire réellement à sa littérature électorale, plus il lui était difficile de se présenter le soir chez lui devant une sceptique amusée qui le connaissait tel qu'il était avant de devenir un grand homme. »

Nelson était depuis longtemps conscient de l'échec de son mariage. Il avait mis au point un arrangement qui sauvait les apparences : publiquement, il jouerait son rôle d'époux et de père; en retour, Tod ne ferait pas de scènes. En privé, chacun irait son chemin. Mais, peu avant le début de sa campagne pour le gouvernorat, les règles de vie qu'ils avaient observées pendant des années perdirent toute valeur : car Nelson était tombé sérieusement amoureux et décida de divorcer. Dès 1957, avant la campagne, il avait fait part de ses intentions à Jamieson. Mais, au cours d'une interminable promenade en voiture, il s'était laissé persuader par son ami que ce serait un suicide politique. (Mrs. Linda Storrow, la veuve de Jamieson, se rappelle que « Frank avait le sentiment que c'en serait fait de la carrière politique de Nelson. Nelson lui-même ne l'ignorait pas, mais Frank eut beaucoup de mal à le faire changer d'avis ».) A présent, Jamieson n'était plus. Les enfants de Nelson étaient grands, et bien qu'il disposât de bien des facilités pour poursuivre sa liaison, y compris un pied-à-terre sur le domaine de Pocantico, il se sentait mal à l'aise. L'élan concomitant de ses passions

---

1. Épouse souvent trompée de Jules César, elle n'avait aucune influence sur lui. (*N.d.T.*)

sentimentales et politiques l'amena à considérer qu'il était temps de faire place nette.

Premier signe public du désaccord conjugal : le 3 mars 1961, la maison du gouverneur prend feu tard dans la nuit, et les témoins remarquent que les pompiers vont chercher Tod, pour la mettre en sécurité, dans une aile opposée à celle où dormait son mari. A la suite de quoi elle ne retourna jamais plus à Albany, bien que la séparation ne fût pas officielle. Le fait que Nelson vivait seul et évitait les mondanités passa presque inaperçu : l'attention se concentrait alors sur son irruption dans la politique new-yorkaise où il espérait faire élire Louis Lefkowitz, ministre de la Justice, aux fonctions de maire, et, de la sorte, augmenter ses chances d'être lui-même réélu par la ville, tout en administrant la preuve qu'il était le seul républicain capable en 1964 de rivaliser avec John F. Kennedy dans la conquête des centres urbains.

Le samedi 18 novembre 1961, lorsque sa machination politique eut été déjouée par le maire Robert Wagner, Nelson rendit officielle sa séparation avec Tod. Il savait que cela n'irait pas sans répercussions. Une chose était, pour son frère Winthrop, d'épouser une coureuse de dot de condition inférieure, puis de divorcer ; une autre, pour le gouverneur de New York, d'abandonner son épouse, mère de ses cinq enfants, au bout de plus de trente ans de mariage.

Mais, le lendemain, une information bien plus dramatique vint chasser la nouvelle de la séparation de la « une » des journaux. Nelson était en train de déjeuner avec son frère David, discutant de l'impact probable qu'elle aurait sur son avenir politique, quand le téléphone sonna. Conversation confuse, terrifiante, avec des fonctionnaires hollandais en Nouvelle-Guinée. Elle concernait Michael, le fils de Nelson, parti avec l'anthropologue hollandais René Wassing en expédition dans l'Asmat, lointaine région de jungle où les Blancs pénétraient rarement. Tous deux avaient gréé un catamaran et commencé à longer la côte de la mer d'Arafura ; mais leur embarcation avait dévié de sa route et avait été lancée en pleine mer par la tempête. Des voix lointaines, à l'autre bout du fil, disaient que Michael s'était attaché deux bidons vides sur le dos, pour flotter, avait quitté son compagnon accroché aux débris du bateau, avait plongé dans les eaux infestées de requins, entreprenant de faire à la nage les 11 miles qui le séparaient du rivage. Il y avait trois jours de cela. Wassing avait été sauvé. On n'avait pas revu Michael, ni entendu parler de lui.

La nouvelle s'abattit sur Nelson comme un châtiment de l'annonce, faite la veille, de la rupture de son mariage ; il fréta un avion et s'envola aussitôt pour la Nouvelle-Guinée avec Mary, sœur jumelle de Michael. Pendant toute une semaine, ils passèrent la région au peigne fin, de concert avec des équipes de sauveteurs hollandais, faisant du rase-mottes à bord d'avions légers au-dessus de l'inextricable jungle, dans l'espoir d'apercevoir quelque signe de la présence vivante de ce garçon de vingt-trois ans. Le 26, ils perdirent tout espoir ; commença alors le long retour à la maison. Mary s'arrêta à Manille

311

pour rendre visite à son mari, l'enseigne de vaisseau William Strawbridge; Nelson continua jusqu'à Idlewild [1] où il fut accueilli par sa famille, des fonctionnaires et quelque deux cents journalistes. Incapable de se résigner à parler de son fils au passé, alors même qu'il le savait mort, il parla brièvement de Michael au cours d'une conférence de presse où pas une question ne lui fut posée : « Dès son enfance, il n'a cessé de prêter attention aux gens, à leurs sentiments, à leurs pensées. Il est doué d'un enthousiasme, d'une passion, d'un amour de la vie extraordinaires... » Il se rendit ensuite chez sa femme, pour la voir ainsi que ses autres enfants. « Tu as dû faire un rude voyage, Nels », dit-elle en l'accueillant. « Oui, je suis navré de rapporter de si mauvaises nouvelles, Tod », répondit-il. La famille désunie se retrouva momentanément devant cette tragédie, tandis que Nelson étalait une carte de Nouvelle-Guinée sur le plancher, devant la cheminée, pour rendre compte des recherches. Après quoi il se redressa, le teint gris, l'air harassé, embrassa Tod sur la joue puis rentra seul chez lui.

La mort de Michael eut pour effet de faire taire les discussions sur la situation matrimoniale de Nelson. En février 1962, Tod se rendit à Reno pour déposer une demande en divorce pour cruauté mentale. Nelson démentit sèchement les rumeurs concernant ses amours romantiques et il se mit en devoir de se faire réélire, espérant obtenir sur Robert Morgenthau, son adversaire démocrate peu connu, une majorité suffisamment confortable pour prouver à l'évidence que sa popularité n'avait pas souffert de son divorce.

Nelson ne parvint pas à obtenir la marge espérée d'un million de voix, ni à retrouver son score victorieux de 1958, mais il fut réélu avec plus de 500 000 voix d'avance. Joint à l'échec de Nixon pour le gouvernorat de Californie et à son retrait véhément de l'arène politique, le triomphe de Nelson, au milieu de problèmes personnels qui auraient pu faire sombrer tout autre homme politique que lui, lui conférait une aura d'invincibilité. Walter Lippman, évoquant les élections de 1964, écrivit qu'il se trouvait « dans la situation d'un homme si assuré de sa désignation que, même s'il l'avait voulu, il n'aurait pu l'empêcher ». Avant même l'assassinat de Kennedy, qui bouleversa à tout jamais le cours des événements politiques en Amérique, Nelson prit ce qui devait apparaître plus tard comme la plus désastreuse décision de sa vie : épouser la femme qu'il aimait secrètement depuis plus de cinq ans. Cette décision — dernière étape sur le chemin parcouru depuis sa séparation d'avec Tod — aurait pu tenir lieu de mauvais présage dans quelque drame antique, si Nelson avait jamais possédé une stature héroïque. Quoi qu'il en soit, cet acte devait un jour ou l'autre apparaître comme un signe du destin.

Pour la famille, cette nouvelle fut un rude coup. Winthrop quitta l'Arkansas, prit l'avion et vint plaider auprès de Nelson pour le faire revenir sur cette décision. David était effondré. Sa fille Abby se rappelle : « Ce

---

1. Aéroport international de New York. (N.d.T.)

remariage fut pour lui la chose la plus affligeante du monde. En principe, Nelson était le pivot autour duquel la famille devait bâtir son identité. C'est pour cela qu'ils éprouvèrent tous un tel sentiment de désastre. » Ni Winthrop, ni David, ni John n'assistèrent au mariage, et pas davantage les enfants de Nelson, Mary, Anne et Steven.

La cérémonie eut lieu à midi le 4 mai 1963, dans la grande salle de la maison de Laurance à Pocantico. Nelson ne faisait pas ses cinquante-quatre ans lorsque, debout devant le pasteur dans la chapelle familiale de Pocantico Hills, il échangea les serments d'usage avec Margaretta (« Happy ») Murphy, jolie mondaine de trente-six ans aux cheveux auburn, au petit air de fraîcheur — presque de virginité — mis en valeur par une robe d'après-midi en soie bleue, avec un modeste nœud autour du cou.

Elle n'était pas une inconnue pour la famille Rockefeller, non plus que son mari dont elle avait divorcé un mois plus tôt. Le Dr James (« Robin ») Murphy était le fils d'un vieil ami de Junior ; lors de son mariage avec Happy en 1948, le couple était allé voir le patriarche Rockefeller à l'*Eyrie,* dans le Maine. Junior avait conçu de l'amitié pour ce jeune et beau couple, les avait pris sous son aile, intervenant pour que l'ambitieux Robin reçût un poste dans un centre de recherche de l'Institut médical Rockefeller à San Francisco. L'année suivante, Robin désirant s'installer à New York, David, désormais à la tête de l'Institut, obtint pour lui un emploi permanent à la direction centrale de l'Institut. Par la suite, David accorda même au jeune couple un privilège inouï : l'autorisation pour Happy et Robin de construire à l'intérieur même du domaine de Pocantico. Nelson, qui était un peu l'architecte de la famille quand il s'agissait de résidences privées, en vint naturellement à discuter avec les Murphy du genre de maison qu'ils avaient l'intention de bâtir, et il étudia de près les plans avec Happy dans la demeure de David à Seal Harbor.

Considérés de l'extérieur, Happy et Robin étaient le couple parfait, indissolublement unis au fil des années par la venue au monde de quatre enfants. Bien qu'extérieurs à la famille, ils avaient le rare privilège d'être admis au sein du cercle Rockefeller qui était tombé sous leur charme. Mais, une fois accueillis dans cette intimité, ils voulurent en goûter davantage. Et, paradoxalement, c'est Robin qui s'y montra le plus opiniâtre. Voici le témoignage d'un ami intime des Rockefeller : « C'est Robin qui se mettait le plus en frais pour plaire à Nelson. Il lui faisait beaucoup de plat, riait complaisamment à ses bons mots, ne tarissait pas d'éloges sur sa collection d'art. On ne peut dire qu'il cachait son jeu. Habituellement, les Rockefeller ne se laissaient pourtant pas prendre à ce genre de flagornerie. »

Si Nelson supportait ce genre d'attitude, c'était en raison de sa liaison avec Happy ; commencée vers le milieu des années cinquante, elle gagna en intensité lorsque Happy se fut engagée comme volontaire dans sa campagne pour le gouvernorat et devint ensuite membre appointé de son état-major. Pour faciliter encore les choses, Nelson nomma Robin au bureau de la Santé publique à Albany (à part lui, Robin était furieux contre Happy, mais s'efforçait de sauvegarder les apparences). « Je n'ai pas l'impression de mériter vraiment cette nomination, confia-t-il de façon pathétique à un intime de la famille. Je n'ai vraiment pas de compétences particulières pour cela. Ai-je à ce point impressionné Nelson par mon travail à l'Institut Rockefeller, ou quoi ? »

Happy était différente des autres maîtresses de Nelson. « Nelson était vraiment très amoureux ; ses propos sur Happy étaient terriblement romantiques, très sentimentaux, pendant toutes ces années où il pensait ne pouvoir vivre avec elle », rappelle la veuve de Frank Jamieson. « Elle avait la jeunesse, la beauté, et cette rare faculté d'incarner l'inaccessible. »

« Elle était tout simplement éblouissante en ce temps-là, se rappelle George Gilder. Elle avait une façon de vous regarder avec tant d'ardeur que, sous son regard éclatant, vous aviez l'impression d'être l'homme le plus brillant du monde. » Dans la vie de Nelson, elle devint une sorte de symbole. Comme la Daisy Buchanan [1] de Fitzgerald, elle était « cette image de la féminité qui, pour un temps, ôte toute importance à ce qui n'est pas elle ». Cependant, Nelson ne tarda pas à le découvrir, il y avait deux femmes en Daisy : la Daisy qu'on poursuivait de ses assiduités et l'autre Daisy, celle qu'on avait conquise.

Tandis que le couple s'envolait pour une lune de miel de dix-sept jours vers les montagnes vénézuéliennes (où Nelson possédait un domaine de 9 000 hectares, à Monte Sacro), les adversaires conservateurs de Rockefeller au sein du GOP [2], — qui n'avaient jamais cru qu'à demi aux efforts de Nelson pour réparer, entre eux et lui, les ponts rompus après élection de 1960 — s'avisèrent qu'ils pourraient aisément le faire choir de son nid d'aigle de dauphin du parti en l'attaquant sur le chapitre de la morale. Passe encore pour le divorce ; mais le remariage, c'était autre chose, surtout lorsque l'épousée devait abandonner la garde de quatre jeunes enfants pour se rendre à l'autel. Un sondage effectué trois semaines plus tard confirma le tort considérable porté aux grandes espérances politiques de Nelson. Envolés les 43 % (contre 26 à Barry Goldwater) dont il pouvait s'enorgueillir avant l'annonce du mariage ; il était maintenant à la traîne du sénateur de l'Arizona, à 30 contre 35 %.

Comme l'observa à l'époque le journaliste Stewart Alsop, Nelson aurait pu soit se remarier, soit se présenter à la présidence, mais pas les deux à la fois. Il aurait pu prononcer un discours dans le genre des adieux d'Edward [3], — « la femme que j'aime », etc. —, jouer en 1964 les grands caciques en mettant en avant un candidat médiocre dès le début de la campagne, par exemple William Scranton, gouverneur de Pennsylvanie ; et attendre 1968 pour se lancer contre Lyndon Johnson. Voilà qui eût été raisonnable pour lui, et

---

1. Personnage féminin du roman célèbre de Fitzgerald : *The Great Gatsby*. (*N.d.T.*)
2. Grand Old Party, nom que se donne le parti républicain. (*N.d.T.*)
3. Discours du roi Edouard VIII d'Angleterre quand il dut quitter le trône pour épouser Mrs. Simpson. (*N.d.T.*)

pratique pour son parti. En outre, quel soulagement pour la pauvre famille, toujours sous le choc du divorce puis du remariage. Mais Nelson n'avait jamais accepté de gaieté de cœur les contraintes qu'autrui faisait peser sur lui. Dans les mois qui suivirent son mariage, il ne ralentit pas l'allure. Il ne pouvait plus obtenir la désignation en la sollicitant? Il la prendrait donc, par le canal des primaires, sans se soucier des conséquences. Les gens acceptaient mal son remariage? Il emmènerait sa femme, enceinte à présent, dans tout le pays, et obligerait les gens à bénir leur union en déposant leur bulletin dans l'urne.

Au début de 1964, à l'approche des primaires, Rockefeller avait réuni l'appareil politique le plus élaboré qu'on ait jamais vu pour un tel combat dans toute l'histoire des élections présidentielles américaines. Avant son terme, sa campagne officielle avait dû lui coûter dans les 8 millions de dollars, prélevés pour l'essentiel sur des fonds personnels et familiaux. Il obtint de généreuses contributions de Laurance et d'un David tout décontenancé; il en reçut d'autres de Martha Baird, la veuve de Junior. Une fois sa candidature annoncée officiellement, son état-major appointé passa de 70 à 300 personnes; lieux de travail : le Rockefeller Center, les immeubles cossus de la 55e Rue, l'étage entier d'un immeuble de bureaux au 521 de la Ve Avenue, une suite dans l'immeuble de l'United Rubber, dans la 49e Rue. Emmet Hughes était parti [1], mais Lockwood, Harrison, Kissinger demeuraient — les vieux de la vieille de son équipe dirigeante qu'il n'avait cessé de rencontrer depuis l'intronisation de Kennedy.

A nouvelle situation, stratégie nouvelle. Impossible de mettre en avant l'unité du parti, comme il l'eût fait s'il avait été le favori; seul un combat sanglant pouvait lui permettre de l'emporter. Il allait à présent déclarer la guerre, au nom des valeurs libérales, à l'aile droite qu'il avait secrètement courtisée au cours des deux dernières années. Le 14 juillet, il dévoila sa nouvelle position par une déclaration coup-de-poing contre Goldwater (sans le nommer, pour le moment) et les « extrémistes bien entraînés » dont il venait de découvrir qu'ils « s'infiltraient dans le parti ». Intitulant sa déclaration « Une question de principe », il dit : « Je suis à présent convaincu que le parti républicain court un danger réel de subversion du fait d'une minorité extrémiste, généreusement financée et hautement disciplinée... Si incroyable que cela puisse paraître, pour vaincre en 1964, on propose sérieusement au parti républicain une stratégie qui consisterait à rayer de la

---

1. Hughes avait remplacé Jamieson pendant trois ans au service des relations publiques de la salle n° 5 600. (« En l'engageant, Nelson entendait garder l'œil sur les affaires du Bureau, malgré son siège de gouverneur, mais ça ne marcha jamais avec Hughes », dit John Lockwood.) Mais, même en son absence, la collaboration de Hughes fit le plus grand tort à Nelson. Eisenhower n'avait pas pardonné à son ancien rédacteur de discours d'avoir publié *l'Épreuve du pouvoir*, qu'il considérait comme de méchantes et indiscrètes réminiscences. La protection que Nelson accordait à Hughes, ajoutée au mauvais souvenir du pacte de la Ve Avenue — [Pacte du 23 juillet 1960 avec Nixon, voir plus haut — *N.d.T.*], empêchèrent l'ancien président de céder aux invitations pressantes à barrer la route à Goldwater en apportant dès le début son soutien à Rockefeller.

liste les Noirs et autres groupes minoritaires, à tourner délibérément le dos aux grands États industriels du Nord... Le but transparent derrière ce plan étant d'ériger le pouvoir politique sur la base illégale et immorale de la ségrégation, et de transformer le parti républicain, parti national du peuple tout entier, en parti régional d'une fraction du peuple. » « La destinée du parti républicain, — concluait-il dans une vision apocalyptique bien dans sa manière — est de sauver la nation en se sauvant d'abord lui-même. »

Le 15 septembre, un sondage effectué parmi les électeurs républicains donna un score de 59 % à Goldwater contre 41 % à Rockefeller. Le camp Rockefeller, enflammé par la détermination et les ressources inépuisables de son chef, restait résolument optimiste. Charles F. Moore, qui avait lâché une carrière fulgurante chez Ford pour diriger les opérations de relations publiques de Rockefeller durant les primaires, déclara : « Rien chez Rockefeller qui ne soit guérissable par une victoire dans le New Hampshire. »

Les primaires du New Hampshire étaient un test politique : elles révéleraient les réactions de l'opinion publique devant le remariage de Nelson et ses attaques contre l'idéologie de Goldwater. Rockefeller passa des semaines à arpenter péniblement les neiges de l'État, Happy enceinte à ses côtés. Effort surhumain, qui ne porta pas ses fruits. Rockefeller y dépensa des centaines de milliers de dollars, mais, le dépouillement achevé, Henry Cabot Lodge, candidat favori, avait recueilli 35 % des voix ; Goldwater, 23 ; Nelson, 20.

Nelson ne se laissa pas décourager. Il partit comme un fou pour l'Oregon, livra une campagne exténuante qui le laissa au dernier stade de l'épuisement ; mais il fut récompensé par une tonifiante victoire sur Lodge. La campagne de Lodge reçut là un coup qui la stoppa net. Tout était prêt pour la bataille décisive en Californie.

Environ la moitié des 3 millions de dollars engagés par Nelson pour les primaires fut dépensée en Californie, à donner toute la publicité possible à un échantillonnage des « goldwatérismes » sur la bombe, la sécurité sociale, les soins médicaux, les droits civiques. L'un d'eux, un tract intitulé : « *Qui voulez-vous installer dans la pièce où se trouve le bouton de commande de la bombe H ?* », fut distribué à deux millions d'électeurs californiens [1].

Campagne cruelle pour Rockefeller, qui dut traverser le fief de la John Birch Society [2] et de l'extrême droite du comté d'Orange. Il y eut des menaces d'attentats à la bombe ; un « thé » auquel assistaient Nelson et Happy fut

1. Mais la réponse, qui aurait pu paraître évidente à ceux qui ne connaissaient que le célèbre *faux pas* du sénateur de l'Arizona [Barry Goldwater prêchait la croisade anticommuniste contre le Vietnam et préconisait l'emploi de la bombe atomique — *N.d.T.*], n'était pas si évidente, eu égard au passé de Nelson. En activant le programme d'abris anti-atomiques et en donnant son adhésion à la stratégie de la guerre nucléaire « limitée », Nelson, plus que tout autre homme politique d'envergure nationale, s'était résolument présenté comme partisan d'une politique destinée à faire de la guerre nucléaire un choix envisageable. Goldwater et lui avaient d'ailleurs en commun un conseiller pour les questions nucléaires, le Dr Edward Teller.

2. Société regroupant des ultras américains. (*N.d.T.*)

saccagé par des hommes de main ; et, inlassablement, une campagne savamment organisée, sur les ondes de la radio, pour réprouver le remariage et décrire le candidat républicain libéral comme moralement indigne de la présidence. Pour un temps, cependant, surtout à la suite d'une intervention d'Eisenhower, bien tardive et timide, en faveur d'une politique responsable, on eut l'impression que Nelson allait réussir son miracle. Le vendredi précédant les primaires, le prestigieux institut de sondages Field indiquait que Rockefeller l'emportait sur Goldwater par 49 contre 40 %. Mais, dernière ironie du sort sur le tortueux sentier qu'il avait suivi depuis sa décision de divorcer d'avec Tod : le dimanche matin, deux jours avant l'élection, Happy Rockefeller fut admise dans un hôpital de New York pour donner naissance à un fils, Nelson junior. Le lendemain, un nouveau sondage Field montrait Rockefeller et Goldwater à égalité. Et lorsque les électeurs se rendirent aux urnes le mardi, cette naissance, qui leur remettait en mémoire les inconstances de Nelson, les incita à accorder à son adversaire une victoire qui, pour être serrée, ne l'en désignait pas moins pour les présidentielles de 1964.

Assumant le rôle peu habituel de perdant, Rockefeller s'en retourna à San Francisco un mois plus tard comme chef reconnu des forces anti-Goldwater à la Convention républicaine. Quand il se présenta d'un air de défi devant la Convention dont il avait dénigré le candidat et tourné en dérision la philosophie, il était davantage l'ennemi juré de tous que le candidat démocrate Lyndon Johnson. Nelson paraissait avoir décidé que, s'il ne pouvait plus prétendre à être aimé des républicains, il pouvait au moins aspirer à en être haï. Il fit si bien qu'il les amena à lui hurler au visage, à interrompre son discours (« Nous sommes encore une démocratie, mesdames et messieurs », leur lança-t-il) comme pour prouver devant la télévision nationale qu'ils étaient bien ces zélateurs furieux et intolérants qu'il n'avait cessé de dénoncer.

L'année 1964 lui fit certes gagner de nombreux partisans parmi ceux qui voyaient dans sa confrontation avec Goldwater une prise de position courageuse, mais elle parut également sonner le glas de tout espoir réaliste, pour Nelson, d'être désigné un jour par son parti comme candidat à la présidence. Il ne devait jamais se résigner à l'abandon de ses grandes espérances, mais il ne lui était plus possible de se laisser bercer comme naguère par la certitude du succès.

On aurait dit qu'on avait enfin découvert une faille en lui. Aux yeux de ceux qui l'avaient bafoué à San Francisco, il devait toujours rester le Grand Destructeur — du foyer et de la famille de Robin Murphy, mais aussi de la campagne de Barry Goldwater qu'il avait suivie pas à pas du New Hampshire jusqu'en Californie, rappelant aux auditoires ses positions extrémistes, poussant Goldwater à faire des déclarations plus excessives encore, faisant douter de son équilibre mental, tout en mettant au point les fameux slogans

317

utilisés avec tant d'efficacité contre Goldwater par les partisans de Johnson lors de l'élection générale.

L'heure de la punition avait sonné pour Nelson. Il n'avait certes pas prévu d'où elle viendrait : de l'aile libérale du parti, dont il avait assumé la direction en 1958 comme par droit de conquête. Après le raz de marée démocrate de novembre, de vieux camarades comme le sénateur Jacob Javits pressèrent Nelson de se retirer de la prochaine lutte présidentielle. Ils voulaient éviter une réédition de 1964. Ils ne se gênèrent pas pour le lui dire.

Jusqu'alors, Nelson s'était toujours montré sincèrement optimiste dans ses rêves d'accession à la Maison-Blanche : « Être président ? Eh bien, je suis un homme politique. C'est mon métier. La réussite en politique, la vraie réussite ne signifie qu'une seule chose en Amérique... » A présent, il devenait plus prudent. Répondant aux questions sur ses plans d'avenir, il devait dire que le caractère répugnant de la campagne de 1964 l'avait dégoûté de cette sorte de politique et que cela ne l'intéressait absolument plus.

Ses proches en doutaient assurément, mais ne pouvaient nier qu'il avait changé. Disparues cette exubérance, cette apparence d'innocence qui avaient paru voiler quelque peu la rudesse de sa course au pouvoir lors de ses débuts sur la scène politique. Dureté, cynisme, agressivité régnaient maintenant en maîtres. Il semblait désormais prisonnier des instincts qui avaient été l'essence de sa liberté. Norman Mailer l'avait bien senti, vers la fin des primaires de 1964, lorsqu'il avait décrit Nelson ainsi : « Il a un visage solide et honnête, et il y a quelque chose de dur, comme une balle de handball, dans sa personnalité. Mais ses yeux ont trop reçu de coups de poing... Ils ont cette lointaine lueur lunaire des petits yeux tristes d'un chimpanzé ou d'un gorille en cage. Même lorsqu'il est cordial, il donne l'impression que l'homme privé est aussi inaccessible qu'un astronaute perdu sur son orbite. »

La politique, qu'il avait toujours aimée, prenait maintenant l'allure d'un rude exercice de survie. A la Conférence des gouverneurs de 1965, il annonça son retrait de la politique à l'échelon national, afin de favoriser la réunification du parti. Mais ce geste lui valut peu de remerciements de la part de ceux qu'il avait utilisés si cavalièrement à ses propres fins. John Lindsay avait exigé un demi-million de dollars pour prendre part, en tant que candidat choisi par Nelson, à la lutte électorale pour les fonctions de maire de New York. Lorsque Nelson, cette même année, les lui donna, c'est parce qu'il savait bien que sa propre administration avait perdu de son éclat, notamment aux yeux des conservateurs du nord de l'État, irrités par l'endettement massif qu'il imposait à l'État. Il lui faudrait compter sur un important soutien de la municipalité lors de sa prochaine campagne.

Lorsqu'il reprit lui-même la lutte en 1966 pour le gouvernorat, ce fut contre un candidat démocrate nettement placé en tête par les sondages. Ce n'est pas que Frank O'Connor fût particulièrement populaire ; mais l'étoile de Nelson s'était ternie au point que les premiers sondages ne lui donnaient que 25 % des voix contre tout candidat quel qu'il fût. Son frère David tenta de le dissuader de se présenter, mais c'était hors de question.

Les sondages révélèrent que la question primordiale, aux yeux des électeurs, était la montée de la criminalité : en 1964, Nelson promulgua donc la loi « Entrez sans frapper », permettant à la police de pénétrer dans n'importe quelle maison sans prendre la peine de se faire annoncer. (Il était déjà l'auteur d'une loi d'« arrestation et fouille » permettant à la police de ne pas tenir compte de la loi sur la présomption de culpabilité et de fouiller toute personne suspectée de port d'armes.) Lors de sa campagne contre O'Connor, ancien procureur, il promit une loi de contrôle des stupéfiants (coût : 400 millions de dollars) instituant un système par lequel les drogués seraient confiés — soit directement, soit après jugement — à des hôpitaux d'État qu'il avait l'intention d'édifier.

Conscient de jouer là toute sa carrière politique, Nelson dépensa la somme incroyable de 5,2 millions de dollars dans cette course au gouvernorat — environ dix fois plus que les 576 000 dollars de O'Connor. Sa campagne reposa sur une foudroyante attaque en deux temps. Les premières semaines, alors qu'il était, d'après les sondages, à 26 points derrière O'Connor, Rockefeller insista sur les réalisations de ses deux mandats : réforme complète et expansion rapide du système d'universités d'État; aménagement de dizaines de milliers de kilomètres de nouvelles routes, par exemple. Puis, dans les dernières semaines, sa cote ayant remonté (il était presque à égalité avec son adversaire), il se lança à l'assaut de son rival qui n'avait su adopter son attitude « coriace » sur la question de la criminalité urbaine. (O'Connor avait fait sienne une variante des techniques anglaises pour traiter le problème de la drogue, précisant que l'un de ses premiers actes de gouverneur consisterait à abroger la loi de contrôle Rockefeller.) Au cours des derniers jours de la campagne, les téléspectateurs furent assaillis par une publicité commerciale : une seringue pénétrant la veine du bras, des individus douteux avançant d'un air menaçant dans des rues sombres, luisantes de pluie; une voix, celle de Nelson, disait sur un ton guttural : « Vous voulez garder un taux élevé de criminalité? Votez O'Connor. »

L'utilisation des media par Nelson fit plus tard l'objet d'une étude : c'était une parfaite illustration de la façon dont un usage anarchique de la télévision pouvait influer sur les résultats d'une campagne électorale. Mais la campagne elle-même, l'une des plus impitoyables de l'histoire récente de New York, fut un succès. L'estimation partielle, habituellement infaillible, du *New York Daily News,* avait donné O'Connor élu, mais, pour la première fois en trente ans, Nelson lui infligea un démenti en battant O'Connor d'une courte tête.

Dans ses déclarations postélectorales, Nelson se défendit à nouveau d'avoir la moindre intention de se présenter à la présidence en 1968. Cela semblait plausible, vu le désastre de 1964 et l'étroitesse de la victoire qu'il venait de remporter. Aux questions posées sur son avenir, il donnait des réponses empreintes d'une résignation bien compréhensible : « Il y a des choses qui se passent en moi. Je ne suis ni psychiatre ni psychologue. Je ne puis les analyser avec précision. Disons simplement que je n'ai plus l'ambition, ou le besoin, ou l'énergie intérieure — choisissez le terme que vous voudrez — de m'y remettre! » Mais Bill Moyers vit clair dans ces mornes dénégations : « Je crois Rocky lorsqu'il dit qu'il a perdu son ambition. Mais je crois aussi qu'il se rappelle où il l'a mise. »

Une semaine après avoir battu O'Connor, de fait, Nelson repartit à l'attaque. George Hinman l'avait naguère comparé à un ours polaire : « Vous tirez dans sa direction et il continue tranquillement d'avancer. » Il était conscient que, désormais, les mêmes techniques ne serviraient plus de rien. Mais que faire d'autre? Il continua donc d'avancer cahin-caha. Pour commencer, il soutint quelqu'un d'autre (comme il se doit pour un homme qu'on a mis sur la touche et qui s'est lui-même retiré de la compétition, officiellement et explicitement). La nouvelle génération des républicains modérés qui revendiquaient une chance d'être désignés pour 1968 avait pour leader le gouverneur George Romney, lequel avait remporté de retentissantes victoires dans le Michigan lors de trois élections successives. Et c'est Romney que Rockefeller invita à l'hôtel Dorado Beach de son frère Laurance, en décembre, pour discuter de l'avenir du parti.

De loin, de très loin, Romney était le favori des sondages. Il avait, c'est vrai, la réputation de faire des déclarations brouillonnes, et il manquait de vues précises sur les affaires étrangères; mais, puisqu'il était le gagnant et que Nelson ne pouvait surtout pas s'offrir le luxe de créer un schisme à l'intérieur de l'aile modérée du parti, il le pressa de se mettre en campagne le plus tôt possible. Au cours de leurs entretiens sous le soleil de Porto Rico, Nelson promit à Romney le soutien des gouverneurs républicains (dont il était le chef), de l'argent, des aides, et la gamme étendue de ressources indispensable à une campagne rockefellérienne classique. Hugh Morrow, principal rédacteur de discours de Nelson, fut prêté à Romney pour sa campagne dès le début de 1967; George Gilder, filleul de David Rockefeller et co-fondateur de la très libérale Société Ripon (puis, en 1964, rédacteur de discours pour Nelson), fit également partie de l'état-major du gouverneur du Michigan; Henry Kissinger fut mis à sa disposition pour de longues séances de travail sur la politique étrangère et retoucha les principales déclarations de Romney sur le Vietnam (dans le but de les faire coïncider avec les vues plus « fauconniennes » qu'il partageait avec Nelson). Si, par la suite, George Romney eut le sentiment que Nelson avait dès le début cherché à le pendre, il ne pouvait se plaindre en tout cas de la qualité de la corde...

Un dirigeant républicain dira plus tard que cette campagne du gouverneur du Michigan pour la présidence lui avait laissé l'impression d'« observer un canard en train d'essayer de faire l'amour à un ballon de foot ». Sa manœuvre la plus inepte (pourtant, bizarrement, les événements devaient plus tard lui donner raison) fut la suivante : il déclara de façon improvisée, en août 1967, que les généraux US lui avaient fait subir un « lavage de cerveau » lors de sa tournée au Vietnam. Vers la fin de 1967, sa crédibilité était tombée si bas, et il traînait si loin derrière Nixon dans tous les sondages qu'il alla trouver Nelson et lui demanda de se retirer de la course. Mais Rockefeller, dans la crainte de voir les modérés profiter d'un retrait

John D. Rockefeller Jr.
vers 1935 dans son bureau.
Abby Aldrich Rockefeller,
portrait de F. W. Wright
(Archives familiales Rockefeller).

Seal Harbor (Maine), été 1920. De gauche à droite : *Laurance, Babs, JDR 3, Abby avec David, Winthrop, Junior et Nelson (Wide World Photos).*

En haut à gauche : *le mariage de Mary
Todhunter Clark et Nelson Aldrich
Rockefeller, le 23 juin 1930.* Ci-dessus :
*le mariage de Blanchette Ferry Hooker
et John D. Rockefeller 3, le 11 novembre 1932.*
A gauche : *le mariage de Margaret
McGrath and David Rockefeller, le
7 septembre 1940 (Wide World Photos).*

Ci-contre : *le mariage de Mary French et de Laurance Spelman Rockefeller, le 15 août 1934 (en haut)* ; *le mariage de Barbara Sears et de Winthrop Rockefeller, le 14 février 1948 (en bas) (Wide World Photos).*

En haut à droite : *Winthrop en 1933, à l'âge de 21 ans.*
Ci-dessus : *Winthrop en 1941, à l'âge de 29 ans.*
A gauche : *Winthrop en 1972, peu de temps avant sa mort (Wide World Photos).*

Novembre 1967, une des dernières rencontres des frères. De gauche à droite : *David, Nelson, Winthrop, Laurance, JDR 3 (Archives familiales Rockefeller).*

Ci-contre : *deux épisodes de la vie de Nelson qui choquèrent la famille : son remariage avec Happy, le 4 mai 1963 (en haut); la révélation des avoirs détenus par la famille : J. Richardson Dilworth, du Bureau de la Famille, témoignant devant la Commission d'enquête en décembre 1974 (en bas) (Wide World Photos).*

Mars 1973 : les funérailles de Winthrop Rockefeller. De gauche à droite : *Winthrop Paul, David, Laurance, Nelson, JDR 3 (Wide World Photos)*.

prématuré de Romney pour présenter quelqu'un d'autre — Charles Percy par exemple —, ne le délia pas de ses engagements et l'exhorta à tenir bon lors des primaires du New Hampshire. Il y subit une humiliante défaite ; c'est après seulement que Nelson lui permit de se retirer.

Quant à Rockefeller, moins ardent au feu depuis 1964, et conscient de ne pouvoir risquer un échec à des primaires contre Nixon, il hésita à se présenter. Étrange et troublante indécision aux yeux de ses proches. En mars, il se retira officiellement de la lutte. En avril, il annonça sa candidature avec une égale soudaineté, essaya en toute hâte de rassembler son état-major de campagne dispersé. Emmet Hughes et Kissinger en tête, une fois de plus.

Couple bizarre : d'une part, le journaliste libéral qui s'était opposé au cliquetis d'armes des années de l'administration Eisenhower, mais qui avait commis l'indélicatesse d'écrire des mémoires par trop indiscrets ; et, d'autre part, le professeur pragmatique, toujours engagé dans le carrousel diplomatique de la guerre froide, et d'une fidélité indéfectible à ses parrains. La campagne nelsonienne de 1968, abandonnée puis reprise, fut marquée par une lutte entre Hughes et Kissinger concernant les positions du candidat sur le Vietnam. Pour Hughes, Nelson devait s'affirmer partisan d'un retrait immédat et total, mais Kissinger y faisait obstacle et l'isolait au point de l'empêcher d'utiliser son pouvoir de rédacteur numéro un des discours de Nelson autrement que de façon négative. Superficiellement, toutefois, la paix régnait entre les deux hommes. C'est Hughes qui accomplit le voyage ultra-secret en Californie pour rencontrer Ronald Reagan et lui proposer d'unir leurs efforts, afin de tenter d'empêcher Nixon de sortir vainqueur du premier tour de scrutin. Entre-temps, Kissinger essayait d'élaborer une position nelsonienne sur le Vietnam qui parût pour le moins différente de la politique de l'administration Johnson [1], et préparait un « Livre noir sur Nixon », hautement confidentiel, donnant toutes les références à utiliser par Nelson dans ses attaques contre son vieux rival, entre le mois d'avril et la Convention. (Ce document, qui comportait des têtes de chapitres provocatrices, comme « Le syndrome de Dick le Tricheur » ou « L'image du Perdant », devait longtemps rester sous clé dans un secrétaire de la salle n° 5600, bien après que Kissinger fut devenu l'astre le plus brillant de l'administration Nixon, et Nelson l'un de ses plus solides piliers.)

Mais, jusqu'au 5 juin, la campagne de Rockefeller souffrit d'une

---

1. En mars 1968, alors qu'il n'était pas encore candidat, Nelson répondit comme suit à un journaliste qui lui demandait de résumer ses vues sur le Vietnam : « Ma position sur le Vietnam est très simple. Voici mes sentiments : je n'en ai pas parlé, sentant que je n'avais pas de contribution particulière à apporter... » Quand il eut changé d'avis et entamé sa campagne, il fit élaborer par Kissinger un plan d'opérations en quatre temps, commençant par un retrait de 75 000 hommes de troupe et finissant par l'intervention d'une force internationale gardienne de la paix. Kissinger travailla dur entre l'annonce de la candidature de Nelson et la Convention de Miami : séances quotidiennes de quatre heures sur la politique étrangère avec la presse, éclaircissements apportés aux déclarations déconcertantes de son patron... Aux journalistes qui demandaient des précisions sur ces déclarations rockefellériennes, il était répondu : « Allez voir Henry. Il est le seul ici à pouvoir expliquer notre position et à lui donner un air crédible. »

irrésolution qui, chose bien étrangère à sa nature, s'était emparée du candidat lui-même. On eût dit que sa personnalité politique, naguère si solidement déterminée par les événements, était à présent comme déboussolée. Il cherchait à prendre pied dans l'espace que d'autres hommes politiques occupaient avec plus d'énergie que lui. Mais, quand la nouvelle de la mort de Bobby Kennedy se répandit à travers New York, Nelson entrevit une issue : le rôle de l'indépendant charismatique bousculant tout l'appareil officiel s'offrait à lui ; il décida de le remplir sur-le-champ.

Voici à ce sujet les souvenirs de son fils Steven : Nelson vint le trouver après l'assassinat pour lui demander son aide, disant que, tout en ne disposant pas lui-même des réponses, il se croyait en mesure de rassembler une coalition de minorités, de jeunes et de libéraux. « Il voulait aller au peuple, obtenir sa désignation par acclamations publiques. Il a toujours aimé la rue, la foule, les poignées de mains, les joutes avec les contradicteurs. Il adore ça. Aller au peuple, c'est sa spécialité ; il adore les applaudissements. Mais convaincre les délégués, non, ça, ce n'était pas sa partie. »

Moins de quarante-huit heures après l'assassinat, Nelson avait préparé un discours qui devait être suivi d'une série d'insertions dans les journaux, disant que lui seul à présent représentait le choix « entre une direction nouvelle et la vieille politique » ; il se lança dans une campagne tourbillonnante qui devait le conduire dans toutes les grandes villes du pays ; il y prit des bains de foule sans la moindre précaution, laissa des jeunes gens lui arracher ses boutons de manchettes, et il tenta de faire ainsi pression par la base sur les délégués.

Si le style politique à la Kennedy lui convenait assez bien, il était en revanche incapable d'en saisir la substance. Ce ne fut qu'au prix de luttes violentes que les plus jeunes membres de son état-major parvinrent à neutraliser Kissinger, qui insistait pour que Nelson rendît publique une importante déclaration de soutien au système ABM [1]. Sur le problème même de la guerre, la valse-hésitation de Nelson continuait. Dès le début, il avait soutenu la politique vietnamienne de l'administration Johnson. (Au cours de la campagne de 1964, il avait dit : « Gagner la bataille pour la liberté au Vietnam est essentiel pour la survie de la liberté dans l'Asie tout entière. La guérilla communiste vietcong doit être anéantie... ») A présent, on assistait dans tout le pays à une sorte de consensus national en faveur de la paix, et il s'efforça de récupérer l'ancienne clientèle des Kennedy : la seule possibilité qui s'offrait à lui consistait à « moderniser » sa position sans rompre pour autant avec les attitudes intransigeantes qui avaient toujours sous-tendu sa philosophie politique. Le résultat était souvent déconcertant. Au cours d'une de ses tournées, en réponse à une question sur la guerre, il déclara ceci : « Je pense que nos conceptions et que nos actions n'ont pas suivi la rapide évolution du monde. C'est pourquoi, aujourd'hui, nos actions ne sont pas tout à fait adaptées à l'ampleur et à la complexité des problèmes auxquels

---

1. Missiles antibalistiques. (*N.d.T.*)

nous sommes confrontés dans ce conflit. » Lorsqu'un journaliste du *New York Times* lui demanda : « Que voulez-vous dire par là, gouverneur ? », Nelson répondit sèchement : « Simplement ce que j'ai dit ! »

Quand il arriva à Miami, la tentative de Nelson de faire la nique aux caciques du parti, juché sur les épaules du peuple, avait nettement échoué. Il était parvenu à capter la crête déjà amoindrie de la vague Kennedy, mais rien qui ressemblât à une lame de fond. Il avait dépensé 8 millions de dollars pour tenter de ravir de force la désignation à Richard Nixon, mais il n'avait fait que donner un tour dramatique à une Convention dont le dénouement était connu depuis des mois, depuis ces moments cruciaux du début du printemps où, ménageant la chèvre et le chou, il avait perdu le soutien de personnalités comme Spiro Agnew, qui aurait pu contribuer à l'imposer en dépit de l'opposition unie des caciques du parti qui gardaient 1964 en mémoire.

Quel chemin parcouru depuis l'époque où, huit ans plus tôt, il avait pu réécrire le programme du parti républicain selon son bon plaisir. Chemin sur une pente descendante, le plus souvent. Lorsque Nixon fut élu dès le premier tour, le but que Nelson s'était assigné de toutes ses forces pendant plus de dix ans paraissait définitivement hors de sa portée. Si Nixon, selon toute probabilité, l'emportait sur Humphrey, nul doute que l'appareil du parti réclamerait pour lui un nouveau mandat de quatre ans en 1972. En 1976, Nelson aurait soixante-sept ans — encore jeune pour un Rockefeller, sans doute, mais déjà bien vieux pour un candidat à la présidence. Comme Tantale, il allait devoir apprendre à vivre avec une soif inextinguible tout en se trouvant plongé jusqu'au cou dans le lac.

CHAPITRE XXI

La cérémonie d'investiture de Nixon marqua, dans l'épopée des Rockefeller, l'entrée dans une ère régie par de nouvelles lois qui freinèrent l'essor de la famille, si rapide au cours du demi-siècle écoulé. Les Rockefeller durent soudain se rendre à l'évidence : leur univers avait perdu, en l'espace d'une nuit, quelque chose d'indéfinissable; le pinacle auquel ils aspiraient était maintenant derrière eux et leurs enfants allaient désormais considérer le nom des Rockefeller et les responsabilités liées à ce nom d'une façon bien différente. La puissance qu'ils avaient reçue en partage, ils l'avaient encore : mais ils ne pouvaient plus l'exercer sans nourrir de troublants pressentiments.

S'ils n'affrontèrent pas la crise directement, ce n'est pas faute d'en avoir eu conscience. La famille avait, dans le passé, triomphé de redoutables dilemmes. Mais là, rien de semblable à la fureur déchaînée par le Plan de progrès du Sud, par la polémique sur l' « argent souillé », ou même par l'affaire de Ludlow : nulle crise qu'ils eussent pu saisir à bras-le-corps, pour travestir leurs méfaits en bienfaits; nul événement particulier auquel imputer le malaise qui s'emparait d'eux. Quelque chose leur arrivait, mais dont ils n'étaient pas responsables.

On assista à la résurgence du fanatisme anti-Rockefeller qui semblait avoir disparu depuis la Première Guerre mondiale. Ce regain d'hostilité était en partie dû aux campagnes politiques de Nelson, à sa promptitude à mettre les immenses ressources dont il disposait au service direct de ses propres ambitions. En s'exposant aussi imprudemment au grand jour, en choisissant d'emblée une carrière politique, il transgressait les leçons de morale pragmatique de son père : rester à l'arrière-plan, voiler systématiquement tout ce qui, dans leurs actes, pouvait rappeler leur nom de Rockefeller, tel était le seul moyen de maintenir en sommeil la haine que suscitait leur richesse. Junior avait raison, et l'attitude de Nelson réveilla les dragons endormis.

Les éléments conservateurs du parti républicain, dont les favoris dans la course à la présidence avaient à plusieurs reprises été bloqués par le puissant rempart des financiers de la côte Est, en étaient venus à considérer les Rockefeller et les institutions qu'ils contrôlaient comme le symbole de cette puissance. Pendant la campagne Goldwater, un tract, véritable appel aux armes, expliqua que « les grands manitous clandestins de New York » avaient contrôlé depuis 1936 la désignation de tous les candidats républicains à la présidence, cela « afin de s'assurer le contrôle de la plus grande affaire du monde : la direction du gouvernement des États-Unis ». La capitulation de Nixon devant Nelson à Manhattan, en 1960 [1], n'était donc que la manifestation la plus récente de ces intrigues antidémocratiques.

Nelson était bien sûr la première cible visée, ces arguments visaient en définitive le nom même de Rockefeller, expression symbolique de forces qui pesaient lourdement sur la vie américaine. Que l'on parlât de « dirigisme » ou de « concentration des affaires », les Rockefeller en étaient les plus puissants représentants. Et même le lien étrange que la démonologie réactionnaire établissait entre les Rockefeller et la conspiration communiste ne semblait pas tout à fait dépourvu de sens si l'on songe que la version américaine du socialisme n'impliquait pas un programme de répartition des richesses mais une planification accrue de la vie économique du pays.

A l'origine de ce malaise, il y avait l'impression que les choses échappaient à tout contrôle, qu'une poignée d' « initiés » manipulait le gouvernement grâce à toutes sortes de rouages, conseils d'administration et organisations élitaires telles que le Conseil des relations avec l'étranger, qui dominaient la vie politique tout en échappant au cadre démocratique. « Ils » contrôlaient tout, sans être pour autant tenus à rendre des comptes. Et, parmi ceux qui conspiraient pour diriger le monde depuis les coulisses, les Rockefeller, si discrets, se classaient au tout premier rang [2].

La droite n'était pas seule à voir dans la famille Rockefeller un symbole de puissance ploutocratique sans frein et de pouvoir politique occulte. La gauche, également, renoua avec la tradition anti-Rockefeller qui remontait à Ida Tarbell, à Upton Sinclair, à la presse à sensation et à la Commission Walsh — tandis que le consensus de la décennie précédente, dominée par la guerre froide, se brisait sur les écueils du Vietnam et laissait de nouveau place aux critiques sur la richesse, la puissance et la rapacité des grandes Sociétés.

C'est ainsi que, sans avoir changé d'un iota leur conduite traditionnelle, les frères Rockefeller se trouvèrent soudain mis à l'index, dénoncés, pris à partie par des articles qui prétendaient montrer le dessous des cartes, par d'ingénieuses constructions mettant en évidence les intérêts et les institu-

1. Nelson contraignit Nixon (qu'il avait convoqué chez lui) à accepter son programme au moment où Nixon briguait l'investiture du parti républicain afin de se présenter aux présidentielles. (*N.d.T.*)

2. L'un des principaux croquemitaines dénoncés par la droite fut l'organisation Bilderberg, composée d'hommes d'affaires et de responsables politiques de toutes les nations occidentales, et qui se réunissait périodiquement pour discuter de problèmes communs. Cette organisation avait été fondée par le prince Bernard des Pays-Bas et regroupait des personnalités des pays membres de l'OTAN. David en était membre et avait accueilli certaines de ses réunions annuelles à Colonial Williamsburg : aussi, les théoriciens de la conspiration prétendaient-ils que l'organisation aspirait à dominer l'ensemble du monde occidental, sous la houlette des Rockefeller. En fait, elle ressemblait bien, par certains aspects, à une ligue de conjurés (on n'y participait que sur invitation et ses membres étaient triés sur le volet), mais n'en assumait pas nécessairement la fonction.

tions qui les liaient à l'apartheid en Afrique du Sud, aux dictatures militaires en Amérique latine, à la guerre en Indochine.

La tradition du secret propre à la famille ainsi que la multiplicité des affaires où elle était impliquée pouvaient fort bien, en effet, évoquer un pouvoir occulte et ramifié et alimenter, à droite la crainte d'un complot, à gauche la paranoïa anti-Rockefeller. Lorsque l'économiste Victor Perlo affirma que la famille Rockefeller contrôlait directement des sociétés financières et industrielles représentant au total plus de 60 milliards de dollars, ce chiffre astronomique fut aussitôt accepté comme un article de foi. Lorsque Ferdinand Lundberg, dans *Riches et Super-Riches,* émit l'hypothèse que la seule fortune familiale des Rockefeller se montait à quelque 5 milliards de dollars, d'aucuns prétendirent que ce chiffre était largement en deçà de la vérité. Oubliées pendant une cinquantaine d'années, les attaques permanentes contre les Rockefeller redevinrent à la mode.

S'ils n'avaient pas été puissamment conditionnés à accepter que leur vie et leur carrière baignent dans toute une mythologie, les frères auraient pu se rendre compte que leur dynastie était en train de traverser une crise majeure. Ils auraient pu organiser une réunion spéciale dans la Salle de Jeux (ce qu'ils faisaient souvent pour discuter d'affaires privées), hors de l'ouïe et de la vue des employés qui montaient la garde devant les mythes rockefelleriens comme les eunuques d'un harem, et tenter de comprendre la déchirure qui se faisait jour dans l'histoire américaine, menaçant leur propre prestige. Pour cela, il aurait fallu qu'ils sortent des rôles cérémonieux qu'ils avaient appris à jouer, qu'ils s'observent en toute objectivité, comme ils regardaient les inestimables objets d'art qu'ils collectionnaient. Ils auraient dû, pour cela, mettre au rebut les livres écrits sur eux par des auteurs stipendiés, essayer de dépouiller leur histoire du mythe de la « destinée évidente [1] », et regarder en face la série particulière d'événements qui avaient produit leur exceptionnelle dynastie.

C'eût été, en somme, reconstituer une version authentique de la dialectique familiale. Il eût fallu voir en leur grand-père non pas le vénérable vieil excentrique de leur enfance ou le parangon de morale dont parlait leur père en termes révérencieux, mais l'impitoyable industriel qui avait écrasé ses concurrents et plié l'économie du pays à sa volonté de fer, pour devenir un véritable paria national, aussi abhorré que redouté. Ensuite était venu leur père, ce petit homme réservé qui avait consacré sa vie, et la fortune de mauvais aloi dont il héritait, à désarmer l'hostilité qu'avaient suscitée dans l'opinion les excès de la Standard; l'homme aux yeux de qui le meilleur rempart contre la haine, pour les Rockefeller, consistait désormais à amarrer solidement la destinée de la famille au nouvel ordre politique et économique qui incitait le pays à occuper une position de *leadership* et de domination mondiale — ce qui permit à un mythe aux dimensions épiques de prendre forme.

---

1. Allusion à la théorie selon laquelle il serait de la « destinée évidente » des USA de dominer l'Hémisphère (l'Amérique latine). (*N.d.T.*)

Loin de remettre en question la symbiose entre les destinées respectives de leur famille et du pays, les frères avaient consacré leur carrière à consolider des liens qui leur conféraient une puissance bien supérieure à celle dont avait rêvé leur grand-père, et leur assuraient du même coup une sorte d'invulnérabilité : l'identification de la famille avec l'Amérique prit en effet de telles proportions qu'attaquer les Rockefeller devenait presque un acte de trahison.

Les années cinquante avaient été *leur* grande période — celle de leur maturité ; c'est alors qu'ils avaient commencé à sentir l'influence mondiale qu'ils pouvaient exercer ; et les années soixante avaient commencé sous de meilleurs auspices encore. Kennedy était président, certes, mais les frères avaient passé des années à bâtir des avant-postes dans cette zone que Kennedy baptisait à présent « Nouvelle Frontière ». Et ils étaient les représentants d'une organisation si riche et si puissante qu'elle pourrait survivre à l'administration Kennedy comme à bien d'autres encore.

Comme leur père, les frères avaient toujours évité les décisions inconsidérées. Tout au long de leur itinéraire, chaque pas en avant avait été soigneusement pesé par eux, avec l'aide de l'excellente équipe d'experts qu'ils avaient réunie pour les conseiller. Aucun d'entre eux n'aurait pu prévoir que, vers le milieu des années soixante, le pays serait la proie d'émeutes raciales, de conflits de générations, de crises de confiance, pour ne rien dire de la guerre et du génocide perpétré dans un pays lointain — tous phénomènes qui hâtèrent la désagrégation du consensus national que non seulement les Rockefeller avaient contribué à créer, mais dont ils avaient bénéficié de la façon la plus extraordinaire.

Aux yeux des gens influents, ils représentaient toujours un élément non négligeable de la vie nationale. Leur accès aux centres nerveux de l'économie et de la société était intact. Mais un changement fondamental était intervenu dans la façon dont l'opinion, maintenant, les considérait. Ils n'étaient plus les *chevaliers sans peur et sans reproche* [1] des débuts, mais simplement les détenteurs d'un pouvoir, et ils éprouvaient de plus en plus de difficultés à utiliser le mythe créé par leur père pour éviter d'avoir à rendre des comptes sur l'exercice de ce pouvoir.

Soudain mis en cause pour des choses dont ils étaient en effet largement responsables (la politique de la Standard Oil, de la Chase Bank, de la Fondation Rockefeller et d'autres institutions où ils jouaient un rôle), ils se virent également reprocher les vices du système lui-même. Ils incarnaient de façon aveuglante la sinistre puissance évoquée par des termes comme *establishment,* « structure du pouvoir », « classe dirigeante », employés pour décrire le réseau d'intérêts économiques et idéologiques que l'homme de la rue ne pouvait pénétrer mais qu'il dénonçait intuitivement comme responsable du chaos social et moral des temps modernes. Les Rockefeller *étaient* la puissance, l'argent, l'administration, la politique. Ils se confondaient avec le pouvoir.

---

1. En français dans le texte. (*N.d.T.*)

Comprendre tout cela, regarder cette réalité en face, c'eût été une tâche dont l'envergure excédait sans doute les possibilités de réflexion des frères. Une véritable tentative de leur part pour pénétrer le processus dont ils étaient issus eût amené la destruction de l'édifice complexe qui soutenait leurs destins personnels. Quelque chose ne tournait plus rond et ils le sentaient bien, même s'ils n'osaient trop s'interroger[1]. Leur valeur de symbole américain, aboutissement de tant d'efforts, avait fini par recouvrir leur existence en tant qu'hommes et que citoyens. Ils étaient devenus des ombres sur le mur de la caverne et les feux qui brûlaient autour d'eux n'éclairaient plus que la signification de leurs actes.

John III semblait moins que les autres mériter d'être malmené par l'opinion. Les tâches philanthropiques avaient occupé la plus grande partie de sa vie. L'argent qu'il avait donné — incomparablement plus que ses frères — était allé, en règle générale, à des causes qui le touchaient de près; mais il lui était aussi souvent arrivé de subventionner, quoique plus modestement, des mouvements étrangers à son champ d'intérêt. En 1970, par exemple, il avait donné 25 000 dollars aux étudiants de l'Université Hampshire (Massachusetts) pour un projet sur l'environnement local. Mais l'annonce de sa venue à Hampshire pour s'entretenir avec les étudiants souleva parmi ceux-ci une tumultueuse discussion : fallait-il accepter ou non la subvention? Le terme d'« argent souillé » réapparut dans la bouche de certains, tandis que d'autres rappelaient le rôle qu'avait joué JDR 3 en tant qu'« architecte de l'impérialisme US ».

Lors de sa visite, JDR 3 et son équipe furent contraints de passer devant une démonstration parodique : cinq étudiants affublés de costumes grotesques et de casques d'ouvriers des puits de pétrole les mimaient, lui et ses frères, en train de jouer les richesses du monde au Monopoly. Blanchette Rockefeller devint verte de rage en voyant l'étudiant qui incarnait son mari le présenter comme un doucereux hypocrite occupé à faire fructifier ses placements en Asie; elle bouscula avec colère les acteurs de ce spectacle burlesque et s'éloigna. Mais JDR 3 s'arrêta un instant pour contempler la scène. Non qu'il se demandât s'il y avait un élément de vérité dans cette mascarade, mais les principes qu'il estimait devoir défendre — principes de modération et de courtoisie — exigeaient qu'il accordât, même à ces étudiants, un semblant d'attention. Ce devoir accompli, il s'éloigna à son tour.

---

1. Au milieu de l'été 1970, la salle n° 5600 fit insérer dans un sondage Gallup un certain nombre de questions concernant les Rockefeller. A partir des réponses, on définit par extrapolation ce qu'on appela « les attitudes publiques à l'égard des Rockefeller ». Communiqué à titre confidentiel aux membres de la famille, le document affirmait dans ses conclusions que l'image des Rockefeller restait fondamentalement bonne, bien que Nelson fût le seul des frères à être célèbre.

L'aîné des frères Rockefeller avait appris, au fil des années, à se comporter d'une façon à la fois solennelle et discrète, vieillote mais spontanée. Tout le monde s'accordait à l'estimer bien supérieur aux médiocres espoirs qu'on avait pu mettre en lui : mais, aux yeux de certains de ses amis, il restait étonnamment semblable au jeune homme gauche et dégingandé qu'il était quarante ans plus tôt, à sa sortie de Princeton. La moindre obligation le mettait dans tous ses états, comme si, pour être sûr d'agir comme il convenait, il avait besoin d'éprouver toutes les affres de l'anxiété. Il lui était toujours difficile de se sentir à l'aise hors du milieu Rockefeller. (Un de ses collaborateurs se souvient d'un barbecue auquel il assista pendant la campagne électorale de son fils Jay pour le poste de gouverneur de Virginie occidentale, en 1972. Une des personnalités locales avec qui il bavardait à bâtons rompus découvrit que Rockefeller était descendu à l'hôtel et protesta : « La prochaine fois que vous passerez dans les parages, descendez donc *chez nous !* » JDR 3 hésita avant de trouver la réponse adéquate, puis, brusquement : « Et vous, si jamais vous venez à New York, descendez donc *chez moi,* vous aussi. »)

Bien que Nelson eût assumé dans les faits le rôle de patriarche de la famille après la mort de Junior, JDR 3 n'avait cessé d'estimer qu'en dernier ressort, son titre d'aîné faisait de lui le gardien du nom des Rockefeller. Il se savait incapable de prendre assez d'influence dans la famille pour exercer son droit d'aînesse, mais, en son for intérieur, il ne renonçait pas au principe. Le désir d'exercer l'autorité qui lui revenait de droit faisait parfois surface inopinément, souvent de façon négative. Ainsi, contrarié par l'affaire Happy Murphy, pendant toute la journée du mariage il s'isola avec Tod [1] qu'il avait invitée à Fieldwood Farm, à moins de deux kilomètres de l'endroit où se déroulait la cérémonie.

Plus jeune, alors qu'il dépensait son énergie dans trente-six directions différentes (dont aucune, à son grand regret, ne reflétait sa véritable personnalité), JDR 3 s'était inquiété à la pensée que son identité officielle, en tant qu'héritier du nom, risquait d'étouffer son développement personnel. Problème difficile, qui avait laissé des stigmates sur son caractère. (Sans doute aurait-il souscrit au diagnostic de sa fille Hope : « Amateur de bonnes plaisanteries, mais incapable de se décider à en raconter une, il aurait aimé s'amuser s'il avait su comment s'y prendre. Il souffrait de ne jamais rien faire simplement pour le plaisir, à l'exclusion de tout sentiment de devoir. ») Pourtant, au moment de l'épanouissement tardif dont la mission Dulles fut pour lui l'occasion, il trouva le moyen d'apaiser le conflit entre son Moi et son Surmoi et, au lieu de mettre constamment en balance leur emprise respective sur sa vie, d'accepter son rôle de Rockefeller tout en essayant de s'exprimer à travers lui. C'était vivre le paradoxe chrétien : la liberté au cœur même de la servitude. Cette solution lui procurait du moins l'illusion de faire ce qu'il voulait, tout en donnant satisfaction au père qui, même après sa

---

1. Tod était l'épouse que Nelson venait de quitter pour épouser Happy Murphy. (*N.d.T.*)

mort, continuait à regarder par-dessus l'épaule de son fils aîné pour s'assurer qu'il faisait ce qui était demandé.

Il semblait naturel qu'il eût consacré tant de temps à l'Asie : le masque de cérémonie qu'il arborait et le rôle qu'il jouait dans les affaires du pays semblaient mieux en accord avec les évolutions symboliques d'un personnage de drame oriental qu'avec les gesticulations attendues des acteurs de la scène américaine. On aurait pu prévoir, dès ce moment-là, quelle serait son attitude à l'égard de la Chine. En 1949, quand l'opinion réclamait l'isolement et l'« endiguement » de la Chine, il s'était élevé contre la reconnaissance de la République populaire, mais sa voix exprimait moins ses sentiments que ceux de monsieur Tout-le-monde. En 1967, quand il suggéra clairement dans ses discours que les États-Unis étaient peut-être entrés dans une ère propice au « retour et à l'accueil d'une Chine pacifique dans la communauté des nations », cela ne signifiait nullement qu'il eût personnellement changé d'avis. Cela indiquait plutôt que la lourde machine de la politique étrangère, avec laquelle il était en contact étroit, était sur le point de changer de vitesse. Les interminables séances de séminaire au Conseil des relations avec l'étranger, les discussions informelles des clubs et les échanges de vues avec le département d'État, avaient créé tout un contexte dans lequel les déclarations de Rockefeller sur la Chine apparaissaient plutôt comme le geste opportuniste d'une personnalité haut placée. En 1969, trois ans avant la visite de Nixon à Pékin, JDR 3 imagina à l'avance l'événement dans le discours qu'il prononça en tant que président à la séance inaugurale du Comité national des relations sino-américaines : « Au cours des vingt dernières années, nous n'avons pas eu la moindre relation avec la Chine continentale. Pendant cette période, notre pensée a été dominée par la peur; à tel point que, jusqu'à une date récente, la moindre allusion à un réajustement de notre politique chinoise était virtuellement assimilée à une trahison. Cette sorte de rigidité n'a pas sa place dans une démocratie... »

S'il avait bavardé avec les étudiants de Hampshire qui manifestaient contre lui et le traitaient d'agent de l'impérialisme, JDR 3 aurait fort bien pu repousser cette accusation, avec la candeur touchante qui le caractérisait, en leur disant : « Écoutez, je ne suis pas du tout semblable à mon frère Nelson en Amérique latine, ou à David en Afrique. Je ne me suis jamais vraiment mêlé des affaires asiatiques, mis à part le fait que j'ai accueilli des diplomates chinois et joué le rôle de monsieur Bons-Offices. » Il aurait eu raison, en un sens, bien que les choses ne fussent pas aussi simples. Peut-être n'avait-il pas conscience de l'usage qu'on avait fait de ses bons offices. En réalité, il s'était trouvé jeté, une fois terminée la mission Dulles, dans un épineux entrelacs d'espionnage et d'intrigues.

Un jour, au moins, son état-major lui évita une bévue désastreuse : en 1954, lorsque l'Asia Foundation (nouveau patronyme du Comité pour l'Asie Libre, organisation d'extrême droite) l'invita à devenir son président, Allen Dulles. chef de la CIA, faisant chorus avec son frère Foster. écrivit à JDR 3 pour l'exhorter à accepter ce poste. Mais Frank Jamieson ne fut pas du même avis : « Ma principale objection, écrivit-il à JDR 3 dans un mémorandum, tient à l'origine de l'Asia Foundation. A ce que je comprends, ce Comité a suscité toute sorte de ressentiments en Asie parce qu'il dépense beaucoup d'argent et apparaît comme un moyen de propagande au service du gouvernement US... C'est pourquoi il me semble que vous ne devez pas compromettre vos propres activités en Extrême-Orient par une association trop étroite avec l'Asia Foundation. » Quinze ans plus tard, JDR 3 allait être reconnaissant à Jamieson de ce conseil : l'Asia Foundation se révéla n'être qu'une couverture de la CIA, dont les agents avaient pratiqué l'espionnage dans tous les pays d'Asie.

Résister aux sollicitations d'un groupe hétéroclite d'anciens agents des Services secrets et de journalistes désargentés était cependant plus facile que lorsqu'il s'agissait de son propre frère, dont les vues méritaient davantage de considération. En 1957, Nelson (qui venait d'achever sa mission d'assistant spécial d'Eisenhower pour la guerre froide, durant laquelle il avait supervisé les opérations de la CIA) réagit à la mort soudaine de Ramón Magsaysay en demandant à JDR 3, qui avait connu le président philippin, d'appuyer, grâce à son prestige de philanthrope, la création d'une œuvre destinée à perpétuer sa mémoire : par exemple, une fondation qui distribuerait des récompenses annuelles, à la manière du Prix Nobel.

Nelson avait d'abord eu l'intention de décerner ces récompenses aux hommes et aux femmes de toute l'Asie qui auraient « servi les intérêts publics et défendu l'idéal démocratique ». Mais il avait ensuite estimé préférable de se limiter aux Philippines, où la mort de Magsaysay risquait d'entraîner une nouvelle période d'instabilité politique.

Nelson écrivit à Allen Dulles et à Robert Murphy, secrétaire adjoint au département d'État, pour obtenir carte blanche. puis décida de confier toute l'affaire à son frère aîné — ou, selon sa formule, « de laisser Johnny courir avec le ballon ». Sa réputation grandissante de philanthrope en Asie désignait évidemment Johnny pour cette tâche, et Nelson le mit en contact avec le colonel Edward G. Landsdale. afin que celui-ci l'informe de la situation [1].

Le 12 avril 1957, Landsdale fit part à JDR 3 de ses idées concernant la Fondation Magsaysay : « Toute entreprise destinée à affermir la liberté. cet idéal chéri de l'homme, ne pourrait que refléter l'héritage spirituel de Magsaysay en Asie. » JDR 3 se rendit à Manille et, à son retour. envoya

---

1. Personnage romantique et quasi légendaire dans le Saïgon de la fin des années cinquante, Landsdale avait joué un rôle tout aussi important — mais moins connu — aux Philippines au début de la décennie. La CIA l'avait placé là pour aider Magsaysay, alors ministre de la Défense, à combattre les guérillas huks. C'est Landsdale qui avait mis au point la stratégie consistant à combiner des mesures symboliques de réforme agraire et des opérations puissamment financées de guerre psychologique contre les Huks, afin d'écraser la rébellion et de donner à Magsaysay le prestige qui lui valut son élection à la présidence.

deux collaborateurs accomplir le travail préliminaire d'organisation de la Fondation. Puis il retourna aux Philippines pour la première cérémonie de remise des récompenses.

Il semble étrange qu'un homme qui se considérait comme un philanthrope d'envergure internationale pût devenir le compagnon de route de l'homme qui avait servi de modèle au *Vilain Américain*[1]. Cette alliance était pourtant très naturelle, tant « le bien-être de l'humanité » (selon la formule de Junior) et la mission que s'était donnée la puissance américaine en Asie avaient été indissolublement liés au cours de l'expansion qui suivit la guerre. Tous les personnages influents dans la vie de JDR 3 — les frères Dulles, son propre frère Nelson — le poussaient dans cette voie.

Mais s'il faisait ce qu'on lui demandait, il était toutefois différent de Nelson en ceci qu'il ne se laissa jamais enrôler viscéralement dans la lutte contre le communisme et la révolution. Il ne s'engagea pas dans cette croisade. Quoique membre fondateur du groupe spécial d'études sur l'Asie du Sud-Est créé par le Conseil des relations avec l'étranger en 1954 à la suite du désastre français à Diên Biên Phu, et bien que la question de l'engagement américain au Vietnam fût vite devenue brûlante pour ce groupe d'étude et les milieux politiques en général, JDR 3 n'assista que rarement aux réunions du groupe, même après que l'intervention initiale eut dégénéré en un engagement massif de l'armée américaine. Par contre, lorsque Ngô Dinh Diem accomplit en 1957 son premier voyage aux États-Unis en qualité de président du Sud-Vietnam, JDR 3 donna un déjeuner en son honneur, auquel assistèrent des hommes comme John J. McCloy (alors président de la Chase) ; il se rendit ensuite à Pocantico pour présider aux côtés de son frère David une réception en l'honneur de Diem, où se mêlèrent des membres de l'Asia Society et une brochette de banquiers et d'hommes d'affaires.

Plus tard, après le début de la longue escalade de la guerre au Vietnam, le département d'État se tourna vers le philanthrope pour solliciter son aide. En mai 1963, l'Asia Society (jusque-là uniquement préoccupée d'organiser des expositions culturelles et de faire connaître aux Américains les richesses de l'art oriental) organisa une réunion « pour la réévaluation de l'ensemble de la politique des États-Unis en Asie du Sud-Est ». William Henderson (qui allait devenir « conseiller pour les affaires internationales » de la Société pétrolière Socony Mobil) y prit la parole. Il avertit les États-Unis qu'ils finiraient par ne plus pouvoir maintenir les objectifs fondamentaux de leur politique en Asie du Sud-Est s'ils ne se décidaient pas à « s'engager sans restriction dans la région ». Position énergiquement défendue, à l'époque, par Kenneth Todd Young au sein de l'administration Kennedy. Ancien fonctionnaire du département d'État et de la Défense (c'est lui qui fut l'auteur, en 1954, de la fameuse lettre d'Eisenhower à Diem lui promettant son soutien après le retrait des Français) et ancien vice-président de la Socony Mobil, Young

---

1. Roman de Lederer et Burdick critiquant l'engagement américain dans le Sud-Est asiatique (1958). (*N.d.T.*)

avait couronné sa difficile carrière par un poste d'ambassadeur en Thaïlande. Il entra dans l'état-major personnel de JDR 3 après avoir quitté les Affaires étrangères. En 1963, sur la suggestion du département d'État, Rockefeller le nomma président de l'Asia Society.

L'un des principaux actes de Young à ce poste fut de convaincre la Société de prendre sous son aile une organisation appelée SEADAG (Groupe consultatif pour le développement de l'Asie du Sud-Est) et de lui accorder des locaux à la Maison de l'Asie, à New York, dont les quatre étages servaient de centre d'exposition et de quartier général à la Société. A la différence de l'Asia Society, dont les fonds provenaient en grande partie de JDR 3, la SEADAG était financée par le gouvernement, par le canal de l'Agence pour le développement international (AID). La SEADAG avait été créée par le gouvernement « dans le but de développer le recrutement de bons éléments universitaires et, d'une manière plus générale, dans l'intention d'utiliser les activités universitaires comme couverture pour des activités secrètes en Asie du Sud-Est » (témoignage d'un ancien membre de son personnel).

La guerre du Vietnam devenant de plus en plus impopulaire, en particulier dans les campus, la SEADAG devint inévitablement la cible des contestataires. Son Conseil d'études vietnamiennes était dirigé par Samuel P. Huntington, collègue d'Henry Kissinger à Harvard et auteur d'une théorie qui justifiait les bombardements et la terreur dans les campagnes sud-vietnamiennes par la nécessité de regrouper les habitants dans les villes. En 1969, une réunion de la SEADAG au Sheraton Hotel de Boston, présidée par Huntington, fut interrompue par une manifestation de spécialistes de l'Asie. Au sein même de l'Asia Society, cette manifestation attisa la rébellion qui couvait chez les spécialistes des civilisations et les divers humanistes liés à ses activités : preuve qu'ils n'étaient pas insensibles à la situation qui faisait d'eux, paradoxalement, les complices d'une guerre qui détruisait la culture et l'art indochinois en même temps que tout le reste. La contestation visa tout particulièrement Kenneth Young, le contraignant à partir, et força la SEADAG à quitter la Maison de l'Asie pour aller installer son quartier général ailleurs.

Pendant tout le temps que dura la violente polémique qui secoua cette organisation, créée de ses mains et à laquelle sa personnalité était si intimement liée, JDR 3 — qui avait hérité de son père la faculté de toucher la boue sans se salir — se maintint constamment à l'écart. Joe Fischer, expert de l'Indonésie, qui avait convaincu JDR 3 de contribuer à la restauration du temple Burmese de Pagan, devait plus tard s'en plaindre : « Le style Rockefeller ne consiste pas à se tenir sur la brèche. L'ironie, c'est que l'Asia Society n'avait nul besoin de l'argent de l'Agence pour le développement international, ni de la SEADAG. En fait, la SEADAG n'avait absolument rien à voir avec le travail de la Société. Une chose m'a toujours gêné : la situation s'aggrava quand JDR 3 introduisit Young dans la Société et qu'il l'en nomma président : c'est là-dessus que la crise éclata et que Rockefeller disparut. »

Pendant toute la décennie suivante, JDR 3 continua d'être Monsieur Asie : accueil de diplomates, tournée annuelle dans le Pacifique, poursuite de son rôle de monsieur Bons-Offices. Il donna 1,8 million de dollars pour la Maison du Japon, nouvelle permanence de la Japan Society à New York ; lorsqu'elle fut inaugurée en 1971, le prince Hitachi, fils de l'empereur, vint assister à la cérémonie qui marquait certes un resserrement des liens nippo-américains, mais constituait aussi une sorte d'hommage à Rockefeller lui-même.

Mais, petit à petit, son intérêt revint se porter sur l'Amérique. « Mon activité s'était jusque-là manifestée surtout sur le plan international ; le sens de mes responsabilités me fit sentir que je devais faire quelque chose pour ma patrie. » C'est McLean, son plus proche collaborateur, qui lui avait donné le conseil de chercher quelque entreprise moins extérieure au pays. McLean pensait que le Lincoln Center, consacré au théâtre lyrique et dramatique, pourrait devenir pour lui un champ d'activité plein de promesses.

Le projet du Lincoln Center avait été évoqué pour la première fois en 1957, lors d'une réunion du Conseil des relations avec l'étranger qui avait eu lieu dans les monts Pocono : Charles Spofford (avocat de Wall Street, membre du conseil d'administration de la Société du Metropolitan Opera) avait pris JDR 3 à part et lui avait exposé ce qu'il appelait les « trois coïncidences » : 1) L'intention du *Met'* (Metropolitan) d'abandonner ses bâtiments de la 39e Rue et de construire un nouveau théâtre ; 2) l'éviction de l'Orchestre philharmonique de Carnegie Hall ; 3) le fait que Robert Moses avait récemment mis à l'étude un projet de démolition de quelques blocs de « lèpre urbaine » à Lincoln Square. (Une quatrième coïncidence, que Spofford ne mentionna pas, était qu'il y avait là pour Rockefeller l'occasion de mener à son terme une vieille affaire de famille. Elle avait été envisagée au moment de la construction du Rockefeller Center, et abandonnée entre-temps.) C'était là un « fascinant concours de circonstances », comme le dira plus tard JDR 3, et, lorsque Spofford lui demanda s'il aimerait présider une commission d'étude pour examiner ces perspectives, il accepta son offre. (Spofford mentionna également d'autres personnalités intéressées par cette affaire, notamment Devereux Josephs, membre éminent du Conseil des relations avec l'étranger et des cercles de Wall Street, et C. D. Jackson, que Nelson venait de remplacer dans l'administration Eisenhower.)

JDR 3 se consacra au projet avec sa diligence habituelle ; le projet initial de Centre musical fut vite étendu à tous les arts dramatiques. La présidence de la commission d'études le conduisit tout naturellement à la direction de la Société du Lincoln Center, Inc. En 1960, après le début des travaux, il assuma la présidence de son conseil d'administration.

Cette entreprise était à maints égards une expérience nouvelle pour lui. Réunions à perte de vue, voyages à l'étranger pour étudier les grandes salles de concert du vieux continent : pour la première fois, JDR 3 pénétrait dans un monde complexe et vigoureux où son nom n'inspirait pas automatiquement aux gens un respect paralysant et où son état-major n'était pas toujours là pour le mettre à l'abri des contacts un peu rudes. Parmi les administrateurs de la ville, les promoteurs immobiliers et les intellectuels new-yorkais responsables du projet, il trouvait devant lui un grand nombre de fortes personnalités souvent intraitables.

Dans le passé, on l'avait parfois critiqué pour son attitude distante et prudente (parfois même de façon grossière, comme par exemple William Zeckendorf qui avait dit : « Franchement, je ne serais pas surpris s'il s'asseyait pour pisser »), mais, assez généralement, le rôle majestueux pour lequel il était né l'avait protégé. A présent, les gens remarquaient des verrues sur ce visage qui de loin avait paru tout lisse. La lenteur condescendante avec laquelle il s'acquittait des devoirs de sa charge, si elle était supportée avec patience par les quémandeurs qui venaient, le chapeau à la main, solliciter sa philanthropie, mettait en rage ces hommes d'action qui ne tenaient de lui ni leurs moyens financiers ni leur pouvoir. A leurs yeux, cette hésitation têtue, cette pesante introspection n'étaient que perte de temps. Robert Moses, le maître d'œuvre new-yorkais, homme plutôt bourru, s'en plaignit à un journaliste du *New-Yorker* : « John [...] a un vernis d'humilité. De quelle épaisseur, je n'ai jamais pu m'en faire une idée. Un pouce ? »

Il persévéra cependant : ce qui n'était que faiblesse aux yeux de Moses ou de Zeckendorf finit par devenir une vertu. Le coût de l'opération, évalué à 75 millions de dollars au départ, atteignit bientôt 185 millions de dollars et John entreprit de combler le déficit, en grande partie grâce à la famille. La Fondation donna 15 millions de dollars, Junior 11 millions, le Fonds des frères 2 millions et demi. En 1959, Muriel McCormick Hubbard (fille d'Edith Rockefeller McCormick) mourut, laissant en dépôt un fonds de 9 millions de dollars à ses quatre enfants adoptifs ; JDR 3, en sa double qualité de cousin de la défunte et de chef de file des administrateurs de la Chase, estima que les enfants n'étaient pas des descendants légitimes au sens du contrat de dépôt, et demanda que l'argent fût versé au Lincoln Center. (L'affaire s'arrangea finalement à l'amiable : les enfants obtinrent 3 millions de dollars, le Lincoln Center le reste.) La contribution personnelle de JDR 3 fut estimée à environ 10 millions de dollars ; jamais aucun des frères n'avait autant mis dans un seul et unique projet.

Tout ceci émanait d'un Rockefeller qui n'était pourtant guère versé dans les arts lyriques et dramatiques et qui, à la différence de son frère Nelson, n'éprouvait aucune joie particulière à faire bâtir des monuments (surtout un édifice aussi peu enthousiasmant que le fameux bâtiment du Lincoln Center, dessiné par Wallace Harrison et dont la réalisation s'étira sur treize ans). Tout n'était pour lui que devoir.

La nature quasi moyenâgeuse de ce sens du devoir apparut évidente lors de la rencontre exceptionnelle qui eut lieu le 11 février 1958, au très chic hôtel George V, à Paris, entre Rockefeller et J. Paul Getty. Avide collectionneur d'art aussi bien que de femmes, Getty, quand bien même il n'aurait pas été l'homme le plus riche du monde, était une cible toute désignée pour la collecte de fonds. JDR 3 était d'ailleurs presque certain que Getty reconnaîtrait son devoir et offrirait une généreuse contribution au nouveau Centre des arts, bien qu'il se fût montré fort prudent pendant le repas, écoutant poliment et promettant de donner sa réponse par lettre. Mais quand la lettre arriva, elle contenait une fin de non-recevoir pure et simple. Piqué, JDR 3 envoya par retour de courrier une réponse cinglante, chose inhabituelle chez lui. Après avoir exprimé sa très grande déception de ce que Getty refusait de donner de l'argent pour une entreprise aussi importante, Rockefeller concluait sans ménagement : « ... et je suis navré pour vos enfants, si vous en avez. »

La réalisation du Lincoln Center, grosse bâtisse disgracieuse, marqua une étape décisive dans l'évolution de JDR 3. C'était la première fois qu'il s'aventurait dans un domaine étranger à l'héritage paternel. Il y puisa le courage de s'éloigner davantage du nid familial.

Il avait désapprouvé les orientations prises par le Fonds des frères. Le Fonds distribuait, certes, d'énormes sommes d'argent, mais ces dons étaient en quelque sorte impersonnels et constituaient surtout, en fait, des manœuvres fiscales compliquées. De plus, ils allaient avant tout à des intérêts qui les touchaient de près et ne reflétaient guère un esprit vraiment philanthropique. Emmet Hughes, qui fut conseiller de la famille pendant trois ans, devait dire à ce propos : « Le Fonds n'était rien d'autre, en fin de compte, qu'un tiroir-caisse ; à peu près deux fois par an, les frères se réunissaient pour décider de la façon de se partager le gâteau. » Soucieux de se montrer digne de la confiance paternelle et de son prénom, qui lui conférait un statut à part parmi les frères, JDR 3 estimait que la troisième génération aurait dû prendre la philanthropie plus à cœur, tout en sachant qu'une telle attitude l'éloignait encore de Nelson, Laurance et David, le triumvirat qui avait pris la direction effective de la famille.

C'est pourquoi, en 1963, il fonda le Fonds JDR 3, sa propre fondation privée ; il devait y mettre 5 millions de dollars en cinq années, et organiser autour d'elle ses propres activités philanthropiques. Du coup, il se dégageait du sérail familial où sa personnalité s'était si longtemps trouvée submergée.

Il se pencha de nouveau sur les problèmes de population. Le Conseil démographique, créé de ses mains dix ans plus tôt, était à présent l'institution la plus prestigieuse en ce domaine ; avec un budget annuel de plusieurs millions de dollars, il couvrait une douzaine de pays étrangers. Il se cantonnait néanmoins dans la recherche et évitait les suggestions politiques susceptibles de mettre son œuvre en danger. Mais un changement se fit jour, à la fois dans l'évolution des problèmes démographiques et chez JDR 3. Fred Jaffe, président du Planning familial, dit à ce sujet : « John s'était débarrassé de tout le fatras rhétorique de la guerre froide des années cinquante. A présent, lorsqu'il voyait flotter des cadavres dans le Gange, s'il s'inquiétait encore de la possibilité d'une mainmise communiste sur l'Inde, il se préoccupait tout autant des victimes et de leurs familles. »

Après les élections de 1964, JDR 3 tenta d'obtenir un rendez-vous avec le président Johnson pour discuter de ce problème de population. LBJ refusa. JDR 3 déjeuna alors avec Dean Rusk, chef du département d'État, et lui demanda de hâter la création d'une commission présidentielle chargée d'étudier cette question. Tout en estimant que cela était prématuré, Rusk promit que le président mentionnerait le problème dans son prochain message sur l'État de l'Union. C'est en effet une simple mention qui sortit de la machine à écrire de Richard Goodwin, rédacteur de ce discours — une courte phrase, tempérée de surcroît par l'évocation du problème des ressources naturelles : « Je rechercherai de nouvelles façons d'utiliser notre savoir pour contribuer au traitement des problèmes de l'explosion démographique dans le monde et de l'appauvrissement continu des ressources mondiales. » Mais c'était tout de même un début, la première fois qu'un président américain faisait figurer la question démographique dans l'agenda officiel des problèmes que le pays allait devoir résoudre.

Tout à la fin de son mandat, et en partie par amitié pour Laurance Rockefeller, LBJ accepta de nommer un Comité consultatif sur la démographie et le planning familial, présidé par JDR 3 et Wilbur Cohen, ancien ministre du Travail. Après plusieurs mois de réunions, le Comité présenta ses propositions, dont la principale était que le président nommât une Commission spéciale sur le problème démographique. Johnson n'eut pas le loisir de s'en occuper avant de quitter sa charge, mais, après l'entrée en fonctions de Nixon, JDR 3 remit le sujet sur le tapis. D'abord hésitant, puis poussé contre toute attente par son conseiller Daniel P. Moynihan, le président mit sur pied, au printemps 1970, la Commission sur la population, le développement et l'avenir américains, avec JDR 3 à sa tête.

C'était enfin l'occasion tant attendue. Ce poste prestigieux convenait parfaitement au nouvel esprit d'indépendance de JDR 3, et, au cours des deux années qui suivirent, il travailla dur ; il fit la navette entre New York et Washington plusieurs fois par mois et n'hésita pas à descendre souvent de son perchoir présidentiel pour prendre part aux débats animés de sa Commission. Le rapport final en trois parties fut publié dès mars 1972 : il couvrait l'ensemble du problème et faisait des douzaines de propositions, depuis les restrictions à l'immigration jusqu'à la suggestion d'un amendement sur l'Égalité des droits entre hommes et femmes. Bon nombre des propositions du rapport (information et services accessibles aux mineurs en matière de contraception ; efforts publics et privés conjugués pour créer des services adéquats de soins aux enfants, légitimes ou non) étaient en avance sur l'opinion publique. Mais la Commission pénétra sur un véritable champ de mines politique lorsqu'elle suggéra que « le problème de l'avortement devrait être laissé à la conscience de l'individu concerné... et que les États devraient être encouragés à promulguer un ensemble de lois destiné à assurer dans les meilleures conditions la pratique de l'avortement volontaire ». Cette position heurtait de front la stratégie électorale de Nixon, qui entendait bâtir sa « nouvelle majorité » en s'appuyant avant tout sur la communauté catholique. Quand il avait donné le feu vert à la Commission, Nixon avait décrit le problème du développement démographique comme « l'un des défis les plus sérieux à la destinée humaine ». Mais, à la publication du rapport, il observa un silence de marbre.

Si le rapport ne comportait pas d'idées vraiment originales, du moins JDR 3 y avait-il mis tout son cœur. Fier de constater que c'était la première Commission présidentielle sur les problèmes démographiques dans l'histoire du pays, il lui avait donné son temps, son argent, la caution de son nom, toutes choses fort importantes pour lui. Mais, lorsqu'il obtint enfin une audience à la Maison-Blanche pour présenter officiellement les conclusions de la Commission, il fut reçu dans une atmosphère de réserve et de mauvaise humeur qui trahissait clairement le déplaisir officiel face aux suggestions de cette Commission. Dans ces circonstances où le moindre geste comptait énormément, Nixon omit d'inviter JDR 3 à prendre place sur le sofa du Bureau ovale, comme il avait coutume de le faire pour les entretiens qu'il désirait cordiaux; il le reçut à son bureau. JDR 3 se retira après une conversation menée du bout des lèvres, et, tandis qu'il quittait la Maison-Blanche, un collaborateur présidentiel le rattrapa pour lui donner une copie de la réaction officielle de Nixon au rapport, qui venait d'être remise à la presse. La position du président ne laissait planer aucun doute : « L'avortement est une forme inacceptable de contrôle démographique. L'avortement libre ou volontaire est incompatible avec le caractère sacré de la vie humaine [1]... »

S'il avait été traumatisé par l'attitude du président, JDR 3 ne le laissa voir que dans le cercle familial. « La conduite de Nixon avait été très mesquine, rappelle sa fille Hope, mais père ne se sentait guère le droit d'exprimer ses sentiments. » Peu fait pour la lutte politique ouverte et mal à l'aise devant ce qu'il considérait chez Nixon comme une tactique sans principes, JDR 3 ne savait en fait comment réagir à ce mépris pour son œuvre. Mais son haussement d'épaules, en guise de réponse aux questions concernant Nixon, signifiait de toute évidence : « Que peut-on attendre d'un homme comme lui? » Il confia à Hope qu'il aurait même accepté d'enfreindre une tradition

---

1. Nixon, tout en envoyant promener JDR 3, lançait un coup de patte à Nelson. Alors que des associations, comme « Laissez-les vivre », travaillaient à faire abroger la loi « modèle » sur l'avortement, défendue à New York par Nelson, le président écrivit au cardinal Cooke une lettre qui fut largement diffusée et où il qualifiait cette campagne d'« entreprise pleine de vraie noblesse », applaudissant à « la décision de se présenter sur la place publique comme les défenseurs du droit à la vie de ceux qui ne sont pas encore nés ». Lorsque les magistrats de New York se prononcèrent en faveur de l'abrogation, Nelson y opposa son veto, l'assortissant d'un message où il défendait sa position et celle de son frère aîné : « Je ne puis voir la moindre justification, de nos jours, au fait de condamner des centaines de milliers de femmes à revenir aux temps de l'obscurantisme... Je ne crois pas équitable qu'un groupe donné impose son point de vue à la société tout entière. »

familiale bien établie en soutenant la candidature du démocrate George McGovern aux élections de 1972, n'eût été la gêne qu'il eût alors causée à Nelson.

A la fin des années soixante, amaigri et les cheveux tout à fait gris, JDR 3 atteignit ses soixante-cinq ans. La voussure de son dos avait diminué sa taille; le visage était maintenant profondément buriné. L'isolement et la timidité dont il avait tant souffert dans sa jeunesse avaient disparu au fil des années, laissant place, sinon à une grande aisance de manières, du moins à une sorte de sollicitude paternelle qui contrebalançait presque son manque de dispositions pour l'action. Il pensait fermement que les gens responsables comme lui avaient le devoir d'agir pour ne pas voir les affaires tomber aux mains de personnes irresponsables. Tous ses gestes étaient imprégnés de cette conviction. Ainsi, lors de ses déclarations devant la Commission du Budget de la Chambre, en 1969, en faveur d'un projet de loi réclamant que tous les citoyens aient à s'acquitter d'un impôt, même très faible : parlant de sa voix grêle, l'air de considérer de haut les congressistes par-dessus ses lunettes, Rockefeller expliqua qu'il lui était certes facile, par le biais de contributions déductibles des impôts, de n'avoir absolument rien à payer, mais qu'il versait néanmoins volontairement 10 % de son revenu brut réel le 15 avril [1] de chaque année.

Avec les années, JDR 3 en était venu à inspirer de la sympathie, non pas tant à cause de ses réalisations effectives, bien modestes en vérité au regard des ressources matérielles dont il disposait, qu'en raison des sérieux obstacles psychologiques qu'il avait dû surmonter. Au départ, il avait été, des cinq frères, le plus esclave de la tradition, et on le trouvait maintenant assez réceptif aux idées nouvelles, par une remarquable transformation au seuil même de la vieillesse. Alors que les idées de Nelson se figeaient dans le conservatisme, celles de JDR 3 entraient dans un processus de libéralisation qui surprenait jusqu'à ses plus proches collaborateurs : certains d'entre eux se laissaient aller à dire que JDR 3 connaissait « une seconde enfance ». Ainsi, au début des années soixante-dix, il se mit en devoir d'étudier et de comprendre « la révolution de la jeunesse ».

C'était en partie le fait d'un regain de sensibilité à l'égard de ses propres enfants. Ses lourdes responsabilités l'avaient tenu éloigné d'eux pendant de longues années ; ses voyages en Asie lui prenaient à eux seuls plusieurs mois chaque hiver. Lorsqu'il était à la maison, nurses, gouvernantes, écoles privées

---

1. John Hodgkin, ancien trésorier de la famille Rockefeller. remarque : « John III avait une façon originale de considérer les impôts. En fin d'année. il étudiait le montant de ses revenus et disait : ' Là-dessus. je dois payer 10 % au fisc '. Les autres frères cherchaient à payer le moins possible. et rien du tout s'ils le pouvaient — sauf Nelson en raison de ses importants engagements politiques. Quant à leur père. il acquittait des impôts une année sur deux et s'arrangeait pour n'avoir rien à payer l'année suivante. »

l'avaient isolé d'eux pendant toute leur enfance et leur adolescence — et à tout cela s'ajoutait encore son caractère réservé. Il les trouvait à présent au seuil de l'âge adulte, précisément à l'heure où il ramenait son attention sur sa maisonnée. Et il s'inquiétait. La conduite de son aînée, Sandra, les avait bouleversés, sa femme et lui. Le nom de Rockefeller était si lourd pour Sandra qu'elle tendait à vivre en recluse et avait plusieurs fois tenté de l'abandonner, avec les millions qui se trouvaient déjà en dépôt pour elle. La benjamine, Alida, rentra de Stanford vers la fin des années soixante, terriblement affectée par la méfiance et l'hostilité que lui avait values ce même nom : parce qu'elle s'appelait Rockefeller, on l'avait considérée comme génétiquement complice, par définition, de tous les maux de la création.

S'il ne s'était agit que de ses enfants, JDR 3 aurait pu ressasser le problème en silence, comme à son habitude. Mais son malaise personnel coïncidait avec l'ample dislocation sociale qu'on appelait « fossé entre générations », et il estima devoir essayer de faire quelque chose à ce propos. Sa première impulsion fut de trouver une réponse à la crise dans le cadre des institutions, et il suggéra que la Fondation Rockefeller élaborât un programme en ce sens. Comme le dit Hugh Romney, vice-président de la Fondation : « Il essayait de nous intéresser au problème de la jeunesse plus que nous ne l'aurions voulu. L'utilité de recherches sur la jeunesse et la drogue, ou sur la jeunesse et les relations internationales, ne nous échappait pas. Mais la jeunesse en tant que jeunesse, quel intérêt?... » Comme une quinzaine d'années auparavant, lorsque ses propositions sur la démographie avaient été rejetées, JDR 3 décida de s'attaquer seul au problème. Cette fois, il disposait d'une organisation toute trouvée, bien que modeste : quelques mois avant d'être pris à partie par les étudiants contestataires de l'Université Hampshire, il avait mis sur pied une Mission spéciale pour la jeunesse dans le cadre du Fonds JDR 3.

Rien d'étonnant à ce qu'il choisît de considérer le problème sous l'angle de la désaffection de la jeunesse à l'égard du « système social », et assignât comme tâche prioritaire à cette Mission spéciale la recherche de terrains de coopération et de communication entre les jeunes et la société. Le spécialiste des sondages Daniel Yankelovich fut engagé pour mener une vaste étude sur les attitudes des jeunes et de leurs aînés vis-à-vis du monde des affaires, en insistant plus spécialement sur la mutation des valeurs qu'avaient connue les campus américains à la suite de l'invasion du Cambodge et des meurtres de Kent [1]. On organisa des dialogues entre des militants triés sur le volet et d'importants dirigeants du monde des affaires tels que A. W. Clausen, de la Bank of America. Le but de ces rencontres était, selon les termes du rapport établi par le Fonds en 1971, de « donner aux hauts responsables de la collectivité et du monde des affaires une meilleure compréhension du diagnostic porté sur la société par la jeunesse, et aux jeunes une meilleure

---

1. Des jeunes gens qui manifestaient contre l'invasion du Cambodge furent tués par la garde fédérale. (*N.d.T.*)

connaissance des possibilités de se réaliser en acceptant les contraintes de l'ordre établi ».

Vers la fin, cependant, certains des jeunes gens recrutés par la Mission spéciale se sentirent déçus : leurs efforts semblaient tendre vers un résultat fixé d'avance, et il n'était jamais apparu d'intention réelle d'étudier le problème en profondeur. Voici le témoignage d'un membre de cette Mission : « La difficulté, c'est que l'affaire fut lancée à partir de présupposés hypocrites, à savoir que le " fossé entre générations " n'était qu'un problème de *communication* et que, si les gens acceptaient simplement de se parler, tout irait bien. Rockefeller y croyait dur comme fer. Mais voilà, il se refusait à admettre qu'il y eût des raisons fondamentales, réelles, à l'hostilité des jeunes envers l'autorité, notamment celle des hommes d'affaires et des parents; il n'en fut donc jamais question dans notre travail. Je crois que Rockefeller se serait senti personnellement menacé si cette possibilité l'avait seulement effleuré. »

Quand la Mission spéciale eut terminé ses travaux, elle fut remplacée par le « Projet Jeunesse », qui devait couvrir des domaines d'intérêts jusque-là négligés. JDR 3 prit part aux délibérations concernant l'octroi de subsides et la ligne de conduite à adopter. Jerry Swift, trente-six ans, ancien directeur de ce « Projet Jeunesse », dont la mission prit fin en 1973 après avoir connu les honneurs d'une citation dans le *New Yorker* (pour avoir dit de JDR 3 qu'il était « tourmenté par sa conscience »), se rappelle une occasion où deux subventions de 5 000 dollars étaient à l'étude, l'une en faveur d'un groupe qui proposait la création d'un bureau d'assistance juridique aux anciens combattants du Vietnam, et l'autre pour une recherche sur les problèmes de l'amnistie : « Il étudia ces deux propositions avec un soin incroyable. Pour nous, c'était tout un; que ce fût l'une ou l'autre ou bien aucune, c'était pareil. Mais les arguments pour et contre allèrent bon train pendant quatre heures. Finalement, il demanda qu'on lui permît de réfléchir encore une nuit. Il revint au bureau le lendemain et annonça qu'il avait pris sa décision : d'accord pour l'étude sur l'amnistie; non à l'assistance juridique. Réaction unanime : " OK, parfait, c'est un bon choix. " Mais ce n'était pas fini. Plus tard, il vint dans mon bureau, s'assit, et passa en revue, une fois de plus, toutes les raisons qui avaient déterminé son choix. Je lui dis que c'était sans importance, mais il insista. Il avait presque l'air de plaider pour être compris. Ça, alors, il est tourmenté par sa conscience, on peut le dire. »

Qu'il se sentît ou non piqué par la remarque de son jeune assistant sur son sentiment de culpabilité, il est évident que JDR 3 cherchait à être compris par la jeune génération et, d'une certaine façon, aspirait à être étroitement associé à ses activités. Lorsqu'il avait à faire des discours importants, il consultait sa fille Alida et les modifiait à l'occasion pour répondre à ses objections. Il animait de nombreux repas « de recherche » au cours desquels il s'entretenait avec les fils et les filles de ses amis. Il était fasciné par l'esprit de rébellion de la jeunesse et par son désir « d'essayer le nouveau et de remettre en question le vieux », selon son expression. Mais il ne pouvait faire siennes ses passions, en particulier lorsqu'elles entraient en conflit avec ce sens de la bienséance qui gouvernait toute sa vie [1].

En conclusion des travaux du « Projet Jeunesse », JDR 3 écrivit un petit livre appelé *la Seconde Révolution américaine* — « l'une des plus rudes tâches que j'aie jamais entreprises ». Quoique très impersonnel en apparence, ce livre révélait à sa façon sa personnalité. Les questions qu'il y traitait étaient moins articulées que fondues ensemble ; une sorte de synthèse sociale y était opérée, « mêlant les valeurs de la Révolution américaine et celles de la Révolution industrielle, les valeurs humanistes et matérialistes telles que nous les envisageons aujourd'hui ». Sous l'apparente approbation de la jeunesse perçait une philosophie de l'âge mûr ; le livre paraissait accueillir le changement mais pour réaffirmer des principes conservateurs. Il prêchait une philosophie de la gestion, comme si une telle doctrine pouvait servir à la « révolution naissante » : « Ma thèse, c'est qu'au lieu d'être accablés par nos problèmes, nous devons avoir foi en leur solution... La justification de cette foi dépendra des Américains et du sens de leurs responsabilités dans ce qui se passe dans leur pays. »

La Seconde Révolution américaine était un livre peu ordinaire, mais il exprimait fort bien l'étrange dilemme qu'avait connu JDR 3 tout au long de sa vie. Le livre parlait bien en effet de « révolution », mais cette révolution se réduisait presque au passage d'une génération à une autre. Elle devait en outre sagement rester dans les sillons que nos pères avaient commencé de tracer. « Le nom de Rockefeller n'est pas synonyme de révolution, écrivait JDR 3 pour s'excuser de ses audaces dans une note bien superflue. Les circonstances de ma vie ont favorisé chez moi une attitude circonspecte et prudente, proche du conservatisme. Je n'ai pas de penchant pour les doctrines trop audacieuses. J'ai derrière moi une carrière très solide de républicain... Mais, une fois acceptée l'idée qu'une révolution aux potentialités positives est en train de surgir, il est temps de cesser de se tracasser pour un mot et de se tourmenter à ce sujet. Mieux vaut penser à l'aide que l'on peut lui apporter pour que ses résultats soient positifs. »

Les critiques, qui soulignèrent combien semblable soutien à la contestation de la jeunesse était inattendu de la part d'un Rockefeller, firent plaisir à JDR 3. Sa répugnance vis-à-vis de l'identité Rockefeller façonnée par ses frères devenait de plus en plus évidente au fil des années. Le lien symbolique qu'il avait établi entre les deux crises de générations (celle de la famille et celle de la nation) connut un tour nouveau au début de 1974 : son bureau reçut de Leonard Garment, de l'état-major de Nixon à la Maison-Blanche, un appel qui était un appel au secours : tous les projets pour la célébration

---

1. Il avait écrit que le défi le plus rude auquel devait faire face la nation était le problème « de la démographie galopante et de la dégradation de l'environnement ». Mais, lorsqu'une de ses nièces lui demanda de soutenir une résolution, émanant d'un actionnaire, qui critiquait la direction de la Standard Oil de Californie pour son opposition à toute réglementation sur la pollution, elle reçut (chose inhabituelle) un long coup de téléphone de son oncle John, qui passa près d'une heure à essayer de la dissuader de s'engager dans le conflit, cela lui semblant « embarrassant pour la famille ».

du bicentenaire des USA (1776-1976) cafouillaient terriblement depuis les révélations du Watergate. Après consultation de ses collaborateurs, JDR 3 accepta de faire partie de la Commission du bicentenaire et de lui offrir un soutien financier, afin d'essayer de sauver l'événement de l'odeur des scandales — et aussi des grossiers margoulins de l'histoire nationale déjà sollicités par l'état-major de Nixon. John Harr, de la salle n° 5600, évoque les raisons de leur empressement à soutenir ce projet : « Certes, le bicentenaire risquait d'être un four; mais si les gens responsables n'intervenaient pas, ce serait un véritable désastre. C'est ainsi que nous commençâmes à nous y intéresser; notre décision n'eut rien de précipité. »

C'était un geste patriotique. (Avec un haut-de-forme, un costume taillé dans la bannière étoilée et une barbiche, JDR 3 aurait eu quelque ressemblance avec l'allégorique oncle Sam.) Mais il y avait là aussi un grain de pragmatisme qui eût rempli son père de fierté. A sa façon confuse, JDR 3 avait entrevu ceci : d'année en année, sa famille avait cessé de s'identifier avec le pays. Eh bien soit! semblait-il dire à présent. L'affaire ne se présente plus si mal aujourd'hui, et l'on va faire en sorte que ce soit l'Amérique qui se hausse au niveau des Rockefeller.

CHAPITRE XXII

C'est au début de 1973 que les frères Rockefeller décidèrent d'accorder à la chaîne de télévision CBS l'autorisation de filmer un documentaire sur leur vie. Ils avaient toujours rejeté de telles propositions dans le passé, mais, avec la crise du Watergate, le désarroi du parti républicain (qui excitait une fois de plus les ambitions présidentielles de Nelson), les nouvelles de la maladie fatale de Winthrop, qui leur rappelait leur condition mortelle, — ils estimèrent que le temps était venu de donner une vue d'ensemble de leurs réalisations, tant familiales qu'individuelles.

Une fois prise, la décision trouva tout naturellement place dans leurs agendas pourtant bourrés de rendez-vous pris longtemps à l'avance. Pendant plusieurs semaines, les frères laissèrent diverses équipes les suivre à la trace dans les multiples aspects de leur vie. Ils s'en remirent aux techniciens quand la situation l'exigeait, s'asseyant docilement à l'endroit indiqué, posant le temps qu'il fallait et répondant aux questions de Walter Cronkite — sauf Laurance qui, lui, décida de se mettre en scène tout seul. Il régla ses entrées et ses sorties et suggéra un résumé de sa carrière en séquences concises : sortie de sa piscine des îles Vierges, discussion avec des administrateurs à la Clinique du cancer du Memorial Sloan Kettering, entre autres scènes représentatives de ses activités.

Le rôle de metteur en scène lui convenait parfaitement. Il avait toujours aimé orchestrer les choses et les apparences; il y avait toujours en lui un soupçon d'emphase théâtrale prêt à affleurer. Chacun des frères avait mis au point un système bien à soi pour échapper à la vulnérabilité que leur valait leur nom : pour Laurance, la solution avait consisté à façonner un masque qui lui permettait d'observer le monde sans en être vu. Il pouvait ainsi paraître plus impressionnant et plus mystérieux que nature; tout jeune homme, déjà, il avait travaillé à se forger un regard impassible, les commissures des lèvres relevées dans un sourire énigmatique, l'air paisible d'un homme plus passionné par l'aspect technique d'un problème que par ses implications morales. Ce visage lui avait rendu de grands services dans les années qui suivirent son retour de la Marine, l'aidant à se mettre en valeur quand il s'était faufilé, avec profit, à l'intérieur du complexe militaro-industriel. Il aurait donc les mêmes vertus, pensait Laurance, pour ses débuts dans la vie publique en qualité d'écologiste. Mais c'était là une fantastique erreur.

La dépendance de Laurance à l'égard de ses conseillers était plus nette que celle de ses frères. Certaines de ses relations dans le monde des affaires, comme Frank Piasecki, des hélicoptères Piasecki, estimaient même qu'il était manipulé par ses collaborateurs. Laurance ne fut pas long à comprendre que ce poste à la Commission pour l'inventaire et les ressources en loisirs de plein air, qu'il devait au président Eisenhower, allait lui servir de tête de pont entre son passé d'homme d'affaires et son avenir d'écologiste : il s'attela à cette tâche avec plus d'énergie qu'il n'en avait jamais déployé dans ses activités antérieures. Il passa beaucoup de temps à Washington pour se familiariser avec les leaders du Congrès, les écologistes qui siégeaient avec lui au sein de la Commission, les grands pontes du ministère des Affaires intérieures et les hauts dirigeants des milieux d'affaires. Il réussit à harmoniser les travaux de la Commission et ses propres démarches privées d'écologiste en ajoutant au personnel de la Commission des collaborateurs issus de ses deux institutions écologiques, la Société de préservation du site de Jackson Hole et l'Association américaine d'écologie. En 1962, après trois années de dur labeur, il remit au président Kennedy un épais rapport, assorti de vingt-neuf études complémentaires.

Affligée d'un sigle disgracieux (l'ORRRC) et chargée d'une mission relativement limitée (inventorier les besoins et le potentiel nationaux en matière de loisirs jusqu'en l'an 2000), la Commission n'excitait guère l'imagination du public, surtout si l'on comparait ses travaux aux activités et aux programmes autrement prestigieux de la « Nouvelle Frontière »; cependant, les autorités en ce domaine virent dans ce rapport de l'ORRRC l'évaluation la plus exhaustive, depuis plusieurs décennies, du potentiel national en matière de loisirs, et savaient que ses conclusions trouveraient un écho important dans les années à venir : mettre l'accent sur le développement de parcs et d'aires récréatives dans les centres urbains au lieu d'exploiter uniquement les capacités touristiques des États de l'Ouest; adopter une politique de différenciation des ressources en encourageant l'exploitation des mines et des forêts, le développement de l'élevage et autres activités de ce genre sur les territoires consacrés aux loisirs; créer un Bureau des loisirs de plein air au sein du ministère des Affaires intérieures afin de centraliser des activités jusque-là dispersées entre plus d'une vingtaine d'agences fédérales.

Laurance fut prompt à mettre à profit l'action de l'ORRRC. Au moment où l'on remit le rapport au président, sa propre Association américaine d'écologie (qui, entre 1962 et 1964, allait consacrer près de 800 000 dollars à la diffusion des travaux de la Commission) regroupa plus de cent cinquante hauts dirigeants du monde des affaires, du monde du travail, de l'administration, pour créer un Comité des citoyens pour le rapport ORRRC, destiné à assurer à ses propositions la plus large circulation et le meilleur accueil

345

possible. Ce genre de publicité donnait la vedette à la fois aux travaux de la Commission et au nom de Laurance ; et lorsque le président Kennedy créa un Conseil consultatif sur les loisirs (à vocation ministérielle), c'est à Laurance qu'il fit appel pour le diriger.

A l'époque où l'ORRRC rendit publiques ses propositions, le Mouvement de défense de l'environnement progressait à grands pas. Lorsque, vers le milieu des années cinquante, la question avait commencé à attirer l'attention de Laurance, ce n'était encore qu'une excroissance de la guerre froide et des inquiétudes de l'Amérique dans le domaine des matières premières d'importance stratégique. Mais, depuis que la Commission chargée d'étudier la politique des matières premières avait agité le spectre de la pénurie totale, le centre d'intérêt s'était déplacé. La crise de la prochaine décennie ne porterait pas sur les matières premières stratégiques importées de l'étranger, comme l'étain et le tungstène, mais bien sur l'air, l'eau, la terre, toutes ressources vitales de plus en plus menacées par la pollution. L'objet de cette crise se trouvait résumé dans l'expression de « qualité de la vie », qualité dont John Kenneth Galbraith, entre autres, soulignait qu'elle était menacée par une économie mercantile qui créait des besoins artificiels sans se soucier de calculer le coût social de ses activités. Dans son rapport annuel de 1964, Joseph L. Fisher, président des « Ressources pour l'avenir », écrivait : « Le rapport quantitatif des hommes aux ressources naturelles doit être repensé, pour les temps modernes, en termes qualitatifs. Parmi la grande diversité de menaces qui pèsent sur la qualité de notre environnement, on doit faire figurer le très grave problème des ressources tel qu'il se posera aux USA dès la prochaine génération. »

Remettre en question la nécessité ou la valeur de la croissance économique qui avait permis la relance d'après-guerre était chose impensable pour la mentalité « Allons de l'avant » des années de l'administration Kennedy. La solution ne pouvait être que technique — créer une technologie antipollution — et le seul problème était de nature tactique : comment amener les gens à accepter et à financer les nouvelles mesures nécessaires à la préservation de l'environnement.

Des organisations comme « Ressources pour l'avenir » n'avaient nullement l'intention d'aller trop loin lorsqu'elles avaient commencé à sonner le tocsin à propos des problèmes de l'environnement. A la différence des autres inquiétudes qui s'étaient manifestées depuis le Jour de la Victoire en Europe, cette crise-ci, après tout, était aisément cernable. Laurance, quant à lui, acceptait sans réserve l'idée de voir la croissance et la préservation du milieu faire bon ménage. Enjambant la barrière qui séparait les affaires et l'écologie, il se savait capable de présenter une image rassurante des conceptions écologistes et d'apaiser ainsi les craintes des capitaines d'industrie : il suffisait de les persuader que tout ce remue-ménage autour de la protection de l'environnement ne cachait pas une hostilité foncière vis-à-vis du monde des affaires. En 1963, dans un discours prononcé lors du 70e congrès annuel de l'industrie américaine à New York, Laurance essaya de persuader les

346

hommes d'affaires que rien n'était de nature à les menacer dans les récentes préoccupations du public concernant la pureté de l'eau et de l'air. « Le monde des affaires peut faire sien ce nouvel élément, dit-il, de même qu'il a fait siennes, au cours des années, diverses mesures qui semblaient à première vue des obligations de caractère social plutôt qu'économique. Comme bien d'autres projets, vous verrez que celui-ci finira par devenir une affaire comme les autres. »

Dans les mois qui suivirent la publication du rapport de l'ORRRC, Laurance prononça plusieurs discours du même genre devant le même genre d'auditoires. A la tête de ce mouvement que nombre de dirigeants de l'industrie identifiaient non sans crainte à une vague d'hystérie menaçant leurs entreprises, la position de Laurance paraissait presque trop belle pour être vraie : un Rockefeller se faisant le porte-parole officiel de l'intérêt public en matière d'écologie! Toujours est-il qu'il fit une forte impression sur le nouveau président Lyndon B. Johnson, lequel avait annoncé son intention de prendre l'écologie très au sérieux dans son discours sur la Grande Société du printemps 1964. L'automne suivant, le président créa toute une série de missions spéciales destinées à élaborer et à mettre en œuvre les programmes de son administration. L'une d'elles eut pour objet les « Beautés naturelles » du pays et, pour l'animer, Johnson fit appel à Laurance.

Cependant que cette mission spéciale se réunissait, Lady Bird Johnson prenait intérêt au problème de l'embellissement du pays et fit savoir que ce serait son domaine réservé, en qualité de Première Dame du pays. Elle rechercha les conseils de Laurance et celui-ci défendit ses initiatives avec enthousiasme, l'aida à lancer sa campagne, l'accompagna dans ses déplacements à bord de son « bus de l'embellissement », puis l'invita à siéger au conseil d'administration de la Société de préservation du site de Jackson Hole.

Mrs. Johnson ne tarda pas à être introduite dans la famille Rockefeller et à se voir autorisée à pénétrer dans le cercle magique de leur vie privée. Elle devint leur intime et fut témoin des moindres détails de leur vie quotidienne, qu'elle consigna avec brio dans son journal. On trouve par exemple dans cette chronique de la Maison-Blanche ses souvenirs du séjour qu'elle fit dans la famille de Laurance au Manoir (sa maison de Woodstock, Vermont); descendue de bon matin, elle découvrit Mary French Rockefeller, cette femme si pieuse et si effacée, toute seule dans la salle des prières, la tête penchée, une Bible sur les genoux. Mrs. Johnson fut flattée lorsque Laurance l'invita avec sa fille Lynda Bird dans son J. Y. Ranch des Grands Tetons. Après avoir accepté l'invitation, Lady Bird nota avec une astuce toute maternelle : « Il serait très agréable qu'elle [Lynda] rencontre les jeunes Rockefeller. » Jay, Laurance Junior et Steven, le fils de Nelson — la fine fleur des jeunes gens de la quatrième génération Rockefeller — étaient d'ailleurs bien là pendant cette visite, mais aucune idylle ne s'ébaucha.

D'après le récit qu'elle en fit, son séjour à Pocantico fut pour Lady Bird aussi époustouflant que la visite organisée du château de Versailles pour une

347

Américaine du Nouveau Mexique [1]. « La grande maison de pierre où vit actuellement Nelson Rockefeller est située au sommet d'une colline, et entourée [...] d'une rangée de beaux ormes américains. Une allée serpente parmi les statues, dont certaines sont follement modernes. Il y a deux grandes torchères à l'entrée de la maison et, la nuit, la verrerie aux reflets iridescents doit refléter leurs flammes conjuguées lorsque l'on passe en voiture sous la porte cochère. Tandis que je gravissais les marches, je vis, à l'autre extrémité du hall, une statue élégante et gracieuse appartenant à l'art oriental ancien ; et [...] en bas, il y avait [...] une sorte de galerie d'art, pleine d'étranges tableaux modernes. »

Lady Bird devint l'un des meilleurs agents publicitaires de Laurance ; elle parlait avec ardeur de ses contributions à l'embellissement, l'appelant « le numéro 1 de la Préservation des sites » et « le premier citoyen-écologiste d'Amérique ». Au début de 1965, après la diffusion du rapport de la Mission spéciale sur les beautés naturelles (qui reprenait en gros les propositions de l'ORRRC) et tandis que Laurance aidait Lady Bird dans sa campagne, LBJ envoya au Congrès un vigoureux message : l'écologie serait désormais un domaine hautement prioritaire de son administration ; il annonçait par ailleurs la convocation d'une conférence de la Maison-Blanche, sous la présidence de Laurance, consacrée aux beautés naturelles. La Conférence eut notamment pour résultat la création d'un Comité consultatif sur les loisirs et les beautés naturelles ; Laurance fut placé à sa tête et devint de ce fait conseiller de la Maison-Blanche pour les questions d'environnement.

Cette ascension vers les plus hautes sphères de la politique se fit de façon étonnamment rapide, même pour un Rockefeller. Le nom de Laurance fut même cité pour le ministère des Affaires intérieures. Mais, tandis qu'il atteignait à ces sommets, ce même nom avait cessé d'inspirer confiance aux écologistes de la base, bien plus rétifs et indépendants qu'on ne l'avait prévu. Ce mouvement populaire qui était venu au jour à la faveur de l'agitation sociale des années soixante considérait cette crise comme une crise de système (c'est à ce moment-là que naquit le concept d'écologie) ; or ce n'était pas du tout là l'optique de Laurance, de « Fair » Osborn et de ceux qui avaient participé au baptême et au lancement de cette machine de guerre contre la dégradation de l'environnement. Mais lorsqu'ils s'aperçurent que le mouvement, naguère composé d'amoureux de randonnées de week-end et de l'observation des oiseaux, échappait à leur contrôle, il était trop tard pour rectifier le tir. Le diable était sorti de sa boîte.

Dans la plupart des grandes batailles de l'écologie qui furent livrées au milieu des années soixante, Laurance allait figurer d'une façon ou d'une autre. On en eut un avant-goût avec la controverse sur Storm King [2], cette

1. Le comble de l'esprit provincial américain. (*N.d.T.*)
2. Le Roi des Tempêtes. (*N.d.T.*)

massive falaise de granit qui dressait son impressionnant profil à l'entrée des montagnes de l'Hudson : les gens du cru admiraient la face de cette montagne battue par les vents, ignorant que la Société Edison avait imaginé de creuser Storm King pour y loger une immense station hydroélectrique de secours dont le réservoir et les générateurs seraient mis à la disposition de Manhattan en cas d'urgence.

Lorsque ce plan fut finalement rendu public en 1962, Nelson le soutint avec enthousiasme (Peter Brennan, patron du syndicat du bâtiment, l'avait rallié à ce projet ; Brennan et quelques autres représentaient la base politique de Nelson au sein des syndicats). Nelson fit le plus grand éloge de ce plan, « solution à long terme et pleine d'imagination au problème de l'énergie ». Laurance lui emboîta le pas. Après une réunion avec les cadres dirigeants d'Edison, où il s'assura qu'ils n'avaient pas l'intention d'empiéter sur les terres du parc Palisades tout proche, et chercha à les convaincre de modifier les plans initiaux (qui prévoyaient de tendre, sans discernement et au mépris du site, des câbles de transmission d'un rocher à l'autre de Storm King), il fit savoir publiquement que, selon lui, ce projet, éminemment utile au public, pouvait être considéré comme « un exemple de planification démocratique ». Laurance, en décidant de soutenir Edison, lui apporta le poids de sa réputation nationale grandissante ainsi que son prestige de Commissaire du parc Palisades et de chef du Comité des parcs (poste que Nelson avait obtenu pour lui en 1963, après avoir contraint le vieux Robert Moses à démissionner). En outre, sa qualité de membre du conseil d'administration de la très honorable Société de préservation du site de l'Hudson, organisation patricienne qui veillait sur le fleuve depuis le début du siècle, permit à Laurance de convaincre son président, William Osborn (cousin de Fairfield, frère de Frederick Osborn, et collaborateur de JDR 3 en matière démographique) de donner son adhésion au plan.

L'approbation du projet Storm King par l'écologiste numéro 1 du pays et par la principale organisation de préservation de la région semblait le doter de garanties indiscutables. Mais certains résidents — qui, sur la plupart des problèmes, avaient des réflexes conservateurs et républicains — nourrissaient quelques doutes. Timidement d'abord, puis avec une assurance grandissante, ils se prononcèrent contre le projet et s'associèrent en une « Conférence pour la préservation du site de l'Hudson ». Par la suite, ils présentèrent une argumentation impressionnante pour démontrer la nocivité d'une telle station pour l'environnement maritime de l'Hudson, mais ils se contentèrent d'abord de s'opposer à l'enlaidissement de leur région — aussi instinctivement que l'avait fait John D. Rockefeller junior quand il avait commencé à acheter le parc Palisades, des dizaines d'années auparavant, afin de le sauver de la dynamite des carriers.

La controverse, après avoir couvé pendant un an, se déchaîna et devint une *cause célèbre*[1]. A mesure que le public prenait conscience de ce pour

---

1. En français dans le texte. (*N.d.T.*)

quoi elle luttait, la Conférence pour l'Hudson vit des gens connus rejoindre ses rangs, par exemple James Cagney [1] ou Steven Rockefeller, le propre fils de Nelson. Elle engagea des avocats pour porter l'affaire devant les tribunaux, cependant que les journalistes qui la soutenaient rivalisaient d'ironie : il faudrait presque deux fois plus d'énergie pour pomper l'eau jusqu'au réservoir de stockage qu'elle n'en libérerait ensuite... Mais, en mars 1965, la Commission fédérale de l'énergie, malgré la campagne de la Conférence pour l'Hudson, accorda à Edison le permis de construire : le soutien de Laurance avait été pour beaucoup dans cette décision.

Les militants de la Conférence pour l'Hudson, pour expliquer comment le principal écologiste du pays pouvait lui aussi se trouver du côté adverse, insinuèrent que c'était pour des raisons d'intérêts personnels. « Le gouverneur Rockefeller et son frère Laurance ont donné leur accord pour ces installations par le biais de négociations privées avec l'entreprise », accusa l'un des fondateurs de l'association dans le *Cornwall Local* du 25 mars 1965. Pourquoi secrètes ? Eh bien, pour dissimuler le lien existant entre cet accord et un important paquet d'actions de cette entreprise, censée relever des services publics : William Rockefeller, grand-oncle de Nelson et de Laurance, avait été l'un des premiers propriétaires d'Edison, et, à s'en tenir aux chiffres donnés par Junior aux enquêteurs du TNEC [2] en 1937, les avoirs de la famille dans la société Edison devaient se monter à plus de 10 millions de dollars.

Quoi qu'il en soit, l'avantage financier (dérisoire par rapport à l'ensemble de la fortune rockefellérienne) ne fut pas l'élément déterminant dans le soutien apporté par les frères à Edison. Un membre éminent du parti républicain présenta à l'écrivain Robert Boyle une raison plus plausible : « Les propriétaires d'Edison sont des gens de la même caste que lui [Laurance]. Ils appartiennent au même club. » C'est plutôt par affinité idéologique, parce qu'ils prônaient eux aussi l' « utilisation efficace » des ressources naturelles et la priorité accordée au développement industriel, que Nelson et Laurance se rallièrent au projet.

Le procès du Storm King devait se poursuivre en cour d'appel tout au long de la décennie suivante. Au début de 1965, les remous qu'il avait déjà provoqués amenèrent un ambitieux congressiste de Westchester, Richard Ottinger, à réclamer au ministère des Affaires intérieures que la vallée de l'Hudson soit classée réserve fédérale (sous-entendant par là qu'elle était effectivement menacée). Dans le courant de la même année, Ottinger déposa un projet de loi visant à faire de l'Hudson, avec une bande de terre de quinze cents mètres de large sur chaque rive, un site national protégé par le ministère des Affaires intérieures.

Les Rockefeller ripostèrent aussitôt à ce qui leur apparaissait comme un défi lancé à leur toute-puissance de propriétaires. Après tout, leur père avait investi des millions dans cette zone : le parc Palisades, à cheval sur plu-

1. Acteur de cinéma très connu à l'époque. (*N.d.T.*)
2. Commission sénatoriale d'enquête. (*N.d.T.*)

sieurs États, les restaurations de Sleepy Hollow (avec l'achat, à usage public, des fameux manoirs de Philipsburg et de Van Cortlandt, ainsi que de Sunnyside, la maison de Washington Irving [1]), sans parler du domaine familial. Avec 25 000 dollars imputés au budget de son cabinet directorial et une subvention équivalente en provenance de l'Association américaine d'écologie créée par Laurance, Nelson fonda une agence de surveillance d'État, appelée Commission de la vallée de l'Hudson, « afin de protéger le fleuve et la zone environnante ». Comprenant d'éminentes personnalités telles qu'Averell Harriman, Thomas Watson, d'IBM, et Henry Heald, patron de la Fondation Ford, pour ne citer que ceux-là, cette Commission avait vocation de prévenir toute intervention fédérale. Laurance, nommé par Nelson président de la nouvelle agence, déclara : « La question est de savoir qui est le mieux en mesure de sauver l'Hudson. Si le gouvernement fédéral intervient, c'est parce que l'État [2] a failli à ses responsabilités. Il n'est pas question de faire porter le fardeau de l'État au gouvernement fédéral si l'État fait la preuve qu'il est à la hauteur de sa tâche. »

Le conflit rebondit en 1965 lorsque l'État de New York annonça que, la circulation nord-sud entre la vallée de l'Hudson et Manhattan devenant difficile et la route 9 A étant incapable à elle seule d'absorber le trafic, il fallait construire une autoroute le long de la rive du fleuve pour relier la ville de New York à Croton-on-Hudson. A présent, les entreprises philanthropiques passées et présentes menées par la famille Rockefeller pour la préservation des sites avaient cessé de la mettre à l'abri des attaques, même si, au début, les écologistes qui défendaient Storm King n'avaient pas voulu mettre en cause les mobiles qui l'animaient. Cette fois-ci, ils protestèrent vigoureusement contre les dommages que cette autoroute causerait à l'Hudson et ne manquèrent pas de faire observer que le tracé prévu avait apparemment tenu le plus grand compte du domaine familial de Pocantico. De fait, en 1957, lorsque l'« Interstate 87 » (nom de l'autoroute) fut pour la première fois portée sur les plans à long terme du ministère des Transports, l'idée qu'on pût la construire le long de l'Hudson, avec tout ce que cela comportait de frais de dragage et de remblaiement, ne fut même pas sérieusement envisagée. A l'époque, on pensait que la solution la plus économique et la plus logique consisterait à faire passer la route par les collines de Pocantico. L'itinéraire de l' « I. 87 » prévu par l'administration Harriman aurait coupé en deux le domaine Rockefeller : la maison de Nelson se serait trouvée d'un côté de la route, celle de Laurance de l'autre... Dès l'élection de Nelson, est-il besoin de le dire, ces plans furent mis au rancart ; la nouvelle proposition pour l' « I. 87 » (désormais appelée Voie express de l'Hudson) en déplaçait le tracé de 8 km à l'est de Pocantico, le long de la rive est du fleuve [3].

1. Écrivain américain célèbre (1783-1859). (*N.d.T.*)
2. Il s'agit bien entendu de l'État de New York. (*N.d.T.*)
3. Les Rockefeller en profitèrent pour régler une vieille affaire, celle de la route 117, qui pénétrait au cœur de Pocantico et reliait North Tarrytown, sur la route 9, à la route 9 A, à l'est

Dans un mémorandum confidentiel du ministère des Affaires intérieures, établi au plus fort de la controverse et intitulé « Sur les profits procurés par la Voie express à la famille Rockefeller », on pouvait lire ceci : « Le plus grand profit financier, pour les Rockefeller, vient du fait que, grâce à la Voie express et à l'extension de la route 117 entre la Voie express et la route 9, leurs propriétés seront désormais accessibles aux habitants de New York. » Si Junior s'était plutôt préoccupé de maintenir les gens à l'écart de Pocantico, Nelson et Laurance, quant à eux, songeaient déjà au moment où les impôts et les frais d'entretien feraient du domaine familial, vaste de 1 800 hectares, une charge écrasante. Le terrain à vocation résidentielle se vendait dans cette zone au prix astronomique de 200 000 dollars l'hectare ; ils caressaient l'idée de créer à Pocantico un « village » de luxueuses résidences. Le projet de Voie express, qui faciliterait l'accès de la région aux PDG de Manhattan, était directement lié à cette idée.

Mais Nelson et Laurance auraient de toute façon soutenu le projet en dehors même de toute considération personnelle. A leurs yeux, l'évolution, dans ce genre de cas, était non seulement désirable mais inévitable, et méritait d'être soigneusement planifiée. « Développement nécessaire », telle fut l'expression utilisée par Laurance pour défendre le projet. Il faisait valoir que la région de l'Hudson se développerait à coup sûr et que, si l'État ne proposait pas de plan d'ensemble, on assisterait à une prolifération sauvage de maisons construites n'importe où. Dans son rapport de 1966, la Commission de la vallée de l'Hudson, comme on pouvait s'y attendre, soutint donc le projet, déclarant qu'il « n'entraînerait pas de détérioration appréciable des caractéristiques naturelles du fleuve », mais faciliterait et améliorerait l'accès du public à l'Hudson. La Commission organisa des auditions publiques consacrées à la Voie express, et ne se laissa nullement abattre quand, sur quarante-cinq personnes appelées à exprimer leur sentiment, quarante-trois manifestèrent une opposition violente.

Les Rockefeller ne se souciaient pas davantage de l'opposition. Laurance Cabot, député de l'État de New York, avait un jour déposé sur le bureau de Nelson un lourd paquet de lettres émanant de ses électeurs et opposées à la Voie express. Il rapporta ensuite que Rockefeller, après avoir jeté un vague regard à cet énorme monceau de lettres et écouté le discours de Cabot, avait haussé les épaules : « Bizarre, avait-il dit, je n'ai jamais, quant à moi, entendu la moindre objection à ce projet. »

Charles Stoddard, à l'époque administrateur du Comité consultatif des citoyens sur les loisirs et les beautés naturelles, se rappelle également avoir

---

du domaine. Junior avait toujours été affligé par le nombre d'automobilistes qui empruntaient cette route dans le seul espoir d'apercevoir un Rockefeller sur ses terres ; en 1932, il avait offert de payer la moitié des frais si l'État acceptait de modifier le tracé de la 117 et de l'éloigner du domaine. L'administration Al Smith avait refusé ; mais, à présent, Nelson avait les mains libres pour atteindre ce but, et sans rien débourser. La route 117 allait être déplacée de 3 km, de manière à ne traverser Pocantico, à l'intersection de la nouvelle Voie express de l'Hudson, que dans une partie relativement inutilisée du domaine.

reçu une grande quantité de courrier à ce sujet : « Les gens suppliaient Laurance de faire quelque chose à propos de cette route. Mais il n'y pensa jamais sérieusement. Pour lui, ce n'était pas un problème de préservation des sites. »

Par suite de l'Accord sur l'Hudson (le projet de loi d'Ottinger [1] était passé en 1966), le ministère des Affaires intérieures dut approuver le projet et autoriser le Service du Génie à délivrer un permis de construire. L'argument des écologistes semblait imparable lorsqu'ils soutenaient que, bien entendu, les gens utiliseraient la Voie express une fois construite, mais que rien en fait ne justifiait vraiment cette construction : ils avaient par ailleurs demandé à des spécialistes des pêcheries des études dénonçant le danger mortel que constituaient les dépôts de vase, entraînés par les travaux d'excavation et de remblaiement, pour les frayères des aloses, perches rayées, esturgeons et autres poissons de la région, ainsi que pour les bancs de crustacés. Stewart Udall, ministre des Affaires intérieures, paraissait leur donner raison ; son opposition au projet était bien connue et il avait notamment écrit : « Une Voie express empruntant le couloir de la vallée de l'Hudson, si pittoresque et chargée d'histoire, porterait un grave préjudice aux valeurs que nous désirons tous sauvegarder. » Mais, la lutte s'intensifiant, les Rockefeller firent pression sur le ministre. Pour y résister, il eût fallu un homme d'une autre trempe.

Udall était donc déjà ébranlé, le 25 janvier 1968, quand il fut convoqué à une réunion à New York, dans l'appartement de Nelson, en présence des Rockefeller et de leurs collaborateurs. Résister au gouverneur, passe encore, mais comment opposer un refus à un homme comme Laurance, dont on savait qu'il avait l'oreille du président sur les problèmes d'écologie? Comme le dit Udall aujourd'hui : « J'avais l'impression que Laurance et le gouverneur avaient tort. Cette autoroute ne me disait rien de bon. Mais ils vinrent à la réunion armés de toutes sortes de plans et de rapports. Ils avaient mis le paquet. Pendant la réunion et après, Laurance n'y alla pas de main morte pour me dissuader de contrecarrer ses plans et ceux de Nelson : il me rappela tout ce que je lui devais. » Très peu de temps après cette réunion, Udall annonça à Ed. Crafts, administrateur de l'Office des loisirs de plein air et vieil ami de Laurance, qu'il avait changé d'opinion et ne s'opposait plus au projet de Voie express.

Le 20 août, l'accord d'Udall étant acquis mais pas encore connu du public, Laurance téléphona à l'Office des loisirs de plein air. En l'absence de Crafts, c'est Lawrence Stevens, directeur adjoint, qui prit la communication. Les notes qu'il garda de cette conversation donnent un aperçu du style d'intervention des Rockefeller : « Mr. Rockefeller a dit qu'il se trouvait avec son frère, le gouverneur Nelson Rockefeller, et qu'il appelait pour savoir où en était l'Intérieur concernant le permis de construire de la Voie express. Ils voulaient s'assurer que l'Intérieur n'avait pas égaré cette demande... Il a ajouté qu'il

1. Projet de loi visant à faire classer le site de l'Hudson. (*N.d.T.*)

était au courant des fortes pressions d'Ottinger, membre du Congrès, sur le ministre Udall relativement à ce projet de Voie express, et laissé entendre que le gouverneur Rockefeller n'hésiterait pas à exercer des contrepressions si nécessaire. » Stevens ayant fini par l'assurer que « le dossier n'était pas tombé dans les oubliettes de l'Intérieur », Laurance s'estima satisfait.

Lorsque Udall annonça publiquement sa décision d'autoriser le Service du Génie à délivrer un permis, le Sierra Club et le Comité des citoyens pour la vallée de l'Hudson se retournèrent vers le tribunal fédéral et obtinrent de lui un arrêt interdisant la construction. La bataille juridique compliquée qui s'ensuivit ne se termina que deux ans plus tard, en 1970, par le rejet, devant la Cour suprême, de l'appel interjeté par l'État de New York. Pour le projet de Voie express [1], c'était le coup de grâce.

Quel fut le rôle de Laurance dans ces affrontements? Cela est difficile à évaluer. On y sentait bien son influence, mais son attitude semblait celle d'un personnage d'arrière-plan dans une photographie de groupe. Contrairement à d'autres silhouettes, elles parfaitement nettes, il paraissait plutôt mal cadré par l'objectif. On le voyait non pas de face, le regard bien droit, mais jetant plutôt par-dessus l'épaule de son frère un coup d'œil goguenard et détaché, bien dans sa manière. Dans une autre bataille, en revanche, celle du parc national des Séquoias en Californie, son rôle fut plus clair.

Vers le milieu des années soixante, ce projet de parc figurait en bonne place dans le « calendrier écologique » de l'administration Johnson, mais une querelle vint ensuite entraver sa réalisation. Une étude du Service des parcs nationaux avait, en effet, adopté la proposition du Sierra Club : celui-ci voyait dans Redwood Creek (qui possédait les plus grandes étendues de forêt vierge, avec les arbres les plus imposants) le site idéal pour un tel parc. Mais, en 1967, les sociétés forestières prirent une position différente : s'il fallait à tout prix un parc, la région de Mill Creek serait la mieux indiquée. Or Mill Creek, plus petit que la vallée de Redwood, comprenait déjà deux parcs publics : si on en installe un troisième, plaisantait-on dans les scieries, cela enrayera le développement de la « lèpre des parcs [2] »... Comme le ton montait, Udall se déchargea discrètement de l'affaire pour la confier à Ed. Crafts. Deux projets de loi antagonistes furent ainsi présentés au Congrès : l'un, favorable à Redwook Creek, par le sénateur Lee Metcalf, au nom du Sierra Club; l'autre par le sénateur Thomas Kuchel, au nom de l'ad-

1. Nelson, inaccessible au découragement. enjoignit à son Service des transports d'établir plusieurs plans de rechange prévoyant des routes suffisamment éloignées du fleuve pour ne pas tomber sous le coup des nouvelles dispositions « environnementielles » découlant de la jurisprudence. Mais lorsque le budget de construction de 2 millions et demi de dollars, qu'il soumit aux électeurs en 1971, fut rejeté à une majorité écrasante, lui-même fut contraint d'admettre que cette route était « une voie sans issue ».
2. Expression ironique, par référence à « la lèpre des taudis » qui gagnait dans les grandes villes. (*N.d.T.*)

ministration Johnson. Or, qui donc orchestrait la campagne en faveur de Mill Creek dans l'administration Johnson, dans les scieries, dans l'administration républicaine de Californie, dans les rangs des écologistes éminents? Laurance Rockefeller. S'étant rendu plusieurs fois en Californie du Nord pour apaiser l'opposition des milieux industriels à ce projet de parc, il s'était convaincu que le site de Mill Creek était un bon compromis et que l'on ne pouvait guère espérer mieux, à moins d'une longue et âpre bataille. Il avait alors joué un rôle important dans le choix du président Johnson en faveur de Mill Creek.

Cela donnait, certes, satisfaction aux scieries, mais tenait surtout le plus grand compte de la situation politique compliquée qui régnait dans les rangs républicains en Californie. L'attitude du gouverneur Ronald Reagan sur la question du parc était conforme à sa fameuse déclaration : « Quand on a vu un séquoia, on les a tous vus. » S'il soutenait le choix du site de Mill Creek, c'était d'une part à cause des scieries, d'autre part pour respecter les termes d'un marché : le ministère des Affaires intérieures s'était en effet engagé, en retour, à ne pas s'opposer à son projet de construction, à travers une partie du parc national des Séquoias, d'une autoroute menant à la station de loisirs de Mineral King — projet envisagé par les entreprises Walt Disney qui l'avaient soutenu lors de son élection en 1966. En parrainant le projet de loi favorable à Mill Creek, le sénateur Kuchel, républicain libéral condamné par l'aile droite des républicains de Californie pour avoir été le principal soutien de Rockefeller contre Goldwater lors des primaires de 1964, espérait rentrer dans les bonnes grâces de Reagan et obtenir sa neutralité aux prochaines élections primaires, qui devaient avoir lieu en 1968. Pour compliquer encore la situation, un rapprochement se préparait entre Reagan et Nelson, qui devait aboutir à une alliance en bonne et due forme, à Miami, pour faire échec (mais c'est leur tentative qui fut un échec) à la désignation de Richard Nixon.

Ne voulant pas être accusé d'indifférence envers l'écologie, et cherchant à contrebalancer l'opposition du Sierra Club, Laurance s'enrôla dans la prestigieuse ligue « Sauvez les Séquoias [1] ». Dans une atmosphère d'intrigues digne de la Renaissance italienne, il fit la tournée des différents responsables; cette offensive diplomatique n'était pas sans évoquer, à échelle réduite, celles que devait mener plus tard Henry Kissinger, alors conseiller de son frère, à l'échelle planétaire. On savait qu'il était le représentant du président et, tout naturellement, l'esprit de compromis qu'il incarnait influença largement le

---

1. Les Rockefeller, au fil des années, avaient donné plusieurs millions de dollars à la ligue « Sauvez les Séquoias » depuis que Junior, lors de son premier séjour en Nouvelle-Californie en 1926, avait été si impressionné par les projets de cette association, qui consistaient à rassembler patiemment des parcelles de forêts de séquoias pour les remettre à l'État et permettre la création de parcs. Outre cette dette à l'égard de la famille de Laurance, la ligue avait bien des raisons de soutenir le projet Mill Creek. Les deux parcs d'État sur le site de Mill Creek étaient nés grâce à elle, et elle était soucieuse de les voir protégés de toute atteinte — n'ayant pas oublié comment, à la fin des années cinquante, l'État y avait fait passer une autoroute... La ligue espérait donc que l'influence de Laurance au niveau fédéral la mettrait à l'abri de telles déconvenues.

projet de loi qui résulta de ses efforts. Seule, une partie de Redwood Creek fut incluse dans ce projet, grâce à l'entremise d'un fonctionnaire influent aux Affaires intérieures, Wayne Aspinal.

Des années plus tard, évoquant la succession d'événements qui avaient empêché le parc national des Séquoias d'être aussi vaste et aussi magnifique qu'il eût été possible, Stewart Udall, ancien ministre des Affaires intérieures, en voulait encore à Laurance : « Là, il m'a vraiment eu, dit-il. Dès le début, il prônait un compromis semblable à celui qui fut finalement adopté. Mon opinion n'était pas arrêtée, mais je me suis peu à peu rendu compte que le Sierra Club avait raison de préconiser un parc étendu. J'étais certes quelque peu contrecarré par les services du Budget, mais le vrai problème était Laurance Rockefeller. Derrière mon dos, il était allé trouver le président Johnson et avait mis sur pied ce fameux compromis, avec l'idée de partager le gâteau en deux, sans se soucier des mécontentements.

« Laurance entretenait des liens étroits avec les gens de la Société forestière Weyerhauser; il se vantait de pouvoir s'adresser à eux comme un homme d'affaires à un autre, et aussi de pouvoir aller au Capitole, de discuter aussi bien avec les gens du Congrès comme Aspinal, et d'obtenir en fin de compte l'unanimité. Disposer de ce genre de pouvoir, voilà ce qui lui importait, bien plus que toute considération de justice. Il va de soi qu'il agissait avec beaucoup de doigté. Laurance n'aimait pas la polémique. A bien y songer, je crois qu'il n'a jamais eu, tout au long de ces batailles, la moindre goutte de sang sur les mains. C'est presque un instinct, chez lui, que de ne pas se mouiller. »

Vers la fin des années soixante, les écologistes commençaient à se demander si Laurance n'appartenait pas à cette sorte d'amis qui valent bien tous les ennemis du monde. Il avait favorisé la croissance aux dépens de l'environnement, il avait pris part à toutes sortes de combinaisons, coupant l'herbe sous le pied aux groupes qui travaillaient dans l'intérêt public; et, alors même qu'il donnait de l'argent pour la création de parcs, il créait (c'était là, apparemment, la contradiction la plus flagrante) des stations de luxe dans des régions encore vierges.

Pour Laurance, il n'y avait là rien de contradictoire. L'écologie n'était à ses yeux qu'un terme de l'équation, l'autre comprenant les emplois, la croissance, le développement, le profit. Son rôle consistait à équilibrer les plateaux de la balance. S'il s'était engagé dans l'étude de l'ORRRC, c'était en raison de ses attaches avec l'écologie, mais aussi parce qu'il s'intéressait à la révolution des loisirs et à toutes les possibilités qu'elle laissait entrevoir. Le développement des loisirs, susceptible d'accroître la demande en matière de terrains et d'équipements publics, devait aussi donner lieu à des investissements profitables dans le tourisme et l'hôtellerie.

Il ne voyait pas de solution de continuité entre l'écologie et le tourisme, à preuve la manière dont, en 1957, il s'arrangea pour faire coïncider l'ouverture de sa station de loisirs de Caneel Bay avec l'inauguration du parc national des îles Vierges (dont il avait fourni les terrains). Laurance était allé jusqu'à demander à ses collaborateurs de rédiger un projet officialisant le lien entre les deux événements. Après avoir fait mention des hôtes de marque (de la presse, du ministère des Affaires intérieures et du Congrès) que Laurance faisait venir à Saint-John à ses frais, ce projet résumait ainsi ses objectifs : « But : transmettre les titres de propriété des terrains au gouvernement de façon à souligner les profits économiques et écologiques que les îles et la nation en retireront. Lancer avec éclat une réalisation hôtelière exception- nelle, avec le maximum d'efforts publicitaires, pour souligner en même temps le charme exceptionnel de Caneel Bay... »

L'hôtellerie n'était d'ailleurs qu'un élément d'un tableau plus vaste. Grâce à la plantation de Caneel Bay, le chiffre d'affaires de l'industrie touristique dans les îles Vierges tournait autour de 100 millions de dollars vers le milieu des années soixante ; bien entendu, les 2 000 hectares que Laurance possédait, en commun avec son frère David, dans l'île de Sainte-Croix, avaient de ce fait considérablement augmenté de valeur. A Porto Rico, l'hôtel Dorado Beach, qui avait coûté 9 millions de dollars, avait à tel point prospéré que Laurance et ses associés décidèrent de consacrer les 750 hectares qu'ils possédaient en commun à la création des domaines de Dorado Beach (coûteuses résidences secondaires pour cadres supérieurs, avec parcelle d'un demi-hectare chacune et façade donnant sur le magnifique terrain de golf de Robert Trent Jones) et le Club villa Dorado, dominant les 16 hectares d'un splendide parc dessiné par un paysagiste. Laurance avait également entamé les premières opérations pour la construction d'un hôtel semblable au Dorado Beach, le Cerromar Beach, dont les tables de jeu et la vie nocturne devaient faire de San Juan ce qu'avait été La Havane avant Castro.

En 1965, outre ces propriétés dans les îles Vierges et à Porto Rico, Laurance était propriétaire de l'élégante station de loisirs de Little Dix, dans les îles Vierges britanniques, du Grand Teton Lodge à Yellowstone, et de l'Auberge de Woodstock dans le Vermont. C'est cette année-là que la pièce maîtresse de son ensemble hôtelier — l'hôtel de Mauna Kea Beach, dont la construction coûta 20 millions de dollars — fut inaugurée en grande pompe en présence de C. Douglas Dillon, ministre des Finances, naguère associé de Laurance dans ses spéculations, de John McCone, ancien directeur de la CIA, devenu directeur de la Standard Oil, de Leonard et Harvey Firestone, de Henry Luce, du sénateur Daniel Inouye, entre bien d'autres.

Ayant été frappé dès 1960, au cours d'un voyage d'étude sur les possibilités de développement de la grande île d'Hawaii, par la grandeur sauvage de Kaunaoa Beach, Laurance y avait acheté des terrains puis avait proposé à un cabinet d'architectes, Skidmore, Owings et Merrill, de travailler pour lui. Avec ses plafonds à hautes voûtes, ses immenses terrasses donnant sur les volcans couronnés de neige et la mer tumultueuse, cet édifice devait être le joyau de sa couronne d'hôtels ; Laurance voulait qu'il dominât le paysage marin et terrestre environnant. L'argent coula à flot pour la construction de Mauna Kea. La première maquette du hall de réception, que les architectes concevaient comme une structure en forme d'igloo et dont le coût estimé atteignait 200 000 dollars, déplut à Laurance, qui l'écarta après une nuit de réflexion. Il veilla à tous les problèmes soulevés par la construction de l'hôtel, depuis la forme des toilettes jusqu'à l'itinéraire des experts envoyés en Extrême-Orient rechercher des statues et autres objets d'art pour décorer le hall principal.

En 1966, après l'inauguration de Mauna Kea, Laurance créa la Rock Resorts, société de gestion chargée d'administrer toute sa chaîne hôtelière et de moderniser son fonctionnement, sous la direction de Richard Holtzman, ancien responsable des intérêts de Sheraton à Hawaii. Laurance se réservait le soin d'exposer lui-même toute la valeur philosophique de ses hôtels. (« Cet environnement est ennoblissant et stimule les capacités créatrices, dit-il à un journaliste lors de la grandiose inauguration de Mauna Kea. Et mes hôtels sont conçus de façon à maintenir les gens aussi près que possible de la nature. ») Les affaires étaient le domaine de Holtzman. Sept ans plus tard, après avoir indiqué que Mauna Kea avait un des meilleurs indices de fréquentation de toute l'industrie hôtelière et qu'il s'attendait à lui voir rapporter des bénéfices dès 1973, Holtzman déclara : « Mr. Rockefeller exige que l'hôtel se maintienne à un niveau très élevé; il a la conviction que l'attachement à la qualité est non seulement souhaitable du point de vue idéologique, mais rentable à long terme. »

Si, au départ, l'hôtel ne semblait pas devoir rapporter d'argent avant longtemps, les terrains adjacents, en revanche, devaient rentabiliser l'investissement hawaïen. Dès le début, Laurance avait voulu se servir de Mauna Kea pour ouvrir au tourisme ce coin reculé de l'île, afin de créer par la suite toute une cité nouvelle en pleine jungle. Il avait acquis un droit de préemption sur quelque 6 000 hectares situés dans les environs immédiats et, tandis que Mauna Kea était encore en construction, établi le plan détaillé d'un énorme ensemble centré autour de son grand hôtel (et de six autres, de catégorie inférieure, destinés à satisfaire une clientèle moins fortunée), qui devait s'élever au cœur de la ville nouvelle de Kavahae. Outre les hôtels et les terrains de golf de Robert Trent Jones (2 millions de dollars), il y aurait là des aires de jeux, ainsi qu'un grand centre commercial pour les vingt mille personnes qui vivraient dans les ensembles que Laurance avait l'intention de créer.

De tels plans exigeaient des manœuvres à vaste échelle. En 1967, apprenant qu'un projet du CAB (Conseil de l'aéronautique civile) avait donné après d'âpres batailles l'avantage à l'Eastern Airlines pour le tracé des routes aériennes transpacifiques (projet dont le président Johnson devait bientôt assurer la réalisation), Laurance fit convertir 70 % des actions de Dora Beach et 60 % des actions de Mauna Kea détenues par Eastern Airlines en actions de la compagnie aérienne, pour une valeur de 22 millions de dollars. Il utilisa ces actions pour se lancer, avec l'Eastern et la Société de développement Dillingham (firme de construction spécialisée dans les bâtiments de grande hauteur), dans une entreprise de spéculation baptisée Dilrock-Eastern et qui consistait en la construction d'un ensemble résidentiel, touristique et de loisirs de 250 millions de dollars sur la côte de Kohala [1].

Une véritable fièvre de développement s'empara de tout Hawaii dans la foulée des entreprises de Laurance; il entraîna à sa suite Boise-Cascade, Signal Properties et plusieurs grands promoteurs japonais. On murmurait que ces aménagements avaient déjà détruit la beauté tropicale de certaines autres îles. Laurance troqua sa casquette de promoteur pour celle de l'écologiste. Apprenant qu'une merveilleuse étendue de forêt tropicale était en danger dans l'île voisine de Maui, Laurance fit don de 27 hectares qu'il possédait dans la région des « Sept Mares sacrées » à la Société de préservation des sites et la persuada de racheter les 2 000 hectares environnants pour faire don du tout au parc national des Volcans Haleakala, tout proche. Mais le temps n'était plus où de tels gestes pouvaient effacer l'impression produite par ses équipements hôteliers. L'écart était trop grand entre ces deux attitudes. Ses stations de loisirs lui avaient coûté environ 40 millions de dollars au cours des dix années précédentes, alors que de toute sa vie, il n'en avait pas dépensé 10 millions pour ses entreprises philanthropiques de caractère écologique.

Non seulement les spécialistes de l'environnement en étaient venus à se méfier de lui, mais ceux qui avaient eu affaire à lui à un niveau plus élevé (les alliés et complices de sa politique écologique) avaient eux-mêmes dû déchanter peu à peu. Stewart Udall, qui s'était aligné sur Laurance (même si celui-ci avait parfois dû le traîner de force) dans la plupart des batailles décisives des années soixante, devait déclarer en parlant de cette époque : « Laurance est un étrange personnage; j'ai toujours pensé que ses hôtels illustraient parfaitement le profond conflit qui se déroulait en lui. Prenons les îles Vierges. Le montant des capitaux qu'il y a investis reflète bien les deux éléments de sa personnalité — l'égoïsme et le souci du bien public. D'un côté, à la vue de cette petite île, Laurance s'est dit : " Bon, voilà un des plus jolis paysages sur lequel flotte le drapeau américain, il faudrait en faire un parc. " Mais ça ne l'empêche pas de faire construire un hôtel chic au beau

---

1. L'attribution à l'Eastern des routes aériennes d'Hawaii conditionnait sa participation à l'entreprise. Actionnaire important de la Société et ami personnel de LBJ, Laurance était chargé d'influencer le président. Il était républicain, tandis que les autres sociétés aériennes avaient à leur tête des démocrates (Clark Clifford pour la Continental, Abe Fortas pour Braniff) : en compensation, l'Eastern loua les services du prestigieux cabinet d'avocats washingtonien Revis, Pogue et Neal, dont l'un des associés, Welsh Pogue, ancien directeur du CAB, était une figure éminente du parti démocrate. Robert Beckman, avocat de Washington spécialisé dans les litiges entre compagnies aériennes, et qui suivit en initié cette bataille de titans, dit à ce propos : « Il était de notoriété publique que Rockefeller avait eu plusieurs entretiens privés avec le président sur la question. Le montant des investissements dans la route transpacifique était énorme, aussi chacun des principaux protagonistes dépensa-t-il au moins 1 million de dollars pour sa propre campagne. Il fallait être quelqu'un comme Laurance pour être admis dans la partie. Et même alors, une fois entré sur le terrain, la réussite n'était pas garantie. »

milieu de cette île splendide, mais inaccessible à l'Américain moyen. Alors on se demande où est le vrai Laurance dans tout ça : c'est là un symbole de la contradiction fondamentale qui l'a toujours habité. »

Et voici ce qu'en dit Charles Stoddard, qui travailla en étroite collaboration avec Laurance pendant plus d'un an, avant de démissionner de son Comité consultatif des citoyens : « Si tout autre qu'un Rockefeller avait agi comme Laurance (faire don de terrains pour des parcs nationaux, puis les équiper, faire construire de grands hôtels à côté et acheter pas mal d'hectares destinés à des lotissements), on aurait crié au mauvais goût, à la contradiction. Mais Laurance, en sa qualité de Rockefeller, semble toujours tirer son épingle du jeu. La vérité, au fond, c'est que l'attention de Laurance ne se fixe jamais très longtemps sur quelque chose. Sans doute est-il excellent pour son image de marque de se donner des airs de bienfaiteur, mais, disons-le nettement, les problèmes d'environnement auxquels se trouve confronté le pays ne l'empêchent pas de dormir. »

Au cours de l'été 1968, lorsque les sénateurs Henry Jackson et Edmund Muskie, avec d'autres responsables des questions écologiques au Congrès, organisèrent une réunion extraordinaire pour tenter de définir une politique nationale de l'environnement, ils invitèrent Laurance à prononcer le discours d'ouverture. Laurance suggéra que le président nommât une commission spéciale sur l'aménagement de l'environnement, et ses auditeurs estimèrent qu'il serait lui-même l'homme idéal à la tête d'une telle commission. Cela aurait ajouté une dernière perle à sa couronne et lui aurait permis de regagner le prestige perdu dans les luttes des dernières années avec les écologistes. Mais le président, gravement empêtré dans les problèmes du Vietnam, ne parvint pas à mettre sur pied ladite commission. Ce fut le second échec de l'année pour Laurance (le premier ayant été le choix d'American Airlines et de Braniff, et non de l'Eastern, pour desservir les routes aériennes transpacifiques passant par Hawaii...).

Laurance restait cependant un personnage important dans le Tout-Washington de l'environnement. Il contribua largement à la campagne de Nixon en 1968 et, quand la nouvelle administration entra en fonction, resta à la tête du Comité consultatif des citoyens sur la qualité de l'environnement (nouveau nom donné par le nouveau président au Comité sur les loisirs et les beautés naturelles créé par Johnson). Laurance continuait à jouir d'une grande réputation dans les cercles gouvernementaux. Au début des années soixante-dix, un mémorandum non signé sur l'influence qu'il exerçait circula discrètement dans les hautes sphères du ministère des Affaires intérieures ; ce document, comme le fit remarquer l'essayiste Allan Talbot, ressemblait exactement à un dossier du FBI sur un gros bonnet de la Mafia. On pouvait y lire que Laurance « contrôlait » deux organisations écologiques, qu'il en avait « infiltré » onze autres, et que huit autres encore étaient « suspectes » de lui être inféodées. Il faisait figure de « patron » au Bureau des loisirs de plein air, dont l'importance ne cessait de croître, de la même façon que naguère son père à l'Office des parcs nationaux. Il entretenait également des relations suivies avec des personnalités telles que Russell Train, ex-président de la Fondation de préservation des sites (l'une des organisations qu'il avait « infiltrées » après avoir aidé Fairfield Osborn à la créer en 1947 et lui avoir versé depuis 50 000 dollars en moyenne par an), vice-ministre des Affaires intérieures sous Nixon et devenu par la suite responsable de l'Agence de protection de l'environnement.

Pourtant, bien qu'il fût difficile de s'en apercevoir au premier regard, le crédit de Laurance en tant qu'écologiste, qui avait si rapidement atteint de tels sommets pendant les années fastes de l'administration Johnson, avait commencé à décliner. En 1970, quand la manifestation appelée Earth Day [1] porta l'écologie au premier plan dans l'opinion publique et stimula, dans tout le pays, la prolifération de groupes d'action pour l'environnement, le dilemme de Laurance devint d'une clarté aveuglante. Même s'il éprouvait une secrète répulsion pour les marées noires qui infestaient les plages de Santa Barbara et de San Francisco, il ne pouvait s'allier publiquement avec des gens qui manifestaient contre les sociétés pétrolières et multipliaient les déclarations hostiles au *big business*. Il s'engagea dans des négociations pour créer une Aire nationale de loisirs à Golden Gateway, destinée à préserver la baie de San Francisco, au moment même où son frère David se lançait dans la Société des Westbay Associates, au coude à coude avec la Banque Lazard Frères et la Crocker Land Company. Cette Société avait pour objet le remblaiement de 2 400 hectares dans la baie, qui permettraient la mise en œuvre d'un projet immobilier de 3 milliards de dollars. (Lorsque la Commission pour le développement et la préservation de la baie de San Francisco organisa des auditions et réussit à faire échec au projet de la Westbay, Warren Lindquist, principal collaborateur de David, dénonça cette « bande d'écologistes forcenés » d'avoir saboté un excellent projet.) Et, tandis que des organisations pour la protection de l'environnement telles que les Amis de la Terre (que Laurance voulait avoir l'air d'admirer) se battaient pour alerter le public sur les désastres qu'entraînerait l'utilisation commerciale de l'énergie nucléaire, Laurance continuait à réaliser des investissements dans la technologie nucléaire [2]; avec Nelson et David, il soutenait à fond les

---

1. Journée où la « terre » fut célébrée sur tout le territoire des États-Unis. (*N.d.T.*)
2. Dans les années cinquante, il avait contribué à la mise sur pied de la Société nucléaire unifiée. Au cours des années soixante, il amena plusieurs membres de sa famille à investir dans la Société nucléaire de Nouvelle-Angleterre, qui devint un des principaux producteurs d'énergie nucléaire. Cet investissement, l'un des meilleurs du portefeuille de la salle n° 5600, rapporta gros à la famille : 1 982 000 dollars en dix ans, pour un investissement initial de 160 000. La Société reçut blâme sur blâme de la part de l'AEC [Atomic Energy Committee, créée en août 1946, organisme fédéral — *N.d.T.*] vers la fin des années soixante, pour avoir relâché dans l'air et les égouts de Boston des doses radioactives capables de provoquer des effets désastreux. Ces incidents furent portés à la connaissance du public; en outre, un employé de la Société nucléaire de Nouvelle-Angleterre contracta une leucémie et en mourut en trois jours, après avoir été

tentatives d'Edison et d'autres Sociétés mixtes pour le développement et l'implantation des centrales nucléaires.

Laurance s'était toujours flatté d'être à l'avant-garde des mouvements dans lesquels il s'était engagé, et d'avoir réussi à résoudre ses contradictions par un pur effort de volonté. Mais, dans le cas du mouvement écologique, ses idées et son style d'intervention étaient dépassés et ses contradictions paraissaient avoir échappé à tout contrôle de sa part.

Sa vie semblait évoluer circulairement. Après avoir commencé sa carrière sans spécialisation particulière puis atteint, par un sérieux effort, la renommée et l'influence, Laurance, attaqué avec une violence imprévue, était retourné au « dilettantisme créateur » de ses jeunes années. Ses activités dans le domaine de l'environnement ne cessèrent pas pour autant, mais en qualité de membre honoraire, soustrait aux luttes quotidiennes. (« Il n'est plus en vedette, mais ça ne veut pas dire qu'il ne travaille pas avec efficacité dans les coulisses, déclare Gene Setzer, principal collaborateur de Laurance pour l'écologie. C'est d'ailleurs comme cela qu'il a toujours le mieux réussi. »)

Des enthousiasmes soudains s'emparaient encore de lui : par exemple, pour la reconstitution d'une ferme modèle du xixe siècle près de sa propriété de Woodstock Inn, dans le Vermont (à titre de « musée vivant »). Et il gardait l'œil sur toutes ses affaires, surveillant en particulier ses hôtels.

Extérieurement, Laurance n'avait guère changé. L'âge avait accentué ses traits; un cancer de la peau (les docteurs de Sloan Kettering affirmaient qu'il n'était pas évolutif) lui couvrait parfois de rougeurs le côté du visage au-dessous de l'oreille. Fumeur de pipe invétéré, il avait l'allure d'un philosophe, était fertile en bons mots raffinés et se montrait soucieux de se tenir au courant des dernières tendances de la culture populaire (en 1971, dînant chez une de ses filles, il surprit tout le monde en déclarant qu'il venait de terminer *Naissance d'une contre-culture,* de Theodore Roszak, et que ce livre lui avait fait une impression profonde).

Mais, au fond de lui, il n'était plus le même. Dès sa jeunesse, il avait été le mieux placé des enfants pour échapper à cette mystique quelque peu écrasante que Junior avait imposée à la famille Rockefeller. Ce sentiment de pouvoir être différent « s'il le voulait » avait toujours distingué Laurance de ses frères qui, eux, avaient accepté comme un article de foi l'idée d'une destinée particulière des Rockefeller, avec tout ce qu'elle impliquait pour leur existence personnelle. Mais ce sentiment propre à Laurance, faute d'avoir jamais pu s'exprimer, fermenta peu à peu en lui et dégénéra en cynisme.

Sous ses manières affables se dissimulait un nihilisme dont aucun des

---

gravement exposé au plutonium à l'intérieur d'un laboratoire : la famille décida alors, à regret, que dans cette affaire, les risques pour leur bonne réputation étaient supérieurs aux profits, et elle se débarrassa de ses actions dans ladite Société.

autres frères n'avait même idée. Laurance était peut-être le seul à avoir véritablement conscience de ce qu'il leur en avait coûté d'être des Rockefeller. Il tenait généralement cette pensée sous le boisseau, mais il arrivait cependant qu'elle fît surface. L'un des employés de la salle n° 5600 se rappelle, en triant des souvenirs avec Laurance, être tombé sur la Médaille de la Liberté que le président Johnson lui avait remise vers la fin de son mandat. Laurance prit dans sa main cet emblème de la plus haute distinction civile du pays, le considéra un instant, puis le remit à son employé. « Peut-être devrions-nous lui trouver une place, dit-il, ajoutant avec ironie : Lyndon me l'a accordée en compensation de la route aérienne d'Hawaii. »

La vie de Laurance se déroula tout entière dans le cercle commun à tous les hommes d'affaires : conférences interminables, réunions de conseil d'administration, réunions de travail. Il se rangea toujours aux côtés de son frère Nelson. (Lorsque sa fille lui reprocha d'avoir servi de bouc émissaire lors des auditions de la Commission sénatoriale chargée de confirmer la nomination de Nelson à la vice-présidence, il haussa les épaules : « C'est vrai, aucun homme politique n'est parfait. Mais si on s'en tient au score moyen, Nelson est un assez bon batteur [1]. ») A part ça, toute son activité tournait autour d'un grand vide. Certains de ses collaborateurs le reconnaissaient en privé, mais il était évidemment impensable de le dire publiquement.

Ses enfants échappaient néanmoins à de telles contraintes. Sa fille Laura dit sur un ton de regret : « Je suis triste pour lui, en un sens. Il a raté le coche. Papa aurait pu être un créateur. » Sa sœur Marion est du même avis : « Il dépend pour tout des spécialistes et des experts. Ils lui masquent la réalité, et lui ne cesse de se précipiter d'un côté et de l'autre. Il passe son temps à descendre d'un avion à réaction pour monter dans un autre ; il n'a de temps pour rien, et surtout pas pour se comprendre lui-même. »

Laurance sentait bien qu'il manquait à sa vie un centre de gravité. Il y faisait des allusions indirectes, dans des remarques qui paraissaient naguère plaisamment ironiques, mais qui prenaient maintenant, l'âge aidant, un ton de légèreté désespérée ; ainsi de sa réponse à un interviewer qui soulignait le caractère décousu de sa carrière : « Oui, ma vie, c'est presque du Zen : trouver sans chercher. » Depuis ses années d'université à Princeton, Laurance avait toujours professé qu'un homme n'est rien d'autre que la somme de ses contradictions ; mais il devenait de plus en plus difficile de dire exactement quel résultat donnait chez lui cette addition.

1. Allusion au jeu de base-ball. (*N.d.T.*)

CHAPITRE XXIII

Au début de février 1974, David Rockefeller avait encore entrepris l'un de ses voyages au long cours, cette fois pour se rendre au Moyen-Orient où il devait rencontrer au Caire le président égyptien Anouar el Sadate et mener à terme des négociations pour l'ouverture d'une nouvelle filiale de la Chase (ce serait la première banque US à ouvrir en Égypte depuis l'affaire de Suez de 1956). Au programme, également, diverses concertations avec les sociétés pétrolières à propos de cette flambée des prix dont les pays producteurs avaient pris l'initiative depuis la guerre d'Octobre avec Israël, et de ses effets sur l'économie internationale.

Au beau milieu de son périple, David reçut un coup de téléphone du général Alexander Haig, chef d'état-major de la Maison-Blanche. Le président venait de recevoir la démission de George Schultz, ministre des Finances ; elle devait prendre effet dès que le poste serait pourvu, disait dans l'écouteur la voix de Haig, tremblante d'excitation ; David pouvait-il rentrer par le prochain avion, car on songeait à lui pour le poste ? Avec cette concision qui lui donnait, dans la conversation ordinaire, l'air de dicter une lettre d'affaires, David répondit qu'il se rendrait à Washington dès que possible mais qu'il estimait, dans l'intérêt supérieur du pays, devoir rester quelques jours encore au Moyen-Orient et y achever sa tâche.

David était certes flatté par l'offre de Haig, mais ce n'était pas la première fois qu'on le pressentait pour ce poste. Kennedy l'avait déjà fait, et Lyndon Johnson le lui avait carrément offert. Il avait chaque fois refusé : à l'époque, en effet, il ne voulait pas interrompre son ascension jusqu'au sommet de la Chase en assumant des fonctions gouvernementales ; d'autre part, sa femme Peggy repoussait farouchement l'idée d'aller vivre à Washington.

L'économie était paralysée par la crise du pétrole et l'inflation ; le scandale du Watergate empoisonnait l'atmosphère à Washington : le poste avait beaucoup moins d'attrait que naguère... En outre, ce n'était un secret pour personne que le président Nixon n'aimait pas les Rockefeller. En 1968, la façon dont Nixon avait réagi, lors d'un voyage en avion à Key Biscayne, en entendant prononcer par un de ses collaborateurs le nom de David pour le ministère des Finances, avait alimenté les potins de Washington. Un autre membre de l'entourage du président, rappelant que le nom de Nelson avait déjà été cité pour la Défense, fit promptement remarquer que cela ferait deux

Rockefeller au gouvernement. Nixon fit la grimace et dit : « Bon Dieu, un seul, c'est déjà trop[1]. »

Tout de même, en rentrant aux États-Unis dans son avion à réaction privé, David se surprit à considérer l'offre avec beaucoup de sérieux. La tâche était pour le moins tentante par sa dimension. Le pays avait besoin d'un homme de sa stature pour rendre à Washington sa crédibilité. Cette œuvre herculéenne supposait également un assainissement de l'économie, gageure digne d'un Rockefeller.

De retour à New York un mercredi à 11 heures du soir, il fut le jeudi matin à 9 h 15 dans le bureau de Haig à Washington, afin de discuter de l'étendue des pouvoirs dont il exigeait, le cas échéant, d'être investi. Il voulait avoir l'assurance qu'il serait autorisé à délivrer la politique économique de toute considération tactique liée peu ou prou à l'affaire du Watergate. Ce soir-là, très tenté d'accepter le poste, il se rendit à un dîner officiel organisé autour des questions du Moyen-Orient, auquel assistaient le président et Kissinger. Le président le salua, lui serra cordialement la main, mais ne fit aucune allusion au nouveau poste. Il n'y eut rien : pas le moindre mot d'encouragement exhortant David à monter à bord. Cela lui parut assez anormal. Quelques jours plus tard, les deux hommes eurent à nouveau l'occasion de se rencontrer, et cette fois encore, le président ne fit pas la moindre allusion à sa nomination. David se retourna vers ses propres conseillers pour réévaluer la situation. Lapsus mental de Nixon, conséquence de cette tension dont les traits tirés de son visage gris portaient si visiblement la marque? Quoi qu'il en fût, sans un ferme encouragement du président, l'offre paraissait nulle et non avenue, surtout étant donné les risques qu'elle comportait.

Le lendemain, David appela Haig de New York et lui annonça qu'il allait devoir décliner sa proposition. Comme le chef d'état-major insistait pour connaître ses raisons, Rockefeller marqua une courte pause puis, avec ce tact diplomatique qui lui était habituel, dit que sa décision était motivée par ses craintes de ne pouvoir accomplir un travail efficace dans la conjoncture actuelle, trop de gens faisant peser sur sa famille la responsabilité de la crise de l'énergie.

Ravaler ses doutes, accepter le poste en toute confiance, c'eût été bon pour d'autres, mais pas pour David. Depuis vingt ans ou presque qu'il travaillait à la Chase, il y avait belle lurette qu'il occupait — selon les termes de la revue *Finance* — « l'équivalent du rang de ministre parmi ses pairs ». Une telle position n'était pas affectée par les changements de locataires à la Maison-Blanche ni par le fait que l'économie du pays était menacée de sombrer dans

---

1. Cependant, le réalisme politique, auquel Nixon était très sensible, allait finalement le conduire à proposer à David le choix entre les Finances, la Défense et l'ambassade de Moscou.

le chaos. Elle était le reflet d'une réalité essentielle : le système de pouvoirs qui régissait le pays et sa propre place au sein de ce système.

Dans l'univers de David, les institutions occupaient la première place ; et après la famille, la Chase était l'institution qui comptait le plus. Au début, s'il avait accepté l'offre de son oncle Winthrop Aldrich de travailler à la Banque, c'est qu'il se rendait compte que c'était le genre d'institution — peut-être même le seul — capable de lui procurer à la fois l'autorité et la situation sociale de ses rêves. (Il avait déjà remarqué chez son frère aîné, John, combien le fait d'être simplement un Rockefeller et rien d'autre pouvait susciter de déboires.) La Banque avait en outre quelque chose de particulière- ment attrayant : elle s'adaptait parfaitement à sa personnalité et à ses ambitions. La carrière de son oncle lui avait montré que les banquiers sont les hommes d'État du monde des affaires. Dans la mesure où secteur privé et intérêts publics sont étroitement imbriqués, les banquiers sont l'expression de cette interaction : leurs conseils d'administration eux-mêmes sont les lieux de rencontre des personnalités influentes des affaires et du pouvoir. Détenteurs du crédit, ils contrôlent la politique des sociétés et sont les garants de l'avenir économique.

Pendant tout le temps qu'il avait gravi les échelons de la Chase, un drame s'était joué dans l'économie américaine d'après-guerre, dont David avait suivi les péripéties : les institutions financières avaient pris de plus en plus le pas sur les sociétés industrielles, et les grands organes d'investissements sur les actionnaires individuels, en tant que propriétaires *de jure* des plus importantes entreprises du pays. Ces tendances plaçaient les banques à l'épicentre de l'économie. Détentrices d'énormes dépôts (et des fonds de caisses de retraite plus colossaux encore), elles étaient devenues les grandes puissances de l'ordre économique. Et parmi les plus puissantes, la Chase Manhattan figurait au tout premier rang. A l'époque où il déclina l'offre de Nixon de le nommer au ministère des Finances, David était à la tête d'un directoire coiffant les conseils d'administration d'Allied Chemical, Exxon, Standard d'Indiana, Shell Oil, AT & T, Honeywell, General Foods, et de dizaines d'autres sociétés géantes. La Chase était actionnaire majoritaire dans la CBS, la Jersey Standard, l'Atlantic Richfield, les United Airlines et un essaim d'autres sociétés — depuis AT & T et IBM jusqu'à Motorola et Safeway. La puissance que lui conférait sa situation d'actionnaire était immense [1].

---

1. La banque avait mis cette situation à profit pour se ménager une influence prépondérante dans l'industrie des transports. Actionnaire majoritaire dans deux importantes compagnies de chemin de fer et deux grandes entreprises de transports routiers, la Chase avait des avoirs substantiels dans l'aviation. Elle était actionnaire principal dans United (8 %), Northwest (9 %) et National (12 %). Elle détenait aussi des parts importantes dans la TWA, Delta et Braniff. Les compagnies aériennes ayant des besoins fréquents de renouveler complètement un équipement extrêmement onéreux, une banque agissant en qualité de dépositaire pouvait choisir d'investir dans ces placements relativement peu hasardeux. Rien de fortuit, dans ces conditions, si quatorze compagnies aériennes de premier plan, en 1974, totalisaient à l'égard de la Chase une dette à recouvrer de 275 millions de dollars.

Mais les fruits de ce « meilleur des mondes » des affaires bancaires n'étaient pas encore mûrs en 1960, lorsque, à l'âge de quarante-six ans, David Rockefeller fut nommé président de la Chase et partagea la charge de gouverneur de la Banque avec George Champion, qui avait succédé à John J. McCloy à la présidence du conseil d'administration. Grand, grisonnant, distingué, Champion avait, au fil des années, acquis une solide réputation de banquier d'affaires. Il était de dix ans l'aîné de Rockefeller et, à bien des égards, son contraire sur le plan intellectuel. Mais les deux hommes partageaient les mêmes convictions sur les problèmes de fond auxquels la banque se trouvait confrontée. Dès le départ, leur tandem surprit le monde des affaires par l'originalité de ses initiatives, tout à fait étrangères à l'image patricienne de la Chase : donner des chandelles de cirier [1] comme prime à tout nouveau client qui ouvrait un compte ; inonder les mass media d'une campagne publicitaire de plusieurs millions de dollars centrée autour du slogan : « Vous avez un ami à la Chase Manhattan »...

Pour préserver la cordialité de leurs rapports, ils laissaient délibérément de côté les domaines où leur opposition était irréductible : le fondamentalisme religieux de Champion et les goûts de David pour l'art moderne. Quand Billy Graham [2] vint à New York, David participa à sa campagne avec assez de générosité pour n'être pas taxé d'indifférence ; quand Rockefeller, avec son Comité d'acquisition des œuvres d'art (qui comprenait Alfred Barr, du Musée d'art moderne, Robert Hale, du Metropolitan Museum, entre autres conseillers de la famille en matière esthétique), commença à remplir la banque de tableaux expressionnistes abstraits, le très traditionnel Champion demanda simplement que la sculpture d'avant-garde, faite de calandres et autres matériaux indécents à ses yeux, ne fût pas placée dans son champ de vision au bureau. (Les chicaneries de Champion étaient d'ordre artistique, mais certains actionnaires manifestaient quant à eux des préoccupations d'ordre financier. Lors d'une réunion annuelle, la question fut posée de savoir s'il ne valait pas mieux distribuer l'argent en dividendes : David fonça et fit remarquer à ces philistins que les 1 600 œuvres d'art de la Collection de la Chase, qui avaient coûté moins de 500 000 dollars, avaient été estimées à plus de 3 millions de dollars en 1972.)

Autre élément qui contribuait à aplanir les relations entre les deux hommes : tous deux savaient que cette direction bicéphale prendrait fin au bout de sept ans, quand Champion, âgé alors de 58 ans, atteindrait l'âge de la retraite et que David assumerait l'entière responsabilité de la banque, comme prévu depuis le jour où l'oncle Winthrop l'avait engagé. Le nouveau quartier général de la Chase (1, Chase Manhattan Plaza), monument d'aluminium et de verre, semblait bien illustrer cette destinée. Avec ses 60 étages, ce parallélépipède de 150 millions de dollars, s'élevant au-dessus de ses voisins, était le premier gratte-ciel achevé dans le plan de rénovation du Bas

1. Plante américaine dont le fruit verdâtre produit de la cire. (*N.d.T.*)
2. Prédicateur laïc qui faisait courir les foules. (*N.d.T.*)

Manhattan élaboré par David. C'était le plus gros immeuble bancaire du monde; il disposait du plus grand ensemble d'ordinateurs, des caves les plus vastes. *Fortune* y voyait moins une cathédrale de la finance qu'une machinerie magnifiquement équipée, capable de brasser n'importe quelle quantité d'argent ou de pouvoir.

Au 17e étage, des gardes arpentaient discrètement les couloirs tandis que des cadres dirigeants, installés chez le coiffeur, recevaient leurs soins de beauté hebdomadaires, ou bien attendaient l'ascenseur-express qui, en un clin d'œil, les hisserait jusqu'au nid d'aigle, tout en haut, où ils prenaient leurs repas dans les salles à manger directoriales. Au 17e étage, on pouvait apercevoir David sortant en trombe de son ascenseur particulier (quelle surprenante agilité chez ce gros homme) et disparaissant, par les portes de verre à glissières actionnées électriquement, dans son bureau personnel, richissime bric-à-brac de Cézanne, de Wyeth, de Rothko, de poteries étrusques et de sculptures africaines. Avait-il conscience que, pour les trois cents vice-présidents qui travaillaient sous ses ordres, son bureau était le *saint des saints,* à n'approcher que le cœur empli d'humilité? Probablement pas. Richard Reeves, ancien commentateur politique au *New York Times,* se rappelle l'effet produit chez les sous-ordres de David par la seule proximité du bureau présidentiel: « Je me rendais au 1, Chase Manhattan Plaza plusieurs fois par mois. J'étais toujours frappé par la véritable terreur que David inspirait à ses subordonnés. Ils entraient et sortaient de son bureau sur la pointe des pieds. Chaque fois que j'allais l'interviewer, un vice-président venait me chambrer à l'avance: " Écoutez, vous n'allez pas lui poser de questions sur sa fille Abby et sur son mouvement de libération des femmes, ou des choses de ce genre, j'espère? " »

David semblait inspirer naturellement ce comportement, ce souci des tons feutrés. Alors que le mot favori de Laurance était « orchestrer », celui de David était « convenable ». Seul de son espèce parmi les frères, ainsi que le remarque son ami et filleul George Gilder, « il ne renonce à aucun des rigides préceptes de la famille, justifiant sa puissance et sa situation en essayant de se montrer moralement supérieur aux autres dynasties fortunées et influentes des USA. Ce sentiment lui a permis de justifier sa richesse et de dormir sur ses deux oreilles ». La plus profonde blessure que reçut jamais David, ce fut peut-être l' « inconvenance » fondamentale du divorce et du remariage de Nelson. « C'est simple: un Rockefeller ne se conduit pas comme Nelson, dit Gilder. C'est bon pour les richards de Hollywood. » C'était une atteinte à l'édifice moral de la famille. « David broya du noir pendant des semaines à cause de ça, raconte un de ses enfants, mais il était à ce point pris au piège de son sens des convenances (il s'agissait d'une de ces choses dont on ne parle pas, voilà tout) qu'il ne put se décider à aborder le sujet devant Nelson, ce frère qu'il avait toujours adoré; il ne lui restait donc plus qu'à donner son assentiment. »

C'était bien le plus étrange des frères, étonnamment dépersonnalisé pour un homme aussi en vue, réincarnation victorienne et paternelle de la bienséance, l'émotion toujours bridée derrière la façade agréablement guindée de l'homme rationnel. (« Bien malheureusement pour nous — dit un jour Richard, fils de David, en repensant à son enfance —, toute émotion était considérée chez nous comme l'opposé de la raison, donc mauvaise par définition. ») La vraie personnalité de David paraissait gommée : ses vues se limitaient à ce qu'étaient censés dire les hommes de son rang ; ses actes étaient dictés par son sens des convenances. Ensemble frustrant pour sa famille et ses proches ; mais parfaitement adéquat pour diriger l'une des institutions financières les plus puissantes du monde. Ce comportement prévisible, toujours soigneusement mesuré, qui lui donnait en privé l'air d'obéir aux ordres secrets de quelque ventriloque, en faisait également le porte-parole idéal des milieux où régnait la Chase. Il maîtrisait à fond le langage et les formes de communication qu'on attendait de lui et il savait exprimer les points de vue requis avec une parfaite impersonnalité. Il avait appris à s'envelopper dans la double majesté de l'appartenance aux Rockefeller *et* de chef de la Chase ; il savait combiner ce double pouvoir, institutionnel et quasi symbolique, puissance que, laissé à ses seuls talents, il n'eût peut-être pas été capable d'acquérir.

La voix de David s'était tue tout au long des années cinquante, alors qu'il gravissait les échelons de la Chase ; à ce stade, il était *convenable* qu'il s'en remît à ses supérieurs techniques. Mais son arrivée au sommet de la Chase coïncida avec l'avènement de la « Nouvelle Frontière » ; dans cette conjoncture nouvelle, il put commencer à se comporter en oracle du monde des affaires et exercer un peu de l'influence que lui valait sa position.

Aux yeux des milieux d'affaires, l'administration Kennedy devait affronter deux problèmes urgents : un rythme de croissance très lent, et un dollar affaibli. L' « importance prépondérante de la croissance économique » avait constitué le thème constant de la fameuse Étude des frères Rockefeller sur la situation économique. Son vœu de voir doubler le taux de croissance avait reçu l'adhésion implicite de Kennedy, explicite de Nixon, et farouche de David. « La croissance économique n'apporte peut-être pas de réponse complète à la question du bonheur humain, avait déclaré ce dernier dans un de ses discours, mais elle mérite la priorité des priorités dans la mesure où elle fournit les éléments indispensables pour améliorer le bien-être collectif aussi bien que celui de l'individu. »

Au cours des deux premières années de l'administration Kennedy, les discours de David réclamèrent inlassablement une réduction de la pression fiscale afin de stimuler l'économie. « Le président Kennedy a suggéré un allégement des charges fiscales dans le cas où le marasme des affaires irait en s'aggravant, lança-t-il à un auditoire de l'Ohio vers la fin de 1960. Mais cette mesure peut se révéler insuffisante. Le pays risque de se trouver placé devant la question suivante : un impôt sur les bénéfices qui prend 52 % de tous les

369

profits réalisés par les sociétés est-il compatible avec l'objectif national d'une croissance économique à rythme plus rapide? » En 1962, ayant déploré « le déclin du rôle et de l'influence des milieux d'affaires sur la scène américaine, comparé à ceux des syndicats et du gouvernement », David déclara à un journaliste du *Wall Street Journal :* « Il est clair que le pays souffre d'un système fiscal démodé, qui freine les investissements... Là encore, une politique saine n'a rien à voir avec les mesures préconisées par les démagogues. »

La même année, David assista à un dîner offert par la Maison-Blanche en l'honneur d'André Malraux. Au moment où David et sa femme se retiraient, Kennedy prit David à part et lui demanda son avis sur la situation de la balance des paiements ainsi que sur les sentiments des milieux d'affaires vis-à-vis de la situation économique en général. La réponse de David revêtit la forme d'une lettre de trois mille mots qui fut publiée dans *Life,* face à face avec la réponse du président, et diffusée dans toute la presse — confirmation éclatante de son rôle de porte-parole des hauts responsables du monde des affaires. A sa façon, David était devenu aussi représentatif de son époque que Floyd Patterson [1] ou John F. Kennedy lui-même.

Comme son ami C. Douglas Dillon (que Kennedy avait nommé ministre des Finances, David ayant nettement marqué son manque d'intérêt pour le poste), David exhorta le président à modérer le Budget fédéral, voire à réduire les dépenses gouvernementales (à l'exception des dépenses militaires dont l'augmentation massive, liée aux événements du Vietnam, était acceptée tant par David que par Dillon). Et c'est avec « inquiétude et consternation » (David ne se permit pas d'expression plus forte) qu'il considérait l'augmentation des dépenses publiques qui avait accompagné la diminution des investissements privés au cours des cinq années écoulées. « Évidemment, je le reconnais, dit-il, la réduction des dépenses de l'État et l'allégement de la pression fiscale ne saurait résulter d'un coup de baguette magique. Mais la difficulté même de la tâche exige que nous l'entreprenions sur-le-champ. »

Entre-temps, néanmoins, le principal tenant de cette fameuse politique de dépenses qui, aux yeux de David, allait affaiblir le dollar, fut nommé fort à point ambassadeur en Inde. La réduction de la pression fiscale fut décrétée par Kennedy. « Quel avantage y a-t-il — fait observer à ce propos John Kenneth Galbraith — à avoir quelques dollars de plus à dépenser si l'air est irrespirable; l'eau imbuvable; si les banlieusards ont des problèmes de transport de plus en plus ardus; si les rues sont dégoûtantes; les écoles, si mauvaises que les jeunes leur tournent le dos (peut-être font-ils aussi bien); et si des truands à la petite semaine dépouillent les citoyens des quelques dollars qu'ils ont économisés en impôts? » Il n'hésitait pas à dénoncer sans ambages les motivations de ceux qui, comme David, se prononçaient en faveur de l'allégement des charges fiscales des riches tout en s'opposant à un effort gouvernemental pour redresser l'équilibre social : « La raison en est que les

---

1 Célèbre boxeur poids lourd, noir, dans les années trente. (*N.d.T.*)

services publics, extrêmement importants pour les gens à revenus modestes, ne sont pas aussi indispensables aux riches, bien loin de là. Et que les riches paient davantage [en impôts]. En conséquence, les riches et ceux qui disposent des moyens d'expression font campagne contre les dépenses publiques. Cette politique [de dépenses publiques] rencontre de la résistance? C'est tout simplement qu'elle n'est pas agréable aux égoïstes. »

Qu'on eût de lui une telle opinion eût bien chagriné David Rockefeller. Elle ne cadrait pas avec le sentiment qu'il avait de lui-même et de sa fonction, ni même avec l'idée que les membres de son entourage se faisaient de lui. Le *New Yorker* avait récemment cité de son ami André Meyer, directeur de la Banque Lazard Frères et membre du conseil d'administration de la Chase, un point de vue diamétralement opposé sur David : « Il n'est rien sur terre que je ne ferais pour David. Non parce que c'est un Rockefeller, mais parce que c'est le genre d'être humain pour qui on a envie de faire quelque chose. Je ne l'ai jamais vu se montrer mesquin. Je l'ai toujours vu faire preuve dans l'action de beaucoup d'équilibre, de classe, de grandeur. Dans cette jungle de la finance, vous trouvez toute sorte d'animaux. Il est le meilleur. »

Cependant, les mesures adoptées par Kennedy sous l'influence de David (développement du crédit, allégements fiscaux et remises d'impôts) représentaient une redistribution massive du revenu; on prenait aux pauvres pour donner aux riches. 45 % des réductions d'impôts bénéficiaient aux plus gros contribuables (une famille gagnant 200 000 dollars par an obtenait une ristourne de 32 000 dollars, tandis que pour un revenu de 3 000 dollars, elle n'était que de 60). Les impôts sur les sociétés furent considérablement abaissés (jusqu'à 23 %), cependant que les profits augmentaient dans le même temps de 57 %. Dillon put annoncer non sans fierté qu'au cours des quatre premières années de l'administration Kennedy, les dépenses civiles de l'État avaient diminué d'un tiers par rapport à ce qu'elles étaient sous le très conservateur Eisenhower.

Du fait de sa position privilégiée à la Chase, David estimait de son devoir de veiller sur la santé de l'économie non seulement à l'intérieur, mais également hors des frontières des États-Unis. Et tout particulièrement en Amérique latine. Sa propre carrière dans la finance internationale avait commencé au département latino-américain de la Chase, qui représentait déjà une puissance non négligeable dans le sous-continent; il avait participé à plusieurs entreprises de son frère Nelson au sud du Rio Grande, y compris l'acquisition d'un ranch et des investissements dans le cadre de l'IBEC au Brésil; il avait pris part aux plans d'aménagement touristique de Laurance dans les Caraïbes. En outre, le milieu où il évoluait était composé de gens qui avaient pris en main les finances et l'industrie latino-américaines : des amis comme les Peter Grace, avec qui il faisait du yacht l'été à Seal Harbor et dont la firme familiale dominait la marine marchande latino-américaine; ou des collègues comme André Meyer ou Douglas Dillon dont les sociétés de placement finançaient les gouvernements latino-américains et ouvraient la voie à la pénétration des marchés latino-américains par des entreprises géantes comme la Standard Oil ou ITT.

Au seuil des années soixante, un événement vint troubler ce petit monde : le 1er janvier 1959, avec l'entrée à La Havane des guérilleros de Fidel Castro, prit fin la dictature de Fulgencio Batista sous le règne de qui le milliard de dollars des investissements US à Cuba avait grandement fructifié. David n'approuvait peut-être pas personnellement la corruption qui avait maintenu en place Batista et garanti sa docilité, mais la Chase figurait parmi la poignée de banques new-yorkaises qui, depuis un demi-siècle, ouvraient et fermaient les robinets du crédit aux gouvernements et dictateurs cubains. Rockefeller lui-même était administrateur de la Société sucrière Punta Alegre, seconde en importance des Sociétés US d'exportation de produits cubains. A. A. Berle junior, conseiller de la famille (bientôt nommé par Kennedy à la tête d'une Mission spéciale chargée de mettre au point les grandes lignes de sa politique en Amérique latine), présidait le conseil d'administration de la Société Sucrest, la plus importante raffinerie de sucre de la province d'Oriente à Cuba, cliente de la Chase. Lorsque le Conseil national de sécurité prit la décision d'envahir Cuba, cinq des hommes présents à cette réunion étaient des amis intimes ou des proches collaborateurs de David — le chef du département d'État Dean Rusk ; le ministre des Finances, Dillon, le chef de la CIA Allen Dulles, l'assistant du président McGeorge Bundy, et Berle.

Avant même que l'administration Kennedy ne se fût lancée dans cette malheureuse invasion [1], un programme à long terme avait déjà commencé à endiguer l'hérésie cubaine, grâce à la création d'une Alliance pour le progrès avec les autres pays d'Amérique latine. Annoncée par le président en mars 1961, l'idée de cette Alliance avait germé au sein de la Mission spéciale de Berle ; elle prit corps dans l'élégante station balnéaire de Punta del Este, le 17 août 1961 ; c'est là que Douglas Dillon promit 10 milliards de dollars d'aide US aux pays latino-américains, assortis de la promesse d'entreprendre des réformes sociales susceptibles d'élever de 2,5 % par an le taux de croissance au cours des dix années à venir.

Malgré la caution de Dillon, les milieux d'affaires américains se sentaient mal à l'aise devant l'action des réformistes de l'administration Kennedy comme le secrétaire adjoint Richard Goodwin, qui considérait que le développement économique et le changement social devaient aller de pair. En outre, ils avaient le sentiment que les tenants de la « Nouvelle Frontière » n'avaient pas montré tout l'empressement voulu à faire participer le monde des affaires à la mise sur pied de l'Alliance pour le progrès. Ainsi, ce n'est que trois jours avant la Conférence de Punta del Este qu'un collaborateur de la Maison-Blanche demanda à Richard Aldrich (administrateur de l'IBEC), cousin de David, de rassembler une délégation d'hommes d'affaires pour se rendre à cette réunion, et seulement en qualité d'observateurs.

---

1. Il s'agit du débarquement américain dans la baie des Cochons (17 avril 1961) qui se solda par un désastre pour les mercenaires cubains anticastristes armés et entraînés par la CIA. (*N.d.T.*)

Le fossé grandissant entre Kennedy et les milieux d'affaires donna à David une chance et une responsabilité uniques, qu'il assuma avec l'application qui le caractérisait. Il entra à la Section « Commerce » de l'Alliance pour le progrès et en critiqua le programme : à ses yeux, on n'insistait pas assez sur la nécessité, pour les nations latino-américaines, de favoriser l'expansion du capital privé US. (« Les États-Unis, dit-il, devraient réserver le plus gros de leur programme d'assistance économique aux pays qui se montrent les plus empressés à adopter des mesures favorables aux investissements ; et retirer leur aide aux autres, jusqu'à ce qu'ils viennent à résipiscence. ») En tant que chef du Comité consultatif des milieux d'affaires américains pour l'Alliance, David se déclara partisan de la création d'un Marché commun en Amérique latine, afin d'aider les multinationales US à étendre leurs zones d'action. Au cours de nombreuses réunions de travail avec des groupes d'hommes d'affaires, il souligna l'importance de l'Alliance pour le progrès comme antidote à la contagion du castrisme en Amérique latine. Un an après le débarquement dans la baie des Cochons, il déclara à l'Economical Club de Chicago : « Nous nous sommes fermement engagés vis-à-vis de l'Amérique latine à l'aider économiquement et à lui prêter secours dans sa lutte contre l'expansionnisme communiste. Je pense que la situation autorise des dépenses substantielles sur ces deux fronts, à l'échelle proposée par le président Kennedy. »

Pour rentrer dans les bonnes grâces des milieux d'affaires, Kennedy demanda alors à David d'organiser un Groupe d'affaires pour l'Amérique latine. Composé d'environ deux douzaines de dirigeants de sociétés engagées en Amérique latine, il devait rencontrer régulièrement des hauts fonctionnaires de Washington et discuter de la stratégie à suivre [1].

Cette même année, David proposa la création d'un Comité international des services de gestion, sorte de corps des « Volontaires de la paix » pour hommes d'affaires (le corps des « Volontaires de la panse », dirent certains de ses membres), avec envoi de cadres dirigeants en retraite ou en congé pour assister leurs homologues dans les pays en voie de développement. Ce programme, officiellement lancé en 1964, devait finalement être parrainé par plus de cent soixante-quinze multinationales US.

En 1965, l'Alliance pour le progrès, du moins dans son idée première, était lettre morte. Après la nomination de Thomas Mann au poste de secrétaire adjoint chargé des Affaires inter-américaines, la politique officielle mit avant tout l'accent sur la protection des investissements privés US, et s'interdit d'encourager l'instauration de gouvernements démocratiques dans l'Hémisphère. Deux semaines plus tard, un coup d'État militaire renversait le

---

1. En 1965, David fit fusionner ce groupe avec deux organisations plus anciennes (le Conseil US inter-américain, fondé en 1941 par le bureau de Nelson ; et le Comité d'information latino-américain, fondé en 1961), pour former le Conseil pour l'Amérique latine : les deux cents sociétés adhérentes avaient à leur actif plus de 80 °/₀ des investissements US en Amérique latine. David installa ce Conseil dans un immeuble de six étages faisant face au Conseil des relations avec l'étranger.

gouvernement réformiste, démocratiquement élu, du Brésil : le chef du département d'État, Dean Rusk, salua l'événement comme une « mesure destinée à assurer la continuité de l'ordre constitutionnel ».

Si les nouveaux régimes dictatoriaux surgissant dans le paysage politique déjà désolé de l'Amérique latine traitaient durement leur opposition, ils apportaient évidemment une certaine stabilité. Aussi David fit-il bon accueil à la ligne ultra-conservatrice qui caractérisa dès lors l'alliance de Washington avec les républiques latino-américaines. Dans *Foreign Affairs,* organe du Conseil des relations avec l'étranger, David écrivit en 1966 qu'à son avis, la version édulcorée, revue et corrigée, de l'Alliance pour le progrès, était de loin préférable aux « idées excessivement ambitieuses de changement révolutionnaire contenues dans le programme initial », cette révision « créant un climat plus séduisant pour le monde des affaires US ».

David lui-même avait toujours œuvré en faveur d'un tel climat. Un an auparavant, il s'était rendu au Pérou pour discuter avec les dirigeants de ce pays du différend entre le gouvernement péruvien et l'International Petroleum Cy, filiale de la Standard Oil, concernant des rappels d'impôts et diverses redevances. Une semaine après sa visite, Bobby Kennedy, à l'époque sénateur de New York, s'arrêta à Lima au cours d'une tournée. Il était accompagné de Richard Goodwin, ancien administrateur de l'Alliance. Lors d'une réunion privée d'intellectuels péruviens, on demanda son avis à Kennedy sur ce conflit avec la Société pétrolière. « Vous êtes chez vous, répondit-il, vous devez régler le litige comme vous l'entendez. »

Là-dessus, un Péruvien intervint : « David Rockefeller était ici la semaine dernière, et il a averti le gouvernement que s'il ne cédait pas devant l'International Petroleum Cy, il n'aurait aucune aide à attendre des États-Unis. »

Se penchant en avant, les muscles du visage tendus, Kennedy répliqua : « Eh bien, nous autres Kennedy, nous mangeons du Rockefeller à notre petit déjeuner. »

« L'une des personnes présentes relata l'incident à la presse, se rappelle Goodwin ; l'histoire se répandit. Lorsque nous fîmes halte en Argentine, un journaliste se précipita sur Bobby et demanda (avec une erreur de traduction très significative de la façon dont on travestissait les choses en Amérique latine) : " Sénateur, est-il vrai que vous prenez votre petit déjeuner avec Rockefeller tous les matins ? " »

Kennedy, en fait, ne cherchait nullement la bagarre, pas plus sur les terrains de football que sur les champs de bataille de la politique des partis. En outre, David Rockefeller n'était ni un Richard Nixon ni un Jimmy Hoffa [1]. Dans les arènes nationales et internationales, il apparaissait comme le représentant des castes les plus puissantes, celles dont le pouvoir est permanent. Lorsqu'il parlait, c'était avec la voix d'institutions et de centres de pouvoir dont les présidents eux-mêmes recherchaient l'approbation pour

---

1. Syndicaliste corrompu condamné à 12 ans de prison. Nixon le gracia en remerciement de services rendus au moment des présidentielles. (*N.d.T.*)

leurs programmes. Les Kennedy ne faisaient même pas partie de ces puissances qu'il représentait.

David ne se considérait pas comme un idéologue. sur le Pérou pas plus que sur toute autre question. Son image préférée de lui-même était celle d'un homme pesant le pour et le contre, un homme réellement raisonnable. dévoué au bien public. doué de *gravitas,* cette gravité de jugement si chère aux Romains. Certes. comme ses frères, il avait grandi dans l'ombre de la philosophie politique de Nelson : mais, tandis que JDR 3 donnait à cette philosophie un bref coup de chapeau et que Laurance l'acceptait sans réserve comme un article de foi, David y croyait peut-être plus profondément encore que Nelson lui-même.

Très tôt et avec enthousiasme. il avait appuyé la décision de Kennedy d'envoyer des conseillers au Vietnam (les Études avaient laissé entrevoir cette mesure). En 1965, David s'associa avec ses amis du conseil d'administration de la Chase — Eugene Black (de la Banque mondiale). John McCloy et C. Douglas Dillon — pour former le Comité pour une paix efficace et durable en Asie, afin d'exhorter les banquiers à soutenir la guerre. L'année avait débuté par le bombardement du Nord-Vietnam : en juillet, le président Johnson prenait la décision fatale d'envoyer les 200 000 premiers Marines US. Ces actions reçurent l'approbation totale de David et d'autres dirigeants financiers. inquiets de l'instabilité politique dans cette région du Pacifique. « Par le passé, les investisseurs étrangers ont éprouvé quelque méfiance en ce qui concerne les perspectives politiques générales dans la région — reconnut le vice-président chargé des opérations de la Chase en Extrême-Orient. Je dois dire, toutefois. que les actions US entreprises au Vietnam cette année — qui ont apporté la preuve que les États-Unis continuent à assurer une protection efficace aux pays libres de cette région — ont considérablement rassuré les investisseurs. aussi bien asiatiques qu'occidentaux. En fait, j'ai le sentiment que l'on peut espérer, pour les économies libres d'Asie, le même genre de développement économique que celui de l'Europe avec la doctrine Truman et après que l'OTAN lui eut fourni un bouclier de protection. »

Le 9 septembre. une publicité d'une pleine page parut dans le *New York Times.* signée par David et d'autres membres du Comité pour une paix efficace et durable en Asie : elle appuyait l' « escalade » décidée par Johnson et affirmait le droit des Sud-Vietnamiens « à avoir un gouvernement de leur choix, à se voir épargner assassinats. menaces de violences et autres formes d'intimidation ».

Par suite de l'intensification de son engagement au Vietnam. le gouvernement demanda à la Chase d'ouvrir une filiale à Saigon, afin de brasser les fonds de l'ambassade US. de l'AID. ainsi que les fonds militaires gérés jusqu'alors par les banques françaises et d'autres succursales étrangères. Le nouvel office bancaire s'éleva dans un voisinage de beuglants pour GI's « comme une forteresse moderne de granit et de grès » (*Business Week*). Construit tout spécialement pour le temps de guerre, le bâtiment avait des blocs de verre en guise de fenêtres. et des murs destinés à résister aux explosions de mines et aux attaques de mortier. En 1966, David prit l'avion pour Saigon, afin d'inaugurer officiellement la Chase et d'avoir un entretien privé avec le Premier ministre Nguyen Cao Ky ; au cours de cet entretien, il assura le dirigeant saïgonnais que les Américains influents comme lui-même n'avaient nullement l'intention de tourner le dos à son pays.

Contester les déclarations officielles sur la guerre, cela aurait équivalu pour David à remettre en question les structures fondamentales de sa vie (personnelle aussi bien que publique), et il en était le moins capable de tous les frères. Il devait en fait continuer à soutenir la politique johnsonienne au Vietnam longtemps après bon nombre de ses collègues banquiers : à leurs yeux, cette politique devint vite un échec, et ils étaient prêts à mettre la guerre au rancart comme un genre d'investissement qui n'avait rien rapporté — surtout étant donné les préjudices causés à l'économie intérieure du pays et à son système politique et social.

Certes, David gardait intacte sa croyance dans les bonnes raisons de l'engagement US au Vietnam (en 1968, il réclamait encore une majoration d'impôts d' « au moins 10 milliards de dollars », et une réduction de « plusieurs milliards » des dépenses civiles afin de contribuer à l'effort de guerre) ; mais les contours de sa personnalité ne s'identifiaient pas autant à cette guerre que c'était le cas pour Bundy, Robert McNamara et Lyndon Johnson. Sous ce rapport, le propre Vietnam de David se trouvait en Afrique du Sud.

En mars 1960, rassemblement de plus de cinquante mille Noirs devant les postes de police d'Afrique du Sud, dans une manifestation non violente de protestation contre le régime qui leur interdisait de vivre, de travailler ou de se déplacer librement. Le 21 mars, à Sharpeville, dans le Transvaal, la police fit feu sur les manifestants : soixante-neuf Africains tués, cent quatre-vingts blessés. La plupart des tués avaient reçu une balle dans le dos.

Le massacre de Sharpeville souleva dans le monde entier une vague d'indignation. De Londres, Winston Churchill le stigmatisa comme « le plus effarant des spectacles : la force de la civilisation sans sa clémence ». Brusquement, le régime sud-africain apparut isolé dans l'arène internationale et ébranlé par une crise intérieure. La fuite de capitaux réduisit ses réserves au-dessous de leur plus bas niveau ; les investisseurs mirent leurs activités en sommeil ; la stabilité du régime leur semblait compromise, ils craignaient d'éventuels boycottages économiques ; et Johannesburg entra dans une période de graves difficultés économiques et politiques.

Là-dessus, un consortium de banques US, redoutant les conséquences de la chute du régime pour les vastes investissements de leurs clients dans cette partie du continent, entreprit une croisade de réhabilitation de l'Afrique du Sud. La Chase avait ouvert sa première filiale sud-africaine en 1959, un an après que l'Assemblée générale de l'ONU eut voté la condamnation de la politique d'apartheid de ce pays. Avec la Dillon, Read & Co (firme de C. Douglas Dillon, à l'époque secrétaire adjoint au département d'État, et banque d'investissement pour Charles Engelhard, le plus gros magnat US du diamant et de l'or en Afrique du Sud, prototype de Goldfinger, l'ennemi juré de James Bond) et la National City Bank, la Chase avait fait partie d'un consortium qui avait offert 40 millions de dollars de prêts renouvelables au régime sud-africain. Or, à la suite du massacre de Sharpeville, ce crédit fut rapidement renouvelé et un consortium plus important encore fournit 150 millions de dollars de prêts au gouvernement. Encouragé par ce soutien, le Premier ministre Hendrik Verwoerd déclara devant son parlement : « L'Afrique du Sud, nous la voulons blanche... Pour la garder blanche, un seul moyen : la domination blanche; il ne s'agit ni de diriger, ni de guider, mais de dominer. »

La vague d'investissements qui déferla alors sur l'Afrique du Sud déclencha une période de prospérité économique, et la Chase s'engagea plus avant. En 1965, David et les autres dirigeants avaient décidé une participation importante dans la Standard Bank Ltd, la plus grosse banque britannique en Afrique (avec plus de 800 filiales sur 1 200 en Afrique du Sud, elle y occupait le deuxième rang). Par suite, la Chase tenait plus que jamais à la stabilité et à la prospérité du régime.

Entre-temps, le mouvement américain des droits civiques avait commencé à établir un lien entre le fameux prêt renouvelable et sa signification pour la survie de l'apartheid; les Étudiants pour une société démocratique (SDS) [1] et l'Association nationale des étudiants (rejoints par des groupes d'inspiration religieuse et de petites associations militantes comme le Comité américain sur l'Afrique) prirent la Chase pour cible de leurs manifestations. En 1966, un Comité de conscience, dirigé par A. Philip Randolph, prit la tête des protestations contre la politique de prêt du consortium. Outre les défilés et manifestations, il lança une campagne visant à exhorter les clients individuels ou institutionnels (églises et universités) à retirer leurs fonds des dix banques qui avaient consenti le prêt à l'Afrique du Sud, et à se débarrasser des actions qu'ils pouvaient détenir dans des sociétés complices.

Un retrait de quelque 23 millions de dollars fut ainsi obtenu; mais, surtout, cette campagne contre l'apartheid souleva une série de problèmes de relations publiques, dont certains au sein même de la banque. En effet, tandis que les manifestants scandaient leurs slogans à l'extérieur de la Chase, à l'intérieur, des Noirs commençaient à dénoncer à voix haute les pratiques discriminatoires de la banque dans les questions d'emploi et de promotion en Amérique même. Tirant parti du lien entre le racisme sud-africain et le racisme américain, ils entamèrent une action juridique avec l'aide de la Commission des droits de l'homme, et lorsque David engagea Jackie Robinson comme conseiller spécial pour les affaires urbaines en 1967,

---

1. « Students for a democratic society », organisation de jeunes militants « gauchistes ». (*N.d.T.*)

l'ancien joueur de base-ball de Brooklyn, pionnier de la lutte pour l'égalité raciale, passa le plus clair de son temps à recevoir des plaintes émanant de Noirs appartenant au quartier général de la Chase.

En 1967, les actionnaires de la Chase ne savaient plus à quel saint se vouer, *a fortiori* lorsqu'ils virent leur assemblée annuelle entourée d'un cordon de militants brandissant des pancartes qui parodiaient le slogan publicitaire de la Chase : « L'apartheid a un ami à la Chase Manhattan. » Dès l'ouverture de la réunion, un actionnaire de Philadelphie proposa une résolution demandant à la Chase de se retirer d'Afrique du Sud. Le gouverneur de la Chase, George Champion, l'écarta aussitôt avec brutalité, comme non recevable. David prit alors la parole en tant que président de la banque et présenta une justification de sa position, formulée avec grand soin. Préparée pour lui par le Service des relations publiques de la Chase, elle portait à l'évidence sa marque personnelle : « Nul d'entre nous ne plaide pour l'apartheid. En fait, nous la considérons tous comme une politique dangereuse et scandaleuse... », commença-t-il; puis il fit remarquer que nombre de vieilles puissances coloniales ayant quitté l'Afrique, les États-Unis, c'était clair, se devaient à présent d'y jouer un rôle plus important. Ils avaient le devoir sacré d'aider les peuples dans leurs efforts pour développer leur pays. Si c'était insuffisant, il y avait toujours l'action conjointe avec la Standard Bank. Et le discours se poursuivit, émaillé d'une ironie involontaire :

> « Si nous devions déguerpir d'Afrique, quel coup ce serait, non seulement pour la Standard Bank, mais pour le développement du continent dans son ensemble... Voici peu, j'ai eu une discussion à ce sujet avec le président Kenneth Kaunda, de la République de Zambie. Il se déclara persuadé que le retrait des intérêts US d'Afrique du Sud serait une très mauvaise chose, en particulier pour les Noirs... On peut penser ce qu'on veut des implications morales ou éthiques de l'apartheid, mais force nous est de reconnaître que dans tout le continent africain, c'est en Afrique du Sud que les Noirs ont le meilleur niveau de vie... A la Chase Manhattan, avoir des relations bancaires avec tel ou tel pays ne nous a jamais paru nécessairement entraîner la moindre adhésion aux comportements sociaux et politiques dudit pays. Notre règle a toujours été de suivre la ligne du département d'État. Si les USA entretiennent des relations diplomatiques amicales avec un pays, eh bien, nous faisons généralement des affaires avec ce pays. Nous avons évoqué la question de l'Afrique du Sud avec le département d'État; on nous a dit qu'un retrait de notre part ne serait d'aucune aide... »

Argument déjà bien connu des membres de la famille, inquiets de voir leur nom associé à l'apartheid par le canal de la Chase[1]. Une des nièces de

---

1. L'idée que les Noirs sud-africains étaient « mieux lotis » en raison de l'aide de la Chase suffisait aux yeux de David à assurer la défense de sa position. Était-elle vraiment plausible?

David, Marion, fille de Laurance, se rappelle lui avoir écrit pour protester contre le soutien apporté par la banque au régime sud-africain. Elle s'attendait soit au silence, soit à recevoir quelque formule tout imprimée ; quelle ne fut pas sa surprise de recevoir par retour du courrier une longue réponse composée et tapée à la machine, de toute évidence, par David lui-même : « Si nous, que le sort des Noirs préoccupe, nous retirons de Johannesburg, d'autres viendront nous remplacer qui ne s'en préoccuperont nullement. Notre simple présence nous permet d'accomplir notre devoir concernant l'amélioration du sort des Noirs et d'œuvrer de l'intérieur contre les préjugés raciaux. »

Comment David aurait-il pu sérieusement admettre qu'il y eût même un atome de vérité dans les accusations de complicité avec le racisme sud-africain portées contre sa banque ? Pourtant, ces attaques le gênaient et il lui fallait à tout prix démontrer qu'il se trouvait du bon côté. Les conséquences de la guerre du Vietnam commençaient à se faire sentir dans le pays au cours des longs étés brûlants qui suivirent l'explosion du ghetto de Watts[1] : David les mit à profit. En avril 1968, après l'assassinat de Martin Luther King jr., le pays se préparait à une nouvelle saison de luttes raciales ; la Ligue urbaine, dont David était membre-fondateur, entra alors en scène pour proposer des « programmes importants », avec un don de 200 000 dollars qu'elle avait obtenu du Fonds des frères. « Le moment est venu pour les milieux d'affaires américains de prendre en main — et non plus de se contenter de suivre — la solution de nos problèmes nationaux, déclara David. Nous devons faire face à nos responsabilités plus vite, plus massivement et avec plus de combativité qu'aujourd'hui. »

Il choisit le logement comme terrain d'action. Tablant sur la réputation d'urbaniste que lui avaient valu ses opérations à Morningside Heights et l'Association des quartiers sud de Manhattan, David pressa le gouvernement fédéral d'entreprendre sur-le-champ une politique de construction de logements à bas prix destinés aux pauvres, et la mise sur pied d'une Banque (privée) de développement national urbain afin d'aider à la reconstruction du centre des cités. Entre-temps, il annonça que sa propre banque se joignait à quatre-vingts autres banques new-yorkaises pour constituer un fonds commun qui consentirait des prêts hypothécaires, jusqu'à concurrence de 100 millions de dollars, pour venir en aide aux résidents du ghetto new-yorkais de Bedford Stuyvesant.

Le programme de David devait avoir valeur d'exemple : montrer la voie au secteur privé, conscient de ses devoirs sociaux, afin de réduire le fossé entre

---

Comme le reconnut Stephen Pryke, vice-président de la Chase, devant Jim Hoagland, journaliste au *Washington Post*, en 1970 : « Il n'y a pas le moindre signe concret permettant d'affirmer que notre présence a un effet positif sur le problème racial. » Dans son livre intitulé *Afrique du Sud : civilisations en conflit* (qui obtint le prix Pulitzer), Hoagland cita un économiste sud-africain sur l'effet exact de la présence « progressiste » de la Chase : « L'accroissement du progrès économique signifie que le gouvernement peut acheter davantage de fusils, de plus gros tanks, et bien mieux rémunérer les mouchards qu'il infiltre parmi les Africains. »
1. Émeutes raciales à Los Angeles, en 1965. (*N.d.T.*)

Noirs et Blancs. Mais, comme la plupart des autres initiatives de la Ligue urbaine, ce programme resta lettre morte au cours des deux années suivantes : les émeutes de l'été n'eurent pas lieu et l'économie connut une période de récession. En 1970, des dirigeants noirs convoquèrent une conférence de presse : ils révélèrent que, contrairement à ses affirmations, les prêts de la Chase pour les deux années écoulées (elle prétendait avoir mis 5 millions de dollars dans le fonds commun) s'élevaient tout juste au dixième de la somme annoncée. Ils protestaient en outre contre le programme, véritable imposture dans sa conception même, puisque seuls les bâtiments hébergeant quatre familles ou moins avaient droit à des prêts; ce qui excluait automatiquement 80 % des immeubles de Bedford Stuyvesant.

Ces dirigeants noirs voyaient là un contraste saisissant avec d'autres programmes d'urbanisme dans lesquels David était publiquement engagé. Tandis que les prêts destinés aux logements à bas prix finissaient par se perdre dans le labyrinthe bureaucratique de la Chase, l'Association des quartiers sud de Manhattan (que David dirigeait toujours) se démenait avec énergie pour faire aboutir des projets tels que la Voie express du Centre (entre la 14ᵉ et la 59ᵉ Rue). Ce projet devait couper la ville en deux et faire du Bas Manhattan une enclave bien plus facile à protéger des déprédations de la lèpre urbaine, tout en créant un flux gigantesque de dettes obligataires (servies par les banques et... payées par le public). Et la Chase fut très prompte à trouver l'argent nécessaire pour participer à la construction de Manhattan Landing, ensemble d'appartements de 1 milliard 200 millions de dollars, dont la construction était prévue sur des pilotis surplombant l'East River. Tandis que ces plans — visant à faire du sud de Manhattan une mine d'or — progressaient avec une rapidité foudroyante et que les promoteurs utilisaient abattements d'impôts et prêts hypothécaires pour ouvrir aux cadres supérieurs gagnant jusqu'à 56 000 dollars par an des logements de luxe à prix modéré, de vastes zones au cœur même de la cité avaient l'aspect désolé d'une ville frappée par les bombardements aériens.

Mais ce n'étaient là que des voix importunes, prêchant dans le désert et nullement inquiétantes, entendues des hauteurs d'où David contemplait le monde. Jamais il n'aurait davantage songé qu'il pût exister un lien réel entre l'action de la Chase sur les populations noires d'Afrique du Sud et son action sur celles de la ville de New York; ou entre ses propres interventions en faveur d'une réduction de la pression fiscale et des dépenses civiles de l'État, d'une part, et, d'autre part, l'indigence et la succession de réformes avortées qui étaient le lot des Noirs et des populations urbaines pauvres. La pénétration de telles vues lui était épargnée à la fois par sa personnalité propre et par les hommes et institutions qui l'entouraient, lui et les siens, comme une enveloppe placentaire.

Était-il mis en demeure de rendre compte de ses intentions et de la conduite de la banque? Chaque fois un membre de son entourage s'interposait entre David et le châtiment. La convention nationale de la Ligue urbaine, en 1970, en fournit un bel exemple. Quatre mille délégués en colère (qui ne comptaient pas parmi les Noirs les plus radicaux du pays, loin de là) se rassemblèrent à l'hôtel Hilton de New York et votèrent une motion demandant la condamnation de la Chase Manhattan et son exclusion des activités de la Ligue, en raison du racisme dont elle faisait preuve à l'intérieur du pays et de son rôle déplorable en Afrique du Sud. C'est Whitney Young, président de la Ligue, qui se leva pour plaider contre ce qui aurait pu être un coup sérieux porté au prestige de David[1]. Young fit remarquer que la famille Rockefeller, qui avait tant fait pour les Noirs, pouvait difficilement être accusée de racisme. En fait, David Rockefeller venait de l'informer qu'un cadre dirigeant noir, Thomas Woods, avait été nommé au conseil d'administration de la Chase, la veille dans l'après-midi. Utilisant à fond sa prodigieuse force de persuasion, Young parvint à faire surseoir à l'exclusion de la Chase (il ne put toutefois empêcher les délégués de la censurer), sauvant du même coup David d'une situation fort embarrassante.

Dans l'esprit de David, tout problème social comportait des possibilités financières, surtout si l'on se concentrait avec pragmatisme sur ses aspects les plus faciles à résoudre. Dans ses discours sur la crise urbaine, il citait souvent des statistiques de ce genre : pour suivre simplement l'évolution démographique, il faudrait construire avant l'an 2000 l'équivalent de six cent cinquante nouvelles communes de 100 000 habitants, et dix nou-

---

1. Young et la Ligue urbaine montraient bien jusqu'où s'étendaient les tentacules des Rockefeller. Arthur Packard et d'autres conseillers de Junior avaient estimé dès le début que la NAACP [National Association for the advancement of colored people. (*N.d.T.*)] était « trop extrémiste » pour mériter plus de 500 dollars par an. Mais la Ligue urbaine, c'était une autre affaire. Les Rockefeller, qui avaient commencé à la soutenir vers la fin des années vingt, fournissaient environ 35 % du budget de la Ligue en 1940 et étaient profondément impliqués dans ses affaires internes et sa gestion. Après la guerre, Winthrop entra à son conseil d'administration ; en 1952, il donna 100 000 dollars en vue de la doter d'un quartier général permanent. Lorsqu'il partit pour l'Arkansas, Dana Creel, qui gérait le Fonds des frères, demanda son aide à Lindsley Kimball (vice-président de la Fondation Rockefeller et, pendant des années, le dépanneur de Junior en philanthropie) pour redresser les affaires financières embrouillées de la Ligue. Kimball, qui devint président de son conseil d'administration, avait entendu Whitney Young prendre la parole en 1957 dans un colloque de sociologie. Alors professeur dans une université noire du Sud, Young avait atteint le sommet de sa carrière et ne pouvait guère prétendre être engagé par une université du Nord. Il fut sensible aux appels de Kimball qui lui suggéra que sa place était « là où l'on se bat ». Kimball obtint alors, pour Young et sa femme, une bourse de deux ans pour Harvard. Entre-temps, il persuada Lester Granger, administrateur (blanc) vieillissant de la Ligue, de laisser la place, en échange d'un poste itinérant de deux ans à la charge de la Fondation. Granger éliminé, Kimball installa Young à la tête de la Ligue urbaine.
Au cours des dix années suivantes, Young allait augmenter considérablement le budget de la Ligue (de 325 000 à 6 100 000 dollars) et en faire l'organisation vedette de la défense des droits civiques. Le soutien financier vint en grande partie de la Fondation Ford et de particuliers que Young rejoignit au sein de l'Association nationale des milieux d'affaires et de la Ligue urbaine (surtout après les émeutes de Watts). Mais plus d'un million de dollars devaient provenir du Fonds des frères et de la Fondation Rockefeller (Young entra à son conseil d'administration en 1968). Ce généreux arrière-plan était sans aucun doute présent à l'esprit de Young lorsque vint le moment de jeter sur David le manteau de Noé.

veaux centres urbains d'un million d'habitants. Les villes nouvelles et les cités-satellites l'intéressaient vivement (la Chase avait déjà contribué sur plans au financement du centre urbain de Columbia, dans le Maryland); ses propres investissements privés visaient de plus en plus à mettre à profit cette aire de développement.

Il ne prenait certes pas le même plaisir que Nelson et Laurance à édifier des bâtiments, il ne s'attardait jamais sur l'esthétique ou le paysagisme, mais il possédait plus de biens immobiliers que ses frères. Outre ses résidences de Manhattan et de Pocantico, il avait des villégiatures à Seal Harbor et dans l'île de Saint-Barthélemy (Caraïbes), un élevage de moutons sur 7 500 hectares en Australie, des intérêts dans un vignoble français, et plusieurs milliers d'hectares, destinés à l'urbanisation, à Sainte-Croix dans les îles Vierges et dans le Mato Grosso au Brésil.

La propriété foncière était en fait au centre de ses investissements privés. Créant un consortium avec la Lazard Frères d'André Meyer et George Garrett, homme d'affaires washingtonien, il était intéressé pour un tiers dans le développement de L'Enfant Plaza (100 millions de dollars) à Washington [1]. Opération dans laquelle il n'était demandé rien d'autre à David que sa participation pour un tiers au capital, ainsi que son pouvoir d'engager la Chase sur une ligne de crédit. La firme Webb & Knapp, de William Zeckendorf, avait déjà investi douze années en pourparlers et préparatifs pour amener le projet au seuil de l'achèvement; puis elle avait fait faillite, à deux doigts de la réussite. (Lors de la pose de la première pierre, en 1969, un journaliste du *Washington Star* demanda à Zeckendorf quels sentiments on éprouvait à voir les autres tirer honneurs et bénéfices d'un projet qu'il avait développé au prix de tant d'efforts. Le vieux magnat de l'industrie, jetant un coup d'œil en direction des collaborateurs de David, haussa les épaules : « Eh bien, c'est moi le gars qui ai mis la fille enceinte. Les types que vous voyez là ne sont que les obstétriciens. »)

L'araignée au centre de sa toile : la métaphore eût été vraiment plus appropriée. Dans l'ensemble, David laissait venir à lui les marchés de construction. En 1966, à peu près au moment où il obtenait d'être intéressé pour un tiers dans le malheureux projet des Associés de Westbay (construction d'un ensemble colossal sur un sol en remblai dans la baie de San Francisco), David acceptait de la firme promotrice Crow & Trammel l'invitation à participer au Centre Embarcadero, grandiose projet d'aménagement commercial sur 4 hectares au cœur de San Francisco. Pour un investissement de 2 millions de dollars et en échange de ses bons offices, David se trouva intéressé pour 25 % dans une affaire de 200 millions de dollars. Ses « bons offices » avaient une grande valeur — bien évidemment auprès des banques et des compagnies d'assurances qui finançaient le projet, mais aussi auprès de ses détracteurs. Son expérience de la rénovation urbaine suffit à apaiser les craintes de l'Agence de réaménagement de San Francisco;

1. Voir note du traducteur p. 283. (*N.d.T.*)

en route vers le Pacifique, il s'arrêta le temps nécessaire pour convaincre la Commission municipale de contrôle d'autoriser le Centre Embarcadero à dépasser la hauteur limite autorisée dans la cité. David fit remarquer que les promoteurs avaient l'intention de mettre dans le projet pour plus d'un million de dollars en œuvres d'art et en sculptures, sous-entendant par là que se trouverait ainsi amplement compensé le dommage causé à la silhouette aérienne de la ville.

Derrière cet ensemble avait l'air de se profiler le fantôme du grand projet de construction paternel réalisé au cœur de Manhattan. (Il représenta pour tous les frères, dans leurs diverses entreprises de bâtisseurs, une sorte de modèle inaccessible). James Bronkema, administrateur de l'Embarcadero, dit : « Certes, nos bâtiments sont différents de style, mais ils ont l'ambition d'évoquer le précédent du Rockefeller Center. En fait, à un moment donné, nous avons failli l'appeler le Centre Rockefeller de la côte Ouest. »

Si San Francisco avait son Centre Rockefeller Ouest, le Centre Rockefeller Sud, il fallait le situer à Atlanta où les Fondations familiales avaient massivement investi dans l'Éducation ; en outre, les experts de David à la banque l'assuraient qu'Atlanta devait connaître au cours des vingt prochaines années un des taux de développement urbain les plus fantastiques. Il avait commencé d'y investir dès 1967, s'associant avec l'armateur grec Stavros Niarchos pour la construction de l'Interstate North, une aire commerciale et résidentielle de 120 hectares, à 15 kilomètres de la ville (coût : 50 millions de dollars). Six mois plus tard, David obtenait d'être intéressé pour moitié dans Fairington, ensemble résidentiel d'appartements et de pavillons en copropriété, sur 350 hectares, à une vingtaine de kilomètres du centre des affaires (coût : 90 millions de dollars) [1].

« Quand je travaillais au *Times,* se rappelle Richard Reeves, ancien responsable des pages politiques, j'étais toujours stupéfait de voir qu'à chaque déclaration de David — même s'il s'agissait du discours d'inauguration d'une exposition artistique ou de quelque chose de ce genre —, on me demandait de couvrir l'événement comme si c'était un événement politique. Abe Rosenthal se précipitait sur moi et me disait : " Écoute, Dick, c'est terriblement important. Allez, tu lâches tout ce que tu es en train de faire et tu y vas ". Je faisais : " Eh, minute, Abe. Je suis en plein sur une histoire de fuite : 300 000 dollars ont disparu comme ça du budget de la cité ". Mais il répondait : " Laisse tomber, je te dis. Appelle-moi le type par qui David fait écrire son discours, veux-tu ? " J'appelais donc le gars ; il proposait de me montrer le premier brouillon, comme si ç'avait été la déclaration d'Indépendance. J'écrivais le papier, les rédacteurs en chef du *Times* en retiraient soigneusement les deux ou trois piques que j'avais tenté d'y glisser, et le tout faisait la " une " du journal, avec un titre suave du genre : David

---

1. Ces investissements, comme la plupart des informations financières concernant la famille, faisaient partie des secrets jalousement gardés entre les murs de la salle n° 5600. Les données citées ici sont extraites du rapport annuel confidentiel destiné aux membres de la famille Rockefeller.

Rockefeller dit que les Gens Devraient se Montrer Gentils les Uns envers les Autres. »

Ce lien presque métaphysique avec les puissances publiques et privées avait donné à David une audience exceptionnelle dans le monde des affaires. Il se plaisait à ajouter « planificateur urbain » ou « porte-parole des grandes sociétés responsables » à la liste des talents qui, comme la queue d'un cerf-volant, donnaient poids et stabilité à sa carrière. Il était certes une figure de premier plan dans le monde de la finance américaine, mais les questions internationales demeuraient sa vraie spécialité. Quand il y résidait, Pocantico se voyait transformé en mini-Nations Unies : un jour, c'était Marcos, le président des Philippines, qui visitait la région dans une limousine Rocke-feller ; le lendemain, c'était le roi Fayçal qui jouait au golf sur le terrain aménagé par le premier Grand Moghol pétrolier, son prédécesseur. Cha-que année, David présidait chez lui une réunion du conseil d'administra-tion de la Banque mondiale, dont plusieurs membres avaient travaillé avec lui à la Chase. Il faisait une bonne douzaine de voyages à l'étranger par an, pour assister à des conférences monétaires et rencontrer les dirigeants des différentes filiales de la Chase ; il était reçu par les chefs d'État en véritable ministre des Affaires étrangères. Quand il rencontrait dans les pays qu'il visitait de jeunes cadres de la politique ou des affaires jugés pleins d'avenir, David inscrivait leurs coordonnées dans son fichier qui contenait déjà les noms de 35 000 « amis » étrangers.

Ses contacts internationaux donnaient à David une influence qu'il n'hésitait pas à utiliser contre ses concurrents. Mais les affaires de la Chase ne se réduisaient pas aux comptes et aux dépôts. La Chase était une banque pétrolière ; ses activités étaient indissolublement liées à la politique étrangère. Dans ses opérations internationales, les questions du pétrole, du développe-ment économique des États et de leur politique nationale constituaient les éléments essentiels d'un contexte où s'inscrivaient les énormes tractations privées et les fantastiques projets qui l'intéressaient en affaires. Représen-tant dans ces opérations des consortiums d'une puissance considérable, David en vint même à esquisser à l'avance les grandes tendances de la politique étrangère, au point qu'il devenait presque possible de les prédire rien qu'en étudiant ses déplacements à l'étranger. Il était comme la figure de proue d'un Clipper Yankee[1] : on le voyait toujours arriver le premier, — mais seulement parce que, derrière lui, une énorme masse le poussait.

La question de la détente, par exemple. En tant que frère de Nelson et partisan inconditionnel de la politique du *containment*[2], on ne pouvait guère accuser David de tendresse pour le communisme. Pourtant, les futures relations de « coopération » américano-soviétiques étaient déjà préfigurées par son voyage en Russie, en 1964, au cours duquel il s'entretint pendant deux heures avec Khrouchtchev à Leningrad (même si le compte rendu de la

---

1. Grand voilier américain du XIXe siècle réputé le plus rapide dans la traversée de l'Atlantique Nord. (*N.d.T.*)
2. D' « endiguement » de l'expansion communiste. (*N.d.T.*)

Pravda fut lapidaire : « Nikita Sergheïevitch Khrouchtchev et David Rockefeller ont eu une franche discussion sur des questions d'intérêt mutuel [3]. »

En 1970, les événements internationaux qui devaient se succéder comme des coups de tonnerre pendant les premiers temps de l'administration Nixon absorbaient déjà une bonne partie de l'activité de David. Le 5 mars, devant un groupe d'hommes d'affaires européens rassemblés à Rome, il affirma la nécessité d'un accroissement du commerce US avec les régimes soviétique et chinois, et déclara : « Le rideau de fer doit être remplacé par un rideau de glace sans tain. » Quatre jours plus tard, devant des financiers réunis à Singapour à l'instigation de la Chase, il affirma qu'il était irréaliste de la part des États-Unis d'agir « comme si un pays de 800 millions d'habitants n'existait pas », et il lança : « Nous devons établir des contacts avec la République populaire de Chine. » En octobre, il accueillit le président roumain Nicolae Ceausescu à la Chase (dont la succursale à Bucarest était le principal établissement bancaire en Roumanie) et déclara qu'il fallait accorder à la Roumanie la clause de la nation la plus favorisée [2] afin d'ouvrir la voie au commerce US, tout en ne laissant pas ignorer que la banque elle-même envisageait d'y investir des sommes importantes.

C'est également en 1970 (tandis que le secrétaire d'État William Rogers préparait ses accords sur le Moyen-Orient) que David, de retour d'un long voyage en Égypte, annonça au président Nixon qu'il avait eu un entretien privé avec Nasser au cours duquel le président égyptien lui avait dit sa tristesse devant la détérioration des relations entre les deux pays, et sa préférence pour des liens amicaux avec les États-Unis plutôt qu'avec l'URSS. Un an plus tard, le 11 mars 1971, l'offensive diplomatique au Moyen-Orient fit un pas en avant : la presse égyptienne publia en première page une grande photo montrant le nouveau président Anouar el Sadate et sa femme souriant à belles dents en compagnie de leurs visiteurs américains David et Peggy Rockefeller. A son retour (le voyage avait également été marqué par des entretiens avec les hauts responsables de Jordanie, du Liban et d'Israël), David déclara à la presse que le climat politique au Moyen-Orient « n'avait jamais été aussi favorable à la paix depuis la fin de la guerre des Six Jours »; il prédit enfin qu'une stabilité suffisante régnerait bientôt dans le golfe Persique pour voir affluer les investissements étrangers (la Chase était sur le point d'ouvrir une filiale à Bahrein), et que l'avènement de conditions similaires au Proche-Orient n'était qu'une question de temps.

Quand la détente fut officiellement ratifiée par Nixon, David s'estima payé

---

1. Depuis lors, David ne cessa de bénéficier d'un traitement privilégié à Moscou. Après les élections de 1968, les Russes firent savoir par voie diplomatique que les chances d'un rapprochement seraient fantastiquement accrues si David était nommé ambassadeur. L'écrivain George Gilder, ami intime de David et de la famille, fait remarquer : « David peut sillonner la Russie et est traité royalement. Paradoxalement, rien de tel que les marxistes pour révérer, flatter et exalter un Rockefeller. »
2. La clause de la nation la plus favorisée est assortie de prêts à long terme et à faible intérêt qui lui permettront d'acheter à la nation prêteuse. (*N.d.T.*)

de sa peine (même s'il n'avait pas déployé tant d'efforts dans ce seul but). Choisie par le gouvernement soviétique, la Chase fut la première banque américaine à ouvrir une succursale en URSS. Après une longue entrevue entre David et Chou En-laï à Pékin en 1973, la Chase fut également nommée correspondante de la Banque de Chine. Dans la foulée de l'amélioration des relations avec les pays arabes, la Chase s'implanta au Moyen-Orient ; elle ouvrit sa filiale du Caire en 1974 et consentit à l'Égypte un prêt de 80 millions de dollars pour l'oléoduc Suez-Méditerranée ; elle entra également en pourparlers avec le roi Fayçal au sujet des énormes réserves de devises accumulées par l'Arabie Séoudite à la suite de la crise internationale du pétrole. Ce dernier exploit diplomatique, David le devait d'ailleurs moins à son habileté qu'à sa position (l'événement n'en suscita pas moins une forte impression, jusque sur l'ami de son frère, Henry Kissinger).

Tout comme ses frères, son éducation hors pair l'avait préparé à affronter dans la vie toutes les formes possibles de l'adversité — toutes, excepté l'échec. A l'approche de la soixantaine, cependant, l'idée de ce dernier avait commencé à faire son chemin en lui. Rien de visible, mais certains signes que les choses ne prenaient pas exactement la tournure prévue, ne coïncidaient pas avec le scénario idyllique établi par son père pour toute la famille. La virulence des attaques contre le nom de Rockefeller le troublait, l'attitude de ses propres enfants le blessait profondément : mais leur commune irrationalité n'était-elle pas à imputer au sort commun de toutes les personnalités publiques et de tous les parents ? (« Mon métier est, je crois, aussi intéressant et aussi passionnant que possible, dit-il sur le mode plaintif ; mais je ne pense pas en avoir vraiment convaincu mes enfants, en tout cas, pas au point de les voir impatients d'entrer dans la carrière. ») Cette déception, néanmoins, ne l'empêchait pas de vivre.

La banque était en définitive son terrain d'élection. Sa personnalité s'y accommodait parfaitement du conservatisme ambiant et il était très fier d'être (comme il le déclara à un journaliste) « le premier membre de la famille depuis grand-père à avoir eu un emploi fixe dans une Société donnée et à y consacrer la majeure partie de son temps ». Si, parmi toutes les promotions et tous les honneurs qui s'étaient accumulés sur ses épaules, toutes les formes d'autorité qu'on lui reconnaissait et qu'il exerçait sans les avoir réellement gagnées, il existait une expression concrète de ses propres réalisations, c'était bien cette entreprise où il avait passé un quart de siècle et qui lui avait servi de tremplin pour son ascension publique. Son talent de banquier : cet élément-là de sa vie ne devait absolument pas laisser planer le moindre doute — un échec en ce domaine eût été inexplicable.

L'échec était pourtant dans l'air en cette journée pluvieuse et froide du 12 octobre 1972 lorsque, sur le coup de 3 heures et demie de l'après-midi, David fit irruption dans la salle du conseil de la Chase, les muscles des joues tétanisés par le serrement des mâchoires. Un coup d'œil à la nuée de journalistes convoqués trois heures plus tôt par l'état-major des relations publiques pour ce qui devait être une déclaration d'importance. Ils furent prompts à remarquer l'absence aux côtés de David d'Herbert Patterson, directeur de la banque, nommé à grand fracas, trois ans auparavant, quand George Champion avait pris sa retraite et que David avait atteint l'échelon suprême de président du conseil d'administration et de gouverneur.

Les gens réunis là savaient que l'activité récente de la Chase n'avait pas été des plus brillantes. Au cours des six premiers mois de 1973, ses gains n'avaient augmenté que de 1 %, contre 16 % pour sa grande rivale, la Citibank. Ces résultats s'inscrivaient dans une tendance plus générale. Parmi les articles récemment parus dans la presse à propos des difficultés de la banque, celui qui avait suscité le plus de commentaires était un reportage illustré paru dans les pages financières du *New York Times* sous ce titre prophétique : « Reflux de la Chase ? »

David lança sans attendre la bombe que tout le monde attendait. Étant donné la position défavorable de la Chase, son directoire avait décidé de remplacer Patterson à la barre par le vice-président Willard Butcher. « Mesure stupéfiante de la part de Rockefeller, commenta *Business Week ;* d'une brutalité non pareille si l'on en juge d'après les critères du grand capitalisme et du monde de la banque où les administrateurs congédiés sont autorisés à disparaître sans remous. » Les milieux boursiers n'apprécièrent pas le procédé, d'autant plus que Patterson, gestionnaire de la Chase depuis vingt ans, apparaissait à l'évidence comme un bouc émissaire pour des maux qui venaient de plus haut que lui. « La faute doit retomber sur quelqu'un, et certainement pas sur le type qui possède la banque », commenta un courtier.

Quant aux collègues de David, ils savaient bien à qui imputer la responsabilité des difficultés de la Chase. John R. Bunting, gouverneur de la première banque de Pennsylvanie, l'une des plus importantes institutions financières du pays, dit de David : « Il a le meilleur nom du monde, vraiment le meilleur, ou à tout le moins le meilleur du pays. Rockefeller... Il est à la tête de ce qu'il faut bien appeler la banque la plus prestigieuse du pays. Et il la dirige comme si c'était une banque de troisième catégorie ! Walter Wriston, à la First National City Bank, est en train de le battre à plate couture. »

A la fin de 1968, juste avant l'accession de David à la présidence, les avoirs de la Chase se montaient à 19 milliards de dollars, soit un chiffre légèrement en deçà de celui de la Citibank (19,6 milliards de dollars), mais la Chase compensait cette infériorité par un léger avantage dans les dépôts. Pourtant, à la fin de 1973, au bout de cinq ans de présidence davidienne et un an après le limogeage de Patterson, la Citibank de Wriston avait sur la Chase une formidable avance en avoirs (41 milliards de dollars contre 27) aussi bien qu'en dépôts (32 milliards contre 26) et en bénéfices (avec 250 millions de dollars, ils étaient de 50 % supérieurs à ceux de la Chase). « A la Chase, vous vous sentez dans une banque, fit remarquer non sans finesse un analyste de Wall Street à un journaliste de *Newsweek*. A la

Citibank, vous avez le sentiment de vous trouver dans une entreprise qui gagne de l'argent. »

Cela faisait déjà plusieurs années que la Chase avait perdu son titre de principale banque de New York au profit de la First National City Bank, en raison de la position dominante que cette dernière occupait outre-mer. Humiliation supplémentaire, elle avait perdu la première place qu'elle avait toujours occupée sur le marché intérieur parmi les géants de la place de New York; plus récemment encore, elle avait pris du plomb dans l'aile en tant que correspondant bancaire (les opérations menées pour le compte d'autres banques : c'était un terrain qu'elle avait longtemps considéré comme un de ses meilleurs atouts), au profit du Manufacturers Hanover Trust, institution dont le chiffre d'affaires n'atteignait pas la moitié de celui de la Chase! Dans le même temps, un certain nombre de ses cadres dirigeants, dont plusieurs vice-présidents, avaient quitté la Chase pour se recycler dans d'autres activités. Comme fit remarquer l'un d'eux au *Times :* « Les offres d'emploi, on en reçoit sans arrêt; on ne les écoute pas lorsqu'on est bien là où l'on est. »

Le fait même que les difficultés de la Chase embrassaient une gamme d'activités si variée montrait assez la nature du problème : pendant des années, la banque avait tout simplement été surclassée, dans la course aux profits, par ses rivales dans le domaine des opérations bancaires à caractère commercial. « Voici peu, la Chase s'est mise à ressembler à un géant maladroit, ni très vif ni très malin, commenta *Business Week*. Elle a perdu sa verve, son élan, son caractère compétitif. » La Citibank avait battu la Chase jusque dans le domaine des sociétés de portefeuille; sa politique de diversification avait instauré un modèle que copiaient à présent les autres banques. Elle prit d'assaut le domaine des opérations hypothécaires, celui de la rationalisation et de l'organisation commerciale et industrielle; et sa lucrative opération en matière de chèques de voyage n'avait pas d'équivalent à la Chase. Même là où elle avait innové, la Chase n'avait pas la force de volonté suffisante pour transformer sa vision en réussite. En 1958, elle avait fait œuvre originale en créant son propre système de carte de crédit : Unicard. Mais, s'étant engagée un petit peu trop tôt, la direction de la Chase prit peur et revendit toute l'affaire à l'American Express, pour 9 millions de dollars, subissant une perte financière considérable. Bank Americard et Mastercharge (la First National City Bank avait pris part à leur fondation) firent la démonstration, quelques années plus tard, de tout le profit qu'on pouvait tirer du système des cartes de crédit : la Chase dut alors verser 50 millions de dollars à l'American Express pour rentrer en possession d'Unicard. Elle espérait faire d'Unicard une rivale des deux autres, mais, en fin de compte, en 1972, elle fut contrainte de jeter l'éponge et dut se contenter d'une association avec Bank Americard, son principal concurrent.

Mais, par une terrible ironie du sort, c'est surtout dans la spécialité de David — les opérations bancaires internationales — que la Chase se trouva distancée. Tandis que David rendait visite aux chefs d'État des différents pays et avait avec eux des entretiens où l'avantage reconnu à la Chase était un présupposé intangible, Walter Wriston allait de l'avant sans tambour ni trompette dans le monde entier. Dans une région où les profits bancaires se développaient deux fois plus vite qu'aux États-Unis mêmes, la Citibank comptait trois bureaux étrangers là où la Chase n'en avait qu'un. La Chase tenta de briser les effets de la domination des filiales étrangères de la Citibank en investissant dans dix-sept banques auxiliaires (comme le groupe Standard) opérant dans soixante-quatorze pays. Mais cette stratégie ne donna rien : pour la Chase, il était déjà dur de se faire représenter par des banques où elle n'avait qu'un intérêt minoritaire ; dans certains cas, celles-ci étaient implantées dans la même zone que les filiales étrangères de la Chase, si bien que les cadres dirigeants de la Chase se trouvaient dans l'étrange situation d'avoir à se concurrencer eux-mêmes...

Les activités extra-bancaires de David ne pouvaient manquer d'attirer de vives critiques ; d'aucuns y voyaient la source des difficultés de la Chase. « Le monde des investisseurs considère Rockefeller comme une grande figure internationale, c'est un ami des rois et des présidents, mais certainement pas un banquier d'affaires avisé », déclara *Business Week.* Sanford Rose, rédacteur en chef de *Fortune,* porta même un jugement plus sévère : « David Rockefeller connaît fort bien les affaires bancaires et le système monétaire de ce pays. Le grand problème, c'est qu'il ne prête aucune attention à la Chase Manhattan. Il va de préoccupation mondiale en préoccupation mondiale dans une limousine à air conditionné (on ne saurait mieux le décrire) ; et de temps à autre, au milieu de ces considérations mondiales, il s'arrête pour prendre une décision concernant la banque, et fait une boulette. On ne peut passer autant de temps à présider le Conseil des relations avec l'étranger, à se montrer une importante personnalité internationale, et simultanément prétendre diriger une banque comme la Chase. Rockefeller a laissé se développer à la Chase une situation qui a engendré une démoralisation généralisée. »

David affronta la tempête avec cet air placide qu'il faisait sien dans toute conjoncture critique. Trois mois avant de congédier Patterson, il avait déclaré au *Times :* « ... Jamais, au cours de mes vingt-six années de banque, je ne me suis senti plus optimiste qu'en cette minute concernant l'avenir de la Chase. » Sanford Rose s'exclame : « Absolument rien ne l'atteint ! Vous pourriez vous présenter devant lui et lui dire : " Écoutez, je viens d'apprendre que votre femme couche avec Walter Wriston ", il me répondrait sans ciller : " Eh bien, oui, il semble que le bruit en court. " »

Avec les années soixante-dix, David était devenu une sorte d'allégorie : président du conseil d'administration de l'*establishment ;* Midas au sommet de l'échelle du pouvoir ; un cardinal de Richelieu rondelet, en complet veston, mêlé à des événements aussi divers que le massacre de Sharpeville [1] et le

1. Voir p. 376. (*N.d.T.*)

renversement de Salvador Allende. Il était l'ombre portée de son ancêtre; et comme les événements ramenaient inexorablement les Rockefeller à l'image publique de leurs débuts, le nom de David servait à évoquer, pour l'Ère du Verseau, ce spectre de la puissance irresponsable que le nom du premier John Davison avait évoqué pour l' « Age Doré ».

Son pouvoir (moins en tant qu'homme qu'en tant qu'incarnation d'une idée) était tel qu'il était devenu l'archétype même du Rockefeller. Au sein du troupeau familial, son frère Nelson était toujours l'animal de tête, et il allait le demeurer. Mais Nelson s'était dépensé avec trop de prodigalité au fil de ses années de vie publique. Les sillons et les rides de son visage dessinaient la carte de ses multiples et ardentes campagnes pour la présidence et exprimaient un regret poignant, une profonde insatisfaction, même après qu'on l'eut choisi pour la vice-présidence. Son énergie, Nelson la puisait dans le pur élan animal qui le faisait s'attaquer à son environnement; David puisait la sienne dans cette manière plus passive qui lui avait fait accepter le rôle de paratonnerre déchargeant l'énergie statique en suspension dans l'immense nuage qui planait au-dessus de la famille Rockefeller, de ses institutions financières et politiques. Le pouvoir qu'il exerçait lui avait beaucoup moins coûté que le pouvoir après lequel courait Nelson. Tandis que son frère aîné, au cours des années soixante, avait pris son essor, tel Icare, jusqu'au zénith de la politique américaine, avait perdu de la vitesse et dû amorcer une descente, puis avait opéré un redressement partiel, David, lui, montait, montait, avec méthode et sans à-coups, dans l'ombre le plus souvent, s'assurait un solide point d'appui avant de faire le pas suivant, contrôlait fermement sa tâche tout en s'évitant le trouble d'un retour sur soi-même.

Nelson se délectait de son image de marque alors qu'aux yeux de David, l'aspiration manifeste au pouvoir était vulgaire et peu convenable. (Peggy, la femme de David, méprisait Nelson précisément à cause de son insatiable appétit de puissance; elle jugeait cet appétit inconvenant, il lui paraissait porter atteinte au mythe par lequel le reste de la famille essayait de justifier son exceptionnel ascendant sur la vie américaine.) David apprit de son frère cette vérité générale concernant le pouvoir et l'argent : le pouvoir, comme l'argent, souille quiconque l'étreint avec trop d'avidité. Mais, comme l'argent, le pouvoir exerce également une redoutable fascination. Un éditeur entreprenant avait réussi à faire figurer sur les listes de best-sellers un livre consacré à David en lançant la formule suivante : « Pour David Rockefeller, la présidence des États-Unis serait un pis-aller ». Le livre fourmillait d'inexactitudes et de vérités tronquées (c'était une diatribe concoctée à partir de coupures de presse) : n'empêche, c'était un livre, et David sembla y puiser un secret plaisir. Son fils Richard lui demanda comment il pouvait rester imperturbable devant tant d'insultes, et David lui répondit que la famille avait depuis longtemps appris que la meilleure tactique consistait à ne pas honorer ce genre d'attaque d'une réponse. Puis il ajouta : « Les gens croiront ce qu'ils croiront; s'ils croient que je suis puissant, eh bien, ce ne sera pas inutile. »

L'hypothèse qu'il était bien aussi puissant qu'on l'imaginait présidait implicitement à la réunion qui avait lieu chaque année en grande pompe dans le bureau particulier que David conservait salle n° 5600. Il y avait toujours « Dick » Dilworth, ainsi que Donald O'Brien (le jeune avocat de la Milbank Tweed, poulain de John Lockwood, qui était venu remplacer ce dernier) et Dana Creel. On y voyait également le bras droit de David à la Chase, Joe Reed, entre autres collaborateurs, sans oublier Peggy Rockefeller, en qualité d'épouse et de conseillère de David. L'ordre du jour ne variait jamais : les plans de David pour l'année à venir; quelles responsabilités il devait accepter pour faire progresser sa carrière.

Cette illusion qu'ils contrôlaient leur vie revêtait une importance certaine chez tous les frères. Mais surtout chez David. Pourtant, malgré toutes ces discussions sur le bon emploi de son temps et de son énergie, sa carrière n'obéissait en fait à aucun plan; on ne pouvait évoquer à son propos l'image d'un homme surmontant les obstacles, à la recherche d'aspects inconnus de sa personnalité. La grande leçon de sa vie? Rien à voir avec la corruption du pouvoir; plutôt la constatation que, dans les hautes sphères où évoluait David, s'était creusé une sorte d'abîme entre les Rockefeller et ce qu'ils pouvaient symboliser. David était respecté par des chefs d'État du monde entier, mais ses propres enfants voyaient en lui un homme dépourvu d'imagination et de largeur d'esprit. Un homme capable d'exercer une certaine influence sur la façon dont était modelé le destin des nations du globe, mais dans l'incapacité de maîtriser le devenir de sa propre banque. Tirant fierté de sa haute moralité, mais constamment accusé de complicité dans des agissements immoraux. Si une force le soutenait, ce n'était pas l'exercice du pouvoir, mais sa foi dans sa propre destinée, dans l'espèce de droit divin qui avait gouverné toute l'histoire de leur dynastie: et le fait qu'il avait une personnalité si opaque qu'il ne parut jamais nourrir le moindre doute devant l'absurdité croissante de cet acte de foi.

CHAPITRE XXIV

Le 12 janvier 1971, le gouverneur de l'Arkansas se présenta devant l'assemblée législative de l'État pour prononcer son discours d'adieu. Les doigts crispés sur son pupitre, ânonnant ses phrases, Winthrop Rockefeller était bien différent de l'homme qui avait prêté serment quatre ans plus tôt. Autant il semblait juvénile en ce bref instant de triomphe et de revanche, autant il avait, depuis, pris du poids et perdu des cheveux ; de minuscules réseaux de vaisseaux capillaires éclatés conféraient à son visage bouffi une coloration rougeaude ; ses yeux, qu'on eût dit recouverts d'une fine pellicule, lui donnaient l'air d'un homme bombardé par quantité d'informations qu'il ne peut plus assimiler. L'optimisme qu'il affichait lors de cette cérémonie d'investiture avait disparu au contact de ce qu'on eût appelé, concernant tout autre, des « expériences dégrisantes ». Dans son discours d'adieu, aux résonances plaintives, une phrase frappa tout particulièrement l'esprit de son auditoire : « Quand ils écriront l'histoire de ces quelques dernières années, j'espère que les historiens verront en moi autre chose qu'un phénomène politique. »

Il y avait là davantage qu'un simple discours d'adieu de politicien. Ceux qui avaient suivi la carrière de Winthrop et connaissaient la toile de fond sur laquelle se détachaient ses paroles comprirent que cet appel, plus que des applaudissements, demandait compréhension et même pardon. Il était évident aux yeux de tous que le bref retour de sève que Winthrop avait connu en Arkansas était à présent terminé. Au cours de ses dix-sept années dans cet État, beaucoup de choses s'étaient passées ; mais tout cela paraissait à présent un conte de fées et Winthrop se retrouvait tel qu'il était à son arrivée en Arkansas : abattu, divorcé, alcoolique invétéré, son seul espoir était que ceux qui le jugeraient (substituts de l'image du père qui avait emporté sa condamnation jusque dans l'éternité) tiendraient compte de ses qualités humaines et feraient montre de quelque indulgence.

A son arrivée sur les terres rouges de l'Arkansas, son caractère naturellement sociable s'était d'abord épanoui, loin de sa famille et de normes qu'il n'avait jamais pu assumer pleinement. Il brisait enfin avec sa réputation d'être l'élément le moins brillant d'une remarquable fratrie. Ici, c'était lui *le* Rockefeller, le seul, et il pouvait avancer à son propre rythme. Dans cet État quelque peu arriéré, il pouvait faire impression. Comme si un géant était venu s'installer parmi eux, les Arkansiens le virent, emplis d'admiration, débiter en tranches le sommet de la montagne Petit-Jean pour y construire son immense maison de pierre et de verre; bâtir des granges, des dépendances, une énorme salle pour loger sa collection de voitures anciennes; élever des maisons pour ses principaux collaborateurs et des appartements pour ses autres employés : le tout atteignait la taille d'une bonne ville moyenne d'Arkansas. Winrock Farm avait son propre aérodrome, ses sapeurs-pompiers, son émetteur sur ondes courtes; elle battait son propre pavillon. Les flamboyantes initiales W. R. étaient inscrites partout à travers le domaine de 450 hectares — depuis les dessous de carafe recueillant la buée des Martini glacés, au début de chaque après-midi, jusqu'aux croupes luisantes des bovins primés Santa-Gertrudis que des éleveurs du monde entier tentaient de s'arracher lors des ventes aux enchères.

Cet exil par lequel Winthrop cherchait à fuir l'échec fut en effet pour lui une époque de réadaptation et de réussite. Sa vie privée semblait également s'arranger. En 1956, il avait pris l'avion pour l'Idaho afin d'épouser Jeannette Edris, 37 ans, qui amena avec elle à Winrock une famille déjà constituée : deux enfants d'un précédent mariage, Bruce et Ann Bartley, que Winthrop adopta et traita comme ses propres enfants. Lorsqu'il fit construire une superbe maison pour ses invités, il réserva le rez-de-chaussée et en fit un atelier pour sa femme, dont le passe-temps favori était l'émail sur cuivre. Des photographies de l'époque le montrent debout devant son immense piscine, en compagnie de sa nouvelle famille, plus assuré de lui-même et plus confiant dans la vie qu'il ne l'avait jamais été.

Dans la famille Rockefeller, les principales qualités de Winthrop (sa simplicité, sa chaleur humaine) avaient toujours été considérées comme des faiblesses; tout au long de sa jeunesse, il avait été gêné de sa propre spontanéité, qu'il dissimulait comme on ferait de mains trop grandes ou de quelque autre disgrâce naturelle. Mais l'Arkansas lui avait ouvert des horizons nouveaux, avait fait de lui autre chose que le moins dégourdi et le moins doué des fils de Mr. Junior. A la mort de Frank Jamieson, Winthrop fut le seul des frères à se préoccuper de la famille que celui-ci laissait derrière lui. Voici le témoignage de Mrs. Linda Storrow, la veuve de Jamieson : « Winthrop insista beaucoup pour nous faire venir dans son ranch. Pendant deux semaines, il renonça aux boissons alcoolisées, ce qui était très dur pour lui, mena une vie régulière et, tous les jours, alla faire du cheval avec mes enfants — par la plus pure et spontanée des gentillesses; je ne l'ai jamais oublié. »

Mais il ne lui suffisait pas de donner simplement libre cours à sa générosité. Dès son arrivée dans l'État, Winthrop chercha un moyen d'accomplir ce qu'il n'avait pu réussir à New York. Il était clair pour tout le monde, dans l'Arkansas, qu'il représentait une puissance politique. En 1955, le gouverneur Orval Faubus voulut en faire bénéficier son administration et le nomma président de la Commission de développement industriel de l'Arkansas. Winthrop eut ainsi l'occasion de se pencher sur la question du chômage, le plus urgent parmi les nombreux problèmes que connaissait l'État. La mécanisation des fermes cotonnières avait supprimé quantité d'emplois et le peu d'industries que comptait l'Arkansas (scieries, usines de confection et de meubles) étaient trop arriérées, avec leur gestion tatillonne et leur politique de bas salaires, pour attirer la main-d'œuvre qualifiée. Les diplômés quittaient l'État en masse, à la recherche d'un travail correspondant à leur niveau d'études. C'est à sa faible croissance industrielle qu'il fallait attribuer le dépeuplement régulier de l'Arkansas et son revenu par habitant, le plus bas du pays.

Winthrop se mit à la tâche avec l'enthousiasme qu'il n'avait pas su trouver quand son père l'avait chargé de responsabilités à son retour de l'armée. C'était vraiment là son travail, la réussite ou l'échec ne dépendaient que de lui, et aucune norme abstraite ne pouvait servir à évaluer ses résultats. Les maigres ressources de l'État ne pouvaient suffire aux besoins de la Commission et Winthrop y apporta des fonds personnels; pour commencer, il ajouta aux 8 000 dollars destinés à la rémunération du personnel l'argent nécessaire pour faire venir de New York deux cadres recommandés par son frère Laurance, qu'il plaça à la tête de la Commission. Tandis que ceux-ci travaillaient et obtenaient des résultats impressionnants (implantation de soixante-treize nouvelles usines en un an, création de 7 236 nouveaux emplois), Winthrop constitua les Entreprises Winrock; cette Société d'investissement au capital de plusieurs millions de dollars, dont les activités concernaient l'agriculture, l'industrie du plastique et la construction, dressa des plans pilotes pour démontrer que les lois fiscales avantageuses de l'Arkansas pouvaient favoriser le démarrage de nouvelles entreprises.

C'est également en 1956 qu'il mit sur pied le Fonds Rockwin, destiné à financer ses entreprises philanthropiques. Contrairement à ce qui se passait à New York, des sommes relativement faibles pouvaient, dans l'Arkansas. produire des effets considérables. Une subvention d'un million et demi de dollars permit de construire et d'équiper une école modèle à Morrilton, petite ville proche de Winrock; cette école devint rapidement une sorte d'unité expérimentale pour l'État tout entier. Winthrop équipa et finança également une clinique dans le comté de Perry, distribua un grand nombre de bourses universitaires, rassembla 1 million de dollars pour la construction du Centre artistique de l'Arkansas; il investit également dans un musée itinérant destiné à porter la culture dans les collines et les vallées des Ozarks. Aussi, son arrivée en Arkansas parut-elle à tout le monde une aubaine. Lors d'une assemblée de gouverneurs des États du Sud, l'un de ceux-ci demanda à Orval Faubus quelle était la marche à suivre pour se procurer un Rockefeller, et s'entendit répondre : « Je n'en sais rien, mais le mien, n'y mettez pas vos sales pattes de ramasseur de coton! »

Les acclamations que Winthrop recueillait lui faisaient chaud au cœur et effaçaient les humiliations qu'il avait connues dans le passé; pour donner à sa venue en Arkansas une allure définitive, il y transféra tous ses documents et archives personnels, retirant la gestion de ses placements et de son fonds de dépôt à l'administration de la salle n° 5600 pour la confier à une équipe de conseillers personnels réunis par ses soins à Little Rock (ceux-ci signaient leurs lettres : « un collaborateur de Winthrop Rockefeller »). Pourtant, quitter New York n'avait pas été chose facile. En un sens, le travail accompli en Arkansas était comme une représentation destinée à un public lointain, seul juge en dernière instance de la nouvelle personnalité de l'acteur. Dieu sait si Winthrop aimait à sillonner l'Arkansas avec un chapeau de cow-boy et chaussé de bottes décorées; mais il ne parvenait pas, malgré tout, à se débarrasser de ce que ses conseillers appelaient le « syndrome du costume rayé ». Plusieurs fois par an, il montait à bord de son Falcon et mettait le cap vers la côte Est pour assister à des fêtes de famille ou à des réunions du Fonds des Frères Rockefeller, entre autres affaires; sa famille lui manifestait alors, sinon du respect, du moins une sorte de soulagement étonné. Comme dit George Gilder : « L'ayant vu transgresser toutes les règles, les membres de sa famille pensaient qu'il n'arriverait à rien. Ils avaient fait une croix sur lui comme on renonce à une brebis galeuse. »

Dès son installation en Arkansas, Winthrop était apparu comme un candidat possible au poste de gouverneur; et à mesure que les fruits de ses efforts à la Commission de développement industriel de l'Arkansas ainsi que de ses œuvres philanthropiques financées par le Fonds Rockwin se répandaient à travers l'État, on s'attendait de plus en plus qu'il posât sa candidature. En soi, Winthrop était une anomalie, les Arkansiens le sentaient bien : républicain parmi des démocrates, libéral parmi des conservateurs, riche citadin parmi des ruraux, tempérament impulsif et aimable parmi des gens que les circonstances avaient rendus taciturnes et renfermés. Faute de rien savoir de précis sur le conflit familial qui avait ruiné sa vie à New York et l'avait amené à se réfugier chez eux pour y panser ses blessures affectives, les Arkansiens se demandaient comment il avait pu quitter son univers opulent, les salles de conférences, les yachts, la vie nocturne, pour venir se construire un nid d'aigle au sommet d'une montagne déplumée et dépenser son argent et son énergie dans leur État sous-développé : que cherchait-il donc?

Ils se méfiaient de lui, comme de tous les « aventuriers politiques du Nord [1] », mais ils savaient aussi qu'à cheval donné on ne regarde pas la bride — même s'il s'agit d'un pur-sang, ancien membre du conseil d'administration de la Ligue urbaine, qui avait critiqué publiquement le gouverneur Faubus, en 1956, pour avoir fait donner la Milice afin d'empêcher l'intégration raciale à l'École centrale de Little Rock. Une certaine fierté

1. Politiciens du Nord qui se rendirent dans les États du Sud, après la guerre de Sécession, pour profiter du désordre qui y régnait. (*N.d.T.*)

venait aussi tempérer cette méfiance : quel autre Arkansien avait fait la « une » des journaux à travers tout le pays après s'être assis dans le carrosse de la reine Elizabeth et du prince Philip lors de leur visite de 1957? quel autre recevait la visite du *De vous à moi* d'Edward R. Murrow[1] ?

Winthrop, certes, ne manquait pas d'argent (on estima par la suite à plus de 10 millions de dollars les sommes qu'il avait consacrées à sa carrière politique dans les années soixante), mais il était confronté à une tâche colossale. Entrer au parti démocrate eût été un grave manquement aux traditions familiales, bien plus que son départ définitif de New York et de la salle n° 5600; en outre, cela aurait eu un effet désastreux sur la carrière politique de Nelson. Aussi entreprit-il la réédification du parti républicain de l'Arkansas, chétif vestige de la période de reconstruction[2] qui, réduit aux dimensions d'un parapluie troué, abritait tous les quatre ans un petit groupe d'individus investis par l'appareil national du parti, mais n'arrivait que très rarement à fournir une liste complète de candidats aux postes de fonctionnaires de l'État.

Winthrop déploya ses premiers efforts à un niveau plus élevé que celui de l'ambition personnelle : en 1960, il créa un Comité pour le système bipartite et organisa à cette occasion une gigantesque « Partie pour deux partis » à Winrock, à 50 dollars par tête, avec une liste d'invités (démocrates, pour la plupart) qui était un véritable « Who's Who » de la vie politique et sociale et des milieux d'affaires de l'Arkansas; on s'y entassa sous de grands chapiteaux pour se délecter de brochettes de bœuf Santa-Gertrudis tout en écoutant Edgar Bergen, Charlie McCarthy, Tex Ritter[3], entre autres. Mais ce qu'il visait à travers cette campagne en faveur du bipartisme était déjà évident : une formation démarquée du parti démocrate, lui permettant de se présenter. En 1961, Winthrop fut élu membre de la Commission nationale républicaine; il se mit à sillonner l'État en tous sens, et ce qui fut présenté comme « une tentative pour reconstruire de fond en comble le parti républicain » n'était ni plus ni moins qu'une première tournée politique. En 1963 eut lieu à Little Rock un dîner de gala pour le dixième anniversaire de l'installation de Winthrop dans l'État, destiné à rappeler aux électeurs que Winthrop était désormais l'un des leurs.

En 1964, pesant trente-cinq livres de moins (ce qui lui en laissait tout de même deux cent sept), il se rendit dans le petit hameau appelé « Winthrop », dans le comté de Little River, pour annoncer sa candidature au poste de gouverneur (geste qu'il allait répéter trois fois par la suite). Il avait à l'époque largement prouvé sa fidélité à l'Arkansas. C'est grâce à ses efforts que la Commission pour le développement industriel avait introduit six cents nouvelles entreprises dans l'État, créant 90 000 emplois nouveaux, soit 270 millions de dollars de salaires — ce qui avait entraîné, au cours des huit années précédentes, une augmentation du revenu par tête de 50 %. S'il était

---

1. Émission de télévision. (*N.d.T.*)
2. On appelle ainsi l'époque qui suivit la guerre de Sécession. (*N.d.T.*)
3. Politiciens de l'Arkansas. (*N.d.T.*)

donc difficile à Faubus de présenter Winthrop comme un aventurier politique, il pouvait, en revanche, s'en prendre à sa puissante fortune et exploiter la question des droits civiques. Winthrop eut beau dire aux électeurs qu'il aurait, comme Barry Goldwater (qu'il avait soutenu à San Francisco après avoir loyalement tenté, mais en vain, de faire voter la délégation d'Arkansas en faveur de son frère Nelson), voté contre la Loi des droits civiques en 1964, Faubus fit valoir que Rockefeller avait naguère pris la parole à une convention nationale de la NAACP[1] et qu'il était connu pour avoir des amis noirs.

Winthrop échoua contre Faubus, mais obtint tout de même 43 % des voix, performance assez respectable pour lui permettre d'annoncer à ses partisans qu'il était prêt, tout en reconnaissant sa défaite, à entamer sur-le-champ la prochaine campagne.

Deux années durant, il poursuivit ses voyages à travers l'État, véritable vedette de l'Arkansas. En 1966, la question des droits civiques avait perdu de son acuité, après l'humiliante publicité faite aux États du Sud à l'échelle nationale[2]. On estimait un peu partout que l'Arkansas devrait donner de lui-même une image plus modérée. Faubus se retira après six mandats consécutifs, mais la vieille garde démocrate s'arrangea pour désigner à sa place un ségrégationniste encore plus enragé, James D. Johnson (« Justice Jim »), ex-juge à la Cour suprême de l'État, fondateur du Conseil des citoyens blancs, et ardent partisan du gouverneur d'Alabama, George Wallace. Johnson, qui ouvrait et clôturait ses rassemblements électoraux par des hurlements subversifs, traitant Rockefeller d' « ivrogne libéral » et de « chiffe molle chichiteuse », devint l'incarnation même du poids de l'histoire tendant à ramener l'État à l'époque glorieuse de Jim Crow[3]; Winthrop, en revanche, prit sans difficulté le rôle de l'homme capable de faire entrer l'Arkansas dans le XXe siècle. Sillonnant l'État dans un bus d'aspect modeste, mais néanmoins équipé à l'intérieur d'une chambre raffinée, d'un bar et d'une cuisine, il rassembla une fragile coalition de Noirs, de libéraux, de démocrates modérés habitant les villes et de républicains des montagnes. Il battit Johnson avec 57 % des voix, devenant ainsi le premier gouverneur républicain de l'Arkansas depuis la Reconstruction. Le 1er janvier 1967, radieux (c'était pour lui un triomphe personnel, plus encore que politique), il entra en fonctions et prêta serment sur une Bible qu'il tenait de sa mère[4]. Il semblait enfin avoir rejoint la famille Rockefeller, mais ses intimes ne tardèrent pas à considérer rétrospectivement cette cérémonie comme étant très probablement le point culminant de toute son existence.

1. Association pour la promotion des gens de couleur. (*N.d.T.*)
2. A la suite de l'affaire de Little Rock où l'intégration des Noirs fut contrecarrée par la violence. (*N.d.T.*)
3. Le moment de la répression la plus odieuse contre les anciens esclaves. (*N.d.T.*)
4. Au moment de choisir la littérature qui servirait à sa campagne, il avait écarté la biographie de son père par Raymond Fosdick, pourtant fort réputée mais qu'il trouvait trop emphatique et trop peu explicite quant au rôle joué par sa mère, et avait préféré distribuer des centaines d'exemplaires du petit livre de Mary Ellen Chase consacré à Abby Aldrich

Étant donné que trois seulement des cent trente-cinq parlementaires de l'État étaient républicains, il était évident que le programme de Winthrop (version plus campagnarde du programme de Nelson à New York) rencontrerait d'emblée des difficultés. L'Arkansas était trop pauvre pour s'accorder de tels rêves, et les députés peu disposés à augmenter les impôts pour les faire passer dans la réalité. Aussi, dès le début de son mandat, Winthrop comprit qu'il allait devoir renoncer à tout réel effort législatif pour se contenter de croisades symboliques.

La première de ces croisades concerna le système pénal de l'Arkansas, connu comme le plus barbare de tout le pays. Vers la fin du dernier mandat de Faubus, des rumeurs sur les atrocités qui se commettaient dans les sombres cachots des prisons arkansiennes avaient commencé à transpirer; peu de détails, sans doute, mais assez pour suggérer qu'une île du Diable [1] américaine s'était constituée au cœur même de l'État [2]. Les équipes de travail forcé étaient soumises à des conditions inhumaines, la torture était pratique quotidienne, et l'on maintenait l'ordre dans la prison grâce à des détenus corrompus, devenus hommes de confiance. Winthrop, qui avait carrément déclaré : « Nos prisons puent », avait engagé Thomas Murton, jeune criminologiste de l'Illinois, pour superviser ces réformes.

Simultanément, le bureau du gouverneur avait déclaré la guerre au jeu, Winthrop mit à la tête des services de police un ancien homme du FBI, nommé Lynn Davis, et le lança à l'assaut de tous les tripots clandestins de l'État. Pendant des semaines, les journaux de l'Arkansas furent remplis de photos de Davis en grand uniforme, faisant des descentes dans les tripots de Warm Springs et d'ailleurs, démantibulant les machines à sous à coups de masse, et les brûlant en de formidables feux de joie.

Toutes ces révélations horrifièrent les Arkansiens, qui soutinrent Winthrop dans sa réforme pénale et la répression du jeu. Mais, sur la question des droits civiques, ils ne le suivirent pas. Cela n'empêcha pas Winthrop d'aller de l'avant. Même s'il revint sur sa position antiségrégationniste concernant les transports en commun et minimisa la portée des engagements qu'il avait pris vis-à-vis d'organismes tels que la Ligue urbaine, il n'en restait pas moins qu'il avait, dès son entrée en fonctions, contraint les administrations de l'État

---

1. Petite île de l'archipel du Salut, en face de la Guyane. Le capitaine Dreyfus, injustement accusé de trahison, y fut détenu pendant quatre ans (1895-1899). (*N.d.T.*)

2. En 1966, la Division d'enquête criminelle de la police de l'État avait rassemblé une énorme documentation, laissée de côté par l'administration Faubus. Voici, parmi des douzaines, un cas mis au jour par les enquêteurs : « LL-33 (La Division utilisa un code pour protéger l'identité des informateurs) était entièrement nu. Le gardien lui enfonça alors des aiguilles sous les ongles des doigts et des orteils. On lui tira le pénis et les testicules avec des pinces et on lui envoya des coups de pied dans l'aine. Deux autres hommes lui écrasèrent alors des cigarettes sur le ventre et sur les jambes, et l'un d'eux lui planta un couteau entre les côtes. Enfin, le *coup de grâce* : un pensionnaire lui écrasa les articulations de la main dans un casse-noix. » Histoire authentique, vérifiée par la Division d'enquête après de nombreuses auditions d'autres prisonniers.

à employer des Noirs à des tâches qualifiées et à des postes de responsabilité ; pour la première fois, on trouvait des visages noirs parmi les fonctionnaires de l'État. Lorsque le parlement refusa d'accorder à Winthrop la création de la Commission des droits civiques qu'il avait réclamée, il la constitua par décret-loi et lui offrit ses propres bureaux. Après le meurtre de Martin Luther King, il se rendit sur les marches du Capitole de l'Arkansas et serra la main aux dirigeants noirs venus le pleurer.

Cette atmosphère réformatrice donna des résultats concrets ; les efforts de Winthrop apportaient l'oxygène nécessaire pour purger l'État des derniers vestiges de la barbarie du XIXe siècle. Mais, à mesure que cette tendance réformiste dévoilait de plus en plus clairement les calamités du système, la volonté de changement de Winthrop commença à se relâcher.

Par exemple, il apparut au début de 1968 que les problèmes relatifs au système pénitentiaire étaient bien plus graves qu'on ne le pensait : des prisonniers conduisirent Murton devant des tombes anonymes où se trouvaient les squelettes décapités de prisonniers assassinés par les autorités pendant le règne du précédent directeur de la prison. L'affaire prit aussitôt une ampleur nationale, et la pression en faveur d'une révision complète du système carcéral s'en trouva renforcée. Winthrop, songeant avec inquiétude à sa campagne de réélection de 1968, essaya alors de mettre la sourdine et alla jusqu'à faire disparaître un rapport sur des assassinats clandestins dans les geôles de l'Arkansas — tout comme Faubus, avant lui, avait tenté de dissimuler le rapport sur les atroces conditions de vie dans ces prisons. Peu de temps après avoir présidé la sinistre cérémonie d'exhumation, Murton fut remercié (tout comme l'avait été le policier Lynn Davis). Après son départ, les prisons d'État retombèrent dans les ténèbres auxquelles il avait tenté de les arracher.

Winthrop fut réélu en 1968, mais de justesse, et sans que s'en trouvât accru de façon appréciable le poids des républicains au sein du parlement de l'État, comme il l'avait espéré. Ses collaborateurs eurent l'impression qu'à ses yeux seul comptait, désormais, le fait d'être élu, bien plus que la fonction même. La grande presse fit état de son penchant immodéré pour la boisson. Le *Pine Bluff Commercial* du 2 juin 1968, rendant compte de son discours devant le parlement en faveur d'un projet de loi sur les boissons fortes, nota que « les législateurs ne prêtaient guère attention à ce qu'il disait, trop occupés à ricaner de ce qu'il fallait bien appeler l'état d'ébriété du gouverneur ».

Non seulement il buvait, mais il apparaissait rarement dans ses bureaux du deuxième étage du Capitole : il préférait rester à Winrock, faire la grasse matinée, puis travailler dans son bureau jusqu'à une heure avancée de la nuit ou bien monter à bord de son Falcon et se retrouver en cinq minutes à Little Rock, où son garde du corps le conduisait dans une Lincoln marron jusqu'aux vastes bureaux qu'il s'était réservés dans la Tour (le premier gratte-ciel de la ville, dont la construction était son œuvre).

Des forces ténébreuses, échappant à sa connaissance et plus encore à son contrôle, semblaient vouloir le replonger dans le tourbillon d'échecs où il s'était trouvé pris durant le plus clair de sa vie. Il semblait presque s'attendre lui-même à l'échec. Le parlement se mit à repousser ses projets de lois, puis certains problèmes surgirent qu'on ne pouvait résoudre d'un simple geste : il n'en fallut pas davantage pour déclencher la pesante avalanche qui finit par écraser tous les aspects de sa vie.

Après la réélection de Winthrop en 1968, il devint évident, aux yeux de ses proches, que son mariage ne tournait plus rond. Pour Jeannette Edris Rockefeller, la politique était une ennemie qui, en réveillant chez son mari des forces qu'elle espérait ensevelies à tout jamais, avait mis fin à l'agréable existence qu'ils avaient menée pendant leurs premières années à Winrock. A mesure que Winthrop multipliait accès de tristesse, beuveries et crises d'amertume, leurs amis communs commencèrent à prendre du champ. Elle essaya d'accompagner Winthrop dans ses tournées politiques à l'intérieur et à l'extérieur de l'État, mais la cohorte qu'il traînait après lui était vraiment étouffante et les plaisirs touristiques, trop rares. Elle resta donc chez elle. En 1969, ils vivaient séparés et avaient admis l'idée de divorcer.

Une fois Winthrop et sa femme installés chacun à un bout de la maison, Winrock cessa d'être un foyer familial pour devenir un lieu de passage, un centre de rencontres. On y donnait de véritables banquets deux ou trois fois par semaine, on y tenait réunion sur réunion (d'organisations politiques, bien sûr, mais également de groupes qui intéressaient personnellement Winthrop, ou dont il pensait qu'ils pouvaient apporter quelque chose à l'État [1]). L'événement marquant de l'année était le week-end consacré à la vente du bétail. A cette occasion, Winthrop faisait venir des centaines de personnalités dans son avion particulier, les logeait à Winrock, leur offrait des buffets richement garnis, ainsi que des divertissements sous les immenses chapiteaux dressés dans « la cour de derrière ». Mi-rendez-vous d'affaires, mi-bacchanales, ces week-ends étaient célèbres dans tout le Sud-Ouest et attiraient un mélange peu banal de célébrités, d'hommes d'affaires et de gens du monde. (Une journaliste de la rubrique « Société » du *New York Times,* envoyée pour couvrir l'événement, s'intéressa moins à la liste des invités qu'à cette incarnation du triomphe de l'art sur la nature : un jardinier qu'elle vit passer une demi-heure à peindre en vert, avec le plus grand soin, une plaque dégarnie dans la pelouse.) Défiant tous les augures politiques, et malgré le désordre grandissant de sa vie privée, Winthrop décida de se présenter une troisième fois en 1970. Sa présence dans l'État avait au moins eu pour

1. Mrs. Margaret Black, gouvernante et confidente de Winthrop pendant quinze ans (et de plus en plus, en l'absence de Jeannette, hôtesse officielle de la maison), rapporte que la vie à Winrock, c'était « réunion sur réunion : pas question de tout simplement se laisser vivre ». Mais il y eut des épisodes saugrenus, par exemple le jour où Winthrop avait convié à dîner d'éminents participants à une conférence internationale sur la technologie aérienne, réunie à Warm Springs. Il y avait là Tojo (le fils du *seigneur de la guerre* japonais), A. E. Russell (promoteur du Spitfire) et l'Allemand Messerschmidt. Quand elle vint lui demander comment il fallait placer les gens à table, Winthrop répondit à Mrs. Black : « Vous pouvez mettre l'Allemand où vous voulez, ça m'est égal. Je ne me suis pas battu contre lui. Mais Tojo, vous le placez à l'autre bout de la table, loin de moi. C'est eux qui me tiraient dessus pendant la guerre. »

résultat positif de contraindre le parti démocrate à moderniser son image et ses structures, et à éliminer la vieille garde de sa direction : cette fois, il ne présenta pas un vieux réactionnaire, mais un jeune modéré appelé Dale Bumpers.

Bumpers éclipsa nettement Winthrop pendant la campagne. Ses prédécesseurs avaient pris pour cible l'ivrognerie notoire de Rockefeller, mais Bumpers ne se donna pas cette peine : la chose sautait assez aux yeux de l'auditoire quand Winthrop apparaissait en chair et en os, voire même sur le petit écran. Il avait toujours été un orateur médiocre, pour ne pas dire plus, si ânonnant et embarrassé que les journalistes (généralement bien disposés à son égard, parce qu'il se montrait aimable et accessible) sortaient de ses conférences de presse complètement hébétés, sans savoir comment ils arriveraient à reconstituer ses propos. Mais en 1970, cela atteignit des proportions inouïes : son festival habituel de phrases laissées en suspens et de métaphores bancales (les journalistes les collectionnaient et les colportaient comme autant de perles tombées des lèvres de Confucius, par exemple celle-ci : « Vous auriez pu me renverser avec un peigne fin... ») faisait place à présent à l'incohérence profonde d'un homme qui souvent ne savait plus du tout ce qu'il disait.

Winthrop, battu à plate couture par Bumpers, fit ses adieux au parlement et se retira à Winrock. Il n'espérait guère, contrairement à la plupart des politiciens vaincus, voir la fortune lui sourire à nouveau; mais l'empire complexe d'investissements et d'intérêts qu'il avait dans l'État pouvait suffire à l'occuper. Winrock Farm (qui avait fait l'acquisition de près de 25 000 hectares supplémentaires de pâturages au Texas et dans l'Oklahoma) rapportait alors dans les 20 millions de dollars par an. Les Winrock Enterprises s'étaient transformées, de projets modèles qu'elles étaient à l'origine, en une Société puissante et diversifiée, construisant des centres commerciaux à Albuquerque et en d'autres endroits du Sud-Ouest, fabriquant des maisons-roulottes et des tuyauteries en plastique, et implantant en Arkansas la construction de pavillons individuels [1].

Cependant, la gestion de ses affaires ne l'intéressait pas réellement. Après avoir passé six mois à chercher comment faire connaître ses opinions sur les changements qui attendaient l'Arkansas et d'autres États sudistes, précipités brutalement dans les temps modernes, il décida de mettre sur pied une organisation, qu'il appela Ligue pour l'Amérique rurale et qui rassemblait des agriculteurs, des éleveurs et d'autres personnes concernées par le développement de la société rurale. Winthrop espérait, avec ces éléments, forger une organisation capable de faire entendre sa voix dans le choix des orientations que prendrait le Nouveau Sud. Mais cette coalition était mal

---

1. Au début des années cinquante, Winthrop avait travaillé — très peu de temps — à la tête du secteur logement de l'IBEC de Nelson, ce qui explique peut-être l'orientation prise par Winrock Enterprises. L'évolution de la société rappelle également celle de l'IBEC par son caractère initial d'entreprise semi-philanthropique, puis de société à buts lucratifs.

bâtie; peu de temps après sa mise sur pied, les intérêts individuels qui la composaient entrèrent en compétition, et Winthrop dut la démanteler.

En 1972, il avait soixante ans, mais paraissait plus âgé avec ses dents jaunies par les Picayune sans filtre qu'il fumait depuis des années, et ce tic qui le faisait dodeliner de la tête au début de chaque phrase. Ressemblant désormais à un vieil ermite, il soignait une barbe fleurie, grise et tachetée de noir, qui mettait en valeur ces yeux tristes et pensifs que naguère encore les femmes trouvaient si séduisants. Il annonça à ses collaborateurs qu'il se sentait au seuil de la période la plus créatrice de sa vie, mais il avait succombé à une sorte de résignation et d'abandon. Entre deux bamboches, il errait seul dans la ferme; parfois, il se plantait au milieu de la longue allée dallée (aux citations bibliques gravées dans la pierre), ou bien arpentait les pelouses ornées de statues qui avaient jadis appartenu à sa mère; ou encore, muni d'un sécateur, il entreprenait de tailler les arbres et de dégager la vue sur l'Arkansas River qui serpentait dans la vallée, au pied de la montagne Petit-Jean.

Son fils Winthrop Paul, 24 ans, était en quelque sorte étranger à la famille. Il était le premier descendant de Mr. Junior à avoir grandi hors du sérail, était venu à Winrock se lancer dans les affaires paternelles (il avait été « exclu temporairement » d'Oxford au bout de quelques mois) et Winthrop consacra pas mal de temps à essayer de comprendre ce garçon, de le faire participer à ses multiples activités, de le faire entrer dans la famille Rockefeller.

Au cours de l'été 1972, l'ex-gouverneur se rendit à Miami en qualité de délégué à la convention républicaine. Quelques semaines plus tard, revenu en Arkansas pour participer au lancement de la campagne qui devait faire de Richard Nixon le premier républicain depuis Ulysses Simpson Grant[1] à représenter les couleurs de l'État dans une élection présidentielle, son médecin privé lui découvrit un kyste sous le bras et l'extirpa. Une biopsie ayant établi qu'il s'agissait d'une tumeur maligne, Winthrop partit en avion pour la clinique de Sloan Kettering, où il subit une intervention chirurgicale et une cure chimiothérapique. Il regagna l'Arkansas à la fin octobre; maigre et chancelant, il n'en annonça pas moins avec entrain aux journalistes présents, dès sa descente d'avion, que les docteurs avaient probablement enrayé les progrès du cancer.

Il savait pertinemment qu'il n'en était rien et que ses jours étaient comptés. Il passa les quelques mois suivants à mettre de l'ordre dans ses affaires, songeant à son fils, le premier de sa génération à prendre en main une partie de l'impressionnante fortune qui s'était accumulée au fil de l'histoire. Il remania également son testament : Win Paul hériterait de l'important « Dépôt de 1934 », d'autres dépôts bien plus modestes revenant aux deux enfants de Jeannette, Bruce et Ann Bartley, et le reste de ses biens, valeurs et terres, allant à une organisation charitable; comme exécuteurs

---

1. Ulysses Simpson Grant (1822-1885), président des États-Unis de 1868 à 1876. (*N.d.T.*)

testamentaires, il choisit son frère David, J. R. Dilworth et l'avocat Donald O'Brien, de la salle n° 5600. (D'après ses conseillers arkansiens, le fameux « syndrome du costume rayé » se renforça vigoureusement vers la fin de ses jours.)

Autour du 1ᵉʳ janvier, il fut saisi d'une grande faiblesse. Margaret Black le revoit, passant la majeure partie de ce mois glacé à contempler la neige d'un air morne, à se traîner d'une pièce à l'autre de l'immense maison pour trier des vêtements et des affaires personnelles, et lui dire à qui il conviendrait de les attribuer dans cette loterie rituelle qui suivait immanquablement la mort d'un Rockefeller. Sous l'effet des substances chimiques qu'on lui avait administrées à Sloan Kettering pour enrayer les progrès du cancer, il se sentait toujours transi ; aussi, à la mi-février, prit-il l'avion pour aller dans sa maison de vacances de Palm Springs essayer de se réchauffer au soleil du désert. C'est là qu'il sombra dans le coma ; le 23 février 1973, celui des frères Rockefeller qui sa vie durant avait toujours été le dernier, fut le premier à mourir.

Ses funérailles, véritable affaire d'État, furent célébrées au sommet de la montagne de Winthrop, dans l'immense salle qui abritait sa collection de voitures anciennes. Les gouverneurs d'Arkansas, de Virginie et de Virginie occidentale étaient présents, ainsi que le vice-président Spiro Agnew avec son escouade d'agents spéciaux, et divers autres dignitaires de l'État. Winthrop avait en grande partie prescrit le déroulement du service funèbre avant de mourir — dernière tentative pour rester maître de son image. C'était avant tout un drame familial : les Rockefeller vinrent de tous les coins du pays (Charleston, Cambridge, Berkeley, Palo Alto), atterrissant par temps de bruine sur la petite piste de l'aéroport Petit-Jean à bord d'avions de ligne ou de jets privés. Les frères et leurs femmes étaient au premier rang, suivis du groupe plus étoffé des Rockefeller de la quatrième génération, appelés les cousins. Derrière eux, jouant leur rôle coutumier de tampon entre la famille et le reste du monde, étaient assis les principaux membres de l'état-major, venus par avion de New York pour la circonstance. Marion, la fille de Laurance, exprima fort bien le pathétique de la situation : « Il lançait toujours des invitations générales : venez tous ! Il était terriblement seul. Et la seule fois où la famille se réunit effectivement au grand complet, ce fut pour ses funérailles. »

William L. (« Sonny ») Walker, dont Winthrop avait fait le premier Noir à diriger un important organisme d'État en Arkansas, centra sa brève oraison funèbre sur l'engagement du mort en faveur de l'égalité raciale. Certes, il avait fait des compromis, mais il avait tout de même été le seul gouverneur du Sud à prendre part au deuil après l'assassinat de Martin Luther King. Il évoqua avec des sanglots ce jour de 1968 où Rockefeller s'était rendu sur les marches du Capitole de l'État et, serrant la main aux Noirs éplorés, avait dit avec son laconisme habituel : « Je ne suis pas le gardien de mon frère ; je suis le frère de mon frère. »

Cette phrase continua de planer sur la suite du service funèbre ; quand vint le tour de Nelson de se lever pour prononcer l'éloge du défunt, elle était devenue le thème majeur, bien qu'imprévu. Oui, quelle était la place de Winthrop parmi ses propres frères ? Les remarques du gouverneur frappèrent l'auditoire par leur caractère trop policé, trop soigné, qui ne laissait percer nul chagrin authentique. Pourtant, peu de gens dans la salle savaient que ce qu'il lisait avait été rédigé, quelques jours avant les funérailles, par un de ses rédacteurs à qui il avait donné instruction de consulter les Archives de la famille Rockefeller pour y retrouver les faits saillants de la vie de Winthrop. Nelson n'avait pris connaissance du texte que dans l'avion, à mi-chemin entre Albany et Winrock.

Mais tout cela n'avait guère d'importance. Winthrop restait dans la mort l'éternel sacrifié sur l'autel de l'unité des frères qu'il avait été dans sa vie. C'est avec un réalisme dont la rhétorique funèbre avait jusque-là manqué totalement que Margaret Black, son assistante et amie de longue date, mit le doigt sur la seule vérité que pouvait livrer sa disparition : « Ce pauvre Rockefeller, oui, ce pauvre Rockefeller, dit-elle avec une pointe d'amertume. Il se laissait rouler par tout le monde — par les étrangers mais aussi bien par sa propre famille... »

CHAPITRE XXV

Pour les Rockefeller, l'Arkansas était une terre inconnue, un refuge pour exilés inaptes à se mouvoir dans le monde des affaires. Winrock Farm vous donnait le sentiment étrange d'avoir été construite par un homme qui semblait parfaitement savoir ce que c'était qu'être un Rockefeller sans être tout à fait à même d'en incarner le goût ni le raffinement. Avec ses citations bibliques gravées dans la pierre, ses bois sculptés et autres fioritures, Winrock avait moins l'air d'une imitation réussie que d'une parodie de Pocantico, aussi gênante que Winthrop lui-même, de son vivant, l'avait été.

Les Rockefeller sentaient bien tout le pathétique et le gâchis qui avaient marqué la vie du défunt; mais ils étaient si accoutumés à voir en lui l'exception et en eux-mêmes la règle qu'il leur était difficile de ne pas partager, derrière son vernis d'impersonnalité policée, l'attitude sous-jacente à l'oraison de Nelson : descendant en ligne directe du premier John D., Winthrop avait absolument droit à des funérailles officielles, mais toutes les paroles prononcées sur lui n'empêcheraient pas la famille de se rappeler que le mal qui l'avait emporté avait été non pas le cancer, mais la faiblesse de caractère. Dans la mort comme dans la vie, il était sorti des rangs et avait compromis les autres membres de la famille.

Et pourtant, quelle vraie différence y avait-il en fin de compte entre eux, les frères, et celui qu'Emmet Hughes avait appelé « le frère à part »? Winthrop était leur *memento mori;* dans la froide lumière de sa mort, chacun pouvait voir le changement inscrit avec netteté sur le visage de ses frères — pas ce changement bénin qui s'opère sans bruit, au fil des décennies, mais un changement brutal, sans remède ni retour.

J. Richardson Dilworth, chef du Bureau de la famille, le remarqua en ces termes peu après l'enterrement : « Je crois que cette génération, jusqu'à présent, ne s'est pas considérée comme mortelle. C'est pourquoi la mort de Winthrop a été pour tous un coup très rude. Vous agissez d'une certaine façon si vous pensez avoir vingt ans devant vous; d'une autre, si vous vous rendez compte qu'il vous en reste bien moins. La mort de Winthrop donna aux frères survivants le sentiment de l'urgence. »

David était encore assez jeune pour n'être pas tourmenté par cette perspective, mais les autres frères approchaient à grands pas des soixante-dix ans. Peu après son retour à New York, JDR 3 entreprit de mettre de l'ordre dans ses affaires et de classer sa collection de plus de trois cents pièces d'art oriental en vue d'en faire don à l'Asia Society. Laurance stupéfia ses

405

enfants, lors d'une réunion de famille où l'on célébrait ses quarante ans de mariage, en révélant à chacun sa future part d'héritage. Quelque temps plus tard, David commença à faire de même en prenant chacun de ses enfants à part.

Ce tribut payé à la condition de mortel, Nelson se devait également d'y songer. Mais il semblait avoir déjà vécu deux vies : l'une, qui avait pris fin avec les années cinquante, lorsqu'il avait quitté l'administration Eisenhower ; et l'autre qui avait commencé avec sa prise de fonctions de gouverneur. Il avait assisté à la mort ou à la décrépitude des collaborateurs et amis de la première époque. Jamieson, Ruml, Berle étaient tous morts ; à soixante-dix-sept ans, Wally Harrison, chauve et parcheminé, était presque sourd ; John Lockwood, passé l'âge limite de la retraite, était retourné à la Milbank Tweed et faisait de courtes journées de travail dans son bureau de président d'honneur, ses yeux malades protégés par des verres fumés. Les enfants du premier mariage de Nelson avaient grandi, s'étaient mariés, avaient eu des enfants et, Rodman en tête (quarante-quatre ans), approchaient à leur tour du mitan de leur vie.

Nelson n'était plus cet homme irrésistible aux yeux bleus qui, trente-cinq ans plus tôt, avait fait dans la vie publique une irruption fracassante, comme un bouchon de champagne. Hépatique et tout ridé en dépit des soins que lui prodiguaient ses médecins personnels, il marquait bien désormais ses soixante-six ans. Ses traits empâtés rappelaient son père vieillissant, et, avec ses grosses lunettes à monture noire et sa voix graveleuse, il avait tout d'un George Burns WASP [1].

Mais, dans son tréfonds, il ne pouvait accepter de vieillir. Quand la machinerie compliquée qui soutenait sa vie publique et privée commença à montrer des signes d'usure, il la remplaça, trouvant des gens plus jeunes comme pour se prolonger soi-même à la manière d'une prothèse. Il s'était procuré une nouvelle équipe de jeunes assistants. Il avait une jeune femme (elle ne pouvait pourtant empêcher les yeux enamourés de Nelson de s'égarer sur d'autres visages), deux jeunes fils (Nelson Jr, onze ans, et Mark, sept ans) à qui il témoignait une affection quasi grand-paternelle (combien de tours dans l'hélicoptère familial, et combien de moments seuls avec lui dans son bureau, à grignoter des biscuits...). Quand on lui demandait son âge, il aimait à répondre : « Mon grand-père a vécu jusqu'à quatre-vingt-dix-sept, mon père, jusqu'à quatre-vingt-six. J'ai l'intention d'atteindre la centaine. »

Cette silhouette trapue, manches retroussées, revers de pantalon relevés, qui arpentait avec Happy et les enfants la plage de Seal Harbor, la démarche claudicante à cause de ses pieds plats, évoquait à ses amis un vieux boxeur qui ne connaît qu'une façon de se mouvoir — vers l'avant.

Cette faim toujours inassouvie chez les politiciens avait revêtu chez lui des proportions hors du commun ; pourtant, les motivations de Nelson avaient été toutes différentes. Il avait commencé par chercher des buts dignes de lui

---

1. WASP : White Anglo Saxon Protestant ; c'est-à-dire représentant de la « caste supérieure » aux États-Unis. (*N.d.T.*)

et de la tradition familiale qu'il en était venu à incarner. Sa carrière, unique dans l'histoire de la politique américaine, n'avait été qu'un long flirt avec l'apocalyptique : dans le domaine des affaires étrangères, son lot avait été la guerre froide, l'armement nucléaire, les abris anti-atomiques — tout cet appareil effrayant de la vie moderne que l'homme de la rue considérait avec appréhension et même terreur. En politique intérieure, il y avait eu ses plans grandioses pour remodeler New York (objectif qui supposait un système de travaux publics d'initiative privée sans équivalent aucun dans tout le pays). Et tout ceci en vue de la présidence : tâche virtuellement la plus apocalyptique au monde, et la seule capable en fin de compte de répondre au sentiment qu'avait Nelson de sa destinée.

Voici ce qu'en dit un jour son ami Jacob Javits : « Rockefeller ne rencontre aucun obstacle sur son chemin. Rien. Il obtient toujours ce qu'il veut. »

On demanda à Nelson ce qu'il en pensait; il répondit par cette parabole : « Je me rappelle avoir participé à la vente aux enchères d'un Modigliani, un jour, et avoir perdu contre le Musée d'art moderne dont j'étais alors président. Des années plus tard, un autre Modigliani fit son apparition sur le marché et j'eus la bonne fortune de l'acquérir. Ce qui prouve qu'avec de la patience et de la ténacité, même si on se fait d'abord avoir, on arrive à ses fins. Ça, j'y crois profondément. »

Après 1968, pourtant, il lui fallut bien admettre que patience et ténacité ne lui vaudraient pas la haute consécration recherchée tout au long de sa carrière politique. Chose bien rare pour lui, il n'y avait pas d'alternative : il ne pouvait renoncer à l'ambition qui avait présidé à toute sa vie publique, et, dans le même temps, il se retrouvait manifestement tributaire de quelque miracle qu'il était incapable, contrairement à son habitude, de susciter. Il en était réduit à attendre quelque intervention divine, à se préparer à en tirer parti — si elle se produisait —, au besoin en soutenant et même en flagornant Richard Nixon qu'il détestait et jugeait mentalement instable. A mesure que s'éloignait de lui la présidence, une nouvelle amertume le pénétrait. On eût dit que le monde, ayant subi une cassure fondamentale, se divisait désormais en deux camps antagonistes : amis et ennemis.

Il était assez riche pour acheter la fidélité, assez homme du monde pour l'acheter sans qu'aucune des parties en cause n'ait à admettre l'existence d'un marché. Les fidèles rockefellériens pouvaient compter sur de bonnes places dans l'État, mais également dans le vaste réseau de clientèles privées que contrôlait Nelson [1]. Mais s'il avait toujours su récompenser ses amis, il

---

1. Robert Douglass, ancien chef d'état-major des Rockefeller, passa à la Milbank Tweed puis au Port autonome de New York; Alton Marshall, ancien secrétaire du gouverneur, devint par la suite directeur du Rockefeller Center et le représentant de Nelson dans la plupart des comités de la ville de New York chargés du logement; Frank Willey, ancien conseiller du gouverneur, devint inspecteur général des banques pour l'État de New York et, plus tard, l'un des dirigeants de la Chase Manhattan — pour ne citer ici que quelques exemples. Richard Reeves, ancien collaborateur du *New York Times,* dit de Nelson : « Qu'obtient-il de ces gens, en dehors du " service " ? Eh bien, en vingt ans de politique corrompue, ni lui ni sa famille n'ont enregistré une seule défection — pas de livres sur eux, pas de " souvenirs ", rien du tout. Réfléchissez-y. C'est vraiment un cas. »

commença, après 1968, à trouver un plaisir inédit à choisir les moyens de se venger de ses ennemis.

Exemple : la célèbre querelle avec John Lindsay. Au centre du conflit, une question de fidélité — personnelle et politique — concernant l'étendue exacte de la dette de Lindsay envers Nelson. Le début de leur lutte remontait à 1965 : Rockefeller avait contribué à convaincre Lindsay d'abandonner son siège au Congrès pour entrer dans la course à la mairie. En donnant son acceptation, Lindsay avait précisé qu'il voulait pouvoir compter, pour sa campagne, sur des munitions se montant à 1 million de dollars. Les primaires approchaient, il n'avait réuni que la moitié de la somme : un de ses lieutenants, Bob Price (qui s'était bâti une réputation en organisant la « victoire miracle » de Nelson lors des « primaires » d'Oregon en 1964) se rendit à Pocantico pour se faire remettre le solde.

Ayant donné 450 000 dollars (collectés dans sa famille) et contribué de diverses manières à la victoire de Lindsay, Nelson pensait tout naturellement avoir obtenu ce qu'il convoitait depuis son premier mandat de gouverneur : un maire de New York républicain grâce auquel il pourrait contrôler *in absentia* la cité. Mais Lindsay ne tarda pas à prendre son indépendance avec une vitalité fougueuse, un talent et un avenir apparemment brillants — toutes choses dont la vie de Nelson était à présent dépourvue. Il y avait une jalousie viscérale dans la réaction de Nelson vis-à-vis de la nouvelle vedette des républicains new-yorkais; c'était le chef de horde défendant sa suprématie. (Dans le cercle plus réduit de la famille Rockefeller, Nelson éprouva un sentiment semblable devant le succès de son neveu Jay qui, en Virginie occidentale, avait l'air de le narguer.)

Expliquant les origines de la querelle, George Gilder, spécialiste de ces questions, remarque : « Rockefeller pensait au moins être maître des républicains de New York. C'était la moindre des choses. S'il ne pouvait diriger le monde, il avait au moins la haute main sur ces républicains new-yorkais. C'est alors que Lindsay y alla de ses petites manœuvres, se créa une clientèle personnelle, lança des clins d'œil aux progressistes. Nelson aimait donner à penser qu'il était, pour les républicains, à l'extrême pointe du libéralisme, et qu'en un sens, il était un modèle de vertu; et voilà que Lindsay surgissait sur sa gauche, créant une alternative. Lindsay éprouvait en outre un certain mépris pour Rockefeller, et il était incapable de le dissimuler. L'idée d'un éventuel succès de Lindsay était insupportable à Rockefeller. Sa réaction ne manqua pas d'être virulente. »

C'est en 1968 que le feu fut mis aux poudres : Rockefeller opposa une fin de non-recevoir à la requête de Lindsay de faire appel à la Garde nationale [1] pour ramasser les montagnes d'ordures laissées dans les rues par les éboueurs en grève; de plus, il mit fin à la grève en négociant par-dessus la tête du maire. En retour, Lindsay accusa Rockefeller d'avoir fait preuve de « couardise » en « cédant au chantage ». Nelson s'en tint à l'idée que

---

1. Commandée par le gouverneur de l'État. (*N.d.T.*)

l'attaque de Lindsay avait pour but de lui nuire et qu'elle joua réellement un rôle négatif à Miami Beach quand Nixon lui fut préféré comme candidat à la présidence. L'année suivante, il refusa de soutenir Lindsay dans sa campagne de réélection ; le maire lui rendit la monnaie de sa pièce en soutenant le démocrate Arthur Goldberg pour le gouvernorat en 1970. C'était donc la guerre ouverte : Nelson pesa de tout son poids — officiel et privé — dans la lutte qui se termina par le départ de Lindsay du parti républicain et, en fin de compte, de toute fonction publique.

L'engagement de Nelson dans une lutte pour le pouvoir n'avait rien d'exceptionnel ; mais la quantité de venin que ce conflit particulier tira de lui surprit en vérité les observateurs. Désireux de battre Lindsay, il voulait aussi l'écraser. Voici ce qu'en dit Ogden Reid, membre du Congrès (encore un ancien allié qui sentit passer le vent du courroux nelsonien lorsqu'il suivit Lindsay au parti démocrate) : « Le Nelson que j'ai connu naguère n'est plus. Il est de plus en plus monomaniaque. Au plus fort de sa querelle avec John Lindsay, j'ai vu Nelson considérer qu'il avait gagné sa journée du simple fait qu'il avait réussi à doubler le maire dans un communiqué à la presse, ou quelque brouille du même genre. C'était inimaginable. »

Nelson avait dépensé des montants fabuleux d'argent rockefellérien pour sa carrière politique [1], et il avait toujours aidé les républicains stratégiquement bien placés dans des États où lui-même se voulait influent (comme en Californie où le sénateur Thomas Kuchel d'abord, puis Houston Flournoy, candidat au gouvernorat, étaient considérés comme les « hommes liges de Rockefeller »). A présent, il commençait à utiliser son argent pour battre ses adversaires et punir les lâcheurs. Ainsi, pour l'élection à la mairie de New York en 1969 puis en 1972, la moitié des recettes d'un dîner-gala à 2 000 dollars le couvert, qui eut lieu à Pocantico, fut dévolue à la campagne de l'adversaire de Richard Ottinger — à qui Nelson reprochait toujours l'échec de sa Voie express — et l'autre moitié à l'adversaire du congressiste Ogden Reid. (En fait, le bureau de Reid estime qu'en tout et pour tout — argent liquide et agents électoraux rémunérés — Nelson dépensa plus de 100 000 dollars pour le mettre en échec en 1972.)

Ses compagnons de vingt années de vie politique commençaient à découvrir un nouveau Nelson ; il se révélait très différent du jeune homme dont les défauts, naguère, ne paraissaient naître que d'un excès d'enthousiasme. Il était devenu irritable, glacial ; ambition frustrée, rancune égoïste étaient à présent ses traits dominants. Il gouvernait New York comme un pharaon moderne ; pour amener le parlement à soutenir ses programmes, il utilisait la carotte et le bâton et ne reculait devant rien pour atteindre à ses buts — il lui arriva même de faire cadeau à un député influent, Meade Esposito, d'une estampe de Picasso qu'il prisait beaucoup et, avec la même désinvolture, de briser les reins du très puissant Robert Moses.

---

1. 21 millions de dollars, d'après ses propres estimations ; 27 millions, selon les *CBS News*, 48 millions, d'après les calculs de George Thayer, auteur de *Qui secoue l'arbre à sous*.

Il était devenu de plus en plus inconséquent et arrogant. Sa décision d'évincer Moses (considéré par tous les bords comme l'homme le plus important de l'État depuis des dizaines d'années) n'obéissait à aucune raison tactique ou personnelle. Simplement, Nelson voulait l'un des postes qu'occupait Moses (la présidence du Comité des parcs de l'État) pour son frère Laurance. Nelson, dans l'immédiat, obtint la démission de Moses; mais le conflit entre les deux hommes ne devait atteindre son paroxysme que plusieurs années plus tard. Vers la fin des années soixante, Nelson décida de regrouper en un seul réseau, confié à son assistant William J. Ronan, les moyens de transport de l'État; la dernière forteresse de Moses, apparemment la plus inexpugnable — la Triborough Bridge Authority [1] — le gênait. Le mur d'enceinte de la forteresse : les contrats des particuliers détenteurs d'obligations, qui protégeaient la position de Moses; impossible de le briser, même pour un gouverneur soutenu par le parlement — sauf que, dans ce cas précis, le dépositaire des obligations était la Chase Manhattan. Quand le moment fut venu d'absorber la Triborough Bridge Authority dans la super-agence de Nelson, celui-ci alla trouver David dans la maison de la 55e Rue; au bout d'une heure d'entretien, l'arrangement était conclu.

Nelson s'était toujours montré prêt à aider David, y compris pour servir les intérêts les plus chers à son cœur. Dès le début de son premier mandat, il avait poussé à la roue en faveur d'une libéralisation de la législation sur les fusions bancaires, la création de filiales et de sociétés de portefeuille, qui devait permettre aux banques d'étendre leurs activités. Nelson vint également à la rescousse au moment où le Centre mondial du commerce semblait sur le point de devenir un très coûteux Éléphant blanc. Le Port autonome avait émis pour 850 millions de dollars d'obligations afin de le construire; David et l'Association du Centre avaient fait pression sur la municipalité pour lui faire prendre diverses décisions indispensables à cette réalisation. Mais, à deux doigts de l'achèvement, le Centre éprouvait maintes difficultés à attirer des locataires. Nelson intervint : il déménagea deux bonnes douzaines de services administratifs dans les bâtiments du Centre, prit un bail de quarante ans sur 60 étages complets de l'une de ses tours jumelles de 110 étages. En 1974, l'État de New York payait 18,3 millions de dollars de loyer annuel au Port autonome, et une enquête du Bureau de contrôle des dépenses et recettes du Trésor public était déjà en cours pour déterminer pourquoi l'État payait annuellement, pour ses 235 000 mètres carrés d'espace loué, 4 millions de dollars de plus que les locataires privés pour une surface comparable.

Tout ceci dans une indifférence totale aux conséquences ou aux victimes, puissantes comme Moses ou impuissantes comme l'immense public anonyme qui payait. Comme le dit William Farrell, ancien représentant du *New York Times* à Albany [2] : « Nelson est un vrai démocrate. Il méprise tout

---

1. Le Triborough Bridge, pont destiné aux voitures, achevé en 1936, relie Queens à Ward's Island et Randall's Island, et cette dernière à Bronx et Manhattan. Pont privé, il est géré, comme l'aéroport de New York, par une « authority ». (*N.d.T.*)
2. Siège du gouverneur. (*N.d.T.*)

le monde sans distinction de race, de couleur, de croyance, de religion ou de quoi que ce soit d'autre. » Blessés par ses sautes d'humeur de plus en plus odieuses, certains de ses propres assistants l'appelaient en douce « Crochet à venin ». Pour ses adversaires, rappelle T. H. White, « il était tout simplement l'homme le plus impitoyable de la classe politique ».

Il n'avait pas jeté l'éponge; sa colère et son dépit en témoignaient. Cédant à son agitation coutumière, il voulut à tout prix avoir son mot à dire dans la politique étrangère de l'administration Nixon [1]. Il se fit nommer au comité consultatif du Bureau de renseignements pour l'étranger (où il n'allait pas tarder à avoir vent de l'inquiétude de la CIA concernant le gouvernement Allende au Chili, et de plans visant à le « déstabiliser »). Et le jour même de son entrée en fonctions, en 1969, Nelson alla trouver le nouveau président; de leur discussion d'une heure, il sortit chef d'une mission présidentielle chargée d'enquêter sur place dans tous les pays d'Amérique latine puis de présenter des propositions pour une nouvelle politique vis-à-vis de l'Hémisphère.

Il paraissait naturel qu'il se tournât de nouveau vers l'Amérique latine. Après tout, trente ans plus tôt, elle avait servi de tremplin à sa carrière, et peut-être allait-elle pouvoir redonner vigueur à sa fortune politique. Mais l'époque où Nelson avait été l'enfant chéri de l'Hémisphère était à tout jamais révolue. Il avait changé, le sous-continent latino-américain aussi; une analyse plus attentive de la conjoncture l'eût mis en garde contre l'espoir de répéter facilement les anciens triomphes. Il n'était plus ce jeune inconnu qui s'élançait avec des idées neuves et d'autant plus désarmantes qu'elles émanaient d'un rejeton de la Standard Oil. Quant à l'Hémisphère, les passions de la révolution cubaine l'avaient embrasé, ainsi que ses exhortations pressantes à se dégager du joug de la pauvreté et de l'oppression. Ce défi, Nelson allait l'affronter sans ménagement. Il décida de prendre avec lui le général Robert W. Porter jr, qui avait dirigé en Bolivie les opérations

1. Le contact privilégié de Nelson avec l'administration allait bientôt être Henry Kissinger. A mesure que son protégé s'élevait au sein de l'équipe de Nixon (au détriment du ministre des Affaires étrangères William Rogers et, comble d'ironie, atteignant cette position de « coordonnateur » des Affaires étrangères que Rockefeller convoitait naguère pour lui-même), Nelson était de plus en plus aux petits soins pour lui. Il l'avait d'ailleurs toujours soutenu; depuis l'époque des *Études*, il l'avait gardé comme conseiller appointé à raison de 12 000 dollars par an; plus tard, il avait constitué un dépôt de 65 000 dollars à son intention. Kissinger avait retardé son entrée dans l'administration Nixon jusqu'au moment où il devint évident que Nelson ne deviendrait pas secrétaire à la Défense, comme il l'avait un moment espéré en 1969. Quand Kissinger devint une célébrité nationale, leurs relations ne changèrent pas pour autant. En 1973, Nelson reçut la médaille de la « Famille humaine » à la place du chef du département d'État absent; associant deux titres de gloire bien caractéristiques, il dit à son propos : « Il ne m'a jamais laissé tomber, et il n'a jamais laissé tomber le pays. » C'est à Nelson que revint l'honneur d'annoncer les fiançailles de Kissinger avec son ancienne secrétaire, Nancy Maginnes; et il lui prêta un des avions de la famille pour leur voyage de noces.

antiguérilla contre Che Guevara, deux ans auparavant. Porter fut le conseiller militaire de la délégation de vingt-sept membres qu'il réunit pour l'accompagner à ses propres frais (750 000 dollars).

Son intention : visiter l'ensemble des pays d'Amérique latine en quatre voyages successifs (d'une semaine chacun, entrecoupés d'un retour d'une semaine pour administrer les affaires de l'État). C'est en mai 1969 qu'il entama sa tournée. En arrivant au Honduras, il s'attendait à entendre, comme jadis, les bons vieux cris de « Viva Rocky! » : il dut faire face à des manifestations de colère et au cri, repris tout au long de son voyage, de « Malviendo Rockefeller [1] ». Quand Nelson rentra, en juillet, au terme de son quatrième et dernier périple, accueilli à l'aéroport Kennedy par des manifestants SDS avec qui il eut une violente altercation, sa mission de bons offices avait provoqué le plus grand déploiement de sentiments anti-yankees de toute l'histoire de l'Hémisphère, et, s'agissant d'un représentant des États-Unis, le rejet le plus spectaculaire qu'on eût jamais enregistré.

Lors de sa première halte au Honduras, un policier avait tué un étudiant au cours des manifestations anti-Rockefeller. Sa visite en Équateur mit Quito, la capitale, absolument sens dessus dessous : tandis que les manifestants affrontaient la police, dans le centre de la ville, la délégation rockefellérienne fut repoussée dans les petites rues (un hélicoptère militaire tournoyant, impuissant, au-dessus d'elle): la rencontre avec la délégation présidentielle eut finalement lieu dans un hôtel cerné d'un cordon de mille hommes de troupe. En raison d'un conflit avec le département d'État, à propos de la pêche au thon, le Pérou annula la visite qu'il devait y faire. Le gouvernement bolivien, sentant l'impossibilité de garantir la sécurité de Nelson sur son sol, limita son séjour à une rapide rencontre de trois heures à l'aéroport. Le Venezuela et le Chili annulèrent tout bonnement son séjour. Le gouvernement brésilien prépara la venue de Nelson par une rafle de trois mille opposants qu'il plaça en détention préventive. Avant même son arrivée en Uruguay, une usine de la General Motors fut incendiée (1 million de dollars de dégâts). En Argentine, la visite de Nelson fut ponctuée par le plasticage de treize supermarchés IBEC et, dans l'autre camp, par l'assassinat d'un dirigeant ouvrier qui avait demandé qu'on annulât sa visite. Pour quitter Saint-Domingue, dernière étape de sa tournée, la délégation Rockefeller dut prendre place dans un autocar escorté par des camions bourrés de troupe, et emprunter une route bordée de soldats et de policiers qui avaient déjà tué quatre manifestants. Sur l'ensemble du voyage (vingt pays), seuls le Paraguay et Haïti (les plus anciennes et impitoyables dictatures du continent) l'accueillirent avec enthousiasme, de vastes foules ayant répondu docilement aux ordres.

Richard Nixon lui-même n'aurait probablement pas soulevé dans l'Hémisphère une telle vague de ressentiment; Nelson incarnait mieux que personne cet écrasant « lien spécial » (expression utilisée dans son rapport),

---

1. Équivalent de « Rockefeller go home... ». (*N.d.T.*)

intrument US de domination sur le sous-continent. Toutefois, loin de voir dans ces réactions un plébiscite contre une politique qu'il avait puissamment contribué à mettre en œuvre, Nelson considéra que le chaos et l'effusion de sang qui avaient marqué son voyage apportaient de l'eau à son moulin idéologique : « Les forces de l'anarchie, de la terreur et de la subversion sont déchaînées dans les Amériques, lançait-il sur un ton prophétique dans son rapport. Chez certaines nations d'Amérique latine, on ne craint pas de mettre cyniquement en doute la détermination des États-Unis de faire face à cette grave menace contre la liberté, la démocratie et les intérêts vitaux de l'Hémisphère. »

Pour remédier à cette situation, et relever le défi de la « subversion communiste », le rapport réclamait une réaffirmation du « lien spécial » et un redoublement d'efforts de Washington pour maintenir la sécurité dans l'Hémisphère. On y trouvait aussi les traditionnelles propositions rockefellériennes : mise en place de nouvelles structures bureaucratiques, centralisation administrative, création d'un secrétariat aux Affaires de l'Hémisphère pour « coordonner... toutes les activités du gouvernement US ». Mais, par-dessus tout, le rapport demandait une révision fondamentale de l'attitude US : une façon plus réaliste de considérer les régimes militaires latino-américains: et un retrait encore plus marqué vis-à-vis des engagements antérieurs concernant les réformes sociales envisagées dans le cadre de l'Alliance pour le progrès. Exprimant son amer regret de voir l'aide militaire US tomber de 80,7 millions de dollars en 1966 à 20,4 millions en 1969, Nelson plaida en faveur de leur augmentation massive. Il suggéra également une modernisation des missions militaires basées dans l'Hémisphère : il les voulait moins voyantes, moins pléthoriques, et prônait une latino-américanisation plus effective de la lutte contre le communisme. Il se plaignait qu'il n'y eût pas, aux États-Unis, « une pleine appréciation du rôle important joué par les polices locales », et pressa le gouvernement de « faire droit aux demandes d'aide émanant de la police et des forces de sécurité des pays de l'Hémisphère, en leur fournissant les instruments indispensables à l'accomplissement de leur tâche ».

Il critiquait les aspects « paternalistes » du programme de l'Agence pour le développement international (mais, contre l'autre paternalisme, bien plus grave, inhérent au programme lui-même — pas un mot). L'enjeu, ce n'était pas le bien-être ou la liberté du sous-continent, mais l'Amérique latine elle-même, à la fois symbole et réalité : « Si nous ne réussissons pas à maintenir ce lien spécial, ce sera le signe de l'échec de notre puissance et de notre incapacité à assumer nos responsabilités de grande nation... En outre, le fait de ne pas parvenir à maintenir ce lien spécial créerait un vide dans l'Hémisphère et favoriserait l'immixtion dans cette région de forces étrangères hostiles. »

Tout cela sonnait comme un rappel de principes qui aurait pu aussi bien émaner de ses services à l'époque où il était coordonnateur des Affaires interaméricaines, ou comme un mémorandum préparé vingt-cinq ans plus tôt pour la conférence de Chapultepec, quand la sécurité de l'Hémisphère avait commencé à obséder l'Amérique d'après-guerre.

Le président Nixon ne traita pas le *Rapport Rockefeller sur les Amériques* par le mépris, comme il avait fait pour le rapport de JDR 3 sur les problèmes de population. Il se contenta de le classer. Il ne réorganisa pas l'administration des affaires latino-américaines au département d'État, il ne s'embarqua pas davantage dans les grandioses plans de sécurité chers à Nelson. Il se contenta de suivre la tendance générale — maintien du *statu quo* dans l'Hémisphère — et concentra toutes ses énergies présidentielles sur la guerre en Asie du Sud-Est[1].

Depuis la campagne des primaires de 1964, Nelson paraissait victime d'un complexe de persécution ; il avait tendance à se considérer comme la figure de proue, attaquée de toutes parts, d'une sorte d'administration parallèle. Position courante et fondamentale chez lui : mais, à présent, il était de plus en plus porté à confondre l'impasse politique où il se trouvait et tout le problème de l'ordre social établi. Il représentait l'ordre ; ses adversaires représentaient l'anarchie. (Ce code manichéen devait se retrouver, un peu plus tard, au cœur de la tragédie d'Attica.) Sa force n'avait jamais résidé dans la réflexion, mais dans l'énergie brute qu'il déployait pour donner l'assaut à son environnement. A peine avait-il achevé une chose — un programme, un bâtiment, un voyage — qu'il se tournait sur-le-champ vers la suivante. Avant même de remettre son rapport sur les Amériques, il pensait déjà à sa campagne de réélection — il savait qu'elle serait dure — contre Arthur Goldberg.

Son nom et sa richesse continuaient de valoir à Nelson un prestige certain. Mais il fallait se rendre à l'évidence : il était loin, le « citoyen » néophyte entré en fonctions en 1958 ; et qu'était devenu ce manœuvrier extraordinairement habile qui, en 1970, exerçait ses pouvoirs de gouverneur avec un flair et une astuce mille fois supérieurs à ceux de ses prédécesseurs depuis Al Smith? (Comme l'avait observé Kissinger, Nelson avait peut-être un « esprit de deuxième ordre », mais largement compensé par « une intuition hors pair dans ses rapports avec les gens ».) Au fil des années, il était

1. Nixon répondit tout de même indirectement à Nelson dans un discours de la fin 1969 : « ... Nous sommes conscients que d'énormes forces de changement, explosives parfois, se manifestent en Amérique latine. Ce sont des facteurs d'instabilité ; elles provoquent des changements de gouvernements. Au niveau diplomatique, nous devons accepter avec réalisme, quels qu'ils soient, les gouvernements qui surgissent dans l'Hémisphère. » (A l'exclusion, bien entendu, du régime de Castro à Cuba, et, bientôt, du gouvernement Allende au Chili.) Nelson garda un pied dans la politique latino-américaine en qualité de membre du conseil consultatif présidentiel du Bureau de renseignements pour l'étranger. Son protégé Henry Kissinger se trouvait quant à lui à la tête du tout-puissant « Comité 40 » qui orchestra en secret la chute de Salvador Allende, président du Chili, en 1973.

parvenu à maîtriser toute la gamme de moyens dont il pouvait disposer à l'intérieur comme à l'extérieur de son fief. Il avait mis au point un style vigoureux, sans égal dans le pays : prenant en main l'appareil de l'État, il en avait fait *son* appareil, pliant à sa personnalité le moindre aspect du gouvernement et mettant à profit les quelque quarante mille emplois sur lesquels il avait la haute main. Il n'avait nul besoin de mendier des subventions, ce qui le rendait encore plus puissant. Il pouvait se permettre des actes du plus pur arbitraire : par exemple, gracier son ex-ami et mentor politique de jadis, L. Judson Morhouse. Ancien président du GOP [1] de l'État et collaborateur des Rockefeller pendant de longues années, Morhouse avait tiré quelques bénéfices personnels d'emprunts contractés par le parti, ce qui devait ultérieurement indigner le Sénat, quand Nelson vint solliciter devant lui sa confirmation au poste de vice-président. Quand il le gracia, Morhouse était en prison à la suite d'une affaire de concussion à laquelle il s'était trouvé mêlé en tant que principal responsable de l'Office d'État des spiritueux. Or, Nelson aidait par douzaines les caciques du parti à se caser dans de hautes fonctions officielles. (En voici un exemple flagrant : il fit nommer premier président du Tribunal l'ancien président du parti pour l'État de New York, Fred Young, puis l'autorisa à interrompre l'exercice de sa charge pour prendre part à une campagne électorale et, la campagne finie, le réintégra dans ses fonctions.) Comme le dit un démocrate (admiratif malgré lui) qui étudia les années de gouvernorat de Rockefeller : « Dans l'arbitraire, Nelson a dépassé Tammany [2]. » Son administration ne ressemblait à aucune autre et son gouvernorat, par l'envergure et la puissance, était presque aussi souverain que la présidence elle-même.

Tous les quatre ans, Nelson se mêlait au peuple, présentant une version quelque peu théâtrale du style plébéien, faisant sa cour aux minorités ethniques en mangeant les plats qui leur sont propres ; mais il se rendait compte, tout comme les électeurs, que le personnage de « Rocky » ne faisait plus très sérieux : on connaissait trop bien ses ficelles. En fait, il était presque aussi fatigué de poser sa candidature que les New-Yorkais de la lui voir poser ; il en vint de plus en plus à faire fond, pour ses campagnes électorales, sur des injections massives d'argent et l'usage effréné des médias. Naguère entreprises dans une atmosphère de kermesse, elles ressemblaient plutôt, à présent, à l'offensive d'une division de chars progressant inexorablement dans le désert.

Les New-Yorkais étaient prêts à se laisser convaincre que l'élection de Rockefeller n'était pas inéluctable. Un adversaire plus imaginatif aurait pu tirer parti de cette situation. Mais l'emphase guindée d'Arthur Goldberg n'avait pour effet que de rehausser le pittoresque nelsonien. Cette incapacité à profiter des faiblesses de Rockefeller pesa plus lourd encore que l'inégalité

1. Grand Old Party, le parti républicain. (*N.d.T.*)
2. Tammany : siège new-yorkais du parti démocrate. (*N.d.T.*)

criante des moyens entre les deux campagnes, bien que celle-ci ait compté pour beaucoup dans la défaite de Goldberg[1].

Mais l'incapacité de Goldberg, ex-juge à la Cour suprême, résultait sans doute d'une cause plus profonde. Longtemps après la fin de la campagne, ses collaborateurs en discutaient encore. L'un d'eux, Paul Weissman, qui rédigeait ses discours, eut le sentiment que le seul fait d'avoir constaté *de visu* l'impressionnante puissance de la famille avait mis Goldberg en état d'infériorité psychique vis-à-vis de Nelson : « Franchement, je pense que la campagne de Goldberg était virtuellement fichue quand il fut invité à Pocantico, vers la fin des primaires. L'invitation arriva alors que sa désignation par les démocrates était acquise. Elle était cordiale, manuscrite ; Arthur accepta. Il revint terriblement secoué par cette rencontre. Non qu'il ait reçu des menaces ou des choses de ce genre, comme nous l'avons d'abord supposé ; mais simplement parce que, pour la première fois de sa carrière, il avait vu ce qu'était la *vraie* puissance, ce qu'elle pouvait acheter, comment elle se développait. Je crois que, dès ce moment-là, il a perdu toute confiance en lui. »

Pétrifié par cette vision, Goldberg était également débordé du côté populaire. Il se trouvait empêché, sur les thèmes décisifs, de mettre sur pied la forme de coalition dont les démocrates ont traditionnellement besoin pour l'emporter à New York. Les groupes ethniques blancs étaient attirés par les vues « fauconiennes » de Nelson sur la criminalité. Bien qu'il eût à affronter un ancien ministre du Travail et un juriste qui s'était illustré au service des syndicats, Nelson était soutenu par l'AFL-CIO de l'État (représentant plus d'un million de travailleurs), au sein de laquelle pesait du plus grand poids le syndicat du bâtiment qui avait tiré d'immenses profits de la longue succession de travaux entrepris sous son gouvernorat[2].

Cette faculté d'être à tu et à toi avec les caciques new-yorkais de l'AFL-CIO représentait un atout fantastique dans ses tentatives de séduction des milieux syndicaux. Voici le témoignage de Victor Gottbaum, responsable du syndicat des employés municipaux du district 37 de New York (il fut l'un des

---

1. Goldberg avait 35 agents électoraux rémunérés, Nelson en comptait plus de 350, dont 38 fonctionnaires d'État en congé. La plupart du temps, Goldberg utilisait les lignes aériennes régulières, tandis que Nelson filait d'un bout à l'autre de l'État à bord de son avion à réaction Grumman Gulfstream 2, ou du biréacteur Fairchild, accompagné de son état-major de presse. Pour les seuls médias, Rockefeller dépensa deux fois plus (3 millions et demi de dollars) que Goldberg pour l'ensemble de sa campagne. On estima par la suite que sa profession de foi : « Il a fait beaucoup pour New York, il fera encore beaucoup plus », avait atteint 95 % des familles américaines de l'État ; le New-Yorkais moyen vit à la télévision neuf films publicitaires à la gloire de Rockefeller. En tout, la dépense s'éleva à 7 millions de dollars.

2. Ce soutien (les syndicats étaient restés neutres dans la campagne de 1966 contre Frank O'Connor) était l'aboutissement d'un processus amorcé en 1934, à l'époque où Nelson avait collaboré avec les dirigeants syndicalistes afin d'assurer un achèvement rapide de la construction du Rockefeller Center, et avait rencontré le jeune George Meany, responsable du syndicat des plombiers à l'époque. Des journalistes demandèrent à Meany comment il pouvait si bien s'entendre avec Rockefeller. Réponse du chef de l'AFL-CIO : « Nelson n'a rien à voir avec la mesquinerie de certains de ces hommes d'affaires républicains... Il se contente de sa part et n'empêche pas le partenaire d'avoir la sienne. »

leaders new-yorkais à ne pas soutenir Rockefeller) : « Il est capable de " s'abaisser " au niveau de l'homme de la rue. Cette attitude produit un effet inimaginable sur les travailleurs. Un jour, je me souviens, nous avions une réunion du Conseil central du travail, et tout au long du cocktail qui la précéda les types étaient là à discuter de " Nelson ", quel type à la redresse c'était, etc. Le fait qu'il était un des types les plus riches, les plus puissants, les plus cultivés du monde les enchantait. Et lui les encourageait à l'appeler par son prénom et leur permettait même de le taquiner sur ses exploits sexuels. »

Au début de l'automne 1970, les sondages donnaient Rockefeller à égalité avec Goldberg. Aux élections de novembre, il l'emporta sur lui sans difficulté. Quatre mandats consécutifs, on n'avait jamais vu ça. Comme toujours, la victoire lui fut agréable, mais pas de la même façon que naguère. Les gens votaient pour lui, mais, il le sentait bien, ne l'aimaient pas particulièrement. Son auréole d'enfant chéri de la politique américaine était depuis longtemps ternie. Au cours de la campagne présidentielle de 1968, cette popularité, bien que diminuée, était encore assez forte pour inspirer, dans les cercles politiques, des discussions sur le *besoin* que le pays avait de Nelson. Ses prises de position odieuses sur les droits civiques à New York? Minimisées. Ses vues très dures sur le Vietnam? Oubliées à la minute même où il avait commencé à faire des appels du pied du côté du mouvement pacifiste qui s'était cristallisé autour de la candidature de Robert Kennedy. Pour lui les gens avaient accepté de leur plein gré de se boucher les yeux et montraient une indulgence qu'ils n'auraient jamais témoignée à aucun autre homme politique américain. (L'association de son nom avec la culture, la philanthropie, la politique du pays, agissait comme une sorte de correctif chaque fois que les éléments indomptés de sa personnalité prenaient le dessus et paraissaient l'entraîner hors du droit chemin.) Sous le « réalisme » inhérent à sa profession, disait-on, il y avait un être plein d'humanité, libéral d'instinct, le genre d'homme sans doute capable d'arracher la nation à ses tendances morbides à l'auto-accusation et de panser ses blessures.

Mais, à l'orée des années soixante-dix, il n'était plus possible de sauvegarder plus longtemps le mythe du libéralisme nelsonien. Au cours de la campagne contre Goldberg, Nelson avait mis l'accent sur son soutien au plan de vietnamisation de Nixon; et lorsque le sénateur Charles Goodell (qu'il avait fait nommer au siège de Bobby Kennedy en 1968) rendit public son plan de retrait des troupes, Nelson le contra aussitôt en disant : « Ce plan ne peut que saper la force de la position du président dans les négociations avec les Nord-Vietnamiens. » En politique intérieure, il s'était emporté contre les tricheurs du Welfare [1] et avait ordonné des vérifications des listes des ayants droit. Il avait annoncé des réductions de l'Aide médicale gratuite. S'adressant à la majorité silencieuse de New York, il rappela qu'il

---

1. Secours en vivres et en argent accordé aux gens dont le revenu est inférieur au minimum vital. (*N.d.T.*)

avait été « le choix numéro 1 de Spiro Agnew pour la présidence ».

Les observateurs interprétèrent ces attitudes comme un « pas calculé vers la droite », une tentative pour faire la paix avec l'aile conservatrice du parti républicain et tirer profit du nouvel intérêt qui se manifestait pour « la loi et l'ordre ». Mais ses déclarations fracassantes, en particulier sur le Vietnam, n'étaient pas totalement inspirées par l'opportunisme. Il avait toujours été, pour citer son ex-ami Ogden Reid, membre du Congrès, « un partisan de la manière forte dans toutes les questions qui auraient appelé une négociation ». Jusqu'à présent, cette attitude s'était toujours cantonnée dans la politique étrangère — traité sur l'arrêt des essais nucléaires, détente, Vietnam, etc. — ; elle visait à présent tous les groupes de gauche du pays qui contestaient les points de vue et les privilèges des hommes de son bord et de sa classe. Face à la pression du radicalisme interne et devant les grandes manifestations pacifistes des années soixante, sa personnalité politique s'était durcie. Son idéologie intransigeante le prédisposait déjà à adopter la position qui allait être la sienne au moment du cauchemar d'Attica.

Le 9 septembre 1971, Nelson se trouvait à Washington où il assistait à une réunion du comité consultatif des Affaires étrangères sur les Renseignements internationaux quand Russell Oswald, directeur général des Prisons, l'avertit qu'une mutinerie avait éclaté à Attica, prison de l'État de New York : 1 300 prisonniers tenaient en otages trente-huit fonctionnaires et gardiens dans la cour D. Nelson assura Oswald qu'il lui faisait pleinement confiance pour maîtriser la situation, le mit en garde contre les dangers d'une attitude apparemment « hésitante et indécise » dans les négociations avec les prisonniers et lui dit qu'il s'en retournait à Pocantico le lendemain et demanderait à son premier conseiller, « Bobby » Douglass, de suivre les développements de la situation. Oswald s'avérant incapable de faire progresser la discussion sur les griefs des prisonniers, les négociations furent reprises par une équipe officieuse d'observateurs comme Herman Badillo, membre du Congrès, l'éditorialiste du *New York Times,* Tom Wicker, Arthur Eve, député noir, l'avocat William Kunstler, entre autres.

Les pourparlers achoppèrent sur la question de l'amnistie, particulièrement cruciale pour les prisonniers, un gardien étant mort des suites des blessures qu'il avait reçues pendant la bagarre. Autre question importante : le gouverneur de l'État de New York allait-il oui ou non se rendre sur les lieux ? Le dimanche, quatre jours après l'éclatement de la mutinerie, on sut que la troupe allait recevoir l'ordre de donner l'assaut à la prison. Les observateurs diffusèrent sur les ondes de la radio new-yorkaise un message exhortant Rockefeller à intervenir : « Ici le comité des observateurs à la prison d'Attica. Les risques d'un massacre de prisonniers et de gardiens à l'intérieur de cet établissement sont actuellement immenses. Pour l'amour de l'humanité, nous faisons appel à tous ceux qui nous entendent pour qu'ils supplient le gouverneur de New York de se rendre à Attica... »

Cet après-midi-là, Wicker, Badillo et John Dunne, sénateur de l'État (qui connaissait le numéro privé de Nelson à Pocantico), eurent avec Rockefeller un entretien téléphonique de deux heures [1] pour le convaincre de la nécessité de venir sur les lieux de l'affrontement (mais pas nécessairement dans la cour, au contact avec les prisonniers, comme il le suggéra par la suite).

Ce soir-là, Oswald appela à son tour le gouverneur pour lui demander de se rendre à la prison. Rockefeller répondit qu'après consultation de Bobby Douglass, il n'estimait pas avoir l'autorité constitutionnelle nécessaire pour accorder l'amnistie aux prisonniers et que, dans ces conditions, sa visite serait inutile. Il déclara au directeur général des Prisons : « Dans la vie, il y a de dures décisions qu'on n'envisage pas de gaieté de cœur, surtout lorsque des vies humaines sont en jeu... Mais je crois que ces choses-là, nous devons les considérer en pensant certes à l'immédiat, mais sans sacrifier le sens global de notre action au sein de la société. »

Le lendemain matin, Oswald appela une dernière fois Nelson pour lui demander s'il restait sur ses positions. Après confirmation de celui-ci, ordre fut donné de déclencher l'offensive contre les prisonniers rassemblés dans la cour D. Sans préavis, un hélicoptère fonça sur la cour, la noyant sous un épais nuage de gaz lacrymogène. Là-dessus, les tireurs d'élite postés sur les terrasses de la prison tirèrent une grêle de balles sur les prisonniers coincés comme des rats dans la cour, et plusieurs centaines de miliciens et de gardiens de prison armés de carabines et de fusils de guerre balayèrent la cour pendant six minutes. Quand ce fut fini et que l'ordre de cesser le feu fut donné, dix otages et vingt-neuf prisonniers étaient étendus au sol, morts ou mourants. (Au total, l'assaut fit quarante-trois morts et quatre-vingts blessés par balles.) Chargée d'enquêter sur les événements d'Attica, la Commission McKay devait faire un peu plus tard cette remarque : « A l'exception des massacres d'Indiens de la fin du XIXe siècle... c'est l'affrontement le plus sanglant entre Américains depuis la guerre civile. » La fumée se dissipa, les observateurs bénévoles comprirent que leurs pires craintes se voyaient confirmées ; Badillo, membre du Congrès, résuma leur écœurement en ces termes : « L'heure de mourir vient tôt ou tard. Pourquoi une telle précipitation ? »

Du bureau du gouverneur partit après l'assaut un communiqué de presse à vous faire froid dans le dos — ce fut l'avis même de ceux qui avaient compati au dilemme de Rockefeller : « Nous sommes de tout cœur avec les familles des otages qui ont trouvé la mort à Attica. Cette tragédie a été causée par la tactique révolutionnaire hautement au point de militants qui ont repoussé tous les efforts en vue d'un règlement pacifique, rendant inévitable l'affrontement, et qui ont perpétré de sang-froid le massacre auquel ils avaient menacé de se livrer dès le début. » Lorsque Rockefeller rencontra la

---

1. Tom Wicker relata par la suite cette conversation dans son livre *Un temps pour mourir* :
« Gouverneur, dit Wicker, je vous appelle d'Attica.
— Je sais, dit Rockefeller. Je veux que vous sachiez à quel point je vous suis reconnaissant, et combien j'admire ce que vous et les autres faites là-bas. Je sais que vous avez tous travaillé dur ; j'apprécie, croyez-moi. C'est vraiment fantastique. Oui, fantastique. »
Mais il n'avait pas la moindre intention de venir.

presse, deux jours plus tard, les autopsies avaient révélé que les otages n'étaient pas morts la gorge tranchée par les détenus, comme on l'avait aussitôt suggéré, mais sous les balles des policiers. Nelson ne revint pas pour autant sur ce qu'il avait dit. Quand il apprit par téléphone que le reste des otages était sain et sauf, il fut, selon ses propres termes, « absolument au comble de la joie ».

Un journaliste lança : « Et qu'est-ce que vous dites des prisonniers qui, après ce qui s'est passé, ont permis à bon nombre d'otages de s'en tirer sans une égratignure? »

Rockefeller répondit du tac au tac : « Ce que j'en dis? C'est que les gaz lacrymogènes sont une arme formidable dans une situation de ce genre. »

Tom Wicker, du comité des observateurs, témoigna par la suite devant la Commission spéciale de l'État de New York sur les événements d'Attica qu'il avait espéré que Nelson se rendrait à la prison : « D'abord parce que c'eût été un geste symbolique vis-à-vis des prisonniers, exprimant l'intérêt qu'il portait à leur sort; d'autre part, s'il était venu, on serait peut-être sorti de l'impasse dans laquelle les négociations se trouvaient engagées. Quelque chose aurait pu bouger. » Mais Nelson resta inébranlable sur ses raisons de ne pas y être allé. « Si le gouverneur doit être celui qui négocie — expliqua-t-il dans une déclaration révélatrice de la place qu'il s'attribuait dans la hiérarchie des êtres humains —... nous risquons, la prochaine fois, de les entendre nous dire carrément : " Nous n'acceptons de traiter qu'avec le président en personne "... »

Les derniers mots sur cette affaire appartinrent à la Commission McKay sur les événements d'Attica. Elle conclut son rapport en remarquant que la présence du gouverneur aurait eu sur les policiers et leurs officiers un effet modérateur pendant l'assaut, et aurait prévenu leur déchaînement ultérieur. « Le gouverneur aurait dû se rendre à Attica, non pour imposer une solution dure, et pas davantage parce que les prisonniers réclamaient sa présence, mais parce que ses responsabilités de gouverneur de l'État exigeaient qu'il fût présent là où de si graves décisions allaient entraîner de si grandes pertes en vies humaines... »

Dans le panorama politique général que Nelson gardait toujours présent à l'esprit, Attica n'était qu'une simple péripétie. Tout au long des événements, il resta en contact permanent avec la Maison-Blanche pour qui le traitement de cette mutinerie ferait jurisprudence au milieu du vent de révolte qui soufflait alors sur les prisons de tout le pays, — ainsi qu'une façon de tester la sincérité du nouvel engagement nelsonien aux côtés des conservateurs. Peu après l'écrasement de cette révolte, William Safire, journaliste au *New York Times* et assistant de Nixon à l'époque, dit à Richard Reeves, commentateur politique : « L'assaut d'Attica fut moralement une infamie, mais, du point de vue politique, Nelson fit exactement ce que le peuple attendait de lui. »

Ce fut, aux yeux de beaucoup, la « baie des Cochons de Rockefeller ». S'ils s'étaient rappelé l'histoire de la famille, ils auraient pu l'appeler son « Ludlow » : quelle étrange ressemblance entre Attica et ce jour où, presque soixante ans auparavant, des policiers juchés sur un tertre, avec vue plongeante sur le camp des mineurs en grève, avaient pointé leurs fusils Hotchkiss en direction des tentes rapiécées et avaient ouvert le feu. Même valse-hésitation, même tentation de rester à l'écart de la crise tout en chargeant les autres de la responsabilité finale des lourdes décisions à prendre. Voici ce qu'en dit Tom Morgan, ancien attaché de presse de Lindsay (aujourd'hui gendre de Nelson) : « Attica est le symbole même de l'acte rockefellérien. A chaque moment critique, Nelson tergiversa, barguigna, jusqu'à ce que se fussent trouvées épuisées toutes les options " libérales " ; il put alors choisir la solution réactionnaire chère à son cœur depuis le début. »

Mais il y avait une différence fondamentale entre Junior et son fils : ce massacre ne laissa à Nelson aucun arrière-goût nauséeux, aucune appréhension pour son image de marque, et il n'eut pas la moindre intention d'entreprendre quoi que ce fût qui ressemblât au pèlerinage d'expiation de son père au Colorado [1]. La leçon que Nelson tira de la tragédie d'Attica ressemblait davantage aux thèses initiales de Junior sur l'affaire de Ludlow qu'à son attitude finale. « Il ne s'agissait pas seulement de sauver des vies humaines, confia-t-il par téléphone au commissaire Russell Oswald. C'est l'autorité de la loi qui était en jeu : c'est-à-dire tout l'édifice de la société. »

Chez tous les participants — prisonniers, observateurs, bourreaux —, Attica fut l'un de ces rares événements qui permettent la révélation d'impulsions insoupçonnées, généralement camouflées dans la vie quotidienne de tout un chacun. Pour Nelson, ce fut une sorte d'apothéose. Henry Adams aurait presque pu formuler son fameux apophtegme à propos de l'irrésistible ascension du fils de Junior : « Sur tous les hommes, le pouvoir et la célébrité engendrent une hypertrophie du moi ; c'est une sorte de tumeur qui finit par annihiler toute sympathie. »

Attica montrait bien à quel point Rockefeller s'était aligné sur les positions conservatrices majoritaires au sein du parti républicain. Sa conversion était si solide qu'il pouvait s'offrir le luxe d'opposer son veto aux mesures ségrégationnistes dans les transports en commun et aux amendements hostiles à l'avortement, votés par l'Assemblée new-yorkaise, sans être accusé de retomber dans ses errements passés. Sur les questions primordiales — guerre et paix, crime et châtiment — il était, selon l'expression favorite de l'administration Nixon, « dans le vent ». A la convention de 1972, il fut choisi pour présenter Nixon comme candidat à un second mandat : cette fois, il ne fit pas d'erreur sur le second prénom.

---

1. Au contraire, les critiques hostiles parurent réveiller le côté vindicatif de son caractère. Il nomma un procureur spécial, l'avocat général adjoint Robert E. Fischer, pour enquêter sur tous les crimes commis à Attica et engager des poursuites. Disposant d'un budget de 3 millions de dollars, Fischer et ses collaborateurs dressèrent quarante-deux actes d'accusation contre soixante et un prisonniers d'Attica : chefs d'inculpation allant de la prise d'otages au meurtre. Aucune accusation contre les fonctionnaires de la prison, les gardiens ou les assaillants qui s'étaient livrés à une orgie sanglante après l'attaque de la prison.

Il se dépensa sans compter pour le président contre McGovern et, une fois Nixon réélu, savoura comme le sien ce triomphe sans précédent du parti républicain. Pourtant, déjà enfoui dans les replis de cette élection, se trouvait un certain « cambriolage de troisième ordre » (selon l'expression, promise à l'immortalité, de Ron Ziegler, attaché de presse présidentiel), et ce cambriolage allait profondément modifier la fortune politique de Nelson Rockefeller et de tout son parti.

Tandis que l'affaire du Watergate suivait son cours, de mois en mois paralysant davantage la présidence nixonienne, Nelson sentit qu'il avait de nouvelles raisons d'espérer — peut-être pas énormes, mais suffisantes pour l'amener à considérer 1976 d'un œil nouveau. Tandis que les nuées du scandale s'amoncelaient sur Washington et projetaient leurs ombres sur la vie et la carrière de ses adversaires éventuels, Nelson restait aux aguets. Tous tombaient autour de lui : c'était une véritable hécatombe. A la chute de Spiro Agnew, Nelson se démena pour susciter à l'intérieur du parti une vague de soutien capable de contraindre Nixon à le désigner pour le remplacer. Mais la vieille amertume n'était pas morte et le président préféra choisir Gerald Ford. Quand tomba la victime suivante du scandale tentaculaire — John Connally, héritier présomptif, désigné par Nixon lui-même —, on put croire un moment que 1976 serait marqué par un choix entre Rockefeller et le gouverneur de Californie, Ronald Reagan, réédition du scénario tant souhaité par Nelson à Miami en 1968.

Dès lors, Nelson n'eut plus qu'une idée en tête : tirer profit de l'étrange tournure des événements qui avaient en un rien de temps chamboulé toute l'atmosphère de la politique américaine. Il réunit le noyau d'un état-major de campagne à Albany. Fin 1973, il sillonna le pays au nom de ceux des républicains dont il avait naguère été la bête noire; il prit même l'avion pour l'Arizona, invité comme orateur-vedette d'un dîner de soutien en l'honneur de Barry Goldwater. Sans doute n'aurait-il pas aimé en convenir, mais tout ceci constituait un tardif pèlerinage d'expiation pour ce qui s'était passé en 1964 : il s'arrêta à toutes les stations du chemin de croix. Prenant la parole à la Conférence du Sud républicain, il eut ce commentaire à propos de son combat passé contre les conservateurs : « Les différences idéologiques eurent-elles réellement l'importance qu'elles semblaient avoir alors ou qu'y voyaient certains d'entre nous? Je ne le crois pas. » En décembre 1973, dernière mesure pour se libérer en vue de la course à la présidence : Nelson démissionna de son poste de gouverneur, pour lequel il détenait le record de durée dans l'histoire moderne de New York.

Évaluer l'impact des années rockefelleriennes à New York? Autant vouloir analyser les effets du passage d'une tornade. En s'installant dans ses fonctions de gouverneur, Nelson avait rapidement saisi qu'il existait deux domaines privilégiés aux yeux des contribuables : les services sociaux et la construction. Il se tourna plus particulièrement vers la construction. Comme son père, voir s'élever des immeubles — surtout des édifices où s'exprimait sa propre personnalité — le passionnait. (Au cours d'un dîner commémoratif en l'honneur de Junior, quelqu'un ayant prononcé son éloge en tant que grand philanthrope, Nelson eut un sourire et répondit : « Père était un homme qui croyait à la croissance. Il avait une foi totale en la croissance économique. ») Il se rendait également compte que l'argent destiné à la construction courait plus vite, passait entre plus de mains que l'argent destiné aux services sociaux, et profitait mieux à la couche de gens susceptibles de l'aider à s'assurer une position de force dans l'État. L'argent du bâtiment équivalait à « une injection de cortisone dans le métabolisme de New York ». Et peu importait si un excès de cortisone risquait d'affaiblir les défenses du corps politique, tout comme pour le corps humain. Dès son entrée en fonctions, Nelson était parti de cette idée qu'il ne resterait pas assez longtemps à Albany [1] pour avoir à en affronter les conséquences.

Son administration se distingua au début par un certain flair et un esprit d'innovation ; les premières réalisations, bien orchestrées, devaient lui conférer les apparences d'un modèle de ce que peut réaliser un gouverneur imaginatif et entreprenant. L'un de ses premiers actes avait été la nomination d'une commission d'études sur l'enseignement supérieur. Son rapport concluait que, si l'on n'agissait pas sur-le-champ, les étudiants seraient bientôt privés d'une instruction de qualité : Nelson lança un programme exceptionnel de promotion des établissements et de développement intensif de l'équipement universitaire.

Dans la crainte de voir les électeurs, qui regimbaient déjà devant la montée vertigineuse des dépenses gouvernementales et l'augmentation des impôts (que Nelson s'était d'ailleurs engagé à diminuer), bouder l'emprunt (moyen habituel de financer un tel projet), Nelson s'appliqua à trouver un expédient. Un plan vit le jour, conçu par John N. Mitchell, plus connu à l'époque comme avocat de la firme Rose-Mudge, hautement appréciée de Nixon, que comme spécialiste des emprunts municipaux. L'idée consistait à mettre sur pied une agence semi-indépendante, le Fonds de construction de l'Université d'État, autorisée à émettre des bons à la construction avec, pour tout recours, la simple « garantie morale » de l'État. Prix des cours, frais d'inscription et toutes autres recettes universitaires seraient alors utilisées pour rembourser la dette. Dans le bureau du gouverneur, on vit dans cette solution l'équivalent moderne de l'Eldorado : quelque chose pour rien. (« Le meilleur système du monde ! » s'écria Nelson, triomphant.) Le tout coûterait plus d'un milliard de dollars et, en apparence, pas un cent ne sortirait de la poche des contribuables ! Dans ce cas-là, la fin justifia les moyens : en 1958, l'ensemble de l'Université de l'État de New York comptait 38 000 étudiants répartis sur vingt-huit campus. Lorsque Nelson quitta son poste, au bout de

---

1. Siège du gouvernorat. (*N.d.T.*)

dix ans de son étonnant système financier, on comptait 246 000 étudiants sur un ensemble en plein essor de soixante et onze campus.

Par la suite, Rockefeller lança chaque année un nouveau programme prioritaire. Certes, il dut revenir sur sa ferme promesse de ne pas augmenter les impôts; mais, aux yeux des New-Yorkais — au début du moins —, le jeu valait la chandelle. Ils contribuèrent à parrainer son ambitieux programme en votant le principe d'énormes emprunts (et se réjouirent de voir Nelson en confier l'émission à un organisme dont ils n'auraient pas la responsabilité). L'activité économique de l'État de New York, très ralentie lors de son entrée en fonctions, montrait des signes d'euphorie. La croissance et le progrès qu'il avait promis, on en voyait partout les signes. Nouveaux bâtiments administratifs, hôpitaux psychiatriques, écoles — le paysage new-yorkais était rempli de chantiers de construction. Nelson construisit aussi des routes. Certes, il n'obtint pas gain de cause pour la Voie express le long de l'Hudson; mais, lors de sa campagne en vue d'un troisième mandat, en 1966, sa publicité télévisée pouvait annoncer que, mises bout à bout, les routes construites sous son administration auraient pu couvrir la distance New York-Hawaii et retour. Dans le domaine des transports urbains, il fit campagne pour un emprunt de 3 milliards et demi de dollars, destiné à financer une Régie autonome des transports métropolitains, récemment créée, qui coifferait toutes les lignes de métro et d'autobus de la cité, ainsi que les ponts, le chemin de fer de Long Island, une partie du New Haven et du Penn Central : d'après les prédictions nelsoniennes, ils allaient connaître un développement qui en ferait le meilleur système de transport au monde.

Dans le domaine du logement (toujours sur le conseil de John Mitchell), Rockefeller créa d'emblée une Agence financière du logement, mit 1 milliard de dollars à sa disposition afin de stimuler la construction de logements à loyers modérés et bon marché. Huit ans plus tard, il la remplaça par la Société du développement urbain qui, dotée de larges pouvoirs, permit de condamner et de raser de vieux édifices, de fouler aux pieds les codes de construction locaux et les cahiers des charges régissant la construction, et d'entreprendre l'édification d'immenses ensembles, voire de villes nouvelles. En 1965, en partie pour combattre l'impression défavorable laissée par l'affaire du Storm King [1], Nelson accorda son soutien à un autre programme ambitieux (1 milliard de dollars) en faisant voter une loi sur l'épuration des eaux. Les fonds devaient permettre aux administrations locales d'aménager des stations d'épuration modernes; en six ans, tous les cours d'eau de l'État devaient être dépollués.

La « guerre à outrance contre la drogue et ses adeptes », déclarée en 1966, donna également lieu à des projets de construction. Nelson créa une Commission de contrôle de la toxicomanie chargée de veiller à ce que les coupables subissent une cure en même temps qu'une peine d'emprisonne-

---

1. La falaise sur laquelle la Société Edison avait mis la main. (*N.d.T.*)

ment. Une fois incarcérés, les drogués devaient être envoyés dans l'un des établissements que la Commission de contrôle s'engageait à construire par douzaines. En un sens, le programme dépendait entièrement de ces équipements, car les deux tiers de son budget allaient à leur construction.

Des plaintes se firent jour; construire n'est pas guérir. Vers le milieu des années soixante, on se posait beaucoup de questions sur les progrès réels de la lutte antidrogue à la suite de toutes ces coûteuses entreprises. Le contrôleur des dépenses du Trésor public de l'État, Arthur Levitt, avait pour sa part maints sujets d'inquiétude, et, à intervalles réguliers, se mit à lancer des avertissements sur la situation fiscale de l'État. Évoquant les techniques peu orthodoxes employées par Nelson dans le financement de sa campagne de travaux publics, il remarqua : « C'est au nom de la nécessité que tous ces plans de financement ont été adoptés; mais ils portent tous atteinte au droit des électeurs à décider de l'endettement global de l'État de New York. »

Le procédé de Nelson avait consisté à disjoindre de son gouvernorat des services qui devaient en relever, à en faire des unités quasi autonomes, se réservant le droit de sélectionner leurs administrateurs et les intérêts qui devaient être représentés au sein de leurs conseils d'administration. A la tête de la MTA [1], Nelson nomma son propre secrétaire William J. Ronan, qui avait été professeur d'université avant d'apporter son concours à la campagne rockefellérienne de 1958. De toute évidence, Nelson avait fait la carrière politique de Ronan; de surcroît — comme le révélèrent par la suite les fameuses auditions visant à confirmer la désignation de Nelson à la vice-présidence —, il lui avait assuré une promotion à la fois sociale et économique en lui octroyant un capital personnel de plus d'un demi-million de dollars. A la tête de la Société de développement urbain, il plaça Edward J. Logue, urbaniste bostonien, lui aussi personnellement redevable au gouverneur d'une énorme somme en argent liquide. En créant ces institutions, il se créait un véritable domaine réservé. Rockefeller privatisait les services publics de son gouvernorat et devenait ainsi le personnage politique le plus puissant que l'État eût jamais connu depuis Boss Tweed [2].

Au bout du compte, le symbole du gouvernorat Rockefeller ne fut cependant pas un programme d'action, mais un gigantesque ensemble de bâtiments : Albany Mall. Peu après son entrée en fonctions en 1959, Nelson prit la décision de transformer la zone comprise entre la résidence du gouverneur et les bâtiments du parlement — zone déshéritée, inélégamment baptisée « le Boyau » — et d'en faire, selon son expression, « le siège gouvernemental le plus beau et le plus spectaculaire du monde ». Coût envisagé : 250 millions de dollars. Mais Rockefeller galvanisait ses électeurs : ce serait « la plus grande entreprise nationale de ces cent dernières années ». (En fait, il espérait rivaliser avec Brasilia, la capitale surgie du néant de la jungle amazonienne.) Dans la crainte d'un rejet, il répugnait toutefois à

1. Metropolitan Transportation Authority. (*N.d.T.*)
2. Chef véreux du Tweed Ring, organisation politique qui pratiqua la corruption à New York entre 1860 et 1871.

soumettre le projet du Mall à référendum. Il adopta un moyen de financement inhabituel, suggéré par le maire d'Albany, Erastus Corning II (dont la compagnie devait assurer les bâtiments) : des emprunts seraient émis, non par l'État, mais par le comté d'Albany; après la construction, l'État louerait les bâtiments au comté, l'argent des loyers devant amortir l'emprunt en une trentaine d'années. (Rockefeller s'était jeté sur le plan comme « une truite sur une mouche », dira plus tard Corning.)

Ce plan donna à Nelson et à son vieil ami Wally Harrison l'occasion — peut-être la dernière — de travailler ensemble. Contemplant ce site énorme (1 kilomètre de long sur 400 mètres de large), les deux hommes comprirent que ce serait là l'ultime chef-d'œuvre en collaboration d'une amitié née trente ans plus tôt avec le Rockefeller Center : une capitale numéro 1 pour l'État numéro 1 des États-Unis [1] : une tour de bureaux, de 44 étages; quatre immeubles de sociétés, identiques, de 23 étages; des bâtiments pour les corps législatif et judiciaire; un quartier général pour le Service des véhicules à moteur; un musée et une bibliothèque. De tels plans supposaient des arcs-boutants, des colonnes de soutènement, des revêtements de marbre italien, et autres moyens pharaonesques. La grande innovation architecturale devait être le raccordement des différentes structures par une plate-forme centrale, place à cinq niveaux comprenant salles de réunion, pièces d'eau, restaurants, aires de stationnement, et un abri atomique.

Davantage qu'un ensemble d'édifices, davantage même que la capitale d'un État, le Mall était un nouvel avatar de l'apocalypse nelsonienne, montrant assez quelles grandes fringales grondaient dans le tréfonds de son être, qu'il avait tenté d'apaiser d'abord avec ses plans grandioses en faveur d'une organisation mondiale, puis avec la guerre froide et la course aux armements, enfin par des millions de tonnes de verre et de béton.

Cependant, le Mall était un symbole à double tranchant. Si, par son envergure, il illustrait toute l'étendue de l'imagination échevelée de Nelson, son exécution mettait en jeu des forces de pesanteur qui devaient inévitablement plaquer cette imagination au sol. Ce qui aurait pu être l'ultime hommage qu'il se rendait à lui-même vint simplement s'ajouter à la liste des réalisations qui témoignèrent plus tard contre lui. On eût dit que son démon personnel avait reçu les coudées franches dès la pose de la première pierre.

Bien avant le début des opérations, les propres commissions de planification de Nelson avaient prédit de graves difficultés, dues par exemple à l'insuffisance de main-d'œuvre qualifiée dans le secteur pour mener à bien les travaux. D'emblée, le projet se trouva entravé par l'étrange procédure administrative de l'État : les adjudications pour chaque édifice étaient accordées à différents entrepreneurs qui, à leur tour, sous-traitaient massivement. Résultat : une coordination générale quasi inexistante, des ouvriers qui

---

1. L'État de New York a reçu le surnom d'Empire State (l'État numéro 1) en raison de sa position prédominante parmi les États fédérés.

tombaient souvent les uns sur les autres et s'arrachaient les matériaux et l'outillage. Quand la construction fut enfin entamée, on s'aperçut que les plans originaux, basés pour certains sur des croquis et des cotes griffonnés à la hâte par Nelson lui-même sur des nappes de papier quand une idée s'emparait de lui, puis transmis pour exécution à Harrison, étaient inadéquats. Leur révision entraîna celle des devis estimatifs. (Ainsi, le musée et la bibliothèque passèrent de 42,6 à 73,4 millions de dollars.) Autre problème : celui du style architectural grandiose choisi pour le Mall. Pour un gratte-ciel ordinaire à Manhattan, il fallait compter 300 dollars par mètre carré de surface habitable, mais pour un bâtiment comme le centre de conférences du Mall, en forme de dôme (surnommé « l'Œuf »), on atteignit la somme de 2 500 dollars par mètre carré. Les transformations du projet s'inspirèrent des priorités nelsoniennes : ayant reconnu que le Mall s'était laissé prendre dans une spirale inflationniste, il élimina les projets de logements à bon marché (qu'il avait introduits dans les plans pour redorer son blason social, sévèrement terni quand il avait fallu chasser trois mille familles de leurs foyers à coups de bulldozer avant le début des travaux) ; par contre, l'abri anti-atomique de 1 500 mètres carrés demeura.

Au milieu des années soixante, à l'époque où le destin de Nelson se heurtait, sur la scène nationale, à des obstacles qu'il n'arrivait décidément pas à franchir, le Mall, lui, s'enlisait dans des retards colossaux et un ralentissement général de la construction. A l'origine, la date d'achèvement des travaux devait se situer vers la fin des années soixante. En 1965, on l'avait repoussée à 71, puis à 72, et enfin à 1976. Parallèlement, le devis primitif de 250 millions de dollars montait en flèche : en 1965, l'ardoise s'élevait à 400 millions ; en 1972, après une nouvelle réévaluation, elle atteignit 850 millions de dollars.

Lorsque les bâtiments commencèrent à prendre forme, ils suscitèrent le mépris des New-Yorkais qui les affublèrent de surnoms tels que « Stonehenge à la demande [1] », « les Jardins suspendus d'Albany », « la Folie de Rocky ». (Un critique leur trouva un arrière-goût de « modernisme stalinien ».) Le coût final, d'après l'annonce navrée qu'en firent les services du contrôleur du Trésor public, devait atteindre 1,2 milliard de dollars. De quoi construire un lycée dans chaque district scolaire de l'État de New York (trente et un dans la seule ville de New York). Chiffre étrangement proche du total des donations du premier John D. Rockefeller et de John D. Rockefeller junior, étalées sur un siècle, à peu de chose près, reprises aujourd'hui et raflées d'un seul coup par le chef de file de la troisième génération.

Loin d'être affecté par les amères critiques suscitées par le Mall, Nelson semblait y prendre plaisir. Wally Harrison raconte une conférence de presse sur le Mall à laquelle il assista, à Albany, au côté du gouverneur : « Je m'en souviendrai toujours. Un journaliste lança une remarque sur Nelson, qu'il qualifia d'" architecte frustré " ; Nelson marqua une pause, puis, avec un

---

1. Célèbre ensemble de mégalithes en Grande-Bretagne. (*N.d.T.*)

geste de la main en direction de la fenêtre côté Mall, il répondit : " Frustré, je ne le suis plus ". » En novembre 1973, peu avant de donner sa démission, Nelson inaugura la cité encore inachevée. Blâmant les détracteurs à la mentalité lilliputienne qui avaient osé critiquer son rêve, Nelson déclara : « Les constructions étriquées naissent des imaginations médiocres. La grande architecture, elle, reflète les plus hautes valeurs de l'humanité. Nous sommes en train de créer une capitale qui exprime notre confiance en nous-mêmes et notre foi en l'avenir. »

Nelson avait beau avoir une foi pharaonesque en son propre avenir, l'avenir de l'État, lorsqu'il abandonna ses fonctions, était plus que compromis. Les programmes qu'il avait mis en chantier pendant la période dorée de son gouvernement se trouvaient alors, comme le Mall, plus ou moins inachevés, ou tenus en échec ; il devenait évident que son énorme programme de travaux publics, non content de ne pas répondre aux besoins populaires, n'était pas même bon en soi. Ainsi, le projet d'épuration des eaux (1 milliard de dollars) qui, à l'entendre, devait « régénérer les eaux de l'État en six ans », avait certes créé de nombreuses stations d'épuration, mais la qualité de l'eau avait quand même baissé et la réévaluation des devis et des délais reportait les objectifs de 1965 à 1992 pour un coût de 4,35 milliards de dollars. Dans le domaine du logement, l'année de son entrée en fonctions avait vu construire 105 000 appartements ; dix ans plus tard, bien que les dollars eussent coulé à flots, on n'en construisait plus que 67 000 par an. Le MTA ne parvint pas davantage à résoudre les problèmes de transport ; les choses avaient au contraire empiré : les lignes de métro étaient plus sales et plus dangereuses que jamais ; Nelson avait prophétisé une « compétition entre le Penn Central et le chemin de fer de Long Island pour le titre de meilleur train de banlieue du pays » : peu de temps après, le premier était en faillite et l'autre, paralysé par les retards apportés à son amélioration, pratiquait les tarifs les plus élevés du monde dans sa catégorie.

L'aggravation de l'endettement public destiné à financer ses plans, l'augmentation des impôts requise pour y faire face, finirent par susciter une vive résistance du côté des contribuables. Au printemps 1971, quand Rockefeller présenta un budget de 8 milliards et demi de dollars (1 demi-milliard de plus que l'année précédente) assorti d'une majoration fiscale d'1 milliard, la réaction du parlement fut des plus vives : ses chiffres se virent rognés de moitié et on le contraignit à pratiquer des coupes sombres dans tous ses programmes. Il encaissa. Il fit même semblant de voir là une invite à réduire de 10 % les dépenses du programme social de l'État.

En 1960, Nelson avait opposé son veto à un projet de loi liant le bénéfice de l'aide sociale du Welfare à une certaine durée de résidence dans l'État. Il avait invoqué alors « les traditions de notre État, son respect de la dignité et de la valeur de chaque individu ». A présent, pour réduire le programme social, il introduisit cette clause, condamnée pourtant comme anticonstitutionnelle, deux ans auparavant, par la Cour suprême US. En 1970, un rapport de la direction des Services sociaux avait précisé : « Parmi le million de bénéficiaires de l'aide sociale du Welfare sous ses différentes formes, environ 6 % seulement sont jugés capables d'occuper un emploi »; ce qui n'empêcha pas Nelson de placer au centre de sa « réforme » sociale l'obligation pour tous les bénéficiaires « employables » de chercher du travail et de se présenter deux fois par mois aux Services de l'emploi de l'État. En pratique, le nombre de gens ainsi placés en situation d'embauche fut très modeste: par contre, ceux qui étaient « employables » se virent supprimer, même au chômage, le bénéfice du Welfare. Bien plus important, Nelson alla jusqu'à suggérer une variante du « registre A » de son grand-père, à l'usage des pauvres, qu'il appela « l'Encouragement à assurer soi-même son indépendance ». Selon ce programme, une famille de quatre personnes devait recevoir une allocation annuelle de base de 2 400 dollars, au lieu des 3 900 habituels, mais elle aurait la possibilité de « gagner » la différence, soit 1 500 dollars, en faisant fréquenter l'école aux enfants, en suivant des cours de formation ou en participant à des projets d'amélioration de la vie collective. Cette proposition fut abondamment ridiculisée; on l'appela « le plan bons points ». Devant l'opposition massive et les difficultés de gestion qu'elle rencontra, il fallut la repenser de A à Z.

Tout au long de ses trois mandats à Albany, l'argument de Nelson pour défendre l'accroissement des dépenses de l'État n'avait guère varié : il mettait tout en œuvre pour rehausser la « fière tradition progressiste new-yorkaise de services rendus à notre peuple » (l'expression est de lui). Mais, dans sa grande masse, l'argent dépensé n'avait servi qu'à l'édification de monuments sans le moindre rapport avec les besoins impérieux de la population new-yorkaise. Dans la lutte antidrogue, son échec était peut-être plus éclatant encore que dans sa débâcle de bâtisseur à Albany. La fameuse loi de 1966 sur la privation de liberté des drogués n'était pas respectée; la Commission de contrôle de la toxicomanie avait elle-même trahi ses intentions initiales. En 1972, les trois quarts des 224 millions de dollars dépensés étaient allés à la construction d'établissements qui, pour certains d'entre eux, n'ouvrirent jamais leurs portes. Ceux qui entrèrent en activité dépensaient 30 millions de dollars par an en salaires, comptaient plus d'employés que de drogués, et, parmi les employés, une infime minorité de médecins et de psychiatres. Sur les 5 172 individus relâchés après avoir subi la cure imposée par la Commission de contrôle de la toxicomanie, 141 seulement parvinrent à ne pas récidiver au bout d'un an et demi : chaque guérison individuelle avait donc coûté 1,6 million de dollars aux New-Yorkais.

Dans son message sur la situation de l'État adressé en 1973 au parlement, Rockefeller reconnut l'échec de ce programme : en dépit des 500 millions de dollars dépensés pour lutter contre la drogue au cours de ses trois mandats, les décès dus à l'héroïne avaient augmenté de 32 % et l'usage de la drogue avait atteint « des proportions endémiques ». Les mesures de privation de liberté avaient pu paraître draconiennes aux New-Yorkais? Nelson souhaitait à présent les remplacer par d'autres, encore plus apocalyptiques : sans presque reprendre souffle, en même temps qu'il admettait l'échec de la loi de

1966, Nelson annonça un nouveau programme basé sur la détention à vie de toute personne convaincue de posséder ou de vendre de la drogue, avec « primes d'encouragement » aux indicateurs dont les informations permettraient la découverte de toxicomanes [1].

Au départ de Nelson, ces lois draconiennes et autres dispositions inspirées d'une rhétorique rigide furent impuissantes à masquer cette évidence : l'État se trouvait plongé dans un chaos à la fois moral et fiscal, son fonctionnement politique s'était comme atrophié, son avenir était obéré par le poids d'obligations financières liant les mains de ses législateurs pour une durée indéfinie. Les New-Yorkais payaient déjà très cher tous les travaux publics et privés qu'il avait entrepris — ceux qu'ils avaient approuvés en allant aux urnes et tous les autres, pour lesquels ils n'avaient jamais été consultés. Sur ses quinze années de gouvernorat, on relevait huit augmentations annuelles d'impôts de toute sorte; pourtant, il s'était solennellement engagé, dès le début, devant ses électeurs, à ne pas majorer les charges fiscales. Ces impôts se montaient à 94 dollars par habitant à son arrivée; à son départ, ils étaient de 460 dollars par habitant. A son arrivée, la TVA était inconnue : à présent, son taux était de 4 %. De 3 cents, la taxe sur le paquet de cigarettes avait atteint 15 cents. La taxe d'État sur l'essence, de 4 cents par gallon, avait doublé.

Le budget de l'État avait augmenté de 300 %, son endettement, de 400 %. Les organismes semi-publics, dont Nelson avait fait un si large usage, opéraient à présent « sur une si vaste échelle que, dans certains cas, ils en venaient à éclipser les opérations fiscales de l'État lui-même » (citation d'Arthur Levitt, contrôleur des dépenses du Trésor public). Au départ de Nelson, ces organismes avaient pour 10 milliards de dollars de dettes à rembourser; le service annuel de cette dette était de 50 millions de dollars.

La situation de l'État était bloquée. On eût dit que Nelson avait pris une hypothèque colossale sur l'avenir de New York pour financer la coûteuse thérapie requise par ce que tout le monde s'accordait désormais à reconnaître comme son « complexe de bâtisseur ». Son quatrième mandat ne vit surgir aucun programme nouveau. Le domaine qui avait été sa fierté personnelle, l'enseignement supérieur, avait vu lui aussi ses moyens rognés. (En 1971, Nelson annonça avec tristesse : « Le problème du financement et de la

---

1. Largement critiquée comme digne d' « Archie Bunker », cette proposition de loi fit même froncer les sourcils au *New York Times;* pourtant, jusqu'à Attica, ce journal avait soutenu presque toutes les ambitions de Nelson. (Voici l'éditorial : « La proposition simpliste de Rockefeller — bouclez-les-tous-pour-la-vie — est de toute évidence une mesure inefficace qui rend plus improbable que jamais l'adoption d'un programme sérieux. ») Cependant, comme pour Attica, les sondages effectués dans tout le pays révélaient, sur ce sujet, une solide adhésion aux thèses de Rockefeller. Le 8 mai 1973, une fois le plan passé comme une lettre à la poste devant un parlement stimulé par la création de cent nouveaux postes de juges (laquelle, selon un représentant, « avait fait frétiller les démocrates dans les couloirs du parlement »), Nelson le promulgua en saisissant cette occasion pour traîner dans la boue « l'étrange alliance... d'opportunistes politiques et d'adversaires mal inspirés de la manière forte, qui se sont unis pour tenter en vain de faire échec au programme ».

réorganisation de l'enseignement supérieur n'a cessé de devenir plus difficile. La pénible situation fiscale des établissements privés empire, cependant que les crédits destinés à l'enseignement supérieur public sont compromis par la situation fiscale de l'État. »)

Tout cela ressemblait à un énorme château de cartes voué à l'écroulement. Nelson imputa au gouvernement fédéral la situation fiscale chaotique de l'État. Ayant constaté que les New-Yorkais ne revoyaient sous forme de services que 14 cents pour chaque dollar d'impôt fédéral, Nelson se rendit à Washington et devint l'un des piliers des séances du Congrès consacrées à la répartition des recettes publiques. Mais, là encore, il était prisonnier de sa propre histoire : comment proposer une solution réelle si, tout en se déclarant favorable au transfert à l'État des services fournis par le gouvernement fédéral, il était par ailleurs opposé à toute réduction du budget de la Défense — où s'engouffrait la majeure partie de chaque dollar d'impôt — budget qu'il avait contribué, plus que tout autre Américain vivant, à lancer à ces hauteurs vertigineuses ?

Nelson durcit encore sa ligne et l'exposa au cours d'une série de réunions publiques organisées dans tout l'État en 1972. Il fut houspillé, harcelé de questions par des foules qui s'en prenaient à tous les aspects de son gouvernorat; Rockefeller riposta en « casseur » politique qu'il était devenu; il cracha des insultes au visage de ses détracteurs, semblant prendre un plaisir pervers à voir la violence et la confusion que déchaînaient ses apparitions publiques. Le journaliste William Kennedy a enregistré cette réponse de Rockefeller à un jeune révolutionnaire qui, ayant pris le micro au cours d'une réunion à Long Island, s'était mis en devoir de haranguer le gouverneur et sa famille : « OK, saint Jean Bouche d'Or. Maintenant, laisse-moi terminer, d'accord? Merci. Oui, magnifique, magnifique... Il se trouve que je crois à la discussion ouverte. C'est pour ça que nous avons cette réunion... J'ai commencé les opérations à Stony Brook... Si un type comme toi peut espérer bénéficier d'une instruction supérieure, c'est bien uniquement à mon administration qu'il le doit. Regarde-moi en face, s'il te plaît. Je te parle, oui... Je déplore ce que tu as dit, mais je me bats à mort pour que tu aies le droit de le dire... L'Université, elle te passerait sous le nez, dans n'importe quel autre pays... Tu devrais te réjouir de vivre dans une démocratie... »

Mais le désenchantement était général. Chaque fois qu'on leur en fournissait l'occasion, les New-Yorkais se prononçaient par un « non » de plus en plus massif contre Rockefeller. L'électorat rejeta allégrement deux emprunts pour les transports, que Nelson avait estimés vitaux : l'un de 2,5 milliards de dollars en 1971, l'autre de 3,5 milliards de dollars deux ans plus tard. L'ensemble du système semblait échapper de plus en plus au contrôle de Nelson. La contestation s'installait jusque dans des institutions comme le Musée d'art moderne que lui-même et sa famille avaient toujours dirigé. Lors d'une exposition de sculpture cinétique, en 1971, on put y voir une abracadabrante machine à voter conçue par le sculpteur Hans Haake :

les visiteurs pouvaient s'arrêter, regarder et glisser un bulletin de vote *contre* le gouvernorat de Nelson Rockefeller...

C'est en décembre 1973 que Nelson annonça qu'il démissionnait de son poste de gouverneur avant l'expiration de son mandat. Il faisait ainsi d'une pierre plusieurs coups. Il s'épargnait une nouvelle course aux élections en 1974 ; de la sorte, il n'aurait pas à défendre sa gestion de New York, encore que, de ce côté-là, il n'eût pas d'inquiétudes à avoir, sa domination sur la politique new-yorkaise étant désormais absolue. Au vice-gouverneur Malcolm Wilson (l'homme qui avait passé quinze ans à « jouer les seconds violons dans un orchestre composé d'un seul homme », selon l'expression d'Erastus Corning, maire d'Albany) il offrit l'occasion de prétendre au titre sans pour autant abandonner lui-même le contrôle du parti républicain de l'État ni de la délégation qui devait le représenter à la Convention pour les présidentielles de 1976. En troisième lieu, il pouvait, ainsi libéré, consacrer les trois années suivantes à soigner son image de marque nationale, à lier connaissance, en qualité de président de deux importants comités fédéraux, avec les délégués potentiels du parti républicain dans tout le pays.

Le premier de ces comités était celui sur la qualité de l'eau. Il avait été créé en 1972 avec un budget de 2 millions et demi de dollars, chargé d'enquêter sur la mise en œuvre des règles de contrôle de la pollution des eaux et de rédiger un rapport avant deux ans. Le second, plus important encore, s'appelait le Comité de planification pour l'avenir des Américains. Il avait démarré, au niveau de l'État, par l'étude de l'aménagement futur de New York ; mais les convulsions au sein du parti républicain donnant à Nelson de nouveaux espoirs pour 1976, il convainquit le président Nixon de doter ce comité d'un statut fédéral et d'un nouveau mandat pour élaborer un rapport sur les perspectives du pays au seuil de son troisième siècle d'existence. Il espérait bien sûr obtenir de l'argent fédéral, mais quand une commission sénatoriale du Budget eut rejeté une première demande d'1 million de dollars (pour un budget de fonctionnement estimé à 6,5 millions), Nelson se mit à rassembler lui-même des fonds. Il donna 1 million de dollars à cette Société du Troisième Siècle — déductible de ses revenus imposables — et obtint de Laurance une contribution du même montant : moyen détourné de court-circuiter la nouvelle loi stipulant qu'un candidat à une fonction fédérale ne pouvait accepter de contributions de plus de 100 000 dollars prélevés sur ses propres fonds ou ceux de sa famille...

Le Comité adopta une technique encyclopédique qui n'était pas sans rappeler le Groupe d'Études. L'enquête devait, dès le départ, s'engager dans trois directions : croissance et ressources ; individus et institutions ; sécurité internationale — chaque rubrique confiée à un cercle regroupant de vieux collaborateurs rockefellériens comme Edward Teller, de nouveaux visages comme Bess Myerson et le vice-président Gerald Ford, des conseillers appointés par le Comité, anciens stratèges de la Maison-Blanche, comme W.W. Rostow, célèbre « faucon » sur la question vietnamienne, et le spécialiste de politique sociale Daniel Moynihan; le Groupe chargé des études internationales était dirigé par Nancy Maginnes Kissinger, attachée de longue date au service de presse de Nelson. En tout, 139 collaborateurs pour la première année: coût : 1 million de dollars, à peu de chose près: déploiement de talents et de compétences, dans les principaux domaines politiques, propre à éclipser l'état-major personnel du président ou toute équipe qu'il aurait souhaité réunir sans l'autorisation expresse du Congrès.

De même que le Groupe d'Études avait tracé dix ans auparavant les grandes lignes d'orientation de la politique gouvernementale, de même Nelson sentit que ce nouveau comité pouvait combler le vide creusé par l'accumulation de crises et de conflits des années soixante, remédier aux doutes qui avaient assailli le pays sur sa propre identité et sur sa mission dans le monde, à la paralysie de son rôle dirigeant par suite de scandales comme celui du Watergate. Ce comité donna à ses objectifs un tour encore plus grandiose que ne l'avait fait le Groupe d'Études : « Panorama des considérations philosophiques et morales fondamentales de l'homme et de ses institutions... Projection des tendances dominantes aux USA et dans les autres régions du monde de 1976 jusqu'en 1989, y compris les développements politiques, économiques et militaires... Exposé de différentes méthodes pour faire face à ces développements nouveaux... Conceptions nouvelles touchant à la structure de notre système fédéral et nos institutions internes et internationales. »

Libéré d'Albany, Nelson allait donc pouvoir sillonner le pays en tous sens en qualité de président de ce comité, tenir des auditions publiques, permettre à de futurs délégués à la Convention d'avoir un aperçu de ses nouvelles idées et de sa nouvelle image de marque conservatrice. Le 4 juillet 1976, lorsque le pays célébrerait son bi-centenaire et que les républicains s'apprêteraient à se réunir pour désigner leur candidat à la présidence, le comité Rockefeller rendrait publique la première partie de son rapport, prescrivant un « moyen de se sortir » enfin de cette crise nationale où les Américains s'étaient habitués à vivre comme si, tout en s'aggravant, elle devait durer éternellement.

Le scénario était digne d'Hollywood. L'erreur n'y avait pas droit de cité. L'ensemble de l'édifice dépendait de l'état dans lequel Nixon allait sortir des enquêtes du Watergate, et de sa survie jusqu'au terme — ou presque — de son second mandat, afin que Gerald Ford ne pût s'ériger en figure nationale détentrice de la légitimité. (Le 11 février 1974, Nelson disait encore à William Farrell, journaliste au *New York Times* : « Harceler un président jusqu'à le forcer à démissionner de son poste, c'est plus qu'un acte anticonstitutionnel, c'est une véritable abrogation de la Constitution des États-Unis. ») Mais, au printemps, quand il devint évident que les jours de Nixon étaient comptés, Nelson décida de saisir la chance au sommet: il entama une vigoureuse campagne de pressions afin d'être appelé au poste numéro 2 qui, en tout état de cause, serait bientôt vacant. Après la démission de Nixon et aussitôt après son intronisation, Ford, au cours d'une consultation pour la forme avec les dirigeants du parti, ne surprit personne en annonçant qu'il choisissait Nelson Rockefeller pour vice-président.

Quand la nouvelle lui parvint, le 21 août, Nelson prenait quelques vacances à Seal Harbor dans la maison de pierre et de bois que Wally Harrison avait dessinée pour lui en 1939. La maison était perchée sur un promontoire surplombant la mer; au-dessous se trouvait un hangar bien abrité contenant cinq bateaux (du *Nirvana*, yacht de 65 pieds, au canot de sauvetage en caoutchouc) ainsi qu'un bureau décoré de tapisseries de Picasso. Le long de la plage, une cavité creusée à même le roc utilisait le déferlement des vagues pour alimenter une piscine chauffée.

Pour lui non plus, ce ne fut pas une vraie surprise. Nelson était parvenu à se maintenir à la périphérie des scandales qui ébranlaient Washington. Sa longue carrière dans la politique nationale et surtout dans les affaires étrangères faisait contrepoids à l'évidente étroitesse de vues du nouveau président. Son « progressisme » contrebalançait les antécédents ultra-conservateurs de Ford au Congrès. Paradoxalement, son meilleur atout était peut-être sa richesse qui le mettait apparemment au-dessus de tout soupçon, dans la vague de vertu qui suivit l'affaire du Watergate.

Le 22 août, il posa pour les photographes sur la plage sablonneuse au bas de sa maison. Après avoir déclaré aux journalistes combien il était heureux, il traversa la baie en compagnie de Happy pour déjeuner comme prévu avec David et Peggy dans *leur* maison de Seal Harbor, avec l'ancien ministre des Finances et Mrs. Dillon.

Pleins feux sur Nelson, donc! Mais, dans son optique, la désignation à la vice-présidence n'était qu'un pis-aller. Combien de fois n'avait-il pas affirmé qu'il n'était pas « taillé » pour être le numéro 2? L'idée que lui, un Rockefeller, pût devenir une « doublure », combien de fois ne l'avait-il pas tournée en ridicule? Mais son heure de vérité était arrivée : ce serait là sa dernière tentative, celle qui avait le plus de chances d'aboutir, il en était pleinement conscient; son dernier coup de dé pour réaliser le grand dessein de sa vie. De la sorte, il aurait au moins un strapontin à la table où se jouait le grand jeu, et il serait bien placé pour profiter du moindre changement de cap dans la vie politique du pays. Si quinze années de pratique ne lui avaient pas appris l'humilité, elles l'avaient du moins amené à juger avec plus de réalisme les affaires intérieures au parti. Il savait qu'il en était réduit à prendre ce qui se présentait, avec l'espoir que la crise économique du pays, les défaillances prévisibles du président devant les contraintes de la présidence — et quoi encore? la maladie de sa femme, Betty, allait bientôt s'ajouter à la liste — amèneraient l'ancien membre du Congrès, élu du Michigan, à tirer au bout de deux ans sa révérence et à laisser à son fidèle vice-président l'avantage sur ses concurrents. Et même si Ford briguait un second mandat, il y avait encore 1980. L'un des journalistes accourus en foule à Seal Harbor remarqua en passant qu'il aurait alors soixante-douze ans ; Rockefeller prit alors un air sévère, rappela aux gens présents l'âge avancé que son père et son grand-père avaient atteint, fit remarquer que Golda Meir et Konrad Adenauer avaient tous deux gouverné bien après soixante-dix ans, et ajouta qu'il espérait bien, quant à lui, vivre centenaire.

S'il y eut une surprise après la désignation de Nelson à la vice-présidence, ce fut, contre toute attente, l'absence de remous dans l'aile droite du parti républicain. Barry Goldwater se contenta de remarquer qu'il serait sans doute sage d'exclure Nelson du tandem de 1976 si Ford briguait un second mandat ; mais, à part cela, les faits étaient là, qui commandaient silence et discrétion : le parti républicain était sorti bien malade de la chute d'Agnew et de l'inculpation du ministre de la Justice Mitchell, qui avait entraîné la droite dans le chaudron du Watergate. Entrait aussi en ligne de compte l'évolution politique de Nelson au fil des années : ceux qui avaient hurlé leur haine quand il s'était présenté devant eux à San Francisco en 1964 ne trouvaient plus la moindre raison de le rejeter, et ce fait montrait clairement quel genre d'homme il était devenu.

Dès son arrivée à Washington, il se mit à sillonner la ville, serra des mains, échangea des plaisanteries, déjeuna avec Henry Kissinger et l'ambassadeur soviétique Dobrynine, croisa le fer avec les représentants de la presse qui abordaient le thème de l'immense fortune familiale, rendit visite aux membres du Congrès, préparant les auditions auxquelles il serait soumis pour être confirmé à la vice-présidence. Arpentant alertement les salles du Congrès de son pas souple et chaloupé, s'arrêtant pour passer la tête dans tous les bureaux (sauf ceux de ses grands ennemis personnels comme Ogden Reid), il rappelait à ses collaborateurs le vieux routier des précédentes campagnes politiques : celui qui était allégrement descendu dans les rues de Manhattan à la conquête de son premier gouvernorat. Apercevant Peter Rodino dans les couloirs, on le vit s'avancer vers lui, l'étreindre et claironner : « Salut, Pete ! Je veux te dire combien je te suis reconnaissant de tout ce que tu as fait pour le pays ! », avant de filer vers le rendez-vous suivant.

L'homme qui avait présidé les séances de mise en accusation, se rappelant les silences stratégiques de Rockefeller tout au long de l'enquête sur l'affaire du Watergate, secoua la tête et haussa les sourcils, incrédule : « Non, mais vous avez entendu ? » dit-il à l'un des journalistes présents pour qui, de toute évidence, cette petite scène avait été montée.

Mais, comme bien souvent dans le passé, les développements de la carrière politique de Nelson ne plongeaient pas la famille — hormis Laurance — dans la même euphorie que le principal intéressé. David était capable de s'y faire à contrecœur, comme à quelque chose d'inhérent aux lourdes responsabilités du guide familial. Mais les autres membres de la dynastie n'étaient pas très satisfaits, ni même particulièrement fiers. Aux yeux des cousins — dont la plupart étaient en opposition ouverte avec Nelson et sa politique — cette désignation ne représentait qu'une suite de changements contrariants dans leur style de vie. Ils devaient désormais se préoccuper de questions de sécurité (les services secrets les avaient tous contactés), ce qui allait encore agrandir cette énorme distance entre eux-mêmes et les autres qu'ils avaient passé le plus clair de leur vie à tenter de réduire. Passe encore pour l'élection de Nelson au gouvernorat! Mais l'acceptation d'une telle désignation impliquait un décorticage télévisé au niveau national qui allait fatalement les atteindre tous, eux, leurs carrières et leurs richesses. Selon la remarque d'un collaborateur de la salle n° 5600 : « La famille Rockefeller a grandement besoin de préserver son intimité. Si cela devait aboutir à faire toute la lumière sur ses affaires, elle préférerait que Nelson ne soit pas vice-président. »

Pourtant, si la capitale attendait avec impatience le début des auditions, c'était très précisément par soif de ce genre de révélations. Nelson n'était pas n'importe quel riche, comme John Kennedy par exemple; il faisait partie d'un gigantesque ensemble de richesses et de pouvoirs. Voici ce qu'on trouve sous la plume de William Shannon, correspondant à Washington du *New York Times* : « Jamais depuis que Lady Godiva [1] passa, nue sur son destrier, dans les rues de Coventry, le désir de voir une chose habituellement cachée n'a travaillé une ville autant que celui de connaître enfin l'étendue de la fortune Rockefeller ». Mais cette attente serait vite déçue : nulle enquête approfondie sur la façon dont la première famille d'Amérique utilisait son immense fortune et ses énormes pouvoirs pour infléchir la politique du pays; la stratégie de Nelson consista à donner aux sénateurs un aperçu juste suffisant pour provoquer chez eux une respectueuse soumission.

Vêtu d'un de ses costumes rayés bleu marine alliant élégance et discrétion, Nelson entra nonchalamment, le 23 septembre au matin, dans la salle de réunion du Sénat, émergeant de l'essaim volant de collaborateurs qui l'entourait pour agripper çà et là tel sénateur ou ami et lui étreindre les deux mains comme pour mieux souligner la chaleur de ses sentiments. Assis sur le siège de cuir rouge où, moins d'un an auparavant, les témoins avaient entamé la lente mise à mort du président Nixon, il déploya sur le tapis vert un fouillis de notes griffonnées à la hâte pour son usage personnel, vérifia avec ses collaborateurs à quels dossiers elles se rapportaient, et écouta avec le sourire l'introduction du sénateur Jacob Javits : « Si l'on faisait passer un concours administratif pour la présidence, vous trouveriez Nelson Rockefeller en tête du palmarès. » Seul signe de nervosité : la vitesse avec laquelle il vida la carafe d'eau posée devant lui dans les deux premières heures de son témoignage; il n'eut pas la moindre hésitation, toutefois, pour retracer en soixante-douze feuillets l'histoire de la famille Rockefeller, récit qui lui tint lieu de déclaration liminaire.

---

1. Héroïne d'une légende anglaise, elle traversa la ville « vêtue de ses seuls cheveux ». (*N.d.T.*)

Il l'avait lui-même rédigée en grande partie, puisant dans les archives familiales tous renseignements concernant les réalisations de ses ancêtres, dont il présenta un raccourci. D'après sa version, ceux-ci faisaient partie d'un panthéon des vertus américaines : du côté de sa grand-mère paternelle, les Spelman, c'était l'esprit de justice envers les Noirs; ses grands-parents maternels, les Aldrich, remontaient au *Mayflower;* William Avery Rockefeller, son arrière-grand-père, ce charlatan bizarre « qui guérissait le cancer », fut ainsi présenté par Nelson : « Homme hardi, intrépide, aimant la société, il travailla dur et paya ses dettes sans coup férir. Il s'intéressa entre autres à la médecine par les plantes et se consacra de plus en plus à la vente des plantes médicinales... » Le premier John Davison? « Un homme doux et travailleur qui créa la Standard Oil et passa ensuite le reste de ses jours à prodiguer de l'aide à ceux qui étaient dans le besoin. » Junior : un homme qui suivit « l'éthique familiale » (expression nelsonienne) en se consacrant « au service et au bien-être d'autrui à travers le monde... ».

Ce qui intéressait les gens au premier chef, c'était l'argent des Rockefeller. De tout temps, la famille avait veillé sur les chiffres aussi jalousement que sur des secrets d'État. Combien Senior avait-il laissé à Junior, exactement? Qu'en avait-il fait? Combien avaient reçu les Frères? Et eux, qu'en avaient-ils fait? Dans quelle mesure les cordons de leur bourse tenaient-ils lieu de rênes à l'économie américaine?

La famille avait toujours évité de rendre des comptes : c'eût été violer les principes les plus sacrés de la liberté individuelle; mais, surtout, c'eût été renoncer à une composante intangible mais essentielle de leur puissance — le mystère — en la dépouillant en partie de son caractère mythique. Or, cette tradition du secret constituait maintenant un obstacle sur la route de Nelson : il n'hésita pas à la sacrifier. Il dit aux sénateurs : « Ce mythe de la puissance exercée par ma famille a besoin d'être examiné en pleine lumière... Il n'existe pas, tout simplement... Je dois vous dire que je n'exerce pas de puissance économique. »

Toute la semaine qui avait précédé sa déposition, Rockefeller s'était gaussé des journalistes qui l'interrogeaient sur sa fortune personnelle, leur promettant qu'ils seraient bien déçus dans leurs extravagantes estimations. On avait laissé échapper le chiffre de 33 millions de dollars, trop bas pour être convaincant. La minute de vérité avait sonné. Après son topo historique, Nelson se lança dans les données financières. Junior avait reçu 465 millions de dollars des mains de Senior. Il en avait placé 240 à la Chase en dépôts destinés à ses fils et à ses petits-enfants. La part personnelle de Nelson, qui avait augmenté dans des proportions gigantesques au fil des années, représentait 116 millions de dollars dans un marché financier très déprimé. (Le « dépôt 1934 » avait de fait perdu 20 millions de dollars de sa valeur au cours des deux mois précédents.) Il déclara en outre 62 millions de dollars en biens personnels, ainsi répartis : 33 millions pour sa fantastique collection d'art, 11 millions en biens immobiliers, 12 millions en portefeuille. Par la suite, une vérification de comptes de l'IRS devait redresser l'estimation de ses biens immobiliers : le total général de sa fortune se chiffrait donc à 218 millions de dollars.

Somme phénoménale : le sénateur Byrd calcula que les avoirs de Nelson, en s'en tenant à sa propre évaluation de 182,5 millions de dollars — au lieu des 179 annoncés par Rockefeller — équivalaient à un gain d'un dollar par minute depuis l'année 1627. Mais somme décevante, également, comparée à la fortune personnelle d'un J. Paul Getty, d'un Howard Hughes ou d'un H. Ross Perot. (Au demeurant, le propre frère de Nelson, David, se plaignait souvent auprès de ses intimes que sa fortune et celle de ses frères n'étaient rien auprès de ce qu'avaient amassé les armateurs grecs Aristote Onassis et Stavros Niarchos.) Les Rockefeller avaient beaucoup d'argent, soit : mais leur réputation de richesse dépassait la réalité; suffisamment pour contrôler l'économie, comme on l'avançait fréquemment? Certainement pas. L'évidence devint criante — et la révélation, encore plus décevante — lorsque Nelson, dans sa déposition, décrivit l'état actuel des avoirs de la famille dans la Standard Oil.

Au cours des auditions du TNEC en 1937, première et dernière tentative pour connaître quels étaient les hommes qui dominaient l'économie américaine, on avait révélé que les Rockefeller possédaient entre 8 et 16 % des actions des diverses filiales de la Standard. Aujourd'hui, Nelson pouvait déclarer : « L'ensemble des avoirs de tous les descendants vivants de mon père, en capital aussi bien qu'en actions, ne dépasse pas 2,06 % de l'une quelconque de ces sociétés. » (Chiffres exacts : 1 % d'Exxon; 2,06 % de Cal Standard; 1,75 % de Mobil; 0,23 % de la Standard d'Indiana.) Il poursuivit : « Aucun des descendants de mon père ne figure au conseil d'administration de l'une de ces sociétés pétrolières; et nous n'avons pas le moindre contrôle de leur administration et de leur politique. » Il ajouta, de surcroît, que cela valait également pour la Chase, où la totalité des avoirs de la famille n'excédait pas 2,54 % des actions. (Pour ce qui est des sociétés pétrolières et de la banque, ils restaient malgré tout les détenteurs des plus importants paquets d'actions individuelles.)

Le déclin des avoirs de la famille dans les filiales de la Standard tenait à une importante raison : du fait de l'impact économique de la législation fiscale, ils avaient plutôt eu intérêt à effectuer leurs dons philanthropiques sous forme d'actions de la Standard... La valeur de ces actions avait plus que décuplé au cours des années. Ainsi, s'ils avaient vendu une action qui avait coûté à l'origine 10 dollars, ils se seraient vus contraints de payer un impôt sur des plus-values de 100 dollars; par contre, s'ils faisaient don de la même action, ils pouvaient déduire 100 dollars de leurs impôts, et échapper ainsi entièrement à la taxe sur les plus-values. Au bout du compte, ils faisaient un don dix fois supérieur au prix initial payé par la famille et, par-dessus le marché, bénéficiaient d'un abattement fiscal décuplé. Aussi les dons des Rockefeller prenaient-ils souvent la forme de parts dans les sociétés que leur aïeul avait édifiées.

Même s'ils avaient eu le désir de s'accrocher à tout prix à leurs actions de la

Standard Oil, leur mainmise économique sur les filiales de la Standard aurait perdu de sa vigueur en raison de la tendance dominante à soustraire le contrôle de l'économie aux actionnaires privés au profit des organismes de placement collectif. Même les dépôts Rockefeller étaient représentés aux conseils d'administration non par la famille, mais par la Chase. En 1974, les trois principaux actionnaires de Mobil Oil (la deuxième en importance des filiales de la Standard) étaient trois banques new-yorkaises : Bankers'Trust : 6,1 % ; Chase Manhattan : 5,2 % ; Morgan Guaranty : 2,9 %. Les « Sept Grandes » banques de New York contrôlaient 17 % des actions de Mobil, soit plus que n'en détenait la famille Rockefeller en 1937.

Les révélations de Nelson firent voler en éclats le mythe de la super-richesse de la famille et de l'énorme puissance que lui valait son portefeuille d'actions. Il ne fallait cependant pas s'y méprendre : cette puissance qu'on leur attribuait, ils la possédaient, mais elle résidait ailleurs. Bien plus forte et plus complexe que ne le laissaient supposer les chiffres. Avec une impressionnante unanimité, les boursiers interviewés par le *New York Times* à la suite de la déposition de Nelson reconnurent que le portefeuille Rockefeller n'était que l'extrême pointe de l'iceberg. Évoquant l'influence de la famille, un banquier eut cette formule : « Si vous vous en tenez aux actions qu'elle possède, c'est du pipi de chat. Mais regardons les choses en face : les Rockefeller sont les Rockefeller. » Et voici l'appréciation d'un autre financier : « En fait de puissance familiale aux USA, rien n'arrive à la cheville des Rockefeller. Ils disposent d'une puissance fantastique. »

La nature de cette puissance montrait toute la réussite de Junior dans les efforts qu'il avait déployés pour consolider la dynastie. Elle ne tenait pas à l'argent, mais au réseau exceptionnel des institutions et associations rockefellériennes, créées à l'origine dans le domaine de l'économie mais s'étendant désormais à tous les secteurs — politiques, culturels, intellectuels — de la vie nationale. Conséquence de l'investissement colossal de Junior en de multiples domaines et par toute sorte d'institutions, de l'activité débordante des frères au sein d'une gamme encore plus variée d'entreprises : dans presque toutes les arènes où se prenaient des décisions de quelque importance, leurs employés, leurs protégés ou leurs institutions étaient présents, exerçant une influence marquante. Même la Fondation Rockefeller, où ils n'étaient plus souverains, avait à sa tête des hommes qu'ils avaient contribué à nommer et qui nourrissaient envers la famille un profond sentiment de reconnaissance pour ses largesses. Si le pouvoir dans la nation avait tendance à passer des individualités aux institutions, la dynastie créée par Junior était solidement implantée dans toutes les ramifications de l'activité du pays, et donnait aux frères une influence sans pareille dans les affaires du pays. La famille n'était peut-être pas la plus riche d'Amérique, mais, au sein de l'élite du pouvoir dont la domination s'étendait de Wall Street à Washington, elle était sans égal.

Mais personne au sein de la Commission sénatoriale ne put (ou ne voulut) déchirer le voile. Robert Byrd, sénateur de Virginie, le seul qui parût échapper tant soit peu à l'emprise de Nelson, voulut obtenir de lui plus de franchise dans l'exposé de la puissance familiale, mais le leader de la minorité, Hugh Scott, qui assumait presque le rôle d'avocat de Rockefeller au sein de la Commission, lui mit des bâtons dans les roues. Ainsi soutenu, Nelson, quand on en vint à lui poser des questions gênantes, recourut de plus belle aux échappatoires. Harcelé par le sénateur Byrd sur l'éventualité d'un conflit entre ses intérêts privés et les intérêts publics dans le cas où sa désignation comme vice-président serait confirmée, Nelson commença par nier l'existence d'un « empire Rockefeller » et brouilla les cartes en se lançant dans un discours sur le système américain lui-même. Le système de la libre entreprise, dit-il, a fait de l'Amérique « la plus grande nation du monde. Ce système n'est pas un empire. C'est une démocratie ».

Il ne faut pas voir là quelque lapsus mental, mais la façon caractéristique dont Nelson répondit à cette question du conflit éventuel entre intérêts publics et privés chaque fois qu'elle refit surface durant les auditions. Il réaffirmait simplement son amour pour son pays ou bien faisait valoir qu'il prêterait serment en prenant ses fonctions, et la question était réglée. Les sénateurs voulaient-ils pousser la discourtoisie jusqu'à insinuer que ses intérêts personnels ou des considérations égoïstes pouvaient l'influencer dans l'accomplissement de son devoir, lui dont toute la vie était vouée au service public? En adoptant une attitude de droiture et d'innocence quasi divines, Rockefeller acculait ses interlocuteurs à la défensive et presque aux excuses. Ainsi, après plusieurs tentatives sans succès, le sénateur Byrd finit par limiter ses prétentions : il renonça à établir que l'accession de Nelson à la vice-présidence se traduirait forcément par une vaste concentration de pouvoir rockefellérien, et se contenta d'essayer d'arracher à Nelson l'aveu que la combinaison de sa grande richesse et de la grande puissance politique inhérente à cette fonction mettrait entre ses mains un « pouvoir bien plus étendu » que pour « tout autre titulaire dont les moyens financiers seraient bien inférieurs aux vôtres ». Drapé dans la même attitude, Nelson refusa de comprendre la question et lui fit une réponse négative. Après cela, il aurait été inconvenant de poursuivre, et nul n'avait envie d'embarrasser cet homme attentif et courtois qui se tenait devant l'aréopage. La question de la puissance et des conflits virtuels entre intérêts privés et intérêts publics fut laissée de côté; au demeurant, chacun se rendait compte que les intérêts du pays et ceux des Rockefeller étaient si imbriqués, parfois par la nature même des choses, que le conflit tenait moins à la volonté délibérée des Rockefeller qu'au système lui-même.

A la fin de la première journée d'audition, Nelson rassembla ses papiers, remit son stylo d'argent dans sa poche et déclara aux journalistes : « J'ai trouvé ça formidable »; les projecteurs de télévision s'éteignirent et il quitta la salle d'un pas décidé. Les deux jours suivants, tout se passa également fort bien. Il présenta les membres de sa famille comme des gens si profondément engagés dans leurs occupations personnelles qu'ils n'avaient pas le temps de se rassembler pour mettre au point cette sorte de mainmise planifiée que seuls les paranoïaques pouvaient leur prêter. Outre leurs avoirs relativement « modestes » à la Chase, dans les filiales de la Standard Oil et quelques autres industries, ils ne détenaient jamais plus de 2 % dans aucune entreprise, sauf à l'IBEC et dans certaines sociétés de placement de Laurance. Grâce aux interventions ininterrompues des sénateurs républicains Scott et Marlow Cook, Nelson parvint à écarter toutes les questions concernant les conflits d'intérêts individuels et familiaux, les allusions à son échec personnel dans le drame d'Attica, à la quasi-banqueroute de l'État de New York ainsi qu'à d'autres affaires à son passif. Les questions portant sur ses interventions dans le domaine des affaires étrangères, aspect très important de sa personnalité politique, se réduisirent presque à rien. Lorsque le sénateur Mark Hatfield l'interrogea sur la CIA (avec laquelle il était lié, à tout le moins depuis l'administration Eisenhower), Nelson exhiba un ouvrage à couverture jaune intitulé l'*Art de la guerre,* classique chinois vieux de 2 500 ans, lequel contenait, dit-il, « tout un chapitre sur les agents secrets ». Le sens de cette réponse? Des espions comme des riches, il y en a eu et il y en aura de toute éternité. Il avalisa les activités de la CIA au Chili et ailleurs : « Je présume qu'elles ont été menées dans l'intérêt national. » De telles réponses, s'ajoutant à ses positions en faveur d'une aide accrue au régime de Thieu au Vietnam, devaient amener l'éditorialiste du *New York Times,* Tom Wicker, à qualifier Nelson de « belliciste numéro 1 » dans un article où il dénonçait l'interrogatoire superficiel et timide que Nelson avait subi dans le domaine de la politique étrangère. C'était là, disait l'article, l'un des échecs majeurs de ces auditions.

Le 15 septembre, les sénateurs en avaient terminé. Immédiatement après la désignation de Nelson par Ford, la Maison-Blanche et le Congrès s'étaient trouvés submergés par un flot de lettres hostiles à ce choix; mais, au cours des auditions, les seules oppositions dignes de ce nom avaient émané d'Angela Davis, d'une part, d'autre part du « Lobby de la Liberté », organisation d'extrême droite qui demeurait convaincue que les Rockefeller avaient subventionné la conspiration communiste internationale, ainsi que du mouvement « Laissez-les-vivre », fulminant toujours contre son rejet de la loi antiavortement dans l'État de New York : étrange amalgame qui semblait souligner avant tout le caractère inéluctable de sa nomination.

Au terme des auditions sénatoriales, Nelson, se sentant pratiquement confirmé, prit de brèves vacances. Il ne pouvait pas se lancer d'emblée dans une campagne en faveur des candidats républicains menacés par les prochaines élections locales (ce n'était pourtant pas l'envie qui lui en manquait); du moins pouvait-il faire acte de présence dans tout le pays.

C'est le 4 octobre que son état-major monta à bord de son Grumman Gulfstream de dix-huit places (coût : 4,5 millions de dollars) pour s'envoler vers l'Ouest, à destination de l'Université de Brigham Young, puis de San Francisco où Nelson devait prendre la parole. Certains membres de la presse faisaient pour la première fois connaissance avec le fameux style qui avait toujours ravi les journalistes new-yorkais affectés à une campagne rockefellé-rienne. Suivre Rocky, c'était voyager en première classe. L'aménagement intérieur du supersonique rappelait une salle de séjour avec sofas et fauteuils de relaxation; un steward proposait aux passagers les boissons d'un bar bien approvisionné, et des repas préparés à bord dans une petite cuisine. Le Grumman faisait 200 km/heure de plus que les supersoniques des lignes commerciales, et l'agent des services secrets chargé de le vérifier le déclara « en meilleure forme que le numéro 1 de l'Armée de l'Air ».

C'est au cours de cette tournée de Nelson sur la côte Ouest que des fuites inquiétantes se firent jour. Il y avait du nouveau à la suite d'enquêtes du Congrès, de l'IRS, du FBI (qui eut jusqu'à trois cents agents sur le cas Rockefeller). Coup sur coup on apprit que des vérifications de comptes avaient laissé paraître un arriéré d'impôts d'environ 1 million de dollars; qu'en 1970, Nelson avait incité son frère Laurance à placer 60 000 dollars dans une société factice pour financer une biographie dépréciative d'Arthur Goldberg, son adversaire pour le poste de gouverneur, rédigée par l'écrivain de droite Victor Lasky; que lui-même et sa famille avaient dépensé plus de 20 millions de dollars pour promouvoir sa propre carrière politique, sans parler des contributions versées à d'autres candidats; enfin — le plus accablant de tout — qu'il avait consenti des prêts ou des dons (ou quelque combinaison des deux) à des agents de la fonction publique pour un total de plusieurs millions de dollars, dont 50 000 à Henry Kissinger, 250 000 au directeur de la Société pour le développement urbain de New York, Ed. Logue, et 625 000 à William Ronan, chef du MTA.

Le 20 octobre, l'état-major de Nelson rendit publique une liste de ses activités philanthropiques au cours des dix-sept années écoulées. Son grand-père ne l'eût certes pas désavouée; cependant, le total de 24,7 millions de dollars montrait à quel point les actions charitables avaient décliné dans la famille au fil des années. L'intérêt pour le bien-être de l'humanité n'était pas évident d'après cette liste. Environ 70 % des dons de Nelson allaient à lui-même, à sa famille et à leurs prolongements institutionnels, c'est-à-dire l'AIA, la Société pour la préservation des sites de Jackson Hole, le Fonds des frères Rockefeller, le Musée d'art primitif, le Musée d'art moderne, la Fondation des affaires de gouvernement (créée par Nelson), la Société du Troisième Siècle (qui fut à l'origine du Comité de planification pour l'avenir des Américains), l'État de New York (pour réaménager le paysage autour de la résidence du gouverneur, construire une piscine avec maison attenante, meubler la résidence de Nelson dans le style auquel il était habitué).

La publication de cette liste et la maladie de Happy découragèrent un peu l'assaut des critiques; mais Nelson était soucieux. Il s'adressa personnelle-ment à Howard Cannon, président de la Commission, pour faire redémarrer les auditions.

Les fuites se succédaient à cadence rapide ; elles parvinrent à réveiller le spectre non exorcisé du Watergate ; et Nelson trouva tout à coup sa confirmation compromise. Il demanda publiquement que la Commission sénatoriale se réunît de nouveau pour lui permettre de répondre aux accusations portées contre lui. Mais il dut attendre la fin des élections et, pendant un mois, semblable à une baleine échouée, il livra une bataille de communiqués de presse et alla même jusqu'à se servir de l'opération de Happy pour bénéficier du bref courant de sympathie que la mastectomie de Betty Ford avait valu au président.

Nelson dut attendre le 13 novembre — après la débâcle républicaine qui ne fit qu'une bouchée de son ami Malcolm Wilson et de beaucoup d'autres —, pour se retrouver à la barre, fort embarrassé. Il consacra sa déclaration liminaire à rappeler aux gens que, loin de ressembler à quelque Nixon manœuvrant dans les coulisses du système, il appartenait, lui, au courant principal. « C'est la libre voix du peuple américain qui, en dernier ressort, détermine tout ici. Lorsque vous occupez les plus hautes fonctions, la véritable autorité... est celle qui émane du soutien populaire et de la coopération entre l'exécutif, le législatif et le judiciaire, trois branches distinctes mais néanmoins unies au même tronc. Voilà ce que j'ai à l'esprit quand je dis que le système constitutionnel américain est l'organisation la plus impressionnante jamais mise en place pour dompter la puissance privée, la modérer et la muer en autorité publique... Dans les régimes corrompus ou tyranniques, les détenteurs de la puissance sont les maîtres et règnent de façon corrompue ou tyrannique. Mais ici, en Amérique, c'est la magie et la majesté de notre ordre institutionnel que toutes les sources de puissance privée sont à la longue domptées et domestiquées. Je crois que ma vie illustre le désir constant que j'ai eu de servir au mieux les intérêts de mes concitoyens — et, je l'espère, de susciter chez eux une bonne opinion de moi — par mon dévouement au service public. »

Mais, grâce aux éléments ramenés au plein jour, le public eut pour la première fois l'occasion de voir de près les véritables traits du vrai Rockefeller. Visage bien différent de celui du charmeur mondain de la première série d'auditions. Les problèmes étaient désormais abordés sous un angle nouveau. Nelson n'était plus « propre comme un sou neuf », selon l'expression si souvent employée dans les jours qui avaient suivi sa désignation par Gerald Ford. Impossible de suggérer plus longtemps que son grand avantage sur les autres hommes politiques, c'est qu'il était trop riche pour se laisser acheter. La réalité se révélait plus pernicieuse (encore que moins blâmable, d'après les normes politiques en vigueur) : il était assez riche pour acheter les autres.

D'après les renseignements qui firent surface entre la première et la deuxième série d'auditions, il apparaissait aussi impitoyable dans le domaine politique que son grand-père l'avait été dans celui du pétrole.

Les impôts : la plus facile à réfuter parmi les accusations accumulées contre lui. Au cours des dix années écoulées, il avait payé plus de 11 millions de dollars. Le million supplémentaire que réclamait à présent l'IRS correspondait à des déductions abusives de dépenses de fonction (par exemple, le coût de tout l'état-major qu'il avait emmené avec lui dans sa malheureuse tournée latino-américaine) et de prétendus frais de gestion de ses investissements. En un sens, les récentes innovations fiscales de Nixon atténuaient ces accusations. Comme le fit remarquer le *New York Times* : « En nombre de dollars, le plus illégal, ce sont les dispositions que Mr. Nixon a mises au point pour permettre aux gros contribuables d'obtenir d'importantes réductions d'impôt. » Il semble que les sommes économisées par Rockefeller en exploitant toutes les ressources de la récente loi fiscale et même en la tournant légèrement étaient bien peu de chose, comparées aux avantages retirés du recours régulier aux privilèges spéciaux de la loi. Sa déclaration fiscale indiquait qu'il recevait environ 1 million de dollars par an d'intérêts sur des bons municipaux exonérés d'impôts, parfois des organismes mêmes qui avaient réalisé les coûteux travaux publics mis en chantier sous son gouvernorat. (Son dépôt à la Chase comprenait 3 254 000 titres de l'Office du Logement de l'État de New York; 3,2 millions de titres de l'Office de l'Énergie de l'État de New York, et 1 million de titres du Port autonome de New York.)

Autres déductions privilégiées dont Nelson put profiter : sa collection d'art et ses actions de la Standard Oil. Lorsqu'il faisait don d'un tableau à un musée (même s'il était presque toujours stipulé qu'il resterait sa possession jusqu'à la fin de ses jours), il déduisait de ses impôts la valeur marchande actuelle du tableau au lieu de son prix d'achat. Le *New York Times* estima le montant réel de ses dons charitables entre 1957 et 1974 (officiellement 24 millions de dollars) à 8 millions environ : en effet, s'il n'avait pas fait ces dons, il aurait atteint une tranche de revenus imposables qui l'aurait contraint à payer un peu plus de 16 millions d'impôts fédéraux supplémentaires sur les sommes astucieusement versées à des institutions charitables.

Le livre de Lasky contre Goldberg était certes, comme le dit Nelson, pauvrement documenté, écrit dans un style de pacotille, mais il puait à plein nez le libelle à scandale. En outre, Nelson démentait formellement avoir eu connaissance de l'existence de cet ouvrage avant de le lire; il y avait donc deux questions en suspens : Nelson était-il au courant? en avait-il commandé la rédaction? La première fois que le FBI lui avait posé la question, Nelson avait nié sous serment être au courant de cette biographie; il n'avait rien à voir dans cette affaire. Mais, le 10 octobre, on apprit qu'il était bel et bien au courant : dans une déclaration à la presse, il nia encore avoir trempé dans l'affaire, mais cette fois il rejeta la faute sur Laurance, coupable d'avoir soutenu ce projet par excès de fidélité fraternelle. « Voici ce qui s'est passé, de toute évidence. Mon frère a accepté quelque souscription pour payer l'édition d'un livre qui promettait de bien se vendre... S'il m'en avait seulement touché un mot à l'époque, je m'y serais opposé avec vigueur, et je lui aurais fortement déconseillé de participer d'aucune façon à une telle opération. » Dans le même communiqué, Laurance corrobora cette version pour couvrir son frère ; en privé, cependant, on l'avait vu bouleversé par cette tentative visant à faire de lui un bouc émissaire. Sa fille Lucy, chez qui il se rendit à Washington peu après l'incident, le trouva « extrêmement abattu ». Il lui confia qu'il n'était pour rien dans l'élaboration de ce livre de Lasky, et jura qu'il serait bientôt lavé de cette accusation. (De fait, Nelson ne tarda pas à rectifier sa déclaration, précisant que c'était bien lui qui avait recommandé à Laurance d'aider à la publication de ce livre par une souscription.)

Il y avait donc faux témoignage et mensonge : affaire sérieuse, à n'en pas douter, pour tout autre que Nelson. Mais, lorsqu'il reprit la parole à ce sujet devant la Commission, Nelson se lança dans le récit de l'ahurissant imbroglio qui avait conduit à cette « malencontreuse » décision : Jack Wells (avocat de Lasky et vieil agent politique de Nelson), venu le trouver avec cette proposition, avait été renvoyé à l'avocat de la famille, Donald O'Brien, qui avait mis Laurance dans le coup, puis s'était ensuite adressé à J. R. Dilworth pour organiser une souscription par le truchement d'une société fictive à Philadelphie. Ainsi se prennent les décisions dans l'atmosphère raréfiée de la salle n° 5600, semblait avouer le témoin. Faux témoignage chez un autre, peut-être ; mais, de la part d'un Rockefeller, simple salade bureaucratique. La salade avalée, les sénateurs, fatigués, laissèrent tomber. Lorsqu'Arthur Goldberg vint déposer, Nelson se précipita vers lui et dit en lui serrant la main : « Merci d'être venu. » On avait l'impression que son ancien adversaire était venu là assister à un dîner en l'honneur de Rockefeller.

C'est sur la question des contributions d'ordre politique que la déposition antérieure de Nelson fut le plus sévèrement contredite (rappelons sa thèse : la puissance économique de la famille est un mythe, les membres de la famille agissent rarement de concert). D'après ses propres chiffres, Nelson avait versé quelque 3 265 373 dollars au parti républicain au cours de ses années d'activité politique, dont une bonne partie pour ses propres réélections. (Pour apprécier ce chiffre, il suffit de souligner que le clan DuPont tout entier, dont la légendaire puissance politique a fait de l'État du Delaware un instrument docile entre ses mains, a tout juste dépensé 3 millions de dollars en contributions étalées sur sept générations.) Or les contributions personnelles de Nelson n'étaient qu'un début. Tous les quatre ans (ou tous les deux ans, quand dans l'intervalle il briguait la candidature à la présidence), d'autres membres de la famille avaient versé leur obole, ou plutôt une véritable dîme, avec une régularité suffisante pour réfuter l'assertion nelsonienne selon laquelle la famille agissait rarement de concert. Ses membres avaient donné 20 millions de dollars au total, Laurance figurant en tête de liste, JDR 3 en queue, et près de 11 millions provenaient des dépôts Martha Baird Rockefeller, constitués sous le contrôle des frères afin de gérer le reste des biens de leur belle-mère.

Mais le style rockefellérien se caractérisait par une cascade de présents et de prêts. Ces millions donnés à des assistants et autres collaborateurs évoquaient un prince de la Renaissance jetant des bourses d'or aux gens de sa suite et offrant de petits royaumes à ses vassaux. « Les donations de Rockefeller à des fonctionnaires fédéraux s'apparentent davantage au mode de gouvernement en vigueur à Florence à l'époque de Lorenzo le Magnifique qu'à celui de l'Amérique démocratique », lança le *New York Times* dans un éditorial. Soumis à un interrogatoire serré, Nelson affirma que cette générosité exprimait un simple respect de l'homme en accord avec l'éthique philanthropique de la famille et la « tradition américaine » du partage fraternel. On lui avait appris, dit-il aux sénateurs, à partager. « Si j'avais dans les mains un panier de pommes et que je voyais d'autres garçons les mains vides, je devais partager ces pommes avec eux. J'ai soulagé des souffrances individuelles, des besoins familiaux, ou bien j'ai agi par pure amitié, c'est tout. Mes réussites, pour autant que j'en aie eu dans ma vie publique ou dans ma vie privée, je les dois à l'indéfectible communauté de vues, à la qualité et à la valeur des liens que j'ai tissés avec mes collaborateurs. Quelle sorte d'être humain aurais-je été si, dans ces circonstances, je n'avais pas répondu à leur confiance, à leur attention, à leur engagement, si je n'avais volé au-devant des occasions de leur rendre service, de répondre à leurs besoins et à leurs problèmes? » Quant à sa propension à prêter de l'argent pour ensuite annuler la dette, Rockefeller servit à l'assistance une mélasse sentimentale : « J'aimerais simplement rappeler que le peuple américain, dans sa majorité, le matin ou le soir, récite le Notre Père. Et le Notre Père dit : " Pardonne-nous nos offenses comme nous pardonnons à ceux qui nous ont offensés. " Ceci n'est pas étranger à cela. »

A l'entendre, on aurait pu croire que les hommes de son entourage avaient tous connu les affres de la maladie ou quelque drame atroce... Pourtant, dans l'ensemble, ce n'étaient pas des gens sans ressources. William Ronan, par exemple, gagnait plus de 100 000 dollars par an au moment où il avait reçu son dernier prêt secourable des mains de Nelson. Mais le cas de L. Judson Morhouse illustre mieux que tout autre la nature étonnante et inquiétante des largesses nelsoniennes.

Les deux hommes se connaissaient depuis longtemps — 1958; Morhouse, alors président du Comité républicain de l'État, joua un rôle décisif dans la désignation de Nelson pour le gouvernorat. Après son élection, Nelson prêta 100 000 dollars à Morhouse pour quelque investissement commercial; il convainquit également Laurance de lui prêter 49 000 dollars pour acheter des actions dans une société de distribution du gaz, lesquelles actions devaient bientôt rapporter un gain imprévisible de 100 000 dollars lorsqu'elles seraient lancées sur le marché. Motif invoqué devant la Commission pour cet acte de charité : Morhouse était incapable de joindre les deux bouts. Pourtant, entre 1959 et 1963, il avait gagné 231 000 dollars en qualité de membre d'un lobby à Albany.

En 1966, Morhouse avait été convaincu de corruption dans un scandale qui avait atteint l'Office des spiritueux de l'État. En 1970, ses appels rejetés, condamné à la prison ferme, il se vit gracié par Nelson sous prétexte qu'il était atteint d'un cancer généralisé (cinq ans plus tard, à l'époque des auditions, Morhouse était toujours en vie...). En 1973, Nelson lui fit remise des 100 000 dollars qu'il lui avait prêtés. Qu'avait donc fait Morhouse pour mériter une telle magnanimité? Ce don avait-il ou non été comme un pavé sur la langue de Morhouse dans l'affaire des spiritueux? En toute occasion, Morhouse réussissait à obtenir de Rockefeller ce que jamais les cambrioleurs du Watergate ne parvinrent à arracher tout à fait de Nixon : un pardon complet et un paiement rubis sur l'ongle...

La discussion, au cours des auditions, tourna autour de la question suivante : qu'avait exactement obtenu Nelson de Morhouse et des autres bénéficiaires de ses énormes prêts et dons? Étaient-ils dans l'obligation de répondre oui si Nelson venait à leur demander par la suite quelque faveur? Les auditions ne vinrent jamais à bout de ce problème complexe; car l'argent donné représentait bien plus que de simples opérations de caisse. Nelson ne cherchait pas à acheter Kissinger, Ronan, Logue, et les autres : dans une large mesure, ils étaient déjà à lui puisque c'est lui qui les avait fait sortir de l'ombre. Le numéraire servait tout au plus à rappeler qui était le seigneur et qui était le vassal. Comme le souligna le *New York Magazine* : « Rockefeller et ses dons... sont parvenus à éliminer les contrepoids qui devraient normalement faire équilibre au pouvoir d'un fonctionnaire élu. Elliot Richardson [1] peut s'en aller, Gerald ter Horst peut s'en aller, d'autres viendront murmurer à la presse ou à des hommes politiques concurrents que le roi est nu. Pas Bill Ronan, ni Ed Logue : en fait, ce ne sont pas des individus, ce sont des biens. La reconnaissance de dette de 625 000 dollars que Rockefeller avait entre les mains avant de passer l'éponge sur ce que lui devait Ronan a certainement pesé plus lourd que ces démissions non datées que les patrons de choc font signer à leurs collaborateurs et qu'ils conservent sous clef dans leur tiroir. »

A la fin des auditions sénatoriales, Nelson avait bel et bien fait s'écrouler un grand pan du mythe que son père avait consacré sa vie à bâtir. Ce qui avait le plus souffert des révélations de Nelson, ce n'était pas tant le sentiment de la puissance familiale (qui paraissait d'autant plus formidable que les sénateurs n'avaient osé la sonder) que l'aspect philanthropique de ce mythe. Son père avait œuvré toute sa vie durant pour démontrer que les dons rockefelleriens n'avaient rien à voir avec la corruption; il avait suffi de quelques minutes, au cours de ces auditions, pour que Nelson détruisît cette image en présentant de trop évidents pots-de-vin politiques comme des actes philanthropiques dénués de toute arrière-pensée.

1. Membre du gouvernement au début des années soixante-dix (Richardson a été successivement ministre de la Santé publique puis secrétaire à la Défense). (*N.d.T.*)

En partie à cause de ces révélations, puis des sentiments hostiles qu'elles suscitèrent, le trouble ne cessa de croître parmi les Rockefeller au fur et à mesure du déroulement des auditions; leur anxiété grandit encore quand il s'avéra probable qu'un ou plusieurs d'entre eux seraient appelés à déposer (sans compter Laurance qui avait déjà comparu devant la Commission avec sa tranquille urbanité coutumière). Un employé de la salle n° 5600 traduisit bien leur état d'esprit : « Voici une famille qui a toujours préservé jalousement ses secrets. Depuis toujours, depuis John D. senior, ils se sont efforcés d'éviter trop de publicité. Surgit soudain un truc comme cette enquête. Ils en ont été profondément chamboulés, sans nul doute. » Même son de cloche chez Steven, trente-huit ans, le fils de Nelson : « Secousse terrible pour la famille que ce lavage de linge sale en public. » En d'autres circonstances, JDR 3 aurait pu, à la tête d'une délégation familiale, plaider auprès de Nelson et l'inviter à renoncer à la vice-présidence afin d'épargner de tels tourments à la famille. Mais si, à ce stade, Nelson avait obtempéré, son geste n'aurait fait que confirmer toutes les accusations portées contre lui.

Nelson, quant à lui, n'avait pas l'air spécialement préoccupé. Bien au contraire, il prenait plaisir à cette situation : son comportement le révéla lors de sa deuxième comparution devant la Commission sénatoriale. Cela lui rappelait les enquêtes auxquelles avaient été soumis son grand-père puis son père à la suite d'événements dramatiques comme la dénonciation des activités monopolistes de la Standard Oil et le massacre de Ludlow. Cela situait sa crise personnelle dans cette grande tradition historique.

L'ombre du doute qui planait désormais sur sa carrière et sa personnalité, aucune de ses réponses ne put la dissiper. La tache demeurait, indélébile. Celle d'un homme de pouvoir impitoyable, dévoré — presque jusqu'à l'obsession — par une ambition précise; mais cette tache ne désignait pas un corrupteur. Au demeurant, la fonction pouvait s'accommoder d'une grande fortune, tous les sénateurs étaient d'accord là-dessus, et il y avait finalement peu à redire. Car tout chez Nelson résultait de l'immensité de ses ressources et de sa détermination à les utiliser au maximum.

Lorsque vint le tour du Congrès de l'entendre, le 21 novembre, il ne subsistait plus le moindre doute quant à la désignation de Nelson. Deux mois s'étaient écoulés depuis que les premières révélations (si l'on peut dire) avaient jeté une ombre sur la moralité de sa carrière. Loin de déclencher une avalanche de nouvelles preuves, les fameuses fuites avaient dit en gros tout ce qu'il y avait à dire. Rien ne vint à leur suite. On avait de plus en plus tendance à presser le mouvement, à vouloir installer Nelson à son poste, surtout étant donné le cafouillage de Gerald Ford aux commandes de l'État. Ses défauts personnels? Ils n'étaient rien au regard du seul mythe demeuré intact : avec ses immenses ressources, Nelson était à même de recruter dans le pays la meilleure élite. Peut-être même allait-il remettre les choses en place à la Maison-Blanche.

Le ton à la Chambre fut plus dur; Nelson y fut traité avec moins de déférence qu'au Sénat. Mais, pratiquement rassuré sur son sort, il répondit du tac au tac, sans cesser de plaisanter et de siroter son verre de Gatorade. Quand le congressiste Charles Rangel se mit à l'asticoter à propos d'Attica, il reconnut avoir commis « une grave erreur » — non pas en donnant l'ordre de l'assaut, mais en empêchant Russell Oswald, directeur général des Prisons, de donner l'assaut à la prison dès le début de la mutinerie. A un autre moment, interrogé par le républicain Paul McCloskey sur la dureté de ses conceptions dans la lutte antidrogue, Rockefeller eut cet aparté plutôt appuyé : « J'ai le sentiment que si les Pères fondateurs s'étaient adonnés à la marijuana, nous n'aurions probablement ni États-Unis, ni Constitution. »

Le tournant dramatique des débats aurait presque pu passer inaperçu aux yeux de témoins peu attentifs. Il se situa à mi-parcours des auditions de la Chambre. Deux professeurs de l'Université de Californie, Charles Schwartz et William Domhoff, avaient adressé à chaque membre du Congrès un document intitulé *Estimation de la fortune Rockefeller*. Voici la thèse qu'on y développait : la fortune des Rockefeller, attribuée aux divers membres de la famille, est en réalité coordonnée et centralisée par la salle n° 5600 et représente une vaste concentration de puissance économique. D'après cette étude, quinze employés de la famille, appartenant à la salle n° 5600, siégeaient aux conseils d'administration d'environ cent sociétés représentant des avoirs totaux de *70 milliards de dollars*.

C'est le haut responsable du Bureau de la famille, J. Richardson Dilworth, le cheveu argenté, qui vint apporter la réfutation. Au cours des auditions du Sénat, il avait déjà comparu en relation lointaine avec le livre Goldberg. Il venait à présent en qualité de chef de la salle n° 5600, et il apportait un os à ronger à ceux qui risquaient de réclamer à cor et à cri la comparution de David pour le faire déposer sur l'utilisation de son pouvoir à la Chase (sans oublier les rumeurs tenaces selon lesquelles les alliés et amis politiques de Rockefeller avaient bénéficié à la banque d'un traitement préférentiel pour une gamme étendue de services).

Les trois journées précédant sa déposition, Dilworth les avait passées à téléphoner à ses clients, les frères et les cousins. Chacun d'eux fut avisé qu'il était cité comme témoin et se voyait contraint, étant donné les circonstances, de faire une chose qu'il avait espéré éviter et qui lui avait beaucoup coûté : il avait établi une liste de tous les biens et avoirs de la famille, destinée à mettre un terme aux questions qui avaient surgi à la suite des on-dit et du témoignage Schwartz-Domhoff sur la puissance économique de la famille. Le matin du mardi 26 novembre, Dilworth se présenta devant la Commission de la Chambre muni de cinq diagrammes : ils montraient comment la salle n° 5600 administrait les 224 millions de dollars de placements charitables sous son contrôle, et la façon dont elle gérait les valeurs de la famille. Les avoirs des quatre-vingt-quatre membres de la famille, d'après les chiffres de Dilworth et les renseignements fournis antérieurement, avoisinaient 1,3 milliard de dollars. (En fait, les quatre-vingt-quatre se réduisaient à Babs, aux frères et à leurs épouses, aux cousins, à leurs épouses et à leurs propres enfants; mais ce chiffre voulait donner une impression de quantité et de diversité supérieure à la réalité.) La liste présentée par Dilworth était sans précédent dans l'histoire des grandes fortunes américaines. Jamais auparavant aucun grand propriétaire n'avait révélé la véritable étendue de ses biens et de sa fortune. Soulignant cette évidence, Dilworth observa : « C'est la première fois, la Commission ne manquera pas de l'apprécier, qu'une tentative est faite pour calculer les avoirs de cette famille. » La déposition de Dilworth avait beau laisser maintes questions sans réponse, elle n'en révélait pas moins, fondamentalement, les avatars de ce qui avait été naguère la plus grosse fortune d'Amérique.

Le total annoncé (1,3 milliard de dollars) avait beau ne représenter qu'un quart du montant généralement avancé (Stewart Alsop l'avait même estimé à 10 milliards de dollars), ce n'était tout de même pas le genre de fortune qu'on amasse en trois générations rien qu'en retroussant ses manches. Junior et son père avaient donné plus d'un milliard de dollars à ces grandes entreprises philanthropiques qui avaient tant fait pour le renom de la famille. Lui et ses fils avaient probablement dépensé autant pour perpétuer leur magnificence et entretenir les serviteurs de la dynastie qui, agissant à partir du Rockefeller Center, étendaient leur influence jusqu'au vaste réseau d'institutions et d'associations qui pesait de tout son poids de puissance privée sur le destin et l'évolution du pays. Et cependant — résultat de la plus-value que la fortune continuait d'engendrer —, son total dépassait légèrement celui qu'elle atteignait à son apogée, soixante-cinq ans plus tôt. Bien qu'ils eussent mangé leur galette, les Rockefeller la gardaient donc intacte — et ce, à une énorme échelle.

Les révélations de Dilworth étaient agencées de façon à confirmer l'impression créée par Nelson, à savoir que les avoirs de la famille Rockefeller étaient dispersés et ne constituaient pas cette grande concentration, si souvent dénoncée, qui était le propre des principales sociétés américaines. Dans les sociétés faisant un chiffre d'affaires supérieur à 300 millions de dollars, les Rockefeller ne détenaient que trois participations dépassant 2 % des actions (IBEC : 78,60 % ; Rockefeller Center : 100 % ; Allis-Chalmers : 3,45 %). « Quel contraste avec d'autres grandes familles — ne manqua pas de souligner Dilworth — dont on savait qu'elles détenaient des participations de 10 à 20 % dans quatre ou cinq sociétés au moins deux fois plus importantes que celles que nous venons de citer [1]... »

---

1. D'un autre côté, il n'était pas nécessaire d'avoir investi des sommes importantes dans une société pour parvenir à la dominer. Prenons l'Eastern Airlines — exclue de la liste de Dilworth ; raison invoquée : les 216 000 parts de Laurance en actions de priorité, convertibles en 1963, n'étaient pas négociables au bas prix de 1974 et n'atteignaient donc pas le seuil critique d'un million de dollars qui les aurait classées parmi les « valeurs importantes de la famille ». Cependant, ces actions représentaient 100 % des actions de priorité de la Société. Laurance était l'actionnaire le plus puissant d'une Société représentant des avoirs bien supérieurs à 1 milliard de dollars. Comme le déclara Malcolm MacIntyre, ex-président de l'Eastern : « Je dirai ceci : dans un débat, si j'avais le représentant de Laurance [Harper Woodward] de mon côté, je me soucierais comme d'une guigne que tout le reste du conseil d'administration fût contre moi. »

A l'exclusion de leurs avoirs dans l'IBEC, les filiales de la Standard Oil, la Chase et le Rockefeller Center, la plus importante participation des Rockefeller se trouvait dans IBM, dont ils détenaient plus de 300 000 actions. Ces actions valaient plus de 70 millions de dollars; pourtant, elles représentaient à peine 0,25 % des parts échues d'IBM. De même, le profil d'ensemble de la situation ne subissait aucune altération sensible si l'on prenait en considération les actions de l'Université Rockefeller et de Colonial Williamsburg, gérées par le Bureau de la famille et que l'on pouvait donc compter au nombre des valeurs détenues par la famille.

Au cours de sa déposition, Dilworth s'efforça également de minimiser le nombre de « conseils d'administration gigognes » engendrés par la puissance économique de la famille. A l'appui de sa thèse, il choisit le cas de George Hinman, collaborateur de Nelson, puisque ses fonctions d'administrateur d'IBM servaient à justifier un certain nombre de milliards sur les 70 de l'estimation Domhoff-Schwartz. Hinman avait longtemps travaillé pour Nelson, c'est vrai; il avait d'ailleurs toujours un pied dans le Bureau; il était même chargé d'informer le Bureau de la situation de la Société. Pourtant, si Hinman était administrateur d'IBM, c'est parce qu'il avait pour beau-père Thomas Watson, fondateur de cette Société, et non pas en raison de ses liens avec les Rockefeller.

Par ses observations, Dilworth visait à enterrer le spectre de l'« empire » Rockefeller. En un sens, il y parvint. Mais, à sa place, il fit surgir la vision d'un entrelacs de relations bien plus impressionnant que celui qu'impliquait le portefeuille d'actions des Rockefeller. Si le gendre du fondateur d'IBM et l'un de ses plus gros actionnaires estimait valable de travailler pour les Rockefeller, que penser alors de l'étendue de leur puissance? Elle reposait bien sûr sur la place primordiale occupée de longue date par la famille dans la banque internationale et le pétrole. Il était non moins évident que cette puissance ne s'arrêtait pas là.

Rien n'illustrait mieux cette puissance des Rockefeller que le contraste qu'ils formaient avec leurs cousins, les Stillman Rockefeller. Ceux-ci plongeaient leurs racines dans les mêmes affaires pétrolières et bancaires, pourtant leur influence sur la vie économique du pays était nulle. En un sens, les pouvoirs des trois John D. Rockefeller étaient spécifiques des riches : ils découlaient de la possession de moyens par lesquels s'élèvent les individus, se développent les institutions, prospèrent les élites. Mais leur puissance avait une autre dimension qui les rendait différents des plus opulents parmi leurs pairs. Ce qui leur conférait leur singularité, c'était le milliard de dollars investi par Junior et Senior dans les superstructures de l'ordre social. Ce n'est pas leur collection, fût-elle importante, de postes directoriaux dans des sociétés commerciales qui pouvait rendre compte de la faculté qu'avaient les Rockefeller d'élever un universitaire comme Henry Kissinger ou Dean Rusk aux sommets du pouvoir et de la vie politique nationale, ou de rassembler une équipe prestigieuse comme le Groupe d'Études et de fixer, pour une décennie, les grandes lignes de la politique de défense du pays.

Les Rockefeller devaient leur influence aux mille liens qui les rattachaient à l'administration, aux institutions philanthropiques, au monde de la science et de la culture, aux milieux dirigeants des grandes affaires et de la politique nationale. Voilà ce qui rendait les descendants de John D. Rockefeller plus puissants, en tant que famille, que les DuPont et les Mellon pourtant plus riches qu'eux. L'ambition de jouer les tout premiers rôles, voilà ce qui, en définitive, tressait tous ces réseaux d'influence pour en faire une formidable force sociale. C'est ce réseau complexe qui, poussant ses ramifications en ces multiples domaines de type commercial, culturel ou politique (le tout centralisé salle n° 5600), conférait aux Rockefeller, selon la formule d'un boursier, « leur place au soleil ». Sonder les véritables assises de cette place, le Congrès ne pouvait le faire et n'en avait d'ailleurs pas l'intention. Les auditions interminables de la Chambre tiraient à leur fin. Peu après, Nelson se vit confirmer dans sa désignation comme vice-président. Certes, les doutes subsistaient, mais on n'y pouvait rien. Le 10 décembre, en compagnie de Happy, flanqué de ses jeunes fils Nelson Jr et Mark, tout intimidés, Nelson posa la main sur la Bible de sa grand-mère, Cettie Rockefeller — il l'avait déjà utilisée par quatre fois à Albany — et prêta serment. Les journalistes présents affirmèrent l'avoir vu soulever ses lunettes pour essuyer une larme avant d'entamer le discours par lequel il acceptait la haute charge dont il était désormais officiellement investi.

De toute évidence, ce moment était un point culminant de sa carrière. Mais après cette vice-présidence? C'était là la grande question. Le cancer de Betty Ford allait-il contraindre son époux à renoncer à la course au pouvoir de 1976? (On pouvait mesurer l'ambition de Nelson au fait que la question ne se posait même pas pour lui, alors qu'Happy venait d'avoir une alerte encore plus sérieuse.) La situation économique allait-elle se dégrader au point de paralyser irrémédiablement la présidence Ford? Et si Ford se retirait, Nelson parviendrait-il jamais à triompher de l'aversion accumulée contre lui à la base de son propre parti? Et s'il obtenait, malgré tout, l'investiture, le peuple d'Amérique élirait-il jamais cet homme dont le visage avait révélé, au cours des auditions, des traits si inquiétants?

En atteignant cette position dominante à laquelle il avait aspiré de toutes ses forces, Nelson avait suscité plus de questions que de réponses. Pour obtenir la vice-présidence, il avait détruit la mythologie de la famille, sacrifié à la satisfaction de son ambition l'aura de mystère et de crainte qui entourait le nom de Rockefeller. Il avait ramassé et empoché la dernière dette que le peuple américain devait encore à sa famille, recueillant à grand-peine les restes de bonnes dispositions que l'action de son père lui avait valus. Son ambition personnelle et le problème de l'avenir des Rockefeller avaient été indissolublement liés depuis l'époque où, jeune homme, il méditait sur la coïncidence qui l'avait fait naître le même jour que son illustre grand-père. Cette tradition issue du premier John Davison, il venait de lui asséner un coup mortel alors même qu'il paraissait obéir à son message d'outre-tombe. En un sens, il était le dernier des Rockefeller. Tandis qu'il gravissait une dernière fois la route des sommets, la nouvelle génération Rockefeller levait d'en bas les yeux vers lui tout en éprouvant une certaine répulsion pour ce qu'il avait fait du nom.

4. Les cousins

« La jeune génération montante, eh bien, elle doit aller de l'avant. Et elle s'élèvera comme un ballon jusqu'au moment où elle atteindra à son tour son propre plafond. »

Nelson.

« Les jeunes, pour la plupart, n'ont pas envie d'entrer dans les affaires. C'est à mon avis très dommage mais, quand on a tant à faire, on ne peut pas tout faire : ils s'intéressent plutôt à l'environnement, à la philanthropie, aux problèmes de gouvernement, à la politique. »

Laurance.

« Nous sommes six, ils sont vingt-trois ; compte tenu des droits de succession, cela veut dire qu'ils disposeront de bien moins d'argent que nous. »

David.

« Le monde est dans une phase de transition critique ; en tant que famille, nous traversons également une période de transition, tel est mon sentiment. Je ne vois pas très bien encore où cela va en fin de compte nous mener. »

JDR 3.

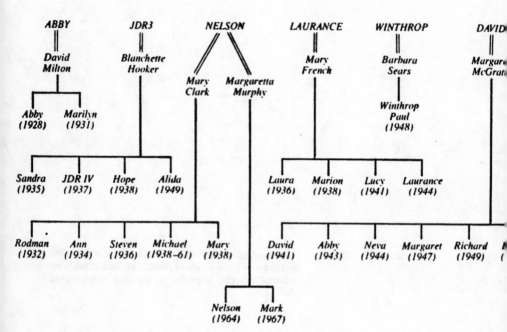

ABBY
=
David
Milton

JDR3
=
Blanchette
Hooker

NELSON
=
Mary   Margaretta
Clark   Murphy

LAURANCE
=
Mary
French

WINTHROP
=
Barbara
Sears

Winthrop
Paul
(1948)

DAVID
=
Margare
McGrat

Abby   Marilyn
(1928)   (1931)

Sandra   JDR IV   Hope   Alida
(1935)   (1937)   (1938)   (1949)

Laura   Marion   Lucy   Laurance
(1936)   (1938)   (1941)   (1944)

Rodman   Ann   Steven   Michael   Mary
(1932)   (1934)   (1936)   (1938–61)   (1938)

David   Abby   Neva   Margaret   Richard
(1941)   (1943)   (1944)   (1947)   (1949)

Nelson   Mark
(1964)   (1967)

CHAPITRE XXVI

Comme s'il avait déraillé de la ligne Feather River du Western Pacific pour atterrir dans un champ fraîchement fauché, le fourgon rouge 694 est là qui rouille et s'écaille dans la chaleur moite de l'été de Californie du Nord. De la fumée s'échappe en volutes du tuyau qui se dresse sur son toit. Pas un bruit, si ce n'est le bourdonnement affairé des abeilles, le cri des merles mauvis défendant leur territoire, le ronron assourdi d'une voiture sur un chemin de terre tout proche.

Une femme blonde surgit de l'arrière du fourgon où elle cuisinait sur un fourneau à charbon. Autour de son joli visage parsemé de taches de rousseur, elle a noué ses cheveux dans un vieux chiffon vert en guise de foulard; une fine pellicule de poussière reste collée à sa jupe trois quarts de confection artisanale. Suivie d'un gamin de quatre ans, pieds nus, qui lui ressemble, avec ses cheveux clairs et ses yeux d'un bleu délavé, elle éparpille des reliefs de repas sur un tas de compost, puis va s'étendre un moment à l'ombre, dans un bosquet de caroubiers. Elle transpire légèrement; le regard tourné vers le massif montagneux qui domine le littoral californien, elle évoque un personnage des *Émigrants* [1], l'air aussi satisfait dans le repos que dans le labeur.

Simple illusion pourtant, que suffit à dissiper cette seule question : que fait donc là l'arrière-petite-fille de John D. Rockefeller, l'une des femmes les plus riches et les plus puissantes du pays? Marion, la deuxième fille de Laurance, n'a aucun mal à répondre, et le fait sans affectation, d'un air doux et sérieux : « On se sent très bien ici. Vraiment très bien. Le travail, tout. Tout paraît harmonieux. De plus en plus, j'ai l'impression que je maîtrise ma vie, et que c'est vraiment là ma vie, pas une sorte d'emprunt fait à la famille. »

Marion n'habite ce fourgon que pendant les week-ends et en été. Le reste du temps, elle vit à Berkeley où son mari Warren termine un doctorat d'anglais à l'université. Leur projet est de venir vivre ici en permanence quand il en aura terminé et de développer leur embryon de ferme (un hectare de potirons et de tomates-cerises, qu'ils vendent à l'automne au bord de la route). En attendant, ils travaillent dur pour être financièrement indépendants. Leur budget est serré : ils disposent actuellement de 700 dollars par mois pour une famille de quatre, ce qui fait d'eux les premiers Rockefeller,

---

1. Film retraçant la saga d'une famille d'émigrants suédois (1972). (*N.d.T.*)

depuis plus de cent ans, à vivre au-dessous de la moyenne nationale. Objectif suivant, quand ils vivront à la ferme : 300 dollars ; ils troqueront leurs produits auprès des fermiers du voisinage contre des œufs et de la viande et tâcheront de s'approcher le plus possible de l'indépendance absolue. Cela rappelle un peu le « registre A » du premier John D., à ceci près que Marion, contrairement aux précédents Rockefeller, s'efforce de se libérer de l'argent et non de s'en rendre digne. Elle a fait sienne l'idée de Thoreau selon qui la richesse se mesure au nombre de choses dont on est capable de se passer ; pour compléter le revenu de Warren qui a un poste d'assistant à l'université, elle fait du baby-sitting, elle tisse, fait pousser de la consoude dans l'arrière-cour de leur maison de Berkeley et la vend aux magasins d'aliments diététiques locaux — ceux-ci ne se doutent nullement qu'ils paient 50 cents le pied à une Rockefeller qui possède 10 millions de dollars en dépôt, et bien plus d'argent encore en perspective.

Sa détermination à établir un rapport au monde qui lui soit propre est peut-être plus forte chez Marion que chez ses cousins, mais leur attitude à l'égard de l'argent n'est pas différente. Par ce combat au corps à corps, elle entend symboliser sa volonté de maîtriser sa propre existence. Elle veut « se détacher du sein maternel » — telle est l'expression qu'elle emploie. La quatrième génération des Rockefeller a souvent dû faire appel aux psychiatres dans sa lutte opiniâtre contre l'argent familial, contre sa souillure accompagnée de promesses de rédemption. Marion a sa façon à elle d'explorer son espace intérieur ; elle suit en particulier les indications de cette conscience spontanée qui se manifeste dans ses rêves. Nombre de ces rêves ont explicitement trait à la famille et donnent du complexe rockefellérien une illustration assez littéraire.

En voici un, qu'elle raconte : « Toute notre famille est réunie. Nous sommes habillés de vêtements flottants très coûteux, faits de riches et lourdes étoffes avec des fils d'or. Nous descendons tous cette route ; elle est belle, lisse, très agréable, et il semble que nous glissions sur elle. Tout à coup, du coin de l'œil, je vois qu'il y a des gens dans les pâturages, de chaque côté du groupe que nous formons, des gens dont nous ignorions totalement la présence, de braves gens qui nous regardent avec envie et curiosité. Je me sens embarrassée, j'ai envie de leur adresser la parole. Je parviens, je ne sais pas comment, à me détacher de ma famille, et je me retrouve dans les champs avec les braves gens ; j'observe avec eux les Rockefeller à la parade, et je me sens heureuse de ne pas être l'un d'eux. »

Mais son plus grand rêve, c'est quand elle est éveillée qu'elle le fait : se débarrasser entièrement de son identité de Rockefeller. Elle explique avec passion : « Cette fortune, il faudrait l'abolir. J'étais récemment avec mon père à Woodstock, il parlait de rédiger son testament. Je ne veux pas hériter de son argent, ni que mes enfants en héritent. Je ne veux pas qu'ils passent par où j'ai dû passer. J'espère que la révolution sociale est pour bientôt et qu'on en finira avec tout ça. »

Cette formulation extrémiste gênerait certains de ses cousins ; mais Marion n'est pas la seule parmi eux à rêver de vivre à l'envers le mythe d'Horatio Alger [1]. Dans une certaine mesure, tous les cousins et cousines sont autant de princes et de princesses qui aspirent à devenir pauvres.

Les Vanderbilt d'aujourd'hui « se fondent véritablement dans la masse et n'ont aucun signe distinctif », dit un jour Cleveland Amory [2]. Lorsque les Cousins (c'est ainsi qu'on appelle la quatrième génération) se rassemblent à Pocantico pour leurs réunions semestrielles, en juin et en décembre, leurs origines rockefellériennes ne font aucun doute. Comme un leitmotiv revient sur leurs visages la mâchoire carrée caractéristique de John D. Rockefeller junior, accompagnée de la bouche généreuse de son épouse Abby. On retrouve également, dans des combinaisons inédites, différents traits hérités de la génération des frères : le nez pointu et les pommettes saillantes de la famille de David ; la maigreur de lévrier et l'allure royale de JDR 3 et de Blanchette ; l'aspect trapu de Nelson ; le long visage et le menton saillant de Mary Clark ; l'œil impassible et le front élevé de Laurance.

Entre ce groupe de Rockefeller et le passé s'est néanmoins opéré une rupture qui tient aux conditions dans lesquelles ils ont grandi. Ils sont vingt et un cousins [3] — accroissement comparable en ampleur à celui des courbes démographiques chères à JDR 3. Un tiers d'entre eux seulement sont des mâles, dans cette famille qui a toujours été patriarcale. Quatre, pas un de plus, résident à New York. Enfin, de grandes différences d'âge et de façons de penser les séparent ; non seulement ils forment deux groupes, de part et d'autre du fossé des générations (l'aînée, « Mitzi », fille de Babs, quarante-six ans, pourrait être la mère de la plus jeune fille de David, Eileen, vingt-deux ans), mais il leur manque cette similitude de vues qui poussa naguère leurs pères à se mêler des affaires publiques.

Rodman, fils de Nelson, l'aîné des garçons avec ses quarante-deux ans, président de l'IBEC, est un homme d'affaires zélé et le seul membre de sa génération à vivre de son salaire. John D. Rockefeller IV (« Jay »), trente-sept ans, est le plus célèbre des cousins, grâce à sa carrière politique en Virginie occidentale. Lucy, sœur de Marion, psychiatre à Washington, s'intéresse à la Ligue « la Leche [4] » et à diverses associations s'occupant des problèmes parentaux. Peggy, fille de David, vingt-sept ans, s'est enrôlée parmi les militants révolutionnaires de Cambridge depuis la naissance du SDS [5].

1. Voir note p. 15. (*N.d.T.*)
2. Cleveland Amory : né en 1917. Journaliste, commentateur à la radio. Auteur de *Who killed Society?* 1960.
3. Ce chiffre ne comprend ni Nelson Jr ni Mark, fils de Nelson et de Happy, ni aucun des petits-cousins de la cinquième génération (trente-huit à ce jour), ni Michael, le fils de Nelson, mort en 1961.
4. « Le Lait », association pour la promotion de l'allaitement au sein. (*N.d.T.*)
5. Students for a Democratic Society, groupement d'étudiants « gauchistes ». (*N.d.T.*)

Les opinions politiques des cousins vont du républicanisme conservateur de « Win Paul », fils de Winthrop, au marxisme d'Abby, fille de David. Grande est également la diversité de leurs genres de vie, depuis Marion dans son fourgon 694 jusqu'à Mitzi, nageant dans l'opulence à Oyster Bay, ou à Mary, fille de Nelson, avec son chic emprunté aux hauts quartiers de la côte Est. Pourtant, les cousins sont unis par un lien plus fort que celui du sang : un regard pénétrant, un sérieux sans faille, une retenue si constante qu'ils ne peuvent s'en défaire même lorsqu'ils sont entre eux. Ils ont bien l'air d'avoir grandi avec un fardeau qu'ils ne sont pas encore très sûrs de pouvoir supporter, même s'ils ont pour la plupart atteint depuis longtemps l'âge adulte. Soulever ce fardeau avec précaution, ou bien décider tout de suite qu'il est trop lourd pour eux et s'en écarter, tel est le choix qui s'offre à eux.

Marion a fait son choix. Elle a opté pour la voie la plus difficile, prenant ses distances avec les responsabilités qu'elle était supposée assumer comme un dépôt sacré ; mieux encore, en étant venue à considérer la mission familiale comme porteuse de corruption et de destruction, elle a consacré une bonne partie de sa vie à se débarrasser de cet élan et de ces impératifs missionnaires. Le sentier qui l'a menée à son fourgon solitaire, au bas du plateau californien, est tortueux, de l'École de filles Brearley aux bals de débutantes, en passant par de sombres périodes de remise en question de soi, et d'étranges actes de pénitence (elle a travaillé bénévolement dans les asiles et les hôpitaux). Voici ce qu'elle en dit elle-même : « Vous êtes pénétré du sentiment qu'il vous sera à jamais impossible de racheter toute la culpabilité, tout le mal dont vous avez hérité, autrement que par la sainteté. Alors, vous vous infligez le martyre. C'est comme ça que je suis entrée dans le monde adulte. Je voulais être proche des gens qui souffrent, et les aider d'une manière ou d'une autre. J'ai été ergothérapeute dans une maison pour adultes retardés, puis dans un service de cancéreux incurables à Cambridge. Là, c'était un véritable ghetto, mais rien n'était trop éprouvant pour moi : c'était le seul moyen de me sentir moins mal à l'aise dans ma peau.

« Et quel étrange problème me posait le nom que je portais, quel soulagement lorsque mon mariage m'en a fait changer ! Je vous le dis en toute franchise. Avant, tout ce qui frappait les gens que je rencontrais, c'était mon nom. Ç'a été formidable d'être débarrassée de ça. Maintenant, je me fais d'abord des amis, et si ensuite ils apprennent mes origines, c'est sans importance, parce qu'on a eu le temps de se connaître autrement. Mais que de difficultés terribles pour en arriver là ! Entre nous, nous n'allons jamais jusque-là. Au sein de la famille, c'est à peine si nous évoquons ouvertement nos personnalités propres, il n'existe que notre identité sociale de Rockefeller ; nos amours, nos haines, nos colères, nous n'en parlons jamais. Nous n'arrivons pas à nous arracher à ces fichus liens qui nous rattachent à la dynastie. C'est vraiment tragique, je crois que c'est l'une des choses les plus accablantes dans notre famille. »

Pour chacun des cousins, son appartenance à la famille Rockefeller représente une sorte de casse-tête chinois plein d'impossibilités, un jeu complexe d'ombres et de lumières. D'un côté, c'est une bénédiction, car cela leur confère dès la naissance plus de richesses et de puissance que ne peuvent espérer en obtenir les autres hommes au cours de toute leur existence. Mais, de l'autre, c'est une malédiction, car la détention de telles richesses s'accompagne d'une lourde dette morale. Tous les cousins ont été tentés d'assumer pleinement leur identité de Rockefeller; et tous, à un moment ou à un autre, ont comparé cette appartenance à la dynastie à quelque mal exotique héréditaire et totalement incurable.

« C'est un nom à coucher dehors, dit Abby, la fille aînée de David. Lorsque j'étais enfant, je me rappelle, on répétait partout à voix basse que nous étions riches, mes camarades de classe en discutaient, puis tout à coup le nom de Rockefeller se dressait, gigantesque, entre elles et moi. J'en suis venue très rapidement à considérer que ce n'était pas vraiment mon nom. Je ne m'y suis jamais vraiment identifiée, je ne me suis jamais sentie liée à lui : j'ai fini par redouter d'avoir à le prononcer de crainte que mon interlocuteur ne me voie autre que je ne suis. »

Les cousins ne sont pas une génération de révoltés; mais l'espèce de paralysie qui s'est emparée d'eux, et leurs pénibles tentatives pour se situer dans ce drame qui se joue depuis une centaine d'années, ont contribué, chose surprenante, à précipiter le dénouement de l'intrigue. Étrange épilogue pour cette fable édifiante où le premier John Davison représentait les Richesses Temporelles que Junior rachetait par ses Bonnes Œuvres, et où les frères surgissaient à la fin comme des messieurs Tout-le-monde dorés sur tranche. Si les cousins se sont trouvés d'accord sur quelque chose, c'est bien pour estimer qu'être monsieur Tout-le-monde, c'est n'être rien, mais qu'assumer le rôle d'un Rockefeller revient, en dernier ressort, à se dépouiller de toute trace d'humanité et de réel contact avec les autres hommes. S'ils font eux aussi partie du drame, c'est seulement dans une sorte de tableau final romantique, interprété dans des fourgons de la côte Ouest ou autres décors inhabituels. L'action que déroule cette partie de l'intrigue, Abby l'a parfaitement résumée : « Se dégager d'une tradition et se forger une nouvelle identité est toujours incroyablement difficile et perturbant. Mais quand on s'appelle Rockefeller, c'est encore plus difficile, ça demande un véritable exorcisme. »

Le rêve préféré de Marion, empli d'images familiales, a pour cadre Pocantico : « J'étais une étrangère dans un pays étranger. J'étais la seule blonde — tout le monde avait les cheveux noirs — et, à n'en pas douter, j'étais une étrangère. J'étais assise à table avec ces gens bruns, froids à mon égard, que je ne connaissais pas. A certain moment, les femmes se mirent à ramasser des bouquets et à les jeter en tas, comme s'il s'agissait de funérailles. Elles s'enquirent de mon identité et je la leur dis, non sans leur parler également de ma façon de voir actuelle. Elles me demandèrent : " Et le domaine, à qui est-il maintenant? Appartient-il aux cousins? " Je répondis :

« Non, non, ce sont les oncles qui le possèdent ; il va être mis en vente. » En prononçant ces mots, je fus envahie d'un sentiment doux-amer. J'étais heureuse à la pensée d'être débarrassée du domaine, mais triste en même temps, parce que tous mes souvenirs d'enfance y étaient attachés. »

Les cousins, comme leurs parents, avaient passé leurs semaines à New York et les week-ends, les jours fériés, les vacances d'été au domaine. C'est là qu'on vivait pendant les périodes de loisirs — les seules qui comptent — et l'inévitable remise en cause de leurs années de formation n'eut jamais raison de ces bons souvenirs.

Mitzi, Rodman et deux ou trois autres parmi les aînés se souviennent vaguement de leur arrière-grand-père (le fondateur de la Standard Oil), de son aspect fragile et parcheminé. Pour les autres, ce n'était qu'une image dans un vieux film des actualités Pathé, que le Bureau de la famille avait fait réaliser à l'époque : film familial pour soirées de Noël où le grand-père, avec sa silhouette bizarre à la Charlie Chaplin, soulevait son chapeau et mettait des piécettes dans la main tendue des enfants. Pour la plupart des cousins, leurs premiers souvenirs ne remontaient pas avant la mort du premier John D. ; ils se rappelaient tout juste les années de guerre où leurs pères respectifs (sauf Nelson), après de longues absences, réapparaissaient subitement, vêtus d'uniformes impressionnants et les bras chargés de cadeaux. Les histoires de guerre étaient le domaine réservé à l'oncle Winthrop. Les cousins assez âgés pour s'en souvenir gardent en mémoire l'impression que leur avait faite le récit de la blessure qu'il avait reçue à Okinawa.

A Pocantico, on n'avait pas beaucoup souffert de la guerre : pas de tickets de rationnement, pas de viande achetée au marché noir. A Noël, il ne fallait pas moins de trois jours aux cousins pour déballer tous les cadeaux. La peur de manquer favorisa cependant la réapparition des cultures, qui avaient bien décliné depuis l'époque où Senior exigeait qu'on lui fît parvenir les produits du domaine chaque fois qu'il séjournait sur l'une de ses trois autres terres. On planta un immense potager — version Rockefeller du jardin de la Victoire. Junior procéda à l'achat de quatre-vingt-dix têtes de bétail, notamment des bovins, qu'on logea dans ces bâtiments qui intriguaient tant les cousins et qu'on appelait les granges. Souvent, après la traite, les cousins venaient chercher du lait cru ou du beurre fraîchement baratté. Il leur arrivait d'assister, horrifiés et fascinés, à l'abattage et au dépeçage d'un jeune bœuf ; on fumait les quartiers ou on les entreposait dans les grandes chambres froides du domaine, en attendant de les répartir entre les familles ou de les acheminer par train vers leurs résidences citadines ou leur propriété de Seal Harbor.

Pendant la guerre et encore un peu après, Pocantico abrita toute une société de femmes, d'enfants et de domestiques. Chaque printemps, les cousins allaient avec Tom Pyle, le chef jardinier, sonder les tanières des renards et voir les renardeaux nouveau-nés. Ils apprenaient à monter à cheval avec Joe Plick, le maître d'équitation prussien, qui s'occupait des écuries de leur grand-père et avait choisi d'appeler les nouveaux poulains des noms de « Roddy », « Mitzi », etc. Ils faisaient du tapecul sur leurs selles anglaises, suivant Joe Plick dans le labyrinthe des pistes cavalières, et assimilaient les règles sacro-saintes de l'équitation pour les oublier dès qu'ils se retrouvaient seuls avec leurs montures. Leur grand-mère et leur tante Blanchette organisaient des concours de saut et de steeple-chase; dans chaque catégorie, il y avait toujours autant de récompenses que de concurrents.

Il y avait eu quelques ombres au tableau; par exemple, cet épisode où Michael, fils de Nelson, attaqué par l'un des molosses qui montaient la garde tout autour du domaine, avait eu un bras sérieusement amoché. C'est cette sorte d'incidents qui les amena plus tard à se demander, selon l'expression d'un des cousins, si Pocantico avait été un paradis ou une prison. Mais, quand ils étaient petits, ils ne doutaient pas que ce fût là l'Éden qui abritait leur innocence. Écoutons Marion :

« C'était très beau, un véritable tapis vert. J'avais tous mes cousins pour amis, et la beauté de l'endroit était saisissante. Dans nos bois vivaient des cerfs, des ratons laveurs, des renards et bien d'autres animaux. Nous étions comme des Indiens, ou presque. Pendant des heures et des heures, nous allions à l'aventure, à notre gré, sur nos chevaux. Le mien, c'était " Queenie ", un palomino au poil rude qu'on m'avait donné quand j'avais dix ans. Avec lui, je ne m'embarrassais ni de selle ni de mors, je l'enfourchais à cru et je partais. Puis je rencontrais mes cousins et nous chevauchions toute la journée. Nous ôtions presque tous nos vêtements et nous montions à demi nus, sillonnant toutes les pistes. Parfois même, on traversait le terrain de golf de grand-père. Une fois, les sabots de nos chevaux défoncèrent le gazon autour des trous qui jalonnaient son parcours. Cela nous fit rire aux larmes. »

De temps à autre, ils jouaient dans la Salle de Jeux construite pour leurs parents, mais négligeaient le squash et autres sports auxquels elle était destinée. La nature de leurs jeux était dictée par l'atmosphère romantique des lieux pleins d'ombres profondes et où l'écho était si sonore dans les cages d'escaliers. Parmi ces jeux, « Meurtre dans les ténèbres » se jouait dans les corridors chichement éclairés, avec chaque fois des improvisations; le clou consistait en général à se placer dans les gigantesques paniers indiens tressés à la main que l'oncle Nelson avait achetés dans le Sud-Ouest et, une fois dedans, à rouler dans tous les sens. C'est aussi dans la Salle de Jeux que les aînés initiaient les plus jeunes aux questions sexuelles, chuchotant dans les cabinets et assortissant leurs discussions de furtives explorations mutuelles, à tâtons dans l'obscurité. Parfois, ces séances d'initiation avaient lieu au grand jour et certaines sont demeurées célèbres : ainsi, lorsque les enfants de Nelson et de Laurance, entièrement nus, firent un raid parmi les jardiniers au travail. Le châtiment fut sévère : interdiction de jouer ensemble pendant huit jours.

Seuls les garçons étaient autorisés à recevoir des amis du hameau voisin de Pocantico Hills. Mais les parents avaient bien tort de redouter des mésalliances : les cousins se sentaient bien plus à l'aise entre eux qu'en compagnie d'étrangers. Ce mot de « cousins » allait pour eux bien au-delà de la simple désignation anthropologique : un lien consolidé par leur appartenance exclusive au même groupe. Au sein de ce groupe se formaient des paires d'amis intimes, plus liés que frères et sœurs : Marion et Mary, la fille de Nelson ; Steven (fils de Nelson) et Laura (fille de Laurance) ; Lucy (fille de Laurance) et David Jr. Ils formaient des coteries et des clubs, avec des cérémonies initiatiques et cabalistiques telles que la lecture de bandes dessinées interdites, qu'on cachait dans des cageots d'oranges vides.

Leur désir de construire, de prendre possession d'un bout de terrain en y élevant un édifice quelconque, découlait d'un sentiment qui leur était commun à tous : ces grandes maisons solennelles qui fonctionnaient avec l'extraordinaire précision d'un hôtel — allées et venues silencieuses des domestiques, apparitions et disparitions magiques des repas, visites conformes aux emplois du temps consignés dans des carnets de rendez-vous reliés de cuir, vêtements que jamais les domestiques ne laissaient traîner par terre dans les chambres — rien de tout cela ne portait réellement leur marque. Marion : « Avec les domestiques, on ne peut rien faire qui ne soit immédiatement effacé, réparé ou ramassé ; toutes nos traces sont aussitôt gommées. » Et sa sœur aînée, Laura : « On ne m'a jamais laissée arranger ma chambre à ma guise. Toutes nos maisons, je les ai eues en horreur. On n'y trouvait pas une seule chaise confortable. » Aussi les cousins cherchaient-ils toujours à se construire une petite maisonnette bien à eux : « Nous étions toujours occupés à nous installer des petits coins intimes bien à nous, dit encore Laura. Nous passions d'une cage à poulets à une autre, et de vulgaires cabanes nous faisions des clubs. »

Ces projets allaient à l'encontre des préceptes plutôt rigides de leur grand-père. Junior renonça à leur interdire totalement ce genre de constructions, mais exigea qu'elles ne fussent visibles d'aucune des routes qui serpentaient à travers le parc majestueux. Il voulait conserver au domaine un aspect impeccable. Là-dessus, les cousins ne pouvaient qu'obéir. (Ils savaient que Nelson avait dû déployer des trésors de persuasion pour amener Junior à autoriser la construction d'une piscine de plein air près de la Salle de Jeux.)

Leur grand-mère, Abby Aldrich, était morte trop tôt pour laisser chez les cousins davantage que le souvenir incertain d'une belle femme parfumée au lilas, coiffée de chapeaux extravagants, férue de peinture et de promenades en auto, et qui, les dernières années, souffrait de ses chevilles enflées et tombait souvent malade. Elle manifestait une préférence avouée pour la descendance mâle, que ce fût la sienne propre ou celle de ses enfants : « J'ignore pourquoi le Seigneur a décidé de me donner plus de petites-filles que de petits-fils, mais il y a sans doute une bonne raison à cela... »

Les souvenirs qu'ils gardaient de leur grand-père — Mr. Junior — étaient plus précis. A plus de quatre-vingts ans, il régnait sur Pocantico d'une main de fer, encore plus « Seigneur de Kikjuit » que ne l'avait été son propre père. Il répandait avec générosité les produits du domaine, dont il était entendu qu'il était libre de disposer à sa guise. Les chevaux luisants, parfaitement étrillés et soignés, qu'entretenait Joe Plick dans l'écurie centrale, n'étaient sortis qu'avec sa permission. L'armada de voitures électriques qui sillonnaient le domaine silencieusement, c'est également lui qui en était le maître. C'est lui qui dispensait généreusement à chaque famille les produits alimentaires issus des étables et du verger. Lui seul donnait des ordres à la petite armée de travailleurs chargés de l'entretien du domaine.

Les cousins se rendaient compte que cette organisation déplaisait à leurs parents, qui regimbaient sous la férule de Junior. Mais, sur eux personnellement, il n'exerça pour ainsi dire jamais sa discipline. Aussi voyaient-ils en lui un homme timide et de plus en plus fragile, invariablement vêtu d'un costume sombre avec chemise blanche amidonnée et cravate — qu'il fût en réunion avec ses collaborateurs venus de New York ou qu'il se promenât en voiture, le dimanche après-midi, en compagnie de Martha Baird, cette vieille amie de la famille qu'il avait épousée après la mort d'Abby.

Il semblait sorti des vieux livres que leur lisaient leurs gouvernantes : un monsieur comme il faut, méticuleux, plein de dignité. Ses vêtements, sa façon cérémonieuse de s'adresser aux gens, même quand il les connaissait depuis très longtemps, son souci obsessionnel de faire nettoyer les sous-bois des arbres tombés naturellement et des broussailles, de peur qu'ils ne « gâchent la vue » de Pocantico (vers la fin de sa vie, il agaça souvent leurs pères par les tournées qu'il faisait en voiture autour du domaine et au cours desquelles il désignait à la hache du jardinier les arbres sur pied qu'il jugeait « importuns »), jusqu'à sa façon de s'asseoir, dans la petite chapelle de Pocantico Hills, sur le banc avant gauche réservé à la famille, en se tournant les pouces avec satisfaction pendant le sermon : chacune de ces choses, prise séparément, aurait pu paraître futile ou ridicule, mais toutes ensemble elles dessinaient un personnage qu'on eût dit le vestige d'un âge révolu.

La bonne grâce dont il faisait preuve à l'égard de tous était un élément frappant de la personnalité de Junior sur ses vieux jours ; voici ce qu'en dit Steven, fils de Nelson : « Il n'aimait pas à dire du mal de qui que ce fût. S'il se risquait à émettre une opinion qui pouvait sembler critique, il l'adoucissait aussitôt d'un petit rire. Il inclinait la tête et souriait, comme pour dire : " Eh oui, nous avons tous nos petites faiblesses, n'est-ce pas ? ", puis il trouvait quelque chose de gentil à dire sur la personne qu'il venait de critiquer. Ses rapports avec les gens nous paraissaient affligeants. Personne ne l'avait jamais appelé par son prénom. » Mais Steven, tout comme les autres cousins, avait appris que la question n'était pas d'aimer ou non grand-père, mais de le traiter avec respect.

Manifestement, il avait pour les cousins un attachement particulier. Son attitude à leur égard était empreinte d'une tendresse qu'il n'avait jamais manifestée à ses fils. Il lui arrivait de faire une apparition fantomatique à une fenêtre de la Grande Maison et de proposer à tel de ses petits-enfants qui jouait seul dehors de venir prendre une tasse de thé avec lui. Un jour, il invita Sandra, la fille aînée de JDR 3, à passer deux semaines à Seal Harbor. Cela fit bien des envieux! Les rencontres seul à seul avec leur grand-père, les moments de contact personnel où il se départait de sa réserve, restèrent pour les cousins, par leur rareté même, les souvenirs les plus précieux de leur jeunesse. L'un de ces moments privilégiés est resté gravé dans la mémoire de Steven avec la précision d'une image pieuse. A l'enterrement de grand-mère Abby, accablé de douleur, Steven s'était mis à sangloter à perdre haleine. « Après la cérémonie, grand-père m'appela au téléphone et me dit qu'il comprenait pourquoi je pleurais, qu'il avait lui-même beaucoup pleuré. Il m'envoyait un petit cadeau, me dit-il. C'était une douille de balle de mitrailleuse de la Première Guerre avec un stylo en or à l'intérieur, qu'un de ses amis lui avait offert en 1917. Ce fut la seule fois qu'un rapport personnel s'établit de lui à moi, qu'il intervint dans ma vie pour laisser s'épanouir un moment d'intimité avec moi. Cela prit pour moi une énorme importance. »

Mais, en règle générale, les cousins ne pouvaient voir Junior qu'en groupe et à intervalles réguliers, un dimanche sur quatre, lorsque venait le tour de leur famille d'aller déjeuner chez lui. Ces repas dynastiques, on les savourait d'avance, avec beaucoup d'excitation mêlée d'un peu de crainte. Sans qu'on leur eût jamais dit exactement pourquoi, leur grand-père incarnait aux yeux des jeunes l'histoire passée de la famille, tout comme eux-mêmes en représentaient les espoirs. Être avec lui, c'était se trouver en présence d'une idée vivante, c'était presque le prolongement du culte à l'église. Le désordre de la semaine disparaissait alors pour quelques heures : les filles nattaient leurs cheveux, les garçons domestiquaient leurs épis, tous revêtaient des habits fraîchement repassés et des chemises amidonnées. Ils prenaient place à la longue table de la salle à manger où l'on voyait toujours des fleurs flotter solennellement dans les rince-doigts de cristal. La conversation polie des adultes couvrait de son bourdonnement le cliquetis de l'argenterie et de la vaisselle de porcelaine.

Le repas terminé, Junior quittait la table et s'asseyait par terre pour jouer avec les enfants. Contrairement à son père, qui avait souvent fait le bouffon pour amuser les frères, il ne réussissait guère dans ses rares tentatives pour faire rire les cousins, et provoquait plutôt un certain malaise. Voici un souvenir de Hope, fille de JDR 3 : « Il arrivait, exceptionnellement, que grand-père se mît en devoir de nous raconter une histoire drôle. Il se levait, commençait, puis tout à coup devenait affreusement nerveux et se mettait à rougir. » Il préférait de beaucoup le mode didactique. Il lui arrivait souvent de s'installer par terre et de jouer avec eux aux « Compositeurs de musique », sorte de jeu de devinettes qui lui permettait de corriger leur prononciation des noms de Beethoven ou de Bach. Il leur faisait souvent la lecture, par exemple celle de *Tom Brown's School Days*[1]. Il avait une

1. De Thomas Hugues (1857), classé dans la littérature enfantine. On y parle beaucoup du « fagging » en vigueur dans les écoles anglaises. (*N.d.T.*)

impressionnante faculté de dramatiser un ouvrage d'imagination en modifiant son registre de voix selon les personnages et en mettant en valeur le suspense ou l'humour du texte. Une de ses lectures favorites était un obscur roman victorien qui racontait l'histoire d'un garçon auquel son espièglerie attirait régulièrement des ennuis. A la fin de chaque chapitre, quand celui-ci se faisait attraper, Junior baissait la voix pour lire, un sourire aux lèvres, l'injonction que lui adressait son père avant de le fouetter : « Veuillez me rejoindre dans mon bureau, monsieur. »

A Pocantico, Junior était le centre du monde. Dans l'imposante bâtisse de pierre, mais aussi lors des promenades qu'il faisait dans le domaine en voiture à cheval ou en limousine, une couverture sur les genoux, partout il était le patriarche. (Souvent, il s'arrêtait pour marcher en compagnie de Martha dans les bois flamboyant des couleurs de l'automne, tandis que le chauffeur en livrée attendait à distance respectueuse à côté de la Cadillac noire.) Si quelqu'un entretenait les cousins de leurs devoirs de Rockefeller, c'était bien lui, mais sans longs discours : l'endoctrinement direct n'était pas sa méthode favorite, il suffisait de cet air particulier, de cette fierté dans la voix lorsqu'il parlait du comportement qui convenait à « notre famille ». Il en parlait avec une force étonnante, surtout dans les lettres manuscrites qu'il adressait aux cousins à l'occasion de leurs anniversaires. Pour ses dix ans, Steven, fils de Nelson, reçut de Junior la missive suivante :

« Très cher Steven,
C'est demain ton anniversaire ; je t'envoie ci-joint un chèque à ton nom. Tu as déjà reçu des cadeaux de ce genre, tu sauras donc en disposer. Je me demande si ton père ou ta mère te versent une allocation, et si tu inscris dans un petit livre ce qu'on te donne et ce que tu dépenses ? Si tu ne le fais pas, tu le feras un jour. Ton Père le faisait, et tous tes oncles également. Cela t'aidera à savoir où tu en es, combien il te reste d'argent, comment tu le dépenses.
L'argent est une chose utile pour acheter du sucre candi, des toupies, des billes, des bateaux et bien d'autres choses dont tu as envie. Mais il a d'autres usages. Quand des enfants ont faim, ont besoin de vêtements ou d'un toit, c'est grâce à l'argent que l'on peut leur procurer ce dont ils ont besoin... Les toupies et les billes, tu les apprécieras bien mieux encore quand tu auras donné à un autre garçon, moins fortuné que toi, quelque chose dont il avait besoin... »

La fortune colossale qu'il avait héritée intacte de son père, il l'avait distribuée — en grande partie — aux entreprises et aux institutions philanthropiques qui avaient été l'œuvre de sa vie. Elle avait donné matière à des placements d'avenir comme le Rockefeller Center et alimenté les immenses dépôts destinés à ses fils en 1934. Mais comment être un Rockefeller, s'avisa Junior, sans être en partie propriétaire de la Standard

Oil? En 1952, il mit 120 000 de ses actions de la Standard du New Jersey dans des dépôts au nom de chacun de ses petits-enfants [1].

Une lettre que lui adressa Michael, fils de Nelson, en 1959, atteste que ce dépôt avait bien produit l'effet désiré :

« Cher Grand-Père,
A l'occasion de mon 21e anniversaire, mon père m'a donné connaissance du dépôt que tu as créé à mon nom, pour m'aider dans mon avenir. Je t'en suis profondément reconnaissant. Quelle chose exceptionnelle, extraordinaire, de voir que la troisième génération succédant à notre Arrière-Grand-Père reçoit sa part des privilèges, des fantastiques possibilités et des responsabilités inhérents à ce dépôt que sa fortune a rendu possible... Je n'en reprendrai que davantage à mon compte la merveilleuse tradition qui a déjà exercé sur mon éducation une influence profondément féconde et si édifiante. »

Aucun des cousins ne connut vraiment à fond ce petit homme méticuleux. Mais la signification de sa présence leur apparut très clairement, sinon de son vivant, du moins après sa mort. Quand il mourut, les écuries centrales, le potager, l'élevage de Pocantico — tout s'arrêta. Chacune des familles se replia encore davantage sur elle-même : on eût dit que la force qui les maintenait ensemble avait déserté le domaine — et le monde même.

Win Paul, fils de Winthrop, grandit sous la garde de sa mère et à l'écart des autres cousins. Mitzi et Marilyn, filles de Babs, avaient été élevées comme des Milton et non des Rockefeller; à Pocantico, elles étaient plutôt des invitées que des résidentes à demeure. Des quatre frères dont les familles vivaient là, celle de JDR 3 était la plus éloignée des autres, tant géographiquement qu'affectivement. Les enfants élevés à Fieldwood Farm formaient un groupe à part. L'aînée, Sandra, était une enfant fragile, peureuse, presque neurasthénique. Le second, « Jay », ne s'était vu donner qu'une moitié du nom de la lignée, son père l'ayant seulement appelé John Rockefeller (acte de rébellion voilée contre la responsabilité qu'il avait si chèrement et si fidèlement assumée?); à sa majorité, il pourrait, s'il le désirait, adopter l'étiquette dynastique symbolisée par le second prénom, Davison, et le faire suivre du chiffre IV. Hope devint une grande blonde sculpturale et la cadette, Alida, née onze ans plus tard, en 1949, alors que son

1. Soit 20 000 parts pour chaque famille, réparties en lots égaux. Dans la famille de David, par exemple, qui comptait six enfants, chacun reçut moins, proportionnellement, que dans la famille de Nelson (quatre enfants) ou de Babs (deux enfants). Mais, de toute façon, chacun devait recevoir une confortable somme à sa majorité, de 5 à 9 millions de dollars.

père approchait la cinquantaine, possédait elle aussi cette beauté aristocratique. Tous quatre avaient d'ailleurs une allure royale. Elle paraissait leur être insufflée par Blanchette dans l'espoir qu'ils pourraient recouvrer ce droit d'aînesse que Nelson avait chapardé à leur père.

JDR 3 resta très souvent absent pendant leur enfance. « Il était en voyage au moins trois mois par an, dit Alida. Tous les hivers, il partait en Asie avec maman pendant deux mois, et je restais seule avec une gouvernante. » Mais la distance psychologique était bien plus considérable encore que l'éloignement physique. Hope se souvient qu'il était toujours entre deux rendez-vous. « Une des choses qui m'ont le plus frappée chez mon père, c'est la soigneuse organisation de son temps. Tant de minutes pour faire de l'exercice, tant pour recevoir les invités, etc. Si l'un d'eux s'attardait un peu trop, je voyais ma mère devenir extrêmement nerveuse. »

En présence des enfants, le rôle où il se sentait le plus à l'aise (tout comme son propre père) était celui de précepteur. Hope n'a pas oublié les leçons de conduite qu'il lui avait données sur une vieille Jeep et la sérénité qu'il conservait tandis que la bagnole faisait grincer sa boîte de vitesses puis s'élançait tout à coup comme un taureau sauvage sur les routes de terre battue, derrière Fieldwood Farm.

Comme ses frères, JDR 3 avait le sentiment que mieux valait ne pas soulever ni retourner certaines pierres du passé familial. Voici un souvenir de sa fille Alida : un jour (elle avait alors douze ans), elle arrêta sa voiture, transportant toute une troupe d'amis, devant une station d'essence Mobil ; quand ses amis lui lancèrent une plaisanterie facile sur la gratuité du carburant qu'elle achetait, elle ne comprit pas et elle eut du mal à les convaincre qu'elle ignorait réellement quels étaient les liens entre la fortune familiale et cette Société. Son père était, en revanche, le seul des frères qui cherchât sincèrement à transmettre à ses enfants la tradition de philanthropie des Rockefeller et l'idée que « noblesse oblige ». « Aussi loin que je me rappelle, dit Alida, papa m'a toujours parlé des responsabilités qui étaient les nôtres. A famille exceptionnelle, devoirs exceptionnels. Dès l'âge de cinq ans, je reçus une allocation, qui passa graduellement de 15 cents à 5 dollars par semaine. J'avais trois petits coffrets en argent : je recevais 15 cents pour mes dépenses, 15 cents pour mes économies et 15 cents pour faire la charité. Chaque Noël, mon père s'installait près de moi et nous décidions ensemble à qui j'allais distribuer l'argent du troisième coffret. Une partie allait, en général, à l'église de Riverside, et une autre allait toujours à l'un des cent cas les plus nécessiteux dont le *New York Times* donnait la liste. Nous prenions connaissance des cas ensemble et décidions ensuite. Ce véritable rituel était aussi un de nos moments d'intimité. »

Les enfants de Laurance étaient plus timides que ceux de JDR 3. D'une certaine façon, ce père si mal assuré leur dérobait le sol sous les pieds ; ils étaient comme déconcertés par ses remarques ironiques et son extrême versatilité. L'aînée, Laura, essayait de surpasser Laurance en casuistique et le contestait pied à pied ; Marion était aussi réservée et mystique que sa mère ;

Lucy faisait preuve d'une indépendance qui n'était pas sans rappeler celle de son homonyme, la vieille grand-tante à moitié sourde. Elle tenait tête à son père qui estimait toujours que ce qu'elle voulait avoir (des animaux à elle, des amis à elle, la liberté par rapport au rituel familial) était prématuré. Quant au garçon, Larry, il acquit une extrême prudence en grandissant aux côtés de ce père fantasque qui ne lui laissait pas le moindre espace pour s'épanouir.

Comme JDR 3, Laurance était très souvent absent. Mais, même ainsi, comment eût-il été possible d'ignorer cette puissance, avec ses infinies ressources philosophiques, son côté insaisissable, son habileté à tuer dans l'œuf les questions indiscrètes d'un enfant. Il était donc dans leur vie le pôle dominant. Cependant, le ton de la famille, c'est leur mère qui le donnait. En étrange contraste avec son époux agnostique et fort séculier, Mary French Rockefeller passait beaucoup de temps à lire la Bible et à méditer dans la solitude. Si Laurance se servait de l'ironie pour faire pièce aux émotions, elle les supprimait par le silence. « Elle n'élevait jamais la voix quand nous étions petits, reconnaît sa fille Marion. Peu loquace, elle estimait que lorsqu'on est en communication avec Dieu, on n'a nul *besoin* de communiquer avec les hommes. Dans les discussions de famille, elle ne disait jamais mot. Mots ou objets, on pouvait lui jeter n'importe quoi à la figure, elle encaissait tout avec stoïcisme. »

Pas plus que ceux de JDR 3, les enfants de Laurance ne devaient pas considérer sans rancœur leurs années de formation. Lucy, devenue psychiatre à Washington, habite à Chevy Chase une élégante maison dont la cour est jonchée de jouets d'enfant. Ce détail, son engagement dans la Ligue « la Leche » (qui s'efforce de promouvoir l'allaitement au sein) et dans diverses associations relatives à la responsabilité parentale prouvent à l'envi qu'elle n'a pas fini de se colleter avec le passé. « Enfants, nous n'étions pas vraiment isolés, mais plutôt enfermés dans un espace vide, dit-elle. Personne ne cherchait à communiquer avec nous, personne ne se souciait de nous diriger dans l'existence. On ne discutait de rien, vraiment, à la maison. Nos parents avaient pour théorie que, de même qu'on ne parle pas de choses importantes à ses animaux ou à ses domestiques, on ne les évoque pas non plus avec ses enfants. »

Dans chacun des foyers, seuls les domestiques et gouvernantes étaient en contact étroit et quotidien avec les enfants, les mères se contentant de superviser de loin et les pères de faire une apparition de temps à autre. « Je faisais beaucoup d'efforts pour capter un peu l'attention de mes parents, dit Laura. J'avais l'impression d'être une inconnue pour eux. C'étaient les domestiques qui nous offraient des cadeaux personnels : de nos parents, nous recevions des tonnes de cadeaux, mais jamais rien de vraiment personnel. J'avais une grande affection pour les bonnes et les domestiques et, lorsque j'entendais mes parents leur adresser la parole comme s'ils n'existaient pas, je me jurais de ne jamais traiter personne de la sorte. »

Les enfants de Laurance étaient irrésistiblement attirés par la maison de

Nelson. Plus chaude et plus ouverte que la leur, elle n'était cependant pas dépourvue d'étiquette, quoique selon des critères différents de ceux que leur grand-père avait érigés en normes à Pocantico. Voici le témoignage de Steven : « En fait, nos vies étaient très précisément réglées. Si on n'arrivait pas à l'heure pour le repas, eh bien, on s'en passait. Une fois que la cloche avait sonné, on avait cinq minutes pour arriver. En cas de retard, pas de repas. »

Rodman restait légèrement à l'écart de ses frères et sœurs, ainsi que des autres cousins; ceux-ci avaient le sentiment que son statut de premier mâle de la génération l'avait rendu un peu trop fier. Ann était la plus calme des enfants de Nelson, et Steven était un meneur-né — à la différence de Roddy. Tout le monde avait une tendresse particulière pour les jumeaux Mary et Michael, dont l'entrain et l'exubérance rappelaient Nelson enfant.

Nelson dominait sa famille comme tout le reste et l'écrasait de sa propre vitalité (ses fils, non sans une pointe d'ironie, l'appelaient « Chef »). Ses frères John et Laurance avaient renoncé à élever leurs enfants comme eux-mêmes l'avaient été, mais pas lui. Il imposait à ses enfants de rester immobiles pendant les dévotions dominicales et les séances de lecture biblique contre lesquelles il avait lui-même tant regimbé sous le régime de Junior. Les enfants déjeunaient et dînaient en compagnie des gouvernantes, mais Nelson tenait absolument à assister à leur petit déjeuner (comme Junior avant lui). Il leur avait raconté l'histoire du « registre A » de leur arrière-grand-père et leur fit tenir leurs propres comptes. « Il n'était pas d'une sévérité excessive, reconnaît Steven, mais il nous inculqua avec vigueur cette idée qu'il était très important de tenir ses comptes à jour. Lorsqu'ils ne s'équilibraient pas, il nous supprimait notre allocation. » Pour ce qui est des objets, en revanche, il ne leur cherchait pas d'histoires. Un de ses enfants perdait-il une raquette de tennis? On la remplaçait aussitôt. Tout autre était l'attitude de leur mère, qui refusait que l'on gâtât les enfants sous prétexte qu'ils étaient des Rockefeller. S'ils cassaient quelque objet, elle entendait qu'ils le réparent ou le remplacent.

Nelson était très à cheval sur ce qu'il estimait être des questions morales. Il manifestait son mécontentement de la façon la plus glaçante. Sa fille Mary évoque ainsi ces moments : « Je n'ai jamais entendu père élever la voix contre aucun d'entre nous. Quand il était en colère, il devenait de marbre, mais c'est tout. Sa froideur minérale apparaissait dans sa voix et dans son comportement. On était terrifiés. »

Tous les cousins — en particulier les enfants de Laurance — adoraient Tod. Tante Mary, comme ils l'appelaient, était douée d'une grâce et d'un entrain qu'elle cachait au vaste monde. D'innombrables fois, Marion, s'étant mise à sa recherche et l'ayant trouvée à genoux en train de jardiner, lui posa des questions pour entendre les amusantes réponses qui s'échappaient, telles des bulles, de sous le volumineux chapeau de paille. Leur personnalité, les enfants de Nelson la devaient en grande partie à la force intelligente et calme de leur mère, personnage exceptionnel dans la société de plus en plus hétéroclite de Pocantico. Les mêmes qualités qui valurent à Tod son échec matrimonial furent un gage de réussite pour ses enfants, comme en témoigne Steven : « On trouve chez maman un respect des livres et du savoir qui fait entièrement défaut à papa. Lui aime l'art et tout ça, mais son appréciation reste purement intuitive et ne se fonde que sur des réactions immédiates. En disant " ça me botte ", il a tout dit. Mais les motivations du peintre, la signification du tableau, toutes ces questions intellectuelles sont sans intérêt pour lui. »

Mais le groupe le plus intéressant de Pocantico était, aux yeux des observateurs, « les David ». David jouait son rôle de père avec un sérieux qui faisait totalement défaut à JDR 3, Laurance ou Nelson ; peut-être parce qu'il était le seul à assumer sans réserve le mythe Rockefeller et à reconnaître la nécessité de former les jeunes afin qu'ils puissent prendre sur leurs épaules leur part du fardeau. Pourtant, ses absences étaient bien plus longues que celles de ses frères — surtout alors que les enfants étaient encore petits, quand il voyageait pour le département étranger de la Chase. Avec un certain manque de finesse, il faisait remarquer encore plus ces absences en ramenant à la maison des jouets exotiques.

Les enfants subissaient principalement l'influence de leur mère, Peggy McGrath Rockefeller, qui, si elle était peut-être moins intellectuelle que Tod et moins raffinée que Blanchette, n'en restait pas moins, et de loin, la plus indépendante et la plus courageuse des femmes entrées par alliance dans la famille Rockefeller. Favorisée par sa grande beauté, elle avait apporté avec elle un sentiment inné de révolte, une certaine violence de caractère, une grande soif cachée d'indépendance et un secret scepticisme concernant le faste des Rockefeller. Les épouses des autres frères appartenaient à d'importantes familles ; celle de Peggy McGrath était riche, mais se situait nettement moins haut dans l'échelle sociale. Pour elle, épouser un Rockefeller avait représenté une étonnante ascension et, même si elle avait conscience de s'être liée aux Rockefeller par une sorte de contrat faustien, elle ne parvint jamais à s'y adapter tout à fait. D'une certaine manière, elle resta toujours assise entre deux chaises, concubine plutôt que véritablement épouse, prête à tout instant à échapper au faste et à la complexité de l'univers rockefellérien en se rabattant sur une vie plus simple. Quand son époux partait voyager autour du globe, elle se réfugiait souvent à Buckle Island, îlot de trois hectares et demi, à une demi-journée de bateau de Seal Harbor, qu'elle avait acheté avec son argent personnel ; il n'y avait là pour tout bâtiment qu'une petite maison en préfabriqué où elle s'installait seule, loin du cortège de domestiques, occupant son temps à jardiner.

« Mère est terriblement passionnée, dit d'elle sa fille Neva. Il n'a jamais été question pour elle de modeler sa personnalité sur celle des Rockefeller. » En fait, pendant toute sa jeunesse, Peggy avait paru aux prises avec un adversaire invisible. Quand les enfants devinrent majeurs, ils commencèrent à comprendre ces moments de hargne, ces portes claquées, ces repas où l'on grinçait des dents... Elle était la seule qui fût capable de faire éclater sa fureur au grand jour et de vivre, en les assumant, ses propres contradictions. D'un côté, elle savait parfaitement que les espoirs que nourrissaient tous les Rockefeller étaient ridicules et vains. De l'autre, cependant, elle ne pouvait supporter le moindre manquement aux devoirs ou à l'étiquette aristocratique fixée par la famille, et elle méprisait Nelson d'avoir publiquement jeté par-dessus bord la tradition et la moralité familiales (rien, plus que sa « vulgarité », n'aurait pu attirer sa réprobation). Voulant éviter que ses enfants ne soient gâtés, elle ne cessait de leur répéter que le fait d'être nés dans cette position sociale exceptionnelle ne leur conférait aucun mérite particulier. La richesse? « C'est un accident, disait-elle. Cela aurait pu tout aussi bien tomber sur n'importe qui. » Mais, en même temps, elle avait à cœur de les voir à la hauteur des idéaux sur lesquels reposait leur famille, si artificiels qu'ils fussent à maints égards. Elle éleva tous ses enfants dans cette contradiction.

Ce « noblesse oblige » qui flottait sur la famille comme une nappe de brouillard, elle était capable de le dissiper d'un revers de main. Contrairement aux bonnes manières de son mari, impersonnelles et condescendantes, son attitude était tout empreinte d'humilité; mais sa façon d'être avec les subalternes, loin d'atteindre son but, ne faisait que rehausser le prestige de David : celui-ci semblait tellement plus gentil et plus digne des privilèges dont il jouissait! Peggy traitait les domestiques avec une hauteur qui lui attirait leur haine. Elle contraignait ses enfants à arracher les mauvaises herbes et autres corvées du même genre comme si, inconsciemment, elle voulait extirper d'eux, avec la sueur du travail manuel, la superbe habituelle aux Rockefeller.

« Quand nous étions jeunes, dit Abby en évoquant sa mère, elle était pour nous tous le centre du monde. Nous avions tous un désir éperdu de mériter son approbation. » Leur attitude à l'égard de leur père était plus complexe. Son égalité d'humeur ayant été érigée une fois pour toutes en norme familiale, les enfants et leur mère se sentaient toujours coupables s'ils venaient à la transgresser. Quand il était disponible, les enfants quêtaient fébrilement son attention. Chaque vendredi après-midi, quand toute la famille quittait la maison de Manhattan et s'entassait dans la vaste limousine, gouvernantes et animaux compris, pour aller à Pocantico, le privilège d'être assis à côté de lui sur le siège avant donnait lieu à une véritable lutte entre les enfants. Pourtant, ils éprouvaient en même temps pour lui un sentiment qui ressemblait à du dédain. Pour les parties de chasse aux coléoptères, d'accord, les renseignements qu'il fournissait étaient clairs et compétents, et méritaient un respect sans réserve. Mais à part ça, il attitudinisait, sans rien apprendre à personne; son ton courtois ne recouvrait que des banalités solennelles, à l'extrême opposé des tentatives de Peggy pour définir et préciser. En tout, il paraissait prévisible, superficiel, borné; ses pratiques religieuses et ses idées sur le caractère sacré de la famille avaient quelque chose de presque comique. De tous les cousins, les enfants de David étaient les plus enclins à vouloir aller au fond des problèmes pour les comprendre; derrière la placide réserve paternelle, ils ne découvrirent rien de solide, rien qui résistât un peu à l'examen. Son état d'esprit et sa façon de s'exprimer n'étaient en fait destinés qu'à éviter soigneusement tout conflit. « Malheureusement pour nous, dit son fils Richard, il considérait toute émotion comme contraire à la raison, donc comme mauvaise. Réprimez vos émotions, maîtrisez vos sentiments, voilà les leçons qu'il nous donnait. »

Peu de fautes lui paraissaient assez graves pour suspendre le règne de la froide raison. Il y eut une fois un mémorable épisode : tandis que leur mère était à la clinique, où elle allait accoucher d'Eileen, les trois autres enfants, Abby, Peggy et David junior, laissèrent les moutons s'échapper de l'enclos ; l'un d'eux se coinça dans un conduit de drainage et périt étouffé. Consterné à l'idée de devoir prendre l'initiative du châtiment, David téléphona à sa femme à la clinique. Sans aucun doute, les enfants devaient être fessés, lui dit-elle. Affolé, il la rappela par trois fois pour lui demander conseil avant de se décider à mettre la sentence à exécution ; en fin de compte, chacun reçut une aimable petite tape avec une vieille pantoufle toute molle : il avait obéi à la lettre de la loi.

Dans ce contexte, toute manifestation de violence, par sa rareté même, produisait à la fois un choc et une sorte de soulagement. Les enfants se souviennent d'une promenade avec leur père dans leur maison de vacances de Seal Harbor : ils avaient parcouru les « Jardins cachés », œuvre de leur grand-mère Abby Aldrich, et, en passant pour la seconde fois devant une statue de Bouddha, David remarqua la disparition d'une pièce de 10 cents qui se trouvait depuis très longtemps dans la paume ouverte de la statue. Se tournant vers David Jr, il l'accusa de l'avoir volée et, en rentrant, le battit avec une fureur non seulement étrangère à son tempérament (les enfants n'ont gardé aucun autre souvenir d'un geste de violence venant de lui), mais également sans commune mesure avec le prétendu délit. Son fils n'évoque pas cet incident sans tristesse : « Il n'avait nullement l'intention d'établir la vérité lorsqu'il me demanda de m'expliquer. Dans son esprit, j'avais profané un objet précieux appartenant à sa mère et je devais être puni. »

David forçait ses enfants à aller à l'église, bien que par son absence sa femme fît peser sur cette pratique, qu'elle jugeait hypocrite, une silencieuse désapprobation (elle-même était athée). Mais, comme pour le reste, les enfants s'efforçaient de satisfaire à la fois leur père et leur mère. Ils supportaient avec soumission les sermons à l'église de Pocantico Hills, en se tortillant sur leur banc et en regardant le soleil faire naître des myriades d'arcs-en-ciel à travers les vitraux réalisés par Henri Matisse à la mémoire de leur grand-mère ; puis, après le service, avec un scepticisme juvénile que Hume n'eût point désavoué, ils posaient au révérend Hansen des colles sur l'existence de Dieu.

Si la religion, qui avait joué un rôle décisif dans la saga des Rockefeller, perdait peu à peu de son importance, il n'en allait pas de même de la fortune, sur laquelle pesait un puritanisme plus radical encore. Gare à ceux qui osaient y faire des allusions trop directes : cette leçon, les cousins eurent tôt fait de l'apprendre. « Je me rappelle le jour où mon frère David eut vent que notre père était milliardaire, raconte Abby. Il avait dix ou onze ans. Il nous annonça la nouvelle avec l'enthousiasme le plus vulgaire, tandis que nous-mêmes l'écoutions avec le même intérêt pervers que nous avions apporté, dans la Salle de Jeux, à la révélation des rapports sexuels. C'était comme quelque chose de follement délicieux. » Lorsque David Jr demanda à son père combien d'argent il avait, celui-ci lui répondit avec froideur et colère : `` Ce n'est *pas joli* de parler de ça ''. « A la manière dont papa prononça ces mots, je fus bien aise de n'avoir pas posé moi-même la question. J'appris donc très tôt que je ne devais pas me montrer fière de l'argent que nous avions. Devais-je donc en éprouver de la reconnaissance ? Non, pas davantage. Ni fierté ni satisfaction, aucune attitude vis-à-vis de l'argent n'était convenable de la part des enfants. Il n'était pas question d'en parler, encore moins de s'en réjouir, il ne fallait rien manifester. C'était une sorte d'abcès purulent qui crèverait plus tard. »

L'argent, avec son cortège de désirs, était une force qu'il fallait maîtriser, faute de quoi il risquait d'engendrer la destruction — de soi-même et de la famille. « Si vous vous laissez dominer par l'argent, vous devenez un homme à femmes et non plus un philanthrope », disait sèchement David : cette idée n'avait guère varié depuis la prime enfance de Junior, non plus que la technique préconisée pour calmer les désirs suscités par l'argent, à savoir la tenue d'un livre de comptes. Si Laurance et John avaient complètement tourné le dos à cette tradition, si Nelson avait fait tenir à ses enfants un simulacre de comptabilité, David, lui, prenait la chose au sérieux. Son père avait tenu des comptes, et le père de son père avant lui : ainsi faisait-il, et ses enfants eux aussi tiendraient un registre A adapté à leur génération.

Avec David Jr, il obtint satisfaction ; mais les filles se révoltèrent et devinrent de véritables orfèvres en faux et usage de faux. Abby et Peggy mettaient à profit les longs trajets en train entre leur pension et la maison, au moment des vacances, pour forger de toutes pièces une comptabilité sur plusieurs mois. Elles inscrivaient de nombreuses dépenses en soutiens-gorge et en Tampax, dans l'espoir de gêner suffisamment leur père pour qu'il n'aille pas jusqu'au bout de la vérification.

Les signes distinctifs de la famille de David étaient le discernement et l'intelligence. Mais ce climat exceptionnel qui y régnait suscitait des fringales qu'elle ne pouvait satisfaire. Voici une brève évocation de Peggy : « Nous mangions du hachis Parmentier à la cuisine avec nos gouvernantes, tandis que nos parents mangeaient du bifteck dans la salle à manger. Quand nous allions leur dire bonsoir, nous nous cramponnions à eux, quémandant un morceau de viande. Étrangement, nous éprouvions le sentiment qu'il nous manquait quelque chose, que nous ne recevions pas assez de nourriture, pas assez d'amour. »

L'enfance des cousins, idyllique à bien des égards, comporta ainsi des éléments d'incertitude ; des questions qui exigèrent de plus en plus impérieusement une réponse à mesure que les enfants grandissaient. Pourquoi n'avaient-ils d'autres amis que leurs cousins? Pourquoi devaient-ils jouer derrière des grilles gardées? Pourquoi l'histoire de la famille était-elle taboue? (Lucy le dira plus tard : « On considérait comme indélicate toute question concernant le passé familial. C'était, comme le sexe, un sujet interdit. Aussi, comme pour le sexe, nous ne faisions nos découvertes que bribe après bribe, et par des sources indirectes. »)

Les frères montraient, à l'égard de leurs enfants, le même instinct protecteur qu'avait eu naguère Junior vis-à-vis d'eux. En 1968, JDR 3 répondit encore à Henry Luce, qui lui avait écrit pour lui demander l'autorisation de faire dans *Life* un reportage illustré sur la famille : « A regret, nous avons pris la décision de vous demander de surseoir à la publication de cet article, principalement à cause des enfants. Nous sommes très profondément conscients de l'importance qu'il y a pour eux à connaître une adolescence aussi normale que possible. » Pourtant, à cette date, la plupart des cousins avaient plus de vingt et un ans, et on ne pouvait guère décrire leurs années de formation comme normales.

Les enfants aînés de Nelson, Rodman et Ann, suivirent les traces de leur père à l'École Lincoln pendant quelques années. Quand Nelson s'établit à Washington en qualité de coordonnateur des Affaires interaméricaines, ils fréquentèrent l'École libérale des Sidwell Friends (quoique Nelson eût préféré pour eux un milieu moins fermé). Comme le dit Ann : « Il aurait voulu nous mettre à la communale. Si le niveau du système scolaire à Washington avait été meilleur, c'est là que lui et mère nous auraient placés. »

Cette idée nelsonienne, selon laquelle les enfants devaient aiguiser leur instinct de conservation et leur sens de l'émulation sur les bancs de la communale, les autres frères ne la partageaient pas. L'École Lincoln, qui avait joué un tel rôle dans l'enfance des frères, ferma ses portes en 1948. Mais, même sans cela, les autres cousins auraient certainement fréquenté des écoles plus conformes à leur rang social. Les garçons firent leurs études primaires dans des institutions comme Buckley, puis allèrent à Exeter, Choate ou Deerfield. Les filles fréquentèrent des écoles à la mode, comme Brearley ou l'École de filles de Miss Chapin[1], puis des cours pré-universitaires comme Milton ou Farmington Academy. Aux yeux des parents, ces établissements assuraient aux enfants une certaine protection, mais, pour eux-mêmes, cela ne faisait qu'ajouter à la confusion de leur paysage intérieur : on leur avait dit et répété qu'ils étaient des enfants normaux, ni meilleurs ni pires que les autres, seulement tenus plus que

---

1. Voici ce que dit la revue *Fortune* de l'École de Miss Chapin, qu'elle appelle « l'école la plus élégante » de la ville de New York : « Vous ne verrez nulle part ailleurs autant de limousines, de gouvernantes mises sur leur trente et un, venues chercher les enfants dont elles ont la charge, de parents élégamment vêtus escortant leur rejeton à l'heure du déjeuner... Ici, on n'apprend pas à faire la cuisine, mais à gérer au mieux une maisonnée, à savoir le nombre de domestiques auquel on peut prétendre, à tenir des comptes, à parler français, à lire le latin... et surtout, surtout, à acquérir une belle prestance. »

d'autres à faire du bien à leur prochain. Et ils se retrouvaient dans des institutions qui les préparaient à jouer un rôle dirigeant.

Même dans le monde des DuPont et des Ford, le nom des Rockefeller les mettait à part des autres. On aurait dit des dauphins ou des princesses que leurs parents eussent oublié de préparer à la vie publique qui les attendait. Voici ce qu'en dit Alida, fille de JDR 3 : « Alors que j'avais douze ans, j'étais en camp de vacances dans le Maine, et l'on découvrit qui j'étais. Une camarade me demanda si j'allumais mes cigarettes avec des billets d'un million de dollars. Une autre vint me demander un autographe... Je le lui donnai. »

Finalement, quelle que fût l'école choisie, le problème restait le même. Ils étaient des bêtes curieuses, ils avaient l'impression d'être constamment en représentation, sous le regard scrutateur des autres qui semblaient attendre d'eux des manifestations d'égoïsme, d'orgueil ou de manque de naturel. Tous ceux qu'ils rencontraient semblaient en savoir plus long qu'eux sur leur famille et eux-mêmes. Dès qu'ils étaient présentés à quelqu'un, ils s'attendaient à voir naître une petite lueur dans ses yeux à la seule annonce de leur nom : réaction glaçante, qui les plaçait aussitôt à part. A l'école primaire, ils étaient immédiatement en butte à l'hostilité, à l'obséquiosité, aux remarques ironiques qu'ils ressentaient toujours durement, même s'ils ne les comprenaient pas bien. Enseignants et camarades avaient une façon silencieuse, sournoise, de marquer l'étendue de la différence qui les séparait d'eux. Selon la formule de Lucy : « Mes amies avaient toujours l'air de s'excuser de n'avoir pas de vaisselles aussi précieuses que les nôtres. » Comment, dans une situation pareille, faire s'épanouir une personnalité originale ? Tout conspirait à élever des murailles entre les cousins et le reste du monde. Comme le dit Abby : « Le fait d'être une Rockefeller a été pour moi un problème énorme, central, envahissant. A partir de la classe de 5e, je n'ai cessé de me tracasser à ce sujet. De tout mon être, j'aspirais à échapper un jour à cette situation. »

« Chaque fois qu'il était question de mon nom, je disparaissais tout simplement, dit Lucy. C'est pour cette raison que je n'ai jamais choisi comme discipline l'histoire américaine : j'avais trop peur d'entendre parler des Rockefeller. » Les trajets jusqu'à Brearley dans une Cadillac avec chauffeur sont pour sa sœur Marion un triste souvenir ; on était loin de l'époque insouciante où son père et ses oncles remontaient la Ve Avenue en sautant à la corde ou sur leurs patins à roulettes, jusqu'à l'épuisement, pour grimper ensuite dans la limousine qui les suivait depuis la maison selon la consigne de Junior. « Plus nous approchions de l'école, plus nous nous enfoncions dans le siège arrière de la voiture. Quand nous arrivions tout près, nous demandions au chauffeur de bien vouloir avancer encore un peu et de nous faire descendre une rue plus loin, afin de pouvoir arriver à l'école à pied, anonymement... »

L'impossibilité de discuter n'arrangeait pas les choses. Les frères continuaient de soutenir qu'un Rockefeller n'avait rien de fondamentalement différent d'un Smith ou d'un Jones, sinon une dose de responsabilité plus grande et — ce qu'on ne disait jamais, mais qui allait de soi — une qualité d'être supérieure. Mais l'espoir ou l'illusion d'être semblables aux autres adolescents, comment leurs enfants auraient-ils pu l'acquérir ? Au contraire, ils se mirent, sans raison bien claire, à avoir honte de leur nom et de leur famille. Attirés malgré eux par les privilèges et la puissance, ils avaient peur de succomber à un instinct aussi méprisable. « Le problème, c'était d'essayer de trouver un équilibre entre le trouble plaisir d'être un Rockefeller, avec toute la magie qui s'attachait à ce nom, et la douleur de refuser mon identité. De mon nom, je n'ai su tirer qu'un plaisir honteux, jamais un honnête sentiment de fierté. Je me suis toujours sentie privilégiée et j'éprouvais, face à ces privilèges, des sentiments de culpabilité, de honte ou de gêne » (Abby).

Tous ressentaient le nom de Rockefeller comme un redoutable handicap. Les signaux qui émanaient des autres se trouvaient renforcés par les subtils messages de leurs parents et des conseillers qu'ils avaient placés près d'eux. « On nous recommandait de ne rien prêter aux amis. Pourquoi ? " Parce que ton père et ses frères l'ont fait dans leur jeunesse et ne sont jamais rentrés dans leurs fonds ", se rappelle Lucy. Comme tous mes cousins, j'ai quelquefois passé outre, pour m'apercevoir, malheureusement, que le conseil était fondé : on ne me remboursait pas. Ce n'est pas l'argent qui me chagrinait ; non, ce que je trouvais pénible, c'était de ne pas être traitée comme n'importe quelle autre, surtout par des gens que je croyais mes amis. »

Même son de cloche chez Hope (qui collabore à des revues comme *New York,* auxquelles elle envoie des articles sur l'avortement, entre autres sujets). S'excusant à l'avance de l'apparente absurdité de sa remarque, elle compare la perception qu'ils avaient alors de leur situation à celle des minorités raciales. « Mes années de jeunesse, je les ai vécues avec une étiquette " Rockefeller ", tout comme un Juif ou un Noir. Attention, je ne dis absolument pas que j'ai souffert de la même façon qu'eux ; mais il est vrai que lorsque les gens entendaient le nom de Rockefeller, ils étaient obnubilés par le nom et *ne voyaient plus* la personne qui était derrière. »

Certains cousins rencontrèrent une autre sorte de difficulté : on ne les laissait pas une minute tranquille. Ainsi Alida, pistée pendant plusieurs mois sur le campus de Stanford par un jeune homme un peu dérangé qui voulait être écrivain et pensait que cette Rockefeller pourrait être sa muse et faire publier ses œuvres. Pour sa sœur Hope, ce fut tout le contraire : « Quand j'étais à Smith, les gens m'évitaient. C'était inattendu, n'est-ce pas ? Devant cette réserve qu'ils manifestaient à mon endroit, je m'effaçais tout simplement. Dans ces conditions, on finit par renoncer à fréquenter les autres et on se terre en soi-même. »

Étrange situation : avions privés, yachts, voyages à l'étranger à volonté, domestiques, maisons de vacances depuis la pointe des Caraïbes jusqu'aux forêts du Maine, depuis le Venezuela jusqu'au Wyoming, repas en compagnie de princes, de premiers ministres, et des plus célèbres roturiers du monde — ils avaient tout, bien plus que n'importe quels autres jeunes Américains. Laura, séduisante jeune femme de trente-huit ans, mère de trois enfants, qui termine un doctorat tout en rédigeant une brève histoire des Rockefeller, résume ainsi le problème : « Comment diable peut-on demander aux autres un peu de sympathie quand on a tout ce qui est *censé* pouvoir vous rendre heureux? » Ne voulant pas tomber dans le stéréotype mélodramatique du pauvre petit enfant riche, il leur devenait impossible de parler de leurs problèmes. Cependant, leurs amis comprenaient probablement mieux leur dilemme qu'ils ne se l'imaginaient. Voici ce que dit une amie intime de Peggy, qui la fréquenta beaucoup pendant les difficiles débuts de sa vie de femme : « Vue de l'extérieur, sa situation semble une des plus sûres et des plus séduisantes possible, mais en fait, du point de vue humain, elle la rend terriblement vulnérable. Je me rappelle encore Peggy me disant un jour : " Écoute, jamais personne ne voudra m'épouser, *moi.* " Vous savez qu'humainement, la note à payer est lourde quand vous en arrivez à dire une chose pareille et que vous vous retrouvez chez le psychanalyste cinq jours par semaine, pendant plusieurs années, pour résoudre des problèmes dont la plupart des gens n'ont même pas idée, ou bien qu'ils peuvent résoudre tout seuls. »

Ainsi perturbés, comment leur conception de l'héritage familial serait-elle demeurée intacte? Laura était assez populaire pour être élue présidente de sa classe dans le secondaire; mais, pendant toute sa scolarité puis à l'université, elle avait presque peur de faire venir des gens chez elle : « J'avais le sentiment affreux que si j'invitais des amis à la maison, ils cesseraient de m'aimer dès qu'ils auraient franchi les grilles de Pocantico. Ces sales grilles! Quelles affreuses pensées elles exprimaient sur le monde! Il fallait que le monde soit un lieu vraiment terrible pour qu'il fût nécessaire d'entretenir des patrouilles de chiens policiers et de gardes armés derrière des grilles hermétiquement closes! »

Se révolter contre tel ou tel aspect de leur éducation était certes possible. C'est ainsi que les enfants de David réussirent à bafouer la tradition des livres de comptes ou de l'assiduité à l'église, et même à tourner en ridicule certains aspects parmi les plus bornés du comportement et des croyances de leur père. Mais vouloir soulever le poids, encore alourdi au fil des générations, de ce nom qu'ils avaient reçu à leur naissance? Autant s'en prendre à sa taille ou aux traits de son visage! Ce qui tourmentait les cousins, c'était donc moins le besoin de rejeter la famille, son rôle et ses privilèges, que celui de trouver un moyen sans faille de l'accepter. L'image des Rockefeller était sans doute démesurée, extravagante, et vivre sur son modèle une chose impossible; mais, selon l'implacable code de comptabilité morale élaboré par leur grand-père, ses petits-enfants devaient payer leur dette en se pliant à cette image.

Il était impensable que les cousins se comportassent comme des Smith, en finissent rapidement avec leurs études pour entrer dans la vie active et se mettre à gagner de l'argent. Il leur fallait des projets à leur mesure. Diverses pressions s'exerçaient, sur les garçons en particulier, pour les amener à prendre des postes de responsabilité dans l'empire familial, à s'inscrire sans heurt dans la dynastie, à contribuer à l'accroissement de son influence. Certains des aînés tentèrent de relever le défi, mais la plupart déployèrent des stratégies destinées à gagner du temps, à se ménager d'autres choix, afin d'organiser leur propre vie et de se préparer aux graves décisions qu'il leur faudrait prendre.

Nés un peu plus tard et sous un nom différent, ils auraient pu partir, sac au dos, pour le Népal ou la Terre de Feu. Mais ils étaient des Rockefeller, et même leur désir d'évasion devait témoigner d'un haut niveau moral. Pendant et après leurs années universitaires, plusieurs d'entre eux observèrent un temps d'arrêt en allant passer une saison dans l'anonymat parmi les pauvres, les dépossédés, les exploités, ou parfois s'immerger dans une civilisation inconnue sur quelque lointain continent. Dans ces moments-là, ils parvenaient à se perdre, à se dépouiller littéralement de leur identité de Rockefeller. La forme prise par cette évasion pouvait varier d'un cousin à l'autre, mais tous ces pèlerinages dans l'anonymat avaient le même mobile, leur fournissaient une excuse plausible pour s'enfuir et pour se fuir; c'était une façon de se prouver que, contrairement à ce qu'on pensait d'eux, ils ne s'estimaient pas en fait supérieurs aux autres.

Lors de sa première année à Vassar, Mary, fille de Nelson, eut de longues discussions sur son état dépressif et son malaise chronique avec son frère jumeau Michael. Ils parlèrent pendant des heures du mur qui se dressait entre les autres et eux, et Michael lui suggéra de « décrocher » un certain temps, de partir quelque part où personne ne connaîtrait son identité. (Sa sœur Ann avait fait ainsi un stage d'assistante sociale dans l'East End de Londres.) Dans le tumulte de sa première année de faculté, son incertitude l'avait déboussolée, avait ruiné sa vitalité, à tel point qu'elle dut être placée sous surveillance médicale. Elle reconnut qu'elle avait besoin d'un changement d'air. Elle n'eut pas besoin de longtemps chercher pour trouver quelque chose à faire : une Rockefeller en quête d'un endroit tranquille où passer l'été? Aussitôt, diverses possibilités s'offrirent à elle. Elle opta pour une équipe de chercheurs de Cornell qui mettaient sur pied un programme de santé publique dans une réserve d'Indiens Navajos. Aujourd'hui encore, quinze ans plus tard, Mary s'anime à l'évocation de cette expérience. « Nous vivions dans une roulotte, nous mangions des conserves, tout cela au milieu de gens qui n'avaient jamais entendu parler des Rockefeller. » Elle en parlait comme du véritable « tournant » de sa vie.

Peggy se rendit au Brésil où les Rockefeller étaient connus par l'IBEC de Nelson et par les voyages de David pour le compte de la Chase. Trois étés de suite, pendant ses études à Radcliffe, elle y séjourna comme assistante sociale. Le troisième été, elle quitta la propriété où elle vivait avec des amis de son père pour s'installer dans une « favella », au milieu de la plus effroyable pauvreté. Quand la presse locale, ayant découvert son identité, se pressa devant la pauvre masure des gens chez qui elle habitait, elle s'enfuit avec une amie par la porte de derrière afin d'échapper aux interviews, et partit en autocar pour un périple de 2 000 km dans la campagne brésilienne où son incognito serait préservé.

Jay Rockefeller passa trois ans au Japon, dont il apprit la langue et assimila la culture, vivant dans l'anonymat d'une famille de Tokyo. Mary visita des contrées tout aussi lointaines pendant les mois qu'elle passa dans des établissements pour attardés mentaux et des centres de cancéreux. Son frère Larry, à sa sortie de Harvard, vécut trois ans dans un logement d'East Harlem où il travailla comme volontaire VISTA [1].

« C'est vraiment dur, pour un jeune, de s'appeler Rockefeller, dit Hope. Il faut arriver à se montrer capable de l'assumer en permanence. C'est un tel fardeau que nous avons tous éprouvé, à un moment ou un autre, une irrésistible envie d'échapper tant soit peu à cette condition. » En ce qui la concerne, elle partit vivre plus d'un an à Nairobi avec son premier mari, John Spencer. Par la suite, dans un livre intitulé *Journal est-africain,* elle décrivit avec aigreur la façon dont la presse locale avait fait état de la visite de JDR 3 et de Blanchette aux Spencer : « C'est la première révélation publique de mon " identité ", selon l'expression de certains de mes amis. [...] Que nos amis l'apprennent maintenant ou plus tard, John et moi estimons que c'est sans importance. [...] Je crois que nos liens avec la plupart de nos amis sont suffisamment solides, et je suis convaincue qu'il ne sera pas nécessaire de modifier le moins du monde le style de vie très simple que nous avons adopté ici. »

Ces odyssées n'avaient pas pour unique mobile le désir de s'évader mais aussi celui de se préparer à l'avenir. Elles s'inscrivaient dans la recherche de cette « véritable » personnalité que les cousins sentaient en eux-mêmes sous leur masque artificiel de Rockefeller. C'est dans ce contexte que Michael décida de quitter les siens.

Tenu pour l'un des cousins les mieux « adaptés », il était le grand favori de la famille. Avec ses cheveux blonds roux, ses épaisses lunettes, sa cordialité naturelle, son corps athlétique d'excellent nageur, il n'était pas sans rappeler le jeune Nelson aux amis de la famille. Moins agressif et tranchant que son père, il semblait doué de la même capacité de surmonter le handicap de son nom. « La première fois que vous entrez dans un groupe, les gens sont pleins de curiosité ; mais quand ils découvrent que vous êtes un être humain, tout rentre dans l'ordre », disait-il.

Michael, que sa sœur Ann considérait comme le plus doué de la famille sur le plan artistique, avait espéré étudier l'architecture ; mais, contraint de céder aux pressions parentales, il avait choisi l'économie politique. Il était sur le point de terminer sa thèse de quatrième année (consacrée au rôle de son

---

1. Volunteer in Service to America. Créé en 1964, dans un programme anti-pauvreté. A sa tête, Sergeant Shriver. (*N.d.T.*)

arrière-grand-père, Nelson Aldrich, dans la réforme bancaire), quand un camarade lui parla d'un projet d'expédition lancé par le Centre d'études cinématographiques du Musée Peabody de Harvard. Un petit groupe d'anthropologues, doublé d'une équipe de cinéastes, partait pour la vallée Baliem, en Nouvelle-Guinée hollandaise, à la recherche de tribus dont la civilisation primitive était, à ce jour, vierge de tout contact avec la culture occidentale : c'était pour lui une occasion unique de fouler un sol pratiquement inconnu des Blancs, et de remonter jusqu'à l'Age de pierre.

Michael avait déjà travaillé pour l'IBEC à Porto Rico et fait office de garçon de ranch dans le domaine de son père au Venezuela pendant les grandes vacances. Un jour, il avait dit à ses parents : « Je veux faire quelque chose de romantique, partir à l'aventure, tant qu'il y a encore des contrées lointaines à explorer. » C'était donc exactement l'occasion qu'il attendait. Cinéaste accompli, il fit valoir ses compétences pour obtenir une place dans l'expédition (à quoi s'ajouta l'influence de son oncle David, un des administrateurs de Harvard...).

Pour différentes raisons, ses frères aînés Rodman et Steven ne s'étaient pas préparés à prendre la relève de Laurance dans le rôle du Rockefeller chargé de veiller sur les affaires familiales. Michael savait que les frères voyaient en lui le cousin le mieux armé pour prendre la direction de la famille quand viendrait le tour de la génération montante. A son père et à ses oncles, il présenta cette expédition comme une expérience précieuse pour l'avenir, et une bonne occasion de ramener des objets d'art au Musée d'art primitif (il était déjà membre de son conseil d'administration). Mais voici l'opinion de son frère Steven : « Si le voyage parut acceptable aux yeux des frères, c'est que Michael les incita à y voir comme le prélude à une carrière dans les affaires internationales. En fait, pour Michael, ce n'était qu'un moyen de gagner du temps. »

Dès l'instant où l'expédition démarra, Michael se sentit galvanisé par les perspectives qui s'offraient à lui. Il s'acquitta avec zèle de son travail de cameraman, se chargeant en outre des prises de son. Il impressionna ses compagnons par son ardeur au travail et son absence de prétention. L'un d'eux dira plus tard : « Il souffrait du complexe familial : le sentiment de devoir en faire plus que les autres pour pouvoir s'assumer personnellement. » S'il avait fallu à tout prix lui trouver un défaut, c'eût été une certaine incapacité à évaluer les conséquences de ses actes, une sorte de témérité.

Au cours des quelques semaines qu'il passa parmi les hommes de la tribu des Kurelu, il fit une ample moisson d'observations sur la vie et la mort : il filma des bébés en train de naître, des luttes tribales, la mort de guerriers blessés, les cérémonies préludant à la crémation qui devait jeter les morts dans l'oubli. Il se plaisait à observer et à tenter de comprendre les relations unissant les membres d'une même tribu. « Pour Michael, cette expédition fut une révélation à plus d'un titre », confia plus tard un de ses compagnons. Il se laissa pousser la barbe et décida que, de retour aux USA, il préparerait un diplôme d'anthropologie.

Ayant entendu parler de l'art des tribus Papaguans, dans l'Asmat, près du littoral, il y fit une incursion à la mi-août et conçut un « fol enthousiasme » pour les objets d'art qu'il y découvrit. L'expédition Peabody était officiellement terminée, mais Michael décida de différer la date de son retour en Amérique. Il était absorbé dans les préparatifs d'une seconde expédition, plus longue, dans la zone côtière, lorsque lui parvint un télégramme l'informant que ses parents avaient décidé de rendre publique leur intention de divorcer.

Michael rentra immédiatement. Au bout d'une semaine, il avait acquis la conviction qu'il ne pouvait rien pour ses parents. Il leur fit part de sa décision de devenir anthropologue et sauta dans le premier avion à destination de Hollandia (actuellement Djadjapura). Rendez-vous pris avec l'anthropologue hollandais René Wassing, ils gagnèrent tous deux la Nouvelle-Guinée où ils projetaient de travailler deux mois sur le terrain.

Sillonnant les cours d'eau de l'Asmat à bord d'un catamaran équipé de deux moteurs de 18 CV et capable de transporter une importante cargaison de marchandises, Michael et Wassing couvrirent une vaste étendue de territoire. Devant tous les objets collectés (boucliers admirablement sculptés, figures de proue de canoës, sans compter une impressionnante collection de têtes réduites), Michael rêvait d'un retour triomphal avec l'ensemble de matériaux le plus complet jamais rassemblé sur la vie d'une tribu primitive. Cette lettre adressée à ses parents montre qu'il avait acquis assez de fermeté dans ses propres idées pour écarter sans ménagement la vision paternelle du monde :

« L'Asmat baigne dans une sorte de tragédie. Bien des villages ont atteint ce stade où ils commencent à nourrir des doutes sur leur propre culture, à désirer ardemment les choses de l'Occident. On rencontre partout un respect déprimant pour la chemise et le pantalon de l'homme blanc, même en loques et au dernier stade de la saleté, bien que ces symboles douteux d'un autre monde ne fassent que cacher un corps harmonieux et remplacer une bien plus belle forme d'habillement... L'Occident ne pense qu'à leur apporter le progrès et les moyens de se développer. En fait, tout ce que nous leur apportons, c'est une banqueroute culturelle qui n'est pas près de prendre fin... Pas l'ombre d'un minéral. Impossible de récolter quoi que ce soit qui puisse être monnayé. Et pourtant, comme tous les autres lieux du monde, l'Asmat est happé par le tourbillon d'une économie et d'une culture mondiales dont l'idéal fondamental est l'abondance... »

Le 18 novembre, au bout de plusieurs semaines itinérantes, Michael et Wassing décidèrent de visiter un grand village de l'autre côté de la rivière South Eilander. Au lieu d'utiliser le réseau complexe des voies d'eau intérieures, ils pensèrent gagner du temps en s'aventurant sur les eaux côtières, pour remonter ensuite la South Eilander. Au beau milieu de la traversée (ils avaient appris des commerçants locaux qu'elle serait dangereuse, pour ne pas dire plus), une forte lame submergea le catamaran, noyant le moteur et balayant par-dessus bord la plupart des notes de travail de Michael. Toute la nuit, les deux hommes s'agrippèrent à l'embarcation; elle sombrait peu à peu et la marée les entraînait inexorablement vers la haute mer. Le lendemain matin, Michael décida de tenter de franchir à la nage les 11 miles qui le séparaient du rivage. Wassing l'adjura de n'en rien faire : dans ces eaux infestées de crocodiles et de requins, comment réussir pareil exploit? « Il m'écoutait, mais je savais d'avance qu'il n'en ferait qu'à sa tête. Il était très difficile de le faire changer d'avis », dira plus tard l'anthropologue. Michael se dévêtit, attacha ses lunettes autour de son cou, sangla de vieux bidons d'essence sur ses épaules pour se maintenir à flot, regarda Wassing une dernière fois et lui dit : « Je crois que je peux y arriver »; puis il plongea. On ne le revit plus.

Nelson et Mary, la jumelle de Michael, arrivèrent en avion sur les lieux et, plusieurs jours durant, participèrent à d'épuisantes recherches, avec le concours de la Royal Dutch Air Force. En vain. Finalement, ils rentrèrent aux USA, ayant accepté le verdict des autorités locales. Version officielle : Michael avait probablement péri noyé dans les flots perfides. Mais, presque aussitôt, des rumeurs commencèrent à sortir de l'impénétrable jungle et à parvenir jusqu'à la civilisation par le truchement des missionnaires hollandais du cru. L'une d'elles rencontra quelque crédit : Michael avait effectivement réussi à gagner le rivage; épuisé, au sortir des eaux, il était tombé sur un groupe de guerriers du village d'Otsjanep. Préjugeant de leur amitié pour un Blanc, il les héla, ignorant que des soldats hollandais venaient de tuer plusieurs des leurs dans une campagne de pacification. D'après cette version, il fut tué et ensuite mangé. Pendant des années, des voyageurs de retour de l'Asmat ramenèrent de sombres histoires : ils avaient vu des indigènes porter autour du cou les lunettes brisées de Michael Rockefeller; on leur avait montré ce qui était censé être son crâne réduit...

Aux yeux du monde, la disparition de Michael ne fut qu'un intermède tragique dans le drame du divorce et du remariage de Nelson Rockefeller. C'était l'histoire d'un jeune romantique audacieux qui avait perdu la vie en cherchant l'aventure. Seuls les cousins Rockefeller étaient à même d'apprécier la véritable nature de sa quête. Ils décidèrent de rendre hommage à sa mémoire en créant à Harvard une Bourse Michael Rockefeller : première institution qu'ils conçurent et fondèrent tout seuls. (Ils ne devaient demander aucune contribution aux frères avant plusieurs années.) La déclaration d'intentions, rédigée par Steven, revêtait pour eux une signification toute particulière : « L'objectif primordial de la société que nous créons est de permettre à l'individu de se comprendre lui-même, et de comprendre le monde dans lequel il vit, grâce à la fréquentation de gens d'une culture différente de la sienne. »

Michael conservera à tout jamais une place à part dans le groupe des cousins. Il restera aimé et admiré des autres pour avoir osé entreprendre ce voyage au cœur des ténèbres, à la poursuite de son identité. (Et peut-être envié secrètement, sa mort prématurée étant survenue à une époque où il n'était pas encore compromis par les décisions qu'ils allaient tous devoir prendre.) Sa mort mit en évidence la nécessité de parvenir à une sorte de solution de compromis, face au choix auquel ils étaient tous confrontés. « Nous avons tous envisagé, à un moment ou à un autre, d'échapper à notre nom et à tout le reste, mais, au fond de nous-mêmes, nous savons bien qu'il n'y a pas d'évasion possible. »

CHAPITRE XXVII

Vers le milieu de l'été 1970, la salle n° 5600 parvint à faire figurer un certain nombre de questions se rapportant aux Rockefeller dans le programme de sondages de l'Institut Gallup. D'après les réponses put être cerné ce qu'on appela « les Attitudes de l'opinion vis-à-vis des Rockefeller ». Relié, estampillé « confidentiel », ce rapport fut transmis aux divers membres de la famille. Nelson était le seul Rockefeller vraiment connu du grand public. Les gens interrogés avaient du mal à distinguer les autres frères les uns des autres, comme de leur père. Pourtant, l'image de marque de la famille, en raison de sa composante philanthropique, était considérée comme bonne. En fin de rapport, cette exhortation indirectement destinée aux cousins :

« Voici une famille qui, loin d'engendrer l'envie, la jalousie et la haine du fait de son immense richesse, apparaît désormais aux yeux de tous comme vouée principalement au service public et aux causes humanitaires, pour le progrès des peuples... La génération actuelle et ses conseillers ont accompli leur tâche, apporté leur marque; humainement, il n'est guère possible aux Rockefeller d'atteindre dans l'estime de plus hauts sommets. Ce qu'il faut à présent, c'est que la jeune génération entreprenne de poursuivre avec dévouement la grande œuvre ou les bonnes œuvres de ses ancêtres. »

Résumé exact de leur dilemme. Ces bonnes œuvres qu'on attendait d'eux, où les entreprendre sinon au sein des institutions créées par leur grand-père et parachevées par leurs pères? Même s'ils n'avaient pas nourri le moindre doute sur l'entreprise elle-même, les cousins auraient eu le sentiment que les sommets étaient atteints, les possibilités de découverte de soi, épuisées. Leurs réticences à l'égard de cette tradition dont ils étaient issus tenaient principalement au fait que sa masse imposante étouffait toute tentative individuelle pour se déterminer en son sein. Cependant, en dépit de toutes leurs interrogations sur cette identité de Rockefeller, ils désiraient ardemment faire quelque chose de leur vie. Mais accepter le scénario inscrit en filigrane dans les conclusions de l'étude? Autant se considérer tout de suite comme les conservateurs du musée des exploits passés des Rockefeller. Perspective bien insuffisante.

Cette crainte, même si les cousins avaient pu la formuler, les frères auraient eu du mal à la comprendre et, *a fortiori,* à l'admettre. Ils auraient eu trop de mal à se faire à l'idée que l'éducation rockefellérienne donnée aux cousins avait laissé chez eux cette cicatrice : cela serait revenu à concevoir des doutes sur leurs propres vies, leurs propres réalisations, et les aurait amenés à mettre en cause la tradition et les responsabilités qu'ils avaient acceptées. *Nous avons été à la hauteur. Pourquoi pas vous?* Telle était l'attitude que les cousins — en particulier les garçons — décelaient chez leurs pères et oncles. Pour eux, au demeurant, décliner les responsabilités inhérentes à cette fortune eût été le comble de l'ingratitude et n'eût pas manqué de faire naître un sentiment de culpabilité au moins aussi grand que celui que leur donnaient les privilèges dont ils jouissaient. Tout cela était fort bien résumé dans le credo qu'Ivy Lee avait aidé Junior à rédiger et qui exprimait en deux mots sa philosophie : ... *Tout droit implique une responsabilité / Toute chance, une obligation / Toute propriété, un devoir.* « C'est un truc plutôt pesant, surtout quand on n'est qu'un gosse et qu'on sait que tous ces millions vont vous tomber dessus, dit Steven, citant de mémoire le texte sacré. On vous a fait croire que, pour justifier la richesse, il faut accomplir de bonnes œuvres ; mais, quand vous disposez d'une fortune aussi fantastique, il faut pour le moins devenir une sorte de messie pour être à la hauteur. »

Voyant ses propres enfants et ceux des autres frères se faire l'un après l'autre psychanalyser, Laurance (qui, de ses propres doutes, avait fait un style de vie) disait en ricanant qu'ils se « dégonflaient ». Ce problème du recours à l'analyse fut l'une des manifestations les plus vives du conflit entre les générations. Richard, le cadet de David, dit à ce sujet avec un petit sourire amer : « Mon père ne comprend pas ce que c'est que la déprime. Ses frères et lui estiment que, si on est à plat, il n'y a qu'à aller nettoyer sa chambre à fond, après on se sent mieux. D'ailleurs, pour les gens de leur génération, ça a l'air de marcher : quand ils " nettoient à fond leurs piaules ", ça les retape. »

Incapables de comprendre le sentiment d'accablement de leurs enfants sous le poids de l'identité rockefellérienne et de ses implications, les frères ignoraient également à quel point les cousins s'identifiaient à leur époque ; une époque où l'on manifestait contre la guerre du Vietnam, l'inégalité raciale, l'injustice sociale. La génération avec laquelle les cousins faisaient corps contestait précisément les pouvoirs et les « vérités » sur lesquels se fondait la tradition familiale. Le vif désir qu'avaient les frères de voir les cousins devenir des Rockefeller tout pareils à eux illustre bien ce degré d'isolement auquel la troisième génération était parvenue.

Fort naturellement, ce furent les cousines qui prirent la tête des opérations, ouvrant le feu pour leurs frères plus prudents et, d'une certaine manière, plus accablés. Elles étaient plus nombreuses et elles avaient grandi dans la certitude de perdre un jour leur nom en se mariant. Moins soumises aux pressions, elles étaient également moins solidement ancrées dans le milieu familial. Elles sentaient bien qu'on attendait peu d'elles, ce qui décuplait le sentiment plus ou moins conscient de l'injustice qui leur était faite. Le nouvel état d'esprit politique introduit par la « Nouvelle Frontière » les attirait en nombre, et sa frange extrémiste ne leur faisait pas peur. Les militants étudiants leur apprirent que l'harmonie sociale célébrée par leurs pères n'était en fait que l'union contre nature des puissants et des faibles ; cette idée corroborait les réalités perçues à travers leur propre statut familial et s'intégrait parfaitement à leur bouillonnement intérieur. Leur dilemme se traduisait également par certaines contradictions. Elles étaient attachées aux privilèges et aux biens liés à la fortune des Rockefeller, mais, dans le même temps, elle ressentaient à leur contact une impression de souillure. Elles respectaient les « bonnes » réalisations philanthropiques de la famille, mais elles craignaient que l'avers de cette médaille ne cachât un revers assez peu altruiste.

Un de ses amis du SDS raconte comment Peggy, fille de David, engagée dès la première heure dans le mouvement contre la guerre du Vietnam à Cambridge, entra un jour dans sa chambre, le visage baigné de larmes. C'était en 1966, à l'époque des contre-cours improvisés sur le Vietnam. Il lui demanda ce qui n'allait pas. « Mon père vient de me demander de l'accompagner à l'étranger pour assister à l'inauguration d'une filiale de la banque.

— Ça n'a rien d'épouvantable, tu l'as déjà fait, répondit-il pour la consoler.

— Oui, mais cette fois la filiale est à Saigon. »

La seule dont la vie devait finalement subir de profonds bouleversements à la suite de son engagement politique fut Abby, la sœur aînée de Peggy. Chez la plupart des autres cousines, ce type d'engagement, même s'il ne devait pas les mener si loin, n'en constitua pas moins une étape importante dans leur lutte pour se définir au sein du contexte familial et se libérer des destins oppressifs que la famille souhaitait leur voir assumer. Comme Abby et Peggy, Laura parraina dès le début le SDS dans sa période dite « spontanéiste » (elle reste au demeurant l'un des piliers de l'Institut de Cambridge qui se propose de remettre en question les structures capitalistes, à la fois dans les affaires et dans l'organisation sociale) ; presque dix ans plus tard, Alida, l'une des dernières de la quatrième génération à atteindre l'âge universitaire, considéra avec sympathie (mais sans y adhérer) le Mouvement tiers-mondiste qui embrasa tout le campus de Stanford. Entre-temps, des femmes Rockefeller versèrent des centaines de milliers de dollars à diverses causes : la revue *Ramparts*[1], le film *Milhouse*[2], la Brigade *Venceremos*[3], l'Association des Anciens Combattants du Vietnam contre la guerre...

Il y eut parfois, dans tout ceci, un élément de « chic révolutionnaire ». Mais, chez tous les membres de cette famille, la politique n'était qu'une façon dramatique et métaphorique de rechercher leur propre identité ; le

1. Périodique progressiste de la côte Est. (*N.d.T.*)
2. Film satirique sur Nixon. (*N.d.T.*)
3. Groupement gauchiste. (*N.d.T.*)

choix des masques et des cothurnes résumait les différences de sensibilité et de vision du monde qui se faisaient jour entre les pères et leurs enfants. C'est surtout dans la famille de David que le dialogue prenait un tour animé. Non content d'être le frère le plus complètement intégré au « système », David était également le plus résolu à le défendre (et, par implication, à se défendre lui-même) contre les assauts de la jeune génération. Peggy a le souvenir de discussions enflammées à propos de l'engagement de la Chase en Afrique du Sud, de la défense par David de régimes réactionnaires au Brésil comme partout ailleurs dans le monde. « Pour tenter de justifier le soutien qu'il apportait aux dictatures, il faisait toujours valoir que le développement économique engendré par la stabilité de ces pays profitait à tous », dit-elle avec un sourire qui trahit sa propre gêne devant la naïveté de l'argument.

Avec l'escalade de la guerre au Vietnam, les discussions dégénérèrent. Elles se terminaient généralement par des hurlements de Peggy, ou par ses larmes d'impuissance quand elle entendait son père continuer de plus belle à soutenir tel aspect particulièrement indéfendable de la politique officielle (la théorie des dominos, par exemple), ou prétendre qu'il tenait ses renseignements de « Bob » McNamara, c'est-à-dire d'une « personne bien placée », pour reprendre son expression. Peggy remarque à ce sujet : « Oui, il vous fait toujours valoir qu'il tient ce qu'il sait de la source la plus autorisée. Qu'il s'agisse du Vietnam ou, plus tard, du Watergate. Il soutenait que McGovern avait gonflé exagérément l'affaire et que l'entourage du président l'avait personnellement assuré que Nixon en ignorait absolument tout. »

C'est notamment en raison de ses activités pro-révolutionnaires à Cambridge que Peggy prit la décision de laisser tomber son nom de famille. « Mon frère Dickie était toujours enlisé jusqu'au cou dans des querelles politiques à cause de son nom, dit-elle. Pour moi, c'était un handicap chaque fois que j'essayais de faire quelque chose. Dans ce pays, Kennedy est le seul autre nom qui puisse donner lieu à ce genre de controverses : argent, pouvoir, politique, philanthropie, et des immeubles dans tous les coins. Vraiment, mon nom me gênait dans tout ce que je voulais entreprendre. »

On en revenait toujours au nom, au bout du compte. C'est Sandra, la fille aînée de JDR 3, qui la première l'avait jeté par-dessus bord en 1959, devenant tout simplement Sandra Ferry. Elle tenta de résoudre le dilemme par une mesure plus radicale encore : en même temps qu'elle abandonnait son nom de famille, Sandra voulut se débarrasser de sa fortune. Mais le fonds de dépôt lui était plus solidement attaché que son nom. Elle devint l'excentrique de la bande des cousins, celle qu'on n'évoque pas sans froncer les sourcils ou hausser les épaules en signe d'incompréhension. Au début des années soixante, à Cambridge où elle s'était installée, recluse et en mauvaise santé, elle se tenait toujours éloignée de la famille et du nom, mais avait fini par accepter l'argent. Elle vivait protégée par une ribambelle de verrous comme une femme deux fois plus âgée qu'elle, recevant régulièrement la visite d'un psychiatre et d'un musicothérapeute. Si l'on en croit la légende familiale, il lui fallut deux ans pour guérir d'un orteil cassé.

En rompant tous les ponts avec ce monde que les Rockefeller étaient nés pour gouverner, Sandra se situait aux antipodes de l'énergique quête de soi d'un Michael. Pour les cousins, elle constituait également un symbole : « Sandra, c'est la réaction extrême contre l'idée qu'un Rockefeller *doit* être responsable et en prise directe avec le réel. Sa révolte a consisté à se replier totalement sur elle-même », remarque Abby.

La plupart des cousines recoururent à un moyen moins abrupt pour changer de nom : elles se marièrent. Au début des années soixante, les cérémonies nuptiales se succédèrent à un rythme soutenu dans la petite chapelle de Pocantico Hills, les épousées conduites jusqu'à l'autel par leurs célèbres pères vers une kyrielle de roturiers. La cinquième génération des Rockefeller ne tarda pas à s'annoncer, nantie de patronymes tels que Case, Hamlin, Kaiser, Strawbridge et Spencer. Avec le temps, on s'aperçut que ces unions n'étaient pas toutes inspirées par l'amour juvénile. Divorcée et remariée, Laura reconnaît à présent : « Je me suis mariée à dix-neuf ans parce que c'était un moyen de perdre mon nom. En somme, je me suis dégonflée. »

Les femmes des frères avaient joué un certain rôle dans la saga des Rockefeller : « Elles s'adaptèrent à la vie de leurs époux, dirigèrent leurs intérieurs, reçurent leurs invités », résume Steven, fils de Nelson. Rôle exclu pour les cousines, et pas seulement en raison de la montée du mouvement de libération des femmes et de la désorganisation des rôles traditionnels. Après tout, elles avaient hérité du sang rockefellérien, alors que leurs propres mères n'étaient Rockefeller que par alliance. Leurs mariages conclus, elles se virent confrontées à cette tâche impossible : apprendre à canaliser leurs ambitions de Rockefeller dans la vie de famille. Le rôle de femme d'intérieur pouvait avoir, aux yeux de certaines cousines, une coloration rassurante, il n'en supprimait pas pour autant leur besoin de créer quelque chose. Autre problème, tacite mais troublant : ces mariages étant en quelque sorte morganatiques, elles devaient s'adapter à ce que David Jr appelle « cette bizarre situation consistant à avoir plus de pouvoir que son mari ».

Le mariage comme moyen de se débarrasser du nom, soit, mais au prix de quels ravages sentimentaux ! Vers le milieu des années soixante, ce fut la débandade parmi les jeunes et beaux couples qui s'étaient mariés quelques années plus tôt. Sur dix unions conclues alors, on comptait déjà sept divorces [1].

Perplexité et même tristesse des frères devant la vie à leurs yeux chaotique de leurs filles. Mais, en un certain sens, pas de profonde surprise. Après tout, les deux générations antérieures de Rockefeller avaient connu des précédents : Édith, leur tante, s'était écartée du droit chemin, et leur propre sœur Babs, dont le mariage et le bonheur furent de courte durée, n'avait pas fait mieux.

---

1. Laura épousa James Case en 1956 et divorça en 1970; Hope épousa John Spencer en 1959 et divorça en 1969; Ann épousa Robert Pierson en 1955, divorça en 1966; Steven épousa Anne-Marie Rasmussen en 1959, divorça en 1970; Mary épousa William Strawbridge en 1961, divorça en 1974; Lucy épousa Charles Hamlin en 1969 et divorça la même année.

Pour les cousins, les perspectives étaient différentes. Les structures étaient déjà là pour les accueillir, comme les frères avant eux : quelque chose de bien réel à quoi consacrer sa vie. Une multiplicité d'institutions les attendait, de l'Université Rockefeller et de l'église du Riverside au Rockefeller Center et à la Chase. Leur adaptation n'avait peut-être pas toujours été facile au cours de leur adolescence, mais, au début des années soixante, le dernier cousin ayant terminé ses études universitaires, cette période était vraiment révolue, tout était en place pour la manifestation d'un élégant darwinisme, les plus aptes de la génération montante sortant eux-mêmes des rangs pour prendre la direction de la famille.

On ne faisait pas mystère des choix qui s'offraient à eux. « Aux yeux de la génération précédente, dit Steven, nous devions accepter les responsabilités et poursuivre l'œuvre entreprise dans les institutions et activités familiales : exactement comme elle-même avait fait pour répondre à l'attente de grand-père. J'eus des entretiens avec mon père et mes oncles sur cette question de la tradition familiale. Personne ne disait : " Je compte bien que tu fasses ceci ou cela. " Non, rien d'aussi explicite. Le message était plutôt du genre : " La famille Rockefeller dispose de toute cette richesse pour de bons et solides programmes sociaux, il est donc de ton devoir, en qualité de membre de cette famille, d'assumer un poste de responsabilité ". »

Chez les cousins, pas de révolte ouverte comme chez leurs sœurs. Leurs sentiments, ils les exprimaient par divers petits gestes qu'on pouvait ne pas interpréter comme des marques d'antagonisme. Ainsi Larry, qui avait hérité de son père un goût prononcé pour l'écologie, donna 10 000 dollars à la Défense légale du Sierra Club, à peu près au moment où cette organisation était aux prises avec son père à propos du parc national des Séquoias. Mais, en règle générale, tout se passait comme si Nelson avait été le dépositaire de toute l'énergie, de toute l'ambition, de tout le « machisme » rockefellériens, et les consumait au feu de sa propre quête du pouvoir. L'attitude de son fils Steven laissait présager de l'avenir. Sorti diplômé de Princeton en 1957, Steven entra au Service des loyers du Rockefeller Center. C'est là que son père avait débuté, vingt-cinq ans plus tôt ; le jeune et bouillant Nelson avait trouvé là une chance de faire ses preuves aux yeux de Junior en contribuant à faire fonctionner l'entreprise la plus aventurée de la famille ; Steven, au contraire, trouva absurde et peu digne de lui de s'occuper du florissant Rockefeller Center, et ne tarda pas à donner sa démission.

Logiquement, c'est à Rodman, frère aîné de Steven et premier mâle de sa génération, qu'aurait dû échoir le rôle de chef de file. Il avait d'ailleurs du goût pour ce genre de rôle et, en outre, le don des affaires. Sa vision du monde le rangeait du côté des frères plutôt que de celui des autres cousins (interrogé sur ce que « ça lui faisait » d'être un Rockefeller, il avait répondu : « Vraiment, je ne saurais vous dire, n'ayant jamais été rien d'autre... ») ; s'il avait nourri quelque doute sur ce que représentait l'identité rockefellérienne, il en était venu à bout bien avant de quitter l'université, et sans conflit intérieur apparent.

Dans son bureau présidentiel de l'IBEC, au Rockefeller Center, Rodman est assis, une de ses longues jambes reposant sur l'autre, sans prêter attention au fait que le revers de son pantalon est remonté bien au-dessus de sa socquette. Clignant des yeux derrière ses épaisses lunettes, comme s'il avait trop lu, il évoque l'image d'un homme oscillant entre deux mondes. Son visage, dénué de toute ride, est étrangement poupin pour un homme de quarante-quatre ans; sa tignasse est grise, mais moutonne en boucles juvéniles; il est le principal dirigeant d'une des plus grosses sociétés du pays, mais les gens l'appellent Roddy. Rodman évoque sa vie comme si elle était une simple resucée de celle des frères; il gonfle par endroits son récit pour tenter d'accroître l'étendue de son rôle. Sa jeunesse a été très heureuse, « parce que père m'a toujours associé à ses affaires : je ne me suis donc jamais senti séparé de lui ». Comme Nelson, il a fréquenté Dartmouth (où l'un de ses anciens camarades, le cinéaste Bob Rafelson, se revoit assis derrière lui, en classe, reluquant avec étonnement la longue écharpe de cachemire au bas de laquelle le nom de Rodman C. Rockefeller s'étalait pompeusement en très gros caractères). Pendant les grandes vacances, il accompagnait son père en Amérique du Sud; à seize ans, Nelson l'inscrivit pour plusieurs semaines dans un institut vénézuélien d'agronomie. L'influence latino-américaine se manifesta d'ailleurs dans le choix du sujet de sa thèse de fin d'études en économie politique : « L'effet des décisions US sur la balance des paiements brésilienne. »

Ses études terminées, il passa deux ans parmi les troupes US cantonnées en Allemagne. A son retour, il entra à l'École supérieure de Commerce de Columbia. Le conseil de Nelson avait été entendu : « Entre dans une des institutions de la famille, et utilise-la comme véhicule de tes intérêts personnels. » Il fut un moment question de le faire entrer salle n° 5600 pour seconder Laurance, mais les frères furent finalement d'avis que Roddy n'était pas de taille et n'inspirait pas un respect suffisant aux autres cousins; ils devaient plutôt se tourner vers Michael, Steven et Jay. Son oncle David, estimant qu'un poste de cadre supérieur à la Chase serait bien dans les cordes de Rodman, lui offrit une place; mais Rodman avait déjà reçu une offre qu'il ne pouvait repousser — de Nelson lui-même. En 1960, il entra à l'IBEC à la tête de la Section Logement, et gravit régulièrement les échelons du pouvoir jusqu'en 1969 où il devint président de la société paternelle.

Chemin faisant, il avait copié certains maniérismes rockefellériens, peut-être supportables dans les générations précédentes, mais bien déplacés dans la sienne. Une des vieilles amies de son père, Linda Storrow, veuve de Frank Jamieson, évoque une rencontre avec Roddy dans une villégiature du Nantucket. Elle invita Rodman et sa femme à sortir prendre un verre; au moment de régler l'addition, elle lui demanda son avis sur le montant du pourboire. Il répondit que 10%, c'était parfait. Elle, par contre, trouvait ça un peu maigre. Réponse de Rodman : « Mon arrière-grand-père laissait toujours 10% de pourboire; il trouvait ça suffisant, et moi aussi. »

Rodman s'engagea avec enthousiasme dans le parti républicain, milita avec ardeur à New York, fit campagne en espagnol pour son père parmi la communauté portoricaine, fidèlement, tous les quatre ans. Il devint l'un des membres les plus influents de l'église du Riverside. Il admettait en règle générale toutes les initiatives de la famille. Son seul point de désaccord : il n'était pas accepté par les frères comme un associé à part entière dans leurs entreprises! « Loin d'être pour moi un problème, le fait de m'appeler Rockefeller m'a permis de me développer au maximum. Je n'ai jamais traversé de moments de crise ou de doutes dus à mon nom. Un jour, j'ai été traité de " gros richard " par un jeune DuPont, je présume; bon, nous avons tous nos croix à porter. Je suis comme père : honnêtement, je peux affirmer que ma qualité de Rockefeller n'a jamais été un fardeau pour moi. Il n'y a pas l'ombre d'un doute là-dessus. »

Les autres cousins ont l'impression que si Roddy a fait un tel choix, c'est pour éviter tout conflit avec Nelson. Quoi qu'il en soit, le fait même qu'il n'ait jamais éprouvé le « moindre doute » a constitué à leurs yeux une raison suffisante pour repousser ses tentatives maladroites en vue de devenir le chef de file de leur génération et leur porte-parole. Roddy affirmait avoir trouvé une sorte d'épanouissement à travailler sous la marque institutionnalisée des Rockefeller? Mais alors, comment trouver plus excentrique parmi eux — hormis Sandra avec sa paranoïa!... C'était d'autant plus vrai qu'une adhésion si absolue à la lettre de la loi rockefellérienne (exigée de la génération précédente par Junior) n'était vraiment plus nécessaire. Aucun des frères n'avait assez d'enthousiasme pour vouloir assumer le rôle de gardien de la tradition familiale; aucun n'était prêt à excommunier quiconque sortait des rangs. Ainsi, Rodman semblait avoir fait un sacrifice presque vain en décidant une fois pour toutes de gommer sa personnalité.

Aucun autre cousin ne devait suivre cette voie. Ils allaient user d'échappatoires, temporiser, ruser, recourir à toute sorte de biais pour éviter une rupture complète avec la famille; mais aucun ne soutiendrait, comme Rodman, que la famille l'avait aidé à se développer au maximum. Bien au contraire, être un Rockefeller de cette farine était, aux yeux des autres cousins, ou bien par trop ridicule (comme dit Steven), ou tout simplement impensable dans l'Amérique d'après le Vietnam. Au sein de la famille, il est communément admis que Roddy, comme son oncle John, a été " victimisé " par sa situation de premier mâle de sa génération.

A la différence de son cousin, le « Jeune David » (comme on l'appelle au Bureau, l'expression évoquant l'image d'un prétendant à quelque trône) est à la fois plus subtil et plus raffiné. A trente-cinq ans, le fils aîné du président de la Chase Manhattan Bank n'a pas atteint la corpulence de son père, mais une bonne petite couche de graisse s'est mise à gonfler sous l'effet d'un malaise psychologique : son impuissance, étalée sur dix ans ou presque, à décider de son propre avenir.

Assis dans son bureau particulier du centre de Boston, David Jr donne une impression plutôt désinvolte pour un ex-directeur général adjoint de la Boston Symphony, poste qu'il occupa six années durant avant de le quitter, il y a peu, pour louer ce local afin de « mettre les choses au point ». Au centre de sa vie, la musique. Baryton accompli, il a monté à Boston une chorale de Bach fort prisée, appelée les *Cantata Singers* (chanteurs de cantates). Il est également l'un des promoteurs de la méthode expérimentale Kodály destinée à enseigner la musique aux très jeunes enfants et que la Fondation Ford est en train de subventionner. (Lors de la venue à Boston de Mrs. Kodály, veuve du compositeur hongrois, David Jr engagea un pianiste afin qu'ils pussent chanter l'un pour l'autre.) « La musique est chez moi une passion, qui m'a conduit à accepter des responsabilités administratives en qualité d'exécutant et de gestionnaire. C'est le fil conducteur de ma vie. C'est une bonne nourriture de l'âme, mais dans quelle mesure elle nourrit également le sens des responsabilités, c'est une autre question. Le gros problème, pour moi, c'est de savoir à quoi je passe ma vie. »

Après une foucade de jeunesse pour la poésie, florissante à Exeter, le jeune David repenti entra à Harvard pour préparer un diplôme d'économie avec la bénédiction de son père, puis il fréquenta la faculté de droit de Harvard ; ensuite, une année d'études supérieures d'économie à Cambridge, avant d'entrer en plein dans ce conflit entre désirs et devoirs qu'aucune instruction au monde ne saurait abolir. Quel chemin allait emprunter sa vie ? Six années durant, il différa la décision : il devint vice-président de la Boston Symphony (activités commerciales et relations publiques) ; il prit même part à des séminaires à l'École supérieure de commerce de Harvard, présentant une étude intitulée « Une étape décisive dans l'histoire récente de la Symphony » — uniquement pour conférer plus de poids à son travail aux yeux de son propre père.

Mais, silencieux, le reproche paternel était omniprésent, condamnant cette passion pour la musique comme une simple marotte (un peu comme une collection de coléoptères) ; y consacrer sa vie — surtout une vie Rockefeller — était impensable. Mais la seule chose susceptible de rendre son père tout à fait heureux, David Jr ne voulait en entendre parler à aucun prix. Quand on finit par évoquer devant lui l'éventualité d'un avenir à la Chase, la réponse de David Jr est toute vibrante de sarcasmes contenus : « Je pense qu'il y a suffisamment de népotisme à la banque. Si ce n'était le cas, ma présence en créerait un. » Les motivations, soigneusement dosées, qu'il invoque pour expliquer son inébranlable opposition, prouvent à l'envi qu'il ne tient pas de famille pour ce qui est du manque de scrupules : « Du point de vue du moral au sein même de la banque, ce serait à mon avis un désastre que je mette mes pas dans ceux de mon père. S'il est une chose dont notre famille n'a nul besoin, c'est d'irriter à nouveau des milliers et des milliers de gens. La question de savoir si nous réussissons par mérite ou par piston est déjà bien assez compliquée. »

La Chase est donc exclue ; l'Université Rockefeller aussi (cédant à son père, David Jr a néanmoins accepté de faire partie de son conseil d'administration). Dans ce cas précis, à son avis, le problème est un problème de direction : « Mon père a succédé à son père au poste de président du conseil d'administration de l'Université. Ces fonctions n'ont jamais été occupées par un non-Rockefeller, que je sache. Sous cette direction, l'institution a très bien fonctionné. Trois conclusions possibles : c'était un féodalisme sain ; sain pour l'époque, peut-être, mais plus maintenant ; ou bien il n'a jamais été sain. Pour ma part, j'inclinerais à penser que ce féodalisme, en son temps, ne fut pas malsain. Ce n'est pas à moi de me prononcer pour le présent. C'est à l'université. Quant à moi, je ne me vois pas en train de me donner tout entier à la présidence de cette université. C'est une énorme institution, et pour en assumer la direction, il me faudrait m'engager à fond. C'est exclu. Je ne me vois pas y consacrer ma vie. »

En fin de compte, tout se réduit à une question de temps et d'identité : « Une des choses les plus importantes qui me soient arrivées ces dernières années, c'est d'apprendre à dire *non* sans me sentir coupable. Quand une sollicitation promet de me prendre beaucoup de temps, je deviens aveugle et sourd, sauf si elle cadre avec ma personnalité. Quand des gens de notre génération assument des positions d'autorité qui coïncident avec leurs goûts et leur personnalité, ça peut marcher, mais si cet engagement est d'abord suscité par un sens abstrait des responsabilités, ça ne marche pas. Aucun de nous n'acceptera plus de vivre avec un sentiment de responsabilité suspendu au-dessus de sa tête comme une épée de Damoclès. »

Le jeune frère de David Jr, Richard, est à l'heure actuelle le seul « héritier » mâle putatif de la banque qui, sous la houlette de David Sr, est devenue le centre de la puissance financière et du réseau d'influences de la famille. Photographe de talent, pilote amateur, Richard occupe un appartement à Cambridge, dans l'une de ses rues résidentielles bordées d'arbres. Impossible de s'y méprendre, c'est un logement d'étudiant. Dans la chambre, deux gigantesques défenses d'éléphant juchées sur des piédestals s'élèvent à la verticale jusqu'à près de deux mètres ; parfait pour y accrocher sa chemise... et le voici devant vous avec son corps d'athlète qui a l'air d'un vivant reproche adressé à son père et à son frère aîné, à leurs physiques moins gymnastiqués. Ces défenses d'éléphant, c'est un don de son père ; on les lui a offertes lors d'un récent voyage en Afrique, explique-t-il. Il les a eues, ajoute-t-il avec un petit rire (goûtant l'absurdité de la chose sans parvenir à éliminer totalement un certain sentiment de gêne), parce que son père « en avait déjà une paire ».

Richard sait fort bien ce qu'on attend de lui, mais il est moins réservé que David Jr dans l'expression de son opinion : « Je suis soumis à de fortes pressions, non seulement de la part de mon père, mais aussi de ses collaborateurs, pour m'amener à diriger soit le Bureau de la famille, soit la Fondation Rockefeller. Suis-je capable de franchir tout l'abîme qui sépare un dilettante d'un homme de la Renaissance? La question est là. » Cet abîme, l'argent est impuissant à le combler. Évoquant un projet qui l'avait séduit dans le domaine de l'éducation (diplôme en poche, il avait passé plusieurs années à l'Institut pédagogique de Harvard), il déclare avec véhémence : « Je ne voudrais pour rien au monde recourir à la Fondation Rockefeller pour me financer. Autant renoncer définitivement à établir mon identité. Si j'acceptais cet argent, comment saurais-je pourquoi les gens m'écoutent? Pour mon argent ou pour moi? Divers membres de la famille ont dirigé des institutions, mais ils n'ont jamais rien *produit*. Si jamais je parvenais à créer quelque chose, j'aurais à cœur de réussir par mes propres moyens. J'ai besoin de savoir ce que je suis capable de faire tout seul, sans l'aide de personne. »

Ce projet envisagé par Richard consistait à rédiger une étude critique des universités américaines, un peu à la manière d'un guide Michelin de l'enseignement supérieur. Comme la poésie chez son frère aîné, ce projet, aux yeux de la famille, n'avait pas assez de consistance pour justifier le rejet de tout engagement dans une institution familiale; son père, en particulier, n'en pensait pas grand bien. Richard évita le plus longtemps possible de prendre une décision. Puis, à l'automne 1974, à la suite d'un voyage d'affaires où il avait accompagné son père au Moyen-Orient, il annonça à sa famille qu'il avait fait son choix pour l'avenir : entrer à la faculté de Médecine. Cette ingénieuse solution satisfaisait à la fois son désir personnel de se spécialiser et l'obligation rockefellérienne « de se dévouer » pour les autres, tout en le mettant à l'abri des ambitions que la famille nourrissait pour lui en direction de la Banque, du Bureau ou de la Fondation.

Politiquement et personnellement, la révolte de leurs sœurs a puissamment aidé Richard et ses autres cousins; par son caractère radical, elle a en quelque sorte fourni une ombre tutélaire à leurs efforts plus modérés en vue de se ménager un coin bien à eux, hors de portée de la famille. Leurs enfants avaient d'ailleurs découvert que les frères eux-mêmes avaient, de leur temps, sans en avoir eu conscience, étendu la marge de manœuvre des Rockefeller sans pour autant être accusés par Junior de tout chambouler. Les frères n'avaient certes pas agi intentionnellement, mais ç'avait été là comme un produit dérivé de leur propre adaptation de jeunes hommes au nom et au rôle. Soyons justes : l'ironie de Laurance, ne pouvait-on y déceler une sorte de révolte? Quoi qu'il en fût, cette ironie lui avait permis d'élargir cet espace intérieur qu'il n'était pas de bon ton d'explorer chez les Rockefeller, et d'opposer une sorte de détachement abstrait à l'imposant sérieux dont Junior avait entouré la mission familiale. En subordonnant tout, absolument tout, à sa propre carrière, Nelson n'avait-il pas créé un précédent aux propres efforts des cousins pour se donner dans la vie des buts personnels? Mais surtout, il y avait eu Winthrop. Sensibles aux manquements moraux de sa conduite scandaleuse, les cousins lui étaient cependant reconnaissants d'avoir montré jusqu'où l'on pouvait aller — dans le comportement et l'éloignement géographique — sans être complètement exclu. Comme le dit Steven : « Win l'a payé cher, très cher, mais sa révolte ne manquait pas de cran, et il a suivi sa propre voie. Sans rompre totalement avec la famille, il a tenté de se refaire une nouvelle vie, de A à Z. D'une certaine manière, c'est un modèle pour nous tous. En particulier pour quelqu'un comme Jay, par exemple. »

Jay, trente-sept ans, beau et raffiné, en conviendrait : il est le bénéficiaire le plus direct de la petite révolte de Winthrop. Combien de nuits n'a-t-il pas passées avec son oncle reclus à Winrock, à le regarder ingurgiter du Scotch à pleins gobelets, à écouter ses récits incohérents, à ressentir tout son pathétique! Immense (près de deux mètres), Jay est si svelte que les citoyens de Virginie occidentale l'appellent « la grande perche ». Mais ses gestes sont empreints d'une sorte de grâce (est-ce parce qu'il a fait du basket à Exeter, puis à Harvard dans l'équipe de première année?). Confortablement installé dans le bureau où il passe le plus clair de son temps en qualité de président du Wesleyan College (Virginie occidentale), il regarde par sa fenêtre les étudiants arpenter les allées de Buchanan. Lorsqu'il parle, c'est à la façon agréablement familière de celui qui a tout fait pour abolir en lui toute trace seigneuriale. Il ne répugne pas à l'argot, et il en sait bien plus long sur la cuisine du base-ball professionnel (sa connaissance de ce sport, jusque dans ses plus futiles détails, est pratiquement encyclopédique) que sur ce qui se passe au Bureau de la famille Rockefeller. Il tient beaucoup à affirmer l'étroitesse de ses liens avec ses aînés Rockefeller (c'est avant tout une décision politique : il a compris que ses ambitions présentes exigeaient qu'il fasse corps avec eux), mais le récit de sa venue en Virginie montre qu'il a plutôt conclu une paix séparée avec la famille.

Son passage à Exeter Academy n'avait pas été des plus marquants. Rien ne révèle mieux toute la différence entre son père et lui que sa passion sans bornes pour les sports : JDR 3 avait réussi à grandir au cœur de New York sans jamais assister à un match où jouaient les Géants, les Yankees ou les Dodgers [1]. Jay, par contre, était un athlète-né, comme sa mère Blanchette. (Le père de Blanchette avait invité un professionnel du tennis à venir habiter au domaine Hooker, à Greenwich, pour perfectionner le jeu de ses quatre filles.) Au cours de sa première année à Harvard, Jay trouva beaucoup de plaisir à faire partie de l'équipe de basket de première année : il avait ainsi l'occasion « de se réunir avec quinze gars de milieux complètement différents ». Mais il ne tarda pas à se retrouver entraîné, tel un automate, sur un chemin et dans des activités plus conformes à ses origines et à son avenir. Il entra dans l'un des clubs les plus fermés de Harvard. Tout se passait comme s'il n'avait aucune solution de remplacement à opposer à ces choix; il était pourtant pleinement conscient de leur banalité. « J'étais incapable de résister aux forces qui m'entraînaient dans cette voie. On s'attendait plus ou moins à me voir faire certaines choses; alors, bon, je les faisais. En fait, je n'aimais pas les faire, mais j'aurais été incapable de me l'avouer à moi-même, et encore moins de me révolter. »

1. Fameuses équipes de base-ball. (*N.d.T.*)

Troisième année universitaire, sans gloire; il sentait l'étau se resserrer sur lui; s'il continuait ainsi, il n'allait pas tarder à se retrouver hors de l'université, installé au sein du Bureau de la famille; c'est alors que les choses mûrirent. Désemparé par ce qu'il appelait « la gadoue générale de Harvard », il alla trouver le professeur Edwin O. Reischauer, ancien ambassadeur au Japon, ami de JDR 3. « Je lui ai dit que, vraiment, je n'étais pas satisfait de ma vie, et que je n'avais pas l'impression d'en faire bon usage. Je lui ai fait part de mon désir de changer de cap et de me tourner vers autre chose, sans cette impression de marcher droit devant moi à l'aveuglette. »

Les deux hommes en vinrent naturellement à parler de l'Extrême-Orient. Jay y était allé avec JDR 3 à l'occasion d'une de ses tournées annuelles. Il avait particulièrement aimé le Japon, précisa-t-il. Reischauer lui suggéra d'y faire un séjour d'études d'un an. C'était la solution idéale : rien d'étranger à la tradition familiale; pourtant, à la différence de son père, Jay ne serait pas le personnage symbolique venu révéler l'Amérique aux Japonais, mais un étudiant américain anonyme. Pour utiliser le jargon sportif dans lequel Jay était passé maître, c'était une « bonne attaque par la bande ».

En 1958, il partit s'installer dans une famille bourgeoise de Tokyo. Il lui était loisible d'utiliser le « Sésame » rockefellérien et de sortir de l'anonymat quand il en avait assez ou qu'il désirait assister à une réception diplomatique. A part ça, il était comme tout le monde... Son regard se met à errer sur le grand paravent japonais peint à la main qui orne le mur de son bureau, et il poursuit : « Quand je suis arrivé là-bas, j'ai travaillé dur. Je me suis lancé à fond. Un vrai moine. A 5 h 30 tous les matins, j'étais assis dans ma chambre, les jambes en tailleur, sur une natte de bambou, environné de livres. Je suivais les cours, parlais aux étudiants, lisais constamment. Au bout d'un certain temps, les choses se sont mises à changer pour moi. J'ai commencé à me sentir mieux dans ma peau. »

Ses trois années au Japon lui donnèrent un répit; il le mit à profit pour se préparer à l'épreuve à venir : une vie entière de Rockefeller. Dans le même temps, il découvrit que, pourvu qu'il pût prétendre à un domaine strictement personnel, le nom, loin de constituer un obstacle, pouvait aussi l'aider. « Plus ou moins consciemment, je crois que j'étais en train de dissiper les doutes que pouvait avoir fait naître en moi mon appartenance à la famille Rockefeller. Tous mes problèmes antérieurs semblaient trouver leur solution, mais, d'une certaine manière, sans mon intervention personnelle. » A l'heure où sa sœur Sandra tentait de renoncer à son nom et à son héritage, Jay les revendiquait pleinement : John Rockefeller devenait John Davison Rockefeller IV.

Au cours de son séjour au Japon, il rentra par deux fois aux États-Unis : lorsque son père lui demanda par lettre de rendre visite à son grand-père gravement malade et lorsqu'il reçut le télégramme lui annonçant la mort de Junior. La façon dont lui parvint la nouvelle apparaît comme une illustration de la puissance peu commune qui résidait dans ce seul nom auquel une partie de lui-même se sentait liée. « Je me trouvais au beau milieu de la jungle cingalaise — littéralement au beau milieu — en visite chez un vieil ami. Comment ont-ils réussi à me localiser? Je l'ignore encore à ce jour. Toujours est-il que je vis venir à moi un indigène, dans ce bled perdu; il me demanda si j'étais Mr. Rockefeller. Oui. Il me remit alors le télégramme de mon père. »

Jay monta à bord d'un avion en partance pour New York, assista aux cérémonies funèbres en l'honneur de Junior, puis, prenant à peine le temps de souffler, s'en retourna au Japon. L'insomnie aidant, tout cet épisode resta gravé dans son esprit comme une sorte d'hallucination; Jay y vit la preuve qu'il avait agi au mieux en décidant de ne pas nager à contre-courant de la tradition qui le portait. « Ce fut un temps fort, un moment clé de ma vie, une de ces expériences où vous vous sentez submergé à la fois en vous-même et par ce qui se passe autour de vous, et qu'il vous est ensuite difficile de décrire. Tout m'y parlait de moi, de mon identité, de mes origines. Je me rappelai avoir écrit à grand-père lors de mes vingt et un ans, pour lui demander solennellement la permission de faire usage du nom complet [1]. Il m'avait répondu par une lettre très impressionnante. Il était fier de ma requête. Sa mort fut pour moi un événement considérable. C'était plus que la disparition d'un homme; c'était l'Histoire elle-même qui s'en allait. »

L'histoire qui s'estompait, en fait, n'était autre que celle qui, dans la génération de son père, avait imposé des obligations spéciales au détenteur du nom dynastique. Jay se retrouvait — avec sérénité, désormais — le quatrième John Davison Rockefeller, mais cela ne devait changer en rien la ligne indépendante qu'il avait jusque-là choisie. Quand il rentra de Tokyo, et tout en sachant fort bien que les frères voyaient en lui le candidat idéal pour diriger la salle n° 5600, il ne se rendit pas à New York mais à Cambridge. 1961 : il réintégra Harvard, cette fois en étudiant assidu, et passa en un temps record tous les examens de langue, littérature et histoire japonaises que pouvait proposer cette université; dans le même temps, il commença l'étude du chinois. Il était si terriblement pressé qu'il partit s'inscrire à Yale (où il avait été admis comme étudiant diplômé en langues orientales) avant même la remise des diplômes à Harvard.

Au départ, il avait l'intention de terminer son doctorat en quatre ans; mais, au bout de la première année, son enthousiasme retomba aussi vite qu'il était né. On aurait dit que son obsession de l'Extrême-Orient avait rempli son rôle, consumé ses incertitudes quant à l'identité rockefellérienne, et qu'il pouvait à présent la mettre au rebut. « J'avais l'impression que ma fièvre était tombée; désormais, je n'avais plus besoin de cette sorte d'engagement passionné », dit Jay. Ayant intuitivement compris qu'il avait passé le cap où ne s'offraient à lui que deux choix également impossibles — tourner le dos à sa famille ou être utilisé par elle —, il se mit à songer aux voies par lesquelles son statut de Rockefeller l'aiderait à satisfaire son besoin inné « de faire quelque chose de valable » (citation), sinon pour l'humanité

---

1. Il veut dire : avec le « middle name » Davison. (*N.d.T.*)

tout entière — dans le droit fil de la tradition rockefellérienne —, du moins pour lui-même.

Au cours de son séjour au Japon, Jay avait écrit pour *Life* un article où il mettait en relief les raisons de l'agitation de la jeunesse japonaise : il n'en fallait pas plus, au début des années 1960, pour être considéré comme « engagé »... Et voilà Jay, après son retour à Harvard, appelé par l'administration Kennedy à siéger au comité consultatif du nouveau Corps des Volontaires de la Paix[1]. (« Par déférence pour mon oncle Nelson, je m'étais d'abord inscrit au parti républicain — je ne voulais pas le gêner politiquement —, mais j'avais voté Kennedy et je me considérais comme engagé dans tout ce processus de renouvellement qui secouait le parti démocrate. ») Bon début pour un jeune homme ambitieux et bien introduit comme Jay. En 1962, il quitta l'Université et devint l'assistant de Sergeant Shriver[2]. L'une de ses tâches consista à rencontrer des gens en vue de recruter du personnel pour le Corps des Volontaires de la Paix. Un jour, il reçut un appel téléphonique de Robert Kennedy, ministre de la Justice : il lui signalait qu'il allait lui envoyer un bon candidat pour quelque poste important. Jay interrogea le candidat, mais le raya des listes. « Environ dix jours plus tard, nouveau coup de téléphone. Le ministre de la Justice me dit : " Écoutez, cette affaire me tient à cœur. " Je répondis : " A moi aussi elle me tient à cœur. " Match nul. Cet incident marqua le début d'une fort bonne entente avec Bobby. »

Pour un jeune expert (Jay commençait à se considérer comme tel), le Corps des Volontaires de la Paix était l'idéal : « Les dossiers ne moisissaient pas ; les promotions et les carrières non plus. Depuis mon séjour au Japon, je n'avais cessé de rêver au moment où je deviendrais le premier ambassadeur US en République populaire de Chine — au point d'y croire dur comme fer. Je quittai donc le Corps des Volontaires pour le département d'État, afin d'acquérir une " réelle " expérience en ce domaine. » Ceci se passait en 1963. Au cours des quelques mois qui suivirent, il travailla comme assistant personnel de Roger Hilsman[3], puis comme troisième secrétaire pour les Affaires indonésiennes. « Au fond, j'avais à préparer tous les matins les dossiers de Hilsman, à classer les télégrammes " strictement confidentiels ", entre autres activités du même ordre. »

Quand Hilsman fut congédié par Lyndon Johnson, qui le trouvait trop peu enthousiaste pour la guerre du Vietnam, Jay se retrouva confronté à un problème. Il aurait pu entrer dans la carrière : son père avait suffisamment de relations au département d'État. Mais ses débuts seraient alors plus humbles qu'il ne le souhaitait, et il n'aurait pas l'impression de réussir par

1. Fondé par Kennedy, pour porter secours à la misère des pays sous-développés. Utilisé, hélas, à d'autres fins. (*N.d.T.*)
2. Premier dirigeant des Peace Corps fondé sous Kennedy. Ambassadeur en France (1968-1970). Candidat à la vice-présidence, en 1972, sur le ticket de MacGovern. (*N.d.T.*)
3. Né en 1919. Militaire. Carrière de type universitaire. Recherches sur l'Intelligence Service, le Secret, la Défense. A fait partie de la CIA. (*N.d.T.*)

lui-même. Sa physionomie de vedette de cinéma avait fait de lui l'un des célibataires les plus entreprenants et les plus entrepris du tout Washington (il habitait une élégante demeure avec piscine chauffée, Volta Place, et faisait la navette d'une réception à l'autre dans sa XKE, toujours en compagnie d'une charmante cavalière), mais il ne se sentait pas vraiment à l'aise dans la capitale fédérale. Il était bien trop Rockefeller pour cela.

L'univers de la politique l'attirait. Non pas le monde où évoluait son oncle Nelson — au dire de Jay, en tout cas — mais celui, plus neuf, des Kennedy, qui avait transformé la société washingtonienne et donné un air de fantaisie aux intrigues et à la fièvre d'arrivisme qui y sévissaient. La politique était à présent un monde mieux analysé par un Norman Mailer[1] que par un Joseph Alsop[2], une arène idéale pour tout jeune ambitieux qui s'efforçait de faire son choix dans la caverne d'Ali Baba. Jay décida qu'il lui plairait de revenir à Washington un jour — mais comme élu.

Par où commencer? S'il voulait éviter de tomber à tout bout de champ sur sa famille, il fallait de toute évidence fuir l'axe New York-Washington, professionnellement et physiquement. (Sa place d'administrateur de la Fondation Rockefeller, qu'il avait accepté d'occuper aux côtés de son père, il la considérait comme un lien utile, à la fois familial et financier, non comme une responsabilité fondamentale.) Tandis qu'il y réfléchissait, un vieil ami du Corps des Volontaires de la Paix, Charlie Peters (bientôt rédacteur en chef du *Washington Monthly*) l'entretint de la Virginie occidentale où le massif des Appalaches était devenu un haut lieu symbolique du fait de la coopération entre Michael Harrington[3] et les Kennedy. Peters organisa pour Jay un survol de la région afin qu'il se fît une idée de sa désolation. L'impression fut marquante. Mais Jay avait également envisagé de s'intéresser à la communauté américano-mexicaine de Californie du Sud. Il partit en avion voir le *barrio*[4] de Los Angeles : « Pendant le voyage de retour, raconte-t-il, j'établis une liste détaillée des pour et des contre. Virginie occidentale ou Los Angeles? Très Rockefeller comme procédé, je l'admets, quoique assez peu dans ma manière. » Il avait le choix : les deux communautés présentaient des problèmes qui ne tarderaient pas à mettre en vedette l'homme qui s'en occuperait. Finalement, c'est le parler des Virginiens de l'Ouest, assez proche du sien, qui emporta sa décision. D'après les statistiques officielles, 31 % des Virginiens vivaient au-dessous du seuil de pauvreté.

La décision de Jay était intervenue avant la création de l'OEO[5] ou de VISTA[6]. Comment prendre pied en Virginie occidentale, légitimement, sans

---

1. Écrivain américain progressiste, rendu célèbre par un roman publié après la Deuxième Guerre mondiale, *les Nus et les Morts*. Auteur d'ouvrages journalistiques sur les Conventions des deux grands partis, etc. (*N.d.T.*)
2. Célèbre journaliste conservateur. (*N.d.T.*)
3. 1928. Sociologue autodidacte. Auteur de *The Other America*, 1962, où il fait une analyse de la pauvreté aux USA. (*N.d.T.*)
4. Faubourg où vivent les Mexicains. (*N.d.T.*)
5. Office of Economic Opportunity. (*N.d.T.*)
6. Voir note p. 481. (*N.d.T.*)

s'attirer une belle étiquette d' « aventurier nordiste » (*carpetbagger*) calligraphiée en lettres d'or? A l'approche du but, il n'était plus question de faire la fine bouche et d'hésiter à tirer les ficelles rockefellériennes. Il appela Bobby Kennedy. qui s'arrangea pour le faire nommer à la Commission présidentielle sur la délinquance juvénile, qui avait une agence (Action pour la jeunesse appalachienne) en Virginie occidentale.

Il débarqua à Charleston en 1964 : un travail de bureau l'attendait dans la capitale de l'État. Mais, compte tenu de ses perspectives d'avenir, il lui fallait constamment côtoyer les gens. Il choisit une région à quelque 80 kilomètres de la capitale de l'État, le comté d'Emmons où, d'après lui, « sur deux cent cinquante-six familles, treize seulement n'étaient pas au chômage ou employées au travail noir ». Il acheta une petite caravane qu'il parqua de manière à pouvoir rester là plus longtemps et à s'efforcer de venir à bout de la méfiance que ces montagnards réservent généralement aux agents électoraux républicains et aux percepteurs.

Finalement, il y passa deux ans. « La communauté, pas forcément à cause de moi, se mit à reprendre vie. Un jour, nous apprîmes qu'une ville voisine avait condamné une école primaire et s'apprêtait à la démolir. Nous l'achetâmes pour 75 dollars et la ramenâmes à Emmons sur des camions à plate-forme; reconstituée par nos soins, elle devint un centre communautaire utilisé à plein temps, hormis le dimanche matin. » Ce genre de travail allait valoir à Jay ses premiers galons tout en lui procurant une bonne couverture pour sa secrète ambition : se présenter aux élections. Au début de 1966, il adhéra au parti démocrate. En novembre, il fut élu au parlement de l'État avec une confortable majorité.

Il était Virginien de l'Ouest comme son oncle Winthrop était Arkansien : un étranger toléré en raison de sa célébrité et des avantages qu'il pouvait valoir à la région. Winthrop avait fait une ponction de 35 millions de dollars dans la grande fortune familiale pour en faire bénéficier son État d'adoption et l'on pensait que Jay pourrait bien l'imiter (cette attente se trouva déçue). Aux yeux des Virginiens, la magie du nom des Rockefeller devait attirer sur l'État une pluie de capitaux et de subventions gouvernementales. Quoi qu'il en soit, Jay disposait tout de même d'assez d'argent pour dépenser 300 000 dollars par an à entretenir un état-major privé chargé d'étudier les problèmes et les possibilités de développement de l'État. Autre point de ressemblance avec Winthrop : c'est à Jay que revint la mission symbolique d'annoncer l'avènement réel du xxe siècle en Virginie occidentale, et de conférer une renommée certaine à l'État.

1967 : Jay épousa Sharon Percy, blonde comme les blés, fille du sénateur de l'Illinois, que Jay avait rencontrée alors qu'elle travaillait dans l'équipe de John Lindsay, membre du Congrès à l'époque. Le mariage montra que Jay n'avait pas tout à fait renoncé à son identité familiale au profit des collines et des vallées appalachiennes. Fort galamment, il prétendit que les Percy avaient tout organisé, mais le rituel du mariage fut sans conteste du plus pur style rockefellérien. La célébration eut lieu dans la chapelle

Rockefeller de l'Université de Chicago (appelée ainsi en l'honneur de son arrière-grand-père). La marche nuptiale fut jouée sur les gigantesques orgues offertes par Junior. Les notables présents — les Mark Hatfield, les John Lindsay, les George Romney et divers Rockefeller — furent conduits à leurs places respectives par Amyn Khan, fils d'Ali Khan et ancien condisciple de JDR 4 à Harvard.

A la différence de son oncle Winthrop, Jay ne se construisit pas un Jayrock. Même s'il avait disposé des fonds nécessaires, ce n'était pas dans le style de sa génération ; aucun des cousins ne ressentit le besoin de recréer Pocantico. Non, le jeune couple alla s'installer dans une maison de campagne relativement modeste — pour un Rockefeller — à Barberry Lane, près de Charleston. La fragilité de lotus des objets d'art oriental que Jay avait ramenés du Japon s'y trouva mêlée à un bric-à-brac d'antiquités de l'époque coloniale, créant ce que Sharon Percy Rockefeller appelait « une maison jeune ». En outre, Jay acheta 500 hectares dans le comté de Pocahontas, dans l'intention d'y construire ultérieurement une maison de campagne. En 1968, après la désignation de Jay au secrétariat général de l'État, et tandis qu'il s'acheminait sans coup férir vers le gouvernorat, Sharon donna le jour à leur premier enfant. John (surnommé « Jamie ») aurait également le droit, à sa majorité, d'inclure « Davison » et « V » à son nom.

S'il décide un jour d'adopter à son tour le nom complet, Jamie n'aura pas à revivre les affres de son père. Pour lui, cette question n'aura pas plus d'importance que le choix, agréablement facultatif, entre telle association estudiantine ou telle autre. Simplement parce que son père a organisé sa propre vie de façon à n'être, d'une certaine manière, un Rockefeller que de nom. « C'est bizarre, cette histoire de nom, dit-il avec désinvolture. C'est comme l'argent : on finit par en arriver à l'accepter, tout simplement, sans se tracasser davantage. Voilà, je sais qu'il fait partie de moi et que je fais partie de lui, ce n'est donc pas la peine de se faire tant de bile à son sujet. »

Mais le nom n'en continuait pas moins à donner du fil à retordre à la plupart des cousins de Jay.

Vers la fin des années soixante, tout comme lui, ils en arrivèrent à organiser leur vie personnelle et à décider ce qu'ils *se refusaient* à faire. Mais, dans l'ensemble, ils n'étaient pas allés aussi loin que Jay, vedette de leur génération. Restait, pour la plupart d'entre eux, à trouver quelque moyen de se rattacher — au moins en apparence — à l'énorme appareil familial. Quelle serait l' « identité » des cousins en tant que groupe ? Comment allaient-ils dépendre de la salle n° 5600 ? Dans chacune de ces questions s'inscrivaient avec force leurs dilemmes respectifs.

CHAPITRE XXVIII

Le Bureau de la famille avait beaucoup changé depuis le retour des frères de la guerre. A cette époque, c'était encore une survivance de la grande période de Junior, avec un personnel à sa dévotion, choisi pour le servir et formé aux buts auxquels il avait consacré sa vie. Puis les frères l'avaient remodelé, adapté à la nouvelle accumulation de richesse et d'influence que devaient produire leurs propres carrières. Ce remaniement terminé, on eût dit que l'architecture victorienne du Bureau avait été transformée par ces techniciens du Bauhaus dont Nelson raffolait : le Bureau était devenu un instrument parfaitement efficace, adapté à la vie moderne. Aux yeux de la plupart des cousins, sa structure évoquait moins celle d'un groupe de collaborateurs évoluant autour d'un seul homme que le schéma d'une Société fonctionnant par organigrammes et sous-comités, détentrice d'une énorme puissance et consciente de ses propres fins bureaucratiques.

Aux yeux du monde — même des milieux plus sceptiques de Wall Street —, le mélange de mystère et de mystique attaché à ses activités lui conférait une allure d'officine byzantine : le *mysterium tremendum* de la dynastie Rockefeller. La salle n° 5600, c'était le haut lieu où les frères se réunissaient avec leurs amis et conseillers inspirés pour prendre les décisions qui allaient ébranler le monde; c'était l'antre de Merlin où les projets de nouvelles opérations étaient soigneusement dérobés aux regards, où se prenait la décision de faire jouer l'alchimie du nom, si efficace dans le pays, pour changer en or une poignée d'hommes. Mystère et mystique qui se trouvaient rehaussés du fait que fort peu de gens avaient jamais pu franchir les portes de verre de la salle n° 5600, arpenter les longs vestibules décorés de centaines d'œuvres d'art et pénétrer dans les lieux où s'élaboraient les grands choix touchant la famille Rockefeller.

Le centre nerveux de cette puissance, rayonnant le long des couloirs de la salle n° 5600, est le bureau de J. Richardson Dilworth. Le décor, évoquant le cabinet de travail d'un érudit plutôt que le bureau d'un dirigeant d'entreprise, est en harmonie avec la personnalité de cet ex-banquier dont les responsabilités englobent à présent l'administration de l'Université Rockefeller et de l'Institut d'études supérieures de Princeton (bénéficiaires de donations Rockefeller). Sur les étagères, des éditions reliées pleine peau des récits de voyages élizabéthains, dans un léger désordre d'ouvrages réellement lus et non pas achetés au mètre linéaire à quelque décorateur. Au-dessus du massif bureau Chippendale, le portrait d'un provincial chauve, à l'évidence prospère, en qui Dilworth reconnaît son arrière-grand-père, l'homme qui donna au jeune Andrew Carnegie son premier emploi à son arrivée aux États-Unis.

Sensible aux sollicitations de David et de Laurance, Dilworth avait lâché la Kuhn-Loeb en 1958 pour faire partie, avec John Lockwood et Frank Jamieson (remplacé après sa mort par Emmet Hughes), de la troïka qui dirigea la salle n° 5600. Au début des années soixante, le Bureau prenant de plus en plus l'aspect d'un état-major de Société, Dilworth devint son « général en chef », responsable devant un directoire composé des cinq frères, de quelques cousins, et travaillant en liaison étroite avec Laurance [1]. Dilworth a la charge de l'ensemble du fonctionnement régulier du Bureau, bien qu'il soit surtout spécialisé dans les importantes questions financières auxquelles les frères se sont trouvés mêlés au fil des années. Voici ce que dit à ce propos Malcolm McIntyre, ex-président des Eastern Airlines : « Dick Dilworth fit son apparition alors que nous étions parvenus au stade final des négociations en vue de notre fusion avec l'American [Airlines]. Il n'intervenait qu'aux moments décisifs pour régler les affaires des Rockefeller. » C'est Dilworth qui conseilla à la famille d'acheter un gros paquet d'actions Chrysler à leur cours plancher en 1961 ; sur ce, il prit un siège au conseil d'administration en qualité de représentant de la famille.

Gris et maigre, vêtu comme doit l'être un PDG déjà âgé (à part la petite fantaisie des initiales JR. D. brodées sur la poche de ses chemises), il ne manque à « Dick » Dilworth qu'une balafre sur la joue, à la suite de quelque duel, pour signer son appartenance à la caste aristocratique. Arborant le même charme distant qu'à l'époque des auditions visant à confirmer la désignation de Nelson à la vice-présidence, il se renverse dans son fauteuil tournant pour évoquer son rôle : « Je suis un ancien juriste, et mon rôle est davantage celui d'un notaire de famille, au sens anglais du terme, que d'un directeur de société. Les problèmes auxquels je suis confronté sont parfois financiers, parfois humains ; ces derniers sont bien souvent les plus complexes. »

Principal collaborateur des frères, héritier du rôle de confident et de conseiller privé assumé auprès des deux générations précédentes par le révérend Frederick T. Gates et l'avocat Thomas Debevoise, Dilworth affecte d'être étranger aux difficultés que rencontrent les cousins. (« En un sens au moins, la pression qu'ils ressentent est un pur produit de leur imagination, dit-il dans cette langue élégante, hautement nuancée, commune à tous les collaborateurs de la famille. En fait, leurs parents prennent sur leurs propres épaules une partie importante des difficultés de leurs enfants. ») Mais, parmi

---

1. Pourquoi Dilworth ? En grande partie, affirme John Lockwood, parce que « Nelson était occupé à Albany et n'avait pas de candidat personnel à proposer pour ce poste. Si Nelson avait encore conservé un pied salle n° 5600, jamais Dilworth n'aurait bénéficié de l'autonomie dont il avait besoin et sans doute serait-il finalement parti ».

les « problèmes humains » qui se posent au « général en chef », ceux de la quatrième génération occupent sans conteste la première place.

Non sans songer à sa propre survie, le Bureau a tenté de se mettre à la portée des cousins. Conscient de leur peur panique à l'idée de se voir engloutis dans sa machinerie, il a pris, pour s'adapter à eux, un nouveau visage : un centre sur lequel ils peuvent « se brancher » à leur gré, mais qui ne les contraint à aucun engagement. Décembre 1965 (la plupart d'entre eux sont déjà adultes) : au 30, Rockefeller Plaza, changement dans le libellé de la plaque : à « Bureau de MM. Rockefeller » se substitue « Famille Rockefeller et ses Collaborateurs », sorte d'invite à une participation élargie. On a fait effort pour engager aux postes clés des collaborateurs de l'âge des cousins. L'âge de la retraite approchant pour John Lockwood, avocat de la famille, il est allé se chercher un remplaçant dans sa vieille firme de la Milbank Tweed : Donald O'Brien, fils de banquier, trente-quatre ans, le teint vermeil, bien fait de sa personne, jugé apte à gagner la confiance de la quatrième génération tout en continuant à servir les frères.

Les frères et leurs conseillers s'étaient en effet rendu compte qu'en toute hypothèse (que des cousins vinssent ou non prendre la relève au Bureau, à la Chase, au Rockefeller Center ou dans d'autres institutions), il était indispensable de lier les membres de cette génération les uns aux autres et à la famille. Le meilleur moyen consistait à leur donner leur propre institution, en s'inspirant du précédent du Fonds des frères. En 1968 naquit le Fonds de la famille, alimenté par les dotations de trois des frères, pour un montant de plus de 300 000 dollars [1]. Base de départ très modeste; mais, comme pour tout le reste, il était entendu qu'il y aurait des rallonges. Un personnel qui, dans l'ensemble, reflétait les points de vue et les intérêts des cousins, fut engagé pour travailler avec eux à la mise au point d'un programme d'action philanthropique. Dana Creel, responsable du Fonds des frères Rockefeller et, après Dilworth, leur plus important conseiller, explique les raisons qui ont fait préférer cette solution à l'intégration pure et simple des cousins au fonctionnement du Fonds des frères : « Le Fonds des frères est une fondation d'importance capitale; la quantité et la qualité de ses opérations lui donnent voix au chapitre dans toutes les grandes institutions. Il ne lui était pas loisible d'intégrer une foule de cousins dans son conseil d'administration ni de s'occuper efficacement d'organisations naissantes. Mais les frères ont compris la nécessité de créer une autre institution destinée à associer les cousins à l'ensemble. Le Fonds de la famille a donc été créé pour leur fournir l'occasion de s'y engager personnellement. »

Alors même qu'ils faisaient ce geste à l'égard de leurs enfants réticents, la maigreur de la dotation témoignait d'une certaine prudence, et l'encadrement du Fonds de la famille (David Sr président, Laurance au comité financier) trahissait assez l'objectif poursuivi. Alida parle à ce propos d'« une institu-

---

1. Voici le détail des contributions : 152 742 dollars de David; 101 042 dollars de Laurance; 25 259 dollars de JDR 3; et 25 445 dollars de Martha Baird, la veuve de Junior.

tion d'entraînement, pour nous montrer comment il fallait s'y prendre »...
Mais, au fond, c'était bien joué. Le Fonds de la famille procura effectivement un courant financier où les cousins purent se mouiller les pieds, mais
pas davantage ; et il ne tarda pas à devenir une sorte de terrain neutre que
certains d'entre eux vinrent occuper, de retour dans le giron familial après
leurs années d'extrémisme et de contestation. Le Fonds de la famille
proposait cinq domaines d'intérêt — éducation, contrôle des institutions,
femmes, écologie, arts — de façon à ne pas empiéter sur le Fonds des frères
et à permettre à chaque cousin ou cousine de trouver dans ce programme une
discipline propre à stimuler ses enthousiasmes particuliers.

Cependant, le problème de la salle n° 5600 n'était pas réglé pour autant.
Les cousins, parvenus à se dégager de l'emprise familiale, s'étaient mis à
mener des vies indépendantes et à embrasser des carrières personnelles, mais
le Bureau continuait à fonctionner *in loco parentis* : tuteur bureaucratique
extraordinairement complexe, il traitait tous les problèmes juridiques et
financiers de ses pupilles, depuis la répartition des revenus entre les cousins
jusqu'à leurs déclarations fiscales, sans compter des tâches relativement
modestes comme leurs achats de voitures ou l'assurance de leurs maisons
(sauf pour l'argent de poche, les cousins n'avaient pour ainsi dire nul
besoin de toucher à leur fortune). En coupant les cousins des réalités et
de la gestion de leur fortune, le Fonds les rendait extraordinairement
dépendants, ajoutant un sentiment d'impuissance au sentiment de culpabilité
dont ils souffraient déjà en tant que bénéficiaires du formidable legs.

Un cousin se voyait-il sollicité pour un don? Un simple coup de téléphone
à la personne idoine du Bureau, et tout était réglé : la forme à donner au
don, les modalités du transfert, les avantages fiscaux à en tirer éventuelle-
ment et la façon de les obtenir. Ou encore, si tel cousin ne voulait pas se
casser la tête sur ce genre de problèmes, le Bureau offrait les services de son
personnel philanthropique pour suggérer domaines et entreprises où investir
telle fraction de ses revenus qui serait soustraite à l'impôt.

Le fonctionnement du Bureau avait un double effet. Superficiellement, il
permettait aux cousins d'adopter une attitude d'apparente désinvolture à
l'égard de leur richesse, et il les entretenait dans l'illusion rassurante que
l'argent, pour eux, avait vraiment moins d'importance que pour leurs pères
qui ne songeaient qu'à gagner et réinvestir. Mais, en dernière analyse, force
leur était de reconnaître que leur ignorance ne rendait pas pour autant
l'argent insignifiant et qu'ils avaient besoin de lui pour survivre autant que
du Bureau pour le gérer.

Symbole de cette situation fausse : la façon même dont ils percevaient leurs
revenus. Les frères avaient donné à chacun de leurs enfants une confortable
somme à leur majorité, mais le gros de leurs revenus provenait du « Dépôt
Fidélité » (ainsi appelé parce qu'il était déposé à la Fidelity Union Trust
du New Jersey) constitué par Junior en 1952 avec 120 000 parts des actions de
la Jersey Standard.

Les modalités de fonctionnement du Dépôt variaient selon les familles.

Mais le versement des revenus était progressif, comme pour assurer une lente maturation du sens des responsabilités chez le bénéficiaire. Ainsi, dans la famille de Laurance, les cousins reçoivent à leur majorité une rente annuelle de 5 000 dollars sur ce Dépôt ; à vingt-quatre ans, elle passe à 10 000 dollars, puis augmente à la cadence de 5 000 dollars par an jusqu'à trente ans, où elle passe à 65 000 dollars par an. Passé ce cap, ou s'il se marie, l'héritier peut prétendre à la totalité du revenu du Dépôt, soit entre 200 000 et 300 000 dollars.

Par contre, dans la famille de David, une clause particulière limite le montant de la rente et fait obligation aux bénéficiaires d'en réinvestir une partie. C'est la façon davidienne d'inculquer l'éthique puritaine, que Laurance approuve dans son principe s'il ne la respecte pas lui-même en pratique. Quand tel enfant de David réclame une plus grande part du revenu de son dépôt, Laurance ne manque pas d'appuyer le refus de son frère. Faisant observer que, pendant des années, il lui avait fallu se contenter des miettes de la table paternelle, il demande : « Et toi, tu veux tout tout de suite ? »

Passé trente ans, il est loisible à tout cousin de s'approprier le capital, mais seulement à des fins agréées et après demande solennelle adressée aux garants du Dépôt : à leur tête, Amyas Ames, président du Lincoln Center, entouré de notables comme William McChesney Martin, ancien chef de la Réserve fédérale, Albert L. Nickerson, ancien président de Socony Mobil, Nathan Pusey, ancien président de Harvard.

La solennité de cette procédure cache une idée : la part de l'immense fortune accordée à chaque cousin, loin d'être vraiment sienne, il la détient en dépôt pour ses propres descendants, qu'il ait ou non l'intention d'en avoir. C'est là la reprise, sur le plan familial, de la grande idée philanthropique de Junior : à savoir que l'énorme richesse produite par la Standard Oil était simplement détenue en dépôt par les Rockefeller pour le bien de l'humanité... Les cousins se heurtaient à cette limitation apportée à leur héritage dès qu'ils avaient besoin d'argent, en sus des revenus de leur Dépôt, pour des fins non agréées : on l'a vu dans le cas de la famille David ; ça n'allait certes pas chercher bien loin, mais ces exigences entraient en conflit ouvert avec les normes rockefellériennes instaurées par leurs parents. Voici, à ce propos, le souvenir d'un des cousins : « Je me vis infliger un terrible sermon par un comptable du Bureau à cause du montant de mes dépenses et de leur destination. Il me dit carrément que l'argent n'était pas à moi, que les dépositaires étaient responsables de leurs actes et qu'on les tiendrait pour financièrement responsables s'ils accordaient leur participation à une entreprise peu sûre [1]. »

1. Les avocats de Senior avaient fait assimiler ce genre de dépôt à une société à portefeuille, s'agissant de parts dans de grandes entreprises industrielles. Il avait fallu profiter des failles de la législation fiscale pour pouvoir identifier un tel dépôt à une société à portefeuille à des fins qui étaient également dynastiques... Car ce qui, chez les cousins, constituait une illusion d'optique sur leurs propres héritages — l'argent était à eux mais, en fait, pas vraiment — résultat du fait qu'on avait érigé ces héritages en dépôts (en sautant une génération) afin de les soustraire aux

LES COUSINS

De même que la petite armée de comptables, économistes, statisticiens et juristes contrôlait le Dépôt des cousins, de même le service des relations publiques de la salle n° 5600 contrôlait leurs déclarations officielles, leurs archives, et tenait à jour leur biographie personnelle. Entrant aux archives, un jour, pour consulter son propre dossier, Larry Jr eut la surprise d'y découvrir une liasse de lettres qu'il avait écrites, enfant, à la suite de la mort d'Abby, et adressées « A Grand-Mère au Ciel ». Il n'avait pas le moindre souvenir de les avoir rédigées, ni, à plus forte raison, la moindre idée qu'on avait pu les conserver. Les cousins n'appréciaient pas beaucoup cette impression que le Bureau en savait plus long sur leur vie privée qu'eux-mêmes.

Quelques doutes allaient-ils avoir raison de leur attachement à la bienfaisante gestion de la salle n° 5600? Non; durant toute leur jeunesse, sans en avoir clairement conscience, ils avaient considéré le personnel du Bureau comme une sorte de tampon entre eux-mêmes et le vaste monde; ils l'avaient laissé s'occuper de leurs problèmes quotidiens et ne pouvaient plus s'en passer. Non sans quelque rancœur, au demeurant. Ces sentiments ambivalents qu'ils nourrissaient à l'égard de la salle n° 5600, le Bureau (tout poussait à le personnifier) les éprouvait d'ailleurs à leur endroit. Il souhaitait les voir s'engager dans une activité définie et, en même temps, souhaitait continuer à les tenir dans sa toile d'araignée. Abby évoque l'une de ses visites salle n° 5600 : elle voulait connaître le montant exact de son argent, la manière dont il était placé et les possibilités de contrôle qu'on voulait bien lui laisser. « Il y eut une étrange réunion avec Don O'Brien, Dilworth, sept ou huit autres personnes du Bureau, et un comptable nommé Joe Lee. Ils exhibèrent un petit portefeuille rouge contenant tous « mes » placements. Pouvais-je me sentir partie prenante quand tout était si parfait? Dilworth suggéra à Lee de passer en revue mes placements. Il obéit, me faisant un petit exposé succinct sur chacun d'eux. Quand il en vint à Exxon, il dit : " Eh bien, voici un vieil ami. " Puis ce fut le tour de Mobil : " Mobil est à présent une sorte de petite sœur d'Exxon. " Vous voyez le genre de ton qu'il employait. Aimable, mais sans montrer la moindre intention d'abolir la distance entre moi et l'argent, ni de préciser dans quelle mesure il était à moi. Le tour était joué. J'avais l'impression qu'on me plaçait un masque sur le visage et qu'on m'emmenait vers une salle d'opération. La salle n° 5600 est, dans le domaine des institutions, une transposition de l'attitude de mon père : il vous empêche de poser des questions qui l'obligeraient à expliquer à quel système il obéit. »

Pour Abby, le personnel du Bureau est composé de deux catégories bien distinctes, les spécialistes de l'obséquiosité et les spécialistes de la condescen-

droits de succession qu'il aurait fallu, dans le cas contraire, honorer. Le même arrangement, gros des mêmes vicissitudes, en faisait les bénéficiaires du colossal « Dépôt de 1934 » dont le revenu, chiffré en centaines de millions de dollars, permettait à leurs pères de vivre comme des Rockefeller, mais qui ne serait réparti entre les cousins qu'à la mort de ceux-ci.

dance : « Les premiers sont généralement les plus jeunes. Tout ce qui porte, a porté, ou même risque de porter le nom de Rockefeller a droit à leurs flatteries serviles. Mais ils se sentent avilis par ces pratiques. Ils s'efforcent de respecter à la fois les volontés des cousins et celles des frères, faisant fi des conflits qui existent entre eux. Pour le moment, ce sont les frères qui règlent les factures et qui tiennent la barre, mais, prenant en considération la probabilité minime de me voir quelque jour assurer la relève, les spécialistes de l'obséquiosité doivent couvrir leurs arrières. Pour les spécialistes de la condescendance comme Dilworth, par exemple, le Bureau *c'est* les frères — aucun doute sur qui détient le pouvoir, chez ces hommes-là. A leurs yeux, les cousins ne sont que des pupilles qui prennent de l'âge, en eux-mêmes incapables de jamais s'emparer du pouvoir et qu'il faut donc traiter en conséquence. »

Même froideur à l'égard de la salle n° 5600 chez d'autres cousins. Lorsque Marion demanda à Dilworth pourquoi elle ne touchait qu'un si faible pourcentage des revenus de son dépôt alors qu'elle en avait besoin pour promouvoir un projet de réforme agraire qui lui tenait à cœur, elle reçut de lui un coup de téléphone : « Il se mit à me parler, mais je l'interrompis : " Excusez-moi, je vais chercher Warren ", car je ne parvenais vraiment pas à voir où il voulait en venir. Dilworth, c'était le champion du style feutré ; il employait un langage que j'avais toutes les peines du monde à comprendre. »

Ce problème du Bureau, auquel ils se heurtaient tous, joua un très grand rôle dans la constitution des cousins en groupe homogène : ils souhaitaient présenter à Dilworth et aux autres un front uni, propre à prévenir tout écrasement (il était si facile d'avoir raison d'eux quand ils se présentaient un à un au Bureau ...). Si elle ne faisait pas vraiment l'objet de toutes leurs discussions, cette aspiration n'en dominait pas moins l'atmosphère de leurs réunions annuelles à Pocantico.

Ces rencontres entre cousins avaient commencé comme des réunions amicales et détendues, présidées par Mitzi et Rodman, les aînés de la génération : à l'origine, on eût dit des cérémonies initiatiques destinées avant tout à révéler aux cousins qui avaient atteint leur majorité les mystères de leurs « droits financiers ». Par la suite, le nombre des cousins majeurs grandissant, ces réunions prirent un tour plus fraternel : on tentait d'oublier les angoisses solitaires du passé récent et de retrouver un peu de l'intimité des années d'enfance. Puis, vers la fin des années soixante, lorsque la quasi-totalité des cousins assista aux réunions et que s'accentuèrent sur eux les pressions extérieures, ils commencèrent à discuter des vrais problèmes.

Des questions internes, par exemple, comme les projets des frères concernant Pocantico. Hormis Rodman, aucun cousin ne se souciait d'y entretenir une résidence dans le style de celles des frères, mais certains exprimèrent le désir d'y avoir des terrains à bâtir, en particulier ceux qui

entendaient substituer à l'isolement de leur jeunesse une situation plus favorable aux contacts humains. L'un de ceux-là émit l'idée d'autoriser de petites communautés, groupant chacune quelques centaines de gens, à s'établir à leur gré sur les 1 800 hectares de Pocantico. Puisque les cousins témoignaient de l'intérêt pour le problème de Pocantico, — alors que, de leur côté, Laurance et Nelson envisageaient de viabiliser certaines parties du domaine —, les frères décidèrent de commanditer une étude sur ces différentes possibilités. Il en sortit le plan Rouse : il proposait l'aménagement de « terrains destinés aux cousins », par parcelles de 10 hectares, autour de la zone « Parc », et, dans la partie nord de Pocantico, l'aménagement sur 325 hectares de deux villes de bonne taille, pouvant accueillir 7 500 personnes, avec écoles, aires de loisirs et autres équipements collectifs.

Même pour Laurance et Nelson, le problème était moins de faire de l'argent avec Pocantico que d'assurer son avenir après l'extinction de leur génération. La solution de compromis envisagée pour satisfaire à la fois les cousins et les frères échoua auprès des deux groupes. Nelson Aldrich, cousin des frères et architecte attitré de David, fut appelé à la rescousse : il élabora un projet détaillé dont était exclue l'idée d'installer des communautés sur le domaine. Un nouveau plan, le troisième, vit le jour en 1968; à l'aménagement du territoire succédaient les aménagements financiers : il invitait les actionnaires de la Société immobilière Hills (c'est-à-dire les frères), propriétaires de Pocantico, à céder leurs actions aux « Dépôts 1934 », qui, en contrepartie, les conserveraient jusqu'à leur disparition, ou plutôt jusqu'au jour où la cinquième génération accéderait à la majorité.

C'est alors que Steven et — à un moindre degré — Larry commencèrent à s'insurger contre les projets des frères : « Pour hériter de Pocantico, les cousins auraient dû acquitter une telle masse d'impôts que ça n'aurait vraiment plus valu la peine. Le problème se posait en ces termes : vendre et en tirer le plus d'argent possible, ou bien se mettre simplement d'accord pour préserver ce domaine d'une extraordinaire beauté en le mettant à la disposition de tous. Je fis valoir que la famille n'avait pas besoin de cet argent. Ce serait un crime de morceler Pocantico pour le vendre! Autant mettre en pièces une œuvre d'art et la brûler pour nous réchauffer pendant une soirée... »

Approbation des cousins. Et de JDR 3, qui avait toujours été hostile aux idées de Laurance et de Nelson (David leur donnait sa bénédiction) sur l'aménagement de Pocantico. La question était sur le point de symboliser les différences philosophiques entre les deux générations. En fin de compte, on choisit comme médiateur l'architecte Harmon Goldstone (qui avait déjà travaillé pour la famille) : à lui de concevoir un plan acceptable par tous. De ce compromis entre les cousins et les frères naquit la décision (annoncée en 1970 par Nelson dans son rôle de porte-parole de la famille) de faire don de Pocantico à l'État, afin qu'il mît le domaine à la disposition du public.

Question particulière, toutefois, que celle de ce domaine. Lorsque Steven et quelques autres cousins tentèrent de mobiliser la quatrième génération pour prendre publiquement position contre la guerre du Vietnam, ils n'arrivèrent à rien. En tant que groupe, les cousins hésitaient à prendre une initiative susceptible d'être interprétée comme une condamnation de leurs pères qui, tous sans exception, soutenaient la guerre. Ce qui n'empêchait pas le problème de continuer à se poser : vers la fin des années soixante, la famille se trouva en butte à des critiques de plus en plus fréquentes, et les cousins, en tant que Rockefeller, y étaient mêlés, au même titre que leurs aînés. Mais, à la différence de leurs pères, les cousins n'étaient pas fermés à ce genre de critiques, ni disposés à couper la réalité en deux — d'un côté l'exercice du pouvoir, de l'autre les actions charitables.

Ces questions préoccupaient beaucoup Steven et Marion. Marion et son mari avaient déjà informé le fisc de leur intention de ne plus payer la quote-part de leurs impôts destinée à ce qu'ils appelaient dans leur lettre « la violence meurtrière de ce gouvernement, au Vietnam et partout ailleurs en Indochine ». Ayant ainsi averti le fisc qu'il aurait à se passer de leurs contributions, ils versèrent l'argent correspondant à des groupements militant contre la guerre. En 1971, Marion écrivit à Dana Creel, responsable des opérations philanthropiques au sein du Bureau, une lettre où elle soulignait le manque de cohérence dont témoignait la politique familiale :

« Cher Mr. Creel,
Ma sœur Laura vient de m'envoyer un double de la lettre qu'elle vous a adressée; je veux souligner combien son exposé sur la nécessaire corrélation entre notre activité philanthropique et nos activités d'investisseurs me paraît de la plus haute importance. Je me range à ses côtés pour penser que nous devons analyser sans ménagement notre politique d'investissement... Par exemple, je souhaite ardemment que cette guerre prenne fin et que diminuent les énormes sommes actuellement englouties dans la Défense. J'ai versé une partie de mes revenus à divers groupements pacifistes. Mais, ces revenus, j'en dois une partie à des dividendes provenant d'investissements dans des entreprises comme Westinghouse, DuPont, General Electric, Dow — toutes sociétés qui ont contribué à rendre cette guerre possible et qui bénéficient de solides contrats gouvernementaux. De même, je m'intéresse au problème de la pollution et je soutiens, avec une partie de mes revenus, divers groupes écologiques; et pourtant, une si grande partie de ces revenus résulte d'investissements dans la Standard Oil du New Jersey! J'estime que nous pourrions, au nom de la famille, exercer des pressions sur la Standard Oil pour l'amener à mettre un terme à la pollution qu'elle produit... Je pense que nous prendrons lentement conscience, en tant que famille, de la nécessaire corrélation entre nos responsabilités d'investisseurs et de philanthropes. L'absurdité qui consiste à créer d'une main et à détruire de l'autre devrait devenir de plus en plus évidente. J'apprécierais de vous lire sur ces différentes questions. »

Les enfants de David et de Peggy.

Les filles de David. Ci-dessus : *Abby et le « Clivus ».*
Ci-contre : *Eileen* (en haut) ; *Neva et Peggy* (en bas).

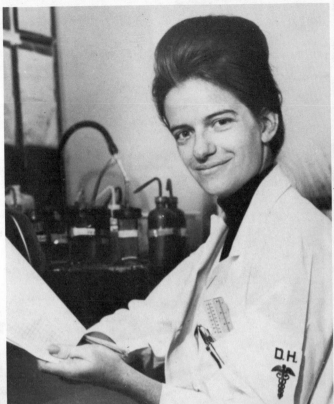

Les enfants de Nelson et de Tod. En haut à gauche :
Steven. En haut à droite : *Rodman.* A droite :
Michael (Wide World Photos).

Ci-contre : *Steven et Mary pendant la course au
gouvernorat de New York en 1958 (Wide World
Photos).*

Nelson et sa fille Mary au retour de leurs recherches infructueuses des traces de Michael, en 1961 (Wide World Photos).

La réponse tarda à venir, cependant que d'autres cousins agitaient les mêmes questions : s'il était exclu de prendre des positions politiques en tant que groupe, on pouvait malgré tout essayer de damer le pion à la salle n° 5600, sur le plan financier, en prévenant tout investissement dans des sociétés qui bénéficiaient de la guerre, soutenaient l'économie sud-africaine ou détruisaient l'environnement.

Au cours de la réunion des cousins de juin 1972, ces problèmes firent surface en même temps que s'exprima l'angoisse personnelle qui avait marqué jusque là la vie de chacun. L'invasion des cousins, arrivant de tous les coins du pays avec leur famille, donnait au domaine un petit air d'avoir été loué pour une réunion au sommet de l'état-major de McGovern [1]. Ici et là, cheveux longs et cotonnades fanées, enfants tenus à la va-comme-je-te-pousse. De fait, la plupart d'entre eux avaient généreusement contribué à la campagne du candidat démocrate ; mais, pour ce week-end, leurs préoccupations portaient exclusivement sur la politique familiale. Ce fut évident dès l'instant où Sharon Percy Rockefeller, qu'ils avaient élue présidente, debout dans la Salle de Jeux que Junior avait fait bâtir pour leurs pères un demi-siècle auparavant, ouvrit la séance.

On eut l'impression d'assister à l'écroulement soudain des barrières qu'ils avaient eux-mêmes élevées, pendant tant d'années, pour contenir leur mécontentement ; tous les cousins donnèrent libre cours à leurs griefs. Et leur ressentiment unanime s'exerça contre la façon dont le Bureau était organisé pour les maintenir dans l'infantilisme. Lorsque les employés de la salle n° 5600 débarquèrent au domaine pour débiter leurs exposés annuels, quelle ne fut pas leur surprise de se voir retournés sur le gril avec une vigueur inhabituelle. Les cousins exigèrent de Dilworth que fût élaboré un répertoire familial donnant un aperçu exhaustif des activités du Bureau. Les cousins dirent à quelles frustrations ils étaient soumis dans leurs tentatives pour gérer leur propre argent. La discussion fit boule de neige ; ils en arrivèrent bientôt à désigner un Comité d'investissement de quatre cousins, habilité à travailler avec la salle n° 5600 pour étudier les moyens d'aligner la composition de leurs portefeuilles sur leurs conceptions sociales. A la tête du Comité, Jay — et pour cause : il était en pleine campagne pour le gouvernorat de Virginie occidentale, sur un programme électoral rompant avec les intérêts miniers qui contrôlaient l'État ; or, il était déjà tombé sur un os quand certains critiques avaient fait remarquer que la Fondation Rockefeller, dont il était administrateur, était l'un des importants actionnaires des Houillères unifiées, gros exploitant charbonnier accusé de surcroît de laxisme dans l'application des normes de sécurité, eu égard au développement de la silicose parmi les mineurs.

Une fois le génie sorti de la bouteille, il n'y eut plus moyen de l'y faire rentrer. Après la discussion sur les investissements, les cousins se répartirent en deux groupes, hommes d'un côté, femmes de l'autre. Chez les hommes, les

1. Candidat « progressiste » aux élections présidentielles. (*N.d.T.*)

« pièces rapportées » — les gendres — évoquèrent avec franchise les problèmes inhérents au fait que l'argent et la puissance se trouvaient entre les mains de leurs épouses (même les époux de femmes Rockefeller s'étaient vu octroyer une « pension alimentaire »), tandis que les cousins mâles échangeaient leurs points de vue sur la meilleure façon d'échapper à l'emprise de la salle n° 5600.

Mais c'est du côté des femmes que les vrais drames avaient fleuri. Elles évoquèrent leurs mariages brisés, la question de la libération des femmes. Une des filles de Laurance dit que leurs tourments résultaient d'une sous-estimation du rôle féminin, très en honneur dans la famille — en tout cas dans la sienne où l'on insistait sur l'extrême modestie des tâches féminines : « Pieuses et silencieuses, voilà comment papa aime les femmes de la famille. »

Laura, qui rassemblait à l'époque des données sur la petite enfance de la génération précédente et savait donc quelle vénération les frères avaient témoignée à leur mère, fit remarquer qu'Abby Aldrich avait été une personne merveilleuse, qui semblait s'être parfaitement acquittée de son rôle.

Contestation immédiate de la fille de Babs, Abby (« Mitzi ») O'Neill : plantée sous le portrait de sa mère, elle lança d'une voix menaçante : « Tu n'as même pas idée de ce qu'était grand-mère. » Puis, les larmes aux yeux, elle raconta comment la vie de Babs avait été détruite par grand-mère Abby qui, dès l'enfance, l'avait reléguée dans son coin ; Abby n'avait vraiment aimé que ses fils. Comment Babs, dans ces conditions, aurait-elle pu trouver le chemin de l'accomplissement de soi ? Elle était devenue cette femme terne et retirée du monde qu'une autre cousine décrivit comme « un simple appendice à la génération des frères ».

La réunion prit fin sur une impression de surprise ; les cousins n'en revenaient pas de ce qui s'était passé. C'était l'euphorie générale. « Une impulsion est donnée : ne plus se plier aux ordres, ne plus jouer les béni-oui-oui, ne plus dire : " Oui, voici une bonne firme, et voilà un bon placement ", simplement parce que la salle n° 5600 est de cet avis. C'est la première fois que nous avons fait travailler nos méninges », commenta Hope peu après la rencontre.

Impression corroborée par son frère Jay : « Les cousins firent montre d'une curiosité et d'un attachement plus mûrs : après cette réunion, ils se sentirent mieux armés dans leurs rapports avec le Bureau. Jusqu'alors, les cousins étaient toujours suspendus au téléphone de la salle n° 5600 : " J'ai perdu mon chien, que faire ? ", " J'ai besoin d'un nouveau réfrigérateur, comment faire ? ". Désormais, tout ça était terminé. »

A l'époque, la réunion de 1972 apparut comme une percée décisive des cousins : ils avaient parlé à cœur ouvert — chose difficile pour tout Rockefeller — et ils avaient osé défier le Bureau. Mais on percevait aussi parmi eux un certain malaise, comme le sentiment d'être allé trop loin, l'impression que cette rencontre n'était qu'une réaction différée à tout ce qui avait couvé en eux depuis les années soixante ; l'impression aussi qu'ils avaient adopté là une position plus avancée que celle qu'ils avaient l'intention d'adopter en pratique.

Ce fut l'occasion d'interprétations abusives ; d'aucuns estimèrent que la génération des cousins était prête à lancer un sérieux défi aux frères : ils ne tardèrent pas à s'apercevoir que la majorité des cousins tenait à tout prix à éviter de donner à ces réunions l'allure d'un club des Jacobins. Marion et son mari, ayant présenté une série de diapositives sur les effets de la guerre aérienne au Vietnam, ne furent guère encouragés à poursuivre. Cause de leurs déceptions continuelles, les cousins ne se décidaient pas à prendre la moindre initiative, fût-elle modeste, en tant que groupe. Alida, la plus jeune des cousins présents, sortit bouleversée de la projection du film *État de siège* : un seul nom américain avait été introduit dans ce panorama de brutalité et de répression que le film présentait : Rockefeller. « J'écrivis une lettre aux cousins disant que nous devrions tous voir ce film avant de tenir notre prochaine réunion ; simplement parce qu'il n'avait pas son pareil pour vous ouvrir les yeux sur la famille, et pour nous faire comprendre comment notre argent peut peser sur le cours des choses d'une manière dont nous n'avons même pas idée. Ce film me fit l'effet d'être accusée de meurtre. » Pourtant, lorsque Alida voulut faire figurer un débat sur ce film dans l'ordre du jour de la réunion suivante, on lui répliqua que cette réunion n'était pas prévue pour lui permettre d'enfourcher ses « dadas personnels » ; elle n'avait qu'à en parler aux cousins à titre individuel.

Même la visite rendue à Dilworth par les cousins du Comité d'investissement n'aboutit pratiquement à aucun résultat tangible. Nul changement dans la composition du portefeuille ; une femme, Catherine Tracy, fut simplement nommée salle n° 5600 pour collecter des renseignements sur les responsabilités éventuelles des diverses sociétés. Elle devait se tenir informée de toutes les résolutions d'actionnaires proposées par des membres de l'Église ou des groupements de consommateurs dans le but de changer ou d'infléchir la politique de telle ou telle société concernée. Plusieurs fois par an, elle adressait aux cousins de brefs rapports sur les conflits en cours afin de leur permettre d'agir si bon leur semblait.

Loin de faire progresser la cause des cousins, la présence de Catherine Tracy parut en fait n'avoir d'autre objectif que de calmer leurs inquiétudes. Employée des frères, responsable devant Dilworth, elle n'avait certainement pas été engagée pour inciter les cousins à s'immiscer, au nom d'une conscience morale plus sensible, dans le fonctionnement des intérêts familiaux. Ses rapports, couchés dans un langage officiel, résumant en termes rigoureusement neutres les vues des groupes patronaux qu'elle contactait et celles des groupes opposés, ne faisaient qu'insister sur la complexité des problèmes, estompant chez les cousins le sentiment que leur responsabilité était engagée. Ayant transité par son bureau, les brûlantes questions sociales de l'époque se réduisaient à des problèmes touffus de gestion sociale où l'on ne distinguait plus le bien du mal. D'autre part, en prenant elle-même contact avec les jeunes militants des groupements religieux et des associations de consommateurs, elle n'en isolait que mieux les cousins : en leur ôtant la possibilité de connaître directement l'inquiétude de leurs pairs, elle les soustrayait à toute confrontation réelle avec les problèmes posés.

Une poignée d'entre eux décida de passer outre : ils découvrirent que leur liberté d'intervention était limitée de façon draconienne... Ainsi Marion : l'un de ses dépôts mineurs à la Chase était constitué d'actions ; quand, au printemps 1974, elle demanda que le vote correspondant à ce paquet d'actions s'inspirât de certaines résolutions d'actionnaires suscitées par les révélations du Watergate (alors proche du dénouement), elle reçut de Catherine Tracy la communication suivante : « La Chase Manhattan Bank — Mr. Daniel Dorney — m'avise qu'ils ont voté pour les propositions 2 et 3 [suivant la demande faite par Marion] sur procurations fournies par IBM. Ils ont repoussé notre suggestion de voter en faveur du Projet sur la responsabilité des sociétés interdisant toutes contributions aux campagnes politiques proposées par les détenteurs de procurations ITT. Dommage! »

Mais si les cousins furent contraints de mettre de l'eau dans leur vin, les effets de leur réunion de juin 1972 se firent sentir longtemps encore. A l'automne, les cousins virent leurs exigences satisfaites sur un point : la salle n° 5600 leur fit tenir un répertoire familial (30 pages) où se trouvait exposé le détail de sa structure et de son rôle[1]. Il était assorti de l'avertissement suivant : « Comme vous vous en doutez, la nature confidentielle du travail accompli par le Bureau rend difficile la description précise de chaque tâche. » Mais, même partielle, l'image du Léviathan qui se dégageait de ce mémorandum était impressionnante. Plus de deux cents employés. Le montant exact du budget annuel n'était pas donné (« il est confidentiel par nature », nota Peter Crisp, l'un des collaborateurs de Laurance), mais pouvait être estimé à 6 millions de dollars. Les organigrammes révélant la hiérarchie des autorités à l'intérieur de l'institution faisaient ressortir la domination complète du département des Investissements sur l'ensemble du Bureau. Le Fonds des frères, le Fonds de la famille, loin d'être indépendants, étaient placés sous la suzeraineté de Dilworth. Le département du Budget (on avait fourni les pourcentages à défaut du montant des dépenses) indiquait la

---

1. Le rapport révélait l'éclatement du Bureau en plusieurs grandes branches. Le service Comptabilité et Impôts, dirigé par le trésorier David Fernald, emploie 15 comptables, 6 teneurs de livres, 10 secrétaires et 5 informaticiens. Le département des Investissements, dirigé principalement par J. R. Dilworth, est divisé en sous-départements : Investissements de la Standard (gérant les portefeuilles des membres de la famille ainsi que l'Université Rockefeller, le Fonds des frères Rockefeller, et contrôlant d'autres conseils d'administration) avec 9 directeurs et leur équipe de secrétaires et d'employés; les Placements spéculatifs, sous l'autorité de Harper Woodward, avec 6 autres directeurs chargés de passer au crible les propositions d'investissements, et qui siègent en outre au conseil d'administration de firmes où la famille a déjà fait des placements; Investissements en biens immobiliers, géré par l'assistant de David, Leslie Larsen. Le Service juridique compte 5 avocats coiffés par Donald O'Brien. Le département philanthropique (Fonds des frères et Fonds de la famille), dirigé par Dana Creel, est doté de 45 assistants et collaborateurs à plein temps. Autres départements : Déplacements et Relations publiques. La salle n° 5600 abrite également les entreprises personnelles des frères — la Rockresorts, le Fonds JDR 3, la Société pour la préservation du site de Jackson Hole, l'Association américaine de préservation des sites, entre autres, — dotées chacune de leur propre personnel. Au sommet de l'édifice, le Directoire composé des frères, de Dilworth et de quelques cousins.

place occupée par la philanthropie salle n° 5600 : Placements : 30 % : Comptabilité et Impôts : 20 % : Service juridique : 18 % : Gestion et Relations publiques : 8,6 % : Frais généraux pour les bureaux des frères : 5,8 % : divers : 9,2 %. Le reste — soit un peu moins de 8 % des dépenses globales de la salle n° 5600 — allait à la philanthropie proprement dite.

De quoi refroidir nombre de cousins. A la lumière de tous ces faits, comme il leur apparaissait immense et complexe, cet ensemble qu'ils prétendaient modifier pour l'adapter à leur sensibilité et à leurs goûts... Purifier le Bureau, cette entreprise formidable dirigée avec la dernière fermeté dans le sens souhaité par les frères? Les cousins comprirent que c'était exclu... Les problèmes soulevés au cours de leur réunion de 1972 allaient être réglés une fois pour toutes, assez paradoxalement, dans l'unique institution du Bureau contrôlée théoriquement par les cousins.

Depuis sa création en 1969, le Fonds de la famille avait pris une extension assez considérable à la suite d'un legs de 10 millions de dollars figurant au testament de Martha Baird. (A sa mort en 1970, la veuve de Junior laissait à diverses entreprises philanthropiques de la famille l'ensemble des 72 millions de dollars qu'il lui avait lui-même légués.) Depuis le début, un certain nombre de cousins appréhendaient de voir ce Fonds s'ajouter simplement à la liste des institutions existantes. A l'annonce des cinq champs d'intérêt qu'il était destiné à couvrir, Marion et son mari écrivirent aux autres cousins : « Nous sommes vraiment emballés par les possibilités du Fonds de la famille. Allons-nous enfin disposer, grâce à lui, d'une solution de remplacement aux méthodes et voies traditionnelles de la donation? Se concentrer sur l'écologie, par exemple, nous paraît une idée merveilleuse mais à condition de ne pas en faire un simple champ d'intérêt, tout comme l'éducation, les arts, la santé, etc. Ceci s'applique d'ailleurs à toutes les autres causes soutenues par le Fonds. A nos yeux, une telle attitude, qui semble présider aux comptes rendus d'activité que nous avons reçus jusqu'à présent du Fonds, n'est que la reprise, sous une forme modernisée, du vieux rôle philanthropique. Notre époque requiert autre chose qu'une fondation (encore une!) permettant de se soustraire à l'impôt. Notre tâche, telle que nous la concevons, consiste souvent à attaquer précisément les forces politiques et économiques qui perpétuent le système des déductions fiscales... Nous estimons que le Fonds doit se mettre en quête d'organisations comme American Friends Service Committee, les Amis de la Terre, Pacific Nations, les Films documentaires américains, entre autres, et les soutenir sans se préoccuper de leur statut fiscal. »

Mais les cousins n'étaient pas prêts dans leur ensemble à exiger une stricte adhésion à de tels principes, surtout s'il fallait de nouveau agiter ces eaux calmes où ils venaient tout juste de pénétrer. Ils s'adaptaient à ce qui leur semblait être les réalités de la situation : par exemple, la présence de David Sr et de Laurance au Conseil de gestion et au Comité d'investissement du Fonds...

Au printemps de 1974, ayant épluché les propositions de divers groupes d'actionnaires oppositionnels, Catherine Tracy en présenta quelques-unes aux cousins : ils pouvaient les faire leur, eu égard au portefeuille du Fonds. Les trois questions soulevées par ces résolutions d'actionnaires concernaient l'exploitation minière outrancière dans la région des Rocheuses par Exxon; les réticences de la General Electric et des Tracteurs Caterpillar à employer de la main-d'œuvre appartenant aux minorités ethniques; et la politique sud-africaine d'IBM. Toutes questions qui firent l'objet d'une session à huis clos du Comité d'investissement du Fonds de la famille. Accord unanime pour juger satisfaisantes les explications d'Exxon concernant sa politique minière, ainsi que sa promesse de réensemencer les zones ravagées. La question des minorités : le Comité accepta la suggestion de David Sr : au lieu de donner procuration aux groupements religieux qui accusaient la General Electric et Caterpillar, voter avec la direction, mais, dans le même temps, rédiger une lettre (avec copie pour les archives) insistant sur le fait que la famille Rockefeller tenait à voir respecter l'égalité des chances. Suggestion d'un des cousins : profiter de cette lettre pour prier les sociétés de faire figurer à l'avenir, dans leurs rapports de gestion, les résultats des programmes d'embauche des minorités. Objection de David Jr : à son avis, c'était vraiment « en demander trop ». Sa motion, visant à ne pas inclure pareille requête dans la lettre, fut appuyée par Jay et passa à l'unanimité.

Fallait-il ou non faire toute la lumière sur les activités d'IBM en Afrique du Sud? Tel était le point litigieux dans la résolution des actionnaires dissidents de cette société. David produisit un article de *Fortune* déclarant qu'IBM était l'une des firmes les plus progressistes en Afrique du Sud. Les membres du Comité d'investissement du Fonds de la famille firent chorus avec lui quand il fit remarquer que, s'ils devaient voter avec les actionnaires dissidents en faveur de la divulgation forcée, ils auraient l'air de ne pas soutenir les positions progressistes d'IBM sur divers problèmes intérieurs d'Afrique du Sud. Le Fonds vota comme un seul homme la décision de simplement rédiger une lettre amène exposant les vues des Rockefeller dans leurs grandes lignes...

Non content de donner le ton des réponses du Fonds de la famille à ces problèmes spécifiques, David régla également l'ensemble de la politique d'investissement du Fonds. Les cousins, supposant qu'il existait une certaine harmonie entre les investissements de l'institution et sa vocation philanthropique, avaient proposé de donner des instructions dans ce sens à la société qui gérait le portefeuille du Fonds de la famille, en des termes qui refléteraient l'adhésion de leur génération aux thèses sur « la responsabilité des sociétés ». Une fois de plus, « oncle David » s'interposa avec force : s'ils ne laissaient pas la bride sur le cou à la Société d'investissement pour faire le plus d'argent possible, les cousins n'en tireraient absolument rien, et la dotation du Fonds pourrait fondre comme neige au soleil. A moins d'être prêts à contester les présupposés d'une telle déclaration (et les cousins ne l'étaient pas), impossible d'argumenter contre sa logique. Finalement, ils cédèrent aussi sur cette question.

En 1972, David Jr (qui avait succédé à son père à la présidence du Fonds de la famille) remarqua, — dans un discours prononcé lors d'un colloque sur les Fondations réuni en Nouvelle-Angleterre —, que l'originalité de son institution venait de ce qu'elle était consacrée à la « philanthropie spéculative » : savait-il que son oncle John avait employé exactement la même formule, quelque trente ans plut tôt, pour décrire le tout jeune Fonds des frères Rockefeller? Hormis une différence de taille et de tonalité dans son programme, le Fonds de la famille était en fait devenu l'enfant très obéissant de l'institution mère. A dire vrai, au lieu de contribuer à l'émancipation des cousins, ce Fonds de la famille leur avait fait faire leurs classes : s'ils agissaient « en responsables », leur entreprise philanthropique pourrait se voir coucher sur le testament des frères, voire même recevoir la dotation du Fonds des frères Rockefeller après le décès du dernier frère survivant. (« Les frères nous observent, — confirme le très docile David Jr. On dirait qu'il nous ont donné un lingot d'or pour voir ce que nous allons en faire : le changer en plomb ou le rendre plus précieux encore : auquel cas, d'autres lingots suivront. »)

Une certaine amertume se fit jour parmi les cousins après cette capitulation du Fonds de la famille : on acceptait désormais le compromis temporaire imposé par les frères dans la mesure où la richesse et le pouvoir dont il permettait de disposer pourraient être consacrés aux œuvres charitables. Selon la formule de l'un d'eux : « La seule différence entre notre génération et la leur est la suivante : pour les frères, les " bonnes œuvres " étaient une façon de détourner l'attention de leurs autres agissements. Pour nous, ces gestes ne sont que des gestes, un point c'est tout. »

Les frères s'étaient résignés au fait que l'identité de groupe des cousins entendait s'exprimer dans la philanthropie; s'ils voulaient voir s'étendre l'influence de la famille, c'était donc la direction à prendre. Dans une certaine mesure, les cousins étaient à l'image de Junior. Dans l'étrange dialectique des générations successives de la famille, leur rôle consistait à expier les péchés paternels. Mais, à la différence de Junior, leur don ne dépassait pas les limites du salut individuel. Ils ne nourrissaient pas, comme Junior, de visées dynastiques. Leur philanthropie n'était en vérité qu'un des aspects d'une conduite globale visant à leur « libération ». Ça et là, on se permettait quelque bravade à l'égard de la philanthropie; par exemple, cette déclaration de Laura : « C'est très difficile de se débarrasser de son argent à bon escient. Une des meilleures façons, c'est de subventionner des gens qui essaient de changer le système et de se débarrasser des gens de notre espèce. » Mais, au bout du compte, l'action philanthropique ne canalisait qu'une bien faible partie de l'énergie des cousins.

Cette boîte de Pandore où ils avaient fourré leur nez en 1972, ils ne voulaient surtout pas la rouvrir. Le compte rendu de leur réunion de 1974 montre que leurs préoccupations étaient plutôt axées sur l'Armée de Libération symbionaise [1], par exemple, que sur la « responsabilité des sociétés » :

« Nous passâmes ensuite à une discussion sur la sécurité personnelle de la famille. Mary s'avoua particulièrement sensible au problème des enlèvements ; mais elle ne voyait vraiment pas ce que nous pourrions faire, à part mettre en garde nos enfants et protéger nos maisons. Ann croyait que le Bureau avait établi des directives, mais, semble-t-il, personne n'a jamais rien reçu de ce genre. Rod fit remarquer que 70 % des enlèvements concernaient des adultes, pas des enfants... Win évoqua la possibilité de prendre des gardes du corps, mais Tom [Tom Morgan, second époux de Mary] signala que c'était dangereux de faire suivre un gamin par des gardes du corps — trop de revolvers partent accidentellement. Sharon [la femme de Jay] proposa de faire venir le chef du Service de sécurité du Bureau pour nous en parler à Noël. Suggestion retenue. Nous évoquâmes ensuite la politique d'investissement du Bureau. Rod s'était entretenu avec les frères et le Bureau au sujet des placements et de la balance entre les rentrées et les dépenses. D'où viendront nos revenus à l'avenir ? Notre génération a été formée à consommer et à donner, mais non pas à produire. La Bourse des valeurs ne suffit plus à produire la plus-value dont nous avons besoin, et nous devons nous soucier désormais que la balance penche du côté positif... Rod a donné ensuite un aperçu de « l'organisation verticale de la planification familiale à proprement parler » par opposition à une planification globale de la famille [il est ici question de dollars et non d'enfants...]. Mais les frères voient d'un très mauvais œil fût-ce un simple débat sur cette question. Ferguson Reed a été engagé par Dilworth pour traiter avec les cousins des questions d'affaires. C'est un banquier, il voudrait nous rencontrer : soit, mais une seule personne peut-elle vraiment répondre à ce qu'il faut bien appeler des besoins croissants ? Question fondamentale, à laquelle nous pourrions tous réfléchir : au nom de quoi sommes-nous tenus de faire fructifier les ressources familiales ? Dans une certaine mesure, ce genre de décision relève de chacun... Ce qui tracasse surtout Steven, c'est que nos enfants, à notre mort et à la mort de nos parents, disposeront de bien plus d'argent que nous — comment s'en tireront-ils ?... Il a fait remarquer que le problème de l'augmentation des liquidités ne se posait qu'en relation avec le mode de vie personnel de certains cousins. Il a soulevé la question de savoir si la famille, au-delà de cette génération, entendait continuer à fonctionner comme une institution... »

La question de Steven était bien posée. Au cours de leur jeunesse, le problème s'était graduellement déplacé . concernant d'abord l'éventualité et

---

1. Groupe extrémiste qui enleva Patricia Hearst, fille du milliardaire américain, l'amena à militer en son sein et à participer à divers actes de terrorisme. (*N.d.T.*)

les modalités de leur participation à la dynastie Rockefeller, il se posait désormais en ces termes : la dynastie elle-même a-t-elle un avenir? Le Bureau, depuis toujours moteur de la dynastie, était lui aussi confronté à ce même problème. La mort de Winthrop avait été reçue par tous comme un choc; elle les plaçait devant l'évidence : la salle n° 5600 était tout aussi mortelle que les frères eux-mêmes. Fonctionner coûtait cher : les cousins ne se donnaient guère de mal pour produire un revenu justifiant le maintien du Bureau en état de marche. De plus en plus, il était question de dissoudre le Bureau ou de le modifier de fond en comble à la mort du prochain frère.

J. R. Dilworth s'efforçait de minimiser le problème : « Comment savoir au juste ce qu'il adviendra du Bureau? Cela dépend de l'avenir. Même si les cousins décidaient de prendre leur complète indépendance, ils seraient bien forcés de revenir chez nous, au moins une fois par an : à l'époque des impôts. Nous disposons ici [pour la future génération] de services auxquels ils ne pourraient prétendre par des voies ordinaires en allant trouver tel banquier ou tel avocat. Tout est là, dans ce Bureau. Nous sommes les mieux placés, semble-t-il, pour gérer la situation financière très complexe où les cousins se trouvent engagés — placement de leurs fonds et, par ailleurs, don d'une certaine quantité de leur argent. En outre, si par catastrophe tous les frères venaient à mourir aujourd'hui, il faudrait au moins sept ou huit ans pour mettre fin au fonctionnement présent et démêler la situation de façon satisfaisante. »

Malgré tout, l'atmosphère était plutôt de celles où l'on attend qu'un deuxième mort succède au premier. Après les obsèques de Winthrop à Winrock, les longs corridors de la salle n° 5600 étaient tout bruissants de spéculations. Les placements allaient-ils être réduits, le Bureau confiné dans des activités philanthropiques et comptables, fonctions minimales pour faire face au fisc? Allait-on préserver l'étendue actuelle des opérations, mais sous une forme moins ambitieuse? On sentait régner une sorte d'humeur fin de siècle, renforcée par la divulgation devant le Congrès des secrets de la famille — dernière tentative désespérée de Nelson pour atteindre à la présidence — et par le chagrin que ces auditions avaient causé à tous. De toute façon, avec ou sans les cousins, les jours du Bureau semblaient comptés.

D'autres en auraient peut-être éprouvé beaucoup de nostalgie, mais pas les cousins. Même s'ils n'étaient pas prêts à résister au Djaggernat familial, ils acceptaient plus que volontiers d'être les bénéficiaires passifs de l'histoire. L'impensable, aux yeux de la génération précédente, était pour les cousins une pensée quotidienne. Voici ce qu'en dit Steven : « Il faudra bien régler un jour ou l'autre le sort de la salle n° 5600 et examiner ce qu'on va faire du Bureau. C'est ce qui rend si importantes nos rencontres périodiques entre cousins. Nous apprenons à travailler ensemble, à prendre des décisions; de sorte que quand viendra l'heure, nous serons prêts. La famille sera-t-elle ou non préservée en tant qu'institution, sous la forme de la salle n° 5600? Telle sera la question finale. Aux cousins d'en décider à tel ou tel moment des vingt prochaines années, au gré du Destin — c'est-à-dire du décès des frères. La plupart des cousins n'ont pas envie de dissoudre leur personnalité au sein de cette personnalité collective. Personnellement, j'ai mes propres objectifs dans la vie et je me refuse à les sacrifier au Bureau de la famille. »

Au fur et à mesure qu'il parle, ses mots se mettent à résonner comme un adieu : « Les institutions de la famille — la Fondation d'abord, puis, plus tôt que prévu, le Fonds des frères, les nouvelles lois stipulant qu'il doit admettre des étrangers au sein de son conseil d'administration — sont en passe d'échapper au contrôle de la famille. Avec ces enfants institutionnels, il en va de même qu'avec les vrais enfants. Ils prennent leur indépendance et s'éloignent à présent de la famille: une fois partis, comment les faire revenir? »

CHAPITRE XXIX

Pour les cousins qui, au début de 1973, se rendirent en Arkansas aux funérailles de Winthrop, ce jour fut particulièrement émouvant. Non pas tant à cause du chagrin de sa mort : à part Jay, Larry, Steven et un ou deux autres, les cousins n'avaient pas vraiment connu ce géant aux yeux tristes. Certes, le pathétique de sa fin ne leur échappait pas : il avait paru se rétrécir, son corps ravagé étant devenu le champ clos où l'alcool, la chimiothérapie et le cancer livraient un dernier et impressionnant combat. Mais, surtout, la mort de cet oncle et le rituel de l'adieu semblaient marquer le moment exact où une page était en train d'être tournée. Ces événements les rapprochaient tous de l'heure des choix difficiles mais inévitables concernant l'avenir de la famille où ils étaient appelés à jouer un rôle encore indéterminé. Ils tenaient beaucoup à voir comment leur cousin Winthrop Paul allait se débrouiller : il était le premier d'entre eux à franchir le pas.

Durant les premières semaines qui suivirent, les rares nouvelles d'Arkansas se réduisirent à des indications confuses : la relève ne se passait pas sans heurts. Si le cœur de Winthrop s'était niché à Winrock, une grande partie de son âme était demeurée hypothéquée au Rockefeller Center : cette dichotomie se reflétait dans l'état de ses affaires. Quelques mois avant sa mort, se sachant condamné, Winthrop s'était tourné vers le Bureau de la famille pour lui demander conseil. En rédigeant ses dernières volontés, il avait nommé cinq exécuteurs testamentaires chargés de veiller sur son domaine et de tenter d'aplanir le chemin devant la jeunesse et l'inexpérience de son fils. Parmi eux, deux fidèles collaborateurs de l'Arkansas (Max Milam, ex-principal conseiller, et Marion Burton, amie personnelle) ; mais les gens à poigne étaient de New York : David Rockefeller, J. R. Dilworth et l'avocat de la famille, Donald O'Brien.

L'héritier, Win Paul, vingt-trois ans, était un solide et beau gaillard carré d'épaules. Il avait bonne allure en costume de western et bottes de cow-boy à bout carré : ouvert et franc comme son père. Si l'on excepte ses abondants cheveux noirs et sa moustache, il était tout le portrait de Winthrop à l'époque où il avait quitté Yale pour aller travailler dans les gisements pétrolifères.

Mais ce Win Paul était vraiment un inconnu pour la famille et les relations. Premier descendant mâle dans la lignée de John D. Senior à grandir hors de l'enceinte de Pocantico, il avait passé toute son enfance au côté d'une mère qui haïssait les Rockefeller, puis sa jeunesse dans une série de pensionnats européens à l'abri de l'idéologie familiale. C'était un étranger qui passait ses vacances — étés compris — à Winrock. Il avait commencé ses études universitaires à Oxford. Ayant échoué, il était venu s'établir pour de bon en Arkansas (ce devait être la dernière année de son père), s'était marié et installé là comme s'il avait toujours été un membre actif de la famille. Or il était totalement différent, exempt de cette angoisse et de cette ambivalence que l'on retrouvait peu ou prou chez tous les autres cousins.

Ayant grandi sans être soumis au système de « dettes » et de devoirs qui hérissait ses piquants tout autour des privilèges rockefellériens, il ne considérait pas son héritage comme un fardeau. Au contraire, presque aussitôt après les obsèques, il vint s'établir et prendre en main l'empire édifié par son père : il avait ses idées bien à lui et disposait d'une nouvelle équipe de conseillers pour les mener à bien. Pour la vieille garde des collaborateurs de son père dirigée par l'ex-professeur Max Milam, Win Paul n'était pas du tout prêt à recueillir la succession. Premier litige : à laquelle des deux parties devait revenir le soin de s'occuper des papiers laissés sur le bureau de Winthrop à l'heure de sa mort ? Finalement, Milam les rafla et les plaça dans un coffre-fort. Ceci marqua le déclenchement d'une lutte pour le pouvoir bien embarrassante pour les observateurs de la salle n° 5600...

Un ancien employé de la famille dira plus tard, sur un ton badin mais non exempt de vérité : « Nous avions tout du département d'État quand il ne veut pas tremper dans un mauvais coup en Amérique latine ; mais des gens à nous en Arkansas nous tenaient au courant des événements... » Pourquoi le Bureau s'intéressait-il si fort à l'Arkansas ? La raison est évidente : à la différence des autres familles où quatre à six cousins se partageraient l'héritage, Win Paul était le seul et unique héritier, ce qui le rendait théoriquement aussi riche que l'un quelconque des frères. S'il devait lui arriver de se dégager complètement de la famille, un dépôt d'environ 125 millions de dollars serait automatiquement retranché d'institutions comme le Fonds des frères où cet apport jouait un rôle décisif. Il fallait donc placer Win Paul sur orbite autour de la famille — et qu'il n'en bouge plus.

Faisant mine de se ranger au côté de l'héritier dans le conflit qui l'opposait aux vieux serviteurs de son père, le Bureau se lança dans son entreprise de séduction. Le testament de Winthrop lui était d'un grand secours. Il comportait des dispositions ingénieuses qui résolvaient plusieurs problèmes à la fois : Win Paul était l'unique bénéficiaire du « Dépôt 1934 » ; il recevait en outre l'immense ranch paternel et ses « dépendances » immédiates ; mais il n'obtenait pas ce qu'il désirait par-dessus tout — à savoir le reste de Winrock Farm, le bétail, les terres, et la Société elle-même.

Winrock était plus qu'une importante société, évaluée à 50 millions de dollars environ ; il symbolisait toute la puissance et le prestige acquis année après année par Winthrop en Arkansas, les racines qu'il avait plantées là. Par testament, Winrock fut confié à une société de bienfaisance que devaient administrer les exécuteurs testamentaires « au profit des citoyens de l'Arkansas ». Solution élégante destinée à éviter les impôts et à souligner la fidélité du défunt gouverneur à l'État qui l'avait adopté. Elle n'excluait pas pour autant la possibilité qu'un jour Win Paul vînt à la tête de ladite société. En fait, la façon dont le sort de Winrock avait été réglé différait pour Win Paul la jouissance de ses biens, et d'une manière qui pouvait contribuer à sa « rockefellérisation » — tâche que son père mourant n'avait pas eu le temps d'accomplir. Les exécuteurs testamentaires indiquèrent que la mise à disposition de Winrock au profit des gens de l'Arkansas n'était pas du tout incompatible avec sa vente. Dans ce cas, pourquoi pas au propre fils de Winthrop? Win Paul avait l'argent; ils étaient certains que ses fidéicommissaires lui accorderaient l'autorisation de prélever la somme nécessaire sur le capital du Dépôt, afin de rassembler les fonds nécessaires à cet achat. Mais il convenait d'abord de s'assurer de l'attachement de Win Paul à cette splendide exploitation agricole, et de sa compétence à la diriger.

L'année qui suivit la mort de son père, Win Paul partit s'installer à Fort Worth pour suivre un cours accéléré sur la gestion des ranches à l'Université méthodiste du Sud. Au cours de ce séjour à Fort Worth, il se rendit plusieurs fois à New York dans le supersonique personnel de son père afin de s'entretenir avec les exécuteurs testamentaires. Les frères trouvaient toujours du temps à lui accorder. Ils l'accueillaient, avec sa femme et leur enfant, dans leurs maisons de vacances, lui donnaient l'impression qu'il faisait partie intégrante de la grande tradition, et s'employèrent à trouver quelques biais permettant de l'associer au fonctionnement du Bureau. Il devint membre, aux côtés de Laurance et de David, du Directoire chargé de contrôler les opérations de la salle n° 5600; il devint mandataire du Fonds de la famille et se mit à assister aux réunions des cousins.

En 1974, Win Paul avait embrassé le mythe Rockefeller avec le zèle d'un jeune converti. Il tenta de persuader ses cousins de venir en avion jusqu'à Winrock pour leur réunion annuelle. Il voulait tout connaître des fondations et des conseils d'administration qui constituaient l'armature institutionnelle de l'empire familial. Il confia à ses oncles qu'il souhaitait être « plus engagé » dans la famille et la direction des affaires.

L'enthousiasme de Win Paul à mettre ses pas dans ceux de son père (il avait déjà annoncé aux journaux d'Arkansas qu'ils pouvaient considérer comme certaine sa candidature à venir au gouvernorat), et son arrivée fracassante au sein de la famille ne renseignèrent guère les cousins sur la façon dont eux-mêmes traiteraient, le moment venu, le problème de l'héritage paternel. Mais tout de même, ils apprirent quelque chose : à voir Win Paul flirter avec le mythe dont ils avaient tenté de se débarrasser la moitié de leur vie durant, ils n'en ressentaient que davantage les contradictions de leur condition rockefellérienne. On aurait dit la troupe de figurants d'une opérette de Broadway sur les travers de la finance et du pouvoir. Aux yeux émerveillés de Winthrop Paul, au contraire, la famille Rockefeller était comme une Montagne de caramel : à le contempler, si impatient de gravir ses pentes dorées, les cousins purent mesurer à quel point ils en étaient de leur propre descente depuis le sommet.

Non qu'ils fussent parvenus au même point au même moment, loin de là. Une poignée d'esprits aventureux avaient déjà réussi à parcourir une grande distance, alors que les traînards avaient vraiment couvert fort peu de chemin. Entre ces deux extrêmes, toutes les positions intermédiaires étaient représentées.

On pouvait faire beaucoup de reproches aux cousins. En tant que groupe, ils avaient bien mal conduit leur molle tentative pour infléchir l'action du Bureau de la famille et la rendre plus conforme à leur code éthique. Ils s'étaient raccrochés aux menues concessions qu'on leur offrait, comme le Fonds de la famille. Ils avaient sacrifié aux apparences, préférant aux bonnes actions l'idée de leur propre bonté. A certains égards, c'était une bande de timorés, constamment infantilisés par leurs relations avec leurs pères et leur dépendance envers la salle n° 5600. Ils en convenaient : si le conflit familial ne recevait pas de solution, c'est qu'ils répugnaient à lui en trouver.

Les cousins formaient un groupe d'individus instruits, d'une indéniable prestance, mais somme toute assez anodins malgré tout ce qui pouvait être associé à leur nom. Pourtant, un événement marquant était survenu : ils avaient osé donner la priorité à leur vie personnelle. Geste de simple égocentrisme dans tout autre contexte. Mais, pour des Rockefeller, c'était un acte éminemment subversif. Aucun d'eux ne paraissait prêt à perpétuer cette dynastie dont ils savaient qu'elle avait commencé à dépérir et qu'elle se déferait probablement de leur vivant. Ils étaient résignés, pour la plupart, à être les spectateurs passifs de ce déclin dont ils étaient, du moins partiellement, responsables. Trois ou quatre étaient encore décidés à se frayer un chemin dans ce système familial décadent, mais pour mieux parvenir à une manière de totale libération personnelle.

Comment tout ceci était-il arrivé? Difficile à dire. En un sens, l'époque tumultueuse où ils étaient nés aida les cousins à s'arracher à l'étreinte dynastique. Leurs pères avaient escompté que la force du mythe les lierait immuablement à la famille; mais ça n'avait pas été le cas. Une des raisons en fut qu'ils apprirent ce qu'il y avait de l'autre côté de la vie. Abby l'exprime ainsi : « C'est comme si on avait dit aux frères : " Écoutez, laissez vos gosses grandir en côtoyant des gens ordinaires, après cela ils pourront eux-mêmes aborder les problèmes et se comporter en gens ordinaires. " L'ennui, c'est qu'une fois qu'on a goûté à la condition ordinaire, on ne peut plus supporter d'être traité comme une curiosité. On exige une " ordinarité " absolue. »

Pour l'homme de la rue, bien entendu, les Rockefeller sont à peu près aussi « ordinaires » qu'une tribu de Martiens. Une sorte de prestige leur est attaché que ne sauraient dissiper des manières désinvoltes ou de vieux vêtements. Genre de prestige qui est le lot habituel des vedettes de cinéma ou des hommes politiques, aux origines incontrôlées et irrationnelles. Alida en eut la révélation quand elle se rendit en Virginie occidentale, en 1972, pour collaborer à la campagne de son frère pour le poste de gouverneur. Impossible de se faire passer pour une étudiante de vingt-deux ans parmi d'autres. « Que cela me plaise ou non, j'ai découvert que j'étais une Rockefeller professionnelle. Il y a des gens qui sont interviewés pour avoir écrit un beau livre, ou pour être un comédien accompli, ou pour avoir réussi l'ascension du Matterhorn [1]. Eh bien, moi, ma spécificité, c'est d'être une Rockefeller! »

Ils ne vivent pas non plus comme des gens ordinaires. Même si leurs goûts ne sont pas classiques, leur style de vie va du confortable au somptueux, échappant tout de même, il est vrai, aux normes en vigueur chez les milliardaires. Témoins ceux des cousins qui habitent Cambridge, centre spirituel de leur génération, comme le fut le cœur de New York pour leurs pères. Sandra y vit derrière des portes verrouillées, barricadée dans son confort solitaire. Souvent en blue-jeans et vieille chemise, Peggy entre et sort d'un appartement miteux d'étudiant diplômé, garni de meubles de seconde main. Non loin de là, son frère Richard, dans une avenue bordée d'arbres, vit plus agréablement dans un modeste bungalow peint en blanc dont l'entrée est tapissée de ravissantes photos prises par lui sur les rivages mélancoliques du Maine.

Neva, autre fille de David, possède une jolie maison à deux étages, tout près de Brattle, la rue la plus élégante de Cambridge. Entourée de vastes pelouses, suffisamment en retrait par rapport au trottoir, c'est le genre de demeure accessible à un avocat en vogue ou à un agent de change (son mari est professeur d'anglais). Mais, dès qu'on y met le pied, c'est comme si on pénétrait dans un autre monde. Des tapis d'Orient, tels des flaques de couleur, jonchent la brillante géométrie de la marqueterie du plancher. Les tableaux ont été choisis pour rehausser les riches tonalités du bois et des étoffes du mobilier. Le réaménagement et la redécoration de la villa de Neva ont coûté 600 000 dollars : c'est, de son propre aveu, une imitation quasi parfaite de la maison paternelle de Manhattan.

Laura habite non loin de Neva dans une villa semblable, douillette et de bon goût, quoique bien moins opulente. « La démarche de Neva est incompréhensible. Jamais je n'aurais eu l'idée de vouloir vivre comme mes parents », dit Laura. Mais elle vient de faire une chose tout aussi extravagante aux yeux des cousins : l'achat, pour plus d'un million de dollars, de 15 précieux hectares du vignoble de Martha. Et elle n'est pas la seule dans son cas. Richard circule dans tout Cambridge sur un vieux clou, mais, le week-end venu, il file souvent à l'aéroport, grimpe dans son monomoteur pour une brève envolée vers le Maine, ou bien monte à bord de son voilier de 20 000 dollars pour une petite croisière dans la baie. Sa sœur Abby roule dans une vieille coccinelle Volkswagen, mais elle s'en sert pour se

---

1. Nom allemand du Cervin. (*N.d.T.*)

rendre jusqu'à cette ferme du New Hampshire (50 hectares de terre vallonnée) qu'elle a payée comptant plusieurs centaines de milliers de dollars.

Ils s'efforcent de séculariser leur argent ; ils en ont l'usage et la jouissance mais restent sourds à l'obligation de le faire croître et fructifier, ou d'exercer leur puissance pour le « bien-être de l'humanité ». La déclaration de Laura, à cet égard, se situe historiquement aux antipodes de la thèse de son arrière-grand-père qui prétendait tenir sa fortune de Dieu : « Il n'y a aucun moyen, dit-elle, de justifier l'argent. Je me suis sentie libérée lorsque j'ai pu me dire : Eh bien, il est à toi. Ce n'est pas ta faute s'il est à toi. Va, fais-en le meilleur usage possible. »

Ils ont découvert que dépenser leur argent n'augmentait pas l'endettement moral que leur valaient ses origines. Mais cet acte même ne va généralement pas sans un certain effort d'introspection qui, selon les cousins, peut aller de la métaphysique à la casuistique. Alida, dernière-née de JDR 3, a récemment décidé de remplacer son vieux tacot Volkswagen : « J'ai mis presque un an à me décider. A la fin, je suis simplement sortie acheter cette BMW dont j'avais envie depuis longtemps. Je n'avais jamais fait de dépense aussi exorbitante. Je ne me sens pas coupable, et pourtant l'achat de cette voiture m'a comme traumatisée. Je n'aurais jamais pu acheter une Mercedes ou un truc de ce genre : ça, c'est une auto de riche. Mais j'aime vraiment ma voiture, et je ne regrette pas cette dépense. L'ennui, avec mon argent, c'est qu'il n'est pas vraiment mien. J'estime qu'on devrait pouvoir jouir pleinement de son argent. A condition bien sûr de garder la tête sur les épaules. »

Cependant, l'argent est toujours un puissant totem qu'on n'approche pas sans inquiétude ni circonspection, voire même vénération. « J'avais acquis une sorte d'inconscience dans tout un domaine de mon existence : l'argent et les conditions de vie matérielles. Un domaine de non-conscience sournoise, soigneusement calculée », remarque Abby. Cette tendance à envelopper le legs familial d'un brouillard d'ignorance paraît bien caractériser la génération des cousins. On peut mesurer la densité de ce brouillard au fait suivant : ce n'est qu'à la suite des révélations publiques de Nelson sur les finances de la famille que les cousins, déjà adultes pour la plupart, eurent vent de l'importance et de la composition de la fortune dont ils devaient hériter. Jusqu'à ce jour, la famille, l'une des plus discrètes d'Amérique en ce domaine, était demeurée un mystère à ses propres yeux...

Même alors, les cousins n'avaient qu'une idée assez imprécise de l'épopée familiale. « J'ai tendance à faire l'autruche quand on parle de l'histoire de la famille, dit Ann, fille de Nelson (un jour, visitant Versailles, elle s'était trouvée fort gênée d'apprendre que son grand-père avait financé sa restauration). A mesure que vous découvrez ce que grand-père a fait, vous vous sentez de plus en plus petit. Personne ne nous a jamais parlé de sa vie ni de son œuvre. Et surtout pas mon père. »

Ce refrain est repris par toute la génération des cousins sans qu'aucun d'entre eux en perçoive clairement les raisons. Cette répugnance à en parler, fait remarquer l'un d'eux, vient peut-être de l'attitude ambiguë des frères vis-à-vis de l'œuvre de leur propre père (ils vivaient toujours sur les domaines qu'il avait annexés et bâtis, opéraient à partir d'institutions qu'il avait créées ou acquises). Craignaient-ils de paraître amoindris en racontant sa vie?

Mais, dans cette famille, ne pas savoir et ne pas vouloir savoir sont souvent une seule et même chose. Lucy le dit tout net : « Rien de plus inquiétant que de découvrir la vérité sur l'argent. On a peine à l'imaginer. » Fille sensible et pourtant pleine d'assurance, Lucy paraît préférer mettre des œillères : les déroutants problèmes, quasi métaphysiques, de ses origines, sont comme filtrés par des verres Polaroïd qui lui permettent de n'entrevoir que le chemin qu'elle s'est tracée et qu'elle suit pas à pas. « Être Rockefeller ou infirme, c'est la même chose, dit-elle. Tu as beau vouloir faire ce que tu veux avec ton bras ou ta jambe infirme, il reste infirme. Tout ce que tu peux faire, c'est développer le reste de façon à surmonter ton handicap. »

Dans le cas de Lucy (elle n'est pas la seule, au demeurant), la psychanalyse a joué un grand rôle pour l'aider à résoudre ses problèmes : elle est d'ailleurs devenue elle-même psychologue. Elle dit non sans ironie : « Ce qu'il y a de bien avec l'argent, c'est qu'il permet de se payer une bonne analyse. C'est sous analyse que j'ai appris à penser correctement. Je n'avais jamais eu l'occasion de réfléchir à fond, jusque-là. Le fonctionnement des choses, leur lien avec nous, tout cela m'échappait. » L'ordre mis dans ses idées, elle se remaria et eut des enfants. Comme souvent chez les cousins, son premier mariage semble avoir été un sacrifice propitiatoire à la réussite du second. Du même coup, elle découvrit qu'elle voulait acquérir un métier, se spécialiser, ne plus dépendre des conseils de ses parents. « Si je me lance, ce sera à fond ; je ne veux pas me contenter d'à-peu-près ni être entourée d'un essaim d'à-peu-près, dit-elle. En dehors de David, les frères n'ont rien fait à fond. Moi, mon intention est de faire les choses à fond. C'est notamment en songeant à maman que j'ai été attirée dans cette voie. Maman flottait dans la vie. Ses amitiés étaient plutôt vagues. J'avais l'impression que, sans papa et sans nous, elle aurait été incapable de se tirer d'affaire. Je voulais éviter ça. Je voulais pouvoir me tirer d'affaire toute seule. »

Ce fut difficile. Elle s'inscrivit en médecine et eut bien du mal à réussir en biologie et sciences physiques. Le Conseil de faculté préconisa, malgré ses résultats plutôt passables, un redoublement de la première année. « Ils espéraient ainsi me faire lâcher. Un membre du Conseil m'avoua plus tard qu'il n'avait jamais vu le Conseil rendre une décision aussi injuste ; ils faisaient ça parce que j'étais une Rockefeller, ils estimaient qu'avec tant d'argent, je n'avais nul besoin de faire ma médecine. Mais j'ai tenu bon, malgré tout. J'ai étudié avec frénésie — tout mon temps y passait — et j'ai réussi. »

La solution de sa sœur Marion est également en réaction contre la famille. En cherchant à tout faire par elle-même, y compris en faisant pousser ses légumes et en gagnant sa vie, elle s'était efforcée de s'éloigner d'une existence où tout lui était mâché d'avance, où tout était parfaitement ordonné, chaque chose à sa place comme dans une clinique, sans rien qui reflétât sa vraie personnalité. Faire les choses elle-même avec compétence, telle serait sa victoire. Cela débuta du jour où, dans son adolescence, elle reçut en cadeau son premier cheval. « Queenie était différent des autres chevaux des écuries de grand-père. Ils étaient là, soyeux, luisant de santé, la perfection, quoi. Queenie, lui, était tout hirsute. Mais j'en prenais soin moi-même. Quand je décidai de m'occuper seule de lui, j'eus l'impression que je n'allais pas y arriver! Mais, Seigneur, quelle joie quand j'ai vu que je réussissais! Mes parents aiment les choses belles, bien faites. Dans leur vie, pas de conflit. Tout doit s'arranger sans accroc. On s'occupe de tout à leur place. De véritables prisonniers. Moi, j'ai réagi violemment contre ça. Je vais aux extrêmes, je veux rester à l'écart de cet univers où l'on ne sait rien de rien, où l'on reste enfant toute sa vie. A certains moments de ma vie, j'aurais presque voulu être un agneau pour avoir une toison, la carder, la filer et m'en faire une couverture. »

Dans une certaine mesure, les cousins illustrent la vérité d'une des maximes d'Oscar Wilde : « Les enfants commencent par aimer leurs parents : en prenant de l'âge, ils les jugent ; parfois, ils finissent par leur pardonner. » La plupart des cousins répugneraient à employer le mot « pardonner » pour décrire leur attitude actuelle envers leurs parents ; disons qu'ils ont tendance, depuis peu, à les accepter. Cette attitude est nouvelle. Les cousins ont fini par se heurter à cette évidence : finalement, quoi qu'ils fassent pour s'assumer en tant qu'individus, ils sont marqués par leur appartenance à une caste hors du commun ; et ils redoutent que leurs tentatives rageuses pour assumer leur indépendance ne se solde par une rupture avec la seule communauté qui ne les regarde pas comme des bêtes curieuses. Le prix de la révolte leur étant devenu évident, nombre de cousins ont fait marche arrière et accepté cette cote mal taillée au sein du seul groupe dont, au bout du compte, tous les membres sont des « bêtes curieuses ».

Laura, qui achève un doctorat de psychologie, a renoncé à militer au sein du SDS pour se consacrer à l'enseignement. « Voie plus acceptable, dit-elle, pour susciter un changement social. A présent, je fais miens la plupart des valeurs et des objectifs qui me parviennent par le canal de la famille. Mais je n'en accepte pas les moyens, en particulier cette attitude paternaliste qui consiste à dire : nous autres Rockefeller savons ce qui est bon pour les autres. »

Solution artificielle, à l'évidence : lors de son « retour au bercail », Laura a accepté, entre autres, d'être membre du conseil d'administration de l'Université Spelman d'Atlanta, expression notoire du paternalisme rockefellérien. Mais elle s'efforce de résoudre ces contradictions, exactement comme le fit son père en ses jeunes années — par le jeu de sa propre volonté. En comparaissant devant la Commission de la Chambre pour se défendre, ainsi que son frère, contre les accusations de « magouille » dans l'affaire du livre consacré à Goldberg, Laurance demanda à lire une note qu'avait rédigée à son intention une de ses filles sur la question de « l'empire Rockefeller ». Laura en était l'auteur :

« Cette notion d' " empire "... ne peut paraître empreinte d'ironie qu'aux yeux d'un Rockefeller. Car cette pluralité humaine appelée " les Rockefeller " n'est pas un " empire ", mais une famille. Cette famille se définit et se maintient par ses liens réels. Cependant, ces liens n'ont pratiquement rien à voir avec l'exercice de la puissance financière ; ils ont plutôt été tissés par un ensemble d'expériences vécues en commun. Bien que le stéréotype des " Rockefeller " ait évolué de décennie en décennie, nous avons presque tous eu à lutter pour nous en arracher et nous faire reconnaître et apprécier en qualité d'individus utiles et responsables. Un inventaire des vocations des membres de cette famille indiquerait que chacun ou presque a réussi à trouver un moyen d'accomplir " sa destinée ", et non pas une " destinée familiale ". Quant aux plus jeunes, ils sont toujours en quête d'une identité séparée. »

Sa cousine Peggy, après une période révolutionnaire, est revenue elle aussi dans l'orbite familiale. Mieux encore que Laura, elle est l'expression achevée de cette ambivalence. D'un côté, elle s'est créé une identité, elle a fait abandon de son nom de famille, elle apprécie le sentiment d'anonymat et de contentement de soi qu'elle paraît retirer de son travail. « Ce qui m'intéresse, dit-elle, c'est de travailler au niveau des écoles communales et d'essayer d'y implanter des solutions nouvelles, dit-elle. J'ai mis cinq mois à trouver un travail, sans l'aide du nom de Rockefeller. A un moment donné, Bill Dietel [vice-président du Fonds des frères, l'un des collaborateurs employés par le Fonds de la famille] a suggéré que je m'engage dans des institutions pédagogiques de pointe, comme, par exemple, The National Education Association, qui était en quête d'un directeur. Mais c'était le genre de poste inaccessible sans piston. J'ai donc repoussé l'offre et continué à chercher. Je voulais me trouver du travail sans recourir un seul instant à mon nom. » Finalement, elle trouva à s'employer dans une école pilote. Mais, d'un autre côté, l'ambiguïté de cette situation n'échappe pas à l'une de ses meilleures amies : « Ce que Peggy veut savoir, c'est si les gens vont l'aimer pour elle-même, sans qu'opère la magie de son nom. Mais, en fin de compte, il lui est impossible de le savoir, car ses relations avec les autres ne sauraient être authentiques avant qu'on sache qui elle est. »

Peggy assume désormais un rôle actif dans la famille : secrétaire des réunions des cousins, membre influent au conseil d'administration du Fonds de la famille. Elle se sent de nouveau très proche de son père : « Il ne m'exaspère plus, dit-elle, bien que toute cette question de changement de nom, il soit vraiment incapable de la comprendre, de l'accepter et de s'y faire. Avant, je suivais la ligne de mon parti [le SDS] et toute contradiction me bouleversait. A présent, j'y vois nettement plus clair et les désaccords ne me mettent plus dans tous mes états. Le domaine de l'éducation, où je suis actuellement plongée, ne fait pas peur à père. Il apprécie mon changement d'orientation : éducation contre révolution, pour changer la société. Dans nos discussions, j'ai le dessus. Nous parlons du Watergate : auparavant, il accusait les démocrates d'avoir gonflé l'affaire; à présent, il a fait marche arrière. Je prends de la bouteille. Quand je militais au SDS, on me disait : de toute façon, vous, les riches, vous finirez bien par retourner dans le giron de votre caste. Hélas, c'est exactement ce que je suis en train de faire. N'empêche que mon surmoi continue à être marxiste de stricte obédience. »

Mais le difficile rapprochement avec la famille n'est pas toujours résolu aussi simplement. Voici le témoignage d'Abby, sœur de Peggy : « Mon père ne fait aucun effort pour réduire la distance entre nous. Il sait probablement que ma vie s'oriente sur des valeurs différentes des siennes, mais il se refuse à le reconnaître : la tension qui en résulte lui est insupportable. Il me raconte ce qu'il fait et il attend que j'en sois satisfaite. Il n'essaie même pas de me dire qu'en changeant d'attitude, je pourrais me rendre compte que ses actions contribuent à nous rapprocher. Non, il se contente d'espérer que ce qu'il fait me rapprochera de lui. »

La génération des cousins est marquée, à des degrés divers selon les familles, par un incessant mouvement dans les situations et les engagements de chacun. L'étrange chimie des mariages de David et de Peggy semble avoir été un ferment de révolte. Dans la famille de JDR 3, on rencontre une acceptation plus calme du conflit père-enfants que chez Laurance où la colère et l'indignation des enfants bouillonnent à tout propos. Chose curieuse, Nelson, le plus expansif et le plus accessible des pères, s'est également montré le moins tolérant. Mais cette attitude — sauf sur Steven — a eu des résultats inattendus : ses enfants paraissent satisfaits de leur sort. Solution de Rodman : tenter d'imiter la virilité de la génération précédente, au risque de paraître s'agiter et gesticuler dans un monde un peu trop grand pour lui. Solution des filles, Ann et Mary : rester tout simplement sur la touche et observer.

Mary (elle est loin d'être la seule) continue à sacrifier aux dieux lares des Rockefeller, ainsi qu'en témoigne le décor de son appartement des hauts du quartier Est. Dans sa bibliothèque, la collection complète d'*En Guardia*, la revue latino-américaine que Frank Jamieson éditait pour le compte de son père et du Bureau des Affaires interaméricaines à l'époque où, enfant, elle habitait avec ses parents à Washington. Sur une petite table volante, une photo de Nelson, une de Junior, et un petit buste en bois sculpté de Senior. Un coup d'œil à la photo de Nelson : « Comme il nous est difficile de renoncer à l'éclat de son image », dit-elle. Courte pause; elle reprend : « En un sens, c'est commode, confortable et satisfaisant de voir sa propre identité faire corps avec une institution, et de se trouver en son sein. Je ne me suis jamais sentie poussée à la révolte contre mon appartenance à la famille

Rockefeller. Je suis simplement sortie de l'orbite familiale afin de trouver mon identité. »

Un geste en direction des photos et du buste posés sur la table : « Pourquoi je les garde ici? Je n'en sais trop rien. Cela me rappelle de qui et de quoi je suis l'héritière. J'ai de l'admiration pour l'ingéniosité de mon arrière-grand-père. Ma grand-mère, pour son côté moral. Mon père, eh bien, je l'aime pour sa chaleur humaine; mais il représente la puissance et, à mon avis, il est très important de savoir comment on se situe par rapport à la puissance. Cette photo constitue aussi pour moi un avertissement. » Mary a peut-être le sentiment de n'avoir jamais remis en question ses bons rapports avec la famille et son père, mais sa vie personnelle offre pourtant un exemple inattendu de révolte. Elle s'est remariée tout récemment avec Tom Morgan, ex-principal assistant de John Lindsay, auteur de textes acerbes contre Nelson dans *Esquire*, au début des années soixante, et, pour l'heure, co-propriétaire de la revue *New York,* très critique sur le gouvernorat de Nelson et sa quête de la fonction présidentielle...

Jay est revenu lui aussi dans le giron familial, mais pour des raisons aussi bien politiques que personnelles. Il raconte : « Lorsque j'étais à Exeter, dépassé par la difficulté de mes relations avec mon père, je m'ouvris de ce problème à l'un de mes professeurs. Il me dit en gros : " Eh bien, finalement, c'est le fils qui doit prendre l'initiative d'améliorer les relations avec son père; pas l'inverse. " Je n'en crus rien à l'époque, mais, à présent, je me rends compte qu'il avait raison. Les choses se sont améliorées régulièrement entre nous au cours de ces quelques dernières années. Je ne gobe pas n'importe quoi au sujet de la famille, mais je l'accepte comme elle est. J'ai mis les choses au point, en termes humains, avec des gens qui sont mes parents. Chacun dit toujours que mon oncle David est l'homme le plus occupé et le plus puissant du pays. C'est probablement vrai, mais il trouve toujours le temps de me recevoir quand je suis à New York. J'admire sa formidable énergie. Avant, j'aimais aller à Jackson Hole à cause du ranch, mais, à présent, c'est pour voir l'oncle Laurance. Ce que j'aime en lui, c'est qu'on sait tout de suite à quoi s'en tenir. Quant à l'oncle Nelson, quand il vous tient dans ses bras, on dirait qu'il ne va plus vous lâcher. Littéralement. »

Conclure une paix séparée avec la famille en partant pour la Virginie occidentale n'était pas une solution. Jay s'en est vite rendu compte : il avait encore besoin de mettre à contribution la famille et son mythe pour favoriser son propre avancement. Nelson et lui sont d'ailleurs en secrète concurrence — non sans amertume de part et d'autre — mais il sait qu'il n'est pas question de laver ce linge sale en public. Il sait également que sa position, il la doit à ses origines : « Si j'étais John D. Smith IV, où en serais-je? » a-t-il lancé un jour à un collaborateur du *New York Times.*

Les « bonnes » choses de son milieu, Jay s'en est servi pour donner plus de résonance à ses fins personnelles. C'est comme quand on écrème le lait : l'astuce, c'est de le faire avec suffisamment de délicatesse pour que le petit lait ne remonte pas à la surface. « J'ai lu le premier volume de la vie de mon arrière-grand-père, par Nevins ; ça m'a plu. Mais pas au point de m'inciter à terminer le deuxième tome. J'ai lu également la vie de mon grand-père par Fosdick. Pas mal non plus. Il y a des moments où ça me stimule beaucoup, le fait d'appartenir aux Rockefeller. Il y a quelque temps, j'étais en Floride et j'ai pris le temps de visiter le musée Flagler [1]. J'éprouvais une vive curiosité pour tout ce qui touchait à ma famille. J'ai vu le wagon privé d'arrière-grand-père, et je me suis mis à phantasmer là-dessus comme un dingue. Comme quand j'étais gosse et que je me plongeais dans les rêves d'héritage et d'installation dans la Grande Maison à Pocantico. »

Un article sur la famille, paru dans une revue, avait naguère vivement irrité JDR 3 : on y faisait surtout allusion à Jay, fils de Nelson !... Après tout, ce n'était pas si faux : n'était-ce pas grâce à Nelson qu'on osait encore nourrir de grandes espérances dans la famille? Pourtant, dans le cas de Nelson, ces ambitions étaient demeurées liées à la famille — elles entraînaient dans leur sillage les espoirs et les sympathies de tous les Rockefeller. Chez Jay, il y avait certes une ambition de même trempe, mais nettement plus séparée de la famille. De fait, rien ne le distingue des autres hommes politiques nantis d'un nom célèbre et de beaucoup d'argent. (En 1972, il dépensa pour se faire élire près de 2 millions de dollars, pour moitié prélevés sur son propre argent, le reste venant en majeure partie de sa famille.) Mais, au cours de sa malheureuse campagne électorale pour le gouvernorat de Virginie, Jay apprit à ses dépens que le mythe Rockefeller formait un tout et qu'on ne pouvait aussi simplement séparer le « bon » grain de l'ivraie. Il s'était présenté comme candidat indépendant, assez critique à l'égard des intérêts miniers de Virginie occidentale. Or, au moment même où il dénonçait la carence des mesures de sécurité (provoquant la silicose chez les mineurs), on révéla que la Fondation Rockefeller (dont il était mandataire) possédait 300 000 parts des Houillères unifiées, le plus gros des exploitants. Vers la fin de la campagne, le passé de la famille qu'il avait non sans ambiguïté tenté d'embrasser tout en gardant ses distances, revint le hanter sous la forme d'une campagne d'affiches placardées dans tous les bassins houillers où il comptait être soutenu. On y lisait : « Rappelez-vous Ludlow. »

La tentation, pour les cousins, consiste à se laisser porter au gré des calmes eaux de la tradition, de sauver leur peau et que le diable emporte le dernier ! Quelques-uns, cependant, ne s'en satisfont pas. A leurs yeux, la poursuite d'une occupation individuelle pour rompre avec les embarras du patrimoine n'est au mieux qu'une solution partielle. Elle verse son baume sur un aspect de la personnalité mais en néglige un autre. Une poignée de cousins en sont venus à la conclusion que leur libération personnelle n'était possible qu'après compréhension totale (et exorcisme) des forces destructrices qui composent la tradition. Marion, entre autres, Abby aussi, et Steven.

---

1. Magnat des Chemins de fer, fut à l'origine du développement de Miami. (*N.d.T.*)

La dernière en date des entreprises Rockefeller a son siège social à deux pas de Harvard Square, dans un immeuble de bureaux à quatre étages, légèrement mal en point, dont les corridors récoltent tous les âcres fumets de la cantine au rez-de-chaussée et dont les fenêtres donnent sur des rues grises et enfumées. Les bureaux de Clivus Multrum sont propres et bien tenus. Rien ne laisse deviner leur vocation hormis une sorte de boîte bleue en fibre de verre, haute d'un mètre environ, trônant entre deux tables de travail au-dessus d'un radiateur du bureau principal. Avec des tuyaux qui pointent à son sommet et une ouverture à l'autre extrémité, on dirait un four ou l'interprétation moderniste, par quelque potache, d'une machine à explorer le temps. En fait, il s'agit d'un WC chimique suédois, et le Rockefeller qui préside la société détentrice du brevet exclusif de fabrication et de vente du Clivus n'est autre qu'Abby.

La fille aînée de David a le cheveu coupé court, des taches de rousseur, la fraîcheur de traits de sa mère. Elle est séduisante en dépit d'un refus obstiné de laisser ce charme s'exprimer en termes conventionnels; solide, athlétique, elle donne une impression de bonne forme physique, voire même de force. Polo, jeans, bottes (voilà dix ans qu'elle n'a pas mis une robe), cette mode vestimentaire, c'est tout ce qui lui reste de dix années de militantisme de gauche. Qu'une marxiste et féministe déclarée lance une affaire, c'est du nanan pour la famille! La voici donc rentrée, pieds et poings liés, dans la tradition familiale... Abby est consciente de cette réaction; elle en est contrariée, de même que par la façon dont l'affaire de type un peu particulier qu'elle a choisie excite l'imagination des reporters. Mais elle accepte le tout : ce sont les risques du métier. Le Clivus est à ses yeux éminemment défendable et compatible avec tous les idéaux de son passé politique. « Oui, je crois que j'ai une vision romantique de ses possibilités, dit-elle en se renversant dans son fauteuil et en reposant ses pieds sur le bord de son bureau. Il me semble que les gens se sentiraient mieux s'ils n'avaient plus l'impression que leur existence est en conflit fondamental avec les cycles de la vie. Savoir que vos excréments vont à la mer incite à la nostalgie. Je dois avoir de beaux restes rockefellériens, car je vois dans le Clivus, Dieu me pardonne, un moyen de réharmoniser le monde. »

Comment déterminer la proportion de l'élément Rockefeller chez Abby? De tous les cousins, c'est peut-être elle qui a le plus durement lutté contre le nom, pour arracher de sa personnalité, par un effort douloureux, presque violent, les contraintes et obligations rockefellériennes, sans oublier la culpabilité, trait dominant de la quatrième génération. (« Les cousins ne veulent pas admettre ce sentiment de supériorité qu'ils éprouvent tous. Alors, au lieu de l'extirper, ils se servent de la culpabilité comme d'un bouclier pour l'occulter. Voilà pourquoi ils sont si enclins à exprimer leur culpabilité. Avides, même. La culpabilité, c'est socialement acceptable. L'arrogance, non. ») Quand Abby parle d'elle-même, l'évocation de ses souvenirs, si bien assimilée et si précisément formulée, fait presque songer à un texte préparé, comme si chacune de ses remarques pénétrantes avait été élaborée au prix d'un intense et anxieux effort de réflexion. Les phrases se pressent autour de thèmes qui sont interdépendants aux yeux d'Abby — politique, famille, féminisme, personnalité...

« On pourrait dire, je crois, que ma révolte date de l'époque où je ne voulais pas porter des habits de fille, c'est-à-dire depuis toujours. Ma jeune sœur Neva et moi, nous nous ressemblons en cela. Nous nous sentions humiliées par les habits de fille — le mot même nous faisait horreur — et nous méprisions les filles qui prenaient plaisir à en porter. Cette attitude était déjà dans l'air dans notre famille. Elle venait de ma mère. Centre de nos vies d'enfants, nous quêtions avec passion son approbation. Bien entendu, mon père, lui, aimait les robes. Mais il était en quelque sorte marginal. A l'époque, c'était pour moi un monsieur dont le travail était fastidieux et les manières distantes. Hormis sa passion des insectes, concrète et originale, source de contacts réels avec nous, tout chez lui était ennuyeux et guindé. Il distribuait l'argent de poche et nous faisait faire des choses dépourvues de sens, comme d'aller à l'École du dimanche (cette tâche lui incombait, ma mère ayant catégoriquement refusé de s'en mêler). Le fait qu'il aimait les robes n'était pas une consolation.

« Des pieds à la tête, j'étais habillée en garçon. Vêtements naturels, confortables, compatibles avec ma dignité. Puis, brusquement, survint l'adolescence, et l'on me dit que je devrais porter tous ces chiffons. Ce changement brutal de règles et leur signification me plongèrent d'abord dans la confusion, puis me devinrent vite intolérables. Mon refus de m'y plier désolait mes parents ; et le fait de leur faire de la peine me désolait.

« A treize ans, pendant une brève période, je me suis forcée à essayer le rouge à lèvres, luttant contre un terrible sentiment de honte et de peur. Je voulais essayer ; et j'attendis avec appréhension la réaction du monde et les effets du geste sur moi-même. Je m'attirai une remarque désagréable de ma mère ; j'ai oublié les paroles exactes, mais, en gros, c'était *vulgaire* de faire ça, parce que j'étais trop jeune. " Vulgaire ", ma mère n'avait pas de pire mot pour désapprouver ; l'opposé de " distingué ". Vulgaire, c'est ne pas savoir rester à sa place, en haut ou en bas de l'échelle, affecter d'être ce qu'on n'est pas. Si tu vises plus haut ou plus bas que ta place, tu es vulgaire. Si des femmes instruites s'habillent de manière sexy, c'est vulgaire. Alors, j'ai laissé tomber le rouge à lèvres, carrément, et tout ce qui allait avec. Mais alors, voilà, catastrophe ! je reçois une nouvelle semonce. Ma mère me fait la leçon. Elle est bouleversée, dit-elle, parce que je ne porte pas de vêtements de fille ! Si je n'aime pas ma condition de fille, je vais être très malheureuse dans la vie. Voilà ce qu'elle dit, et je me rappelle avoir pensé : ça vient un peu tard, ce genre de laïus. »

On envoya Abby à l'École de filles de Miss Chapin. Elle s'y montra cabocharde et fut souvent malheureuse ; lorsqu'elle entra dans l'adolescence, les choses se gâtèrent également à la maison. On avait changé les directives « On nous avait dressées à coudre, dessiner, confectionner nous-mêmes nos cadeaux de Noël pour les autres, et on nous en félicitait. Puis, une année, sans crier gare, on me dit que vraiment j'étais trop âgée maintenant pour ne pas dépenser mon argent personnel à faire des cadeaux aux autres — sous-entendu : j'étais radine!... »

Abby ne décolérait pas devant les atteintes systématiques à la manifestation de sa personnalité. Elle laissait sa chambre dans le plus grand désordre et explosait quand les domestiques venaient à la ranger, ce qui arrivait toujours. Elle enfreignait la règle familiale du bain quotidien : il lui arriva même, dans un camp de vacances, de ne pas prendre un seul bain de six semaines. Le rejet de tout décorum — propreté, manières de table, habillement —, elle y voit à présent « le premier pas dans le développement de mon refus des idéaux de classe qui se cachent derrière. Mais je ne perçus pas tout de suite le lien entre ce décorum et les idéaux de classe. Je n'y parvins qu'au terme d'une longue et pénible évolution ».

Quand ses parents l'emmenèrent en Europe, dans sa onzième année, elle se cachait tout au fond de la limousine qui les conduisait vers les palais présidentiels et les meilleurs restaurants. « En partie pour embêter mes parents. Je n'avais que mépris pour la Cadillac, les hôtels où nous descendions, l'obséquiosité dont nous étions partout entourés. En même temps, j'étais furieuse d'avoir à me cacher au fond de la voiture, et je sentais confusément que j'allais devoir adopter une position cohérente sur l'ensemble de la question. Il y avait quelque chose dans les Cadillac, le domaine, qui allait avec l'appartenance à la famille Rockefeller et tout le chiqué qui l'entourait. C'était vulgaire, gênant; ça inspirait aux gens une curieuse attitude à mon égard — grandiloquente, servile et pourtant méprisante. Ils avaient l'air de se foutre de moi. »

Abby fit de piètres études, à coups de leçons particulières et de « tapirisation »; son désir d'apprendre, elle le fit dévier du côté du violoncelle dont elle entreprit l'étude à l'âge de douze ans. « Je me mis au violoncelle avec une grande passion, dans l'espoir, j'imagine, de racheter tant soit peu mes fâcheux échecs à répondre à l'image que les autres se faisaient de moi. » Après Miss Chapin, Milton, célèbre cours privé d'enseignement secondaire mixte, où — présage menaçant — les garçons avaient la permission d'assister chaque matin, depuis leurs dortoirs, à la mise en rang des filles, comme proposées à l'étalage. Elle flancha; travail médiocre: elle vivait dans la crainte de l'échec tout en subodorant (ce qui n'arrangeait pas les choses du côté de la culpabilité) que son nom la protégerait d'une telle avanie. « Inexcusable, inconcevable qu'une personne de mon espèce pût échouer en étant placée dans une telle école. C'est bien pour ça qu'on nous envoyait de préférence dans ces écoles-là : elles devaient nous inculquer le sentiment que notre réussite était assurée, à l'école bien sûr, mais aussi durablement, et que nous allions diriger le monde. Voilà ce qu'on nous fourrait dans le crâne. Nous fîmes la paire, mon amie Nan et moi, nous travaillions aussi mal l'une que l'autre. Nous imaginions des façons bouffonnes de célébrer notre échec : par exemple, au moment de l'examen, nous présenter toutes les deux toutes nues. Pour moi, ce furent des années malheureuses et un peu dingues. La seule chose qu'on pourrait dire en ma faveur, c'est que la névrose ne me faisait pas peur : j'ai été la seule fille de la famille, je crois, à refuser de se rendre à son premier bal. »

A sa sortie de Milton, Abby passa deux ans chez des amis de la famille, à Cambridge : elle jouait du violoncelle, se remettait, prenait des cours de maintien. « Conflit intérieur généralisé : Dieu, l'argent, le nom. Et moi, au milieu de tout ça? Les vrais choix commencèrent alors à se préciser. Premier terme de l'alternative : on admettait l'existence d'un Dieu. Alors, tout collait magnifiquement : tout — moi, l'argent — trouvait place dans un ordre divinement préétabli. S'il y avait un Dieu, tout prenait une couleur différente : moi-même, les autres, le monde. Je me consacrerais à utiliser ce nom et cet argent Rockefeller avec sagesse !

« Deuxième terme de l'alternative : Dieu n'existe pas; il s'ensuivait que l'ensemble était soumis au règne du caprice, de l'accident, de l'arbitraire, et j'avais le choix entre trois voies : employer à mon usage personnel l'argent et le pouvoir que j'avais reçus en naissant (accepter l'accident, simplement, et en tirer plaisir). L'utiliser à de « bonnes œuvres » selon un quelconque système. Ou y renoncer complètement sous prétexte de son illégitimité, de son injustice. Sous le rigorisme des choix envisagés se cachait une inquiétude ambiguë. Je voulais être débarrassée des faux ornements de ma vie et de leur immoralité. Mais comment y parvenir sans abandonner la puissance, la position, le luxe attachés à ces ornements? Voilà dans quel casse-tête j'étais empêtrée, même si, à mon avis, je réussissais mieux que le reste de mes cousins, le plus souvent, à camoufler le fait que je m'appelais Rockefeller. »

Au cours de cette période de convalescence psychique à Cambridge, Abby commença une analyse qui dura sept ans. Ce fut plus qu'une relation passive : « Je discutais avec mon psychologue, je me battais avec lui. J'affirmais que toutes les femmes abhorraient leur condition qui de mille manières les exaspère et les aigrit. Qu'a-t-elle de si aimable? La définition que les hommes en ont donnée? Pour moi, une femme satisfaite de sa condition de femme était une cinglée, vouée à l'autodestruction. Voilà le genre de trucs que je lui disais. Il répondait : " Certaines femmes, peut-être même la plupart, ressentent cette haine pour leur condition, mais pas toutes. " Cette réponse me mettait en rage. Je soutenais que c'était impossible : l'exception qui ne hait pas son rôle doit inévitablement avoir conscience des choses dégradantes qu'elle a dû faire pour accéder à sa " bonne " position. Il estimait que je ne saurais traiter le problème avant de le vivre de l'intérieur en tant qu'épouse. Moi, je pensais que je ne saurais le traiter avant que la situation des femmes ait changé dans son ensemble. C'est vers cette époque que j'écrivis une longue lettre passionnée à James Baldwin, dans laquelle j'exposais les similitudes (à mes yeux) entre la condition noire et la condition des femmes. La lettre ne partit jamais ; j'eus l'impression qu'il se sentirait outragé par une telle analogie. »

En fin de compte, l'avènement du mouvement féministe allait permettre à Abby de sublimer son dilemme et l'aider dans ses efforts pour se dégager des problèmes familiaux. Mais il y fallut d'abord quelques éléments de conscience politique. Avant-goût intéressant en 1959, à seize ans, alors qu'elle passait le week-end avec l'ami intime de son père, Nathan Pusey, président de Harvard. Ce week-end-là, Fidel Castro se rendit à Boston. Au passage du cortège, rue Quincy, elle escalada la clôture pour l'apercevoir. « Ce fut mon premier frisson politique. Je ne savais rien sur lui, absolument rien, mais quelque chose me transporta. Alors que, jusqu'à cet instant-là, la politique m'avait plutôt barbée, cet événement me mit dans tous mes états ; je me rendis au Champ du Soldat, à Harvard, où il devait prendre la parole, et passai quatre heures debout sur une chaise à l'écouter raconter dans son mauvais anglais ce qui se passait à Cuba. Et je fus extraordinairement émue ; j'étais enthousiaste ; ça semblait si formidable ! Je n'avais jamais rien entendu, politiquement, moralement, de plus cohérent. De retour chez Mr. Pusey, je passai deux heures à lui expliquer quel type fantastique était Castro. Et je lui assurai, non sans naïveté, qu'à en juger d'après tout ce que je voyais, ce qu'il faisait était excellent. Mr. Pusey se contenta de hocher la tête et de dire d'un ton soucieux : " Eh bien, Abby, j'espère que tu as raison ; j'espère que tu as raison. " Je remis ça avec mon père, je lui dis quel type extraordinaire était Castro, combien il était bon. Par la suite, après la rupture des relations diplomatiques avec Cuba, lorsqu'il fut annoncé que Castro était communiste, j'entends encore mon père me dire : " Alors, il n'a pas tourné si bien que ça, hein, Abs ? " Je fus incapable de répondre : je ne connaissais rien encore à la situation. Je me rappelle seulement avoir éprouvé quelque honte pour la légèreté de mon jugement. »

Il se passa encore deux années avant que les choses ne commencent à se mettre en place. Abby était en opposition continuelle avec la famille, avec sa propre position dans la société, avec son sexe, avec les ordres qu'elle recevait et qui faisaient violence à son intégrité personnelle ; cependant, au cœur même de ce conflit se faisait jour une incertitude paralysante. Après tout, ces marques de respect qu'on témoignait partout aux Rockefeller n'indiquaient pas forcément que le monde était cinglé ; après tout, c'était peut-être en elle que fleurissaient névrose et arrogance, elle qui s'emportait contre ce que d'autres acceptaient si facilement. Son père l'avait indirectement chapitrée à ce sujet quand elle avait eu dix-huit ans, lui disant que sa façon de s'affubler de vieux vêtements mal taillés ne servait en fin de compte qu'à souligner sa faculté de s'en débarrasser à la minute même où elle le souhaiterait. David fut cette force permanente — père, homme, symbole — qui focalisa toutes les contradictions de sa vie en un point lumineux : « Depuis l'enfance, j'ai passé ma vie à hésiter entre deux jugements concernant mon père : idiot ou dieu. La tension entre les deux atteignit son comble en 1963, lors de ma première année au Conservatoire de Nouvelle-Angleterre où je venais d'entrer. Le cours était assuré par un marxiste ; un jour, dans le but d'illustrer la question de la hiérarchie des valeurs, il demanda à chacun de nous de citer un personnage que nous jugions particulièrement éminent. Les étudiants nommèrent Jésus, Moïse, Gandhi, des gens comme ça... Je commençai à être en sueur. Assise au premier rang, comme d'habitude, je me sentis soudain en demeure de choisir entre plusieurs points de vue sur mon père : était-il ennuyeux, lassant, imperméable à la signification de tout ce qui se passait autour de lui, comme je l'avais vu si souvent avec des yeux exaspérés ; ou bien était-il un dieu, comme le voyaient ses subordonnés, ses collaborateurs et ma propre famille ? S'il en était ainsi, n'était-ce pas moi l'idiote et l'enfant ?

« A cet instant, la partie " mûre " de moi-même prit le dessus. Celle qui, depuis toujours, pensait que dans le monde *réel,* bien plus complexe que ne saurait l'imaginer une enfant, la plupart des gens sont brutaux, violents, mesquins les uns envers les autres, et que mon père, pourtant détenteur d'un énorme pouvoir, paraissait plutôt respectueux et bienveillant dans ses rapports avec autrui. Ce type de comportement — sa signification réelle m'échappait encore — exprimait à mes yeux une sorte d'héroïsme, de grandeur, une sorte de magnanimité.

« Je ressentis alors, comme dans le cas d'un abcès, un mûrissement de toute cette confusion que j'avais accumulée ; c'était l'heure de vérité. Si je pensais réellement tout ça sur mon père, alors il fallait le dire, même en public, et bien qu'il fût mon père. Mais, dans ce cas, c'était un reniement, le contraire de tout ce que j'avais fait, pensé, été jusqu'à présent, dans cette existence passée où je m'étais efforcée de cacher, masquer, minimiser tout ce qui touchait à mon nom, à mes liens avec la famille et sa gloire temporelle.

« Toute tremblante et couverte de sueur, je citai donc mon père comme étant l'homme le plus grand que je connusse. Je dis : " Mon père. " Puis tout se brouilla. Ce fut un moment clé dans ma vie. Une sorte d'exorcisme ; je me trouvais tout à coup délivrée de la façon même dont j'avais formulé mon dilemme. Étant à présent passée, pour ainsi dire, de l'autre côté de la barrière, j'étais capable de distinguer l'amour que j'avais pour mon père du sentiment que j'éprouvais devant la banalité de sa personnalité et l'injustice de son action dans le monde. Je compris que sa grandeur et sa puissance temporelles, étant donné la structure présente du monde, n'étaient qu'une imposture. Les problèmes avec lesquels je m'étais colletée étaient désormais plus complexes, mais, en même temps, plus faciles à résoudre. »

Peu après, Abby rencontra son chargé de cours à la cafétéria du conservatoire. Ils se lancèrent dans une longue discussion. Autre moment capital de ses souvenirs : « Dès l'adolescence, j'avais toujours fait montre d'une extrême violence dans mes idées politiques, pour autant que j'en aie eu. Mais j'avais changé, du moins en apparence, parvenant tant bien que mal à une espèce de position pacifiste libérale. Nous nous mîmes donc à parler politique ; je lui dis que la violence ne devrait pas exister, ou quelque chose dans ce goût-là, comme s'il pouvait y avoir un système politique voué à l'absence de violence. Je me rappelle sa réponse. Il me dit que violence ou absence de violence dépendait du bon vouloir de chacun. Si l'on était décidé à y recourir, on pouvait être sûr qu'en effet elle se déclencherait; on pouvait presque prévoir la forme qu'elle prendrait, et son degré d'intensité. Puis vint l'argument massue : ce sont les détenteurs des biens et de la richesse de la société, me dit-il, qui déterminent le degré de violence dans le monde. Dans le but de préserver leurs possessions. Et cela, de deux façons : sauvegarde de leurs possessions, donc maintien des privations pour les autres; et répression de ceux qui se révoltent contre l'ordre établi. Bien qu'elle m'ait rendu longtemps malheureuse, cette discussion est à marquer d'une pierre blanche dans ma vie. Percées de part en part, mes petites idées politiques s'effondrèrent. Je touchais là à une vérité fondamentale. »

Les années qui suivirent marquèrent pour Abby un nouveau tournant. Notamment grâce à l'analyse : « Pour moi, l'élément fondamental de toute cette expérience, ce fut le sentiment que tout est lié, indissolublement lié, qu'il n'y a pas de solution de continuité dans la vie psychique. Ce fut un grand pas. J'en vins à examiner avec sérieux les implications de ma conduite, d'une façon dont j'avais d'abord escompté faire l'économie. Je m'aperçus que j'avais voulu faire comme tout le monde : mythifier mes actes de la façon la plus seyante afin d'éviter de les regarder en face.

« Ceci combiné avec la méthode marxiste. Plus frappante encore que ces révélations psychiques : l'idée que l'histoire, les sociétés, la situation mondiale — tout est lié, et de manière intelligible. J'avais estimé possible de croire que les gens sont les jouets de forces arbitraires, au bout de ficelles indépendantes tirées au hasard, en tout cas sans lien systématique entre elles. Par conséquent, je pouvais être saisie de pitié devant les pauvres " accidentels ", et de gratitude devant les riches " accidentels ". L'idée que richesse et pauvreté sont intimement liées, que l'une se nourrit de l'autre, que le grand nombre souffre à cause d'une poignée de privilégiés, que la bonne et la mauvaise fortune sont inextricablement dépendantes — tout cela était nouveau pour moi. Et n'admettait pas de réplique.

« Bien entendu, j'essayai d'expliquer tout ça à mes parents. Je les attaquai de front. Mais j'étais si mal armée idéologiquement! Je n'avais à ma disposition que le squelette de l'argumentation, les grands principes. Malgré ça, nous eûmes des discussions extrêmement violentes. La grande scène du Capitalisme contre le Communisme revint un nombre incalculable de fois. Je mettais en avant l'idée du Communisme telle qu'elle m'était apparue dans le *Manifeste* de Marx. Pour me convaincre, mon père ressortait obstinément tous les « faits » qu'il connaissait sur la Russie. Un jour, il vint à Cambridge (c'était un de ces moments où la guerre entre nous faisait rage au point que je ne voulais pas aller voir mes parents chez eux), et nous sortîmes pour dîner. C'était touchant, en un sens; il commença par me demander pourquoi je nourrissais de telles opinions — jusque-là, il ne m'avait jamais posé la question. Comment se faisait-il que j'avais répudié tout ce en quoi il croyait? Comment cela avait-il pu arriver? Nombre de mes idées, j'avais pourtant l'impression de les tenir de mes parents, et je le lui dis; de ma mère, en particulier; par exemple, qu'il n'y a ni ordre, ni justice dans le fait de posséder tout cet argent. Je lui fis remarquer que lui-même m'avait toujours dit que les rapports des uns avec les autres devaient obéir à la morale, et ajoutai qu'à mes yeux, maintenant, la seule vérité concernant notre richesse, c'était son immoralité.

« Je crois qu'il me demanda alors pourquoi je préférais le Communisme, en quoi je l'estimais supérieur. Je lui répondis qu'il fallait en fait considérer deux choses : comment voyons-nous la nature humaine? Et quel système est susceptible d'apporter le plus vite des conditions de vie décentes à l'humanité?

« D'abord, donc, la question de la nature humaine. Il dit qu'il croyait à la théorie de la carotte et du bâton. Oui, c'est ce qu'il dit! la carotte et le bâton! Oui, pour accepter de travailler, les gens avaient besoin d'un bon coup d'aiguillon, puis d'une récompense. Tantôt l'un, tantôt l'autre, et la roue tournait. En fait, il confirmait absolument l'idée que le capitalisme repose sur la paresse et l'avidité.

« Je lui dis que je n'étais pas d'accord avec cette conception de la nature humaine. On pouvait, bien sûr, faire entrer tous les gens dans un même moule, mais ce n'était pas la seule possibilité. C'est vrai, les gens sont capables de comportements très différents; les systèmes sociaux font sortir soit le bon, soit le mauvais côté des gens; à mon avis, avec le capitalisme, c'est le mauvais qui triomphe. Il se contenta de dire que, sur ce point, il n'était pas d'accord.

« Pourtant, peu après, il m'invita à l'accompagner à Saigon pour l'inauguration d'une filiale de la banque. En 1966, à l'époque où je m'occupais des GI's qui désertaient pour ne pas aller au Vietnam! Quelle idée de m'inviter! Mais c'était typique de cette manière qui m'avait toujours paru saugrenue. Dans mon esprit, notre discussion antérieure avait mis les choses au clair. Calme, amicale, réaliste, elle avait exposé au grand jour nos différences, et j'en étais enchantée. Mais, je m'en souviens, il n'en avait éprouvé après coup que de la tristesse. Contrairement à son habitude, il n'avait pas eu un mot ou un geste pour montrer qu'il avait été heureux de passer un moment avec moi. En fait, c'est toujours la rencontre où je me suis ennuyée le plus qu'il apprécie. Invariablement. Par contre, plus elle est riche en discussions sérieuses, plus elle le dérange.

« C'est pis encore quand nos rencontres ne se déroulent pas en terrain neutre. Tout est réglé comme du papier à musique dans la maison de mon père, et si je m'écarte tant soit peu des règles, on me le fait sentir — par exemple, si je descends vêtue deux fois de suite des mêmes habits, et peu importe si ce sont des blue-jeans et non des robes. Ça rend mon père malheureux. Il y a presque toujours des invités — relations d'affaires, hommes politiques, présidents d'université — au petit déjeuner, à déjeuner comme à dîner, dans le Maine, à New York et jusque dans les Caraïbes. Mes parents emmènent toujours des gens avec eux. Pour les conversations sérieuses, ce n'est jamais le moment ni l'endroit. Le risque de faire affleurer différences et conflits est trop grand. L'idéal de mon père, c'est qu'il ne devrait pas y avoir de conflits. Il ne voit pas pourquoi il y aurait des tensions. Si je me pliais à cet ordre et à cette attitude, j'ai l'impression que je me trahirais moi-même. Mais si je me risque à exprimer la tension que je ressens, on en conclut que je trahis mon père. »

Environ un an avant cette discussion avec son père, Abby avait rencontré un jeune homme qui vendait *le Militant* à un coin de rue; ils avaient parlé ensemble; à la suite de cette discussion, elle s'était mise à fréquenter les réunions du Parti des Travailleurs socialistes. (« Dieu sait de quoi j'ai eu l'air, à leurs yeux! Leurs réunions étaient si ennuyeuses. Ils ont dû penser que j'étais idiote. ») Ensuite, pendant quelques années, elle s'engagea plus à fond dans l'action contre la guerre. A la littérature marxiste vinrent s'ajouter de nombreuses lectures sur l'Asie du Sud-Est, parmi lesquelles les livres de Bernard Fall [1] et maints autres ouvrages faisant autorité sur la guerre; elle s'en servait comme références pour combattre les mythes officiels sur le Vietnam et l'intervention US. Elle se préparait ainsi à la lutte idéologique contre son père et ses amis aux yeux de qui le Vietnam n'était qu'une nouvelle manifestation de l'« agression communiste ». Elle étudia également dans le détail le système de conscription et devint conseillère du Groupe bostonien des déserteurs.

La politique fournissait un axe et un fondement logique à la révolte qu'elle avait entamée dès l'enfance. Grâce à la politique également, Abby commençait à y voir un peu plus clair dans la problématique de l'argent rockefellérien. « L'idée de purification par abandon de cet argent ne tarda pas à me paraître absurde, une véritable lâcheté. Peu à peu, je me rendis compte que je n'étais pas simplement là, toute seule, à tenter d'être pure, mais que j'étais en possession d'un outil, impur certes, mais puissant, et qu'il était plus astucieux d'en faire usage pour des choses que j'estimais bonnes. Je donnais pour tout : les droits civiques, les déserteurs, les séminaires de réflexion, l'éducation révolutionnaire, tout. A l'époque, je touchais environ 25 000 dollars par an; il m'en fallait très peu pour mon propre usage; tout le reste, je le donnais. »

Pendant des années, elle fut l'une des meilleures « vaches à lait » de l'extrême gauche. En cas de panne sèche, on pouvait toujours compter sur Abby Rockefeller pour quelques milliers de dollars. On retrouvait son argent partout, dans le SNCC [2] aussi bien que dans le film satirique anti-nixonien *Milhouse*. Bien qu'elle évitât toute confrontation ouverte avec sa famille et ses institutions (que la presse n'aurait pas manqué d'exploiter), à certains moments, inévitablement, sa philanthropie révolutionnaire heurtait par la bande l'édifice Rockefeller. Ainsi, quelques années plus tard, quand James Forman [3],

---

1. 1926-1967. Écrivain et journaliste. 1953 : premier voyage au Vietnam pour une dissertation de doctorat sur le Vietminh. (*N.d.T.*)
2. Student Nonviolent Coordinating Committee, fondé en 1960 pour lutter contre la ségrégation raciale dans le Sud. (*N.d.T.*)
3. Leader noir, auteur de *la Libération viendra d'une chose noire*. (*N.d.T.*)

du haut de la chaire de l'église du Riverside, lut son *Manifeste noir* et réclama 400 millions de dollars en réparation de 400 années d'esclavage, qui dans l'assistance savait que le principal soutien financier de l'organisation de Forman était l'une des petites-filles de celui qui avait précisément élevé Riverside, ce temple de l'Église bien-pensante?

Certes, Abby ajustait parfois le montant de ses dons aux limites de ses ressources, mais elle ne repoussait jamais une sollicitation. « Je n'ai pas le souvenir d'avoir dit non. Jamais, vraiment. C'était au-dessus de mes forces. L'argent ne m'appartenait pas réellement, tout comme je ne m'appartenais pas vraiment moi-même. A ce stade de ma vie, mes sentiments pouvaient se traduire ainsi : Pourquoi ne pas donner? Y a-t-il une seule raison? Ils me harcèlent, et alors? Après tout, entre leurs mains, l'argent peut au moins servir à quelque chose de bon. »

Vers la fin de 1968, elle fut en butte à des sollicitations d'une autre nature, de la part de Roxanne Dunbar. Celle-ci demandait des fonds pour l'envoi d'une déléguée à une conférence féministe qui devait bientôt se tenir à Chicago; c'était le premier grand rassemblement de ce genre. Avec Dana Densmore, Betsy Warrior et quelques autres précurseurs du mouvement féministe, Roxanne avait déjà fondé le *Journal de la libération de la femme*, publication avant-gardiste du mouvement féministe naissant. C'est elle qui avait préparé le premier numéro; Roxanne était une animatrice, une femme d'action, et Abby sentit aussitôt que cette rencontre aurait d'autres prolongements que les quelques subsides accordés. « Je m'étais toujours considérée comme féministe, bien que l'emploi du mot lui-même me répugnât, étant donné mon horreur pour tout ce qui est féminin. Haine de soi, non, pas exactement, mais conviction qu'il n'y avait rien d'aimable dans ce que j'avais reçu en partage en qualité de femme. J'étais hostile à toutes les connotations du mot. Toutes les particularités " féminines " (se farder, porter des vêtements conçus par les hommes, adopter les conduites imposées par les hommes) me semblaient faire partie d'un système destiné à rendre la femme méprisable aux yeux de l'homme, afin que l'homme pût la dominer. Dans ce contexte, de toute évidence, la visite de Roxanne fut un événement marquant, surtout si l'on songe qu'à l'époque, le mouvement des femmes se réduisait pratiquement à l'ouvrage de Betty Friedan [1]. »

Avec Roxanne et d'autres, Abby créa la Cellule 16 (qui devint bientôt l'une des premières organisations féministes). On tenait constamment réunion dans le sous-sol de son appartement de Cambridge. Le groupe commença à élaborer et à diffuser le *Journal* [2], ainsi que des tracts, articles et matériel de propagande divers. On organisa des réunions dans les environs

---

1. *The Feminine Mystique*, paru en 1963, Dell, New York. (*N.d.T.*)
2. Désigné également sous le titre « Plus d'amusement ni de gaudriole », il est ainsi décrit dans le *Guide de survie des Nouvelles Femmes* : « Un des premiers groupes féministes du pays, Cellule 16 a publié depuis 1968 six journaux de libération féminine. Les contributions théoriques de Lisa Leghorn, Roxanne Dunbar, Dawn Warrior, Dana Densmore, Betsy Warrior, entre autres, particulièrement fortes et provocatrices, ont été très souvent reproduites dans le cours de ce deuxième combat féministe... »

de Cambridge. Au printemps 1969, la Cellule 16 parraina la seconde conférence féministe d'importance, qui se réunit à Boston. (Il y eut même une démonstration de Tae Kwon Do, variante coréenne du karaté, qu'Abby avait étudié pendant plus d'un an.) Bien qu'on eût officiellement interdit l'entrée à la presse, un journaliste de la revue *New York* parvint à se faufiler et câbla un article insistant sur le rôle de tout premier plan joué par Abby. « C'était réellement un mauvais article, dit Roxanne Dunbar. Il nous mettait en boîte, racontant comment une femme reculait pour prendre de l'élan, s'élançait et brisait une planche d'un coup de tête. Vous voyez le genre. Comme si nous n'avions été qu'une brochette d'imbéciles. Il concentrait son tir sur Abby, bien sûr, parce que ça faisait mousser son article d'annoncer la présence d'Abby Rockefeller là-dedans. Abby en fut sincèrement écœurée! »

Dès la parution de l'article, coup de téléphone des parents. C'est la mère qui prend la parole : « Elle me dit que mon père en était malade, de voir le prénom de sa propre mère traîné dans la boue. Je réponds : " Eh bien, pourquoi m'avez-vous donné le même prénom? " Elle me dit : " Comment pouvions-nous prévoir que tu ferais ce genre de choses? " »

Roxanne Dunbar n'a pas oublié combien Abby eut l'air bouleversée : « Sa mère lui dit qu'elle faisait du tort à la famille. Elle lui rappela ce qui était arrivé quand Nelson avait épousé Happy, et lui dit qu'elle leur faisait du tort à tous en se donnant en spectacle. »

L'incident s'envenima, comme c'était souvent le cas avec ses parents. Abby n'avait pas eu l'intention de les blesser : elle avait simplement voulu essayer de faire admettre ses propres droits, et agir pour ce qui lui semblait bon. « La famille — les frères, plutôt — en arrivent à nous dire : Voilà ce que ça signifie d'être un Rockefeller, et maintenant, vivez tous selon cette définition. Avoir une échelle de valeurs et un éventail d'intérêts différents de ceux de la famille, c'est une trahison. Vouloir les mettre en pratique, c'est impensable. »

Abby décela d'emblée dans le mouvement féministe le catalyseur dont elle avait besoin; il l'aiderait à rompre avec son histoire, ce que n'avait pu faire l'engagement politique; dans cette perspective et ce nouveau contexte, ses réactions instinctives et désordonnées allaient se trouver canalisées, organisées. « Cela me faisait du bien de constater que la vigueur, la violence, la rage pouvaient être associées à tout ce qui m'avait embêtée ma vie durant; qu'il n'était pas fatal d'attendre les bras croisés, ni de voir tout en noir; qu'il pouvait s'opérer des changements radicaux dans le mariage, l'éducation des enfants, la famille, et toute une série d'autres institutions qui affectait le mode de vie des femmes et leur opinion d'elles-mêmes. »

Un jour, on assista à une dramatique irruption de la violence. « Nous étions une huitaine à marcher dans la rue, à Boston, après une réunion. Il était tard, les voitures étaient rares. Soudain, une auto avec deux gars se mit à rouler au pas le long du trottoir, à côté de nous. Ils nous lancèrent : " Hé, les pépées, voulez faire un p'tit tour? " et autres trucs désagréables. Ce genre de choses m'avait toujours mise en rage, mais je pensais qu'on n'y pouvait rien. Cette fois, Roxanne courut jusqu'à la voiture et plongea le poing par la vitre ouverte. Puis elle recula d'un bond et leur jeta avec mépris : « Et alors, vous vous prenez pour qui? " Instinctivement, je me rapprochai de la voiture, adoptant une attitude menaçante pour empêcher le conducteur de sortir. Tandis que Roxanne l'invectivait, je le vis chercher quelque chose à tâtons sous son siège. Brusquement il ouvrit la portière et marcha sur moi avec un tire-pneu, essayant de me frapper à la tête. Je lui donnai un coup de tête en pleine poitrine. Le seul fait que je me sois défendue l'affola au point qu'il se précipita dans sa voiture et démarra en trombe. Deux cents mètres plus loin, il arrêta net la voiture et se mit à crier avec son ami : " Filles de putes! " et autres obscénités. Ce fut un moment très moche et plutôt dingue, mais nous le ressentîmes comme une espèce de libération. »

Abby consacra toute l'année 1969 à la Cellule 16. Activité intense et épuisante. Au début de 1970, le groupe commença à se dessouder, à se fragmenter, victime du cannibalisme généralisé qui allait bientôt détruire le mouvement. Roxanne partit en tournée d'organisation. Les autres étaient fatiguées. Quand le groupe se trouva suffisamment affaibli, le Parti des Travailleurs socialistes [1], avec une équipe triée sur le volet, se lança dans l'une de ses fameuses « récupérations démocratiques ». A la suite de cette opération, Abby et quelques autres militantes de la première heure effectuèrent un raid nocturne à la permanence qu'elle avait payée et équipée de ses propres deniers, « volèrent » des machines à écrire qu'elle avait plus que largement achetées, raflèrent des numéros de leur journal ainsi que divers matériel de propagande; elles entassèrent le tout dans une camionnette prêtée et un taxi loué, et le transportèrent en un lieu secret.

Elle demeura une militante indépendante dans le mouvement des femmes, tenant tête aux élucubrations baroques qui marquaient sa décadence, comme le Lesbianisme révolutionnaire. « Cette solution ne signifiait rien pour moi, viscéralement, mais elle avait pour elles une logique inattaquable. S'il était avéré que les femmes avaient vécu avec leur ennemi, alors pourquoi ne pas mettre fin à cette cohabitation et se mettre à vivre entre amies? Pourquoi ces femmes n'avaient-elles pu, jusque-là, échapper à leur sort? En raison de leur intimité avec l'oppresseur. Il n'existait rien de comparable à cette situation dans l'Histoire. Même les esclaves avaient des quartiers avec cabanes bien à eux, et pouvaient de temps à autre échapper à cette impitoyable promiscuité... Quant à nous, les restes de la Cellule 16, nous luttions contre les lesbiennes et les autres, nous en tenant à notre position sur la question : les femmes doivent être en droit de refuser le sexe si tel est leur désir. »

Tout en luttant, Abby, comme bien d'autres militantes, s'acheminait vers un abandon de sa participation active au mouvement féministe dont le centre de gravité se déplaçait de l'extrémisme de gauche vers les mouvements modérés. Pendant un an, elle se concentra sur le Tae Kwon Do, le violoncelle et ses cours au Conservatoire de Nouvelle-Angleterre, où ses auteurs préférés

---

1. Organisation marxiste. (*N.d.T.*)

étaient Marx, Dickens et Flaubert. Elle découvrit qu'elle avait changé sans vraiment s'en apercevoir : « Avant le mouvement féministe, j'étais très vulnérable — demandes d'argent, chantage à mes sentiments de culpabilité, demandes de rendez-vous : je ne disposais d'aucun système pour dire non à tout ça. Je ne savais pas que j'avais des droits, que je pouvais opposer certaines limites. C'est par étapes que j'appris à dire non. Je commençai par les hommes qui m'invitaient à sortir le soir, aux débuts de la Cellule 16. Quel soulagement énorme! Quand j'acceptais ce genre d'invitation, eh bien, c'était vraiment parce que j'en avais envie. D'autre part, je décidai de faire un tri parmi les bénéficiaires de mes dons, de verser uniquement aux causes féministes. Ça aussi, c'était bien, du moins à l'époque; mais quand le mouvement amorça son déclin, je ressentis la même inclination que naguère à dire oui : alors, là aussi j'appris à dire non. Après tout, la maturité (du moins pour un Rockefeller de la quatrième génération), c'est peut-être l'art de savoir dire non. Cela suppose une compréhension de vos limites personnelles. »

Son travail de réflexion au sein de la Cellule 16 trouva son prolongement dans des groupes d'études, eux aussi assez épuisants, et Abby consigna ses opinions dans un long article qu'elle rédigea pour leur journal (numéro du printemps 1973), sous le titre : « Le sexe : base du sexisme. » La thèse d'Abby, c'est que si les femmes sont opprimées, c'est en raison de la nature plus impérieuse et moins sélective du besoin sexuel mâle. « En règle générale, les hommes ont une sexualité plus exigeante que les femmes; le lieu, le temps et le choix de l'objet leur importent beaucoup moins. » Les hommes savent que s'ils doivent tenir compte de la volonté de la femme, ils seront à jamais frustrés en quantité et en qualité. En conséquence, ils estiment nécessaire de dominer et d'opprimer les femmes, dans le but de satisfaire leurs besoins. C'est pourquoi « le féminisme n'est pas simplement une " guerre entre les sexes ", mais une guerre contre le sexe lui-même ». Que les hommes se préparent donc à « rivaliser avec les femmes et qu'ils apprennent à affiner et à respecter leurs instincts afin de savoir quand le sexe s'impose et quand il ne s'impose pas ». Quand le pouvoir femelle sera devenu réalité, « ce qui revient à dire : quand la sensibilité sexuelle féminine sera devenue universelle, le sexe sera à coup sûr meilleur, mais certainement dans des limites plus raisonnables ».

Lors même de la publication de cette étude prenait fin pour Abby cette période de cinq années de sa vie. Elle était parvenue à une sorte de sérénité et paraissait en possession de principes et d'un équilibre intérieur qui devaient lui permettre de s'intéresser à autre chose qu'à ses états d'âme. Une plaie semblait s'être cicatrisée. Elle acheta une ferme dans le New Hampshire, passa son temps et dépensa son argent (enfin pour elle) à la réaménager en ferme de rapport.

Au cours de cette période, elle tomba sur un article de la revue *Jardinage et Fermage organiques*. Fâcheusement intitulé « Au revoir, cabinets à chasse d'eau », il décrivait le Clivus, système à compost mis au point par l'ingénieur suédois Richard Lindstrom. Capable de traiter l'excrément et les ordures ménagères sans odeur ni saleté, il transformait les détritus annuels d'une famille moyenne en un bloc de compost de trois livres environ. « La technologie moderne peut donc éviter de polluer l'environnement en traitant les déchets qui, de nocifs, deviennent bénéfiques sous son action ; elle peut alors les utiliser valablement. »

Attirée par les implications écologiques révolutionnaires du Clivus, Abby s'aventura jusqu'en Suède, malgré sa phobie des voyages en avion. Elle examina de près les méthodes de fabrication et signa un contrat l'autorisant à fabriquer et vendre le Clivus aux États-Unis. Dès l'été 1974, deux de ces appareils se trouvaient installés en Amérique : l'un dans sa maison de Cambridge, l'autre dans sa ferme du New Hampshire. Avec de l'argent prélevé sur son dépôt et fourni par divers membres de la quatrième génération, elle lança la Clivus Multrum, USA.

Il en fallait davantage pour que la famille vînt à résipiscence avec Abby. Abby avait toujours été la cousine à histoires, capable de tout, ses critiques des entreprises Rockefeller étaient aussi acerbes que n'importe quelle attaque décochée à la famille *extra-muros*. Quand elle lança son entreprise, techniquement conseillée par la salle n° 5600, on jubila dans la famille : elle se ralliait donc au capitalisme — par une affaire d'excréments, il est vrai !... On toléra donc, non sans amusement, la Clivus Multrum. Bien. (« On l'a finalement purgée, cette fille ! » dit Rodman avec mauvais goût.) Mais, enfin, que penser de ce nouvel avatar d'Abby ? Fallait-il l'encourager d'une main protectrice ou bien s'inquiéter de la voir ridiculiser la famille par cette nouvelle trouvaille sur le lien symbolique entre les matières fécales et l'argent ?

Il y a peu, se rendant — une fois n'est pas coutume — au Bureau de la famille pour tenter de retirer une fraction plus importante de son dépôt afin d'étendre son affaire, elle tomba nez à nez avec son oncle Laurance, qu'elle n'avait pas revu depuis huit ans. « Il se montra charmant, comme à l'ordinaire, mais je ne m'attendais pas à le trouver si vieilli ; on aurait dit que tout son scepticisme avait été impuissant à le maintenir à flot. Il me dit et me répéta que nous étions tous deux embarqués sur le même bateau, quoique en des endroits différents. Il le répéta à satiété. Il voulait me prouver qu'il était au courant, pour le Clivus. C'était juste, au demeurant. Et le voilà parti sur la façon dont les bactéries agissent pour aider à la fabrication du compost, sur ce qu'est le compost, et en quoi c'est important. Sur sa lancée, sans prendre le temps de souffler, il me dit qu'il avait engagé le MIT — dont il était administrateur — à travailler sur une rivière du Vermont qui serait nettoyée à fond à telle date grâce à des usines de traitement des eaux. Il suggéra l'adjonction du Clivus au système, pour capter les déchets après traitement. Cela dit, il fila vers un autre rendez-vous. Je n'eus même pas le temps de lui expliquer que tout le procédé Clivus vise précisément à remplacer les usines de traitement, désastreuses pour l'environnement. Confrontation classique, en somme. »

Pour Abby, les problèmes sont loin d'être réglés. En particulier, elle ne sait toujours pas comment faire pour séparer les relations humaines au sein de la famille des aspects institutionnels de la renommée Rockefeller et de sa puissance, qu'elle rejette en bloc. Problème d'autant plus aigu qu'elle a le sentiment qu'une guerre ouverte contre la famille ne ferait que le rapetisser et l'obscurcir. Mais plus elle s'efforce d'atteindre à des liens personnels, débarrassés de leur gangue sociale, plus elle est amenée à se rendre compte que la « souillure » de l'argent fait inextricablement partie des composantes familiales. Un récent incident, qu'elle raconte d'un air mélancolique, illustre bien cette situation :

« Sous prétexte qu'il serait gênant pour eux de l'apprendre par les journaux, certains membres de notre famille avaient poussé mes parents à leur dire à combien se monterait leur héritage [on put craindre en effet de telles révélations à la suite des auditions « vice-présidentielles » de Nelson]. Mon père et ma mère avaient refusé d'en parler, sans doute de crainte de voir leurs enfants soupirer après leur mort. Moi, cette idée me répugnait, me rendait malade ; je me disais qu'il serait beaucoup plus agréable de ne pas avoir tout ça sur les épaules, de ne pas hériter de cet argent, avec son cortège de problèmes. Un soir que j'étais chez mon père, il me fit venir dans son bureau et se mit à me parler d'argent. Il était extrêmement tendu et m'expliqua que mon grand-père avait constitué un dépôt qui me serait remis à sa propre mort ; et il ajouta que, bien évidemment, il ne s'attendait pas à mourir de sitôt. Il le répéta au moins trois fois. Ce me fut très pénible de l'entendre se sentir obligé de me dire ça. Puis il se mit à expliquer les modalités de l'arrangement : le jour venu, l'argent serait divisé en six, et chacun de nous recevrait 25 millions de dollars. Quand il eut fini, je lui dis : " Mais tu dois savoir ce que je pense de tout ça ?... Je crois bien que je préférerais ne rien avoir ", ajoutai-je. La pensée de cette chose suspendue au-dessus de ma tête m'était insupportable : elle gâchait mon présent et mon avenir, mes relations avec les gens, mes relations avec mon propre père. A mes yeux, ça ne faisait qu'envenimer tous les rapports et nous avions bien assez de difficultés entre nous sans y ajouter ce genre de chose.

« Il n'y avait pas la moindre acrimonie dans mes paroles. Pourtant, l'air accablé et bouleversé, il me dit : " Eh bien, je le regrette vivement, mais c'est comme ça, je n'y peux rien. " Je compris alors — et cela devint de plus en plus évident au fur et à mesure qu'il parlait — qu'il avait vu dans ma réaction une condamnation sans appel et l'expression de la plus extraordinaire ingratitude. Comme presque toujours dans nos discussions, impossible de lui faire comprendre mes sentiments : pour moi, ce n'était pas une question de gratitude, mais un point d'Histoire. Ce qui m'attendait, c'était la conséquence de l'Histoire Rockefeller, non de la générosité d'un individu (lui-même l'admettait, d'ailleurs, quand il affirmait ne pouvoir modifier les clauses du dépôt). Je lui expliquai que je pouvais à la rigueur comprendre qu'il se fût senti lié avec son propre grand-père, qu'il avait connu ; qu'il ressentît quelque émotion devant le legs de cette fortune ; mais moi, j'étais étrangère à tout ça (je n'abordais même pas le côté politique de l'affaire); je pensais en fait que le jeu n'en valait pas la chandelle, si belle qu'elle fût.

« Mes efforts furent vains. Hors de la charpente institutionnelle de la famille et de son histoire, il ne voyait rien d'autre. Il était blessé et m'en voulait de mon ingratitude. »

En un sens, Abby a maintenant abandonné tout espoir de réduire la tension avec sa famille. La seule attitude qui lui paraît encore possible est celle du dissident : marcher sur la corde raide. « Dieu sait si je souffre chez mes parents, dit-elle. Mais si je n'y allais plus jamais, si je coupais les ponts définitivement, j'aurais l'impression de tourner purement et simplement le dos à mes origines: de dénier toute signification aux liens familiaux. Je vais chez eux une à deux fois par an au minimum; ça me permet de savoir où j'en suis. Mon comportement (ma façon d'encaisser ce qui me déplaît chez les Rockefeller) est le meilleur baromètre de mon état général. »

A part l'album de Judy Collins [1], *Wildflowers* (Fleurs sauvages), visible près de la fenêtre à travers le voilage, rien ne distingue particulièrement cette maison à deux étages, à boiseries blanches, dans la bourgade de Middlebury; elle est bien tenue, solide, intime sans être inhospitalière. Il est évident que le maître de maison connaît et admire les sobres vertus yankees du Vermont. Grand, mince, le visage jeune et anguleux frangé d'une belle barbe, portant de grosses lunettes, il sort sur le seuil, un agréable sourire aux lèvres, les manches de sa chemise blanche roulées sur un bras musclé qu'il tend dans notre direction pour nous serrer la main : « Steven Rockefeller. » Le célèbre nom est prononcé carrément, sans apitoiement, sans cette distance qu'on note chez d'autres cousins. Il est proféré avec la calme certitude qu'il va forcément frapper l'interlocuteur mais que, passé le choc initial, on va pouvoir s'entendre.

Il y a de Nelson dans les yeux et la mâchoire de Steven, mais sans sa dureté. Derrière leurs lunettes à monture de corne, les yeux expriment cette vulnérabilité que son père perdit si vite dans la vie. On pense à un modèle réduit de Nelson — moins de chairs, moins de vanité, moins d'ambition; les désirs semblent élucidés et maîtrisés, comme si ce Rockefeller avait subi un dressage sévère d'où il était sorti endurci, mais, paradoxalement, plus humain. Il s'exprime en survivant et non en exilé, comme un porte-parole de sa génération de Rockefeller et des préoccupations qui sont les siennes : « J'ai suivi la même route que bon nombre de mes cousins, dit le fils du vice-président (trente-huit ans). Les circonstances nous ont contraints à composer avec notre vie intérieure comme jamais aucun groupe de Rockefeller n'avait eu à le faire. A quelques exceptions près, nous avons tous compris qu'il serait insensé de vivre comme les robots d'une grande institution appelée " Famille Rockefeller ", et de payer sans cesse tribut à une conscience coupable. »

---

1. Née en 1939 à Seattle. Chansons populaires. (*N.d.T.*)

Né un an avant la mort du premier John Davison, Steven s'est toujours senti lié plus fortement aux traditions Rockefeller que certains de ses jeunes cousins. Le statut de fille Rockefeller avait très tôt plongé Abby dans les hostilités contre sa famille : mais, pour Steven, héritier virtuel, on avait aplani tous les chemins. Quand il se tourne vers son passé, ni nostalgie ni amertume, nul besoin non plus des icônes familiales dont la maison de sa sœur Mary est ornée. Ses souvenirs, comme sa personne, sont sans bavures ni fioritures.

« Mon grand-père était un petit homme très résolu, il est resté maître des principales composantes de la structure familiale jusqu'au dernier jour de sa vie, dit Steven. Qu'on n'aille pas vous dire qu'il n'était pas le maître absolu de ce qui se passait à Pocantico. Cette idée qu'il était dominé par ma grand-mère ne tient pas debout. C'est vrai qu'elle était très intelligente et chaleureuse. Mon père a hérité de certaines de ses qualités, dont il se sert politiquement : vous les sentez sourdre de lui quand il se met en mouvement, c'est-à-dire presque constamment. Junior était réservé, l'esprit plus étroit qu'Abby Aldrich, mais il avait un sens très précis de ses droits et de ce qu'il attendait de son entourage, y compris de ses petits-enfants. »

Jamais Junior n'avait évoqué de bonne grâce son passé quand il se trouvait en tête à tête avec Steven. Et Nelson ou ses oncles n'étaient guère plus loquaces sur la vie de Junior qui, en fait, avait été jusqu'à eux le dépositaire de l'histoire de la famille. C'est seulement plus tard que Steven en comprit la raison. « Grand-père menait son monde tambour battant, vous savez. Père et ses frères avaient l'impression qu'il était partout. Tenter de le surpasser, ou tout au moins de l'égaler, n'était pas une sinécure. Tous semblaient penser qu'à mettre trop l'accent sur ses réalisations, ils ne feraient qu'ajouter aux difficultés de leur tâche. Aussi, assez curieusement, c'est en discutant avec les domestiques que j'ai appris le plus clair de ce que je sais sur la famille. »

Moins paralysé par l'image de Nelson que son frère aîné Rodman, moins fasciné par son magnétisme que ses sœurs Ann et Mary, Steven a grandi en posant des questions, l'une des rares choses que Nelson décourageait carrément. « Père n'essaya jamais d'attaquer de plein fouet mes opinions. Notre seul problème, étant gosses, c'est qu'il n'aimait pas être interrogé sur ses opinions : ce genre de confrontation se trouvait donc barré. Il veut bien s'exprimer, laisser parler ses émotions, mais à condition d'être maître du jeu. Pas de discussion critique, pas de vrai dialogue. Si nous n'aimions pas la façon dont les choses étaient décrétées, nous étions libres de le dire, mais la conversation s'arrêtait là. En bref, les gens se voyaient autorisés à exprimer leur opinion, mais on leur faisait sentir que, dans ce cas, ils se heurteraient à un mur. On nous fit comprendre très tôt ce qu'il en coûtait de dévier de la ligne officielle. »

Au sein de la famille, c'est la compréhension de sa mère qui aida beaucoup Steven à s'orienter vers les chemins de l'indépendance et à s'y maintenir. « Elle entendait me soutenir, même si elle ne comprenait pas tout à fait ce qui m'animait dans cette lutte. Elle est extraordinairement large d'esprit pour une personne de sa classe et de son milieu. » Paradoxalement, Nelson contribua lui aussi à briser le moule dynastique. « Père lui-même s'est taillé sa route à lui, dit Steven. Il a ses buts, ses ambitions ; et il m'a dit un jour une chose qui m'est vraiment restée gravée dans l'esprit : si tu veux quelque chose dans la vie, fixe les yeux dessus, attelle-toi à la tâche et ne te laisse distraire par rien. C'est ainsi qu'il s'est comporté toute sa vie durant. Il est allé droit en suivant le chemin qu'il s'était tracé ; et il a fait ce qu'il voulait faire. »

Au sortir de l'enfance, Steven n'aspirait qu'à suivre la ligne officielle. L'éthique nelsonienne, exprimée avec tant de force, il la prit très au sérieux : « Lorsqu'on nous remettait notre argent de poche, il était clairement entendu que nous devions en donner 20 %. L'idée que l'argent implique la responsabilité, on nous la fit entrer dans le crâne à coups de marteau. » Steven finit par retenir par cœur le « credo » de son grand-père. En ces jeunes années, sa situation d'héritier ne lui valut en fait qu'un seul désagrément : ses camarades de classe de l'Académie Deerfield, où il réussissait fort bien, croyaient que les prix qu'il obtenait par ses bonnes notes étaient en quelque sorte achetés par son statut de Rockefeller.

Il entra à Princeton et, au prix d'une petite rébellion, gagna le droit de se spécialiser en histoire. (« En fait, je m'intéressais à la philosophie, mais en qualité de Rockefeller mâle, j'aurais dû me spécialiser en économie politique. ») Sa thèse de troisième cycle sur le rôle du vieux conseiller de son père, A. A. Berle, dans l'équipe de Roosevelt, lui valut le prix Taylor Pyne, décerné à un étudiant de 4ᵉ année pour ses « connaissances universitaires et ses qualités humaines » ; il obtint également la médaille de major de sa promotion.

Son éducation apparemment parachevée, il s'en vint à New York, entrer dans l'avenir qu'on lui avait préparé. Il n'était pas calqué sur le modèle de la génération précédente ; mais son père, il est vrai, n'était pas Junior, et répugnait à soumettre ses fils au tribut familial. Son point de vue sur la question, Nelson l'avait exposé à Rodman lorsque celui-ci avait terminé ses études : « Tu dois utiliser les institutions de la famille comme base d'opération. Entre dans un truc comme l'IBEC et sers-t'en à tes propres fins. »

C'est en Steven que ses oncles plaçaient tous leurs espoirs futurs, pas en Roddy. « J'ai grandi dans la pensée que je devais mettre mes pas dans ceux des frères, assumer un rôle dirigeant dans les institutions de la famille, puis me lancer dans le monde et assumer le même rôle, social et politique, dans la société en général. » Winthrop lui demanda de siéger au conseil d'administration de la Colonial Williamsburg et la salle n° 5600 insista beaucoup pour qu'il entrât dans l'administration de l'église du Riverside. Il repoussa ces deux propositions, mais accepta l'invitation de son oncle Laurance à entrer aux conseils d'administration de la Société pour la préservation du site de Jackson Hole et de l'Association américaine de préservation des sites.

A peine avait-il eu le temps de se familiariser avec ces institutions qu'il fut aspiré dans la première campagne paternelle pour le siège de gouverneur. Cette campagne de 1958 ne ressembla en rien aux suivantes, sortes de rouleaux compresseurs lancés par Nelson tous les quatre ans avec une écrasante régularité. L'argent ne manquait pas en 1958, mais la campagne, par son caractère personnel, presque improvisé, eut un éclat qu'elle ne retrouva jamais par la suite. Steven, âgé de vingt-deux ans, eut sa place dans la troïka qui organisait la campagne jour après jour (les deux autres étant Malcolm Wilson et Nelson lui-même). Après la remise des diplômes à Princeton, ils montèrent tous trois dans la Lincoln de Nelson et parcoururent l'État en tous sens: Wilson, longtemps parlementaire républicain, mit à profit ses relations pour assurer à Nelson des contacts avec les présidents de comté et les dirigeants locaux. Jeune, ardent, persuadé que son père pouvait apporter quelque chose d'unique et de nouveau dans les eaux stagnantes de la politique américaine, Steven fut à la fois le stimulateur et l'organisateur méticuleux de la campagne.

Après son élection, Nelson demanda à Steven de le rejoindre à Albany; mais Steven refusa; il ne voulait pas risquer qu'on l'accuse à nouveau d'être pistonné. (« Je ne voulais pas qu'on dise que si j'avais une place à bord, c'est parce que mon père dirigeait le bateau. ») Il décida d'accomplir son service militaire, entra dans l'armée et fit six mois de service actif. A Princeton, sur le conseil de son frère aîné Rodman, il s'était inscrit à la préparation militaire supérieure; mais le climat lui parut insupportable et, après une altercation avec le responsable des étudiants, il avait tout laissé tomber de propos délibéré. A présent, grâce à son temps d'armée, il allait pouvoir « planer » un moment, méditer sur la décision à prendre concernant l'avenir qui se profilait devant lui. « Quel plaisir d'être perdu dans la masse, simple soldat de première classe! [Sa remarque rappelle les réflexions de son oncle Winthrop à propos de son propre service militaire]. C'était agréable de n'avoir aucune responsabilité. Des vacances. Aller à la cantine, boire un verre de limonade, je n'avais rien d'autre à faire... »

Mais il y avait du nouveau dans les coulisses. En 1956, la mère de Steven avait engagé une nouvelle bonne : Anne-Marie Rasmussen, jolie blonde originaire d'un petit village de pêcheurs norvégien. Elle avait deux ans de moins que Steven. Elle était venue en Amérique dans l'espoir d'y mener la vie mouvementée que lui avait décrite un de ses oncles, émigré de longue date. Ses difficultés avec la langue anglaise (« Allô, ici la présidence Rockefeller », avait-elle répondu au téléphone à Pocantico, confondant « résidence » avec le mot magique de « présidence ») étaient plutôt un bon point aux yeux de ses nouveaux patrons. En effet, dans toutes les maisonnées Rockefeller, on préférait les étrangers comme aides domestiques : la barrière linguistique les empêchait de colporter des ragots.

C'est seulement au cours de l'été 1957 que Steven fit la connaissance d'Anne-Marie; il provoqua une surprise générale au bal annuel des sapeurs pompiers à Seal Harbor, d'abord par sa présence, ensuite en invitant à danser la séduisante domestique de la famille. Ils se rencontrèrent souvent par la suite; il l'emmenait dans sa vieille Volkswagen prête à rendre l'âme.

Quand vint pour lui le moment de s'en retourner à Princeton (en 4ᵉ année), l'idylle était officielle. (Tod, qui devait devenir l'un des plus fidèles défenseurs d'Anne-Marie, trouvait alors ce roman d'amour assez déprimant.)

Éprouvant quelque difficulté à dîner avec les Rockefeller en qualité de « petite amie » de Steven, puis à retourner travailler aux cuisines, Anne-Marie quitta leur service. Elle trouva un emploi de secrétaire à Bloomingdale, puis dans une compagnie d'assurances à New York. Au début de 1959, Steven étant sous les drapeaux, elle rentra en Norvège. En août, libéré, il prit l'avion pour aller la retrouver, câblant à ses parents pour leur annoncer son intention de se marier. La nouvelle des fiançailles de Steven, annoncée comme une histoire de Cendrillon internationale, ne tarda pas à faire la « une » du *New York Times*.

Steven reconnaît aujourd'hui (il n'en avait pas eu conscience à l'époque) que ce mariage trahissait la révolte qui avait grandi en lui sans toutefois trouver la force suffisante pour faire éclater sa carapace de bonne éducation. « C'était sans doute une tentative pour sortir du milieu social auquel j'avais appartenu. Ce qui m'attirait chez Anne-Marie, c'était la possibilité d'un retour aux valeurs fondamentales dont ma vie était dépourvue. Elle était issue de la communauté étroitement unie d'une petite île norvégienne. Moi, j'essayais d'enfoncer mes pieds dans la glèbe, de quitter le monde guindé et sévèrement régi de mon enfance, pour m'enraciner dans quelque chose de plus réel et de plus fondamental. »

Vers la fin de la même année, le couple se maria dans la petite église luthérienne de Soegne, village natal d'Anne-Marie — métamorphosé pour la circonstance en centre cosmopolite. Parmi les nombreuses personnalités présentes, l'ancien secrétaire général des Nations unies, Trygve Lie. Le bruit — erroné — avait couru que le Président Eisenhower assisterait à la cérémonie. Mais, dans ce cas, il aurait probablement été éclipsé par le père du fiancé. Nelson avait suspendu quelques heures sa quête de l'investiture républicaine dans la course à la présidence, le temps de faire un saut jusqu'à Soegne en supersonique. A sa descente d'avion, il lança joyeusement : « Bonjour, les enfants! » à Steven et Anne-Marie; aussitôt, une foule à faire pâlir d'envie, par sa densité et son degré d'enthousiasme, les propagandistes d'outre-Atlantique, se mit à scander : « Rockefeller! Rockefeller! Rockefeller! » La Cendrillon norvégienne ne fut pas longue à essayer la pantoufle de vair. Peu après la cérémonie de mariage, Anne-Marie déclara aux journalistes, dans un anglais qui s'améliorait à vue d'œil : « Cela va changer ma vie du tout au tout. Dorénavant, tout va être nouveau et différent pour moi. »

Parce qu'il avait épousé une « roturière », son mariage devint pour la famille le point de repère le plus remarquable dans la période comprise entre le divorce de Winthrop et le remariage de Nelson. En arrivant à Pocantico, Steven et Anne-Marie évitèrent de justesse un embouteillage monstre de journalistes et d'équipes de télévision tournoyant aux abords du portail d'entrée du domaine. Ils entrèrent en catimini par le portail privé de David, proche de sa maison. Et passèrent leur lune de miel à Hawes House, là où Nelson et Tod avaient vécu autrefois, eux aussi tout jeunes mariés. Un peu à l'écart, c'était la plus romantique des résidences du domaine. Le jour, les deux tourtereaux parcouraient sur la moto de Steven les kilomètres de pistes secondaires, s'arrêtant souvent pour se promener dans les bois. Le soir, il leur arrivait de recevoir des coups de téléphone anonymes. Steven, lui, était habitué à entendre au bout du fil ce genre de voix impersonnelle et chargée de haine, mais pas Anne-Marie. Au début, ils eurent souvent recours à un vieux jardinier, au service de la famille depuis de longues années : assis tout seul dans la cuisine, un fusil sur les genoux, il veillait sur la chambre conjugale.

A ceci près qu'il avait épousé une domestique au lieu d'une femme du monde, la vie de Steven se mit à ressembler à celle de son père. Comme Nelson, en se mariant jeune, il avait défié l'opposition de la famille ; comme lui, sa première année post-universitaire, il l'avait passée dans l'indécision. A présent, il était prêt à se mettre au travail. « J'avais à l'esprit la carrière passée de Nelson Rockefeller et je me sentais en devoir de suivre ses traces. »

Ce qu'il fit littéralement, en prenant du service au Bureau des loyers du Rockefeller Center, à l'endroit même où son père, quelque trente ans plus tôt, avait fait son entrée dans l'entreprise dynastique. Mais la ressemblance s'arrêtait là. Nelson avait aimé d'emblée le sentiment de puissance et la liberté de manœuvre attachés à cette tâche qui consistait à remplir les bureaux vacants du Rockefeller Center ; Steven, lui, se sentait tout simplement stupide. « J'étais là, en tournée, frappant aux portes et disant des trucs comme : " Salut, je suis Steven Rockefeller, je viens augmenter votre loyer... " C'était ridicule. J'avais d'autres centres d'intérêt, il fallait bien l'admettre. Je venais de m'occuper à fond de la campagne de mon père, et j'avais étudié l'histoire pendant quatre ans. Je m'intéressais à la politique et à la religion, à des questions touchant les fondements moraux de la démocratie et la nature de la " bonne société ". Comment concilier ce niveau de réflexion et les efforts pour augmenter les loyers ? (Surtout qu'il ne m'apparaissait pas évident que la famille eût encore besoin d'argent. En tout cas, moi, je n'en avais nul besoin : ce que j'avais me suffisait. Et je n'étais pas insensible à l'injustice représentée par notre immense richesse dans un monde où tant de gens se trouvaient démunis. »

Steven tenta bien de donner plus de signification à son travail, par exemple en persuadant la famille d'apposer une plaque de bronze, portant le « credo » de Junior, au-dessus de la piste de patinage sur glace qui tenait lieu de cour principale au Centre. Mais ce genre de geste pouvait-il vraiment le satisfaire ?

Tandis qu'il travaillait au Rockefeller Center, Steven s'était lancé — en travail noir ! — dans une entreprise éminemment non rockefellérienne : la lecture de Paul Tillich [1] et d'autres théologiens contemporains, dans l'espoir

1. Théologien et philosophe mort en 1971. (N.d.T.)

d'élaborer un système de société compatible avec le plein épanouissement de l'individu. Cet intérêt pour les problèmes moraux hâta sa prise de conscience : l'affaire familiale ne lui convenait décidément pas. « Cet intérêt, allais-je donc le glisser furtivement dans les petits interstices de mon temps de loisir? Je me dis : " Écoute, tu vas passer le reste de ta vie à lire ces livres à l'heure du déjeuner et le soir, pour n'éprouver en fin de compte que le regret de n'être jamais allé jusqu'au bout? " Et je pris la décision de quitter le Rockefeller Center et d'entrer au séminaire de l'Union théologique. Pourtant, je ne me sentais pas très fier d'agir ainsi. Je ne m'étais pas débarrassé de mes sentiments de responsabilité à l'égard de ma famille. Pour me consoler, je me dis que je ne rompais pas les ponts; je prévoyais d'entrer au séminaire pour un an seulement, le temps de faire le tour des réponses possibles à mes questions; ensuite, j'en ressortirais et entrerais dans la politique pour jouer un rôle actif dans la société. »

Mais Steven se rendit compte d'emblée que tout n'irait pas sans à-coups. Au moment de présenter sa demande d'admission, il déjeuna avec le président de l'Union, Henry Pitney Van Dusen, ami fidèle de la famille et membre du conseil d'administration de la Fondation Rockefeller. « Je lui fis part de mon sentiment que bien des choses dans notre société n'étaient pas en harmonie avec la tradition chrétienne qui était censée constituer son fondement. Il me répondit : " La contradiction est flagrante, n'est-ce pas? " Ma première réaction fut de me dire : non, le mot est trop dur, trop fort. On ne peut tout de même pas parler de contradiction. Mais je m'aperçus bien vite qu'il avait raison. »

Entré pour un an, Steven resta trois ans au séminaire. Au lieu de refaire surface dans la peau d'un homme politique, il se retira plus profondément en lui-même, obéissant aux impératifs d'une quête dont il comprenait encore imparfaitement les finalités. « J'essayais de trouver une signification à ce que je voyais. Je partis du début et tentai de soumettre à un examen approfondi les idées religieuses qui servent de base à notre société, sur lesquelles reposent les valeurs fondamentales de la civilisation occidentale. J'étudiai la théologie de l'Ancien Testament. J'analysai à fond les idées que j'avais déjà développées concernant ma relation à la société. Je consignai une bonne partie de mes réflexions dans une thèse que je rédigeai sur la pensée de Reinhold Niebuhr [1]. Il fut un temps où je songeai même à devenir pasteur, mais je n'étais pas vraiment croyant; c'était donc hors de question. »

C'est vers cette époque que son frère Michael périt en Nouvelle-Guinée. Extérieurement, il s'agissait d'un accident tragique dans la quête romantique d'un jeune homme. Mais, pour Steven, à la lumière de sa propre confusion intérieure de plus en plus pénible, il s'agissait de bien autre chose. Cette expédition dont Michael avait laissé entendre à son père qu'elle n'était qu'un prélude à une carrière dans les affaires internationales, Steven savait qu'elle avait représenté pour son frère quelque chose de très différent. « Pour

---

1. Sociologue protestant, auteur de *Moral man and immoral society*, 1932. (*N.d.T.*)

Michael, ce voyage était un moyen acceptable de gagner du temps. Il eut le courage de partir à la poursuite de ses désirs. D'après tout ce que nous savons de ses dernières semaines, il vécut là un bonheur intense. Son indépendance m'aida à me convaincre que la vie est trop brève pour transiger sur les choses qui nous paraissent réellement importantes ; si vous acceptez le compromis, en fin de compte vous ne valez rien, ni pour votre société, ni pour votre famille, ni pour vous-même. Entre nous, je suis profondément convaincu d'une chose : c'est que Michael aurait envoyé promener tout ça s'il avait vécu. Oui, il l'aurait fait. »

La fin de sa troisième et dernière année à l'Union théologique fut marquée par une foule d'événements. Ses parents s'étaient séparés, son père vivait avec Happy Murphy une idylle clandestine — bien moins secrète, au demeurant, qu'il le pensait. Michael était mort. Steven était en proie à une incertitude croissante sur la direction que sa vie devait prendre. Comme il fallait s'y attendre, son mariage avec Anne-Marie s'effritait. « Ma remise en question fondamentale des principes sociaux et individuels la laissait indifférente. Rien ne l'avait préparée à de longues années d'études supérieures ni à cette angoisse morale. Nos rapports devinrent aussi confus que tout le reste. »

Pas de fuite possible pour Steven : ni le voyage à l'étranger, ni la vie sans contact avec l'extérieur, ni le travail social parmi les déshérités. Il avait entrepris une odyssée intellectuelle aussi rude et dangereuse que l'avait été celle de Michael. Quand Steven émergerait de ses jungles, il serait le plus admiré des cousins : Jay et d'autres iraient jusqu'à l'appeler la « conscience » de la quatrième génération Rockefeller.

« J'ai traversé une période de totale confusion. J'en venais à douter de toutes mes croyances de jeunesse. J'étais devenu obsédé par ma propre identité. Obsédé par Dieu — symbole central des valeurs de toute société. Je voulais savoir le pourquoi et le comment de mes croyances. Et de celles de notre société. C'est vers cette époque que j'ai commencé à mettre en question ce qui était au cœur du mythe familial : à savoir que les Rockefeller sont des gens au-dessus du commun. Je dus m'attaquer au problème de la richesse et de la culpabilité. La mentalité rockefellérienne est fondée sur l'idée qu'en faisant le bien, nous justifions notre argent. En d'autres termes, il n'y a pas de justification à la possession de la richesse, mais les Rockefeller en trouvent une en faisant le bien. Il me fallut tailler là-dedans pour comprendre qu'il n'existe absolument aucune justification rationnelle à la fabuleuse fortune que détient ma famille. Et que la seule chose honnête qu'on puisse dire pour sa défense, c'est que nous aimons posséder cet argent et que le système social actuel nous autorise à le garder. »

Steven eut le sentiment qu'il ne verrait jamais le bout de sa crise en recourant à la seule raison. Il fit appel aux lumières d'un psychanalyste, et son analyse dura cinq ans. Sa thérapie tourna autour de ce thème clé : la répression de l'émotion, trait capital chez tous les cousins. Comme toujours, on se trouvait non pas éloigné, mais ramené au sein de la famille : « A mon avis, cette répression est étroitement liée à un impressionnant sentiment de responsabilité vis-à-vis de cet impressionnant phénomène qu'est la famille Rockefeller. Manquer de respect à la famille est impensable. Elle s'incarne dans certaines figures à qui vous êtes tenu de témoigner respect et vénération. Comme font les gens à l'église. En circulant les mains jointes, en s'efforçant d'avoir l'air pieux et bon. Adorer Dieu à l'église ou adorer la famille, c'est tout un. La famille est une chose sacrée : vous n'osez transgresser ni ses principes, ni ses normes, ni ses idéaux. Le résultat de tout ça, c'est qu'on tait bon nombre de choses. Manifester de l'hostilité envers la famille ou la mettre en question avec quelque véhémence, n'est tout simplement pas toléré. C'est finalement un système très coercitif. L'endoctrinement commence dès l'enfance, et il faut bien de la volonté, de l'énergie, du cran et des moments de solitude pour en sortir. »

Peu après le début de son analyse, Steven s'inscrivit à Columbia au département de philosophie. Il entreprit avec John Herman Randall la lecture systématique de toute l'histoire de la philosophie occidentale, des présocratiques jusqu'à John Dewey ; trois ans au bout desquels il publia une thèse de doctorat sur les fondements éthiques de la pensée de Dewey.

Il n'y eut pas de brusque révélation. Steven se rappelle avoir passé des soirées entières à déambuler seul ou, au volant de sa Volkswagen, à errer sans but dans les rues de New York ; il regardait les autres esseulés, imaginant qu'eux aussi étaient perdus. S'il avait jamais eu tendance à s'estimer au-dessus de la condition ordinaire, c'était bien fini. Au contraire, à présent, il se réjouissait de n'être pas plus mal en point que l'homme de la rue. « Cela me réconfortait de sentir que nous appartenions à la même communauté de gens en quête de quelque chose, complètement paumés », dit-il aujourd'hui.

C'est au plus profond de son désespoir qu'il commença volontairement à s'éloigner de sa famille. « Au plus fort de ma confusion, j'avais été incapable de mettre de côté ma " conscience Rockefeller ". Les projets que j'avais en tête pour la communauté, c'était toujours en qualité de responsable Rockefeller. Mais j'en étais arrivé à cette conclusion que je ne faisais vraiment rien pour personne — et surtout pas pour moi —, quand je n'étais motivé que par un sentiment abstrait du devoir. Il m'apparut qu'il fallait y mettre plus de véritable émotion, d'amour ou de tout autre variété de sentiment personnel. Je sentis que la seule expérience susceptible d'accoucher d'une société valable, c'est quand les gens agissent par conviction intime, non par crainte ou sens du devoir. Et, petit à petit, je me mis à suivre dans les affaires familiales une voie qui m'était personnelle : je résolus de ne faire que ce que j'estimais juste. Je donnai ma démission des conseils d'administration de Laurance et me débarrassai de presque toutes mes responsabilités de Rockefeller. »

La distance parcourue sur cette voie indépendante qu'il s'était tracée apparut pour la première fois aux yeux de tous en 1967. Tout en achevant sa thèse de doctorat à Columbia, il s'était penché sur un plan de lutte contre la pauvreté à Tarrytown. Une de ses coéquipières, une religieuse de la toute proche Université Marymount, lui demanda s'il accepterait de prononcer le discours de fin d'année scolaire en qualité de « voisin » de Marymount. Il donna son accord. Au moment où son père et ses oncles appuyaient de toutes leurs forces l'escalade de la guerre au Vietnam, Steven fit ce qu'on peut appeler, dans la bouche de tout héritier mâle de sa famille, mais surtout dans celle du fils du gouverneur de New York, une *franche* déclaration : « Si j'étais au Vietnam, dit-il — et dans sa voix perçait le zèle réformateur de ses ancêtres abolitionnistes Spelman —, je serais hanté par la question de la justice et de la justesse de la politique US... Ce que nous faisons là-bas va-t-il nous valoir une importante victoire sur les réelles difficultés auxquelles sont confrontés notre pays et l'humanité? J'en doute fort. Le monde réclame à cor et à cri une nouvelle vie, une œuvre nouvelle de création, et nous, nous consacrons nos ressources à une hideuse destruction. »

Sa femme, Anne-Marie, le fera remarquer par la suite : ce discours suscita parmi les cousins Rockefeller plus de polémique que tout autre événement depuis la décision de Jay de quitter les républicains pour adhérer au parti démocrate. En y repensant, Steven fait observer : « Cette prise de position publique conféra une réalité nouvelle aux différences entre mes opinions et celles de ma famille. C'était la première fois qu'était publiquement reconnu l'abîme sans cesse grandissant entre la pensée de mon père et la mienne J'attachais un grand prix à la communauté familiale, mais un prix plus grand encore à mon intégrité intellectuelle. Y renoncer pour les beaux yeux de la communauté familiale m'aurait ôté, je le savais, tout sentiment de dignité personnelle. »

Lorsque, le lendemain, des journalistes lui demandèrent son avis sur le discours de son fils, Nelson répondit brièvement : « Nous sommes dans un pays libre. » Il était visiblement irrité. Un an plus tard, cependant, quand « le Chef » entra dans la phase finale de sa campagne annulée, puis reprise, pour l'investiture républicaine dans la course à la présidence, il se tourna vers Steven pour lui demander de l'aider à mettre sur pied une coalition de libéraux, de minorités ethniques et de jeunes, capable de « redresser la situation du pays ».

Avait-il vraiment besoin de l'aide de son fils? Probablement pas; mais il en était venu à le considérer comme une sorte de référence morale et désirait recevoir sa caution au moment d'entreprendre sa nouvelle croisade. Anne-Marie prêta également main-forte pour « chauffer » les Américains d'origine scandinave en faveur de Rockefeller. Au cours des dix années écoulées depuis là première campagne nelsonienne pour le poste de gouverneur, Steven avait changé à un point que Nelson ne pourrait jamais comprendre. En 1958, Steven croyait sincèrement qu'il n'existait pas de meilleur candidat que son père. En 1968, s'il se laissa enrôler dans la Ligue des citoyens pour Rockefeller, ce fut moins par conviction politique que par un sentiment de fidélité mêlé de pitié. « Si on analyse la campagne de 1968, et en admettant que père voulait vraiment la présidence, on doit reconnaître que ce fut là une très étrange campagne. Il dépensa des sommes folles pour rien. Il ne réussit qu'à donner l'impression qu'il n'était plus à l'aise dans son époque, ce qui fut très bon pour Nixon. La grande période de père, ç'a été les années cinquante, la guerre froide. Les Études des frères ont marqué l'apogée de sa puissance et de son *leadership*. C'est au moment où Kennedy fut élu que père aurait dû gagner. Depuis, il n'a jamais abandonné, mais le moment favorable est passé. »

L'année suivante, en 1969, Steven annonça sa séparation d'avec Anne-Marie. Le mariage était chancelant depuis longtemps, avant même la naissance de leur troisième enfant, Ingrid, en 1964 (les deux aînés s'appelaient Steven Jr et Jennifer). Fatiguée de son rôle de Cendrillon mariée à un prince si réticent à jouer son rôle de prince, Anne-Marie avait décidé de changer d'orbite. Tandis qu'elle faisait campagne pour Nelson, en 1968, elle avait rencontré Robert W. Krogstad, industriel du Wisconsin, d'origine norvégienne, qui avait pris la tête des Américains d'ascendance scandinave en faveur de Rockefeller. Trois mois après l'annonce de sa séparation d'avec Steven, elle se rendit à Juárez, obtint un divorce facile, à la mexicaine ; au début de 1970, elle épousa Krogstad. « Mon mariage avec elle avait été, de part et d'autre, bâti sur des illusions. Elle avait quitté une île pour épouser un Rockefeller et croyait vivre dans l'opulence, la vie mondaine et ses sortilèges — en somme, tout ce que, pour ma part, je rejetais [1]. »

La « solution » de Steven aux dilemmes d'un héritier Rockefeller consiste, en partie du moins, à protéger efficacement ses principes contre tout affrontement direct avec la famille. Mais, en dépit de cette limitation volontaire, sa réflexion finit par atteindre en plein cœur le thème dynastique de l'épopée familiale et l'argument philanthropique qui l'entoure tel un fil d'or. Son système de valeurs s'exprime dans le monologue qui va suivre et qui réunit avec force l'histoire des quatre générations dans un simple écheveau ; rien ne saurait mieux expliquer pourquoi la saga des Rockefeller touche aujourd'hui à sa fin :

« Juger ce qui a été fait dans le passé ne m'intéresse pas. C'est un problème pour l'historien, pas pour moi. Pour moi, le problème est le suivant : " Qu'est-ce que je veux faire, moi, personnellement ? " C'est alors que je découvre l'impossibilité qu'il y a d'essayer de tenir le rôle de Rockefeller tel que l'ont défini mon arrière-grand-père, mon grand-père, puis les frères ; c'en serait fait de ma paix intérieure... J'aimerais pouvoir continuer à jouer un rôle positif dans le domaine philanthropique tant que demeurent intactes les ressources de la famille, mais uniquement dans des domaines qui me tiennent à cœur. Mais, en qualité de gestionnaire de fonds qui portent le nom de Rockefeller, cela ne m'intéresse pas. Ce que je veux personnellement éviter à tout prix, c'est que mon utilité soit exclusivement

---

1. Anne-Marie divorça d'avec son second mari au bout de deux ans, en 1972. Soulignant le fait qu'une partie de son être restait à jamais liée aux Rockefeller, elle fit construire une demeure dans la manière et le style de Pocantico, la baptisa « Ras-Rock » et s'y installa avec ses trois enfants.

fonction du sac d'or qu'on a déposé sur mes genoux. Problème crucial pour tous les cousins. Ils ont horreur qu'on les identifie à la lettre **$**. Le problème, c'est d'avoir quelque chose à offrir qui vienne de vous-même, de votre intelligence, de votre humanité, de votre créativité, et non pas simplement de votre compte en banque.

« Pour mon grand-père, la situation était sensiblement différente. Il était confronté au problème du destin et de l'avenir de la fortune dans son ensemble. Sa manière de le traiter révèle un certain degré de créativité : c'est lui qui orienta résolument les choses du côté de la philanthropie. Le processus avait été amorcé par son propre père ; mais c'est Junior qui donna tout son poids à la tradition du don et du service social, qui fut d'une importance capitale dans le développement de la famille.

« Mais, au cœur de cette philanthropie, il y avait une contradiction qui m'a toujours tracassé et dont je n'ai jamais pu véritablement venir à bout. Simplement ceci : enfants, on nous a toujours dit et répété que nous devions donner une bonne partie de notre argent, aussi longtemps qu'il y aurait de par le monde des gens dans le besoin. Pour moi personnellement, il y avait dans tout ça une évidente logique : puisque nous devons effectivement donner de l'argent à ceux qui sont trop démunis pour subvenir à leurs besoins, c'est qu'il y a incontestablement quelque chose qui cloche dans le monde, entre ces gens dépourvus du strict nécessaire et nous qui baignons dans l'opulence. Si vous avez la conviction profonde que ces indigents ont des droits sur vous, et si vous désirez y répondre sérieusement, de quels critères allez-vous vous servir pour établir la limite de ces droits ? Vous vivez dans une démocratie, vous croyez à l'égalité, vous êtes élevé dans une Église chrétienne où l'on vous dit que Dieu est amour et que, par le don de soi, vous atteignez à la plus haute forme de réalisation de soi. A quoi cela rime-t-il, dans ces conditions, de fixer la limite de vos dons à 20 % ou 30 % ou 50 % (ce qui n'implique pas le moindre sacrifice de votre part) ? En réalité, pour se conformer à la logique établie par mon grand-père, il faudrait donner, donner autant qu'il est possible, et jusqu'à épuisement. J'étais peut-être en train de prendre l'éthique de la philanthropie plus sérieusement qu'on ne l'aurait voulu. J'allais jusqu'au bout de sa logique. Et je n'oubliais pas ce jugement porté sur la philanthropie par Reinhold Niebuhr : " C'est, à maints égards, une forme de paternalisme par laquelle une classe privilégiée tente de préserver son propre statut en distribuant des fonds avec parcimonie à une collectivité nécessiteuse, dans un style paternaliste. " A première lecture, cette affirmation me hérissa quelque peu. Probablement parce que je savais pertinemment qu'elle contenait une grande part de vérité. Je crois toujours qu'au sein de l'organisation sociale américaine, la philanthropie est un moyen important pour développer l'esprit de créativité ; mais, en même temps, je crois à la nécessité de créer un système social qui pourvoie aux besoins vitaux des citoyens.

« Moi, j'en suis toujours à essayer de fixer la limite. Cette richesse que je possède sous la forme très compliquée de dépôts me met mal à l'aise. J'ai la ferme conviction qu'il n'existe pas de justification rationnelle aux privilèges exorbitants dont nous jouissons, non plus qu'à l'accumulation des énormes richesses qui est à leur origine. Impossible de les justifier rationnellement ni de leur trouver de bonnes raisons morales. Comment décréter qu'il est socialement sain qu'une poignée d'hommes détienne des sommes colossales et vive dans l'opulence et le plus grand confort cependant que les autres traînent lamentablement une existence misérable? C'est impossible. Voici la seule chose que vous puissiez hasarder pour défendre votre mode de vie : " Notre système social me permet de jouir de ces biens, et ça ne me déplaît pas. Donc, je soutiens le système social qui rend cette chose possible. " Bon, mais ce n'est pas un argument rationnel; ce n'est qu'une déclaration égoïste témoignant de préférences personnelles.

« En ce qui me concerne, je vis dans le confort, mais sans folles dépenses. Je n'ai pas résolu toutes les difficultés personnelles et sociales qu'impliquerait une solution plus adéquate. Mais je m'efforce d'avoir une attitude honnête vis-à-vis de ce problème, et je ne fais pas semblant de vivre selon certains idéaux quand je sais qu'il n'en est rien. La famille a donné quelque chose comme 1 milliard de dollars, mais, de toute évidence, cela n'a pas représenté un gros sacrifice pour elle. Elle l'a fait parce qu'elle avait intérêt à le faire. Elle a certainement accompli beaucoup de bonnes œuvres avec cet argent. Mais dire que ce fut un sacrifice, non. Donner 1 million de dollars quand vous en avez 100 millions ne vous rend sûrement pas meilleur que les autres. C'est pourtant ce qui a donné naissance à l'idée que la famille Rockefeller est, d'une certaine façon, supérieure au reste du monde. Si les cousins éprouvent de la difficulté à assumer leur propre identité, c'est qu'en fait, au fond de leur cœur, ils croient vraiment qu'il y a quelque chose de supérieur chez les Rockefeller. Ils ont accepté une partie du mythe : les Rockefeller *sont* la famille royale d'Amérique; ils *sont* supérieurs. Moi, je ne tombe pas là-dedans.

« Certains individus, dans la famille, ont fait beaucoup de bien, ont été extraordinaires, mais la famille n'en constitue pas pour autant une caste à part au sommet de la société américaine : et si ce point de vue commence à vous entrer dans la tête, alors vous n'allez pas tarder à comprendre que vous ne trahissez rien de sacré, que vous ne vous détournez pas d'un bien absolu au bénéfice d'un bien de qualité inférieure, dès que vous cessez de faire exactement ce que d'autres membres de la famille ont fait dans le passé, ou de vivre à leur manière, ou de poursuivre les entreprises qu'ils ont commencées. »

Quand il fait beau, les célèbres Montagnes vertes du Vermont se profilant tels des icebergs derrière Middlebury, Steven circule dans le campus, à pied ou à bicyclette, comme il en a pris l'habitude dès son arrivée à l'Université en 1969; droit et mince dans son anorak, il avale à grandes goulées l'air presque mentholé. Un assistant comme les autres, qui en passant salue de la tête ses collègues et les étudiants, l'esprit souvent absorbé par les chapitres inachevés de son ouvrage sur les débuts de la carrière de John Dewey, qu'il doit mener à bien avant sa soutenance de thèse. Tout en estimant qu'il n'est probablement qu'à mi-chemin de sa quête, il apprécie le sentiment d'équilibre qu'il a fini par éprouver dans sa vie quotidienne. « J'aime enseigner. Ma conscience sociale y trouve son compte, la santé de mon esprit également. Des relations vraies avec d'autres gens, il n'y a rien de tel pour ça. »

Y compris avec sa famille. Steven n'a jamais envisagé le rejet des Rockefeller comme un choix sérieux. Même s'ils entravent sa liberté et la réalisation complète de ses choix, il estime pouvoir se permettre de les accepter, un peu comme un fait accompli; il pense également qu'il se doit d'œuvrer efficacement au sein de la famille, presque en qualité de « chef de file » des cousins.

Cependant, l'expression « chef de file » impliquerait une continuité dans la dynastie Rockefeller. Steven ne veut pas de ce rôle et doute de sa nécessité pour l'avenir. Il se voit davantage en situation d'observateur du processus de démantèlement qui doit inexorablement miner la famille Rockefeller de son vivant même. « Dans la famille, et même dans ma génération, il y en a qui ont le sentiment que les Rockefeller sont investis d'une mission particulière dans l'Histoire. A nos yeux, nous sommes déjà bien trop nombreux pour que les membres de la famille aillent parader un peu partout, la bouche pleine de notre" identité particulière "! Pour moi, la famille n'est pas primordiale. Je la considère d'un point de vue pratique : que peut la famille Rockefeller en tant qu'institution pour faire avancer les choses dans les domaines qui retiennent mon attention? En quoi peut-elle garantir à mes enfants une éducation qui en fera de bons citoyens et de bons démocrates dans ce pays? Peut-elle vraiment les aider, ou n'est-elle en réalité qu'un anachronisme, un dinosaure qui s'efforce de les empêcher de quitter le nid et de s'intégrer à la vie américaine, comme tout le monde? J'ai le sentiment que la famille en tant qu'institution n'est que le fruit d'une certaine culture et d'une certaine période de l'Histoire de ce pays. Elle a eu son heure. Dès l'instant où la puissance créatrice qui a présidé à sa naissance quitte une institution, celle-ci n'a plus qu'à mourir. C'est ainsi, et c'est très bien ainsi. Ce mythe de la dynastie Rockefeller est complètement dépassé. »

Cela est dit sur ce même ton détendu, réaliste et résolu dont Steven a usé pour se présenter. Il ne s'agit ni d'un mélodrame ni d'une tragédie : c'est un fait. Ni explosion, ni gémissement : la dynastie Rockefeller s'achève sur un haussement d'épaules et un sourire.

Il y a probablement un lien entre cette aptitude à dire « Steven Rockefeller » sans rentrer sous terre et cette faculté d'envisager la fin d'une histoire qui a engendré « ce nom ridicule » (comme dit Abby). Tout à fait le genre d'énigme propre à susciter chez Steven, en temps normal, une discussion passionnée; mais, aujourd'hui, précisément, Steven a la garde de son fils, Steven Jr. Le voilà qui farfouille partout, à la recherche de la veste du petit : tous deux vont aller à pied sur le campus, assister à un match de football auquel participe l'équipe de Middlebury. Lançant un coup d'œil au-dehors, il

563

dit : « L'une des meilleures choses de ma vie, c'est de vivre ici et de pouvoir descendre à pied la rue Weybridge en disant bonjour à mes voisins. C'est peu de chose, direz-vous ; mais c'est une chose à laquelle je n'ai pas eu droit étant enfant, vous comprenez. »

ÉPILOGUE

Depuis le temps où William Avery [1] vivait brouillé avec la loi dans les régions sauvages du Nord de l'État de New York, la destinée des Rockefeller s'est toujours trouvée synthétisée par l'imprévisible alchimie des rapports parents-enfants. Mais, plus encore que leurs prédécesseurs, les cousins ont grandi dans une épineuse forêt œdipienne. Pour eux, les actes les plus élémentaires ont été lourdement chargés de signification; les chemins de leur maturité, jonchés des résidus émotionnels des conflits antérieurs entre pères et fils. Pour reprendre possession de soi, il ne suffit plus de se révolter contre les parents, il faut assener un coup meurtrier à la famille, à ses règles, à ses traditions. Dans leur monde d'ombres chinoises où chaque geste prend des proportions surhumaines, le parricide symbolique revêt l'allure d'un meurtre dirigé contre l'Histoire elle-même.

Vivant au sein d'une famille où le silence est roi, regorgeant de tout sauf de sentiment, les cousins ont essayé de prendre le minimum indispensable de décisions. Mais même leur désir bien naturel d'être d'abord et avant tout des individus, et ensuite seulement des Rockefeller, a été interprété comme un mortel affront à la dynastie créée par leur arrière-grand-père et consolidée par leur aïeul. Ce désir, en dépit de sa modestie, a ouvert de larges brèches dans la muraille de vénération quasi religieuse qui entourait la famille et sa mission spéciale. En prenant leurs distances avec la responsabilité et les obligations attachées au rôle rockefellérien et à sa puissance, les cousins — presque à leur corps défendant — ont détruit l'illusion dynastique. On dirait un énorme acte manqué freudien. Ils voulaient dire : « Notre seul désir, c'est d'être nous-mêmes »; et l'on a entendu : « Notre seule crainte, c'est d'être des Rockefeller. » Si l'on exclut les aspects humains de leur dilemme, les cousins sont devenus les fossiles vivants d'une histoire exceptionnelle.

Il y avait, au cœur du projet dynastique de Mr. Junior, un astucieux calcul moral. Ses efforts philanthropiques allaient laver la fortune familiale de sa « souillure », effacer la tache sur le nom. La vie de Junior, nourrie par le besoin obsessionnel de croire son père blanc comme neige, devint progressivement un long exercice d'autojustification. Il avait entrepris de prouver que l'argent dont il avait à présent la garde était non seulement bien acquis, mais bien mérité : la famille allait devenir le lieu central de cette démarche.

---

1. Père de Senior. (*N.d.T.*)

L'idée de Junior. c'est que les Rockefeller à venir mériteraient leur patrimoine en prenant en charge ce que le révérend Gates avait appelé « le bien-être de l'humanité ». La richesse ne viendrait plus, même par des voies détournées. récompenser l'effort individuel: c'est l'individu qui, par les services qu'il rendrait, s'acquitterait sa vie durant d'une sorte de dette envers la richesse elle-même. la méritant ainsi *a posteriori*. Senior avait affirmé qu'il tenait son argent de Dieu: il en était l'intendant: Junior affina ce concept et en fit un code global de moralité, dont ses héritiers devaient parfaitement assimiler les termes : à savoir que la puissance, comme l'argent, implique des devoirs: qu'elle est. comme l'argent, partie intégrante du legs.

Junior était un classique : il façonnait la nature au gré de ses exigences. La construction fut la grande passion de sa vie : les matériaux, inertes et dociles, se pliaient sans difficulté aux désirs de son instinct créateur. Il réussit fort bien, également. dans ces vastes domaines proposés à son attention par ses collaborateurs : des injections de capital soigneusement dosées suffisaient à y imprimer son action. Mais s'il était capable de régir, voire de modifier la nature des choses. il lui était impossible d'exercer son contrôle sur la nature humaine. C'est là que le bât le blessa : car ce fut le seul élément incontrôlable de l'entreprise Rockefeller.

Le problème surgit immédiatement parmi ses propres fils. Ils allaient vaquer librement dans cet espace épique que Junior avait créé par sa gestion judicieuse de la fortune du premier John Davison. On allait les voir au faîte de la vague sociale et politique, portés par les solides institutions qu'il avait créées et les liens qu'il avait tissés. Ils ne mirent jamais en question les rôles démesurés qu'on leur assigna dans la vie. Simplement, à la fin, ils furent impuissants à les tenir, incapables d'assurer à l'identité Rockefeller un potentiel de survie en la réduisant à des dimensions réalistes, intelligibles et durables.

Dès qu'il avait essayé de transcender le rôle d'héritier présomptif, d'être autre chose que le simple représentant de son père, il était devenu évident que JDR 3 courait à l'échec. L'incapacité de Laurance à se dégager franchement de ses origines, l'attitude autodestructrice de Winthrop revê-tirent également une signification très claire vers la fin de leur vie. Le message contenu dans l'irrésistible ascension de David à la Chase. c'est qu'en fin de compte les institutions de Junior fournissaient l'énergie capable de propulser un Rockefeller, mais non l'inverse. Et l'ambition de Nelson, tel un organisme boulimique, finit par se retourner contre les traditions fondamen-tales de la moralité familiale, qu'elle consuma pêle-mêle avec tout le reste.

Leur échec relatif, les frères doivent l'imputer en partie à leur acceptation aveugle du fameux sens de la destinée que leur père avait insufflé à toute la famille. Ils y ont cru dur comme fer, pour eux-mêmes et pour leurs enfants. Sans tenir compte de l'impact des bouleversements sociaux des années soixante sur les cousins, ils ont estimé que leur éloignement des mythes familiaux n'était qu'une phase de leur développement, une sorte de trac qui les saisissait et qui n'était pas sans rappeler les hésitations de leur propre jeunesse au moment de pénétrer dans l'avenir démesuré qu'on leur avait préparé. Ils ne comprirent pas que si leurs enfants s'étaient détachés du sens de la mission familiale, c'était sous la pression des événements, sans que ce fût délibéré de leur part; et cette idée de mission n'allait-elle pas finir par paraître outrée, archaïque, voire blâmable, « souillée » même, à l'impitoyable lumière des événements du Vietnam, puis du Watergate? Le fardeau particulier de la quatrième génération consista à contempler le passé rockefellérien de puissance et de grandeur avec une certaine nostalgie tout en sachant fort bien qu'ils n'y pouvaient eux-mêmes prétendre. Ils seraient contraints de regarder la famille et ses mythes avec des yeux de profanes, et de se rendre ainsi compte que sa « place au soleil », la famille l'avait gagnée par la puissance, non par le mérite. Voilà quel spectacle donnait à présent la minutieuse tapisserie morale de Junior.

Tandis que les fils de David Rockefeller détournent leurs regards de la Chase pour se lancer dans l'art ou la médecine, une ère s'achève. En effet, à la différence de la fortune ou des biens accumulés, la puissance, pour être vraiment possédée, doit s'exercer effectivement. L'influence de la famille dans la banque, par le biais de ses paquets d'actions, a beau être considérable, la Chase, sans Rockefeller à sa tête, ne conférera plus sa magnificence à l'idée dynastique. Elle cessera d'être un instrument de la puissance familiale et deviendra comme la Citibank pour le clan Stillman Rockefeller. Comme sa rivale, la Chase se fondra dans cet ensemble inextricable d'institutions dont la propriété, en fin de compte, appartient aux Rockefeller au même titre qu'à d'autres familles de milliardaires; détenteurs de titres, ils le sont toujours, légalement, mais ils ont cessé d'être des potentats actifs; les voici dépositaires de la puissance et non plus souverains.

La Fondation Rockefeller résume le sort des institutions qui étaient destinées à soutenir la dynastie de Junior pour les siècles des siècles. Sortie du cercle restreint de la famille proprement dite, elle n'en continue pas moins à se tenir à l'épicentre de la richesse et de la puissance américaines; et ses administrateurs sont tous amis ou collaborateurs des Rockefeller. Elle reste proche de la famille, si elle n'en est plus issue; et cette formule s'applique mieux encore au groupe de sociétés dirigé par la Standard du New Jersey, aujourd'hui, plus d'une génération après le départ du dernier Rockefeller: une fois de plus, c'est devenu le plus grand trust industriel du monde. La dynastie est mortelle; les institutions poursuivent leur vie propre.

Le processus mis en branle par la société de négociants en grains Clark & Rockefeller quand, pour la première fois, elle spécula sur le pétrole, est loin d'être achevé; mais l'attitude de la génération actuelle laisse entrevoir ce que sera sa forme dernière. Parmi les enfants des cousins, il y en aura peut-être pour mettre leurs pas dans ceux d'oncle Jay, pour profiter de ce potentiel considérable que représentent toujours l'argent, le nom, les relations, afin d'atteindre à leur tour à des positions de puissance personnelle. D'autres se contenteront de jouir de la richesse, du moins dans la mesure où cette jouissance est possible pour un héritier Rockefeller. Une poignée de marginaux demeureront en état de révolte. Mais la majorité silencieuse des héritiers s'orientera vers une fusion avec l'aristocratie US de l'argent pour s'éloigner peu à peu, tranquillement, des impératifs dynastiques.

La salle n° 5600 sera contrainte de ralentir ses activités pour se concentrer sur les donations et les impôts, deux fonctions inséparables exigées par le reliquat, fort conséquent, de l'immense fortune. Tout ce qui concernait la conduite de la destinée familiale s'atrophiera en même temps que le sens de cette destinée. Le Bureau de la famille Rockefeller n'attirera plus ces hommes ambitieux, avides de franchir le fossé qui sépare la puissance privée de la puissance publique.

A la place de la famille, il y aura cinq familles — celles des héritiers mâles des frères. Longtemps après la mort des frères, leurs petits-enfants (la cinquième génération) hériteront finalement des restes de la fortune de Senior, les « Dépôts 1934 », mis à leur disposition au jour de leur majorité. Les cousins vieillissants s'inquiéteront probablement des effets que produira sur leurs enfants cette soudaine richesse, de ses implications pour les Rockefeller et leur idéal de service public. Mais, à ce moment-là, on aura oublié que les Rockefeller ont naguère constitué la plus royale des familles d'Amérique, et cette question restera purement théorique.

Et la boucle de la saga Rockefeller achève de se refermer. On dirait que, depuis la fondation de la Standard Oil, tout n'a été que folle mascarade sur le thème de la vanité des désirs humains. Junior avait entrepris de prouver au monde que la richesse dont il avait hérité était moralement justifiée ; en fin de compte, il n'est même pas parvenu à en convaincre ses petits-enfants. Il créa une identité dynastique dans le but de réduire la distance entre les Rockefeller et le reste de l'humanité ; en fin de compte, l'isolement des Rockefeller s'en est trouvé renforcé, et, suprême ironie, c'est l'unité de la famille qui s'est effritée.

La tentative des cousins pour se forger une identité indépendante de la famille est trop hésitante et mal assurée, trop prosaïque, en un sens, pour être qualifiée d'héroïque. La fin de cette dynastie n'en revêt pas moins une dimension épique, sur le plan des symboles, sinon sur celui des événements. Pendant plus de cent ans, les Rockefeller ont modelé leurs ambitions sur la destinée impériale des États-Unis. Leur déclin se consomme à l'heure même où le Siècle américain, avant d'atteindre à son terme, se sent lui aussi décliner. Dans un cas comme dans l'autre, il n'y a pas lieu de le regretter.

La famille

John Davison Rockefeller Jr

John Davison Rockefeller Jr (1874-1960)
ép. - 1901 - Abby Greene Aldrich (1874-1948)
ép. - 1951 - Mrs. Martha Baird Allen (1895-1971)

John Davison Rockefeller

John Davison Rockefeller (1839-1937)
ép. - 1864 - Laura Celestia (« Cettie ») Spelman (1839-1915)

- Bessie Rockefeller Strong (1866-1906)
ép. - 1889 - Charles Augustus Strong (1862-1940)
- Alice Rockefeller (1869-1870)
- Alta Rockefeller Prentice (1871-1962)
ép. - 1901 - Ezra Parmalee Prentice (1863-1955)
- Edith Rockefeller McCormick (1872-1932)
ép. - 1895 - Harold Fowler McCormick (1872-1941)
div. 1921
- John Davison Rockefeller Jr (1874-1960)
ép. - 1901 - Abby Greene Aldrich (1874-1948)
ép. - 1951 - Mrs. Martha Baird Allen (1895-1971)

Abby Rockefeller Mauzé

Abby (« Babs ») Rockefeller Mauzé (1903-   )
ép. - 1925 - David M. Milton (1900-   )
div. 1943
ép. - 1946 - Dr Irving H. Pardee (1892-1949)
ép. - 1953 - Jean Mauzé (1903-1974)

- Abby (« Mitzi ») Milton O'Neill (1928-   )
ép. - 1949 - George Dorr O'Neill (1926-   )
- Marilyn Milton Simpson (1931-   )
ép. - 1953 - William Kelly Simpson (1928-   )

John Davison Rockefeller III

John Davison Rockefeller III (1906-   )
ép. - 1932 - Blanchette Ferry Hooker (1909-   )

- Sandra Ferry Rockefeller (1935-   )
- John (« Jay ») Davison Rockefeller IV (1937-   )
ép. - 1967 - Sharon Lee Percy (1944-   )
- Hope Aldrich Rockefeller Spencer (1938-   )
ép. - 1959 - John Spencer (1930-   )
div. 1969
- Alida Davison Rockefeller (1949-   )

- Abby (« Babs ») Rockefeller Mauzé (1903-   )
- ép. - 1925 - David M. Milton (1900-   )
  div. 1943
  ép. - 1946 - Dr Irving H. Pardee (1892-1949)
  ép. - 1953 - Jean Mauzé (1903-1974)
- John Davison Rockefeller III (1906-   )
  ép. - 1932 - Blanchette Ferry Hooker (1909-   )
- Nelson Aldrich Rockefeller (1908-   )
  ép. - 1930 - Mary (« Tod ») Todhunter Clark (1907-   )
  div. 1962
  ép. - 1963 - Mrs.Margaretta(«Happy») FitlerMurphy (1926-   )
- Laurance Spelman Rockefeller (1910-   )
  ép. - 1943 - Mary French (1910-   )
- Winthrop Rockefeller (1912-1973)
  ép. - 1948 - Mrs. Barbara (« Bobo ») Sears
  div. 1954
  ép. - 1956 - Mrs. Jeannette Edris (1918-   )
  div. 1971
- David Rockefeller (1915-   )
  ép. - 1940 - Margaret (« Peggy ») McGrath (1915-   )

Nelson Aldrich Rockefeller

Nelson Aldrich Rockefeller (1908-   )
ép. - 1930 - Mary (« Tod ») Todhunter Clark (1907-   )
div. 1962
ép. - 1963 - Mrs. Margaretta (« Happy ») Fitler Murphy (1926-   )

- Rodman (« Roddy ») Clark Rockefeller (1932-   )
  ép. - 1953 - Barbara Ann Olsen (1930-   )
- Ann Clark Rockefeller Coste (1934-   )
  ép. - 1955 - Robert Laughlin Pierson (1926-   )
  div. 1966
  ép. - 1970 - Lionel R. Coste (1933-   )
- Stephen Clark Rockefeller (1936-   )
  ép. - 1959 - Anne-Marie Rasmussen (1938-   )
  div. 1970
- Michael Clark Rockefeller (1938-1961)
- Mary Clark Rockefeller Strawbridge (1938-   )
  ép. - 1961 - William Justice Strawbridge Jr (1936-   )
  div. 1974
- Nelson Aldrich Rockefeller Jr (1964-   )
- Mark Fitler Rockefeller (1967-   )

Laurance Spelman Rockefeller

Laurance Spelman Rockefeller (1910-   )
ép. - 1934 - Mary French (1910-   )

- Laura Spelman Rockefeller Chasin (1936-   )
  ép. - 1956 - James Herbert Case III (1935-   )
  div. 1970
  ép. - 1971 - Dr Richard M. Chasin (1936-   )
- Marion French Rockefeller Weber (1938-   )
  ép. - 1965 - Warren Titus Weber (1941-   )
- Dr Lucy Aldrich Rockefeller Waletzky (1941-   )
  ép. - 1964 - Dr Charles Hamlin (1939-   )
  div. 1969
  ép. - 1970 - Dr Jeremy Peter Waletzky (1943-   )
- Laurance (« Larry ») Rockefeller Jr (1944-   )

Winthrop Rockefeller

Winthrop Rockefeller (1912-1973)
ép. - 1948 - Mrs. Barbara (« Bobo ») Sears
div. 1954
ép. - 1956 - Mrs. Jeannette Edris (1918-   )
div. 1971

- Winthrop Paul (« Win Paul ») Rockefeller (1948-   )
  ép. - 1971 - Deborah Cluett Sage (1951-   )

David Rockefeller

David Rockefeller (1915-   )
ép. - 1940 - Margaret (« Peggy ») McGrath (1915-   )

- David Rockefeller Jr (1941-   )
  ép. - 1968 - Sydney Roberts (1943-   )
- Abby Aldrich Rockefeller (1943-   )
- Neva Goodwin Rockefeller Kaiser (1944-   )
  ép. - 1966 - Walter Jacob Kaiser (1931-   )
- Margaret (« Peggy ») Dulany Rockefeller (1947-   )
- Richard Gilder Rockefeller (1949-   )
- Eileen McGrath Rockefeller (1952-   )

Table

IMP. BUSSIÈRE A SAINT-AMAND (CHER)
D. L. 2ᵉ TRIM. 1976. Nº 4447 (593).